DICTIONNAIRE
DES
CANADIANISMES

Gaston Dulong

DICTIONNAIRE
DES
CANADIANISMES

Nouvelle édition revue et augmentée

SEPTENTRION

Nous remercions le Conseil des Arts du Canada et la SODEC pour le soutien accordé à notre programme d'édition, de même que le gouvernement du Canada pour l'aide financière reçue par l'entremise du Programme d'aide au développement de l'industrie de l'édition (Padié).

Maquette de la couverture : Bleu Outremer

Mise en pages : Gilles Herman

Si vous désirez être tenu au courant des publications des ÉDITIONS DU SEPTENTRION vous pouvez nous écrire au 1300, av. Maguire, Sillery (Québec) G1T 1Z3 ou par télécopieur (418) 527-4978 ou consulter notre catalogue sur Internet :

http://www.septentrion.qc.ca

Première édition : 1989

© Les éditions du Septentrion
1300, av. Maguire
Sillery (Québec)
G1T 1Z3

Diffusion Dimedia
539, boul. Lebeau
Saint-Laurent (Québec)
H4N 1S2

Diffusion en Europe :
Librairie du Québec
30, rue Gay-Lussac
75005 Paris
France

Dépôt légal – 2ᵉ trimestre 1999
Bibliothèque nationale du Québec
ISBN 2-89448-135-7

PRÉSENTATION

La deuxième édition de ce dictionnaire comprend de nombreux ajouts par rapport à la première. Tant dans la très riche langue rurale du Québec, de l'Acadie et de l'Est ontarien, que dans la langue des citadins – depuis l'argot des différentes couches de la société jusqu'aux termes spécialisés des métiers et professions –, il y a eu une sensible augmentation du nombre d'entrées.

On remarquera un vocabulaire plus élargi du milieu géographique : faune, flore, poissons, insectes, de celui de nos institutions politiques, administratives, religieuses et scolaires, de nos croyances et superstitions, de nos sports favoris.

Comme dans la première édition on y trouvera des mots normalisés par l'Office de la langue française (OLF), nombre de gentilés (appellation des habitants d'une ville, d'une région ou d'une province), beaucoup de mots du blason populaire (appellations ironiques des habitants d'un village, d'une paroisse, d'une ville ou d'un peuple).

De plus, on notera qu'il a été fait une place privilégiée à la dimension particulièrement métaphorique de la langue, preuve, s'il en est, de sa vitalité.

Quant aux expressions empruntées à l'anglais qui sont malheureusement encore nombreuses, grâce à la décolonisation linguistique amorcée à partir de 1960, nombre d'expressions que l'on croyait indéracinables sont disparues ou en voie de disparaître, ce pourquoi elles figurent ici.

Bien sûr ce dictionnaire indique aussi la localisation précise des mots propres à telle ou telle région (voir le guide d'utilisation), mots pour la plupart issus directement du français archaïque ou régional du nord-ouest, de l'ouest et du centre-ouest de la France.

Ce dictionnaire se veut un outil pédagogique et revêt donc essentiellement un aspect correctif. Si un certain nombre d'entrées, fautes graves de syntaxe, de morphologie ou d'orthographe peuvent s'y trouver, c'est essentiellement pour que leurs équivalents grammaticalement corrects soient dorénavant employés.

Nous souhaitons enfin que ce dictionnaire soit un outil utile et plaisant pour tous ceux qui le consulteront.

Gaston Dulong

PRÉFACE

La parution de cette édition re-
nouvelée et augmentée du *Dictionnaire des
canadianismes* illustre la passion et l'intérêt
soutenus de Gaston Dulong pour la langue
française qui fut l'objet de son enseignement pendant les 35 années de sa
carrière de professeur au Département de
langues et de linguistique de l'Université
Laval.

Avec quelques rares collègues, Gaston
Dulong fait partie des premiers Québécois
qui ont acquis leur formation en France
auprès d'éminents linguistes européens tel
Albert Dauzat qui fut responsable du projet
national des atlas linguistiques décrivant les
parlers régionaux de France. Découvrant
l'importance des parlers populaires dans
l'étude d'une langue, Gaston Dulong
concentre dès son retour au Québec ses
travaux de recherche et son enseignement
universitaires sur la description et l'étude
de la langue française originale qui a pris
forme en terre québécoise et canadienne.
Reconnu bientôt comme un spécialiste de
la langue franco-canadienne, il allait ainsi,
tout au long de sa carrière, participer à de
nombreuses publications et rencontres et
publier de nombreux articles sur la
situation et les particularités du français en
usage au Québec et dans diverses régions
francophones du Canada.

En 1980, après avoir conçu et dirigé
des enquêtes linguistiques détaillées dans
toutes les régions du Québec et dans l'est

canadien francophone, Gaston Dulong publie avec Gaston Bergeron, en collaboration avec l'Office de la langue française, le *Parler populaire du Québec et de ses régions voisines - Atlas linguistique de l'Est du Canada*, un inventaire en 10 volumes des mots et des expressions populaires relatifs aux diverses réalités de la civilisation traditionnelle: maison, vêtement, nourriture, vie sociale, jeux, travaux de la ferme, etc.

Passionné de la connaissance et de la valorisation du français comme de l'histoire et de la culture des francophones en Amérique, Gaston Dulong, en observateur chevronné, relève et signale pour nous dans le *Dictionnaire des canadianismes*, édition 1999, les mots et les sens qui sont propres au français québécois et à la langue franco-canadienne et qui sont absents des dictionnaires de langue générale. Pour le pédagogue expérimenté que demeure le professeur Gaston Dulong, voilà une façon positive d'amener le locuteur curieux à reconnaître ses usages linguistiques particuliers et à faire le lien entre sa langue usuelle ou familière et la langue française commune à tous les francophones.

Jean-Marie Fortin

Directeur des services linguistiques
Office de la langue française

GUIDE D'UTILISATION

De tout temps, le rôle des dictionnaires a été de consigner les usages linguistiques des peuples, d'enregistrer en quelque sorte des fragments de leur mémoire collective sous la forme de mots-entrées suffisamment explicites et représentatifs à cet égard. Le *Dictionnaire des canadianismes* a repris cette mission à son compte pour les francophones de l'Acadie et du Québec. Aussi, parmi les quelque 9000 articles de ce dictionnaire, le lecteur trouvera-t-il de nombreux usages oraux qui n'appartiennent qu'à des locuteurs québécois ou acadiens et qui relèvent de divers états du français qu'on peut rattacher au vieux fonds de la langue, aux dialectes de l'ouest de la France aujourd'hui disparus, ou enfin aux français régionaux, pour ne nommer que ceux-là. Ces mots, témoins d'un héritage français particulier au Québec et à l'Acadie, ont tendance à disparaître rapidement, emportés par le tourbillon du modernisme qui a créé des contextes langagiers différents, le plus souvent spécialisés et peu propices à l'expression des réalités d'autrefois.

Pour bien comprendre l'urgence de répertorier ces nombreux usages issus des terroirs acadien et québécois, il suffit de se rappeler que beaucoup d'entre eux disparaissent en même temps que les locuteurs qui les ont utilisés. C'est le cas de nombreux vocables illustrant la vie rurale d'autrefois, les gestes et le milieu de vie de ces femmes et de ces hommes attachés au travail de la terre et de la mer, et qui ont davantage parlé qu'ils n'ont écrit. Le lecteur ne devra donc pas s'étonner de trouver dans ce dictionnaire un nombre important de mots qui relèvent exclusivement du registre oral. Ce sont ceux qui représentent la vie, la culture et les réalités québécoises et acadiennes et qui constituent la mémoire d'une bonne partie de l'Amérique française.

À cet égard, le *Dictionnaire des canadianismes* fait oeuvre ethnographique, consignant les réalités propres aux gens du Québec et de l'Acadie. Des mots tels **aboiteau, agriculturisme, boubou-macoute, cran, duplessisme, lac-à-l'Épaule, loi Lacombe, séraphin** et **vigneaux** en sont autant de témoins.

La présentation d'un article

La structure générale

Les entrées sont présentées sous leur forme non marquée, soit l'infinitif pour les verbes et le masculin singulier pour les noms et les adjectifs. Pour ces deux derniers, la forme féminine correspondante apparaît immédiatement à la suite de l'entrée.

Chaque entrée est suivie d'un indicatif de grammaire (nom, adjectif, préposition, etc.) puis, le cas échéant, de notes sur l'usage ou la prononciation, sur l'origine du mot (amérindienne, anglaise...), ou sur son emploi (anglicisme à proscrire, sens fautif ou forme utilisée seulement en langue orale).

La définition figure en sous-entrée. Beaucoup de formes fautives ou de canadianismes sont suivis de leur équivalent en français standard. Enfin, de nombreux exemples, placés à la suite de la définition, permettent de clarifier un usage, de donner une image de l'emploi d'une entrée. Les divers sens ou emplois d'un même terme sont présentés en sous-entrée et indiqués par des chiffres. À l'entrée **main,** par exemple, on retrouve huit sens différents, numérotés de 1 à 8.

Il existe trois types de renvois, signalés en **fin** de définition par **Voir, Syn.,** ou **Syn., voir.**

Le premier renvoi, **Voir,** dirige le lecteur à l'entrée qui comporte la définition. Par exemple, à l'entrée **booze,** on trouvera **Voir: bagosse (sens 1),** terme auquel il faut se rapporter pour lire la définition de **booze.**

Le deuxième renvoi, **Syn.,** présenté à la suite d'une définition, renvoie à un ou plusieurs synonymes. Ainsi, la définition consacrée à **bagosse** est suivie de la liste de tous ses synonymes, présentée ainsi: **Syn.: baboche, booze, boucane, caribou,** etc.

L'abréviation **Syn., voir** renvoie à une entrée principale comprenant une définition et la liste des synonymes de l'entrée. **Caribou (sens 4),** suivi de **Syn., voir: bagosse,** renvoie le lecteur à la définition de **bagosse** et à la liste de ses synonymes.

Les données terminologiques

Les anglicismes

L'origine anglaise d'un terme est marquée au moyen de l'abréviation **angl.,** suivie du terme anglais correspondant; c'est le cas de **drave,** suivi de **(angl. drive).** L'indication de l'origine anglaise peut être suivie du signe Ø, destiné à mettre les utilisateurs en garde contre l'usage d'un vocable pour lequel il existe déjà un équivalent français, par exemple **faker, féquer (angl. to fake),** qui signifie simuler, feindre, faire semblant.

Les amérindianismes

L'abréviation **amér.,** placée immédiatement après les indications grammaticales, indique l'origine amérindienne d'une forme, par exemple **babiche** et **ouaouaron,** ou même

cométique qui nous vient des Inuits mais qui a été transmise par les Amérindiens.

Les marques d'usage

Les marques de niveau de langue sont: **vieux, régional, dialectal, littéraire, rare, figuré, familier, argotique** et **vulgaire.**

La normalisation

NOLF indique qu'il s'agit d'un terme normalisé par l'Office de la langue française, tandis que **ROLF** signifie que le terme a fait l'objet d'une recommandation par le même organisme.

La marque d'emploi particulier

Le signe [#] permet de souligner qu'il s'agit d'un terme à déconseiller, parce qu'il est attesté surtout sous forme orale (**chu, su**) ou parce que son emploi est fautif (**aiguise-crayon** employé pour **taille-crayon; bossuse** pour **bossue; comment** pour **combien; crute** pour **crue**).

La localisation des emplois

À la fin de plusieurs articles, des symboles graphiques indiquent que l'entrée est employée: a) partout au Québec [+++] ; b) presque partout au Québec [++] et c) ici et là au Québec [+].

D'autres entrées comportent une indication de l'aire d'usage; notons entre autres les régions ou localités suivantes: **Côte-Nord, Lanaudière, Beauce** et **Charsalac** (de Charlevoix, Saguenay, Lac-Saint-Jean).

Les mots acadiens identifiés par l'abréviation **acad.** renvoient à une forme qu'on retrouve dans le parler des populations acadiennes ou d'origine acadienne installées dans les **Maritimes,** ainsi qu'au **Québec** (Côte-Nord, Îles-de-la-Madeleine, sud de la Gaspésie).

D'autres indications d'usage, celles-là tirées de *l'Atlas linguistique de l'Est du Canada* (ALEC), permettent de situer plus précisément sur la carte du début la zone géographique de présence d'un mot.

Trois cas sont possibles :

Tête-de-femme (O 25-117), sens 9 de **TÊTE**

TÊTE n. f.

9. *Tête-de-femme:* dans les baissières, butte de terre qui se forme par la décomposition de touffes de rouche et sur laquelle continuent de pousser de nouvelles herbes. (O 25-117)

O signifie à l'ouest de
25 signifie Saint-Augustin (Portneuf)
117 signifie Saint-Nicolas (Lévis)

Donc, le terme s'emploie à l'ouest de Saint-Augustin et de Saint-Nicolas, de part et d'autre du Saint-Laurent, cette dernière information étant précisée par le trait d'union.

Brousse (E 132,129)

> **BROUSSE n.f**
> Sous-bois, broussailles. (E 132, 129)
> Syn., voir: **branchages.**

E signifie à l'est de
132 signifie Rivière-du-Loup (Rivière-du-Loup)
129 signifie Saint-Éleuthère (Kamouraska)
　　　Ce terme s'emploie à l'est de Rivière-du-Loup et de
Saint-Éleuthère, situés du même côté du Saint-Laurent,
comme l'indique la virgule qui les sépare.

Clairons (entre 36-86 et 8-134), sens 3 de **CLAIRON**

> **CLAIRON** n. m.
> 3. Au pl. Aurore boréale. Il y avait des *clairons*
> dans le ciel la nuit dernière. (entre 36-86 et 8-
> 134)
> 　Syn., voir: **marionnettes.**

36 signifie Saint-Barthélemy (Berthier)
86 signifie Sainte-Anne-de-Sorel (Richelieu)
8 signifie Les Escoumins (Saguenay)
134 signifie Trois-Pistoles (Rivière-du-Loup)
« Entre » indique que le terme est employé au centre du
Québec, dans la zone délimitée par Saint-Barthélemy et
Sainte-Anne-de-Sorel d'un côté du Saint-Laurent et par Les
Escoumins et Trois-Pistoles de l'autre côté.

SYMBOLES

[+] employé ici et là au Québec
[++] employé presque partout au Québec
[+++] employé partout au Québec
[Ø] à proscrire
[#] à déconseiller

ABRÉVIATIONS

acad.	acadianisme
adj.	adjectif
adv.	adverbe
amér.	amérindianisme
angl.	anglais
arg. scol.	argot scolaire
conj.	conjonction
Charsalac	*Char*levoix, *Sa*guenay, *Lac*-Saint-Jean
dial. en fr.	dialectal en français
E	Est
exclam.	exclamation
f.	féminin
fam.	familier
fam. en fr.	familier en français
fig.	figuré
fr.	français
interj.	interjection
inv.	invariable
litt.	littéraire
loc.	locution
loc. adv.	locution adverbiale
loc. conj.	locution conjonctive
loc. verb.	locution verbale
m.	masculin
Mar.	terme de marine
n.	nom
NOLF	normalisé par l'Office de la langue française
num.	numéral
O	Ouest
OLF	Office de la langue française
p.	participe
part.	participe
p. adj.	participe adjectival
p. prés.	participe présent
p. passé	participe passé

pass.	passim
péjor.	péjoratif
pl.	pluriel
pop. en fr.	populaire en français
pr.	propre
prés.	présent
pron. rel.	pronom relatif
rare en fr.	rare en français
rég. en fr.	régional en français
ROLF	recommandé par l'Office de la langue française
Saglac	*Sag*uenay–*Lac*-Saint-Jean
scol.	scolaire
surt.	surtout
syn.	synonyme
tech.	technique
v.	verbe
v. impers.	verbe impersonnel
v. intr.	verbe intransitif
v. pron.	verbe pronominal
v. tr.	verbe transitif
vulg.	vulgaire
vx en fr.	vieux en français

ABRÉVIATIONS
DE POIDS ET MESURES

oz	once
p	pied
v	verge
mm	millimètre
cm	centimètre
m	mètre
km	kilomètre
m^2	mètre carré
m^3	mètre cube
ha	hectare
ml	millilitre
cl	centilitre
L	litre
gr	gramme
kg	kilogramme

LÉGENDE DE LA CARTE

QUÉBEC

CÔTE-NORD

GASPÉSIE

MATAPÉDIA

7

Fleuve Saint-Laurent

142

141

134

133

8

9

LAC-
SAINT-JEAN

SAGUENAY

CHARSALAC

ABITIBI

TÉMISCAMINGUE

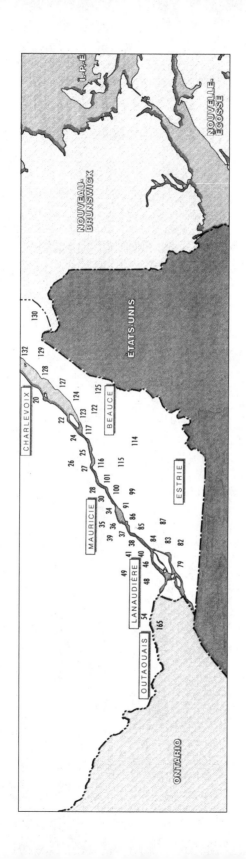

XIX

A, AL, ALLE pron. pers. 3e pers. sing. et pl. Vx et dial. en fr. Elle, elles. Lise, elle, *a* travaille très fort. Les filles, *a* sont toujours à l'heure. Ma sœur, *a, al, alle* est grande. [+++]

À prép. **1.** Dial. en fr. *À matin, à soir* : ce matin, ce soir. *À chaque fois que* : chaque fois que. Suivi d'un verbe à l'infinitif : en train de. Elle est *à* se doucher. **2.** *À date* (angl. up to date) [Ø] à jour, maintenant.

AA n. Sigle. (Alcooliques anonymes) **1.** Groupement d'anciens alcooliques dont le but est d'aider, d'encourager et de soutenir moralement toute personne aux prises avec l'alcoolisme. **2.** Membre de ce groupement. Deux *AA* renoncent à l'anonymat.

ABANDÉ, E n. et adj. Concubin. Les *abandés* s'affichent de plus en plus. Syn., voir : **accoté**.

ABANDER (S') v. pron. **1.** Se joindre à un groupe, à une bande. Les oiseaux *s'abandent* pour descendre vers le Sud. Les enfants *s'abandent* facilement. **2.** Se mettre en concubinage. Les jeunes d'aujourd'hui *s'abandent* volontiers avant de se marier. [+] Syn., voir : **accoter**.

ABAT n. m. **1.** Vx ou rég. en fr. *Abat d'eau, abat de pluie* : averse, pluie d'abat. On a eu un de ces *abats d'eau*, la rivière débordait! [+] Syn. : **coup d'eau**. **2.** *Abat de neige* : forte chute de neige. Syn. : **bordée de neige**. **3.** Aux quilles, renversement de toutes les quilles d'un seul coup. **4.** *D'abat* : beaucoup. Il a neigé *d'abat* toute la journée.

ABATTAGES n. m. pl. Parties accessoires d'animaux tués pour la consommation, abats. (entre 38-84 et 8-133)

ABATTIS n. m. **1.** Bois abattu, branches, souches mis en tas à brûler. [+++] **2.** Terrain plus ou moins défriché qui, après essouchage, sera mis en culture. [+++] **3.** *Faire de l'abattis* : abattre les arbres en vue de la mise en culture. [+++]

ABATTRE v. tr. *Abattre l'eau* : suer en parlant des chevaux ou des êtres humains. Il a fait très chaud, mon cheval *a abattu l'eau* et moi aussi. (Beauce)

ABAT-VENT n. m. Appentis construit devant la porte de l'étable ou de l'écurie comme protection contre le vent, le froid ou la neige. (Charsalac) Syn. : **tambour**.

ABEAUDIR (S') v. pron. Devenir beau en parlant du temps. Le temps commence à *s'abeaudir*. Syn. : **amieuter**, **beaudir**, **beauzir**, **décrasser**, **dégraisser**, **emmieuter**, **parer**, **relever**, **réparer**, **ressorer**.

ABÉNAQUIS, E n. et adj. **1.** Amérindien d'une nation autochtone du Québec, qui compte plus de 800 personnes dont plus du tiers habite deux villages de la région de Sorel; relatif aux Amérindiens de cette nation. La graphie *abénaki* est à proscrire. Contrairement à l'adjectif, le nom prend une majuscule. **2.** Langue parlée par les *Abénaquis*.

ABERRÉ, E adj. Stupéfait, surpris. Être *aberré* devant l'ignorance de beaucoup de personnes en histoire et en géographie.

ABÎMER v. tr. *Abîmer quelqu'un de bêtises* : injurier.

ABITIBIANITÉ n. f. Ensemble des caractères, des manières de penser, de sentir, propres aux habitants de l'Abitibi.

ABITIBIEN, ENNE n. et adj. Gentilé. Natif ou habitant de l'Abitibi; de l'Abitibi.

ABOITEAU n. m. Barrage muni de vannes disposées de façon qu'elles se ferment automatiquement quand la marée monte et qu'elles laissent s'écouler l'eau quand la marée baisse. Les Acadiens sont les spécialistes des *aboiteaux*. (acad.)

ABOMINER v. tr. Litt. en fr. Avoir en abomination, en horreur. (acad.)

ABONDANCE n. f. *À l'abondance* : beaucoup, en abondance. Il y a du foin *à l'abondance* cette année.

ABORD n. m. **1.** Vx en fr. Multitude, grand nombre de personnes. Il y avait un *abord* de monde à l'enterrement du maire. [+++] Syn. : **achalage. 2.** Époque où les érables coulent le plus. Depuis deux jours, c'est *l'abord* et ça coule jour et nuit. (Lanaudière) Syn. : **bondance. 3.** *Aux abords de* : près de, à peu près. Il y a *aux abords de* deux semaines qu'il pleut. **4.** *D'abord que* : puisque. *D'abord que* tu y vas, tes frères aussi iront. [+++] **5.** *D'abord que* : pourvu que. *D'abord que* tu ne feras pas de bruit, tu peux rester avec nous. [+++] **6.** *D'abord* : alors, en ce cas. Puisque mon travail est fini, je range mes livres, *d'abord*.

ABORDER v. tr. et intr. Mar. **1.** Poindre. Le soleil est à la veille d'*aborder*. (acad.) **2.** Heurter. C'est hier que sa voiture a *abordé* la mienne. (acad.)

ABOUETTE n. f. **[#]** Bouette, boëte ou appât qu'utilisent les pêcheurs. Forme résultant d'une mécoupure de *la bouette* devenant de l'*abouette*. Syn. : **empât.**

ABOUETTER v. tr. **[#]** Bouetter, boëter, c'est-à-dire garnir un hameçon de boëte, de bouette, d'appât, appâter. Syn., voir : **empâter.**

ABOUT n. m. Aux deux extrémités d'une pièce de terre, endroit où peuvent tourner les instruments aratoires, chaintre. (E 34-91) Syn. : **cintre.**

ABOUTANT n. m. Propriétaire d'un terrain qui touche à un autre terrain par l'une de ses extrémités.

ABOUTER v. intr. Aboutir, toucher par un bout. Cette terre *aboute* à la nôtre. [+++]

ABOUTIR v. intr. **1.** Achever, finir. Puis, ce travail, quand va-t-il *aboutir*? [+++] **2.** Vx en fr. Dont le pus sort, en parlant d'un abcès, d'une tumeur, d'un clou.

ABOUTISSURE n. f. Le fait d'*aboutir* en parlant d'une tumeur dont le pus sort, aboutissement.

ABREUVER v. tr. Fig. et litt. Imbiber, saturer d'eau. On n'a pas pu commencer les semailles, la terre était trop *abreuvée*.

ABREUVOIR n. m. [#] Distributeur d'eau potable et fraîche installé dans des endroits très fréquentés (édifices à bureaux, maisons d'éducation, terrains de jeux, etc.) et appelé fontaine en français, l'*abreuvoir* étant destiné aux animaux.

ABRIC n. m. Abri. Chercher un *abric* contre le vent et la pluie. (acad.)

ABRIER, ABRIQUER v. tr. et pron. **1.** Couvrir, se couvrir. *Abrier* un enfant dans son lit, *s'abrier* pour bien dormir. [+++] Syn. : **cacher**. **2.** Recouvrir de terre. *Abrier* ce qu'on vient de semer en utilisant la herse. [+++] **3.** S'habiller chaudement pour affronter le froid. Syn., voir : **emmitonner**. **4.** Fig. Défendre, justifier, excuser. C'est un ami mais personne ne pourra l'*abrier*.

ABROC n. m. **1.** Affront, refus. Recevoir un *abroc*. (acad.) **2.** Fausse couche. (acad.) Syn., voir : faire une **perte**. **3.** Accident d'autos. Hier, il y a eu un gros *abroc* à l'entrée du pont. (acad.)

ABROUTÉ n. m. Champ, endroit qui a été brouté par les animaux.

ABSORBANT, E adj. (angl. absorbent) [Ø] Hydrophile. Du coton *absorbant*, de la ouate *absorbante*.

ACACIA n. m. Robinier faux-acacia.

ACADÉMIQUE adj. (angl. academic) [Ø] *Année académique* : année universitaire.

ACADIANISER v. tr. Rendre acadien. Au Nouveau-Brunswick, il y a belle lurette qu'on a commencé à *acadianiser* les écoles.

ACADIANISME n. m. Mot, expression propre au français des Acadiens. Les mots *coquemar*, *chalin* et *éloise* sont des acadianismes.

ACADIEN, ENNE n. et adj. **1.** Habitant de l'ancienne Acadie, colonie française de peuplement cédée à l'Angleterre en 1713 et qui comprenait la Nouvelle-Écosse, l'Île-du-Prince-Édouard et le Nouveau-Brunswick; relatif à l'Acadie ou à ses habitants. **2.** Descendant des habitants de l'Acadie déportés en 1755 (voir *dérangement*) dont un certain nombre retournèrent dans leur ancienne région sur tout le pourtour du golfe du Saint-Laurent; relatif à ces descendants d'Acadiens. **3.** Variété de français parlé par les Acadiens d'aujourd'hui. Syn. : **chiac**.

ACAGNARDI, E adj. **1.** Acagnardé, las, fatigué, cagnard, sans force, sans énergie. [++] **2.** Fig. Bourru, renfrogné, d'humeur difficile. [++]

ACARÊMER (S') v. pron. Entreprendre le carême, se mettre à jeûner. Aujourd'hui on s'*acarême* de moins en moins.

ACAYA n. f. Exagération. Dire ou faire des *acayas*. (acad.)

ACCALMIR, CALMIR v. intr. et pron. Mar. Rare en fr. Devenir calme, se calmer en parlant du vent, de la mer mais aussi d'une douleur. [++]

ACCAPARER (S') v. pron. Rég. en fr. Accaparer, s'emparer de, prendre. *S'accaparer* une chose qui appartient à autrui.

ACCESSOIRE ÉLECTRIQUE n. m. Tout appareil électroménager (grille-pain, fer à repasser, percolateur, etc.).

ACCLAMATION n. f *Par acclamation* (angl. by acclamation) [Ø] : sans concurrent, sans qu'il y ait eu de vote. Le maire de la ville a été élu *par acclamation*.

ACCOINTER v. tr. Voir : **cointer**.

ACCOMMODATION n. f. (angl. accommodation) [Ø] Épicerie de dépannage, *dépanneur*. Ce mot, propre à l'est du Québec, est en perte de vitesse et résiste très difficilement devant *dépanneur*. Voir : **dépanneur**.

ACCOMMODEMENT n. m. Au pl. Commodités. Terrain de camping avec *accommodements*, c'est-à-dire avec eau courante, douches, toilettes, possibilités de cuisine.

ACCOMMODER v. tr. **1.** Rendre service, répondre aux besoins de quelqu'un. Mon voisin m'a *accommodé* en me prêtant sa voiture. [++] **2.** Vx ou litt. en fr. Se mettre d'accord, s'entendre avec quelqu'un.

ACCONNAÎTRE v. tr. Connaître, reconnaître, découvrir. Faire *acconnaître* une nouvelle à quelqu'un.

ACCORDAILLES, ACCORDAGES n. f. pl. Vx ou rég. en fr. Fiançailles. Il y a eu des *accordailles* chez nos voisins. Syn. : **accords**.

ACCORDÉ, E n. et adj. Concubin. Les *accordés* semblent de plus en plus nombreux. Syn., voir : **accoté**.

ACCORDÉON n. m. Voir : **porte-accordéon**.

ACCORDÉONEUX, EUSE n. Accordéoniste de village. À la campagne, les *accordéoneux* et les *violonneux* sont de toutes les fêtes où l'on danse.

ACCORDS n. m. pl. Voir : **accordailles**.

ACCORE n. f. Escarpement, berge qui plonge verticalement dans l'eau douce ou dans l'eau salée. L'eau mange les *accores* de la rivière.

ACCOTAGE n. m. Concubinage. L'*accotage* était difficile autrefois. [+++]

ACCOTÉ, E n. et adj. Concubin. Il y a des *accotés* dans l'immeuble. [+++] Syn. : **abandé**, **accordé**, **accouplé**, **adopté**, **appuyé**, **embandé**, marié en face des **bœufs**.

ACCOTER v. tr., intr. et pron. **1.** Vx en fr. Étayer. *Accoter* une poutre qui menace de se rompre. [+++] **2.** Appuyer. Regarde bien où *accote* le haut de l'échelle. [+++] **3.** S'appuyer sur quelque chose. *S'accoter* contre un mur. **4.** Fig. Se mettre en concubinage. Les jeunes d'aujourd'hui s'*accotent* plus souvent qu'autrefois. [+++] Syn. : **abander**, **adopter**, **appuyer**, **embander**.

ACCOUPLÉ, E n. et adj. Concubin, concubine. Ils sont de plus en plus jeunes les *accouplés* d'aujourd'hui.. Syn., voir : **accoté**.

ACCOURCI n. m. [#] Vx en fr. Accourcie (n. f. et vx), raccourci ou chemin plus court que le chemin ordinaire. Prendre un *accourci* pour rentrer chez soi. [++]

ACCOURCIR v. tr. Vx en fr. Rendre plus court, raccourcir. *Accourcir* un vêtement.

ACCOUVER v. tr. et pron. **1.** Fig. Amortir en parlant d'un poêle ou d'un feu qui s'éteint faute de combustible. Laisser *accouver* un poêle pour la nuit. (acad.) **2.** Fig. S'accroupir, s'asseoir le dos arrondi, sans bouger. *S'accouver* dans un fauteuil. Syn. : **agrouer (s')**.

ACCROCHÉ, E; ACCROCHETÉ, E p. adj. Se dit d'un arbre qu'on abat et qui reste encroué aux branches des arbres qui l'entourent.

ACCROCHER v. tr. et pron. **1.** Heurter, toucher plus ou moins rudement, mais involontairement un obstacle (auto, arbre, animal). Il roulait de nuit en camion et il a *accroché* un chevreuil. [+++] Syn., voir : **frapper**. **2.** *Accrocher ses patins, ses gants, ses bottines, sa plume* : abandonner le hockey, la boxe, la lutte, cesser d'écrire. [+++] **3.** Fig. *Accrocher ses patins* : cesser une activité, quelle qu'elle soit. À 65 ans, il a décidé d'*accrocher ses patins* : il a vendu son commerce. [+++] **4.** Argot et fig. *Accrocher sa tuque* : mourir. Syn. : **lever les pattes**.

ACCROCHETER, CROCHETER v. tr. et pron. **1.** Accrocher, suspendre. *Accrocheter* ses vêtements, son chapeau. **2.** Faucher des pois. **3.** S'encrouer, rester accroché à des arbres. Des bûcherons expérimentés savent empêcher les arbres qu'ils abattent de s'*accrocheter*, de se *crocheter*. Syn. : **s'engrucher**.

ACCROCHETOIR, ACCROCHOIR n. m. Crochet, patère, portemanteau. [++]

ACCULOIRE, ACULOIRE n. Avaloire du harnais permettant au cheval de freiner ou de faire reculer le véhicule auquel il est attelé. [+++] Syn. : **breeching**, **racculoire**.

ACÉRICOLE adj. Qui concerne la culture et le soin des érables à sucre ainsi que leur exploitation.

ACÉRICULTEUR, TRICE n. Personne qui exploite une *érablière*, souvent d'une façon industrielle, par opposition aux *sucriers* d'autrefois pour qui l'érablière était une exploitation artisanale et familiale.

ACÉRICULTURE n. f. Exploitation industrielle des érablières. L'*acériculture* s'est beaucoup développée au cours des dernières années.

ACFAS n. f. Sigle. *Association canadienne-française pour l'avancement des sciences*. Société savante créée en 1923 et très vivante.

ACHALAGE n. m. **1.** Action d'importuner, de déranger, d'*achaler*. Tu sais que ton père n'aime pas d'*achalage* pendant qu'il fait sa sieste. [+++] **2.** Cajolerie. Arrête ton *achalage*, ta mère est fatiguée! [+++] **3.** Foule. Il y avait un *achalage* de monde à l'enterrement. [+++] Syn. : **abord**.

ACHALANT, E adj. et n. Importun, agaçant, fatigant. Il est *achalant* comme ce n'est pas permis. Quel *achalant*! [+++] Syn., voir : **tache**, **tache de graisse**, **tache d'huile**.

ACHALANTERIE n. f. Embarras, inconvénient. Habiter près d'une autoroute, c'est une *achalanterie*.

ACHALÉ, E adj. *Pas achalé* : pas timide, déluré, fonceur. La Julie, je te dis qu'elle n'est *pas achalée*. [+++]

ACHALER v. tr. **1.** Agacer, importuner, taquiner quelqu'un. Paul est de mauvaise humeur, ce n'est pas le moment de l'*achaler*. [+++] Syn., voir : **attiner**. **2.** Tisonner. *Achaler* le feu pour l'aviver. (O 25-117 et acad.) Syn., voir : **pigouiller**.

ACHAT n. m. **1.** Fig. *Faire un achat* : donner naissance à un enfant, accoucher. Syn., voir : **acheter**. **2.** Voir : **centre d'achats**.

ACHET n. m. Rég. en fr. Lombric communément appelé ver de terre et servant à appâter un hameçon; èche, esche, aiche. (E 26-115) Syn. : **anchet**, **lachet**, **laiche**, **lanchet**.

ACHETÉ, E adj. **1.** Qui a été acheté, par opposition à ce qui a été fait ou fabriqué à la maison. Du pain *acheté*, une robe *achetée*. **2.** Artificiel. De quelqu'un qui a un dentier, des prothèses dentaires, on dit qu'il a des dents *achetées*, des dents de *magasin*. Syn., voir : **palais**.

ACHETER v. tr. et intr. **1.** Donner naissance à un enfant, accoucher. Notre voisine est à la veille d'*acheter*. [+++] Syn. :

5

faire un **achat**, avoir mangé de la **citrouille**, faire **emplette**, s'être cassé une **jambe**, recevoir la visite des **Sauvages**. **2.** Devenir père. Notre voisin vient d'*acheter*. [+++]

ACHETEUR, ACHETEUX, EUSE adj. et n. **1.** Personne qui achète ce dont elle a besoin. En période de crise économique, les *acheteux* se font rares. **2.** Fig. Couple qui procrée. Les ménages d'aujourd'hui sont moins *acheteux* que ceux des générations précédentes. **3.** *Acheteur de guenilles* : chiffonnier qui autrefois passait de porte en porte en criant : des *guenilles* à vendre? Syn., voir : **marchand de guenilles**.

ACHEVALER v. tr. et pron. **1.** Éviter. On peut *achevaler* un trou d'eau en posant un pied de chaque côté et avec une auto en faisant passer les roues de part et d'autre. **2.** Se mettre à cheval, à califourchon. Il *s'est achevalé* sur la clôture. Syn. : **affourcher**.

ACHEVÉ adv. Très, beaucoup. Cette peinture est belle *achevé*.

ACHEVER DE v. intr. **1.** Être sur le point de. *Achever* de mourir. (acad.) **2.** Venir de : tu ne verras pas ton frère, il *achève de* partir. (acad.)

ACHIGAN n. m. (amér.) **1.** Perche noire de la famille des Microptéridés appelée *bass* en anglais. [+++] **2.** *Achigan de roche* : nom vulgaire du crapet de roche.

ACHIQUETTE n. f. Voir : **échiquette**.

ACH'TAMITÉ! Expression montagnaise signifiant viens ici! (Amér.)

ACOYAU, ACOUYAU n. m. [#] Coyau ou pièce de bois qui prolonge la base des chevrons au-delà de l'angle du mur de manière à former l'avance de l'égout du toit d'une construction.

ACQUET n. m. Avantage, profit. Avoir autant (ou plus) d'*acquet* d'aller se coucher que de dormir debout.

ACQUIS n. m. *Prendre pour acquis* (angl. to take for granted) [Ø] : admettre au départ, sans discussion. *Prendre pour acquis* qu'un diplômé d'université a un minimum de culture et qu'il parle et écrit à peu près convenablement sa langue.

ACRE n. f. (angl. acre) [Ø] Mesure de surface valant 40,47 ares ou 0,4047 ha soit 4047 m^2. Au Québec, depuis 1763, le territoire situé en dehors des anciennes seigneuries a été arpenté en *acres* (Estrie, Témiscamingue, Abitibi, etc.). Dans ces mêmes régions les mots *arpent* et *acre* sont souvent synonymes. En Angleterre, une acre équivaut comme au Canada anglais à 4840 *verges* carrées.

ACTE n. m. *Acte conjugal* : le fait de faire l'amour pour un couple marié. Appellation qui revenait souvent dans les sermons.

ACTER v. tr. (angl. to act.) [Ø] Jouer, représenter (une pièce), tenir (un rôle). *Acter* le rôle d'Harpagon.

À C'T'HEURE, ASTHEURE adv. À cette heure, maintenant. Voir : **heure** (sens 1).

ACTION DE GRÂCES n. f. (angl. Thanksgiving Day) [Ø] Jour férié au Canada (le 2e lundi d'octobre) et aux États-Unis (le 4e jeudi de novembre). [+++]

ACUL n. m. Annexe, aile ajoutée à une maison, à une grange, à un hangar. Syn., voir : **appent**.

ADAM n. m. *Au temps d'Adam* : autrefois, jadis.

ADIDOU n. m. (angl. how do you do?) [Ø] Bonjour, amitiés. N'oublie pas de faire mes *adidous* à tes parents. Anglicisme presque disparu.

ADISQ n. f. *Sigle*. Association du *d*isque, de l'*i*ndustrie du *s*pectacle *q*uébécois et de la vidéo. Chaque année, depuis sa création en 1978, l'*Adisq* décerne des *Félix*.

ADMINISTRER v. tr. (angl. to administer) [Ø] **1.** *Administrer* le serment à quelqu'un : assermenter quelqu'un, faire prêter le serment à quelqu'un. **2.** *Administrer* une volée : donner une volée.

ADMISSION n. f. (angl. admission) [Ø] *Prix d'admission* : prix d'entrée; *admission gratuite* : entrée libre; *pas d'admission* : entrée interdite.

ADON n. m. **1.** Chance, coïncidence, heureux hasard. S'il a réussi ses examens, c'est un *adon*. [+++] Syn. : **adonnance**. **2.** Habileté, tour de main, talent. Avoir de l'*adon* avec les enfants en classe. **3.** *D'adon* : facile, familier, sympathique, ayant bon caractère en parlant d'une personne. Notre voisin est bien *d'adon*. Syn. : **adonnant**.

ADONNANCE n. f. Chance, coïncidence, heureux hasard. (acad.) Syn. : **adon** (sens 1).

ADONNANT, E adj. Sympathique, serviable, ayant bon caractère. Une femme *adonnante*. Syn. : **d'adon**.

ADONNER v. intr. et pron. **1.** Convenir. La couleur de la porte *adonne* bien avec le reste. Est-ce que ça t'*adonne* de venir demain? [+++] **2.** Vx en fr. Se convenir, aller bien ensemble, s'accorder mutuellement, bien s'entendre. Bien *s'adonner* avec ses voisins. [+++] **3.** Se trouver, être par hasard. Je *m'adonnais* à être sur le pont quand l'accident est arrivé. [+++] **4.** *Ça s'adonne!* : mais oui! certainement! Ça s'adonne que je pars avec vous! [+++]

ADOPTÉ, E n. et adj. Concubin. Il y a des *adoptés* dans l'immeuble. [++] Syn., voir : **accoté**.

ADOPTER (S') v. pron. Se mettre en concubinage. Ils se sont *adoptés* dès leur première rencontre. [++] Syn., voir : **accoter**.

ADOUCIR v. tr. Sucrer. *Adoucissez* donc votre thé, il sera bien meilleur! (acad.)

AÉROBUS n. m. Vx en fr. Gros avion de transport. Mot en perte de vitesse.

AFFAIRE n. f. **1.** Chose quelconque dont on ne se souvient pas du nom, truc, machin... Dis, passe-moi l'*affaire*, là! [+++] Syn. : **machine**. **2.** *Être d'affaires* : être habile dans les affaires. [+++] **3.** Au pl. *Avoir ses affaires* : euphémisme pour avoir ses règles, être menstruée. Syn., voir : avoir ses **lunes**. **4.** *Une petite affaire* : une petite quantité, un peu. Du sucre dans mon café, il m'en faut encore *une petite affaire*. Ce miroir, il faudrait le ranger sur la gauche *une petite affaire*. **5.** Pénis d'un enfant. Cache ton *affaire*, ta petite affaire! Syn., voir : **pine** (sens 5). **6.** *Affaire épouvantable* : beaucoup. Les gens aiment le hockey une *affaire épouvantable*.

AFFAÎTER v. tr. [#] Rendre comble, enfaîter. *Affaîter* une manne de pommes, un voyage de foin en vrac.

AFFECTION EN BRANCHE n. f. Appellation humoristique du céleri. Syn, : **branche d'affection**, **branche d'amour**.

AFFIDAVIT n. m. (angl. affidavit) [Ø] Sommation. Il a reçu son *affidavit* d'avoir à se présenter à la cour.

AFFILÉ, E adj. Fig. Sec, hautain. Vivre avec un homme **affilé** ne doit pas être drôle.

AFFILE-CRAYON n. m. [#] Taille-crayon. [+++] Syn. : **affiloir**, **aiguise-crayon**, **aiguisoir**.

AFFILER v. tr. [#] Tailler. *Affiler* un crayon. [+++]

AFFILOIR, AFFILOIR À CRAYONS n. m. [#] Taille-crayon. Syn., voir : **affile-crayon**.

AFFIQUOTS, AFFIQUIOTS n. m. pl. Voir : **affûteaux**.

AFFOURCHER (S') v. pron. Vx en fr. Se mettre à califourchon, à cheval. *S'affourcher* sur une clôture. Syn. : **achevaler**.

AFFRANCHI, E n. et p. passé Animal châtré. Les boeufs et les chevaux de trait sont des *affranchis*.

AFFRANCHIR v. tr. Châtrer. *Affranchir* un taureau, un bélier, un étalon, un matou. [+++] Syn. : **arranger**, **couper**, mettre les **bois**, les **fers**, les **serres**, **tourner**.

AFFRONTER v. tr. Insulter, faire affront à. Je ne permets pas qu'on vienne m'*affronter* chez moi.

AFFÛTEAUX, AFFÛQUOTS n. m. pl. [#] Affûtiaux, menus objets, affiquets, objets de toilette. [+++] Syn. : **affiquiots**, **affiquots**, **artifailles**, **attifaux**, **attifiaux**.

AGAÇAGE n. m. Action d'*agacer*, de taquiner quelqu'un.

AGAÇANT, E adj. et n. Qui aime *agacer*, taquiner, taquin. Ah! celui-là il est *agaçant*, c'est un *agaçant*. [++] Syn., voir : **attineur**.

AGACE, AGACE-PISSETTE n. **1.** Argot. Femme, jeune fille qui par ses manières, son regard, semble promettre ses faveurs; allumeuse. [++] **2.** Fig. Petit poisson qui mord à l'appât et qui ne se laisse pas ferrer facilement.

AGACER v. tr. **1.** Fig. Taquiner. Celui-là, il passe son temps à *agacer* ses petits frères. [+++] Syn., voir : **attiner**. **2.** Émousser, rendre non coupant, ébrécher. *Agacer* une scie, une faux, un couteau.

AGACEUR, AGACEUX, EUSE n. et adj. Fig. Personne qui harcèle par ses taquineries incessantes, taquin. [+++] Syn., voir : **attineur**.

AGANTER v. tr. Attirer. Pour *aganter* les enfants, rien de tel que des friandises.

ÂGE n. m. **1.** Cerne ou cercle de croissance d'un arbre. Compter les *âges* d'un arbre qu'on vient d'abattre. [+++] **2.** *Être en âge* : être majeur (autrefois, avoir 21 ans; aujourd'hui, avoir 18 ans). [+++] **3.** *Être à bout d'âge, hors d'âge* : être très âgé en parlant des humains et aussi des chevaux. **4.** *Âge d'or* : personnes âgées, retraitées. Syn. : **aînés**

AGÈRE adj. f. [#] Âgée. Une femme *agère*.

AGIORTOK n. m. (mot inuit) Mauvais esprit.

AGIR v. intr. et tr. **1.** Accomplir de menus travaux de ménage, se déplacer tout seul. Notre voisine a été très malade, elle a gardé le lit de longs mois, mais depuis quelque temps elle peut *agir*, elle agit. **2.** Mettre en mouvement, faire fonctionner. Le vent fait *agir* les éoliennes.

AGLOU, AGLU n. m. (mot inuit) Fissure dans la glace où les phoques vont respirer et que surveillent les ours polaires.

AGNUS, AGNUS DEI n. m. Cire bénite sur laquelle était imprimé un agneau.

AGOINCHER (S') v. pr. S'affubler, s'accoutrer; s'habiller sans goût, surtout en parlant d'une femme.

AGOINCHURE n. f. Affublement, accoutrement d'une femme.

AGONER, RAGONER v. tr. Maltraiter, rudoyer, battre un animal ou un être humain. (O 28-101) Syn. : **bourrasser**, **gavagner (sens 2)**, **gourdiner**, **harrer**, **hartiner**, **maganer (sens 3)**, **marâtrer**, **ouarer**, **ramoner**, **rapailler**, **soincer**.

8

AGONISER v. tr. Fam. en fr. Injurier, insulter, agonir. Il n'aime pas se faire *agoniser*.

AGOTTER (S') v. pron. Voir : **engotter**.

AGOUCER v. tr. [#] Agacer, taquiner. *Agoucer* un chien; *agoucer* son petit frère. Syn., voir : **attiner**.

AGRAFER v. tr. et pron. **1.** Attraper, saisir à la main. *Agrafer* un voleur sur le fait, *agrafer* un bâton pour se défendre. [++] Syn. : **agriffer**, **griffer**, **gripper**. **2.** S'accrocher, se cramponner. *S'agrafer* à une embarcation pour ne pas se noyer.

AGRAINS n. m. pl. Criblures, grains de rebut, vannures. [+++] Syn. : **drosses**, **passures**, **revannes**.

AGRÉMENT n. m. Vx ou litt. en fr. Plaisir, contentement. Nous sommes allés pique-niquer au bord d'un lac avec des amis et nous avons eu beaucoup d'*agrément*. [+++]

AGRÈS n. m. Mar. **1.** *Agrès*, *agrès de terre* : outillage de ferme, machines aratoires. (surtout O 28-101) Syn., voir : **roulant**. **2.** Équipement de chasse, de pêche, de ski, instruments de musique. [+++] Syn., voir : **attirail**. **3.** Fig. et péjor. Personne très laide ou qui ne semble pas particulièrement brillante. Mais, comment peut-on vivre avec un *agrès* comme ça? [+++] Syn., voir : **amanchure** (sens 2).

AGRESKÉ n. (amér.) Divinité indienne que l'on invoque pour guérir les malades.

AGRESSIF, IVE adj. (angl. aggressive) [#] Dynamique, persuasif en parlant de quelqu'un, d'un démarcheur, d'un vendeur.

AGRICULTURISME n. m. Conception de la vie qui idéalise l'agriculture, la vie à la campagne d'autrefois et qui rejette l'industrialisation.

9

AGRICULTURISTE n. et adj. Relatif à l'*agriculturisme*, partisan de l'*agriculturisme*.

AGRIFFER v. tr. et pron. Vx ou rég. en fr. Saisir, prendre avec les mains. Quand il est revenu à la surface de l'eau, le sauveteur l'a *agriffé* par un bras et l'a tiré hors de l'eau. Syn., voir : **agrafer** (sens 1).

AGRONOME n. et adj. Fig. *Être agronome* : être bien renseigné, avoir de la compétence. Lui, il n'est pas plus *agronome* que moi en politique.

AGROUER (S') v. pron. S'accroupir, s'asseoir le dos arrondi, sans bouger. Passer la journée *agroué* près du poêle de la cuisine. Syn. : **accouver**.

AGUETTER v. tr. Guetter, surveiller, être aux aguets. [++] Syn. : **watcher**.

AGUINCHÉ, E adj. Mal habillé, surtout en parlant d'une femme. Syn., voir : **souillon**.

AGUIR v. tr. [#] Haïr. Celui-là, je l'*aguis* à m'en *confesser*!

AGUISSABLE adj. [#] Haïssable. Une personne *aguissable*, un enfant *aguissable*.

AIDER v. tr. ind. Vx et rég. en fr. *Aider* à quelqu'un : aider quelqu'un. [+++]

AIGREFIN n. m. Personne malingre, de faible constitution. C'est un *aigrefin* de la ville.

AIGRETTE n. f. **1.** Épinglier du rouet à filer d'autrefois. Syn. : **ailette**. **2.** Aiguille de conifères. [+++] **3.** Fétu de lin ou de chanvre, chenevotte.

AIGUAIL, ÉGAIL n. m. Rég. en fr. Rosée. Tiens, il y a de l'*aiguail* ce matin! (acad.)

AIGUILLE, AIGUILLON n. f. Timon, pièce de bois fixée à l'avant d'une voiture d'été ou d'hiver et de chaque côté de laquelle est attelée une bête de trait. (acad.) Syn. : **pole, proue, tongue**.

AIGUILLÈRE n. f. Étui dans lequel on range les aiguilles à repriser.

AIGUILLETTE n. f. Bûchette, éclisse qu'on allumait au feu de la cuisinière et qui tenait lieu d'allumette pour allumer la pipe des fumeurs. Syn. : **allume, caliquette, clisse**.

AIGUILLON n. m. Voir : **aiguille**.

AIGUISE-CRAYON n. m. [#] Taille-crayon très petit et que l'on tourne manuellement. En français, on aiguise du métal et on taille du bois. Syn., voir : **affile-crayon**.

AIGUISOIR n. m. [#] Taille-crayon mécanique fixé au mur. Syn., voir : **affile-crayon**.

AIL n. m. **1.** *Ail des bois, ail sauvage* : ail trilobé qui pousse à l'état sauvage en forêt, dans l'ouest du Québec. **2.** *Ail doux* : érythrone d'Amérique. Syn. : **oignon doux**.

AILE n. f. **1.** Disamare de certains arbres. S'emploie surtout au pluriel. Syn., voir : **avion**. **2.** a) *Aile de charrue* : versoir de la charrue. [+++] b) Fig. *Aile-de-charrue* : dans les cours d'eau rapides, lame d'eau qui se fait à la rencontre d'un obstacle dissimulé sous l'eau. Syn. : **tourniquet 3.** *Aile-au-vent* : partie du toit qui dépasse de trente à cinquante centimètres le lambris du pignon d'une grange. (E 117, 118) **4.** Fig. *Traîner l'aile* : être en mauvaise santé.

AILETTE n. f Épinglier du rouet à filer. [+++] Syn. : **aigrette**.

AIM n. m. Voir : **haim** (hameçon).

AIMER v. tr. Litt. en fr. *Aimer à*. Aujourd'hui, *aimer* suivi d'un infinitif se construit sans la préposition à.

AÎNÉS, ES n. Voir : **âge d'or**.

AINSI adj. inv. [#] Ordinaire, sans prétention. C'est une femme tout *ainsi*, toute simple, supérieurement intelligente et qui porte des vêtements tout *ainsi*.

AIR n. m. **1.** *Avoir de l'air de* : avoir l'air de, ressembler à. Lui, *il a de l'air de* son grand-père. **2.** [#] Au pl. Êtres ou aîtres, disposition des lieux. Connaître les *airs* d'une maison. Syn. : **ajets**. **3.** *Attraper l'air* : être surpris, décontenancé, déconcerté en apprenant une chose désagréable à laquelle on ne s'attendait pas. **4.** *Être en l'air* : en parlant de quelqu'un, être léger, étourdi, volage.

AIRÉE n. f. **1.** Travail forcé et rapide. Encore une *airée* et notre journée sera finie! Syn., voir : **bourrée** (sens 1). **2.** Période. Une *airée* de beau temps ou de mauvais temps. Syn. : **neuvaine** (sens 1).

AISE n. f. *Être à l'aise* : être dans l'aisance, ne pas avoir de soucis pécuniaires, être à son aise, être aisé. [+++]

AISE adj. inv. Vx ou litt. en fr. Content, heureux. Être bien *aise* de revoir sa famille, être mal *aise* de rencontrer son ex-femme ou son ex-mari.

AISÉ, E adj. **1.** Vx en fr. D'humeur facile, de caractère heureux. Son grand-père n'était pas d'humeur facile dans sa jeunesse; c'est l'âge qui l'a rendu *aisé*. **2.** Litt. en fr. Facile à faire. « La critique est *aisée*, et l'art est difficile ». (Ph. Destouches) **3.** *Prendre ça aisé* : ne pas s'en faire, ne pas s'énerver, se la couler douce. [+++]

AISÉ adv. Facilement, aisément. Ce travail, on a pu le finir *aisé* en moins de deux jours.

AJETS n. m. pl. **1.** Les douze jours après Noël qui, dans la croyance populaire, préfigurent le temps qu'il fera au cours de chacun des douze mois de la nouvelle année. D'après les *ajets*, le mois d'avril sera pluvieux. (O 28-101) Syn. : **journaux. 2.** Êtres, aîtres d'une maison. Fais comme chez toi, tu connais les *ajets* de la maison. Syn. : **airs.**

AJOUTE n. f. **1.** Addition, ajout. Faire des *ajoutes* à un fichier. **2.** Agrandissement. Faire une *ajoute* à une maison, à une grange, à un hangar. Syn., voir : **appent.**

AKANTICA n. m. (amér.) Flottes utilisées pour maintenir les rets des pêcheurs.

ALAIDIR v. tr. Enlaidir.

ALARME n. f. **1.** *Alarme-incendie* (angl. fire alarm) [Ø] : avertisseur d'incendie. **2.** *Boîte d'alarme* (angl. alarm box) [Ø] : avertisseur d'incendie.

ALASKAS n. f. pl. Raquettes à neige longues et étroites, à laçage fin et à l'avant arrondi, utilisées en terrain découvert et sur la neige épaisse. Voir : **raquette.**

ALBERTAIN, E n. et adj. Gentilé. Habitant de l'Alberta; de l'Alberta.

ALCOOL À FRICTION n. m. (angl. rubbing alcohol) [Ø] Alcool dénaturé servant à des fins médicales ou para-médicales et que boivent nos *robineux.*

ALÈGE, ALLÈGE adj. Mar. Lège, sans charge, vide. Le camion est parti chargé, mais il est revenu *alège.* [+++]

ALÊNE n. f. **1.** Anneau de fil de fer qu'on passe dans le groin d'un cochon pour l'empêcher de fouir. Syn., voir : **anneau. 2.** *Ne pas être un manche d'alêne* : avoir une grande compétence.

ALÉNER v. tr. et intr. **1.** Anneler un cochon pour l'empêcher de fouir. (O 28-101) Syn. : **boucler, brocher, brocheter, enclaver, ferrer, ringner. 2.** Agneler. La brebis a *aléné* ce matin. [+] Syn. : **moutonner.**

À L'ENTOUR DE loc. prép. Voir : **entour de.**

ALENTOURS n. m. pl. Vx ou litt. en fr. *Dans les alentours de* : environ, autour de. Nous étions *aux alentours de* cinquante à la réunion.

ALEVETTE, ALIVETTE n. f. Godet attaché à une courroie sans fin et qui sert à transporter des grains, de la farine ou de l'eau à un niveau supérieur.

ALEXANDRE n. f. Variété de pommes à couteau.

ALFALFA n. f. (angl. alfalfa) [Ø] Luzerne. Un champ d'*alfalfa.*

ALGIQUE adj. (amér.) Famille linguistique comprenant plusieurs tribus amérindiennes : Abénaquis, Algonquins, Attikameks, Cris, Illinois, Malécites, Micmacs, Outaouais et Sauteux.

ALGONQUIN, E n. et adj. **1.** Amérindien d'un nation autochtone du Québec qui compte plus de 4 000 personnes dont plus de 80 % habitent neuf villages de la vallée de l'Outaouais. **2.** Langue de la famille *algique.* Apprendre, parler l'*algonquin.* **3.** Relatif aux Algonquins. Une légende *algonquine*, un conte *algonquin.*

ALIS, E adj. Compact, mal levé. Pain *alis*, galette *alise.* [+] Syn. : **gras-cuit, pesant, plat.**

ALISE n. f. Fruit de l'*alisier*, de la viorne cassinoïde. (O 36-86)

ALISIER n. m. Nom vulgaire de la viorne cassinoïde qui produit des *alises* dont raffolent les merles. (O 36-86) Syn. : **bleuets sains**, **bourdaine**.

ALITRE, HALITRE n. m. **1.** Échauffement, irritation surtout en parlant du siège d'un bébé. **2.** Gerçure aux doigts causée par le froid ou le frottement. Avoir l'*alitre* aux mains.

ALITRÉ, E; HALITRÉ, E adj. **1.** Rég. en fr. Échauffé, irrité. Un bébé qu'on ne change pas assez souvent risque d'avoir les fesses (ou mieux le siège) *alitrées*. [+++] **2.** Gercé. Les hommes qui travaillent au froid ou dont les mains sont au contact de l'eau salée ont souvent l'*alitre*, ont souvent les mains *alitrées*. [+++]

ALIVETTE n. f. Voir : **alevette**.

ALL ABOARD! (angl. all aboard) [Ø] En voiture! Il n'y a pas si longtemps, en voiture! n'était jamais utilisé ici pour annoncer le départ d'un train, seul *all aboard* était employé.

ALLABLE adj. Vx ou rég. en fr. Carrossable, praticable, en parlant d'un chemin. La *montée* des Quesnel n'était pas *allable* hier. Syn., voir : **passable**.

ALLE, AL, A pron. pers. 3e pers. sing. et pl. Vx et dial. en fr. Elle, elles. Ma sœur aînée, *alle* est très grande.

ALLÉE n. f. **1.** À la campagne, chemin sur la longueur de la ferme. [+++] **2.** (Angl. alley) [Ø]. Grosse bille de verre, calot avec laquelle les enfants jouent aux billes à la fin du printemps. [+++]

ALLÈGE adj. Voir : **alège**.

ALLÉGHANIEN, ENNE adj. Relatif aux Alléghanys, montagnes faisant partie de la chaîne des Appalaches qui couvrent l'Estrie (autrefois *les Cantons-de-l'Est*) et la Côte-du-Sud.

ALLÉGIR v. tr. et intr. Vx et rég. en fr. Alléger, rendre moins lourd, plus léger. Avec ce vent, le foin coupé va *allégir*. (acad.)

ALLER v. intr. **1.** *Aller en grève* (angl. to go to strike) [Ø] : faire la grève, se mettre en grève. **2.** *Aller chercher dans* : coûter environ. La construction de cette maison devrait *aller chercher* dans les cent mille dollars. **3.** *Aller aux glaces* : aller faire la chasse aux loup-marins, aux phoques. (acad.) **4.** *Se faire aller* : a) se donner de la peine, travailler fort. b) se mettre en évidence.

ALLER-REVENIR n. m. Aller-retour. Acheter un ticket d'autobus *aller-revenir*.

ALLEY, ALLÉE n. f. (angl. alley) [Ø] Grosse bille de verre à jouer, calot. [+++]

ALLIGATOR n. m. Bateau de *drave* à fond plat et à moteur. Marque de fabrique. Syn., voir : **pine de drave**.

ALLIQUÉ n. m. (mot inuit) Variété de sac à dos dans lequel la maman transporte son enfant.

ALLOCHTONE n. et adj. D'une origine différente de celle de la population autochtone, allogène. Pour les autochtones du Québec, nous sommes des *allochtones*.

ALLONGE, RALLONGE n. f. Appentis adossé à une grange et servant de hangar, de remise ou annexe ajoutée à une maison. Syn., voir : **appent**.

ALLOPHONE n. et adj. Qui parle une langue autre que les langues officielles (anglais et français) ou autochtones. Néologisme employé en statistique démographique.

ALLUCHON n. m. Fig. *Il lui manque un alluchon* : il a le cerveau dérangé, il est un peu timbré. Syn., voir : **écarté**.

ALLUME n. f. Vx en fr. Bûchette, éclisse qu'on allumait au feu de la cuisinière et qui tenait lieu d'allumette pour allumer la pipe des fumeurs. Syn., voir : **aiguillette**.

ALLUMELLE n. f. [#] Voir : **lumelle**.

ALLUMER v. tr. et intr. Fig. Se reposer, causer; prolonger la soirée. À quelqu'un qui manifeste l'intention de rentrer chez lui après une bonne causette, on dira *allume, allume*, il n'y a pas le feu. [+++] Syn. : **fumer**.

ALLUMETTES EN PEIGNE n. f. pl. Carnet, pochette d'allumettes. Acheter des *allumettes en peigne*. Syn.: **carton d'allumettes**.

ALLUMEUR n. m. **1.** Pièce de fer dont on se servait pour tirer du feu d'un caillou. Syn., voir : **battefeu**. **2.** Briquet à essence. [+] Syn., voir : **feuseu**.

ALLURE n. f. *Avoir de l'allure* : avoir du bon sens, de la tenue. Voir : **sans-allure**.

ALMANACH, ARMANACH n. m. Histoire invraisemblable, abracadabrante, chose exagérée, manière prétentieuse. Faire ou dire des *almanachs*, des *armanachs*. (acad.) Syn., voir : **chouenne**.

ALMATOIS, E n. et adj. Gentilé. Natif ou habitant d'Alma; d'Alma.

ALMOUCHICHE n. m. (amér.) Race de chien dressé pour la chasse au porc-épic.

ALOSE D'AMÉRIQUE n. f. Alose savoureuse (NOLF).

ALOUETTE BRANLE-QUEUE n. f. Maubèche branle-queue.

ALSIC n. m. (angl. alsike) [Ø] Variété de trèfle à fleur violette employée comme fourrage pour les vaches laitières. [+++]

ALUMELLE, ALLUMELLE n. f. [#] Lame de couteau, de canif. [+++] Syn. : **lumelle**.

AMANCHÉ, E; EMMANCHÉ, E adj. et p. passé **1.** Fig. Affublé, accoutré, mal habillé. On n'a pas idée d'aller à un mariage ainsi *amanché*. [+++] Syn. : **atriqué**. **2.** Fig. *Mal amanché*. a) En difficulté, dans de mauvais draps, dans une situation fâcheuse. Avec une si grosse hypothèque sur sa maison et sans emploi, notre voisin est *mal amanché*. [+++] b) Fig. et péjor. Mal marié. Plaindre une femme *amanchée* pour la vie avec un ivrogne. [+++] Syn., voir : mal **attelé**. **3.** Vulg. En parlant d'un homme, être armé d'un organe imposant. Syn., voir : **gréementé**.

AMANCHER, EMMANCHER v. tr. et pron. **1.** Faire, réparer, mettre en place. *Amancher* une machine à coudre. [+++] Syn. : **ramancher 2.** Fig. Tromper, rouler, duper quelqu'un dans un marché, dans une transaction. [+++] **3.** Fig. et vulg. *Se faire amancher* : devenir enceinte en parlant d'une jeune fille. [+] Syn., voir : **attraper**.

AMANCHURE, EMMANCHURE n. f. **1.** Chose insolite, arrangement bizarre. Qu'est-ce que c'est cette *amanchure*? Syn. : **patente. 2.** Fig. et péjor. Personne remarquablement laide, mal habillée ou demeurée. Je n'irais pas au coin de la rue avec cette *amanchure*. Syn. : **agrès** (sens 3), **chenille à poil**, **chromo**, **gréement. 3.** Travail mal fait, bâclé. C'est toi qui as fait cette *amanchure*! Refais-moi ça convenablement et tout de suite!

AMANT, E n. Vx ou litt. en fr. Bon ami, amoureux, fiancé, promis (en tout bien tout honneur). (surtout acad.) Syn., voir : **cavalier**.

AMARINADES, AMARINAGES n. f. pl. [#] Voir : **mari-nades**.

AMARINÉ, E adj. En boîte, en conserve. Du lait *amariné*. (acad.)

AMARRE n. f. Mar. **1.** Câble, chaîne, lien servant à attacher une bête dans l'étable ou à attacher n'importe quoi. (E 36-86) **2.** Mèche de chandelle de fabrication domestique. **3.** Lacet de chaussures. (E 36-86) Syn. : **cordon** (sens 1).

AMARRÉ, E p. adj. Mar. Fig. Être amarré à la maison. Se dit d'une personne qui ne sort presque jamais de chez elle. Une mère de famille de douze enfants est *amarrée* à la maison.

AMARRER v. tr. Mar. **1.** Lier une gerbe de céréales, attacher ses souliers. (E 36-86) Syn. : **noucler**. **2.** Ficeler. *Amarrer* un paquet, un colis. (E 36-86) **3.** Attacher. *Amarrer* les bêtes à cornes, les chevaux dans l'étable et l'écurie. (E 36-86) **4.** Nouer. *Amarrer* sa cravate. (E 36-86) **5.** Placer les mèches dans le moule à chandelles.

AMARINER (S') v. pron. Mar. **1.** Se mettre à l'eau pour se saisir lors d'une baignade en eau douce ou salée. (acad.) **2.** Fig. S'habituer, se perfectionner. Louis s'est *amariné* très vite dans la menuiserie. (acad.)

AMAUTI n. m. (mot inuit) Manteau traditionnel féminin des Inuits se prolongeant à l'avant et à l'arrière et dont une extension de l'encolure permet le transport au chaud d'un enfant.

AMBINE, LAMBINE n. f. Voir : **amblaie**.

AMBITIONNÉ, E; AMBITIONNEUX, EUSE adj. Ambitieux, travailleur. *Ambitionné, ambitionneux* comme il est, ce garçon va réussir.

AMBITIONNER v. intr. et pron. **1.** Exagérer. Il *ambitionne* vraiment quand il dit qu'il a tout fait seul. **2.** Rivaliser. Ces deux ouvriers *s'ambitionnent* pour être les premiers à finir leur travail. Syn. : **ribonner**. **3.** Fig. *Ambitionner sur le pain béni* : abuser d'une chose, d'une situation, de quelqu'un, exagérer. Depuis que le patron est en vacances, Paul *ambitionne sur le pain bénit* : la moitié du temps, il ne vient pas travailler. [+++]

AMBLAIE n. f.; **AMBLET** n. m.; **AMBLETTE** n. f. Lien ou hart tordue servant à maintenir fermée une barrière ou à relier deux à deux des piquets de clôture, les bâtons d'un *suisse* ou d'une *traîne à bâtons*. (entre 37-85, 23-123 et acad.) Syn. : **ambine**, **harrière**, **lambine**.

AMBOURI n. m. Voir : **nambouri**.

AMBRER, LAMBRER v. intr. [#] Ambler, aller l'amble.

AMBREUR, LAMBREUR n. et adj. [#] Ambleur, cheval qui va l'amble.

AMEILLAGE n. m. Mise bas d'une vache. Avril était le mois de l'*ameillage* autrefois, le mois des veaux.

AMEILLER, AMEUILLER v. intr. **1.** Mettre bas, en parlant d'une vache, ameuiller. (pass. E 27-116 et acad.) Syn., voir : **amener**. **2.** Fig. Se décider, cesser d'être hésitant, finir. Vas-tu bientôt *ameiller*? *ameille, ameille! ameuille, ameuille!* Syn., voir : faire son **pis**.

AMENER, MENER v. tr. et intr. **1.** Conduire une vache au taureau, une jument à l'étalon, une truie au verrat quand elles sont en rut. **2.** Mettre bas en parlant d'une vache. Autrefois, c'est en avril que les vaches *amenaient*. (entre 38-84, 25-117 et Acad.) Syn. : **ameiller**, **ameuiller**, **rapporter**.

AMÉRICAIN, E adj. **1.** *Faire un stop américain* : ralentir près d'un stop et accélérer au lieu de stopper. **2.** *Tournevis américain* : marteau utilisé pour enfoncer une vis parce que c'est plus rapide.

AMERICANA n. m. Documents, manuscrits, livres anciens ayant trait au passé des États-Unis. et dont les pendants canadiens et québécois sont *canadiana* et *quebecensia*.

AMÉRINDIANISATION n. f. Action d'*amérindianiser*.

AMÉRINDIANISER v. tr. Dans le domaine de l'enseignement surtout, adapter, rendre conforme à l'histoire, aux coutumes, aux comportements des *Amérindiens*.

AMÉRINDIANISME n. m. Emprunt lexical aux langues *amérindiennes*. Le mot *babiche* est un *amérindianisme*.

AMÉRINDIEN, ENNE n. et adj. Gentilé. Appellation de plus en plus fréquente et somme toute beaucoup plus juste des peuples autochtones de l'Amérique (à l'exception des Inuits) longtemps appelés *Indiens* ou *Sauvages*. Les *Amérindiens*, les tribus *amérindiennes*. Syn. : **boucané**, **emboucané**, **indien**, femme **de race** ou homme de **race**, **sauvage**.

ÂMES n. f. pl. Âmes du purgatoire. Faire chanter une messe pour les *Âmes*.

AMET n. m. [#] Mar. Point de repère terrestre permettant aux pêcheurs de rentrer sans danger dans leurs ports d'attache; amer. Prendre ses *amets* pour rentrer au port. Syn. : **escapi**.

AMEUILLER v. intr. Voir : **ameiller**.

AMI, E n. **1.** *Ami de garçon, amie de fille* (angl. boy friend, girl friend) [Ø] : ami ou amie, copain, copine. [+++] Syn. : **chum**. **2.** *Faire ami, amie* (angl. to make friend) [Ø] : devenir ami, nouer amitié avec quelqu'un. Syn. : **chummer**. **3.** *Amis d'en face* : par antiphrase, députés de l'opposition à l'Assemblée nationale du Québec.

AMIANTOSE n. f. Inflammation pulmonaire causée par la poussière d'amiante; asbestose. L'*amiantose* est une maladie industrielle.

AMIANTOSÉ, E n. Personne qui souffre de l'*amiantose*, de l'asbestose.

AMIAULER v. tr. Enjôler, amadouer, circonvenir, leurrer, tromper quelqu'un. Syn., voir : **emmiauler**.

AMIEUTER (S'), EMMIEUTER (S') v. pron. Fig. Se mettre au beau. Le temps commence à s'*amieuter*, à s'*emmieuter*. Syn., voir : s'**abeaudir**.

AMINGUER v. tr. Avoir le dessus dans une bataille entre garçons dans une cour d'école. (acad.)

AMINOTTER (S') v. pron. S'amonceler en parlant de la neige poussée par le vent, faire des congères, des *bancs de neige*. Syn. : **s'apiloter**.

AMITIÉ n. f. *Faire l'amitié* : conter fleurette, faire la cour. Aussitôt qu'il a vu Thérèse, il a commencé à lui *faire l'amitié*. Syn. : chanter la **pomme**, faire l'**amour**.

AMITIEUX, AMIQUIEUX, EUSE adj. Rég. en fr. Affectueux, tendre, câlin.

AMOLLIR v. pron. S'adoucir, se réchauffer en parlant du temps. À la fin de mars, le temps s'*amollit*.

AMONT prép. Vx ou rég. en fr. En haut de. La famille Dumont habite *amont* la côte. (E 25-117)

AMORPHOSÉ, E adj. Absorbé dans ses pensées. Reviens sur terre, on te croirait *amorphosé!*

AMORPHOSER, EMMORPHOSER v. tr. **1.** Métamorphoser, transformer un être humain en animal, ce qui est

15

le propre des fées. Mot très fréquent dans les contes populaires. **2.** Flatter, leurrer, enjôler. Il a *amorphosé* son père pour toucher seul l'héritage. [+] Syn., voir : **emmiauler**.

AMORTIR v. tr. **1.** Vx ou rég. en fr. *Amortir la lampe* : baisser la mèche d'une lampe à pétrole pour qu'elle éclaire moins; *amortir un feu* : en diminuer l'intensité. **2.** Tuer, assommer. *Amortir* un loup-marin en utilisant un simple bâton. (acad.)

AMOSSOIS, E; AMOSSAIS, E n. et adj. Gentilé. Natif ou habitant de la ville d'Amos; d'Amos en Abitibi.

AMOUNETTER, AMONETTER v. tr. **1.** Calmer, apaiser un enfant qui pleure. (acad.) **2.** Réprimander, semoncer, chapitrer, reprendre quelqu'un. (acad.)

AMOUR n. m. **1.** Vx en fr. *Faire l'amour* : conter fleurette, faire la cour à une jeune fille en tout bien tout honneur. (acad.) Syn., voir : **amitié**. **2.** *Être en amour* (angl. to be in love) [Ø] : être amoureux. [+++] **3.** *Tomber en amour* (angl. to fall in love) [Ø] : devenir amoureux. [+++]

AMOURETTES n. f. **1.** Testicules de certains animaux, surtout du mouton et du veau. Les vieilles d'autrefois baissaient la voix chez le boucher quand elles demandaient des *amourettes*. **2.** Vulg. Testicules de l'homme. Syn., voir : **gosse**.

AMOUREUX n. m. Bardane, plante et capitules. (acad.) Syn., voir : **grakia**.

AMPAS n. m. [#] **1.** Lampas ou gonflement de la muqueuse du palais du cheval. **2.** Entraves que l'on met à un cheval pour le ferrer.

AMPHIGLACE n. f. Patinoire à glace entourée de gradins.

AMPOUILLE n. f. [#] Ampoule. Avoir des *ampouilles* aux mains. (O 30-100)

AMPOULE n. f. Annexe adossée à une grange, à un hangar, quelquefois à une maison. Syn., voir : **appent**.

AMPOULE adj. Gourd, ankylosé, qui manque de débrouillardise. Ah! ce qu'il est *ampoule* ce garçon! (acad.)

AMULERONNER v. tr. Faire des *mulerons*, des veillottes de foin. (acad.)

AMUSARD, ARDE adj. et n. Qui perd son temps à des bagatelles, à des riens. Quand Jacques va faire une course au village, il peut y passer la journée, c'est un *amusard*. Syn. : **téteux**.

AMUSARDS n. m. pl. Ironiquement, seins, mamelles de la femme, nichons. Syn., voir : **quenoche**.

AMUSE-BRAILLARDS n. m. pl. Ironiquement, seins d'une femme qui allaite.

AMUSETTE n. f. Hochet, jouet pour petit enfant. (acad.) Voir : **suce d'amusette**.

ANCHET n. m. [#] Voir : **achet**.

ANCIEN TEMPS n. m. Autrefois, jadis. Dans l'*ancien temps*, avant la mécanisation, tout le travail sur une ferme se faisait à la main.

ANCRE n. f. Mar. **1.** Fig. *Être à l'ancre* : être chômeur, ne pas partir travailler chaque matin. **2.** Fig. *Être encore à l'ancre* : se disait d'une jeune femme mariée, non encore enceinte, non *partie pour la famille*. Syn. : faire la **vilaine**, faire la **chiotte**.

ANCRER v. tr., intr. et pron. Mar. **1.** Enfoncer, s'enliser dans la neige, dans la boue, y rester pris. (O 27-101) Syn., voir : **embourber**. **2.** Fig. *Ancrer dans la tête* : mettre dans la tête, retenir. *Ancre*-toi bien dans la tête que tu dois étudier pour réussir en classe.

ANDOUILLE n. f. **1.** Court *chalumeau* de bois dont l'une des extrémités amincie pénètre dans le trou de mèche d'un érable *entaillé* et qui dirige la sève dans le contenant accroché à cette *andouille*. (Beauce) Syn., voir : **chalumeau**. **2.** Rouleau de feuilles de tabac à pipe ficelées et serrées ayant l'apparence d'un saucisson. (acad.) Syn. : **main** de tabac.

ANDOUILLER v. tr. **1.** Fixer une *andouille*, un chalumeau à un érable *entaillé*. (Beauce) **2.** Faire des manoques, des *andouilles* de tabac à pipe. (acad.)

ÂNE n. m. Paresseux, euse comme un âne : personne très paresseuse.

ANEILLÈRE adj. **1.** Qui n'a pas mis bas dans l'année, en parlant d'une vache, et plus rarement d'une truie. Avoir des vaches *aneillères* était une calamité. [+++] **2.** Fig. Tari, à sec. Le puits est *aneillère*. Syn., voir : **séché**.

ANERNEK n. m. (mot inuit) Âme, souffle.

ANFIROUAPER v. tr. Voir : **enfirouaper**.

ANGALKO n. m. (mot inuit) Sorcier volant, grand guérisseur.

ANGE n. m. **1.** Papillon. Il y a beaucoup d'*anges* dans le jardin. (O 38-83) **2.** *Ange cornu* : papillon de nuit. (O 38-83) Enfant espiègle.

ANGELICO n. f. Arbuste dont le fruit appelé poire ressemble à une mûre noire. (acad.)

ANGLAIS adj. **1.** Péjor. *Avoir l'air anglais* : avoir l'air excentrique, ridicule. **2.** *Être de l'anglais* : être incompréhensible en parlant d'une situation, d'une chose qui nous échappe.

ANGLO n. Québécois de langue anglaise, anglophone.

ANGUILLE n. f. **1.** *Anguille de roche* : nom vulgaire de la loquette d'Amérique et de la *sigouine de roche*. Syn. : **sigouine de roche**. **2.** *Anguille de sable* : nom vulgaire du lançon d'Amérique. **3.** Fig. *Mesurer avec de la peau d'anguille* : se dit d'un vantard qui exagère tout, qui exagère (la peau d'anguille a la propriété de s'étirer). **4.** Fig. Dans un toit couvert de bardeaux, défaut résultant de joints superposés et par où l'eau s'infiltre. [++] **5.** Fig. Lézarde dans un ouvrage de maçonnerie. **6.** *Anguille-brûle* : anguille, cache-tampon (jeu d'enfants). Jouer à l'*anguille-brûle*. [+++]

ANIMALERIE n. f. Magasin spécialisé dans la vente de petits animaux et d'articles les concernant (ROLF). Mot destiné à remplacer le mot anglais *pet shop*.

ANIS n. m. **1.** Carvi commun très utilisé dans la médecine populaire. [+++] **2.** *Anis sauvage* : salsepareille ou aralie à grappes. Syn. : **chassepareille**.

ANNEAU n. m. **1.** Boucle de fil de fer qu'on passe dans le groin d'un porc pour l'empêcher de fouir. Syn. : **alêne**, **boucle**, **broche**, **crampe**, **ring**. **2.** *Anneau de glace* : piste de patinage de vitesse à l'extérieur.

ANNEDDA n. (amér.) Épicéa marial ou cèdre blanc. Il semble bien que c'est l'infusion de l'écorce de l'un de ces arbres qui a guéri du scorbut les compagnons de Jacques Cartier lors de leur hivernement à Québec, pendant l'hiver 1534-1535. Syn. : **arbre de vie**.

ANNÉE ACADÉMIQUE n. f. (angl. academic year) [Ø] **1.** Dans un établissement universitaire : année scolaire, année universitaire. **2.** Dans les établissements non universitaires : année scolaire.

ANNÉE LONGUE n. f. [#] *À l'année longue* : à longueur d'année.

ANNEMONTOIS, E n. et adj. Gentilé. Habitant de Sainte-Anne-des-Monts; de Sainte-Anne-des-Monts.

ANNEXE n. f. Poêle au mazout servant uniquement au chauffage. Installer une *annexe* dans un logement où il n'y a pas de chauffage central. (Rég. de Québec)

ANNONCE n. f. **1.** Réclame, publicité. Aux chaînes privées de télévision, il est impossible de voir un film qui ne soit interrompu par des *annonces* toutes les dix minutes. [+++] **2.** *Annonces classées* (angl. classified advertisements) [Ø] : petites annonces dans un journal.

ANNONCER v. intr. Faire de la réclame. Ce magasin *annonce* toutes les semaines dans les journaux. [+++]

ANNONCEUR, E n. À la radio et à la télévision, personne qui présente une émission, speaker, présentateur. [+++]

ANORAK n. m. (mot inuit) Manteau à capuchon, imperméable et porté surtout par les skieurs et les amateurs de planche à neige. [+++]

ANSE DU COU n. f. Clavicule. Se fracturer l'*anse du cou*. (O 34-91) Syn. : **carcan du cou, cercle du cou, collier du cou**.

ANTELLES n. f. pl. [#] Attelles du collier des chevaux.

ANTICIPER v. tr. (angl. to anticipate) [#] Prévoir, escompter, s'attendre à. Tous les experts anticipent une remontée des taux d'intérêt d'ici l'automne.

ANTICOSSE, ANTICOSTE n. Appellation populaire de l'île d'Anticosti chez les pêcheurs de morue.

ANTICOSTIEN, ENNE n. et adj. Gentilé. Natif ou habitant de l'île d'Anticosti; de l'île d'Anticosti.

ANTIFRISE n. m. (angl. antifreeze) [Ø] Antigel qu'on met dans le radiateur d'un véhicule automobile l'hiver. Anglicisme en perte de vitesse.

ANTIPHLOGISTINE n. f. Variété de pommade contre le rhumatisme. Marque déposée.

ANXIEUX, EUSE adj. (angl. anxious) [#] Désireux. Être *anxieux* de revoir des amis d'enfance. Avoir hâte de revoir des amis d'enfance.

AOUINDRE v. tr. et pron. [#] Voir : **aveindre**.

APÇON n. m. [#] Hameçon. Appâter un *apçon*. (O 27-116) Syn. : **croc, haim**.

APECIA n. m. (amér.) Jeune chevreuil.

À-PIC adj. **1.** Abrupt, escarpé. Cette paroi est très *à-pic*. **2.** Fig. Irritable, qui se fâche facilement, de mauvaise humeur. Ce matin, le patron est *à-pic*. Dérivé : *s'apiquer*.

APILOTER v. tr. et pron. **1.** Mettre en *pilot*, en pile, en tas. *Apiloter* du bois de chauffage, du foin. (acad.) **2.** S'accumuler, s'amonceler en parlant de la neige, des glaces lors de la débâcle. C'est au bout de la maison que la neige *s'apilote* le plus. (acad.) Syn. : s'**aminotter**.

APILOTIS, PILOTIS n. m. Amoncellement de glaces lors de la débâcle, de neige lors des tempêtes de neige. (acad.)

APIMPER (S') v. pron. Se faire une toilette pimpante, se mettre sur son trente et un. S'*apimper* pour aller voir sa *blonde*. (acad.) Syn., voir : se mettre sur son **quarante**.

APIQUER v. tr. et pron. Mar. **1.** Mettre dans une position presque verticale, dresser. *Apiquer* une échelle contre le mur. Syn. : **mâter**. **2.** Fig. Se fâcher, se mettre en colère, devenir *à-pic*. Syn. : **mâter**. **3.** Fig. *S'apiquer les oreilles* : dresser les oreilles, écouter attentivement.

APITCHOUME, APICHOUME n. m. **1.** Bruit de l'éternuement. Entendre un *apitchou*, un *apitchoume*. **2.** *Faire apitchou, faire apitchoume* : éternuer. Syn., voir : **apitchoumer**.

APITCHOUMER, APICHOUMER v. intr. Éternuer, faire un ou des *apitchoumes*. [+++] Syn. : faire **apitchou**, **apitchoume**, **atchou**, **atchoum**, **atchoumer**.

APLANCHIR, APLANGIR v. tr. Aplanir, rendre plat, uni, *planche*. *Aplanchir* un terrain. [+++]

À-PLAT-VENTRISME n. m. Expression populaire. Le fait de s'humilier, de se montrer servile, de faire des courbettes pour obtenir un avantage. Faire de l'*à-plat-ventrisme* devant les politiciens, devant les colonisateurs. L'*à-plat-ventrisme* est le propre du colonisé qui s'ignore.

À-PLAT-VENTRISTE n. et adj. Personne servile qui fait de l'*à-plat-ventrisme*.

APLOMBER v. tr. et pron. **1.** Mettre d'aplomb, caler en utilisant des cales. *Aplomber* une machine à laver, un buffet, une armoire. [+++] **2.** Se mettre en équilibre stable. Il a épaulé, s'est *aplombé* et a tiré, tuant un *orignal*.

APOLA n. f. (amér.) Variété de ragoût.

APONTICHER v. tr. Remettre au niveau. *Aponticher* les planchers d'une vieille demeure.

APOSTUME n. f. Voir : **postume**.

APOTHICAIRE n. m. Armoire à pharmacie.

APÔTRE n. m. Au pl. *Les deux apôtres* : deux amis qui ne se séparent jamais, qui sont toujours ensemble.

APPALACHIEN, ENNE adj. Relatif aux Appalaches, chaîne de montagnes qui s'étend sur la rive sud du Saint-Laurent.

APPAREILLER v. tr. et pron. Mar. Vx en fr. et fig. Préparer, se préparer, s'habiller, faire sa toilette. *Appareiller* le repas pour midi. *Appareille-toi*, on part dans dix minutes. [+++] Syn., voir : **gréer**.

APPARENCE n. f. **1.** Signe. Il y a *apparence* de beau temps, de mauvais temps, de pluie, de neige. **2.** Vx en fr. *D'apparence* : selon les apparences, à ce qu'on voit. *D'apparence*, ils sont de bons amis, mais il ne peuvent se sentir. **3.** *Apparence que* : apparemment que. *Apparence que* ton père est malade?

APPARTEMENT n. m. **1.** Vx en fr. Pièce d'une maison, d'un logis. Habiter un logement de quatre *appartements* : un quatre pièces. Louer un *deux-appartements* : un deux-pièces. [++] **2.** Compartiment cloisonné réservé à un cheval dans une écurie, stalle. Syn., voir : **entredeux**.

APPARTENIR v. intr. Habiter, être citoyen de. La famille Duclos n'*appartient* pas à Montréal, elle *appartient* à Laval.

APPELÉ, E n. Personne dont on connaît le nom de famille. Ce garçon, c'est un *appelé* Leblanc et cette femme, c'est une *appelée* D'Entremont. (acad.)

APPELER v. tr. A*ppeler des noms.* a) Donner des sobriquets, des surnoms. Ces enfants adorent *appeler des noms* à leurs camarades. [+++] Syn. : **crier des noms**. b) Dire des injures, des insultes à quelqu'un.

APPENT n. m. Annexe, agrandissement à une maison, à une grange, à un hangar, appentis. [++] Syn. : **acul**, **ajoute**, **allonge**, **ampoule**, **bas-côté**, **chapeau**, **hallier**, **porche**, **portique**, **punch**, **rallonge**, **shed**.

APPERT (forme du verbe défectif apparoir) Vx en fr. *Il appert que* : il paraît que, le bruit court que. *Il appert qu'*il y aura des élections bientôt. (En droit, *il appert que* signifie il est évident que).

APPÉTISER v. tr. Donner de l'appétit, avoir de l'appétit. Ces enfants peuvent bien être *appetisés*, ils font beaucoup de sport, c'est le sport au grand air qui *appétise* ces jeunes.

APPLICATION n. f. (angl. application) [Ø] Demande d'emploi, de bourse; formulaire de demande d'emploi, de bourse. Depuis qu'il est chômeur, il a fait dix *applications*. [+++]

APPLIQUER v. intr. (angl. to apply) [Ø] Faire une demande d'emploi ou de bourse, poser sa candidature. Michel a fini à l'université cette année et il a *appliqué* sans résultat à une vingtaine d'endroits. [+++]

APPOINT n. m. **1.** Moment favorable. Attendre l'*appoint* de la marée ou du vent. **2.** Convenance, commodité. Ne pas attendre les *appoints* de tout le monde pour prendre une décision. [+++] **3.** Avantage, profit. Vos conseils m'ont été d'un grand *appoint*.

APPOINTEMENT n. m. (angl. appointment) [Ø] Rendez-vous. Avoir un *appointement* chez la coiffeuse, chez le dentiste.

APPOINTICHER, APPOINTISER, APPOINTIR v. tr. Rendre pointu, aiguiser en pointe en parlant d'une alêne, d'un piquet, appointer.

APPRIMER, RAPPRIMER v. tr. Aiguiser. *Apprimer, rapprimer* une faux pour la rendre coupante, pour la rendre *prime*. [++] Syn., voir : **enfiler**.

APPROCHE n. f. (angl. approach) [Ø] **1.** Façon d'aborder un problème. **2.** Rampes d'accès d'un pont.

APPROCHER v. tr. (angl. to approach) [Ø] Pressentir. On a *approché* le maire pour qu'il soit candidat à la prochaine élection provinciale. [+++]

APPUYÉ, E n. et adj. Concubin. *Appuyé*, mélioratif d'*accoté*, est employé par la bourgeoisie qui essaie de châtier son langage. Syn., voir : **accoté**.

APRÈS prép. **1.** Le long de, à, à même, contre, sur. Avoir une tache *après* sa chemise. Monter *après* un arbre. Attacher un animal *après* une clôture, laisser une clef *après* la porte. [+++] **2.** Vx en fr. En train de, occupé à. Il était *après* souper quand la panne d'électricité est survenue. [+++] Syn. : en **frais de** (sens 3). **3.** Vx et rég. en fr. *Par après* : après, ensuite. Mangez d'abord, vous irez jouer *par après*. [+++]

AQUEDUC n. m.; **QUEDUC** n. f. **1.** Robinet. Fermer ou ouvrir l'*aqueduc* ou la *queduc*. [+++] Syn., voir : **champlure**. **2.** Eau courante. Maison d'été à vendre avec *aqueduc* et électricité. [+++]

AQUER, HAQUER v. tr. Appâter, garnir d'un appât, amorcer. *Aquer* un hameçon. (entre 38-84 et 27-116) Syn., voir : **empâter**.

ARAGAN, ORAGAN, OURAGAN n. m. (amér.) Contenant (plat, panier) en écorce de bouleau utilisé pour la cueillette des fraises, des framboises, des mûres, etc.

ARAIGNÉE n. f. **1.** Variété de grappin servant à épierrer ou à essoucher. **2.** Voir : **trou d'araignée**.

ARBORITE n. f. Lamellé décoratif pour comptoirs de cuisine, salles de bain, etc. Marque déposée.

ARBRE n. m. **1.** Tige. Couper les *arbres* de coudrier, de framboisiers, de maïs, de pommes de terre. **2.** *Arbre de cerises* : cerisier. **3.** *Arbre de coudre* : coudrier, noisetier. Syn., voir :

coudre n. m. **4.** *Arbre de noisettes* : noisetier, coudrier. Syn., voir : **coudre** n. m. **5.** *Arbre de Noël* : jeune conifère sur pied en forêt. Dans ce boisé, il y a beaucoup d'*arbres de Noël*. [+++] **6.** *Arbre de vie* : épicéa marial ou cèdre blanc dont l'infusion de l'écorce guérit du scorbut. Syn. : **annedda**. **7.** *Arbre inconnu* : micocoulier.

ARCADE n. f. (angl. arcade) [Ø] **1.** Salle de jeux électroniques fréquentée par les jeunes. Plusieurs villes aimeraient pouvoir interdire les *arcades* aux moins de dix-huit ans. **2.** Galerie de côté dans une église.

ARCANSER v. tr. et intr. **1.** Rudoyer, saccader un cheval en tirant sur le mors tantôt à droite tantôt à gauche. Syn., voir : **cisailler**. **2.** Encenser en parlant d'un cheval. Une jument qui *encense*.

ARCANSON n. m. Voir : **gemme**.

ARCHE n. f. Fig. Très grande maison. La maison de mes grands-parents, c'est une *arche*. Syn. : **baraque**, **cabane** (sens 6), **presbytère**.

ARCHETTE n. f. Bielle de la faucheuse à foin qui communique le mouvement à la faux. Syn., voir : **tournebroche**.

ARDENT, E adj. En parlant d'un froid à pierre fendre ou d'une faim de loup. Un froid *ardent*, une faim *ardente*.

ARÊCHE n. f. [#] **1.** Arête de poisson. Enlever les *arêches* du poisson. [+++] **2.** Dos de la lame de la faux à bras, partie opposée au tranchant. [++]

ARÉNA n.m. (angl. arena) **1.** Établissement où se trouve une patinoire à glace couverte et entourée de gradins. Patinoire a le même sens. (ROLF) **2.** *Aréna de poche* : aréna de petite dimension.

ARGENT n. f. [#] **1.** Argent (n. m.). Il a gagné de la grosse *argent* à La Grande. **2.** *Faire de l'argent comme de l'eau* : gagner facilement de l'argent. **3.** *Argent de papier* : papier-monnaie, billet de banque. Transporter cent dollars en *argent de papier* est moins encombrant que transporter le même montant en pièces de monnaie. **4.** *Argent dur* : monnaie, pièce de monnaie. Il est commode d'avoir de *l'argent dur* sur soi pour les parcomètres.

ARGENTS n. m. pl. (angl. monies ou moneys) [Ø] Fonds, deniers, valeurs, montants. Les *argents* votés pour les autoroutes sont considérables. Argent, toujours du genre masculin, ne s'emploie jamais au pluriel en français.

ARGENTÉ, E adj. Riche, pourvu d'argent, qui a de l'argent. Syn., voir : **motton**.

ARGENTINE n. f. (angl. silver-weed) [Ø] Potentille anserine.

ARIA n. m. **1.** Vx en fr. Tracas, embarras. Autrefois, c'était tout un *aria* de faire les travaux avec des chevaux. [+++] **2.** Vx en fr. Gâchis, désordre. Les enfants laissés sans surveillance pourraient faire tout un *aria*. **3.** Équipement de chasse, de pêche, de ski; instruments de musique. Syn., voir : **attirail**.

ARIDELLE n. f. [#] Mécoupure de *la ridelle* devenant l'aridelle. Les *aridelles* d'une charrette à foin. [++] Voir : **éridelle**.

ARLÉROSE n. m. (angl. early rose) [Ø] Voir : **early rose**.

ARMANACH n. m. [#] Voir : **almanach**.

ARMÉE DU SALUT n. f. (angl. Salvation Army) Organisation internationale originaire de l'Angleterre et qui, dans les grandes villes, sollicite des aumônes pour pouvoir offrir gîte et couvert aux plus démunis.

ARMOIRE n. f. **1.** *Armoire à balais* : placard réservé au rangement des accessoires ménagers tels que balais, brosses, pelle à poussière, aspirateur, etc. [+++] **2.** *Armoire à butin* : armoire à vêtements. [+++] Syn. : **armoire à hardes**. **3.** *Armoire à couvertes* : armoire à couvertures de lits. **4.** *Armoire à hardes* : armoire à vêtements. [++] Syn. : **armoire à butin**. **5.** *Armoire à bois* : à la campagne, armoire sous un escalier où l'on range le bois de chauffage de la journée.

ARMOIRETTE n. f. Armoire de petite dimension.

ARNA n. f. (mot inuit) Épouse, femme, fille.

AROUCHE n. f. Branle-bas général. Quand cet accident est arrivé au coin de la rue, ça été une terrible *arouche*! (acad.)

ARPENT n. m. Au Québec, dans les anciennes seigneuries. **1.** Mesure de longueur valant 180 *pieds* français ou 191,835 *pieds* anglais, soit 58,47 m. [+++] **2.** Mesure de surface valant 34,20 ares ou 0,342 ha, soit 3418,8 m^2. Acheter une terre de deux cents *arpents*. [+++] Voir : **acre**.

ARRACHAGE n. m. Action d'arracher (sens 5).

ARRACHÉ n. m. Terrain déboisé, d'où l'on a arraché les racines en vue de le cultiver.

ARRACHE-BROQUETTE, ARRACHE-CLOU n. m. Fig. Habit de cérémonie, habit. Grand-père a mis son *arrache-clou* pour le mariage de sa petite-fille. Syn. : **coat à queue**, **dress-suit**, **frappe-jarret**, **full-dress**, **prince-albert**, **queue-d'égoïne**, **queue-de-morue**, **tape-braquette**.

ARRACHE-PATATE n. m. Machine servant à arracher les pommes de terre, arracheur ou arracheuse. [+++]

ARRACHE-PIERRE n. m. Machine à tirer les pierres du sol, arrachoir. Syn. : **arrache-roche**.

ARRACHE-POIL n. m. *D'arrache-poil* : d'arrache-pied. Travailler *d'arrache-poil* pour pouvoir aller en vacances.

ARRACHER v. tr., intr. et pron. **1.** *Arracher* une dent : extraire une dent. **2.** *En arracher* : éprouver beaucoup de difficultés. Aujourd'hui, il vit à l'aise mais au début de sa carrière il *en a arraché*. [+++] Syn. : **échiffer**. **3.** Fig. Se tirer d'embarras, réussir, bien gagner sa vie. Il ne vit pas en millionnaire mais il a fini par *s'arracher*. [+++] Syn. : **réchapper sa vie**. **4.** *S'arracher l'âme, s'arracher le cœur* : se donner beaucoup de mal pour son travail, ses enfants. Syn., voir : **s'effieller**. **5.** Terminer la période d'exploitation d'une *érablière* en enlevant les *chaudières* pour les laver et les ranger pour le printemps suivant et en *arrachant* les *chalumeaux*. C'est le contraire d'*entailler*. Syn. : **dégréer**, **désentailler**, **détailler**.

ARRACHERIES, ARRACHES n. f. pl. Variété de *corvée*, sorte de fête au cours de laquelle on arrachait les pommes de terre. Septembre était le mois des *arraches*, des *arracheries*. (acad.)

ARRACHE-SOUCHE n. m. Appareil utilisé pour l'arrachage des souches. Syn., voir : **essoucheuse**.

ARRACHEUR DE DENTS n. m. **1.** Vx en fr. Celui qui *arrachait* les dents autrefois. Posséder un davier permettait de devenir *arracheur de dents*. **2.** *Menteur comme un arracheur de dents* [+++], *comme un dentiste* [+] : fieffé menteur.

ARRACHIS n. m. **1.** Arbre renversé dont les racines sont à nu, chablis. Un vent très fort fait souvent des *arrachis*. [+++] Syn., voir : **renversis**. **2.** Partie de forêt dont les arbres ont été déracinés par un ouragan, un cyclone. Toute l'érablière est devenue un *arrachis*. [+++] Syn. : **renversis**.

ARRANGEMENT n. m. **1.** *Venir en arrangement* : terminer un différend, à l'amiable. Cet homme d'affaires en difficulté financière est *venu en arrangement* avec ses créanciers. **2.** Au pl. *Faire ses arrangements* : faire son testament. Avant de partir pour l'hôpital, il a *fait ses arrangements*. **3.** *D'arrangement* : accommodant, arrangeant, conciliant, avec qui l'on peut s'accorder facilement.

ARRANGER v. tr. Euphémisme pour châtrer un animal (cochon, bouvillon, poulain, etc.). [+++] Syn., voir : **affranchir**.

ARRANGEUR, EUSE n. Affranchisseur qui castre les animaux : chevaux, taureaux, gorets, etc.

ARRÊT n. m. *Sous arrêt* (angl. under arrest) [Ø] : en état d'arrestation.

ARRIÉ! interj. Cri pour faire reculer un cheval. [+++] Syn. : **back!**

ARRIÈRE, ARRIÈRE DE BARGE OU ARRIÈRE DE CANOT n. m. Aide du commandant par opposition au *devant* (commandant) et aux *milieux* (rameurs) sur les anciennes embarcations à rames.

ARRIÈRE-FAIX n. m. Vx en fr. Placenta expulsé par une vache après la mise bas. Syn., voir : **suite**.

ARRIÈRE-TRAIN n. m. Postérieur. Notre voisine a tout un *arrière-train*.

ARRIME n. f. Mar. Pile de morues de quatre *pieds* de largeur, de quatre *pieds* de longueur et de trois *pieds* de hauteur pour le salage avant de commencer l'opération de séchage sur les *vigneaux*. (E 7-142)

ARRIMÉ, E part. adj. Mar. **1.** Fig. *Être bien arrimé* : posséder un bon matériel d'exploitation, en parlant d'un cultivateur, un bon équipement en parlant d'un entrepreneur. Syn. : **gréé**. **2.** Fig. En parlant d'un homme, être armé d'un organe imposant. Syn., voir : **gréementé**.

ARRIMER v. tr. et pron. Mar. **1.** Rég. en fr. Placer méthodiquement, mettre en ordre. *Arrimer* les morceaux de lard dans le saloir. [++] **2.** Se préparer. *Arrime-toi*, nous partons à midi. [++] Syn., voir : **gréer** (sens 2). **3.** Se procurer les instruments aratoires nécessaires, l'outillage pour exécuter des travaux divers. Syn. : se **gréer**.

ARRIVER v. intr. **1.** *Arriver en dessous* : être déficitaire, être perdant dans une affaire. En vendant à ce prix, il *arrive en dessous*. **2.** Fig. *Arriver en ville* : s'adapter à son temps, moderniser ses idées. Il serait temps pour lui d'*arriver en ville* et d'admettre l'égalité des salaires entre femmes et hommes. [+++]

ARROSOIR À PATATES n. m. Citerne sur roues servant à répandre sur les plants de pommes de terre un produit chimique qui empoisonne les doryphores.

ARRUCHEMANGANES n. f. plur. Exagérations, choses invraisemblables. Tu nous fatigues avec tes *arruchemanganes*! (acad.)

ARSE n. f. Espace. Dans une petite maison, on manque d'*arse*. Manquer d'*arse* pour faire demi-tour avec son auto.

ARTÉCHOL n. m. Médicament pour le foie. Marque déposée.

ARTICHAUT, ARTICHOU n. m. Bardane majeure ou bardane mineure, plante et capitules. (O 27-101) Syn., voir : **grakia**.

ARTIFAILLES n. f. pl. Affiquets, affûtiaux. Cette femme est toujours couverte d'*artifailles*. (O 37-85) Syn., voir : **affûteaux**.

23

ARUPIAUX n. m. pl. Voir : **auripiaux**.

ARVIDIEN, ENNE n. et adj. Gentilé. Natif ou habitant d'Arvida; d'Arvida.

AS n. m. **1.** *Être aux as* : être très heureux, très content. À la fête des mères, grand-mère *était aux as* : tous ses enfants et ses petits-enfants étaient présents. [+++] **2.** *Aux as* : très, beaucoup. Ce gâteau est bon *aux as*. **3.** Voir : **battre quatre as**.

ASBESTRIEN, ENNE n. et adj. Gentilé. Natif ou habitant d'Asbestos en Estrie; d'Asbestos.

ASPERGE, ASPERGÈS n. m. Goupillon pour asperger d'eau bénite. [+] Syn. : **bénissoir**.

ASSAILLIR v. tr. Agresser. Une femme a été *assaillie* par deux jeunes voyous qui lui ont arraché son sac à main.

ASSAPER v. tr. Tasser, fouler. *Assaper* du foin, de la neige. (acad.)

ASSAUT INDÉCENT n. m. (angl. indecent assault) [Ø] Attentat à la pudeur. Être condamné à la prison pour *assaut indécent*.

ASSÉCHÉ, E adj. Tari, à sec en parlant d'un puits. Syn. voir : **séché**.

ASSEMBLÉE n. f. **1.** Séance. Assister à une *assemblée* du conseil municipal. **2.** *Assemblée de cuisine* : au cours des campagnes électorales, petite réunion de voisins, dans une cuisine, pour permettre à un candidat de rencontrer plusieurs électeurs en même temps. **3.** *Assemblée de parterre* : au cours des campagnes électorales, réunion de voisins sur le parterre d'une maison (à condition que le temps soit clément) pour permettre à un candidat de rencontrer plusieurs électeurs en même temps.

ASSEOIR v. tr. Fig. Remettre son interlocuteur à sa place, le confondre par une vive repartie. Syn, voir : **boucher**.

ASSERMENTATION n. f. Prestation de serment, action d'assermenter, de faire prêter serment. L'*assermentation* d'un député.

ASSEZ adv. Vx en fr. Très, beaucoup. Ce garçon est *assez* gentil, il tient ça de sa mère! Il a fait *assez* beau la semaine dernière!

ASSIETTE n. f. **1.** Bout de l'organe de l'étalon. (surtout O 36-86) Syn. : **cap**, **soucoupe**. **2.** *Jeu de l'assiette* : jeu où les joueurs, assis en cercle, font pivoter une assiette et lancent à un joueur un petit objet qu'il doit attraper au vol avant de saisir l'assiette encore en mouvement. **3.** *Passer l'assiette* : à l'église, faire la quête. [++] Syn. : **chapeau**, **panier**, **quête**, **tasse**.

ASSINABE n. m. (amér.) Pierre servant à mouiller un filet de pêche.

ASSIRE v. tr. et pron. [#] Rég. en fr. Asseoir, s'asseoir. *Assire* un enfant dans une poussette. *S'assire* sur une chaise. [+++] Syn. : **assister**.

ASSISON, ASSISA n. m. Siège, banc, dans une embarcation de pêche.

ASSISTER (S') v. pron. [#] Ironiquement, s'asseoir. *Assistez-vous*, vous n'êtes pas pressés. Syn. : **assire**.

ASSURANCE 1. *But d'assurance* : dans le sport, surtout au hockey, lorsqu'une équipe qui a une avance d'un but sur l'équipe adversaire fait un deuxième but, ce but s'appelle *but d'assurance*. **2.** Voir : **tuyau d'assurance**.

ASTHEURE adv. [#] Voir : **heure** (sens 1).

ATACA n. m. [#] Voir : **atoca**.

ATCHOU, ATCHOUM n. m. *Faire atchou, faire atchoum* : éternuer. [++] Syn., voir : **apitchoumer**.

ATCHOUMER v. intr. Éternuer. Travailler dans la poussière fait *atchoumer*. [++] Syn., voir : **apitchoumer**.

ATIGI n. m. (mot inuit) Manteau traditionnel masculin des Inuits, fait de peaux et fermé au col par un cordon.

ATIK n. m. (mot inuit) Caribou.

ATOCA, ATACA (amér.) Airelle canneberge qui, en mûrissant, devient rouge. Les *atocas* accompagnent la dinde de Noël. [+++] Syn. : **mocauque** (sens 3).

ATOCATIER n. m. Arbuste qui produit des *atocas*.

ATOCATIÈRE n. f. Plantation d'*atocatiers* produisant des *atocas*. Il y a plusieurs *atocatières* dans la région de Victoriaville.

ATOSSET, WATOSSÉ, WOTOSSÉ n. m. (amér.) Variété de poisson blanc du Saint-Maurice et du lac Saint-Jean.

ATOUT n. m. Qualités, ressources, entrain, débrouillardise, courage. Ce jeune homme a de l'*atout*, il ira très loin.

ATRICURE n. f. Péjor. Accoutrement. L'as-tu vue avec son *atricure?*

ATRIQUÉ, E adj. Péjor. Accoutré, affublé, mal habillé. On n'a pas idée d'aller à un mariage *atriqué* comme la *chienne à Jacques*. [+++] Syn. : **amanché**.

ATRIQUER (S') v. pron. Péjor. S'attifer, s'affubler, se fagoter. As-tu vu comment elle s'est *atriquée* pour les noces?

ATTACHER v. tr. Clouer, cheviller, boulonner. *Attacher* une planche, c'est la fixer à l'aide d'un clou, d'une cheville ou d'un boulon. (acad)

ATTANEK n. m. (mot inuit) Divinité du peuple inuit.

ATTAQUÉ, E adj. Piqué des vers. Beaucoup de pommes sont *attaquées* cette année. [+++]

ATTELAGE n. m. **1.** Harnais d'un cheval. (surtout O 25-117) **2.** Harnais de raquettes à neige, de skis. **3.** *Attelage de promenade, des dimanches* : harnais d'un cheval de voiture, de carrosse. **4.** *Attelage de semaine, de travail* : harnais d'un cheval de trait, de ferme. **5.** *Attelage double* : harnais d'un cheval de ferme attelé avec un autre cheval. **6.** *Attelage simple* : harnais d'un cheval de ferme ou de carrosse attelé seul. **7.** Appareil orthopédique, bandage herniaire.

ATTELÉ, E p. adj. Fig. *Bien attelé*, par antiphrase, et *mal attelé* : mal marié en parlant de l'un des deux conjoints dans un couple mal assorti. Ce pauvre Gédéon, il est *mal attelé*, il est *bien attelé!* [+++] Syn. : mal **amanché**, mal **spané**, mal **teamé**.

ATTELER v. intr. **1.** *Atteler double* : utiliser un attelage de deux chevaux. D'où aller *double* ou *en double*, être *double* ou *en double*. **2.** *Atteler simple* : utiliser un seul cheval. **3.** *Atteler croche* : atteler un cheval à une voiture d'hiver dont le brancard est décentrable, ce qui permet au cheval de marcher là où passent les patins de la voiture.

ATTELLES n. f. pl. Fig. *Avoir les jambes comme des attelles de collier* (de cheval) : avoir les jambes arquées. [+++]

ATTENDRE AVEC UNE BRIQUE ET UN FANAL loc. verb. Voir : **brique et fanal**.

ATTIFAUX, ATTIFIAUX n. m. pl. Rég. en fr. Affûtiaux, affiquets. Syn., voir : **affûteaux**.

ATTIFER (S') v. pron. Vx en fr. S'habiller sans goût, n'importe comment. [+++]

25

ATTIGUÉ n. m. (mot inuit) Appellation inuit du parka.

ATTIKAMEK n. **1.** Amérindien d'une nation autochtone du Québec qui compte 3 200 personnes dont 90 % habitent trois villages de la Haute-Mauricie; relatif aux Amérindiens de cette nation. C'est au début des années 1970 que cette nation autochtone a décidé de remplacer son ancienne appellation *Tête-de-boule* par *Attikamek*. **2.** Langue parlée par les Attikameks. Apprendre l'*attikamek*. **3.** Poisson blanc.

ATTINER v. tr. Taquiner. Les écoliers aiment *attiner* les petites filles. (acad.) Syn. : **achaler, agacer, agoucer, badrer, chacoter** (sens 2), **chamoiser, cranker, écœurer, endêver, étriver, niaiser, picocher, picosser, pigouille (sens 3), scier, tirer la pipe**.

ATTINEUR, ATTINEUX, EUSE n. et adj. Qui aime *attiner*, taquiner, taquin. Il est *attineur* comme son père. (acad.) Syn. : **agaçant, agaceur, chamoisant, chamoiseux, étrivant, étriveur, picocheux, taquineux**.

ATTIRAIL n. m. Vx en fr. Équipement de chasse, de pêche, de ski, instruments de musique. Syn. : **agrès, aria**.

ATTISÉE n. f. Rég. en fr. Bon feu produit par une quantité de bois mise en une seule fois. Pour chasser l'humidité, il suffirait de faire une *attisée*. [+++]

ATTISONNER v. tr. Tisonner. *Attisonner* le feu pour l'aviver. Syn. : **achaler, brasser, pigouiller**.

ATTRAITS n. m. pl. Traits, lignes caractéristiques du visage. Cet enfant a les *attraits* de son père.

ATTRAPE n. f. **1.** Vx en fr. Piège pour prendre des animaux (ours, lièvres, anguilles, oiseaux). [+++] Syn. : **trappe**. **2.** *Attrape à homards* : casier à homards. Syn. : **bourne** (sens 2), **cage à homards**. **3.** *Attrape à mouches, attrape-mouches* : boîte-piège pour capturer les mouches. Syn. : **mouchière, trappe à mouches**.

ATTRAPER v. tr. **1.** Fig. et vulg. *Se faire attraper* : devenir enceinte en parlant d'une jeune fille. [+] Syn. : se faire **amancher**, se **casser une cuisse, une jambe, fêter Pâques avant carême, fêter Pâques avant le jour de l'An, faire Pâques avant Rameaux, faire des labours d'automne, jumper le manche** à balai, se faire **poigner**, se faire **prendre, sauter la clôture**. **2.** Fig. *Attraper son coup de mort* : prendre dangereusement froid. Rester dans un courant d'air lorsqu'on est en transpiration, c'est risquer d'*attraper son coup de mort*. **3.** Fig. *Attraper une paire de culottes* : avoir une déception, subir un échec, se heurter à une difficulté. Syn. : frapper un **nœud**. **4.** Fig. *Attraper la paille* : attraper la diarrhée. Syn., voir : attraper la **cliche**. **5.** Fig. *Attraper la pelle* : être éconduit en parlant d'un amoureux. Syn., voir : manger sa **portion**.

AUBAINE n. f. **1.** Occasion, solde, rabais. Profiter des *aubaines* de fin de saison. [+++] Syn. : **vente**. **2.** *Prix d'aubaine* (angl. bargain price) [Ø] : prix réduit, soldes.

AUBEL n. m.; **AUBELLE** n. f. Aubier de l'arbre. [+++]

AUCUN, E adj. ind. Tout, n'importe lequel. Pour cueillir des fraises on peut utiliser *aucun* récipient.

AUGE n. m. [#] **1.** Auge (n. f.). Bille de bois creusée à la *tille* et servant d'abreuvoir pour les vaches ou dans laquelle on donnait la pâtée aux cochons. [+++] **2.** Dans l'étable, rigole d'écoulement du purin. [+++] **3.** Demi-bille de bois creusée en auge dans toute sa longueur et servant à couvrir les camps forestiers d'autrefois, à la façon des tuiles rondes.

Couvrir un camp de bois rond avec des *auges*, couvrir en *auges*. [+] Syn. : **cale**, **dalle**.

AUJOURD'HUI POUR DEMAIN loc. À n'importe quel moment, d'un moment à l'autre. Malade comme il est, il peut mourir *aujourd'hui pour demain*.

AUNAGE 1. Aune rugueux qui fournit une teinture jaune. [+++] Syn. : **vergne**, **verne**. **2.** Rég. en fr. Aunaie. Aller se couper une aune dans l'*aunage*. Syn. : **aunière**. **3.** Au pl. Peuplement d'aunes, de broussailles. Syn. : **aunes**, **vernoches**.

AUNE n. m. Au pl. Peuplement de broussailles. Syn., voir : **aunage** (sens 3).

AUNE n. f. Vx en fr. Mesure de longueur pour les tissus, équivalant à 1,25 *verge* soit 1,118 m. L'*aune* en usage sous le Régime français a été remplacée officiellement par la yard anglaise appelée *verge* ici dès le début du Régime anglais mais était encore connue au milieu du XXe siècle.

AUNIÈRE n. f. Lieu où poussent des aunes, aunaie. [++] Syn. : **aunage**. (sens 2)

AURIPIAUX, ARUPIAUX n. m. pl. Vx et rég. en fr. Oreillons chez les êtres humains et aussi chez certains animaux dont le porc. [+++] Syn. : **grenouilles**.

AUTANT COMME AUTANT loc. adv. **1.** Souvent, à satiété, tant et plus. On lui a dit *autant comme autant* de regarder avant de traverser la rue. [+++] **2.** Beaucoup, un grand nombre. À cette assemblée, il y avait du monde *autant comme autant*. [+++]

AUTMOIN n. m. (amér.) Appellation des sorciers et des prêtres.

AUTOBUS n. m. Véhicule automobile destiné au transport urbain et interurbain, autocar. Toutes les heures, il y a service d'*autobus* entre Québec et Montréal. [+++]

AUTOBUSSIER, ÈRE n. Usager de l'autobus. [+]

AUTOMATE n. m. Distributeur automatique de sandwichs, de pâtisseries, de thé, de café, etc., qui fonctionne avec des pièces de monnaie.

AUTONEIGE n. f. Véhicule à chenilles muni d'une caisse fermée, qui peut se déplacer facilement sur la neige et qui sert à transporter les voyageurs comme dans une automobile. Syn. : **bombardier**, **snowmobile**.

AUTRE adj. ind. Pop. en fr. *Nous autres, vous autres, eux autres* : nous, vous, eux. [+++]

AUTREMENT adv. *Être autrement* : euphémisme pour être enceinte. Syn., voir : être en **famille**.

AVALANCHE n. f. Fig. Ribambelle. Une *avalanche* d'enfants. [++] Syn., voir : **tralée**.

AVALE-MIDI n. m. Argot. Se dit de quelqu'un qui a un très gros appétit.

AVALOIR n. m.; **AVALOIRE** n. f. Vx en fr. Œsophage de certains animaux. (surtout acad.)

AVANCE n. f. *D'avance* : a) Hâtif en parlant du blé, des pommes de terre, de l'avoine. Semer de l'avoine *d'avance*. [+++] b) Rapide, vif, alerte, expéditif en parlant d'une personne. Le nouvel employé est déjà plus *d'avance* que les anciens. [+++]

AVANT n. m. A*voir de l'avant, être en avant, prendre de l'avant* : en parlant d'une montre, d'un réveil, avoir de l'avance, être en avance, prendre de l'avance.

27

AVANT adj. inv. Profond. Une fosse *avant*, un puits *avant*.

AVANT adv. Profondément. Labourer *avant*.

AVANT-COUVERTURE n. f. Avant-toit d'une maison qui s'avance au-dessus du perron ou de la *galerie*. [+++]

AVANT-MIDI n. Rég. en fr. Matinée. Ce médecin passe ses *avant-midi* à l'hôpital et ses après-midi à son bureau. [+++]

AVARDE n. et adj. f. [#] Avare. Une personne *avarde*. [++]

AVARICIEUX, EUSE adj. et n. Vx en fr. Avare, personne d'une grande avarice, harpagon. Il est aussi *avaricieux* que son père. [+++] Syn. : **baise-la-cent**, **fessier**, **gratteux**, **grattin**, **juif**, **peigne**, **séraphin**, **séraphino**, **serre-la-piastre**, **serre-la-poigne**, **suce-la-cenne**, **tord-la-mèche**.

AVARIE n. f. Mar. Dégât, dommage. Au cours du déménagement mon armoire a subi des *avaries*. Son auto a subi des *avaries* lors d'un accident.

AVEC prép. [#] **1.** Celui que je suis *avec* : celui avec qui je suis. **2.** Par. Expédier de la marchandise *avec* le bateau ou le train. **3.** Contre. Être fâché *avec* ses amis. **4.** *Avec pas* : sans. Il est parti *avec pas* un sou en poche.

AVEINDRE, AOUINDRE v. tr. et pron. **1.** Vx ou rég. en fr. Aller prendre un objet à l'endroit où il est rangé, atteindre avec effort. *Aveindre* ses vêtements des dimanches. *Aveindre* un veau tombé dans un profond fossé. [+++] **2.** Arriver, s'amener. Il était nuit quand ils ont fini par *s'aveindre*.

AVEINDU [#] Rég. en fr. P. passé du verbe *aveindre*, aveint.

AVÈNE n. f. Avoine. Semer de l'*avène*. [+]

AVENIR v. intr. Convenir, aller bien. Ce chapeau lui *avient* parfaitement. Ça l'*avient* de rester chez lui aujourd'hui. [+]

AVENTS n. m. pl. **1.** *Les avents* : l'avent, c'est-à-dire la période de quatre semaines précédant Noël. **2.** Voir : **bordée des avents**.

AVION n. m. Fig. Disamare de certains arbres avec laquelle s'amusent les enfants. Syn. : **aile**, **chie-en-culotte** (sens 1), **culotte**, **hélicoptère**.

AVIONNERIE n. f. Usine d'avions; industrie de la construction aéronautique (ROLF).

AVISEUR, EUSE n. (angl. advisor) [Ø] Conseiller. *Aviseur légal* (angl. legal advisor) [Ø] : conseiller juridique; *aviseur technique* Ø : conseiller technique.

AVISSE n. f. [#] Vis. Fixer une planche avec des *avisses*. [+++]

AVIVER v. tr. Équarrir une bille de bois à vive arête, sans la chanfreiner.

AVOINE 1. Fig. *Manger de l'avoine, manger sa portion d'avoine* : être supplanté par un rival auprès d'une jeune fille. [+++] Syn., voir : **portion**. **2.** Fig. *Faire manger de l'avoine* : supplanter un rival, en parlant d'un amoureux. [+++]

AVOINE FOLLE Voir : **folle avoine**.

AWAPOUSSE n. m. (amér.) Sac contenant les vivres d'un voyageur en forêt ou dans les plaines de l'Ouest.

AYOILLE! interj. Ouille!, aïe! Cri pour marquer la douleur, la surprise. [+++]

AYRSHIRE n. Race de vache laitière.

B

B.A.; BAC n. m. **1.** Baccalauréat ès arts, diplôme qui couronnait les études secondaires d'autrefois et qui permettait de s'inscrire en faculté. **2.** Aujourd'hui, diplôme couronnant le premier cycle d'études universitaires.

BABARNÈCHE n. f. Foin de grève dont on se servait pour rembourrer les matelas et les sièges.

BABEURRE n. m. Tech. ou rég. en fr. Lait de beurre.

BABICHE n. f. (amér.). **1.** Lanière de peau crue d'anguille utilisée comme fil à coudre. [++] **2.** Lanière de peau crue (chevreuil, bœuf, orignal, veau) utilisée comme garniture des raquettes à neige et des sièges de chaises. [+++] **3.** Lanière de peau tannée (veau, bœuf, chevreuil) utilisée pour coudre les chaussures et les harnais. [++] **4.** Voir : **tire babiche**.

BABICHER v. tr. (amér.). **1.** Garnir de *babiche* une raquette à neige, le siège d'une chaise, d'un fauteuil. Voir : **empailler** (sens 1). **2.** Donner une correction à un enfant en utilisant un petit fouet. **3.** Se montrer mesquin, avare.

BABILLARD n. m. Tableau d'affichage. Souvent, le *babillard* disparaît sous les multiples affiches et avis. [+++]

BABINE n. f. **1.** Au pl. *Babines de beu, babines de nègre, babines de velours* : grosses lèvres. Syn., voir : **ballot. 2.** *Faire la babine* : faire la moue. (O 27-116 et acad.) Syn. : faire la **baboune** (sens 2). **3.** *Se faire aller les babines* : parler sans arrêt, être un moulin à paroles.

BABOCHE, BOBOCHE n. f. **1.** Matrone qui porte l'enfant présenté au baptême, porteuse. (E 34-91) Syn., voir : **matrone** (sens 2). **2.** Alcool de fabrication domestique. (Entre 40-83 et 37-116) Syn., voir : **bagosse**.

BABOUCHE n. f. Sandale de plage en caoutchouc ou en plastique. [++] Syn., voir : **sloune**.

BABOUIN n. m. Appeau en bois servant à attirer les canards sauvages, les outardes, etc. [++]

BABOUNE n. f. **1.** Grosse lèvre. Avoir une de ces paires de *babounes*! [+++] Syn., voir : **ballot. 2.** Fig. *Faire la baboune* :

faire la moue. [+++] Syn. : faire la **babine**. **3.** Fig. *Avoir la baboune, faire la baboune* : être mécontent, être de mauvaise humeur, bouder. [++]

BABOUNER v. intr. Bouder, être mécontent, de mauvaise humeur.

BABOUNEUX, EUSE adj. et n. Boudeur, surtout en parlant d'un enfant.

BABYDOLL n. m. (angl. babydoll) [Ø] Vêtement de nuit féminin particulièrement affriolant.

BACAGNOLE n. f. **1.** Traîneau rudimentaire servant autrefois au transport des provisions en forêt. [++] Syn. : **gabare, jumpeur, menoires traînantes, sleigh de portage, traîneau de portage, travail, travois. 2.** Traîneau d'érablière pour le transport de la sève d'érable. [++] Syn. : **jack, jumpeur, siffleux, suisse, traîne. 3.** Dans les chantiers forestiers, traîneau servant au débusquage des billes de bois. [++] Syn., voir : **bob. 4.** Voiture rudimentaire à deux roues constituées de rondelles de bois. (Saglac)

BACAILLÈRE, BÉCAILLÈRE n. f. **1.** Variété de canard sauvage. (acad.) **2.** Nom d'une variété d'oiseau de petite taille. (acad.)

BACHAT n. m. mar. **1.** Vieille embarcation, mauvais bateau, bachot. [++] **2.** Vieille automobile, tacot. (surt. Charsalac) Syn., voir : **bazou. 3.** Fig. Vieille montre détraquée, patraque. (surt. Charsalac) Syn. : **patate 2.**

BACHELOR n. m. (angl. bachelor) [Ø] Petit appartement pour une personne seule, garçonnière, studio.

BÂCHER v. tr. Voir : **broucheter.**

BACK!, BACK UP!, BÈQUE! interj. (angl. back, back up) [Ø] Cris pour faire reculer un cheval. [++] Syn. : **arrié.**

BACKBENCHER n. (angl. backbencher) [Ø] Appellation d'un député du parti au pouvoir qui ne prend presque jamais la parole et dont le rôle essentiel est d'être présent lors d'un vote.

BACKER v. tr. (ang. to back) [Ø] Aider financièrement. Si son père ne l'avait pas *backé*, il n'aurait pas pu ouvrir son garage. [+++]

BACLÉE n. f. Embâcle. Une *baclée* de glaces.

BACLER v. intr. Faire embâcle en parlant d'un cours d'eau.

BACON, BÉKEUNE, BÉQUE (au fig.) n. m. **1.** *Porc à bacon* : porc destiné à faire du *bacon* devant approvisionner le marché anglais d'autrefois et dont le poids ne doit pas dépasser 55 kilos à l'abattage. **2.** Fig. *Avoir du békeune, du béque* : avoir de l'argent, des moyens. Syn., voir : **motton** (sens 2).

BACUL n. m. **1.** Dial. en fr. Palonnier aux extrémités duquel on accroche les traits des chevaux. Existent le *bacul simple* (à un seul cheval), le *bacul double* (à deux chevaux) et le *bacul à trois chevaux*. [+++] Syn. : **courge** (sens 1). **2.** Dans les chantiers forestiers, pinces à billes accrochées au centre d'une volée portée par deux hommes et servant à débusquer les billes de bois là où on ne pouvait utiliser les chevaux. Syn., voir : **chienne (sens 10). 3.** Clenche de loquet de porte. Syn. : **barre, barrure. 4.** Jambier au moyen duquel on suspend par les pattes arrière les bêtes de boucherie abattues. (Charsalac) Voir : **janvier. 5.** Tige de fer qui, introduite dans l'anneau d'une chaîne, permet d'attacher. Attacher une vache dans l'étable avec une chaîne à *bacul*. [++] **6.** Loc. fig. *Ruer dans le bacul* : regimber,

protester vivement, ruer dans les brancards. (O 27-116)
Syn. : ruer dans les **menoires. 7.** a) *Donner du bacul* (à un
cheval) : décentrer la barre du palonnier (*bacul*) d'une
paire de chevaux de façon à permettre à l'un d'eux, en
raison de sa jeunesse ou de sa vieillesse, de tirer moins
que l'autre. b) Fig. *Donner du bacul* (à quelqu'un) : lui
donner l'occasion de travailler moins fort en raison de son
jeune âge ou de son âge avancé. **8.** *Chier sur le bacul* : se
décourager. **9.** *Bacul d'en avant* : porte-timon accroché aux
colliers de deux chevaux attelés côte à côte et qui porte le
timon. Voir : **neckyoke**.

BADLUCK, BADLOQUE n. f. (angl. bad luck) [Ø]
Malchance, malheur, contretemps. [++]

BADLUCKY, BADLOQUÉ, E adj. (angl. bad lucky) [Ø]
Malchanceux, poursuivi par la guigne. Il n'y a pas plus
badlucky que lui.

BADMINTONNEUR, EUSE n. Joueur de badminton.

BADRAGE n. m. Ennui, tracas, souci, dérangement.
Préférer travailler dans un bureau fermé pour ne pas avoir
de *badrage*. [+++] Syn. : **badrement**, **badrerie**.

BADRANT, E n. et adj. Ennuyeux, importun, incom-
modant. Un individu *badrant*, un travail *badrant*. [+++] Syn.,
voir : **badreux**.

BADRÉ, E part. adj. Fig. *Ne pas être badré* : ne pas être timide,
avoir de l'initiative, du toupet, aimer s'amuser. Syn. : **barré**.

BADREMENT n. m. Voir : **badrage**.

BADRER v. tr. et pron. **1.** Agacer, importuner, ennuyer.
Arrête de *badrer* ta mère, tu vois qu'elle est occupée! [+++]
Syn., voir : **attiner. 2.** Se charger de, apporter avec soi. Je
ne veux pas me *badrer* d'un imperméable, je suis sûr qu'il
va faire beau. [+++]

BADRERIE n. f. Ennui, tracas, embarras, dérangement.
C'est une *badrerie* d'avoir un chien quand on habite un
douzième étage. [+++] Syn., voir : **badrage**.

BADREUX, EUSE n. et adj. Ennuyeux, importun. Il est
gentil mais bien *badreux*. [+++] Syn. : **badrant**.

BADTRIP n. m. (angl. bad trip) [Ø] État désagréable
résultant de l'absorption de substances hallucinogènes.

BAGATELLE n. f. Dessert fait de biscuits et de morceaux
de gâteau, garnis de confiture ou de gelée, le tout recouvert
de blanc-manger ou de crème fouettée. [+++]

BAGOSSE n. f. **1.** Alcool de fabrication domestique et
souvent de mauvaise qualité. [+++] Syn. : **baboche**, **booze**,
boucane, **caribou**, **charlot**, **chien**, **chien rouge**, **corne-en-
cul**, **flacatoune**, **goof**, **Jim-Robert**, **marlo**, **miquelon**,
moonshine, **patatia**, **pistrine**, **poutine**, **saint-pierre. 2.** a)
Tissu solide servant à la confection d'habits de travail. Syn. :
overall (sens 1). b) Au pl. Salopettes faites du tissu appelé
bagosse. (acad.)   Syn. : **overalls** (sens 2).

BAGOSSER v. intr. Aller ici et là, changer souvent d'emploi,
être instable.

BAGOSSEUX, EUSE n. et adj. Personne instable, qui a la
bougeotte, qui change souvent d'emploi. Syn. : **jumpeux**.

BAGOULARD, E, BAGUEULARD, E n. et adj. Bavard qui
passe son temps à *bagouler*, à commettre des indiscrétions,
à parler à tort et à travers, cancanier. Syn. : **bagouleur**.

BAGOULER, BAGUEULER v. intr. Dial. en fr. Bavarder,
causer. Parler à tort et à travers. Passer son temps à *bagouler*.
(acad.) Voir : **mémérer**.

31

BAGOULEUR, EUSE n. et adj. Voir : **bagoulard**.

BAGUETTE n. f. Planchette mince et étroite qui s'encastre dans les rainures ou parties femelles de planches embouvetées.

BAIECOMOIS, E ou **BAIECOMIEN, ENNE** n. et adj. Gentilé. Natif ou habitant de Baie-Comeau sur la Côte-Nord; de Baie-Comeau.

BAILLARGE n. f. Dial. en fr. Orge. Semer de la *baillarge*. (acad.) Syn. : **barley**.

BAILLE n. f. Mar. **1.** Contenant en bois, demi-tonneau servant à différents usages à la ferme. (acad. et Lanaudière) Syn. : **tub**. **2.** *Baille à laver* : cuve en bois ou en métal utilisée pour la lessive. (acad.) Syn., voir : **cuve**. **3.** Abreuvoir en métal fixé dans la stalle du cheval. (Lanaudière)

BAILLÉE n. f. Mar. Contenu d'une *baille*, d'une cuve. Il reste deux *baillées* d'eau pour les animaux. (acad.)

BAILLER v. tr. et pron. **1.** Vx en fr. Donner, apporter, passer. Peux-tu lui *bailler* la scie qui est accrochée au-dessus de l'établi? **2.** V. pron. (angl. to buoy) [Ø] : dans les jeux d'enfants comme celui de la *cachette*, de cache-cache, se délivrer en allant toucher le but, la *buoy*.

BAILLI n. m. Vx en fr. Huissier chargé de signifier une assignation à quelqu'un. [++]

BAIN n. m. [#] **1.** Baignoire. Installer un nouveau *bain*, faire couler de l'eau dans le *bain*. [+++] **2.** *Bain-tourbillon* (angl. whirlpool bath) [Ø] : baignoire, baignoire à remous. [+++]

BAISE-LA-CENT, BAISE-LA-PIASTRE, BAISE-PIASTRE n. Avare, individu mesquin, radin. C'est un *baise-la-piastre* comme on n'en voit pas souvent. [++] Syn., voir : **avaricieux**.

BAISER v. tr. **1.** Tromper, duper quelqu'un dans un marché, une transaction. **2.** Vulg. *Baiser la vieille, le cul de la vieille* : revenir bredouille de la chasse, de la pêche, etc. [+++]

BAISSANT n. m. Rare en fr. Reflux de la marée. Le *baissant* s'oppose au *montant*. [+++]

BAISSER v. intr. Donner moins de lait. En période de sécheresse, les vaches au pâturage *baissent*.

BAISSEUR n. f. Terrain bas qui s'égoutte difficilement, baissière, dépression de terrain. [+++] Syn., voir : **bas-fond**.

BAJOTTE n. f. **1.** Joue grosse, ronde mais non pendante chez les humains. [+++] Syn., voir : **jotte**. **2.** Bajoue de porc. [+]

BAJOTTÉ, E adj. Qui a de grosses joues, des *bajottes*.

BAJOUE n. f. Fam. en fr. Chez les êtres humains, joue grosse et ronde. [+++] Syn., voir : **jotte**.

BAL n. m. **1.** *Bal à gueule* : autrefois à la campagne, sauterie, soirée où l'on dansait au son de la voix et au rythme des battements de pieds, faute d'avoir un accordéon, un violon ou une *musique à bouche*. **2.** *Bal-à-l'huile* : fête, danse qui dure toute la nuit et où l'on boit abondamment. [+++] **3.** *Bal de graduation*. Voir : **graduation**.

BALADEUR n. m. Appareil (radio ou magnétophone) portatif muni d'écouteurs. Mot destiné à remplacer *walkman*.

BALAI n. m. **1.** Thuya occidental dont le bois, réfractaire à la pourriture, était utilisé pour faire les clôtures de perches d'autrefois. Syn. : **cèdre**. **2.** *Balai de blé d'Inde* : de feuilles de maïs. **3.** *Balai de branches de coudre* : de branches de coudrier. **4.** *Balai de cèdre* : de thuya. [+++] **5.** *Balai d'épinette* : d'épicéa. **6.** *Balai de harts rouges* : de cornouiller. **7.** *Balai de varne* : de *verne, vergne* ou aune rugueux. **8.** *Balai tillé* : fait à partir d'une billette de bois dont la base est fendue en éclisses multiples. **9.** *Balai de toubi* : d'éclisses de frêne. **10.** *Balai à rouleaux, à roulettes,* balai roulant, balai mécanique. On utilise encore le *balai à rouleaux* surtout pour les tapis délicats. (O 22-124) Syn. : **bissel**. **11.** *Petit balai* : vergette, époussette servant à épousseter les vêtements. **12.** Fig. *Fou, folle comme un balai* : exubérant, d'une gaieté inhabituelle. [+++] **13.** *Cheveux coupés en balai* : d'égale longueur et courts. **14.** *Envoyer quelqu'un au balai* : envoyer paître, promener.

BALANCE n. f. [#] **1.** Pèse-bébé, pèse-lettre, pèse-personne. **2.** (Angl. balance) [Ø]. Solde, reste d'un compte à payer.

BALANCEMENT n. m. (angl. balancing) [Ø] *Balancement* des roues d'un véhicule automobile : équilibrage des roues.

BALANCER v. tr. et intr. (angl. to balance) [Ø] **1.** Équilibrer, en parlant des roues d'un véhicule automobile. **2.** En comptabilité, équilibrer. Réussir à *balancer* les recettes et les dépenses dans un budget.

BALANCIGNE n. f. (O 27-116 et Charsalac) Voir : **balançoire** (sens 1).

BALANCIGNER v. tr. et pron. Voir : **balanciner**. Syn. : **galancer, galanciner**.

BALANCINE n. f. **1.** Perche enlevante avec collet utilisée par les chasseurs et les trappeurs, piège à levier. Voir : **giboire**. **2.** Voir : **balançoire** (sens 1).

BALANCINER v. tr. et pron. Balancer, se balancer sur une balançoire (O27-116 et Charsalac). Syn. : **balancigner, galancer, galanciner**.

BALANÇOIRE n. f. **1.** Balançoire double, de *galerie* ou de jardin, formée de deux sièges se faisant face et suspendus à un châssis en bois. [+++] Syn. : **balancine, balancigne, barlancigne, galance, galancine**. **2.** Balancier d'une horloge.

BALANT n. m. Voir : **ballant**.

BALAYEUSE, BALAYEUSE ÉLECTRIQUE n. f. Aspirateur de poussière. Passer la *balayeuse* tous les jours devient monotone. [+++]

BALBUZARD n. m. Aigle pêcheur.

BALCONVILLE n. m. *Passer ses vacances à Balconville* : en parlant de citadins pauvres, passer ses vacances d'été chez soi, sur le balcon d'un modeste appartement.

BALDWIN n. Variété de pommes à couteau.

BALESTRON n. m. [#] Baleston, livarde servant à tendre la voile d'une embarcation.

BALEUR, BOLEUR n. m. (angl. boiler) [Ø] Voir : **boileur**.

BALIER v. tr. [#] Vx et rég. en fr. Balayer, passer le balai. [+++]

BALISAGE n. f. Mar. Action de *baliser* un chemin d'hiver sur neige ou sur glace, ou dans une rue l'été à l'occasion d'une fête.

BALISE n. f. Mar. Jeune conifère, piqué de chaque côté d'une route enneigée pour en indiquer le tracé ou encore servant à orner les rues pour une fête religieuse en dehors de la période hivernale. [+++]

33

BALISER v. tr. Mar. **1.** Indiquer le tracé d'un chemin d'hiver avec de petits arbres coupés, le plus souvent des conifères. [+++] **2.** Orner les rues pour une fête, avec de petits conifères coupés en forêt. À la Fête-Dieu, on *balisait* les rues par où passait la procession. [+++]

BALIURES n. f. pl. **[#]** Rég. en fr. Balayures. [++] Syn. : **bourrier** (sens 1), **cochonneries** (sens 2), **ramassures**.

BALLANT, BALANT n. m. **1.** Défaut d'équilibre, tendance à se balancer. Ça ne tiendra pas, ça a trop de *ballant*. **2.** *Être en ballant* : a) Ne pas être en équilibre stable en parlant d'un objet. b) Fig. Hésiter, être indécis, en balance.

BALLE n. f. **1.** Boule de neige. Les enfants aiment lancer des *balles de neige*. Syn. : **motte**, **pelote**. **2.** Testicule chez l'homme et aussi chez certains animaux (bélier, taureau). Voir : **gosse**. **3.** *En balle, comme une balle* : à toute vitesse, à vive allure, très vite. Les autos passent *en balle* ou *comme une balle* dans le village, il y aura des accidents! Syn., voir : **gauler**. **4.** *Balle molle* (angl. softball) [Ø] : jeu de balle nord-américain ressemblant au baseball mais qui utilise une balle plus grosse et moins dure. **5.** *Sain comme une balle* : qui n'a pas de pourriture. La charpente de cette grange est encore *saine comme une balle*.

BALLER v. tr. (angl. to bale) [Ø] Utiliser une presse à foin, un *balleur* ou une *balleuse*, pour faire des balles de foin dans les champs.

BALLEUR n. m.; **BALLEUSE** n. f. (angl. baler) [Ø] Presse à foin utilisée dans les champs. (O 37-85)

BALLON n. m. **1.** *Ballon-balai* (angl. broomball) [Ø] : variété de hockey sur glace qui se joue sans patins et dont la rondelle ou palet est remplacée par une balle et les bâtons de *hockey* par une sorte de balai. **2.** *Ballon-panier* : appellation québécoise du basketball.

BALLOT n. m. Fig. Grosse lèvre. Il a une de ces paires de *ballots*! Syn. : **babine** (sens 1), **baboune** (sens 1).

BALLOUNE, BALOUNE n. f. (angl. balloon) [Ø] **1.** Ballon en caoutchouc très mince servant à amuser les enfants. [+++] **2.** Bulle. Faire des *ballounes* avec du savon. [+++] **3.** Fig. Cuite. *Prendre, virer ou revirer une balloune* : prendre une cuite; *être en balloune, sur la balloune* : être ivre; *partir en balloune, sur une balloune* : s'enivrer. [+++] Syn., voir : **brosser**. **4.** Fig. *Être en balloune* : être enceinte. [++] Syn., voir : être en **famille**. **5.** Argot. Alcootest. Souffler dans la *balloune* pour connaître le taux d'alcool que l'on a dans le sang. [+++]

BALLUCHES n. f. pl. Balles, enveloppes des graines de céréales, criblures. (acad.) Syn., voir : **agrains**

BALONÉ, BALONEY n. m. (angl. Bologna) [Ø] Mortadelle, gros saucisson bon marché qui constitue un élément essentiel de la nourriture des familles démunies. [+++]

BALOUNE n. f. (angl. balloon) [Ø] Voir : **balloune**.

BALUSTRADE n. f. *Sauter la balustrade* : se faire refuser l'absolution, à l'époque où la confession était obligatoire.

BALUSTRE n. f. **1.** Balustre (n. m.), balustrade ou table de communion qui dans une église sépare le chœur de la nef. [+++] **2.** Fig. **Mangeur, rongeur de balustre** : bigot, faux dévot, tartuffe. [+++]

BANAL n. m. Taureau. Du temps des seigneuries, il y avait le *moulin banal* mais aussi un *taureau banal* appelé le *banal* qui servait les vaches en rut des habitants de la seigneurie. Syn. : **bull**, **monsieur**.

34

BANANE n. f. **1.** Vulg. Pénis. Syn., voir : **pine** (sens 5) **2.** Fig. *Mangeux de banane* : homosexuel. Syn., voir : **fifi**.

BANC n. m. **1.** À la campagne, autrefois, plateforme pour bidons (de lait ou de crème) installée au bord de la route, à la hauteur du plateau du véhicule de ramassage. Syn., voir : **escabeau**. **2.** Bâti de rouet. **3.** *Banc à parer* : marotte ou chevalet servant à maintenir à la hauteur voulue la pièce de bois qu'on veut dresser. Syn., voir : **chienne** (sens 4). **4.** *Banc de neige* : amas de neige entassée par le vent, congère. Il a fallu sortir par une fenêtre pour aller pelleter le *banc de neige* qui obstruait la porte. [+++] Syn. : **apilotis**, **bank**, **falaise**, **houle**, **lame**, **roue** (sens 2), **rouleau** (sens 3), **roulis** (sens 1), **vague**. **5.** *Banc de scie* : n. m. (angl. bench saw) [Ø] : plateau de sciage mobile qui reçoit les billes de bois et que l'on pousse vers la scie circulaire pour les tronçonner. [+++] **6.** Fig. *Banc-de-sorcière* : déviation, dans le fût d'un arbre, due au bris de la tête de cet arbre, une branche ayant pris la relève, à la verticale. **7.** *Banc des seaux* : banc sur lequel on déposait les deux seaux d'eau qu'on allait puiser au puits à l'époque antérieure à celle de l'eau courante. [+++] Syn., voir : **chienne** (sens 2). **8.** *Banc du quêteux, banc des quêteux,* meuble de bois formant caisse souvent placé dans la cuisine pour servir de siège, contenant paillasse et oreillers quand il était fermé et servant de lit pour adultes quand il était ouvert, bancasse. (O 8-123) Syn. : **bed**. **9.** *Petit banc* : Banc sur lequel on s'assied pour traire une vache ou une chèvre.

BANC-VERT n. m. Banc de pêche situé dans le golfe du Saint-Laurent à environ 25 *milles* de Chéticamp et dont parle Nicolas Denys en 1672. Tous les pêcheurs de morue connaissent encore le *Banc-vert* ainsi que le *Banc des orphelins*.

BANDAGE n. m. **1.** Frette. Le bandage du moyeu d'une roue de bois. **2.** Embatage. Remplacer le *bandage* d'une roue de bois.

BANDE n. f. Ensemble des panneaux de bois entourant une patinoire. [+++]

BANDÉ, E p. adj. Vulg. *Être bandé sur* : être fortement attiré par une personne du sexe opposé. Depuis que Louise a vu Paul, elle *est bandée* sur lui; quant à Paul, lui, il est bandé dur sur Antoinette. [+++]

BANDER v. tr. Embattre, cercler, garnir une roue d'un bandage de fer. *Bander* une roue de tombereau. [+++]

BANDEUR n. m. (angl. binder) [Ø] Voir : **bindeur**.

BANDON n. m. **1.** Herbe qui pousse dans une prairie après la fauchaison, regain. Syn., voir : **lien**. **2.** Terrain non cultivé où il est permis de laisser paître les animaux pendant un certain temps. Mettre les vaches dans les *bandons*.

BANIC, BANIQUE, BANEK, BANOQUE n. (angl. bannock) [Ø] Pâte à pain cuite dans une poêle ou enroulée autour d'un bâton : méthode de cuisson pratiquée par les *Amérindiens*, par les voyageurs en forêt ainsi que par les cuisiniers dans les chantiers forestiers d'autrefois. Syn. : **pain de cimetière**, **pain indien**.

BANK n. (angl. bank) [Ø] Amas de neige entassée par le vent, congère. [+] Syn., voir : **banc de neige**.

BANNEAU n. m. **1.** Tombereau de ferme à boîte basculante. (E 30-100) Syn., : **charrette** (sens 1), **ouabano**.

2. Voiture d'hiver à deux patins et à boîte basculante servant au transport du fumier ou de la neige. (E 30-100) Syn. : **tombereau. 3.** Variété de pelle pouvant avoir jusqu'à 75 cm de largeur et servant à pousser la neige des entrées de garage, des patinoires. Syn. : **grattoir.**

BANQUE n. f. **1.** Argent que l'on peut placer, économie. Travailler occasionnellement le samedi, pour lui c'est de la *banque.* **2.** (Angl. bank) [Ø] Tirelire. Voici un dollar pour ta *banque.* [+++] Syn., voir : **cochon** (sens 3). **3.** *Bon comme la banque* : d'une solidité à toute épreuve en parlant d'un échafaudage, de n'importe quoi. **4.** *Banque de France, banque d'Angleterre* : d'une compagnie, d'une institution qui ne risque pas d'avoir à déposer son bilan on dira : c'est solide comme la *banque de France* et plus rarement comme la *banque d'Angleterre.* **5.** *Se faire de la banque* : en parlant d'un bûcheron, faire plus que le minimum de *billots* prévu, ce qui lui permettait de prendre un jour de congé de temps en temps. **6.** *Banque à pitons.* Voir : **piton.**

BANQUER v. intr. **1.** Faire la pêche sur les grands bancs de Terre-Neuve. (acad.) **2.** Économiser. J'ai *banqué* pendant un an pour mes dents, j'ai ramassé 1 100 $ et tout y a passé!

BANQUIER n. m. **1.** Pêcheur de morue sur les bancs de Terre-Neuve, terre-neuva. (acad.) **2.** Goélette qui pêchait la morue sur les bancs de Terre-Neuve. (acad.)

BANTAM n. (angl. bantam) [Ø] **1.** Race de poules de petite taille et aux plumes de couleurs très vives. [+++] **2.** Club de hockey sur glace dont les joueurs ont treize ou quatorze ans.

BAPE n. (angl. bantam) Sigle. *B*ureau d'*a*udience *p*ublique sur l'*e*nvironnement.

BAPTÊME! n. m. Juron. **1.** Il a lâché un de ces *baptême!* Voir : **Batèche** 2 Être en *baptême*, être de mauvaise humeur.

BAPTISER v. tr. **1.** Fam. en fr. Additionner, couper d'eau. Autrefois, on *baptisait* le whisky blanc, le *petit blanc* (whisky en esprit titrant à 93 % d'alcool) deux dans un ou un dans un. **2.** *Faire baptiser* : avoir un nouveau-né. Nos voisins *ont fait baptiser* dimanche dernier. **3.** Donner des sobriquets. Autrefois, à l'école on *baptisait* tous les camarades qui gardaient leur sobriquet toute leur vie.

BAPTISTAIRE n. m. Extrait de naissance, extrait de baptême. Pour obtenir un passeport, il faut un *baptistaire.* Mot en perte de vitesse.

BAPTISTE n. pr. et n. commun **1.** Sobriquet souvent donné à des Canadiens de langue française, par allusion à saint Jean-Baptiste, le patron des Canadiens français et à la grande fréquence des prénoms Baptiste et Jean-Baptiste chez les francophones. **2.** La fête de la Saint-Jean-Baptiste. La *Baptiste* on la célèbre le 24 juin. **3.** Le défilé de la Saint-Jean-Baptiste. Amener les enfants voir la *baptiste.* **4.** *Paye Baptiste!* : façon désabusée de dire que ce sont toujours les mêmes personnes qui payent. **5.** Péjor. *Baptiste-Beaufouette* : monsieur Untel n'importe qui, monsieur tout le monde. La disparition de cette plante ne changera rien dans la vie de Baptiste Beaufouette. Voir : **Joe-Bloe.**

BAQUAIS, BAQUAISSE n. et adj. Péjor. Personne grosse et courte. Un *baquais* comme lui n'est pas à plaindre avec une *baquaisse* comme ça dans la maison. [+++] Syn., voir : **toutoune.**

BAQUER v. tr. (angl. to back) [Ø] Voir : **Backer.**

BAR n. m. **1.** *Bar à salades* : buffet de salades. Les *bars à salades* sont de plus en plus populaires dans les *cafétérias*. **2.** Comptoir d'un bar. Dans ce sens on dit prendre un verre à la *barre*, donc debout.

BARACHOIS n. m. Banc de sable qui s'avance dans la mer à l'embouchure d'une rivière, créant ainsi des baies ou des lagons pouvant servir d'abri à de petites embarcations. Mot présent dans la toponymie du Québec, le long des côtes des provinces maritimes, mais surtout à Terre-Neuve.

BARANGUER v. int. Délirer. (acad.)

BARAQUE n. f. **1.** Abri dont le toit à quatre pans est monté sur quatre poteaux et que l'on peut monter ou descendre à volonté, ce toit servant à préserver le foin contre les intempéries. (acad.) **2.** Par antiphrase, grosse maison d'habitation. As-tu vu la *baraque* que notre député vient d'acheter? Syn., voir : **arche**.

BARATTE n. f. **1.** Argot. Poêle rudimentaire formé d'un bidon d'acier monté sur quatre pieds et utilisé surtout dans les chantiers forestiers. Syn., voir : **truie. 2.** *Baratte à échiffes* : appareil ressemblant à une baratte (à beurre) qui servait à baratter la charpie, les échiffes, avant de la filer.

BARATTÉE n. f. Contenu d'une baratte à beurre ou à échiffes.

BARATTER v. tr. Fig. Maltraiter, battre. À l'école le petit Untel passe son temps à *baratter* ses petits camarades. (acad.)

BARATTEUR, BARATTOIR, BARATTON n. m. **1.** Pilon de l'ancienne baratte à beurre conique et qui se terminait par une croix. **2.** Dans une baratte à manivelle, agitateur formé de quatre ailettes.

BARAUDER v. intr. et pron. **1.** Aller d'un côté et de l'autre en parlant d'un traîneau qui glisse tantôt à droite, tantôt à gauche dans les pentes des chemins de neige. [+++] Syn. : **dériver**, **sheerer**, **slider**, descendre **en traîneau. 2.** Se promener, se balader, aller ici et là. Je te dis qu'il *se baraude* depuis qu'il a une auto neuve et qu'il est veuf! [++]

BARAUDEUX, EUSE adj. et n. Personne désœuvrée qui se balade ici et là et qui souvent ne sait que faire de sa peau.

BARBADE n. f. ou m. Mélasse. Depuis longtemps notre mélasse nous vient de la Barbade (île des Petites Antilles), d'où cette appellation. [++] Syn., voir : **sirop de Barbade**.

BARBASSIÈRE n. f. Terrain humide, marécageux, bourbier. [+] Syn., voir : **savane**.

BARBE n. f. **1.** Vx en fr. *Faire la barbe à quelqu'un* : l'emporter sur quelqu'un. Toi, mon garçon, tu n'as pas honte de te faire *faire la barbe* par une fille en classe? **2.** Fig. *Avoir de la barbe* : en parlant d'une nouvelle, de quelque chose que tout le monde sait, vieille nouvelle.

BARBEAU n. m. **1.** Larve d'œstrus se développant sous la peau des chevaux et des bêtes à cornes. [+] **2.** Petit poisson servant à appâter les hameçons.

BARBECUE n. m. (angl. barbecue) [Ø] Grillade ou poulet préparé au barbecue, c'est-à-dire cuit au charbon de bois.

BARBER v. intr. Exercer le métier de coiffeur, autrefois de *barbier*. (acad.)

BARBER SHOP n. f. (angl. barber shop) [Ø] Salon de coiffeur pour hommes. Anglicisme complètement disparu.

BARBEUX, EUSE n. Importun, qui ennuie, qui barbe, qui rase, barbant. Syn., voir : **badreux**.

37

BARBEUX, EUSE, BARBU, SE adj. Garni de barbes, barbé. Un épi d'orge *barbeux, barbu.*

BARBIER n. m. **1.** Vx en fr. Coiffeur pour hommes. Avec le temps, les *barbiers* ont fait la barbe de plus en plus rarement et ils se sont valorisés en se faisant appeler coiffeurs. Le mot *barbier* est en voie de disparition rapide. **2.** Voir : **chaise de barbier**.

BARBIÈRE n. f. Femme exerçant le métier de *barbier*. Ce mot, apparu au début des années 1960, est disparu.

BARBILLON n. m. Barbe de l'orge, du blé. Les *barbillons* pris aux vêtements de laine ne s'enlèvent pas facilement. (E 30-99)

BARBOT n. m. **1.** Pâté d'encre, tache d'encre. Faire des *barbots* en écrivant. Syn. : **barbouillat, placard**. **2.** Hanneton souvent utilisé comme appât par les pêcheurs. [+++] **3.** Cancrelat, blatte que l'on trouve parfois dans les cuisines. **4.** Sucre d'érable mou; fête où l'on invite les enfants à la *fin des sucres.*

BARBOTE n. f. **1.** Têtard. *Barbote* deviendra grenouille. (Lanaudière) Syn., voir : **queue de poêlon**. **2.** Nom vulgaire de la barbote brune et de la barbote des rapides, poissons d'eau douce. **3.** Argot. Maison de jeux clandestins. La police a découvert une *barbote* dans cette maison. **4.** Argot. *Barbote volante* : organisation de jeux clandestins qui se déplace souvent, pour éviter les agents de police.

BARBOTEUSE n. f. Piscine très peu profonde installée sur un terrain de jeux ou piscine portative et en plastique installée près d'une demeure pour permettre aux enfants de s'amuser dans l'eau sans danger. Syn. : **pataugeuse**.

BARBOTIÈRE n. f. Terrain humide, marécageux. Syn., voir : **savane**.

BARBOUILLAT n. m. Pâté d'encre, tache d'encre. Faire des *barbouillats* en écrivant. (Charsalac) Syn., voir : **barbot**.

BARBOUILLER (SE) v. pron. Se gâter, se mettre au mauvais en parlant du temps. Syn., voir : se **chagriner**.

BARBU, E adj. Voir : **barbeux**.

BARBUE DE RIVIÈRE n. f. Barbue d'Amérique.

BARBUSE adj. f. [#] Barbée, garnie de barbes en parlant de l'orge.

BARDA, BERDA, BORDA n. m. **1.** Bruit, tapage. Faire du *barda* en soirée risque de réveiller les enfants. (O 36-86) Syn., voir : **cabas**. **2.** Ménage quotidien, travaux domestiques. Tous les matins, nos mères faisaient le *barda* ou *petit barda*. [+++] **3.** *Grand barda* : a) Grand ménage d'automne ou de printemps par opposition au *petit barda* qui revient tous les jours. [+++] b) Fig. Confession générale de tous les paroissiens à la fin des retraites paroissiales qui étaient de mode jusque vers 1960.

BARDACHE, BORDACHE n. m. Vx en fr. Homosexuel. Les *bardaches* seraient plus nombreux qu'on ne saurait imaginer. [++] Syn., voir : **fifi**.

BARDASSAGE, BERDASSAGE, BORDASSAGE n. m. Bruit, remue-ménage. [+++]

BARDASSER, BERDASSER, BORDASSER v. tr. et intr. **1.** Secouer, produire des secousses. Un chemin de terre *bardasse* quand il est gelé. **2.** Faire de menues besognes; perdre son temps. Quand on n'est pas pressé, on *bardasse* dans les hangars. (acad.) Syn., voir : **bretter**. **3.** Faire du

38

bruit. Qui est-ce qui *bardasse* dans le grenier? [+++] Syn., voir : **cabasser**. **4.** Fig. S'adonner à des activités douteuses.

BARDASSEUX, EUSE, BERDASSEUX, EUSE, BORDAS-SEUX, EUSE n. et adj. **1.** Raboteux, qui a des inégalités en parlant d'un chemin. Syn., voir : **cahoteux**. **2.** Qui perd son temps à de menus travaux. Syn., voir : **bretteux**.

BARDASSIER, BERDASSSIER, BORDASSIER n. m. **1.** Personne qui fait du bruit, qui ne reste pas en place. **2.** Personne aux activités douteuses.

BARDATTER v. tr. Couvrir de planchettes de bois ou d'amiante le toit ou les murs d'une maison, d'un hangar, d'une grange.

BARDEAU n. m. **1.** Planchette de bois (thuya, épicéa, pin de Colombie) servant à couvrir les toits ou à recouvrir les murs extérieurs d'une habitation. Lorsque les planchettes proviennent d'une bille de bois fendue à l'aide d'un départoir, on parle alors de *bardeau fendu* par opposition à *bardeau scié*, préparé à la scierie, le premier étant d'une qualité bien supérieure à celle du dernier. **2.** *Bardeau à cointer* : bardeau de bois qu'on utilise pour caler une pièce de bois, la mettre au niveau, la coincer, l'assujettir. Voir : **cointer**. **3.** Fig. *Il lui manque un bardeau* : il a le cerveau dérangé, il est un peu timbré. [+++] Syn., voir : **écarté**. **4.** Fig. *Chapelet en bardeaux* : chapelet que l'on récite en groupe très rapidement, le répondant ou les répondants commençant le *Sainte-Marie...* avant que le récitant ait fini le *Je vous salue Marie...* En Normandie, en pays de Caux où les toits sont couverts de tuiles, on emploie le verbe *tuiler* au sens de *dire un chapelet en bardeaux.*

BARDEAUCER, BARDEAUCHER, BARDEAULER, BARDEAUSER, BARDEAUTER, BARDOISER [+++] v. tr. Couvrir de bardeau de bois ou de bardeau d'amiante le toit ou les murs d'une maison, d'un hangar, d'une grange.

BARER v. tr. Vx en fr. Donner, apporter, passer. *Bare-moi* donc le marteau qui est sur l'établi. [++]

BARGAMO, BERGAMO n. m. Voir : **bergamau**.

BARGE n. f. Mar. **1.** Rég. en fr. Meule de foin. Dérivés : *bargeau, bargée, embarger.* (acad.) Syn., voir : **mule**. **2.** Bateau de pêche à moteur mesurant une dizaine de mètres de longueur. (Golfe du SaintLaurent) **3.** *Barge de drave* : embarcation solide à fond plat et utilisée lors du flottage du bois. Syn., voir : **pine de drave**. **4.** Fig. *Une barge*, une *bargée*, un *char pis une barge* : beaucoup, un grand nombre, une grande quantité. De la marchandise à vendre, il y en a une *barge, une bargée*! Syn. : **char**.

BARGEAU n. m. Meule de foin moins grosse que la *barge*. (acad.)

BARGÉE n. f. Mar. Contenu de l'embarcation appelée *barge* (sens 2). (acad.) Voir : **barge**.

BARGOU n. m. (angl. burgoo, bargoo) [Ø] Bouillie plus ou moins épaisse de flocons d'avoine et que l'on sert surtout le matin au déjeuner, porridge. (acad.) Syn., voir : **gruau**.

BARGUINAGE, BARGUIGNAGE n. m. Marchandage.

BARGUINER, BARGUIGNER v. tr. et intr. **1.** Vx en fr. Marchander. Les gens de la campagne ont l'habitude de *barguiner*. [+++] **2.** Fig. et vx en fr. Hésiter, avoir de la peine à se décider. [++] Syn., voir : **berlander**.

BARGUINE, BARGUIGNE n. Marché, occasion. J'ai fait

une *barguine* avec mon neveu. Cette auto à mille dollars, c'est une bonne *barguine* ou *barguigne*.

BARIL n. m. Chaise faite à partir d'un baril coupé en deux mais dont on a conservé quelques douves devant tenir lieu de dossier.

BARLANCIGNE, BALANCILLE n. f. Voir : **balançoire**.

BARLEY n. (angl. barley) [Ø] *Soupe au barley* : soupe à l'orge. Les Québécois ont toujours semé de l'orge mais une partie d'entre eux, les citadins, se sont mis à la *soupe au barley* dès la fin du XVIIIᵉ siècle. D'ailleurs, le *barley* se vendait à la livre dans les épiceries anglaises tandis que l'orge, cultivée par les francophones, se vendait au minot. (E 36-85) Syn. : **baillarge**.

BARLINE n. f. Voir : **berline**.

BARNACHER v. intr. Gondoler surtout en parlant d'une porte, gauchir, se déjeter. Syn. : **coffrer** (sens 1).

BARNUM n. m. (angl. barnum) [Ø] Bruit, remue-ménage, publicité. Te rends-tu compte de tout ce *barnum* pour l'inauguration de ce nouveau magasin? (Allusion au célèbre cirque américain Barnum and Bailey du siècle dernier.)

BARNUMESQUE adj. Sensationnel.

BAROUCHE n. f. (angl. barouche) [Ø] Voiture rudimentaire d'autrefois, à quatre roues, le plus souvent à un seul siège fixé sur des planches minces et flexibles posées directement sur les essieux. (O 27-116) Syn. : **chienne**, **planche**, **slide**.

BAROUCHER v. intr. Courir la prétentaine, courir les jupons, vagabonder, avoir des aventures galantes. [++] Syn., voir : courir la **galipote**.

BAROUCHEUX, EUSE adj. et n. Personne qui fait l'action de *baroucher*. [++]

BAR-PERCHE n. m. Baret. Petit bar, poisson d'eau salée.

BARRABAS n. pr. m. *Être connu comme Barrabas dans la Passion* : être connu de tous, comme le loup blanc. [+++]

BARRE n. f. **1.** Clenche de loquet de porte. Syn., voir : **bacul**. **2.** Tablette (angl. bar) [Ø] Une *barre* de chocolat. Syn. : **palette**. **3.** *Barre à clou* : pied-de-biche ou levier à une ou à deux têtes fendues servant à arracher des clous. Syn. : **crowbar**. **4.** *Barre de savon* (angl. soap bar) [Ø] : pain de savon, savonnette. **5.** *Barre du jour* : aube, aurore. Se lever à la *barre du jour*. (E 36-86)

BARRÉ, E adj. **1.** Gelé en parlant d'un cours d'eau, d'un lac; gelé profondément en parlant du sol. Habituellement, à la fin de novembre la terre est *barrée* pour l'hiver. (O 27-116) Syn. : **condamné, fermé**. **2.** À pelage rayé. Une vache *barrée*. [+++] Syn., voir : **caille**. **3.** À qui l'on interdit l'entrée d'un lieu, refusé. Les Amérindiens sont *barrés* dans certains bars. **4.** Rayé. Du tissu *barré*. **5.** Fig. *Ne pas être barré* : aimer s'amuser, avoir de l'initiative, du toupet, ne pas être timide, être déluré. Syn. : ne pas être **badré**. **6.** Avoir le corps *barré* : être constipé. **7.** Voir : **tag barrée**.

BARREAUTIN n. m. **1.** Dans l'écurie, barre de bois séparant deux stalles. [+] **2.** Barreau de chaise, échelon d'une échelle. [+++] **3.** Rondin servant à paver un chemin d'autrefois, d'où un *chemin de barreautins*.

BARRER v. tr., intr. ou pron. **1.** Vx ou rég. en fr. Fermer (une porte, une armoire) en utilisant une clef, un cadenas ou un verrou. [+++] **2.** *Barrer les jambes* : donner un croc-en-jambe à quelqu'un. [+++] Syn. : **jambette** (sens 1). **3.** *Se barrer les jambes* : butter contre un obstacle. [+++] **4.** Geler, se prendre de glaces en parlant des cours d'eau et des lacs. Si le froid intense continue, le fleuve va *barrer* ou *se barrer*. [+++] **5.** Geler profondément, en parlant du sol. [+++] **6.** Interdire à quelqu'un l'entrée dans un établis-sement. [+++] **7.** Ne plus faire de crédit à un mauvais payeur. L'épicier du coin a *barré* notre voisin. [+++]

BARRIÈRE n. f. **1.** *Chemin de barrière, route de barrière* : chemin, route à péage d'autrefois. Le mot *barrière* est fréquent dans la toponymie du Québec. **2.** Fig. Braguette. « Tu laisses passer les moutons, il y a des *barrières* ouvertes. » dit-on à quelqu'un qui a oublié de fermer sa braguette.

BARRIQUOT n. m. Petite barrique. (acad.)

BARRURE n. f. **1.** Clenche de loquet de porte. [+] Syn., voir : **bacul**. **2.** Stalle. La *barrure* d'un cheval dans l'écurie. (E 20-127) Syn., voir : **entredeux**. **3.** Cloison ou simple barre entre deux stalles dans l'écurie. (E 20-127) Syn., voir : **entredeux**.

BAS n. m. **1.** [#] Chaussette s'arrêtant au niveau du mollet. Les hommes ne portent pas de *bas* mais des chaussettes. [+++] **2.** [#] *Bas golf* (angl. golf hose) Ø : mi-bas, demi-bas. **3.** [#] *Bas au genou* : mi-bas, demi-bas. **4.** Partie d'une terre près de la maison. [+++] **5.** À la campagne, territoire, région en aval. Habiter le *bas* d'une paroisse. [+++] **6.** *Bas-du-fleuve* : région du Québec située en aval de la ville de Québec, entre la Côte-du-Sud et la Gaspésie sur la rive sud du Saint-Laurent. [+++] **7.** Rez-de-chaussée d'un im-meuble, d'une maison. Les personnes âgées préfèrent habiter *un bas* plutôt qu'*un haut* lorsqu'il n'y a pas d'ascenseur. [+++] **8.** *Bas de lit* : jupe du lit d'autrefois. **9.** Voir : **plancher de bas**, **plancher d'en bas**. **10.** Voir : **pied de bas**.

BASANES, BASANURES n. f. pl. Taches de rousseur. Un visage plein de *basanes* ou de *basanures*. (acad.) Syn., voir : **rouille**.

BASANÉ, E adj. Marqué de taches de rousseur. (acad.) Syn., voir : **rouillé**.

BAS-CÔTÉ n. m. **1.** Construction adossée à une maison, à laquelle on accède en descendant quelques marches et que l'on habite l'été. (O 34-91) Syn., voir : **cuisine d'été**. **2.** Appentis adossé à une grange et servant de hangar, de remise pour les instruments aratoires. (O 34-91) Syn., voir : **appent**.

BAS-CUL, BAS-DU-CUL n. m. Bout d'homme, homme de petite taille.

BASCULE n. f. **1.** Jeu où les deux joueurs debout adossés et accrochés par les bras se soulèvent alternativement. [++] Syn. : **cloche** (sens 2). **2.** *Donner la bascule* : jeu qui consiste, à l'anniversaire de naissance d'un camarade, à le saisir par les bras et par les jambes et lui faire heurter le postérieur contre le plancher autant de fois qu'il compte d'années sans oublier d'en ajouter un coup supplémentaire « pour le faire grandir ». [+++]

BASCULIS, BOUSCULIS n. m. Blocs de glace entassés les uns sur les autres à l'embouchure de cours d'eau et qui se jettent dans l'eau salée, secoués par les marées.

BAS-CULOTTE n. m. Sous-vêtement féminin d'une seule

pièce, élastique et collant, constitué d'une culotte et de bas. Acheter des *bas-culotte*. [+++]

BAS-DE-SOIE n. m. Blason populaire que les Québécois donnaient aux Irlandais au XIXe siècle.

BAS-FOND n. m. De chaque côté d'un cours d'eau, terrain bas et très fertile inondé lors de crues exceptionnelles et lors de la fonte des neiges. Syn. : **baisseur**, **platin**.

BASIR v. intr. et tr. Mar. **1.** Disparaître, mourir. La brebis de Charles est *basie* depuis une huitaine. Le soleil est *basi* dans la mer. (acad.) **2.** Cacher, faire disparaître. *Basir* un couteau avec lequel les enfants risqueraient de se blesser. (acad.)

BAS-LAURENTIEN, ENNE n. et adj. Gentilé. Natif ou habitant du Bas-Saint-Laurent; du Bas-Saint-Laurent.

BASONE n. f. Taches de rousseur. Un visage plein de *basones*. (acad.) Syn., voir : **basané, rouillé**.

BASQUE n. f. [#] Revers d'un habit. Les *basques* de ce veston sont trop larges.

BASSANE n. f. Variété de pain dont se nourrissaient bûcherons, chasseurs et trappeurs, faite de farine détrempée à laquelle on ajoute un peu de sel, formant une pâte épaisse cuite dans une casserole. Syn. : **galette matée, manique**.

BASSE MESSE n. f. Voir : **messe**.

BASSET, ETTE adj. et n. Petit de taille, courtaud. Un homme *basset*, une femme *bassette*. La forme féminine est rare en français. (Lanaudière) Syn. : **ragot**.

BASSIN, BASSIN À MAINS, BASSIN AUX MAINS n. m. Bassine placée dans l'évier de la cuisine et dans laquelle on se lavait les mains. (E 36-86) Syn. : **bol à mains, bol aux mains, plat à mains, plat aux mains, plat des mains**.

BASSINETTE n. f. (angl. bassinet) [Ø] Corbeille capitonnée servant de lit de bébé, moïse. Préparer la *bassinette* pour la naissance du bébé. (O 22-124 et acad.)

BASTORE n. m. (angl. box-stall) [Ø] Voir : **box-stall**.

BASTRINGUE n. f. **1.** Attirail, bibelot, objet de peu de valeur, bastringue (n. m.). **2.** Variété de danse très populaire à la campagne dans les années 1930 dont l'une s'appelait *La bastringue d'en bas de Gaspé*.

BATCH, BATCHÉE n. f. (angl. batch) [Ø] Quantité d'ingrédient (sucre d'érable, vin, savon...) que l'on fait en une seule fois, fournée. (O 37-84) Syn., voir : **façon**.

BATCH adj. et n. (angl. batch) [Ø] Péjor. Se dit de quelqu'un qui est hétérosexuel et homosexuel. Syn., voir : **bilingue**.

BATCHÉE n. f. (angl. batch) [Ø] Voir : **batch**. n. f.

BATCHER (SE) v. pron. (angl. to batch) [Ø] Faire sa cuisine, sa popote en parlant d'un homme qui vit seul.

BATEAU n. m. Mar. Fig. *Manquer le bateau* : demeurer vieille fille ou vieux garçon, rester sur le carreau; rater une occasion (dans quelque domaine que ce soit). Syn., voir : manquer la **marée** (sens 3).

BATÈCHE! n. m. Juron. Altération phonétique de *baptême!* 1. Être en *batèche*. En colère. 2. Sens adverbial d'intensité. Une *batèche* de belle femme! 3. *Batinsse* (altération phonétique de *baptème*). C'est beau en *batinsse!*

BÂTIMENTS n. m. pl. **1.** Les dépendances d'une ferme : granges, étable, écurie, poulailler, hangars, etc. [+++] **2.** *Bâtiments chauds* : étable et écurie dans lesquels hivernent les animaux. [+++]

BATISCANAIS, E n. et adj. Gentilé. Natif ou habitant de Batiscan, en Mauricie; de Batiscan.

BATINSSE! n. m. Juron Voir : **Batèche!**

BÂTON adv. Argot. Complètement. Oui, c'est fini *bâton*!

BÂTON n. m. **1.** *Bâton d'affection, bâton d'amour, de l'affection en bâton, bâton sentimental* : appellations humoristiques du céleri. **2.** *Bâton fort* : bâton de sucre d'orge. **3.** Fig. *Avoir le gros bout du bâton* : être dans une position de force dans une discussion, une négociation. **4.** Argot. Dollar canadien. Syn., voir : **douille. 5.** Argot des étudiants. *Être au bâton* : passer un examen oral devant deux professeurs. Quand Jules *est au bâton*, il perd la moitié de ses moyens. **6.** *Bâton de Saint-Jean* : renouée orientale.

BÂTONNÉE, E part. adj. Traîneau *bâtonné*, sleigh *bâtonnée* : pourvus de bâtons fixés de chaque côté et qui maintiennent en place le chargement de bois.

BÂTONNER v. tr. Assommer, tuer avec un bâton. *Bâtonner* cent jeunes phoques dans sa journée.

BATTABLE adj. Rare en fr. Qui peut être vaincu, battu. Ce joueur d'échecs est *battable* ou n'est pas *battable*.

BATTE n. m. (angl. bat) [Ø] **1.** Au baseball et à la *balle-molle*, bâton qui sert à frapper la balle. **2.** Fig. *Passer au batte* : rosser quelqu'un, lui flanquer une volée. **3.** Fig. *Être au batte* : être sur la sellette, avoir à faire un exposé en public. **4.** Fig. et fam. Organe de copulation de l'homme et de certains animaux. Syn., voir : **pine. 5.** Voir : **mangeux de batte.**

BATTÉE n. f. **1.** Quantité d'ingrédient (beurre, sucre d'érable, savon, vin ...) que l'on fait en une fois. Syn., voir : **façon. 2.** *Une battée* : grande quantité, grand nombre. Il y a une *battée* de pommes, de monde. Syn., voir : **tralée. 3.** Travail forcé et rapide. Encore une *battée* et tout le foin sera dans la grange! Syn., voir : **bourrée** (sens 1).

BATTE-FEU n. m. **1.** Vx en fr. Morceau de fer dont on se sert pour tirer du feu d'un caillou. On peut aussi utiliser deux pierres qu'on frotte l'une contre l'autre. [+++] Syn. : **allumeur, frotteur de pierre. 2.** Briquet à essence. [+++] Syn., voir : **feuseu. 3.** Fig. Enfant agité, remuant, qui ne reste pas en place. [++] Syn., voir : **vertigo** (sens 2). **4.** Fig. Jeune garçon, d'une quinzaine d'années, qui commence à s'intéresser aux petites filles.

BATTER v. tr. (angl. to bat) [Ø] Au baseball, frapper la balle avec un *batte*.

BATTERIE n. f. **1.** Aire de la grange où autrefois on battait les céréales au fléau. [+++] **2.** Vx en fr. Échange de coups, rixe, querelle. [++] **3.** (Angl. battery.) [Ø] Pile. Changer les *batteries* d'une lampe de poche. Anglicisme en perte de vitesse.

BATTEUR, BATTEUX n. m. **1.** Homme employé au battage des céréales. [+++] **2.** Batte (n. f.) du fléau. Syn. : **battoir. 3.** Machine agricole servant à l'égrenage des céréales, batteuse. [+++] Syn. : **moulin à battre. 4.** Au baseball, frappeur (angl. batter) [Ø]. Joe Bob est un excellent *batteur*. **5.** *Batteur-de-corbeaux.* Oiseau. Tyran tritri.

BATTOIR n. m. **1.** Batte (n. f.) du fléau. Syn. : **batteur** (sens 2). **2.** Palette avec laquelle on battait le linge avant l'arrivée des machines à laver. **3.** Fig. Mains larges et puissantes.

BATTRE v. tr. et pron. **1.** *Battre un chemin* : ouvrir, tracer un chemin dans la neige l'hiver. [+++] Syn. : **casser, lever,**

ouvrir un chemin. **2.** Fig. *Battre quatre as* : se dit d'une chose surprenante, qui n'a pas son pareil. Lui, il a gagné le gros lot : **ça bat quatre as!**. [++] Syn. : **biter quatre as**. **3.** *Se battre la gueule* : parler beaucoup pour se vanter, se mettre en évidence au lieu d'agir. [++] **4.** *Battre la vieille année* : coutume de la Saint-Sylvestre consistant pour les jeunes gens à aller battre les murs extérieurs des maisons avec des bâtons.

BATTU, E adj. *Être battu de* : souffrir de, être attaqué par. *Être battu* du rhumatisme, du mal de tête.

BATTUE n. f. **1.** Pistes d'animaux sur la neige. **2.** Endroits où, l'hiver, herbes et broussailles ont été foulées par les chevreuils, les bisons et les orignaux qui y sont passés ou qui y ont séjourné. Syn. : **ravage**.

BATTURE n. f. Mar. **1.** Rég. en fr. Portion du rivage que le jusant (marée descendante) laisse à découvert. La *batture* est très large sur la côte de Beauport, près de Québec. On dit aussi *les battures*. Mot fréquent dans la toponymie du Québec. [+++] **2.** Au pl. Glaces échouées sur les rivages où il y a marée. [+++]

BAUCHE n. f. **1.** Course rapide. Prendre une *bauche* pour savoir qui est le plus rapide. **2.** Unité de temps, de travail. Pour finir ce travail, encore une *bauche* et ça y est. Syn. : **bourrée** (sens 1).

BAUCHER v. intr. et pron. **1.** Courir, jouer à la course. *Baucher* avec son ami pour voir qui arrivera le premier. **2.** Aller à toute vitesse, conduire une auto à toute allure. Il est dangereux de *baucher* en auto dans un village. Syn., voir : **courser** (sens 2). **3.** Se hâter. *Se baucher* pour terminer son travail.

BAUDET n. m. Vx en fr. Lit de sangles, ancêtre du lit pliant moderne. [++]

BAUME n. m. Menthe à épis, menthe du Canada. Le *baume* a joué un rôle très important en médecine populaire. Chaque famille avait sa provision de *baume*. [+++]

BAUMIER n. m. Appellation fréquente du peuplier baumier.

BAVALOISE, BAVAROISE n. f. Pont de culotte, de pantalon. Autrefois, les hommes portaient des culottes à la *bavaloise*. (O 91-32) Syn. : **bavette**, **chevanne**, **clapet**, **panneau**.

BAVARDEUX, EUSE adj. et n. Bavard, bavarde. [++]

BAVASSAGE n. m. Action de *bavasser*, de bavarder, de parler à tort et à travers; bavardage, propos désobligeants.

BAVASSER v. intr. **1.** Fam. en fr. Bavarder, parler beaucoup. [+++] **2.** Parler à tort et à travers, commettre des indiscrétions. [++] Syn. : **placasser**.

BAVASSEUR, BAVASSEUX, EUSE n. et adj. **1.** Fam. en fr. Personne qui bavarde, qui parle beaucoup. [+++] **2.** Personne qui parle à tort et à travers, qui commet des indiscrétions. [++]

BAVELLE n. (angl. bevel) [Ø] *En bavelle* : en biseau, en sifflet. Tailler une pièce de bois *en bavelle*

BAVER v. tr. Fig. Importuner, ennuyer, provoquer par des insultes ou des moqueries. Ne pas souffrir de se faire *baver*. [+++]

BAVETTE n. f. **1.** Pont de culotte, de pantalon. Porter des culottes à *bavette*. (O 9-132) Syn., voir : **bavaloise**. **2.** Péjor. Sobriquet donné aux Frères à cause du plastron (ou *bavette*) qui se portait dans certaines communautés religieuses. Syn., voir : **corbeau**. **3.** Bavoir. Les bébés portent toujours des *bavettes*.

BAVEUSE n. f. Rouleau monté sur un récipient contenant de l'eau et sur lequel on humecte les timbres à coller sur les enveloppes. Langue-de-chat.

BAVEUX, EUSE n. et adj. (péjor.) **1.** Se dit de quelqu'un qui *bave* les autres, qui importune, qui a des airs méprisants, qui moucharde. [+++] **2.** Terme d'injure adressé à quelqu'un. Espèce de *baveux*! [+++]

BAVOLER v. intr. **1.** Planer en parlant d'un oiseau. **2.** Être secoué par le vent en parlant des vêtements ou du linge de maison qui sèchent sur la corde à linge.

BAVURE n. f. Partie du bardeau de cèdre d'une couverture exposée aux intempéries. Syn. : **échantillon**.

BAYDARQUE n. f. (Mot inuit) Embarcation des Inuits faite de peaux de loups-marins.

BAZAR n. m. (angl. bazar ou bazaar) [Ø] Fête paroissiale d'autrefois au profit d'une église ou d'un organisme et qui a été remplacée par les *euchres*, remplacés à leur tour par les *bingos*.

BAZOU n. m. **1.** Argot. Vieille auto, guimbarde. Il faudrait des lois pour empêcher les *bazous* de circuler. Syn. : **bachat**, **gabare**, **minoune**. [+++] **2.** Par antiphrase, auto neuve, grosse voiture. Oui, un beau *bazou* que tu t'es acheté! Syn., voir : **machine**.

BEAM, BIME n. m. (angl. beam) [Ø] Poutre, maîtresse-poutre, lambourde. [++]

BEAN, BINE n. f. (angl. bean) [Ø] **1.** Haricot blanc. **2.** Au pl. Haricots au lard. Les *beans* figuraient régulièrement au menu dans les anciens pensionnats et tous les jours dans les chantiers forestiers. [+++] **3.** *En criant bean* : en peu de temps, rapidement. Faire un travail *en criant bean*. Syn. : **ciseau**, **lapin**.

45

BEANERIE, BINERIE n. f. (angl. bean) [Ø] **1.** Restaurant de quartiers populaires où le plat principal était les haricots au lard ou *beans*. (Ville de Montréal) **2.** Fig. et péjor. Établissement commercial, industrie de très peu d'importance.

BEAU, BELLE adj. **1.** *Avoir beau* : avoir du beau temps. Je vous souhaite d'*avoir beau* pour vos vacances! **2.** *Faire beau* : se plaire, être content, être heureux. Oui, il *fait beau* ici, je n'aimerais pas vivre ailleurs. (acad.) **3.** Beau dommage! : certainement, mais oui!

BEAUCERON, ONNE n. et adj. Gentilé. Natif ou habitant de la Beauce; de la Beauce.

BEAUCOUP adv. **1.** Très. Notre voisin est *beaucoup* malade. (acad.) **2.** *Pas bien beaucoup* : peu. Du foin cette année, il n'y en a *pas bien beaucoup*. (acad.)

BEAUDIR, BEAUZIR v. intr. Devenir beau, se mettre au beau en parlant du temps. Syn., voir : **abeaudir**.

BEAU DOMMAGE loc. adv. Certainement, sans doute. *Beau dommage* que Paul viendra, il l'a promis!

BEAUHARLINOIS, E n. et adj. Gentilé. Natif ou habitant de Beauharnois, près de Montréal; de Beauharnois.

BEAUPORT n. m. Péjor. *Un évadé de Beauport, de Saint-Michel* : un fou. Le terme fait référence à l'hôpital psychiatrique situé à Beauport, qui s'appelait autrefois Saint-Michel-Archange et qui porte maintenant le nom d'hôpital Robert-Giffard. Syn. : **Saint-Michel-Archange**.

BEAUPORTOIS, E n. et adj. Gentilé. Habitant de la ville de Beauport, près de Québec; de Beauport.

BEAUSIR v. intr. Se mettre au beau en parlant du temps. (acad.) Syn., voir : **abeaudir**.

BEAUTÉ n. f. *Une beauté* : une grande quantité, beaucoup. Il y a une *beauté* de foin, de pommes cette année.

BEAVERBOARD n. m. [Ø] Panneau de construction en carton épais et rigide, utilisé pour la finition des murs. Marque de commerce. [+++]

BÉBÉ n. m. (angl. baby) [Ø] **1.** Ce qui tient à cœur, œuvre principale, création de quelqu'un. Le cardinal Léger s'est occupé longtemps de son *bébé* (son hôpital pour lépreux en Afrique). **2.** Jeune fille au physique charmant, un beau brin de fille. Voir passer un beau *bébé*, ça fait saliver.

BEBELLE n. f. Jouet, joujou. Cet enfant a beaucoup trop de *bebelles*. [+++]

BÉBITE, BEBITE, BIBITE n. f. **1.** Insecte en général. Il y a des *bébites* sur les arbres. [+++] **2.** Onglée. Avoir la *bébite* aux doigts. [+++] Syn. : **grappe**, **ongle**. **3.** *En bébite* : beaucoup, très. Il fait froid en *bébite*. [+++] **4.** *En bébite* : en colère, furieux. Quand il a appris cela, il est devenu en *bébite*. [+++] **5.** Au pl. Grains de céréales ou mers de vinaigre en mouvement dans le vin ou la bière en fermentation, d'où de la bière à *bébites*, aux *bébites* ou de *bébites*. **6.** *Bébite à patates* : doryphore qui dévore les fanes des pommes de terre. (surt. O 38-84) Syn. : **bête à patates**, **mouche à patates**.

BEC n. m. **1.** Rég. en fr. Baiser, bécot, bise. Va donc donner un *bec* à ton parrain! [+++] Syn. : **bis**. **2.** *Bec à la pincette, en pincette* : baiser qu'un adulte donne à un enfant tout en lui pinçant les deux joues, ce qui le fait rire, ou l'agace énormément. **3.** *Bec esquimau, bec à l'esquimau* : se frotter le nez mutuellement. **4.** Fig. *Bec-pincé* : personne prétentieuse, vaniteuse, qui lève le nez sur tout, qui se prend pour une autre. [+++] Syn., voir : **frais**. **5.** *Faire le bec fin* : faire le difficile, la petite bouche, le dédaigneux. Une mère dira à un de ses enfants : arrête de *faire le bec fin*, mange ce qu'il y a dans ton assiette, sinon monte dans ta chambre! **6.** Bouche. Passer la soirée sans *ouvrir le bec*, sans parler. Passer la journée la *pipe au bec* : fumer sans arrêt.

BÉCAILLÈRE n. f. Voir : **bacaillère**.

BÉCARD n. m. Nom vulgaire des vieux saumons mâles qui tentent d'éloigner des autres mâles les femelles de leur choix. Syn. : **charognard**.

BÉCHÉ, E p. adj. [#] *Œuf béché* : œuf dont la coquille a été percée par le poussin qui éclôt, œuf becqué. [+++]

BÉCHER v. tr. [#] Percer la coquille de l'œuf avec son bec en parlant du poussin qui éclôt, becquer. [+++]

BÊCHE-TÊTE Tomber *bêche-tête* : tomber tête-bêche. (acad.)

BÉCOSSES n. f. pl. (angl. backhouse) [Ø] Toilettes extérieures, rudimentaires, chiottes d'autrefois à la campagne surtout. [+++] Syn., voir : **chiardes**.

BECOU n. m. Baiser, bécot, bise. Va faire un *bécou* à ta marraine! (acad.) Syn., voir : **bis**.

BÉCOUX, OUSE adj. et n. Qui aime embrasser, *becquer*, donner des *becs*, des *bécous*. (acad.)

BECQUER v. tr. Rég. en fr. Embrasser, donner un *bec*, un baiser. [+++] Syn. : **bicher**.

BEC-SCIE, BEC-À-SCIE, BETSI n. m. Harle d'Amérique.

BED n. m. (angl. bed) [Ø] **1.** Lit rudimentaire que l'on trouvait dans les camps de bûcherons et dans les *cabanes à sucre*, galetas. [+++] **2.** Litière surtout pour les vaches et les chevaux. [++] **3.** Lit de branches fait par les bûcherons là où tombera l'arbre qu'ils abattent afin de l'empêcher de se briser. [++] **4.** Voir : **banc de quêteux**.

BÉDA n. m. Verrat. Conduire une truie en rut au *béda*. (acad.)

BEDAINE n. f. **1.** *Bedaine du curé* : vérité évidente. Ce qu'il vient de dire, c'est vrai comme la *bedaine du curé*! (Les curés d'autrefois, riches et bien nourris avaient souvent une bedaine.) **2.** *Bedaine dehors* : ventre à l'air. Se promener *bedaine dehors*, en parlant de jeunes enfants. **3.** *Bedaine de bière* : ventre rebondi des gros buveurs de bière. [+++] Syn., voir : **paillasse 4**. *En bedaine* : torse nu. Être, se mettre *en bedaine*, en parlant d'un adulte, toujours d'un homme.

BEDAINER v. intr. Prendre du ventre en parlant d'une personne.

BEDAINEUX, EUSE adj. En parlant de quelqu'un, pansu, ventru. Syn. : **brayu**, **bedoux**.

BEDDAGE n. m. (angl. to bed) [Ø] **1.** Action de faire un *bed*, une litière pour les animaux dans l'étable ou l'écurie. **2.** Action de faire un lit de branches là où tombera un arbre qu'on abat afin de l'empêcher de se briser.

BEDDER v. tr. (angl. to bed) [Ø] **1.** Faire une litière pour les animaux dans l'étable ou l'écurie. [++] Syn. : **liter**. **2.** Faire un lit de branches là où tombera un arbre qu'on abat afin de l'empêcher de se briser. [++] Syn. : **liter**.

BEDEAU n. m. *Trou du bedeau* : fosse de cimetière. Autrefois c'était le bedeau qui creusait les fosses dans les cimetières.

BEDEAUCHE, BEDOCHE n. f. Femme du bedeau ou plus rarement femme qui exerce la fonction de bedeau. La graphie *bedoche* est à déconseiller. [+]

BEDEAUCHER v. intr. Exercer la profession de bedeau.

BEDEAUCHERIE, BEDEAUDERIE n. f. Fonction de bedeau. Les graphies *bedocherie*, *bedoderie* sont à déconseiller. [+]

BEDOU n. m. Ventre rebondi, bedon en parlant d'un homme. Syn., voir : **paillasse** (sens 1).

BÉDOUANE n. f. Aster à grandes feuilles.

BEDOUX, OUSE adj. Qui a un gros ventre en parlant d'une femme ou d'un homme. Elle est à la veille d'accoucher, tu as vu comme elle est *bedouse*, elle a un gros *bedou*. (acad.) Syn., voir : **bedaineux**.

BEE, BI n. m. (angl. bee) [Ø] **1.** Prestation de travail collective, volontaire et gratuite pour aider quelqu'un en difficulté suite à une maladie ou à un incendie. Syn. : **corvée**. **2.** Réunion de parents, d'amis et de voisins pour effeuiller le maïs et qui se terminait par des chansons, des jeux et des danses. Syn. : **éplucherie, épluchette**.

BÉESSE, BS n. **1.** Voir : **bien-être social**. **2.** Péjor. Personne vivant du *bien-être social* communément appelé BS. Profitant de ses loisirs, une *béesse* vient de publier son premier roman.

BÉGAYEUR, BÉGAYEUX, EUSE n. et adj. Rare en fr. Bègue, personne qui bégaie. Syn. : **bégueur**.

BÉGUER, BÉYER v. intr. Vx et rég. en fr. Bégayer. Il essaie de ne pas *béguer* mais il n'y arrive pas. [+++]

BÉGUEUR, BÉGUEUX, BÉYEUX, EUSE n. m. Personne qui bégaye; bègue. [+++] Syn. : **bégayeur**.

BEIGNE 1. n. **1.** Pâtisserie ayant la forme d'un anneau et cuite en grande friture. Les *beignes* remplacent quelquefois les rôties, le matin au déjeuner. [+++] Syn. : **beignet**, **tracas**. **2.** a) Organe de la femme, vulve. Syn., voir : **noune**. b) Fig. *Se poigner le beigne* : ne pas travailler, n'avoir rien à faire. Syn., voir : **bretter**.

BEIGNE 2. n. **1.** *Jouer aux beignes.* Voir : jouer aux **bines**. **2.** *Passer les beignes* : donner une correction, une fessée, à un enfant, semoncer. Syn., voir : **champoune**.

BEIGNERIE n. f. (ROLF) Établissement de restauration où l'on vend, et généralement où l'on fabrique des *beignes*, des *beignets*.

BEIGNET 1. n. m. Pâtisserie ayant la forme d'un anneau et cuite en grande friture. [+++] Syn., voir : **beigne 1.**

BEIGNET 2. n. m. Benêt, niais, demeuré, sot, peu intelligent. Blason populaire : les *Beignets* de Sainte-Rose.

BÉJAUNE n. m. Oiseau. Macreuse à bec jaune.

BÉKEUNE n. m. Voir : **bacon**.

BELETTE n. et adj. **1.** Curieux, indiscret. Il est *belette*, il est curieux comme une *belette*. **2.** Organe du mâle, pénis, verge. Syn., voir : **graine**.

BELGOVALOIS, E n. et adj. Gentilé. Natif ou habitant de Bagotville, au Saguenay; de Bagotville.

BELLE n. f. **1.** *Avoir en belle* ou **embelle**, *prendre son en belle* : avoir beau jeu, avoir toutes les chances pour soi, avoir l'occasion favorable, profiter d'une occasion favorable. **2.** *Faire la belle, faire une belle.* a) Se dit d'un enfant qui, ne marchant pas encore, commence à se tenir debout. b) Se mettre debout sur ses pattes arrière, en parlant d'un chien, d'un chat. c) Vulg. Être en érection. Syn. : **percher**.

BELLE-ANGÉLIQUE n. f. Acorus roseau, plante très utilisée en médecine populaire.

BELLEBERGÈRE n. f. *Jouer à bellebergère* : jouer au furet.

BEN adv. [++] Dial. en fr. Bien. C'est *ben* beau ce film-là!

BENAISE adj. Bien aise, heureux, content. Être *benaise* de revoir sa famille après une longue absence. (acad.)

BÉNÉDICTION n. f. **1.** *Comme une bénédiction* : très bien. Cette nouvelle auto roule comme une *bénédiction*. **2.** *Avoir la bénédiction de* quelqu'un : avoir le consentement, l'accord.

BÉNÉFICE n. m. *Brunch-bénéfice, souper-bénéfice, dîner-bénéfice, repas-bénéfice, concert-bénéfice, soirée-bénéfice* : repas, concert, soirée organisés par un parti politique ou par un organisme à but non lucratif dans le but de renflouer la caisse du parti politique ou de recueillir des fonds pour une bonne œuvre (aide aux aveugles, aux handicapés...)

BÉNÉRI, BONÉRI n. m. Plectrophane des neiges ou bruant des neiges. Si les *bénéris* arrivent tôt l'automne, c'est le signe que l'hiver sera rigoureux. (acad.) Syn., voir : **oiseau blanc**.

BÉNÉVOLER v. intr. Faire du bénévolat, faire du travail sans être payé, simplement pour rendre service.

BÉNISSOIR n. m. Goupillon pour asperger d'eau bénite. Syn. : **asperge**, **aspergès**

BENJAMIN n. m. Prise de courant à deux orifices ou plus. [++]

BEN MANQUE loc. adv. **1.** Très, beaucoup. À l'assemblée, il y avait *ben manque* de monde. (Charsalac) **2.** Certainement, mais oui. J'irai à l'enterrement, *ben manque*! (Charsalac)

BÉOTHUK n. et adj. (amér.) Amérindien d'une tribu de Terre-Neuve exterminée par les Blancs et dont le dernier survivant mourut en 1829; de cette tribu.

BÉQUE n. m. Voir : **bacon**.

BÉQUILLE n. f. Échasse. Rares sont les enfants qui n'ont jamais monté sur des *béquilles*. [+++]

BER n. m. **1.** Vx en fr. Berceau ou petit lit d'enfant. Les *bers* de nos mères sont maintenant des antiquités très recherchées. [+++] **2.** Partie de la charrette à foin entre les ridelles. [++]

BERÇANT n. m. Voir : **berce**.

BERÇANTE, CHAISE BERÇANTE n. f. Siège à bascule, chaise ou fauteuil à bascule. Par beau temps, on sort les *berçantes* sur la *galerie* et on se berce! [+++] Syn. : **berceuse**, **bergère**, **chaise berceuse**, **chaise à roulettes**.

BERCE n. f. **BERÇANT, BERÇOIR** n. m. Arceau d'un siège à bascule, d'une *berçante*. [++] Syn. : **berceau**, **rouloir**.

BERCEAU n. m. **1.** Ridelle placée de chaque côté de la charrette à foin. **2.** Arceau d'un siège à bascule. (O 8-134) Syn., voir : **berce**.

BERCEAUTHON, BERÇOTHON n. m. Compétition dont le vainqueur sera celui qui se *bercera* le plus longtemps dans une *berçante* ou *berceuse*.

BERCER (SE) v. pron. Se balancer dans un siège à bascule (chaise ou un fauteuil), berçante ou berceuse.

BERCEUSE, CHAISE BERCEUSE n. f. [+++] Voir : **berçante**.

BERÇOIR n. m. Voir : **berce**.

BERDA, BARDA, BORDA n. m. Voir : **barda**.

BERDASSAGE, BARDASSAGE, BORDASSAGE n. m. Voir : **bardassage**.

BERDASSER, BARDASSER, BORDASSER v. tr. et intr. Voir : **bardasser**.

BERDASSEUX, EUSE, BARDASSEUX, EUSE, BORDAS-SEUX, EUSE adj. Voir : **bardasseux**.

BERDASSIER, BARDASSIER, BORDASSIER n. et adj. Voir : **bardassier**.

BERDICHE n. f. Voir : **bordiche**.

BÉRET n. m. Fig. Bouse de vache. Le pacage est couvert de *bérets*.

BÉRET-BLANC n. m. Appellation ironique des membres du *Crédit social*, parti politique dont le recrutement se faisait dans les milieux les moins scolarisés et les plus défavorisés. Le port d'un béret blanc était leur signe de ralliement.

BERGAMAU, BARGAMAU n. m. (amér.) **1.** Lisière d'écorce de bouleau servant à la confection de tentes ou utilisée comme isolant des murs d'une maison. (acad.) Syn. : **machecoui**. **2.** Sorte de bottes de caoutchouc. (Madawaska)

BERGAMOTE, BERGANOTTE n. f. Variété de menthe utilisée en infusion et bien connue en médecine populaire. (Région de Québec)

BERGÈRE n. f. Chaise ou fauteuil à bascule. Syn., voir : **berçante**.

BERLANDAGE n. m. Action de *berlander*. Syn. : **branlage**, **limonage**, **taponnage**, **tataouinage**, **tétage**.

BERLANDER v. intr. Avoir de la peine à se décider, hésiter, ne savoir que faire. Il a passé la semaine à *berlander*. Syn. : **barguiner**, être en **branle**, **branler** (sens 2), être sur la **clôture**, **gingeoler**, **limoner**, **taponner**, **tataouiner**, **téter**.

BERLANDEUX, EUSE n. et adj. Lent, indécis. C'est un *berlandeux* : il n'arrive jamais à se décider. Syn. : **branleux**, **limoneux**, **taponneux**, **tataouineux**, **téteux** (sens 2).

BERLICOCO n. m. **1.** Cône des conifères.   Syn., voir : **cocotte**. **2.** Buccins (n. m. pl.) Syn. : **bigorneau**, **bourgot**. **3.** Coquillage spiralé, bigorneau. (acad.)

BERLINE, BARLINE, BORLINE n. f. **1.** Traîneau long fait d'une caisse montée sur patins pleins et bas avec sièges amovibles et servant surtout au transport des voyageurs et des familles nombreuses. (O 36-86) **2.** Traîneau tout usage servant même comme traîneau à fumier ou à poissons.

BERLOT, BORLOT n. m. Diminutif de *berline*. Traîneau relativement court fait d'une caisse montée sur patins pleins et bas, avec sièges amovibles et servant au transport des personnes et des marchandises. [+++] Syn. : **traîneau renclos**, **traîneau rentouré**.

BERLUTON n. m. Coiffure des religieuses et des femmes âgées d'autrefois.

BERNICLES, BORNIQUES n. f. pl. Dial. en fr. Verres correcteurs. Il ne peut pas lire sans *bernicles*. [++] Syn. : **châssis-doubles**.

BERRI n. f. (angl. berry) [Ø] Airelle de la vigne d'Ida. (acad.) Syn. : **cerises de terre**, **graines de perdrix**, **graines rouges**, **pommes de terre** (sens 2b).

BERTHELAIS, E n. et adj. Gentilé. Natif ou habitant de Berthierville, dans Lanaudière; de Berthierville, ancien-nement Berthier-en-Haut; de Berthier-sur-mer, près de Montmagny.

BESACE n. f. **1.** *Besace de sœur* : sac ample et solide que les religieuses portaient sous leur costume et qui tenait lieu de sac à main. Syn. : **poche de sœur**. **2.** *S'en aller à la besace* : s'en aller à la ruine, vers la décrépitude. Un bâtiment non entretenu s'en va vite *à la besace*. [++] Syn., voir : **démance**.

BESEAU, BEZO adj. et n. Niais, peu intelligent, demeuré. Il faut être pas mal *beseau* pour rater une telle occasion. [++] Syn., voir : **bozo**, **épais**, **tarla**, **twit**.

BESOIN n. m. **1.** *Avoir de besoin de* : avoir besoin de. [#] Je n'ai pas *de besoin de* toi pour faire ce travail, tu peux t'en aller. **2.** Au pl. *Faire ses besoins* : aller aux toilettes.

BESSINE n. f. Sorte de crêpe faite avec du lait caillé et de la farine de son.

BESSON, ONNE n. Vx ou rég. en fr. Jumeau, jumelle. Notre voisine a eu des *bessons* pour la deuxième fois. Ces deux filles sont *bessonnes*. [+++]

BEST n. (angl. best) [Ø] Argot des anciens pensionnats. Chouchou, chouchoute. Syn. : **chat**.

BESTAGE n. m. [Ø] Habitude de *bester*, d'avoir des amitiés particulières. Le *bestage* était défendu dans les pensionnats mais pratiqué quand même.

BESTER v. intr. (angl. to best) [Ø] Argot des anciens pensionnats. Avoir des amitiés particulières pour une personne de son sexe. Syn. : **chatter**.

BESTEUX, EUSE n. et adj. (angl. best) [Ø] Argot des anciens pensionnats. Qui a des amitiés particulières pour une personne de son sexe. Syn. : **chatteux**.

BÊTE adj. **1.** *Rester bête* : demeurer coi, interloqué. Il est *resté bête* quand il a appris la mort accidentelle de son ami. [+++] **2.** *Avoir l'air bête* : avoir mauvaise apparence en parlant d'une chose. Cette chaise a l'*air bête*.

BÊTE À GRANDES DENTS n. f. Morse. (acad.) Syn. : **vache marine**.

BÊTE À PATATES n. f. Doryphore qui dévore les fanes des pommes de terre. [+++] Syn., voir : **bébite à patates**.

BÊTE PUANTE n. f. Mouffette d'Amérique. Les *bêtes puantes* signalent leur présence surtout le printemps. [+++] Syn. : **enfant-du-diable**.

BÊTISE n. f. **1.** Grivoiserie. Il ne peut s'empêcher de dire des *bêtises*. [+++] **2.** Injure. Dire des *bêtises* à quelqu'un. [+++] **3.** *Chanter des bêtises à quelqu'un* : injurier, invectiver. [+++]

BÊTISER v. intr. Dire des grivoiseries, tenir des propos grivois, dire des niaiseries. Arrête donc de *bêtiser* devant les enfants! [+++]

BÊTISEUX, EUSE adj. et n. Qui aime dire des grivoiseries, qui se plaît à dire des niaiseries. [+++]

BETÔT adv. **1.** Bientôt, dans peu de temps. Jean va arriver *betôt*. Syn. : **tantôt** (sens 1). **2.** Il y a un instant, peu de temps. Jacques est à Québec, il est venu nous saluer *betôt*. Syn. : **tantôt** (sens 2).

BETSI n. m. [#] Voir : **bec-scie**.

BETTE n. f. **1.** Appellation fautive de la betterave, la *bette* étant un légume différent quoique de la même espèce. **2.** Argot. Tête, figure, binette. Mais, lui as-tu vu la *bette* quand il a aperçu son ancien patron?

BEU n. m. Voir : **bœuf**.

BEUGLAGE, BEUGLE n. m. Beuglement, grand cri. Entendre des *beuglages* de vaches toute la nuit. Pousser un *beugle* pour alerter son voisin.

BEURRE n. m. **1.** *Beurre d'érable* : pâte à tartiner tirée du sirop d'érable. [+++] **2.** *Beurre de peanuts, de pinottes* (angl. peanut butter) Ø : beurre d'arachides. [+++] **3.** Fig. *Passer dans le beurre* : rater, manquer son coup. Trois fois il a essayé de frapper la balle mais trois fois *il a passé dans le beurre*. [+++] Syn., voir : frapper un **nœud**. **4.** Fig. *Tourner dans le beurre* : tourner à vide, sans effet (comme des roues d'auto sur la glace vive). **5.** Fig. *Avoir des mains de beurre, des mains de laine* : laisser tomber facilement ce qu'on devrait tenir. [+++] **6.** Fig. *Prendre le beurre à la poignée* (ne s'emploie qu'à l'impératif). *Prends pas le beurre à la poignée* : n'abuse pas, ne fais pas d'extravagances, ne jette pas ton argent par les fenêtres, dit-on à quelqu'un qui a gagné le gros lot, qui est follement amoureux...

BEURRÉE n. f. **1.** Vx ou rég. en fr. Tartine de beurre. Une *beurrée de beurre* est une tautologie. [+++] **2.** [#] Tartine de confiture, de mélasse, etc. Une *beurrée* de confiture. Syn. : **beurrette**. **3.** Fig. Réprimande. Recevoir une *beurrée* de son patron. Syn., voir : **call-down**. **4.** Fig. *Une beurrée* : beaucoup, longtemps, cher. Attendre quelqu'un *une beurrée*; accident qui coûte *une beurrée*. [++]

BEURRER v. tr. et pron. **1.** [#] Recouvrir de confiture, de mélasse, etc., une tranche de pain, tartiner. [+++] Syn. : **graisser**. **2.** Fig. Tromper, rouler. Il s'est fait *beurrer* en achetant cette vieille auto. **3.** Fig. Flatter, leurrer, enjôler. *Beurrer* sa belle-mère pour lui soutirer de l'argent. (O 25-117) Syn., voir : **emmiauler**. **4.** Fig. Salir, se salir. *Beurrer* ses vêtements, se *beurrer* en installant une roue de secours. **5.** En mettre plein ses poches, accepter des pots-de-vin, des dessous de table, se compromettre.

51

BEURRETTE n. f. [#] Tartine de confiture, de mélasse, etc. (Lanaudière) Syn. : **beurrée** (sens 2).

BEURRIER n. m. (Peu usité en fr.) Fabriquant de beurre. Autrefois, avant 1925, à la campagne, il pouvait y avoir plus d'un *beurrier* dans chaque paroisse.

BEYER v. intr. Voir : **béguer**.

BEZO adj. et n. Voir : **beseau**.

BI n. m. (angl. bee) [Ø] Voir : **bee**.

BIBE n. f. Orgelet. Avoir une *bibe* à l'œil gauche. (Charsalac) Syn. : **orgueilleux**.

BIBERETTE n. f., **BIBERON** n. m. Burette contenant de l'huile à graisser les machines. Syn., voir : **huilier**.

BIBERON, BUVERON n. m. et adj. Pop. en fr. Ivrogne. Cet hôtel, c'est le rendezvous des *biberons*. Paul est aussi *biberon, buveron* que son père. [+++]

BIBITE n. f. [#] **1.** *Être en bibite* : être en colère. Il est *en bibite* d'avoir raté son avion. **2.** Voir : **bébite**.

BICHE n. f. Fig. Femme grande et maigre.

BICHER v. tr. Embrasser. C'est rare un enfant qui n'aime pas se faire *bicher*. [+++] Syn. : **becquer**.

BICHETÉE n. f. Bande, grand nombre, ribambelle. Une *bichetée* d'enfants. Syn., voir : **tralée**.

BICLER v. tr. [#] Bigler, loucher légèrement.

BICLEUR, BICLEUX, EUSE n. et adj. [#] **1.** Personne qui louche, bigleux, loucheur. Syn., voir : **coq-l'œil** (sens 2). **2.** Personne qui épie sans cesse, épieur.

BICOIS, E n. et adj. Gentilé. Natif ou habitant du Bic, dans le Bas-Saint-Laurent; du Bic.

BICYCLE n. m. (angl. bicycle) [Ø] **1.** [#] *Bicycle, bicycle à pédales* : bicyclette, vélo. [+++] **2.** [#] *Bicycle à gazoline, à gas,* (angl. gasoline) Ø : motocyclette, moto. **3.** [#] *Bicycle à trois roues* : tricycle. **4.** Fig. *Faire du bicycle* : en parlant d'une vache en rut, grimper sur une autre vache.

BIDÈCHE n. f. Femme très grande mais peu intelligente. (acad.)

BIDOU n. m., **BIDOUILLE, BIDOUNE** n. f. Vulg. Pénis, lorsqu'on s'adresse à un enfant. Voyons ce n'est pas beau de se promener le *bidou*, la *bidouille* ou la *bidoune* à l'air. Syn., voir : **pine**.

BIDOUS n. m. pl. Argot. *Avoir des bidous* : avoir de l'argent, être riche. [+++] Syn., voir : avoir le **motton** (sens 3).

BIEN n. m. Terre, propriété. C'est à la mort de son père, qu'il a hérité du *bien* familial.

BIEN-AISE adj. (O 22-116 et acad.) Voir : **aise**.

BIEN CONTINU, CONTINU adv. Sans arrêt, continuellement. Il prend ses médicaments *continu, bien continu*.

BIEN-CUIT n. m. Réunion organisée le plus souvent à l'occasion du départ d'un membre important d'un parti politique ou d'un organisme et au cours de laquelle ses meilleurs amis en profitent pour le taquiner. Servir un *bien-cuit* à un ancien premier ministre.

BIEN-ÊTRE SOCIAL, BS, BIEN-ÊTRE n. m. Assistance sociale gouvernementale instaurée en 1944 en faveur des invalides, des veuves, des aveugles et qui s'étend aujourd'hui à toute personne dans le besoin. Être sur le *bien-être* : recevoir l'assistance sociale gouvernementale. Aujourd'hui, sécurité du revenu

BIEN QUE TROP loc. adv. [#] Bien trop, trop. Le père a été *bien que trop* bon pour ses enfants. [+++]

BIENVENUE! exclam. (angl. welcome) [Ø] Je vous en prie!, de rien!, il n'y a pas de quoi!, à votre service. À quelqu'un qui remercie pour un service rendu, on dit : *bienvenue!* Syn. : **plaisir**, **prochaine**.

BIÈRE n. f. **1.** Bière d'épinette a) Bière domestique très peu alcoolisée fabriquée à partir de rameaux d'*épinettes* noires ou épicéas. [+++] Syn. : **sapinette** b) Boisson gazéifiée aromatisée à l'épinette : soda épinette, soda à l'épinette. **2.** Fig. C'est de la *petite bière* : ce n'est pas important. **3.** *Bière à, aux, de bébites.* Voir : **bébite** (sens 5). **4.** *Bière de parc à vaches* : bière de fabrication domestique qu'on faisait fermenter loin des habitations, là où pacageaient les vaches. (acad.) **5.** *Ventre de bière* : bedon dû à une consommation excessive de bière. Syn. : **bedon biéreux, bédaine de bière**.

BIÉREUX, EUSE adj. **1.** *Être biéreux* : aimer boire de la bière. (La forme féminine est très récente) **2.** *Bedon biéreux* : bedon dû à une consommation excessive de bière.

BIGANIÈRE n. f. Ouverture d'une jupe. (acad.)

BIG BEN n. m. (angl. Big Ben) [Ø] Réveille-matin. Marque déposée.

BIG BUG n. m. (angl. big bug) [Ø] Grosse légume, gros bonnet. Depuis qu'il a gagné à la loterie, il ne sort qu'avec les *big bugs*. Syn., voir : gros **casque**.

BIGNE n. f. Voir : **bine**.

BIGONNE, BIGOUILLE n. f. Vieux cheval, haridelle. Syn., voir : **piton**.

BIGORNEAU n. m. Buccins (n. m. pl.). Syn. : **berlicoco, bourgot**.

BIGOUNE n. f. *Tarte à la bigoune* : tarte dont la garniture est à base de mélasse, de farine et de raisins secs. Syn., voir : tarte à la **ferlouche**.

BIG SHOT n. m. (angl. big shot) [Ø] Personne qui a des moyens, qui est riche. Un *big shot* de la ville. Syn., voir : gros **casque**.

BIJOUETTER, BIJOUETTRE v. tr. Bêcheveter, mettre ou placer deux objets en sens inverse.

BILINGUE n. et adj. Fig. et péjor. Se dit de quelqu'un qui est hétérosexuel et homosexuel. Syn. : **batch**, être aux **deux**.

BILL n. m. (angl. bill) [Ø]. Anglicisme en perte de vitesse **1.** Billet de banque. Un *bill* de cinquante dollars. **2.** Facture que le vendeur remet à l'acheteur. **3.** Projet de loi. Présenter le *bill* 250 à l'Assemblée nationale. **4.** *Donner son bill à quelqu'un* : congédier quelqu'un.

BILLET n. m. **1.** *Billet promissoire* (angl. promissory note) [Ø] : billet, billet à ordre. **2.** *Billet de saison* (angl. season ticket) [Ø] : abonnement annuel (pour les concerts, le hockey, etc.) [++]

BILLOCHET n. m. Autrefois, petite bille de bois qui supporte la perche inférieure d'une clôture de perches. Syn. : **boulinier, travers**.

BILLOT n. m. [#] Bille de bois d'une certaine longueur, grume dont on fera du bois de construction : *colombages*, planches, madriers, poteaux, poutres. [+++] Syn. : **log**.

BIME n. m. (angl. beam) [Ø] Voir : **beam**.

BINDER v. tr. (angl. to bind) [Ø] Attacher, garrotter solidement à l'aide d'un *bindeur*, d'un garrot. Syn., voir : **gatonner**.

53

BINDEUR n. m. (angl. binder) [Ø] **1.** Garrot, tortoir servant à bander, à raidir une chaîne, un câble. (O 46-82 et acad.) Syn. : **gaton** (sens 2). **2.** Moissonneuse-lieuse, lieuse. Le *bindeur* a été remplacé par la moissonneuse-batteuse. (O 46-82 et acad.)

BINE n. f. **1.** Argot. Binette, visage, tête. Quand je l'ai rencontré, il avait une drôle de *bine*. **2.** *Jouer aux bines, aux bignes, aux beignes* : jeu consistant à donner un coup sec du tranchant de la main sur la partie extérieure du bras qui va du coude à l'épaule, ce qui produit instantanément une bosse (*bine, bigne, beigne*) qui se résorbe peu à peu. Le gagnant est celui qui fait naître la plus grosse bosse. **3.** Fig. *Prendre une bine* : se heurter à une difficulté subir un échec, avoir une déception. Syn., voir : frapper un **nœud**. **4.** *En criant bine*. Voir : **bean**.

BINEGINGO n. m. Mets des pêcheurs côtiers constitué de grillades de lard salé cuites dans un mélange d'eau et de mélasse. (acad.) Syn., voir : **bourgaille**, **chiard**, **pigoune**, **quiaude**, **tiaude**,.

BINERIE n. f. (angl. bean) [Ø] Voir : **beanerie**.

BINGO n. m. (angl. bingo) **1.** Jeu de hasard qui rappelle le jeu de loto. Beaucoup de paroisses organisaient des *bingos* pour éponger leur déficit. Le « roi du *bingo* » du Québec, J.-E. Prud'homme, qui a pris sa retraite en 1983, est décédé en 1990. [+++] **2.** Argot. Révolte dans une prison. Le dernier *bingo* de Bordeaux a duré six longues heures.

BINGOEUSE n. f. (angl. bingo) Femme qui a l'habitude, la passion du *bingo*. La forme masculine de ce mot n'existe pas encore.

BIORQUE n. m. Butor d'Amérique. (acad.)

BIROU n. m. Variété de pantoufles de feutre de fabrication domestique.

BIS n. m. Baiser, bise. Un petit *bis*. [+] Syn. : **bec**.

BISAILLON (À LA...) loc. Tournée où chacun paie son écot. Allons, un dernier verre *à la bisaillon*!

BISC-EN-COIN (DE) loc. adv. De biais, de travers, en diagonale. Renforcer une charpente par une pièce de bois posée *de bisc-en-coin*.

BISCUIT n. m. **1.** *Biscuit matelot, biscuit de matelot* : variété de biscuits de forme ronde qui ont la propriété de se conserver longtemps et dont on faisait ample provision pour les voyages en mer, biscuit de mer. [+++] Syn. : **roue-de-calèche**, **roue-de-char**. **2.** *Biscuits mélanges, biscuits mélangés* : biscuits cassés, de différentes sortes que les biscuiteries mettaient dans des quarts que l'on retrouvait dans les *magasins généraux* et qui étaient vendus à très bas prix. **3.** *Biscuit soda* : biscuit sec et salé. [+++] **4.** *Biscuit Village* : biscuit sec fabriqué par la biscuiterie montréalaise Viau. Marque déposée. [+++] **5.** Fig. *Donner son biscuit* : éconduire en parlant d'une jeune fille qui renvoie un prétendant. [+++] Syn., voir : donner le **capot**. **6.** Fig. *Recevoir, prendre, manger son biscuit* : être éconduit en parlant du jeune homme refusé par une jeune fille. [+++] Syn., voir : **portion**. **7.** Fig. *Prendre son biscuit* : subir un échec. Il *a pris son biscuit* à la dernière élection. [+++] **8.** Sports. Au hockey, gant de forme rectangulaire, genre bouclier, que porte le gardien de but à la main droite pour arrêter, repousser ou faire dévier la *rondelle*.

BISE, BISQUE, BISSE n. f. Garniture de tarte à base de mélasse, de farine et de raisins secs. D'où tarte à la *bise*, à la *bisse*, à la *bisque*. (entre 30-100 et 25-117) Syn., voir : **ferlouche**.

BISEAU n. m. Botte de céréales coupées et liées, gerbe. (Charsalac) Syn., voir : **botteau**.

BISOUNAGE n. m. Action de *bisouner*, de bâcler, de bousiller son travail. Syn., voir : **brouchetage**.

BISOUNE n. f. **1.** Terme affectif qu'emploient les adultes en s'adressant à une petite fille ou en parlant d'elle. Syn., voir : **toutoune**. **2.** Vulg. Verge, pénis. Cache ta *bisoune*, disait-on à un petit garçon. [++] Syn., voir : **pine**.

BISOUNER v. intr. Travailler sans soin, bousiller, bâcler son travail. Syn., voir : **broucheter**.

BISQUE, BISSE n. f. Voir : **bise**.

BISSEL n. m. (angl. Bissel) Balai mécanique. Marque déposée. Syn. : **balai à rouleaux**.

BITE n. f. (angl. bit) [Ø] **1.** Petite quantité, un peu. Oui, je prendrais bien du whisky, mais seulement une *bite*, une petite *bite*. Anglicisme en perte de vitesse. Syn. : **brette**, **graine**, **larmette**. **2.** Longtemps, long espace de temps. Il y a une *bite* qu'il est parti.

BITCH n. f. (angl. bitch) [Ø] **1.** Côté pile d'une pièce de monnaie. Jouer à tête ou *bitch* : jouer à pile ou face. **2.** Femme hypocrite et méchante, qui manque de franchise.

BITCHER v. tr. (angl. to bitch) [Ø] Jouer un sale tour à quelqu'un. Syn., voir : jouer un **cocu**.

BITER v. tr. (angl. to beat) [Ø] **1.** Surprendre, étonner. Ça me *bite* qu'il soit parti sans dire au revoir! Anglicisme en perte de vitesse. **2.** Fig. *Biter quatre as.* Voir : **battre quatre as**.

BITTE n. f. Mar. Organe de copulation de l'homme et de certains animaux. Syn., voir : **pine** (sens 5).

BLACK-EYE n. m. (angl. black-eye) [Ø] Œil poché, œil au beurre noir. Anglicisme en perte de vitesse.

BLACKJACK n. m. (angl. blackjack) [Ø] Variété de poker. [++]

BLACK STRAP n. f. (angl. Black Strap) [Ø] Mélasse. Marque de commerce. Syn., voir : **sirop de Barbade**.

BLAFARD n. m. Voir : **blanchon**.

BLAGNE n. m. (angl. blind store) [Ø] Store d'intérieur monté sur un rouleau et qu'on descend pour se protéger du soleil ou des regards indiscrets des passants quand on habite un rez-de-chaussée.

BLAGUE DE CHAT, DE COCHON n. f. **1.** Blague à tabac pour fumeur de pipe faite à partir d'une peau de chat dont on a fait tomber les poils en la faisant tremper quelque temps dans une solution d'eau et de cendre de bois franc. **2.** Blague de cochon : blague à tabac faite à partir d'une vessie de cochon. Syn., voir : **bordine**.

BLAIRET n. m. Blaireau pour la barbe. Syn., voir : **savonnette**.

BLAISE n. f. Voir : **blaze**.

BLAISER v. tr. Voir : to **blaze**

BLANC, BLANCHE adj. *Blanc comme un lièvre* : se dit de quelqu'un dont les cheveux sont devenus complètement blancs. Le lièvre devient blanc l'hiver.

BLANC, PETIT BLANC n. m. Alcool courant, blanc, par opposition à ceux qui ne le sont pas. Boire un *blanc*, un *petit blanc* comme apéritif. (O 34-91) Syn. : **fort**.

55

BLANC n. m. (angl. blank) [Ø] **1.** *Blanc de chèque* : formule de chèque. **2.** *Blanc de mémoire* : oubli partiel et momentané, trou de mémoire.

BLANC-GELÉE n. f. Gelée blanche. Ce matin, il y avait de la *blanc-gelée*. (Gaspésie)

BLANCHAILLE n. f. Rég. en fr. Nom vulgaire de poissons petits et fort communs appelés cyprins que les pêcheurs utilisent comme appât. Syn. : **mené**, **suceur**, **téteux**.

BLANCHI, E p. adj. **1.** Rabotée, lisse en parlant d'une planche de bois planée. **2.** Sports. Se dit d'une équipe, d'un club qui perd la partie sans compter aucun point.

BLANCHIR v. tr. **1.** Raboter une pièce de bois, la rendre lisse en utilisant le rabot manuel ancien ou la machine-outil moderne appelée raboteuse ou planeuse. Syn. : **déroffer**. **2.** Sports. Vaincre une équipe adverse qui n'a pu faire un seul point.

BLANCHISSAGE n. m. Sports. Action de *blanchir* une équipe adverse, sans compter aucun point.

BLANCHISSOIR n. m. Brosse à blanchir au lait de chaux, queue de morue.

BLANCHON n. m. Bébé phoque de 3 à 4 ans de couleur blanchâtre. La chasse aux *blanchons* était permise le printemps pendant une période de temps très courte. Syn. : **blafard**.

BLANC-MANGE n. m. (angl. blanc-mange) [Ø] Entremets d'origine anglaise. Blanc-manger. [+++] Syn. : **tremblant**.

BLAQUEBIÈRE n. f. Voir : **plaquebière**.

BLASTER v. intr. (angl. to blast) [Ø] Prendre de la drogue.

BLAZE, BLAIZE, BLÉZE n. f. (angl. blaze) [Ø] Blanchis que l'on fait aux arbres à abattre ou pour marquer un sentier, une ligne de séparation en forêt. (O 40-82 et acad.) Syn. : **plaque**.

BLAZER, BLAIZER, BLÉZER v. tr. (angl. to blaze) [Ø] Faire des *blazes* ou blanchis à des arbres en forêt. Syn. : **plaquer**.

BLÉ D'INDE n. m. **1.** Maïs. Le *blé d'Inde* est une graminée originaire d'Amérique. [+++] **2.** Épi de maïs. Si les enfants ont encore faim, fais-leur bouillir du *blé d'Inde*. [+++] **3.** *Blé d'Inde à dents* : variété de maïs destinée à nourrir les bestiaux. **4.** *Blé d'Inde à vaches* : variété de maïs destinée à nourrir les bestiaux, plus particulièrement les vaches laitières. **5.** *Blé d'Inde poffé* (angl. puffed corn) [Ø] : maïs éclaté, soufflé. Syn. : **pop corn**. **6.** *Blé d'Inde sucré* : variété de maïs légèrement sucré et très appréciée par les êtres humains. [+++] **7.** Fig. Semonce, réprimande. Recevoir un *blé d'Inde* parce qu'on est arrivé en retard au travail. [++] Syn., voir : **call-down**. **8.** Fig. Affront, insulte, injure, remarque désobligeante. Pousser un *blé d'Inde* à quelqu'un en public. Syn. : **patarafe**.

BLÊMETTE, BLÊMICHE, BLÊMUSSE n. et adj. Personne blême; qui est blême. Le fils de notre voisin est pas mal *blêmusse, blêmette* ou *blêmiche*. Syn. : **blêmichon**.

BLÊMEZIR v. intr. Blêmir. (acad.)

BLÊMICHON, ONNE n. Petit garçon ou petite fille blême.

BLEU, E n. et adj. **1.** Appellation traditionnelle des partis politiques d'orientation conservatrice (*Parti conservateur* devenu *Parti progressiste-conservateur* en 1942 au fédéral et *Union nationale* au Québec vers la même époque). [+++] **2.** Avis écrit et officiel de mise à pied que reçoit un travailleur. Recevoir un *bleu*. Syn. : **notice**. **3.** *Froid bleu* : très grand froid. **4.** *Glace bleue ou verte* : glace de qualité, idéale pour les glacières qui ont précédé les *frigidaires*. [+++] **5.** *Bleu à laver* : bleu de lessive. [+++] Syn. : **crapaud**, **indigo**. **6.** [#] *Bleu marin* : bleu marine. Un complet *bleu marin*, une jupe *bleu marin*. [+++] **7.** *Bleu-Blanc-Rouge* n. m. Voir : **Canadien** (club de hockey) **8.** *Avoir les bleus* (angl. to have the blues) [Ø] : avoir le cafard, broyer du noir, avoir des idées noires. **9.** *Tomber, être dans les bleus* : délirer pour cause d'ivresse ou de dépression.

BLEUET n. m. **1.** Arbrisseau. Airelle fausse-myrtille dont la baie devient bleue en mûrissant. Mot très fréquent dans la toponymie du Québec. [+++] **2.** Arbrisseau. Airelle à feuilles étroites. Syn. : **bleuetier**. **3.** Fruit des deux arbrisseaux (1 et 2) qui précèdent. **4.** Blason populaire. Habitant du Saguenay–Lac-Saint-Jean. Syn. : **ventre-bleu**. **5.** *Avoir l'air bleuet* : avoir l'air niais, imbécile. Avec son *air bleuet*, il ne pourra jamais se marier. Syn., voir : **épais**.

BLEUETIER n. m. Arbrisseau ligneux (Éricacées) qui produit le *bleuet*, espèce d'airelle myrtille (ROLF). Syn. : **bleuet** (sens 2).

BLEUETIÈRE n. f. Terrain protégé où abondent les bleuets surtout, au Saguenay–Lac-Saint-Jean (NOLF). Syn. : **bleuetterie** (mot rare).

BLEUETS SAINS n. m. pl. Viorne cassinoïde dont le fruit est comestible. (O 36-86) Syn., voir : **alisier**.

BLEUETTER v. intr. Cueillir des *bleuets*. (Charsalac)

BLEUETTERIE n. f. Voir : **bleuetière**.

BLEUETTEUR, BLEUETTEUX, EUSE n. Cueilleur de *bleuets*. (Charsalac)

57

BLEUSIR, BLEUVIR v. tr. [#] Bleuir, faire devenir bleu, rendre bleu. Le froid *bleusit* les mains.

BLEUVÂTRE adj. Bleuâtre. Le froid rend les mains *bleuvâtres*.

BLEUVET n. m. Jeune marsouin de un à deux ans, de couleur bleuâtre.

BLÉZE n. f. (angl. blaze) [Ø] Voir : **blaze**.

BLÉZER v. tr. (angl. blazer) [Ø] Voir : **blazer**.

BLIND PIG n. m. (angl. blind pig) [Ø] Débit de boisson clandestin.

BLIZZARD n. m. Vent du nord, glacial, violent, accompagné de tempêtes de neige.

BLOC n. m. **1.** Cale placé sous le levier pour aider à la levée d'un fardeau. [+++] Syn. : **orgueil. 2.** *Bloc à river* : morceau de fer que le forgeron applique sur la tête du clou à river au moment du ferrage des chevaux. **3.** Argot. Tête. Il a mal au *bloc* parce qu'il a trop bu hier. [+++] Syn., voir : **cabochon. 4.** Argot. *Mal de bloc, mal de cornes* : mal de tête. [+++] **5.** *Jeu de blocs* : jeu de cubes, jeu de construction. [+++] **6.** *Bloc québécois*. Parti représentant les Québécois à Ottawa, créé en 1990.

BLOCK n. m. (angl. block) [Ø] **1.** Pâté de maisons. Faire le tour d'un *block* pour prendre l'air. **2.** *Block-appartements* : immeuble d'habitation. Syn. : **conciergerie**.

BLODE adj. (angl. blood) [Ø] Voir : **blood**.

BLOKE n. (angl. bloke) [Ø] **1.** Au Canada, sobriquet que les francophones donnent à leur compatriotes anglophones. Syn., voir : **tête carrée. 2.** Voir : **pissette de bloke**.

BLOND, E adj. De couleur bai, bai clair en parlant de la robe d'un cheval. Cheval *blond*, jument *blonde*.

BLONDE n. f. Jeune fille que l'on courtise, épouse. Aller voir sa *blonde* [+++]. Syn. : **prétendue**.

BLOOD adj. (angl. blood) [Ø] Généreux, charitable, large, qui n'est pas près de ses sous.

BLOOMERS n. f. pl. (angl. bloomers) [Ø] Culotte bouffante pour femmes et fillettes. [+++]

BLOQUER v. tr. Argot étudiant. Rater un examen, échouer à un examen. *Bloquer* un examen. [++] Syn., voir : **flopper**.

BLOQUISTE n. et adj. Qui appartient au Bloc québécois.

BLOUSE n. f. Veston de complet. (Entre 28-101 et 18-128) Syn., voir : **coat**.

BLOUSER v. tr. et pron. **1.** Ennuyer, importuner. Il nous *blouse* avec ses histoires invraisemblables. (acad.) **2.** S'énerver. Arrête de *te blouser*, on n'arrivera pas en retard! (Charsalac)

BLOWER n. m. (angl. blower) [Ø] Partie de la batteuse qui projette la paille à une certaine distance. [++] Syn. : **souffleur**.

BLOW-OUT n. m. (angl. blow-out) [Ø] Éclatement d'un pneu. Anglicisme presque disparu.

BLUENOSE n. m. (angl. BlueNose) [Ø] Sobriquet donné aux habitants anglophones de la Nouvelle-Écosse.

BLUETTE n. f. Vx en fr. Étincelle. Il y a des *bluettes* qui sortent de la cheminée du voisin. (acad.) Syn. : **breton**.

BLUETTER, BELUETTER, BELVETTER, ÉBLUETTER v. intr. **1.** Vx en fr. Faire, jeter des étincelles, des *bluettes*. (acad.) **2.** Briller. As-tu vu ces beaux yeux qui *bluettent*?

B.O. n. f. (angl. *body odor*) [Ø] Sigle. Mauvaise odeur du corps, plus particulièrement de la transpiration. Il ne doit pas se laver souvent, il sent la *B.O.*

BOAT n. m. (angl. boat) [Ø] Générique désignant toutes sortes d'embarcations. [++]

BOB n. m. (angl. bob) [Ø] **1.** Poisson en plomb garni d'hameçons dont se servent les pêcheurs de morue; turlutte, dandinette. Syn., voir : **jiggueur**. **2.** Traîneau à débusquer les billes de bois, formé de deux patins réunis par un sommier. Le train avant du *bobsleigh* est souvent utilisé pour ce travail. [+] Syn. : **bacagnole**, **bobette**, **bobsleigh**, **bogan**, **chienne**, **crutch**, **dray**, **go-devil**, **scrotch**, **sleigh**, **sloop**. **3.** Voir : **véloneige traditionnel**. **4.** *Passer au bob.* a) Castrer un animal (goret, bouvillon, poulain). b) Fig. Sermonner, faire des remontrances. Ce curé-là avait l'habitude de *passer* ses paroissiens *au bob* au moins deux fois par an.

BOBBY PIN n. f. (angl. bobby pin) [Ø] Épingle à cheveux.

BOBER v. tr. (angl. to **bob**) [Ø] **1.** Pêcher la morue avec un bob, c'est-à-dire une turlute (poisson en plomb garni d'hameçons). Syn. : **jiggueur**. **2.** Traîner les billes de bois depuis l'endroit où on les a coupées jusqu'à celui où on les empile, les débusquer en utilisant un *bob*, une *bacagnole*, etc. (Estrie) Syn., voir : **haler**. **3.** Courtauder, couper. *Bober* la queue d'un cheval. On *bobait* les chevaux de voiture dans la première moitié du XXe siècle.

BOBETTE n. f. (angl. bob) [Ø] **1.** Petit *bob* servant à débusquer les billes de bois. Syn., voir : **bob**. **2.** Au pl. Petite culotte pour femmes. Le mot *bobette* aurait été créé au Saguenay – Lac-Saint-Jean et a envahi tout le Québec. Syn. : **step-ins**.

BOBOCHE n. f. Voir : **baboche**.

BOBSLEIGH n. m. (angl. bobsleigh) [Ø] **1.** Voiture d'hiver formée de deux trains articulés et servant surtout au transport lourd (bois, grumes, marchandises). [+++] Syn. : **team**, **wagon-sleigh**. **2.** Jouet d'enfant qui est le modèle réduit du gros *bobsleigh*. [+++] **3.** Train avant du *bobsleigh* (souvent abrégé en *bob*) utilisé pour le débusquage des billes de bois en forêt. Syn., voir : **bob**.

BOCAUT n. m. Bocal. Un *bocaut* de confiture, de miel.

BOCO n. m. (acad.) Pipe. J'ai oublié mon *boco*.

BOCORNE n. et adj. **1.** Bœuf ou vache dont les cornes n'ont pas poussé. (O 40-80) Syn., voir : **tocson**. **2.** Fig. Se dit de quelqu'un qui a la tête dure, qui est têtu. Syn. : **tête de pioche**.

BOCOUITE n. m. (angl. buckwheat) [Ø] Voir : **buckwheat**.

BODY CHECK n. m. (angl. body check) [Ø] Mise en échec au hockey.

BŒUF, BŒU, BEU n. m. **1.** *Bœuf de garde* : bœuf non castré, entier, enquerre, taureau. **2.** *Bœuf de hale* : bœuf de trait. **3.** Marotte ou chevalet servant à maintenir à hauteur voulue le morceau de bois à parer.   Syn., voir : **chienne**. **4.** Radeau de *drave* équipé d'un cabestan et servant à haler une estacade flottante. **5.** Système de frein à contrepoids utilisé dans les descentes abruptes dans le but de ralentir l'allure des traîneaux chargés de bois. Syn., voir : **chèvre**. **6.** Argot. Agent de police, surtout celui qui fait de l'auto-patrouille. [+++] Syn. : **coche**, **cochon**. **7.** Convoyeur sans fin servant à monter les billes de bois, de la rivière à la scierie. Syn., voir : **calvaire**. **8.** *À bœuf* : pour la boucherie. Les cultivateurs élèvent de plus en plus de bêtes *à bœuf*. À remarquer qu'on mange toujours du *bœuf*, jamais du *bœu*. [++] **9.** *Bœuf à spring* : viande de bœuf très dure, coriace, de très mauvaise qualité. Syn. : **semelle de bottes**. **10.** Fig. *Avoir un front de bœu* : être effronté [+++]   Syn., voir : **effronté comme un bœuf maigre**. **11.** Fig. *Face de bœu* : en parlant de quelqu'un, gueule d'enterrement, air abruti. [+++] **12.** Argot. *Sur le bœu* : en première vitesse. Pour la descente d'une pente raide, en auto ou en camion, on se met *sur le bœu*. [+++] **13.** Fig. *Effronté comme un bœu maigre* : se dit d'un individu très effronté. Syn. : avoir un **front de bœuf**, du **front tout le tour de la tête**. **14.** Fig. *Prendre le bœuf, rencontrer le bœuf* : trouver son maître, échouer à un examen, subir une défaite électorale... **15.** Fig. *Ne pas jeter le bœu au bas du pont* : ne pas faire d'effort, en faire le moins possible. Depuis que tu travailles, on ne peut pas dire que tu as *jeté le bœu en bas du pont*. **16.** Fig. *Être marié en face des bœufs* : vivre en concubinage. **17.** *Vent à écorner les bœufs* : vent très très fort.

BŒUFIER n. m. Boucher. N'oublie pas de passer chez le *bœufier* pour acheter du saucisson! (Gaspésie)

BOGAN n. f. (angl. bogan) [Ø] Traîneau rudimentaire, servant au débusquage du bois. Syn., voir : **bob** (sens 2).

BOILEUR, BALEUR n. m. (angl. boiler) [Ø] **1.** Réservoir à eau chaude incorporé au poêle à bois traditionnel, à la cuisinière. [+++]   Syn. : **bouillotte**. **2.** Grande bouilloire servant à l'évaporation de la sève de l'érable dans les *cabanes à sucre*. **3.** Grand récipient en tôle avec couvercle que l'on plaçait sur la cuisinière où il occupait deux ronds et servant à faire chauffer de l'eau pour la lessive ou au moment de faire *boucherie*.

59

BOIRE v. tr. **1.** *À boire debout* : beaucoup, à verse. Pleuvoir *à boire debout*. **2.** *Boire sa terre* : à la campagne, boire au point d'en arriver à être obligé de vendre sa terre. Équivalent de *boire sa paye* en parlant des ouvriers des villes.

BOIS n. m. **1.** *Bois à levier* : ostryer de Virginie Syn., voir : **bois de fer** (sens 12). **2.** *Bois à sept écorces* : physocarpe à feuilles d'obier. **3.** *Bois barré* : érable de Pennsylvanie. Syn. : **bois d'orignal**. **4.** *Bois blanc* : tilleul d'Amérique. [+++] **5.** *Boisbuck* (angl. buck) [Ø] : viorne à feuilles d'aune. (Rive-Sud) **6.** *Bois carré* : bois équarri par opposition au bois en grume. **7.** *Bois debout* : bois sur pied mais destiné à être coupé en vue du défrichement. Acheter une terre en *bois debout*. [+++] **8.** *Bois de cabane* : bois de mauvaise qualité, souvent noueux, infendable, plus ou moins pourri qu'on fait brûler dans les *cabanes à sucre*. **9.** *Bois d'échouerie, bois de grève, bois de marée* : bois d'épave échoué sur le rivage. **10.** *Bois de corde* : bois destiné au chauffage, coupé en longueur de trois à quatre *pieds* et fendu. Lui et son frère ont passé une partie de l'hiver à faire du *bois de corde*. [+++] **11.** *Bois de curé* : frêne noir, bois de chauffage de première qualité et que seuls les riches, les curés en l'occurrence, avaient les moyens de se payer. Voir : **curé. 12.** *Bois de fer* a) Ostryer de Virginie, grand arbre dont les fibres ondulées le rendent presque invendable, d'où son emploi comme leviers ou manches d'outils. Syn. : **bois à levier**, **bois dur**. b) Charme de Caroline, petit arbre dont le bois très dur est utilisé pour faire des leviers ou des manches d'outils. Syn. : **bois dur. 13.** *Bois de fournaise* : bois de chauffage pour *fournaise*. **14.** *Bois de lune* : bois que les pauvres ramassent ici et là la nuit, pour ne pas être reconnus. **15.** *Bois de papier* : bois à pâte. **16.** *Bois de plomb* : dira des marais, laxatif très connu en médecine populaire et par les joueurs de tours surtout lors des parties de *cabane*. [+++] **17.** *Bois de poêle* : bois de chauffage. **18.** *Bois d'orignal*. a) Viorne à feuilles d'aune. [+++] b) Érable de Pennsylvanie. [+++] Syn. : **bois barré. 19.** *Bois dur* : a) Terme générique désignant le bois des arbres à feuilles caduques et dont le grain est dur et serré. b) Spécialement, ostryer de Virginie et charme de Caroline souvent utilisés pour faire des leviers ou des manches d'outils. Syn. : **bois de fer**, **bois à levier**. **20.** *Bois foires* : érable à épis utilisé en médecine populaire pour les maladies intestinales. **21.** *Bois franc* : bois d'arbres à feuilles caduques. [+++] **22.** *Bois lacé* : bois qui a poussé tordu, croche. **23.** *Bois mou* : bois blanc, tendre. [+++] **24.** *Bois noir* : céphalanthe occidental, arbuste qui pousse dans les endroits marécageux. **25.** *Bois rond* : tronc d'arbre servant au pavage d'un chemin en terrain marécageux ou à la construction de *chalets* d'été appelés *chalets de bois rond*. **26.** *Boispourri* : engoulevent boispourri. (O 28-100) **27.** *Boissentbon* : myrique baumier, arbuste qui dégage un parfum agréable. [+++] **28.** *Bois tondreux* : bois pourri, vermoulu, devenu de la tondre. Syn. : **tondreux. 29.** *Terre à bois* : terre boisée. Les cultivateurs possèdent souvent une *terre à bois*, appelée aussi *boisé*, contiguë à leur terre. [+++] **30.** *Poigner le bois, prendre le bois, monter dans le bois* : aller travailler en forêt, s'en aller très loin. **31.** *Sortir du bois, descendre du bois* : rentrer chez soi après avoir travaillé en forêt pendant plusieurs mois. **32.** *Le grand bois* : la grande forêt. [+++] **33.** *Du grand bois* : bois haut, de haute futaie. **34.** *Mettre les* *bois* : a) Castrer un étalon, un taureau en utilisant des baguettes à serres. [+++]   Syn., voir : **affranchir**. b) Fig. En parlant d'une personne, mettre à la raison, réduire au silence. **35.** *Bois de calvaire.* Voir : **calvaire. 36.** *Bois roulé* : écorce de saule qui se fume seul ou avec du tabac. Syn. : **kinikinik.**

BOIS-BRÛLÉS n. pr. Appellation des Métis canadiens francophones des provinces du Manitoba, de la Saskatchewan et de l'Alberta.

BOISÉ n. m. *Boisé de ferme* : bois plus ou moins étendu attenant à une exploitation agricole et où le cultivateur trouve bois de chauffage, bois d'œuvre, etc. [+]

BOISÉ, E adj. **1.** *Puits boisé* : puits carré à parois de bois par opposition au puits rond à parois maçonnées. On va même jusqu'à parler de *puits boisés* en bois ou en pierre. (O 81-34) **2.** Fig. *Vitres boisées* : vitres (ou carreaux) sur lesquelles le givre a dessiné des ramifications rappelant une forêt. Syn. : **ramages.**

BOISERIE n. f. **1.** Support en bois à usage quelconque, petit poteau, chandelle. Syn. : **bonhomme. 2.** Solide support en bois sur lequel est assise la cheminée de beaucoup de maisons à la campagne et qui s'arrête à environ 65 cm du plafond du rez-de-chaussée. Syn. : **chèvre** (sens 3).

BOISSEAU n. m. Mesure de capacité pour les grains, les matières sèches et qui contient huit *gallons*, soit 36,36 litres.

BOISSON n. f. **1.** Boisson alcoolisée, alcool. Un ivrogne ne peut pas se passer de *boisson*. [+++] **2.** *Être en boisson* : être ivre, pris de boisson. [+++] Syn., voir : **chaud. 3.** *Se mettre en boisson* : s'enivrer. [+++] Syn., voir : se rincer la **dalle.**

BOISURE n. f. **1.** Dial. en fr. Revêtement en bois des murs d'une pièce noble (salon, salle à manger), lambris, boiserie. Syn. : **dado. 2.** *Boisure d'un puits* : paroi en bois d'un puits carré appelé puits *boisé.*

BOÎTAGE n. m. Au pl. Conserves, nourriture en boîtes. Quand sa femme est absente, il se nourrit de *boîtages*. Syn. : **cannage.**

BOITASSER v. tr. Boiter légèrement en parlant d'un être humain ou d'un animal. Ce cheval *boitasse.*

BOÎTE n. f. **1.** Plateforme, plateau entouré d'un camion ou d'une voiture d'hiver à lisses. **2.** Péjor. Bouche. Se fermer la *boîte* : se taire. S'ouvrir la *boîte* : parler. [+++] Syn., voir : **grelot. 3.** Argot. Voix. Quand il est ici, on n'entend que sa *boîte.* [+++] **4.** *Boîte à bois.* Voir : **caveau. 5.** *Boîte à cochons* : boîte ajourée en bois servant à transporter une truie en rut chez le propriétaire d'un verrat. Dans une paroisse moyenne, il y avait le plus souvent un seul verrat, d'où la nécessité d'avoir une *boîte à cochons.* **6.** *Boîte à cendre.* Voir : **cendrière. 7.** *Boîte à lettres.* [+++] Voir. : **boîte à malle. 8.** *Boîte à lunch* (angl. lunch box) [Ø] : a) Gamelle dans laquelle un travailleur apporte son repas sur le lieu de son travail. [+++] b) *Ministre de la boîte à lunch* : appellation ironique d'Antonio Barrette ex-employé des chemins de fer, premier ministre du Québec pendant quelques mois en 1960 et qui fut défait par les libéraux de Jean Lesage. **9.** *Boîte à malle* (angl. mail box) [Ø] : à la campagne, boîte aux lettres placée en bordure de la route et servant au *postillon*, au facteur pour y prendre ou déposer du courrier depuis sa voiture. Syn. : **boîte à lettres. 10.** *Boîte à pain* : moule à pain. Syn., voir : **tôle à pain.**

BOITOUX, OUSE adj. et n. Boiteux, boiteuse. (acad.)

BOL n. f. **1.** Tête. Il a glissé sur la glace et il s'est sonné la *bol*. [+++] Syn., voir : **cabochon**. **2.** Personne très intelligente, crack. Untel c'est vraiment une *bol*. [+++] Syn. : **bolé**.

BOL n. **1.** Plat de cuisine. [+++] **2.** Cuvette qu'on plaçait avec le pot à eau sur la table de toilette d'autrefois. (O 35-100) **3.** Abreuvoir automatique pour le bétail. [+++] **4.** *Bol à lait, bol à écrémer* : grand contenant dans lequel on laissait reposer le lait à écrémer. **5.** *Bol à mains, bol aux mains* : bassine placée dans l'évier de la cuisine et dans laquelle on se lavait les mains. (O 28-85) Syn., voir : **bassin à mains**. **6.** *Bol à barbe, bol à savon* : tasse à barbe. Syn., voir : **mug**. **7.** *Bol d'écrémeuse* (angl. separator bowl) [Ø] : organe principal de l'écrémeuse en forme de bol renversé constitué d'une série d'assiettes coniques tronquées tournant à très grande vitesse et où s'effectue la séparation de la crème. **8.** *Bol de toilette* (angl. toilet bowl) [Ø] : cuvette de la toilette. [+++]

BOLÉ n. m. Grosse bille à jouer de verre, de terre ou de fer; boulet.

BOLÉ, E n. et adj. Personne brillante, très intelligente. [+++] Syn. : **bol** n. f.

BOLÉE n. f. Contenu d'un bol, d'une bol, bol. Boire une *bolée* de café ou de thé.

BOLÉRO n. m. Cabane flottante habillée de quenouilles où se cache le chasseur de canards. (Charlevoix) Syn. : **caboche**, **chasseuse**, **gabion**.

BOLO n. m. Jeu de jocari constitué d'une palette à laquelle est attachée par un élastique une balle de caoutchouc.

BOLT n. f. (angl. bolt) [Ø] Boulon dont l'une des extrémités se termine par un pas de vis destiné à recevoir un écrou. [++] Syn. : **cheville**.

BOLTER v. tr. et intr. (angl. to bolt) [Ø] **1.** Boulonner, fixer au moyen de boulons, de *bolts*. [++] **2.** Fig. Se hâter, passer très vite, se dépêcher. [++]

BOLUNE, BOLUS, BOULUSSE n. f. Vx en fr. Pilule. Partir en voyage avec un arsenal de *bolus*.

BOMBARDE n. f. Instrument de musique rudimentaire, guimbarde. [+++]

BOMBARDIER n. m. **1.** Autoneige fabriquée par Bombardier. Syn., voir : **autoneige**. **2.** Petit tracteur à chenilles fabriqué par Bombardier, utilisé en forêt et servant surtout au débusquage des billes de bois. Syn., voir : **skiddeuse**.

BOMBE n. f. **1.** Bouilloire servant à faire bouillir de l'eau. Remplis la *bombe* et mets-la sur le poêle, j'aurai besoin d'eau chaude. (E 38-84) Syn., voir : **canard**. **2.** *Bombe puante* : atomiseur qui vaporise de l'acide butyrique à odeur très désagréable. Les grévistes utilisent les *bombes puantes* pour protester contre l'entrée de non-grévistes dans leurs locaux de travail. [++]

BOMBÉE n. f. Contenu d'une *bombe* ou bouilloire. Apporter une *bombée* d'eau chaude.

BOME n. m. (angl. boom) [Ø] Voir : **boom**.

BOMER v. tr. (angl. boomer) [Ø] Voir : **boomer**.

BOMIER n. m. (angl. boom) [Ø] Ouvrier chargé de la construction d'estacades flottantes.

BOMME n. m. (angl. bum) [Ø] Voir : **bum**.

BOMMER v. intr. (angl. bum) [Ø] Voir : **bummer**.

BON, BONNE n. et adj. **1.** *Comme un bon* : beaucoup. Travailler *comme un bon, comme une bonne*. [+++] **2.** Avantage, faveur, réduction de prix. Faire du *bon* à un client. [+++] **3.** *Être bon de* : aimer. *Être bon* des femmes, du sucre à la crème. [+] **4.** *Bon pour* (angl. good for) [Ø] : valable. Un billet *bon pour* deux personnes.

BON-À-RIEN, BONNE-À-RIEN, BONNE-À-RIENNE, BON-RIEN, BONNE-RIENNE n. et adj. **1.** Vaurien, propre à rien, personne inhabile. [++] **2** Péjor. a) Femme aux mœurs légères, prostituée. [+++] Syn., voir : **guedoune**. b) Homme coureur. [+++] Syn., voir : **galopeur**.

BONDANCE n. f. *À bondance* : beaucoup, en parlant des érables qui le printemps coulent jour et nuit. Syn. : **abord**.

BONENTENTISME n. m. Théorie ou comportement des Canadiens francophones, heureusement minoritaires, qui seraient prêts à tout sacrifier (langue, personnalité, dignité, etc.) pour bien s'entendre avec les Anglo-Canadiens.

BONENTENTISTE n. Partisan du *bonententisme*.

BONÉRI n. m. Voir : **bénéri**.

BONHEUR n. m. Fig. *Faire son bonheur soi-même* : se masturber. [+++] Syn., voir : **crosser**.

BONHOMME n. m. **1.** Père de famille, mari. Attendre que le *bonhomme* arrive pour donner une réponse. Quand le *bonhomme* est mort c'était en hiver. Syn. : le **père**, son **père**. **2.** Petit poteau servant de support, chandelle. Syn. : **boiserie**. **3.** Poteau fixé aux bouts des sommiers de véhicules d'été ou d'hiver servant au transport du bois en grumes. Syn., voir : **épée**. **4.** Gros taquet sur certaines pièces de machinerie, sur des voitures. **5.** Levier en bois utilisé par les travailleurs en forêt. Syn., voir : **rance**. **6.** *Aller au bonhomme* : aller chez le diable. [+++] **7.** *Envoyer au bonhomme* : envoyer au diable. [+++] **8.** *Être au bonhomme* (en parlant d'un travail, d'un espace de temps) : être perdu. Avec cette pluie, la journée est *au bonhomme*. **9.** *Bonhomme Carnaval* : a) Personnage de bonne stature, costumé, jovial et matelassé qui préside aux fêtes du Carnaval de Québec organisé chaque année depuis 1955. b) Effigie du *Bonhomme Carnaval*. Acheter un *Bonhomme Carnaval*. **10.** *Bonhomme-cavèche, bonhomme-canèche* ou *kouèche* : marmotte du Canada (acad.). Syn. : **siffleux**. **11.** *Bonhomme de jardin, bonhomme de paille, bonhomme* : épouvantail à corneilles. [+++] Syn., voir : **épeure-corneilles**. **12.** *Bonhomme Sept Heures* (angl. bone setter) [Ø] : personnage imaginaire, espèce de marchand de sable, dont on menace les enfants qui ne veulent pas se coucher ou s'endormir. [+++] Syn. : **cacouinan**. **13.** Oiseau. Mergule nain.

BONJOUR n. Terme d'affection surtout à l'endroit d'un enfant. Petit ou petite *bonjour*, tu as encore joué avec les casseroles!

BONJOUR! interj. Rég. en fr. Quand nous prenons congé de quelqu'un, nous disons souvent *bonjour* au sens de bonsoir, au revoir.

BONNE n. f. (angl. punt) [Ø] Embarcation à fond plat utilisée autrefois pour la *drave*, bachot. [+] Syn., voir : **pine de drave**.

BONNE À BONNE loc. adv. À égalité. Être ou se tenir *bonne à bonne* dans une partie de billard, dans une course.

BONNE-À-RIEN, BONNE-À-RIENNE n. f. Voir : **bon-à-rien**

63

BONNE-FEMME n. f. **1.** Sage-femme. On dit aussi *bonne-femme du bois*. (Gaspésie) Syn., voir : **matrone**. **2.** Épouvantail à corneilles. Syn., voir : **épeure-corneilles**. **3.** Épouse, femme. La *bonne femme* est allée faire des courses. [++] **4.** Treuil flottant servant à raidir une allingue.

BONNES n. f. pl. *Être dans ses bonnes* : être de bonne humeur.

BONNET n. m. **1.** *Montrer le bonnet* : se dit d'une vache qui commence à avorter, à vêler, l'enveloppe du veau à naître étant déjà visible. Syn., voir : **dédoubler**. **2.** *Bonnet-boudoir*, *bonnet de boudoir* n. m. (angl. boudoir cap) [#]. Bonnet d'intérieur que portaient les femmes pour protéger une mise en plis, charlotte. Syn. voir : **cap-boudoir**.

BONNETTAGE n. m. Action de *bonnetter*.

BONNETTER v. tr. et intr. **1.** Vx en fr. Flatter quelqu'un dans le but d'obtenir une faveur. [+++] **2.** Fig. Perdre son temps, musarder, prolonger indûment un travail urgent. [+++] Syn., voir : **bretter**.

BONNETTEUX, EUSE adj. et n. **1.** Flatteur qui cherche à obtenir une faveur. **2.** Qui perd son temps; personne qui perd son temps. Syn., voir : **bretteux**.

BONRIEN, BONNE-RIENNE n. Voir : **bon-à-rien**.

BONTÉ n. f. Rare en fr. en parlant des choses. Qualité. La *bonté* d'un tissu, d'une serrure, de la terre. [+++]

BONUS n. m. (angl. bonus) [Ø] Prime, gratification que reçoit un employé, boni.

BOOKIE n. m. (angl. bookie) [Ø] Personne qui dans les courses de chevaux prend les paris sans autorisation, bookmaker.

BOOM, BOME n. m. (angl. boom) [Ø] Estacade flottante, destinée à empêcher les billes de bois d'être emportées par le courant, allingue flottante. [+++]

BOOMER, BOMER v. tr. (angl. to boom) [Ø] **1.** Retenir le bois flottant sur un lac ou un cours d'eau à l'aide d'un *boom*, d'une estacade flottante. Si on ne *boomait* pas le bois de flottage, on le perdrait. [+++] **2.** Fig. Faire mousser, pousser une candidature, un nouveau produit.

BOOSTER v. tr. (angl. to boost) [Ø] **1.** Survolter. Par temps très froid, lorsque l'auto ne démarre pas, on fait venir une remorque pour faire *booster* la batterie. Anglicisme en perte de vitesse. **2.** Fig. Faire mousser, pousser une candidature, un nouveau produit.

BOOTLEGGER n. m. (angl. bootlegger) [Ø] Contrebandier d'alcool entre le Canada et les États-Unis et aussi entre le Québec et les îles Saint-Pierre et Miquelon pendant la prohibition aux États-Unis, de 1919 à 1931.

BOOZE n. f. (angl. booze) [Ø] Alcool de fabrication domestique et souvent de mauvaise qualité. Voir : **bagosse**.

BOQUE n. m. (angl. buck) [Ø] Voir : **buck**.

BOQUÉ, E n. et adj. Voir : **bouqué**.

BOQUER v. intr. et pron. (angl. to buck) [Ø] Voir : **bouquer**.

BOQUEUX, EUSE adj. Voir : **bouqueux**.

BORBECHON n. m. Agneau qui a perdu sa mère et qu'on nourrit au biberon à la maison. (acad.)

BORD n. m. Mar. **1.** *L'autre bord* : outre-Atlantique, l'Europe. Aimer passer ses vacances de *l'autre bord*. [+++] Syn. : **vieux-pays**. **2.** Fig. *Partir de l'autre bord*. a) Mourir. Il y a déjà deux ans que le vieux Untel *est parti de l'autre bord*. [+++]

Syn., voir : **défuntiser**. b) Devenir enceinte. Syn., voir : partir pour la **famille**. **3.** *Prendre le bord* : se sauver, s'enfuir. Le prisonnier a profité de la panne d'électricité pour *prendre le bord*. [+++] **4.** *Sur le bord de, au bord de* : à la veille de, sur le point de. On était *sur le bord de* partir quand le téléphone a sonné. Le vieux Léon est *au bord de* mourir. [+++] **5.** Mar. *À bord de, à bord* : dans. Un témoin a déclaré avoir vu trois hommes masqués s'engouffrer *à bord d*'une auto bleu marine. Il y avait déjà deux hommes *à bord*. **6.** Au pl. Bordures de glace des cours d'eau, des lacs. Le lac a déjà des *bords*. Syn., voir : **bordages** (sens 1). **7.** *Bord de l'eau* : le port de Montréal aménagé en aval des rapides de Lachine. Travailler au *bord de l'eau* c'est être *débardeur*, docker au port de Montréal. Syn. : **pied du courant. 8.** *De bord en bord* : complètement, entièrement, de part en part. La glace est prise de *bord en bord* du lac. **9.** *D'un bord et de l'autre* : ici et là. Notre voisin est rarement chez lui, il est toujours *d'un bord et de l'autre*. [++] **10.** Fig. *Virer son capot de bord* : changer d'avis, changer d'allégeance politique, changer de religion.

BORDA n. m. Voir : **barda**.

BORDAGES n. m. pl. Mar. **1.** *Glaces qui se forment sur les rives des cours d'eau, des lacs. La glace commence toujours par les *bordages*. (surt. O 27-116) Syn. : **bords, débarris. 2.** De chaque côté d'une route, entassements de neige faits par les chasse-neige. Plus l'hiver avance, plus les *bordages* de la route sont hauts. (surt. O 27-116) Syn. : **remparts**.

BORDASSER v. tr. et intr. Voir : **bardasser**.

BORDASSIER n. et adj. Voir : **bardassier**.

BORDEAUX n. pr. Prison commune pour la région de Montréal construite à Bordeaux. Il a passé deux ans à *Bordeaux*.

BORDÉE n. f. Mar. **1.** *Bordée de neige* : forte chute de neige, averse de neige. C'est la deuxième *bordée de neige* de l'hiver. Depuis quelques années on nous rebat les oreilles avec les *averses* de neige. [+++] **2.** *Bordée des avents* : forte chute de neige qui se produit au cours de l'avent, au cours des quatre semaines qui précèdent Noël. **3.** *Bordée des corneilles* : dernière chute ou tempête de neige de l'hiver coïncidant avec le retour des corneilles. [+++] **4.** *Bordée des Irlandais*. Voir : **Irlandais. 5.** *Bordée des jours gras* : forte chute ou tempête de neige qui souvent coïncide avec les jours gras qui précèdent le carême. [+++] Syn. : **tempête des jours gras. 6.** *Bordée des oiseaux, des oiseaux de neige, des oiseaux blancs* : forte chute ou tempête de neige qui coïncide avec le retour des oiseaux et qui marque la fin de l'hiver. [+++] Syn. : **tempête des sucres, tempête des greniers. 7.** *Bordée de la Sainte-Catherine* : chute de neige coïncidant avec la fête de sainte Catherine le 25 novembre. **8.** *Bordée des sucres* : forte chute de neige pendant le *temps des sucres*, lorsque les érables coulent. [++]

BORDICHE, BERDICHE n. f. Levier servant à déplacer les ronds d'une cuisinière à bois ou à charbon souvent appelée *poêle, poêle à bois* ou *poêle à charbon*. Syn., voir : **clef de poêle**.

BORDINE n. f. Blague à tabac du fumeur de pipe faite à partir d'une vessie de cochon séchée. (acad.) Syn. : **blague de chat, blague de cochon, feriousse, friousse, pouch, sac à tabac, siloune, vessie, vessille**.

BORDOUCHE n. m. *Avoir du bordouche* : être porté à s'exciter, à dire des paroles en l'air, à divaguer.

BORDOUILLES n. f. pl. Voir : **bredouilles**.

BORGAU, BOURGAU n. m. [#] Voir : **burgau**.

BORGAUTER, BOURGAUTER v. intra. [#] Voir : **burgauter**.

BORGO, BORGOT n. m. Voir : **burgau**.

BORJOUTER, BORJUTER v. intr. Déborder en parlant du contenu d'une casserole qui à la cuisson passe par-dessus bord. [++]

BORLINE n. f. [#] Voir : **berline**.

BORLOT n. m. [#] Voir : **berlot**.

BORLOUTON n. m. Sorte de béret de laine.

BORNE-FONTAINE n. f. Bouche d'incendie à laquelle les pompiers raccordent leurs tuyaux lors d'un incendie. Syn. : **hydrant**.

BORNEUR n. m. (angl. burner) [Ø] Voir : **burner**.

BORNIQUES n. f. Voir : **bernicles**.

BORNIQUET, ETTE n. Loucheur. Dans cette famille, il n'y a que des *borniquets* et des *borniquettes*. Syn., voir : **coq-l'œil**.

BORTON n. m. Voir : **breton**.

BOSCULIS n. m. Glaces flottantes qui se déplacent sous l'effet du vent, du courant et de la marée. Syn., voir : **bouscueil**.

BOSS n. m. (angl. boss) [Ø] Patron, contremaître, directeur, chef. Dans toute entreprise, il y a des petits *boss* et un grand *boss*. [+++] Syn. : **watch-faire**.

BOSSE n. f. **1.** Voir : **bouffie** (sens 4). **2.** Fig. *Faire sa bosse* : amasser de l'argent. Il a travaillé trois ans à La Grande et c'est là qu'il a *fait sa bosse*. [+++] Syn., voir : **motton** (sens 2). **3.** *Bosse de canot* : bosse qui se forme sur la nuque des *portageurs*. **4.** *Bosse de bison* : bosse d'une personne bossue. **5.** *Bosse de plaisir* : mont de Vénus.

BOSSÉ, E n. et adj. [#] **1.** Bosselé, bossué. Casserole de fer-blanc toute *bossée*. [+++] Syn. : **cobi**. **2.** Fig. Bossu. Un *bossé*, un homme *bossé*. Syn., voir : **cobi**.

BOSSER v. tr. et intr. **1.** Vx et rég. en fr. Bosseler, déformer par des bosses. *Bosser* une casserole, une auto. **2.** (Angl. to boss) [Ø]. Agir comme un *boss*, commander, diriger. [+++] Syn. : **gérer**, **runner**.

BOSSEUL n. m. (angl. bustle) [Ø] Voir : **bustle**.

BOSSU, E n. et adj. **1.** Fig. Personne à qui la chance sourit; chanceux. Être *bossu*, chanceux comme un *bossu* qui a retrouvé sa bosse. [+++] Syn. : **lucky**. **2.** Inégal, accidenté. Un terrain *bossu*.

BOSSUSE n. et adj. f. [#] Bossue. Une femme *bossuse*, une *bossuse*. [+]

BOSTER v. intr. (angl. to burst) [Ø] Éclater, crever. Pendant la nuit le chauffage a manqué et plusieurs tuyaux ont *bosté*.

BOSTONNAIS, E; BOSTONIEN, ENNE n. et adj. **1.** Gentilé. Américain en général. Quand l'été arrive, les *Bostonnais* viennent visiter le Québec. **2.** Fig. *Les Bostonnais sont arrivés* : il y a un nouveau-né chez nos voisins.

BOTCH n. m. ou f. (angl. butt) [Ø] **1.** Mégot de cigare, de cigarette. [++] **2.** Bousillage d'un travail. Je n'appelle pas ça du travail mais de la *botch*! **3.** *À la botch* : grossièrement, négligemment, à la diable. Faire un travail *à la botch*.

BOTCHAGE n. m. (angl. to botch) [Ø] Action de *botcher*, de bâcler son travail. [+++] Syn., voir : **brouchetage**.

BOTCHER v. tr. (angl. to botch) [Ø] Bâcler, bousiller. *Botcher* son travail. [+++] Syn., voir : **broucheter**.

BOTCHEUX, EUSE n. et adj. (angl. botcher) [Ø] Bousilleur, gâcheur du travail fait. Un *botcheux* doit être mis à la porte. Syn., voir : **broucheteux**.

BOTTE n. f. (angl. butt) [Ø] Voir : **butt**.

BOTTE n. et adj. **1.** *Botte de foin* : autrefois, paquet de foin de dix à quinze *livres* lié par une hart ou par un lien de foin. **2.** *Bottes accordéon*. Voir : **bottes sauvages**. **3.** *Bottes à manche*. Voir : **bottes sauvages**. **4.** *Bottes anglaises* : bottes chics avec semelle et talon. **5.** *Bottes canadiennes*. Syn., voir : **bottes sauvages**. **6.** *Bottes corkées* (angl. calked boots) [Ø]. Bottes de *drave* à crampons qui empêchent de glisser sur les billes de bois humide. Syn. : **cobottes**. **7.** *Bottes de ski* : chaussures de ski. [+++] **8.** *Bottes fourreau, bottes à fourreau*. Voir : **bottes sauvages**. **9.** *Bottes françaises* : bottes chics avec semelle et talon, par opposition aux *bottes sauvages*. **10.** *Bottes indiennes*. Voir : **bottes sauvages**. **11.** *Bottes malouines* : bottes à l'écuyère, bottes d'équitation. [+] **12.** *Bottes Napoléon* : bottes chics avec semelle et talon, par opposition aux *bottes sauvages*. (O 34-91) **13.** *Bottes sauvages* : bottes de fabrication domestique sans semelle ni talon avec jambière retenues sous le genou par un lacet, à l'amérindienne. [+++] Syn. : **bottes accordéons**, **bottes canadiennes**, **bottes fourreau**, **bottes à fourreau**, **bottes à manche**, **bottes indiennes**. **14.** Fig. *En avoir plein ses bottes* : employer toute son énergie à faire un travail, avoir de la difficulté à faire face à ses obligations financières. Avec une aussi grosse hypothèque, il *en a plein ses bottes* pour joindre les deux bouts. [+++] **15.** *Tomber en bottes* : se dit d'un tonneau qui se défait, dont les douves tombent sous l'effet de la sécheresse. **16.** *Être botte* : être habile, chanceux (sports, chasse, pêche). **17.** Vulg. *Être botte, être bonne botte* : bien faire l'amour, en parlant d'une femme. [+++] **18.** Vulg. *Prendre, tirer une botte, sa botte* : faire l'amour, en parlant d'un homme. [+++] Syn. : **shot**. **19.** Vulg. *Tirer une botte à l'œil* : se masturber. [+++] Syn., voir : **se crosser**. **20.** Fig. *Haler ses bottes* : se hâter, se dépêcher. Ne pas perdre son temps. (acad.) **21.** *Soûl comme la botte, comme une botte* : complètement ivre. **22.** Fig. *Passer les bottes à quelqu'un* : corriger quelqu'un. **23.** Fig. *Tomber en botte* : être fatigué, ne plus pouvoir travailler. Moi, j'arrête parce que je vais *tomber en botte*. **24.** Fig. *Pisser dans ses bottes* : avoir une grande peur.

BOTTEAU n. m. Petite botte de céréales ou de foin. Syn. : **bottillon**, **bottine**, **stook**.

BOTTER v. intr. **1.** Adhérer aux pieds des chevaux en parlant de la neige molle. Aujourd'hui, la neige *botte*, ça *botte*! **2.** Voir : **butter**.

BOTTERLEAU n. m. Bottines de travail en cuir épais que portent les hommes à la campagne surtout et qui montent un peu au-dessus de la cheville. (O 28-101)

BOTTEUSE n. f. Voir : **butteuse**.

BOTTEUX, EUSE adj. Se dit lorsque par temps doux la neige fondante colle et fait boule sous les sabots des chevaux. [+++]

BOTTILLON n. m. Petite botte de céréales ou de foin. Syn., voir : **botteau**.

BOTTILLONNER v. tr. Faire des petites bottes de foin, des *bottillons* de céréales ou de foin.

BOTTINE n. f. **1.** Botte de céréales qui sort de la moissonneuse-lieuse, gerbe de céréales ficelée. (O 28-100) Syn., voir : **botteau**. **2.** Voir : **botte de foin**. **3.** *Bottine française* : bottine avec semelle et talon par opposition aux mocassins. **4.** Fig. *Avoir les deux pieds dans la même bottine* : manquer de débrouillardise, avoir les deux pieds dans le même sabot. [+++] Syn. : ne pas être vite sur ses **patins**.

BOUBOU-MACOUTE n. m. Péjor. Mot formé sur le modèle du mot haïtien tonton-macoute. Sous le gouvernement Bourassa (d'où Boubou), inspecteur chargé de vérifier si les assistés sociaux répondent vraiment aux critères prévus par la loi.

BOUCANE n. f. (amér.) **1.** Fumée. Il y a de la *boucane* quand il y a un incendie [+++]. **2.** *Chaudière à boucane* : contenant en métal de bonne dimension, percé de quelques trous sur les côtés et dans lequel on fait brûler ce qui peut produire beaucoup de fumée pour chasser les moustiques. [++] Syn., voir : **fumeuse**. **3.** *Faire de la boucane.* a) Produire de la fumée pour chasser les moustiques. Les maringouins nous mangent, *faisons de la boucane* avec de la sciure de bois. (surt. O 27-116) b) Fumer. Il ne peut travailler sans *faire de la boucane*. [++] **4.** Vapeur qui entre dans la maison l'hiver lorsqu'on ouvre la porte. [+++] Syn. : **brume** (sens 1), **steam**. **5.** Argot. Cigarette roulée à la main, roulée. Tiens, passe-moi donc une *boucane*, j'ai oublié les miennes. Syn., voir : **rouleuse**. **6.** Argot. Alcool de fabrication domestique. [+++] Syn., voir : **bagosse, booze, caribou.**

BOUCANÉ, E, EMBOUCANÉ, E adj. et n. **1.** Amérindien. Quand je l'ai vu pour la première fois, je l'ai pris pour un *boucané*. (Abitibi) Syn., voir : **amérindien**. **2.** Brumeux. Le temps est *boucané* ce matin. [+] Syn. : **boucaneux**. **3.** *Lunettes boucanées* : lunettes fumées.

BOUCANER v. tr. et intr. (amér.) **1.** Fumer de la viande ou du poisson. **2.** Faire de la fumée, répandre de la fumée en parlant d'un poêle dont les registres ne sont pas suffisamment ouverts ou lorsque la cheminée tire mal, par exemple à la veille d'une pluie; fumer. [+++] **3.** Fumer la cigarette. Les étudiants ont décidé de cesser de *boucaner* à la cafétéria. **4.** Dégager de la vapeur. Quand il commence à faire froid, les lacs *boucanent*. [+++]

BOUCANERIE, BOUCANIÈRE n. f. Bâtiment où l'on fume la viande ou le poisson, fumoir. [++] Syn., voir : **jambonnière**.

BOUCANEUSE n. f. Appareil à faire de la fumée (de la boucane) pour protéger contre la gelée les récoltes encore sur le champ (tomates, tabac,...) ou pour éloigner les moustiques. Syn., voir : **fumeuse**.

BOUCANEUX, EUSE adj. Brumeux, couvert. Avec ce temps *boucaneux*, il vaut mieux rester ici. [+] Syn. : **boucané**.

BOUCAUT, BOCAUT n. m. Contenant en verre, bocal, pot. Ouvrir un *boucaut* de confiture, de prunelson.

BOUCHE n. f. **1.** *Avoir la parole en bouche* : parler facilement, surtout en public. Untel va faire un bon député, il *a la parole en bouche*. [+++] **2.** *Avoir la bouche molle* : se dit de quelqu'un qui articule mal et que l'on traite souvent de *bouche molle*. **3.** *Avoir la bouche sale* : sacrer sans arrêt. **4.** Voir : **reel à bouche. 5.** Voir : **demi-bouche**.

BOUCHÉ, E adj. Fig. et vx en fr. *Bouché, bouché des deux bouts* : borné, imbécile, peu intelligent, demeuré. [+++] Syn., voir : **épais**.

BOUCHÉE DES DAMES, BOUCHÉE DE MONSEI-GNEUR n. f. Morceau délicat qu'est le croupion d'une volaille. Syn. : **croupignon, morceau des dames, troufignon, troufion, troupignon**.

BOUCHER v. tr. et pron. **1.** Fig. Confondre son interlocuteur par une vive répartie. Syn. : **asseoir,** mettre un **bouchon** à quelqu'un, **retrousser**. **2.** Fig. *Se faire boucher* : trouver son maître, ne pas pouvoir répondre, se faire rabattre le caquet. Syn. : se faire **asseoir, retrousser**. **3.** *Se boucher* : cesser de parler, se taire.

BOUCHERIE n. f. **1.** Dial. en fr. *Faire boucherie* : abattre à la ferme des animaux, porcs, bêtes à cornes, veaux pour usage domestique. [+++] **2.** Dial. en fr. *Le temps des boucheries, les boucheries* : époque où il est coutume de *faire boucherie*, les deux semaines avant Noël.

BOUCHETÉE n. f. [#] Bouchée. Prendre une grosse *bouchetée* de viande.

BOUCHON n. m. **1.** *Bouchon à vaisselle* : torchon servant à essuyer la vaisselle. **2.** *Mettre un bouchon à quelqu'un* : faire taire un interlocuteur par une vive répartie. Syn. : **boucher**.

BOUCHONNER v. tr. Bousiller, exécuter un travail avec négligence. Syn., voir : **broucheter**.

BOUCHONNEUX, EUSE n. et adj. Personne qui *bouchonne*, qui bousille son travail. Syn., voir : **broucheteux**.

BOUCHURAGE n. m. Action de *bouchurer*, de faire une *bouchure*, c'est-à-dire une clôture. (acad.) Syn. : **clôturage**.

BOUCHURE n. f. **1.** Rég en fr. Clôture. Faire une *bouchure* pour garder les animaux chez soi. (acad.) **2.** Bouchure d'arrachis. (acad.) Voir : **clôture d'arrachis**. **3.** *Bouchure de roches*. (acad.) Voir : **clôture de roches**.

BOUCHURER v. tr. Faire une *bouchure*, une clôture, clôturer. (acad.)

BOUCLE n. f. **1.** Mousqueton de harnais pour chevaux. Syn. : **snap** (sens 1). **2.** Anneau ouvert servant à anneler le porc pour l'empêcher de fouir. (Beauce) Syn., voir : **anneau**. **3.** Nœud papillon, nœud. [+++]

BOUCLER v. tr. Voir : **aléner** (sens 1).

BOUCLIER n. m. Espèce de grande truelle rectangulaire utilisée par les plâtriers, taloche.

BOUCTOUCHE n. f. Variété d'huîtres provenant ou des bancs d'huîtres ou des huîtrières de Bouctouche (Nouveau-Brunswick) et des environs.

BOUDE n. f. *Faire la boude, de la boude* : bouder en parlant des enfants. (acad.) Syn. : faire du **boudin**.

BOUDIN n. m. *Faire du boudin, faire son boudin* : bouder en parlant des enfants. [+++] Syn. : faire la **boude**.

BOUDOIR n. m. Voir : **bonnet-boudoir**.

BOUDRIER n. m. Algue marine (Laminaria et Asco-phyllum) identifiée par le botaniste Jacques Rousseau d'après un spécimen de Chéticamp.

BOUÉE n. f. Fig. Ventre rebondi, bedaine, bedon. Plus le niveau de vie monte, plus nombreux sont les hommes qui exhibent des *bouées*. Syn., voir : **paillasse**.

BOUEILLE n. f. Petite bouée qu'utilisent les pêcheurs pour marquer l'endroit précis où ils ont tendu leurs filets de pêche, où ils ont jeté leurs cages à homard.

BOUETTE n. f. **1.** Boue. L'automne, à la campagne, on marche souvent dans la *bouette*. [+++] Syn., voir : **pigras**. **2.** Neige détrempée, névasse. Lors d'un dégel l'hiver, certains automobilistes font gicler la *bouette* sur les piétons. [++] Syn., voir : **slush**. **3.** Pâtée servant de nourriture aux vaches. [+++] **4.** Nourriture des cochons constituée de lait, de maïs, d'avoine et d'orge moulus souvent appelée *bouette à cochons*. Syn. : **drague**.

BOUETTASSER, BOUETTER v. tr. Donner de la pâtée, de la *bouette* aux vaches, aux cochons, etc. Quand l'herbe devient rare dans les pacages, il faut *bouetter* les vaches laitières. [+++]

BOUETTEUX, EUSE adj. et n. **1.** Boueux en parlant d'un terrain, d'une route où il y a de la *bouette*. [+++] Syn., voir : **pigrasseux**. **2.** Employé surtout négativement en parlant d'un cultivateur qui économise trop sur la *bouette* ou pâtée à donner aux porcs ou aux vaches. Que les vaches d'Untel donnent peu de lait ne me surprend pas, ce n'est pas un *bouetteux*, il n'est pas *bouetteux*. [+++]

BOUFFANT n. m. Culotte bouffante pour femmes.

BOUFFIE n. f. **1.** Bulle d'air ou de vapeur qui apparaît à la surface des liquides en ébullition (eau, sirop, confitures...). Syn. : **bouffiole** (sens 1). **2.** Bulle de savon. Syn. : **bouffiole** (sens 2). **3.** Cloque, ampoule. Avoir des *bouffies* aux mains. (O 30-100) Syn. : **bouffiole** (sens 3). **4.** Vésicule de résine de gomme de sapin. (O 27-116) Syn. : **bosse**, **bouffiole**, **boule**, **bourrelet**, **boursoufle**, **bousserole**, **clairon**, **cloche**, **vessie**. **5.** Personne remarquablement forte en chair.

BOUFFIOLE n. f. **1.** Voir : **bouffie** (sens 1). **2.** Voir : **bouffie** (sens 2). **3.** Voir : **bouffie** (sens 3). **4.** Voir : **bouffie** (sens 4).

BOUFFRÈSE, BOUFFRAISE n. f. [#] Bougresse. Petite *bouffrèse*, tu as trouvé les bonbons!

BOUGON n. m. **1.** Bout de bois, bâton court. Ramasser les *bougons* pour le poêle. [+++] **2.** Épi de maïs mal formé, resté petit. [++] Syn., voir : **piochon**. **3.** Pipe dont le tuyau a été cassé, brûle-gueule. Il ne faut jamais fumer avec un *bougon*. [+++] **4.** Fig. Homme de petite taille, bout d'homme. [++] Syn. : **bas-du-cul**. **5.** *Bougon de cigare, de cigarette* : mégot.

BOUGONNEUX, EUSE adj. et n. Rare en fr. Qui a l'habitude de bougonner, bougon. Syn., voir : **grinchoux**.

BOUGORNE n. f. Bûche très difficile à fendre. Cette *bougorne-là*, on la brûlera à la cabane à sucre. (acad.)

BOUGRANT, E adj. Fâcheux, ennuyeux, contrariant, vexant. C'est *bougrant* qu'une auto ne démarre pas quand on en a un urgent besoin. Syn. : **pinant**, **sacrant**.

BOUGRER v. tr. **1.** *Bougrer à la porte* : ficher, jeter, mettre quelqu'un à la porte. Syn., voir : **chrisser**. **2.** *Bougrer une claque* : ficher une claque, une gifle, une volée à quelqu'un. Syn., voir : **chrisser**. **3.** *Bougrer le camp, son camp* : quitter, ficher le camp, décamper. Syn., voir : **chrisser**.

BOUGRINE n. f. **1.** Chaude veste doublée permettant d'affronter les grands froids, canadienne. **2.** Manteau d'homme, pardessus, paletot. **3.** Veston du complet. (O 37-85) Syn., voir : **coat**. **4.** Vareuse en toile pour les travaux usuels à la campagne. [+++] **5.** Vieux manteau. [++] **6.** Cape pour femmes. **7.** Bonnet de laine. Syn. : **tuque**.

BOUILLAGE n. m. Rég. en fr. Action de bouillir. Le *bouillage* du sirop d'érable le clarifie et l'épaissit.

BOUILLÉE n. f. **1.** Touffe d'arbres d'une même espèce. Une *bouillée* de sapins. (E 7-141) Syn. : **bunch**, **fond**, **passe**, **rond**, **talle**, **touffée**. **2.** Banc de poissons. Repérer les *bouillées* de harengs au radar. (E 7-141) Syn., voir : **bouillerie, ramée**.

BOUILLERIE n. f. Banc de poissons. (E 7-141) Syn., voir : **ramée**.

BOUILLEUR n. m. **BOUILLEUSE** n. f. Voir : **évaporateur**.

BOUILLI n. m. Vx en fr. Pot-au-feu. Le *bouilli* est un mets de temps froid.

BOUILLIE n. f. Fig. Terme de mépris pour désigner un travail mal fait. Ce n'est pas du travail que tu as fait, c'est de la *bouillie*. Syn., voir : **brouchetage**.

BOUILLIR v. tr. **1.** [#] L'eau *bouille, bouillera, bouillerait* : bout, bouillira, bouillirait. **2.** *Faire bouillir* : a) Le printemps venu, *faire bouillir* de la sève d'érable pour en faire du sirop. [+++] b) Exploiter une érablière le printemps. Cette année notre voisin *ne fait pas bouillir*, il vient d'être opéré. Syn. : faire **couler**.

BOUILLON n. m. **1.** Sève d'érable réduite, épaissie par l'évaporation et en voie de devenir du sirop. Syn. : **réduit**, petit **sirop**. **2.** *Bouillon blanc* : Molène vulgaire.

BOUILLOTTE n. f. **1.** Casserole, marmite dans laquelle on fait cuire les aliments. **2.** Réservoir à eau chaude incorporé au poêle à bois traditionnel. Syn. : **boiler**.

BOUINGRE n. m. Bougre, petit garçon espiègle. Mon petit *bouingre*, viens que je te tire les oreilles!

BOULACRAGE n. m. Action de *boulacrer*, de bâcler, de bousiller un travail. Syn., voir : **brouchetage**.

BOULACRER v. tr. Bâcler, bousiller un travail, exécuter un travail sans soin, avec négligence. [++] Syn., voir : **broucheter**.

BOULACREUX, EUSE n. et adj. Personne qui bâcle, qui bousille, qui fait mal son travail, bousilleur. [++] Syn., voir : **broucheteux**.

BOULANGE n. f. Fournée de pain lorsqu'on faisait le pain à la ferme. Faire une *boulange* deux fois par semaine.

BOULANGÉ, E adj. Voir : **boulant** (sens 2).

BOULANGEANT, E adj. Voir : **boulant** (sens 2).

BOULANGEUSE n. f. Appareil qu'on accroche à une table et qui sert à pétrir la pâte à pain.

BOULANT, E adj. **1.** Qui se met facilement en boule, en *pelote* en parlant de la neige. [+++] Syn., voir : **pelotant, boulinant**. **2.** Se dit d'un chemin d'hiver lorsque la neige fondante colle et fait boule sous les sabots des chevaux. [+++] Syn. : **boulangé, boulangeant, bouleux, boulinant, boulineux, collant** (sens 2), **moulineux**.

BOULARIÈRE n. f. **1.** [#] Peuplement de bouleaux, boulaie. Syn., voir : **bouleaunière**. **2.** Gélinotte huppée dont la chair est excellente et qui vit dans les bois francs, dans les boulaies. [++] Syn. : **perdrix des bois francs**, **perdrix grise**.

BOULE n. f. **1.** Vulg. Testicule de l'homme. Syn., voir : **gosse**. **2.** Voir : **bouffie** (sens 4). **3.** Balle dont on se sert pour jouer. Lancer, frapper, attraper la *boule*. (E 22-123) Syn. : **pelote**. **4.** *Boules de neige* : variété de pommes de terre.

71

BOULE n. m. (angl. bulldozer) [Ø] Voir : **bulldozer**.

BOULE À MITES n. f. (angl. moth ball) [Ø] Naphtaline, produit antimite.

BOULÉ n. m. (angl. bully) [Ø] Voir : **bully**.

BOULEAU n. m. **1.** *Bouleau à canot* : bouleau à papier dont l'écorce sert à la fabrication des canots d'écorce. [+] Syn., voir : **bouleau blanc**. **2.** *Bouleau à fuseau* : bouleau à papier dont le bois sert à la fabrication de bobines, de fuseaux. Syn., voir : **bouleau blanc**. **3.** *Bouleau blanc* : bouleau à papier. [+] Syn. : **bouleau à canot**, **bouleau à fuseau**. **4.** *Bouleau rouge* : bouleau à feuilles de peuplier.

BOULEAUNIÈRE, BOULONNIÈRE n. f. Peuplement de bouleaux, boulaie. Les graphies *bouletière*, *boulonnière* sont à éviter. Syn. : **boularière**, **bouletière**.

BOULER v. tr. et intr. (angl. to bull) [Ø] **1.** Remuer, déplacer de la terre à l'aide d'un *bulldozer* souvent appelé *boule*, d'un bouteur. [+++] **2.** Faire boule sous les sabots des chevaux en parlant de la neige fondante. [+++] Syn., voir : **botter**. **3.** Fig. Rudoyer quelqu'un.

BOULEZAILLE n. f. (angl. bull's eye) [Ø] Voir : **bull's eye**.

BOULETIÈRE n. f. [Ø] Peuplement de bouleaux, boulaie. Syn., voir : **bouleaunière**.

BOULETTE n. f. *Boulette du genou* : rotule. [+++] Syn. : **mollette**, **palette**.

BOULEUX, EUSE adj. Voir : **boulant**.

BOULIER n. m. Voir : **bourrier**.

BOULIN n. m. Perche ronde utilisée pour faire de la clôture de perches. (O 37-84) Syn. : **lisse**, **pieu**.

BOULINANT, E adj. Syn., voir : **boulant, pelotant**.

BOULINER v. intr. Faire boule sous les sabots des chevaux, en parlant de la neige fondante. Syn., voir : **botter**.

BOULINEUX, EUSE adj. Voir : **boulant**.

BOULINIER n. m., **BOULINIÈRE** n. f. Morceau de bois sur lequel reposent les *boulins* ou perches non fendues des anciennes clôtures de bois. (O 37-84) Syn., voir : **billochet**.

BOULONNIÈRE n. f. [#] Graphie impropre de *bouleaunière*, plantation de bouleaux, boulaie. Voir : **bouleaunière**.

BOULUNE n. f. Voir : **bolus**.

BOUNCEUR n. m. (angl. bouncer) [Ø] Homme fort chargé de maintenir l'ordre dans un cabaret, videur. Syn., voir : **bully**.

BOUQUÉ, BOQUÉ, E n. et adj. (angl. to balk) [Ø] Boudeur, entêté, têtu. N'essaie pas de le faire changer d'idée, c'est un *bouqué*. (O 30-100) Syn. : **bouqueux**.

BOUQUER, BOQUER v. intr. et pron. (angl. to balk) [Ø] **1.** S'entêter, bouder, s'obstiner. Cet enfant *bouque, se bouque* souvent. [+++] **2.** Frapper, heurter. Un bélier en colère, ça *bouque*! [+]

BOUQUET n. m. **1.** [#] Plante d'intérieur. Dans cette maison, il y a des *bouquets* partout. [+++] **2.** [#] Toute plante cultivée pour ses fleurs. **3.** Petit sapin qu'on cloue au faîte d'une nouvelle construction. [+++] Syn. : **mai** (sens 2). **4.** Paquet de branches servant à ramoner une cheminée par un mouvement alternatif. **5.** *Bouquet blanc* : marguerite des champs. [+++] **6.** *Bouquet bleu* : nom vulgaire de l'aster. **7.** *Bouquet jaune* : solidage, verge d'or du Canada. (E 25-115) **8.** *Bouquet rouge*. a) Épilobe à feuilles étroites. Syn. : **herbe à feu**. b) Épervière orangée. Syn. : **marguerite rouge**. **9.** Fig. Le dernier-né d'une famille nombreuse. Syn., voir : **chienculot**.

BOUQUETIÈRE n. f. Petite fille qui, à l'occasion d'un mariage, suit les mariés, bouquet à la main et qu'accompagne souvent un petit garçon appelé *page*. Il peut y avoir plus d'une *bouquetière* ou plus d'un *page*. *Bouquetières* et *pages* sont souvent neveux et nièces des mariés et âgés de quatre à dix ans.

BOUQUEUX, BOQUEUX, EUSE adj. **1.** Rétif, capricieux. Un cheval *bouqueux*. [+++] **2.** Têtu, obstiné. Un enfant *bouqueux*. [+++] Syn. : **bouqué.**

BOURASSA n. f. Variété de pommes à couteau qui existait déjà ici au début du XVIIIᵉ siècle.

BOURBASSIÈRE n. f. Bourbier, terrain bas et humide. Syn., voir : **savane.**

BOURBIÈRE n. f. Lieu bas et humide, bourbier. Syn., voir : **savane.**

BOURDAGE n. m. Mâle (homme ou animal) dont les testicules ne sont pas descendues.

BOURDAINE n. f. Viorne cassinoïde ou viorne lentago dont les fruits sont comestibles. (E 36-86) Syn., voir : **alisier.**

BOURDIGNONS, BOURDILLONS, BOURGUIGNONS n. m. pl. **1.** Mottes de terre ou de neige gelée; morceaux de glace dans les chemins. Du temps des chemins de terre, on passait l'automne sur les *bourdignons*. (E 20-117) Syn. : **galot, grémillon, grignaude, grignon. 2.** Glaces flottantes qui se déplacent au gré du vent et des marées et qui, poussées sur les côtes, se soudent ensemble. (E 20-117) Syn., voir : **bouscueil. 3.** Fig. Sourcils volumineux. **4.** Gros morceau de pain, quignon.

BOURGAILLE n. f. Mets de pêcheur constitué de petits morceaux de lard rôtis et bouillis dans la mélasse. (E 91-29) Syn., voir : **binegingo.**

BOURGALER v. tr. **1.** Brutaliser, rudoyer un animal, un cheval le plus souvent, et quelquefois les êtres humains. (acad.) Syn., voir : **agoner. 2.** Importuner. Il ne cesse de me *bourgaler* pour que je lui prête de l'argent. (acad.)

BOURGAUTER v. tr. [#] Voir : **burgauter.**

BOURGEOIS, E n. Le maître de la maison, le chef de la famille ou son épouse. À la campagne, un étranger, un démarcheur, un vendeur de machinerie agricole frappe à la porte et demande si le *bourgeois* est là, si la *bourgeoise* est là.

BOURGEONNEUX, EUSE adj. Fig. Boutonneux, couvert de boutons, bourgeonné. Les jeunes garçons ont souvent des visages *bourgeonneux.*

BOURGEONNIER, BOURGEONNEUX n. m. Gros-bec des pins qui se nourrit de bourgeons l'hiver.

BOURGOT n. m. **1.** Bigorneau. **2.** Buccins (n. m. pl.). **3.** Voir : **burgau.**

BOURGOTTER v. intr. Voir : **burgauter.**

BOURGUIGNON n. m. **1.** Voir : **bourdignon. 2.** *Bourguignon de pain* : gros morceau de pain, quignon. Syn., voir : **chignon de pain.**

BOURLETTE n. f. Voir : **brûlotte, brûlette.**

BOURNE n. f. **1.** Nasse servant à la capture des anguilles. (acad.) Syn. : **bourolle, coffre, nijagan, pêche, trappe. 2.** Cage à homards. (acad.) Syn., voir : **attrape à homards.**

BOUROLLE n. f. Nasse à anguilles. [+] Syn., voir : **bourne.**

BOURRADE n. f. Espace de temps, intermittence, moment. Travailler par *bourrade*, prendre le temps de souffler une *bourrade*. (acad.) Syn., voir : **bourrée.**

73

BOURRASSER v. tr. et intr. **1.** Rudoyer, bousculer, malmener. *Bourrasser* des enfants, des animaux. (surt. O 27-116) Syn., voir : **agoner**. **2.** Manifester sa mauvaise humeur, bougonner, ronchonner.

BOURRASSEUR, BOURRASSEUX, EUSE n. et adj. **1.** Personne qui bouscule, qui rudoie les enfants, les animaux. (surt. O 27-116) **2.** Personne qui manifeste sa mauvaise humeur en bougonnant, en ronchonnant.

BOURREAU n. m. *Bourreau des arbres* : célastre grimpant qui finit par faire mourir l'arbre qu'il enserre.

BOURRÉ, E part. adj. Fig. Rempli, couvert. La nuit dernière, le ciel était *bourré* d'étoiles. Syn., voir : **ponté**.

BOURRÉE n. f. **1.** Rare en fr. Unité de temps, période de travail intense, coup de collier. Allons, encore une *bourrée* et ce sera tout pour aujourd'hui! [+++] Syn. : **airée**, **battée** (sens 3), **bauche**, **bourrade**. **2.** *Une bourrée* : beaucoup, grande quantité. Il y avait une *bourrée* de monde à l'assemblée. Syn., voir : **tralée**.

BOURRELET n. m. Voir : **bouffie** (sens 4).

BOURRER v. tr. **1.** Empailler, naturaliser. *Bourrer* des oiseaux qu'on veut mettre en montre dans un musée. [+++] **2.** Farcir. *Bourrer* une volaille avec de la farce. [+++] **3.** Fig. Duper, tromper. Ne pas aimer *se faire bourrer* par des démarcheurs. [+++] Syn. voir : **emmiauler**. **4.** Fig. *Se bourrer la face, la fraise, la gueule, se bourrer* : manger plein son soûl, s'empiffrer. [+++]

BOURRIER, BOULIER n. m. **1.** Au pl. Poussières, balayures. Utiliser la pelle à poussière pour ramasser les *bourriers*. (acad. et pass.) Syn., voir : **baliures**. **2.** Chutes de bois et bran de scie dans une scierie ou dans un atelier de menuiserie. **3.** Grain de poussière. Avoir un *bourrier* dans l'œil. Syn., voir : **cochonnerie**.

BOURRIQUE n. f. Nombril. Cache ta *bourrique*! dit-on à un enfant qui se balade le ventre découvert. Syn., voir : **nambouri**.

BOURROLE n. f. Nasse servant à capturer les anguilles.

BOURRURE n. f. Bourre, bourrage servant à rembourrer les colliers et les sellettes des harnais, les sièges et les dossiers des fauteuils.

BOURSE n. f. Vx en fr. Sac à main. Lucie s'est acheté une jolie *bourse*. [++] Syn. : **sacoche**.

BOURSOUFLE n. f. **1.** Voir : **bouffie** (sens 3). **2.** Voir : **bouffie** (sens 4).

BOUSCAILLER v. tr. et pron. Bousculer, rudoyer. Il est dangereux de se *bouscailler* sur la glace vive.

BOUSCAUD, E; BOUSCOT, OTTE n. et adj. **1.** Bœuf ou vache dont les cornes n'ont pas poussé. (E 27-116) Syn., voir : **tocson**. **2.** Se dit d'une personne à forte encolure qui a la taille courte, grosse et ramassée.

BOUSCUEIL, BOUSCULIS n. m. Glaces flottantes qui se déplacent sous l'effet du vent, du courant et de la marée. (E 91-33 et acad.) Syn. : **bosculis**, **bourdignons** (sens 2).

BOUSILLER v. tr. Boucher avec de la bouse de vache les trous, les fentes par lesquels le froid risque de s'introduire dans l'étable l'hiver. [+++]

BOUSSEROLE n. f. Voir : **bouffie** (sens 4).

BOUT n. m. **1.** *Un bout, un bon bout.* a) Longtemps. Ça fait *un bout, un bon bout* qu'on t'attend! Syn., voir : **mèche**. b) Loin, à une bonne distance. Gaspé c'est *un bout, un bon bout, à un bout, à un bon bout* de Québec. Syn., voir : **mèche**.

2. *Au boutte* loc. adv. **[#]** a) Fig. Dans le vent, formidable, extraordinaire, épatant. Elle aime sortir avec Jacques parce qu'il est *au boutte.* b) Fig. Beaucoup, très. Ton sucre à la crème est bon *au boutte.* c) Fig. Épuisé. Quand il est rentré de son travail, il était *au boutte.*

BOUT-À-BOUTER v. tr. Mettre bout à bout. Il a fallu *bout-à-bouter* deux échelles pour atteindre le haut de la cheminée.

BOUT-CI, BOUT-LÀ adv. En désordre, pêle-mêle. Chez lui, tout est *bout-ci, bout-là* ! (acad.) Syn. : à la **valdrague**.

BOUTEILLE n. f. *Jeu de la bouteille* : jeu consistant à faire asseoir les joueurs en cercle, puis à faire pivoter une bouteille couchée qui, en s'immobilisant, pointe de son goulot celui qui devra donner un gage.

BOUTISSE n. f. Trous d'aération pratiqués dans les parois des fours à charbon de bois et que l'on bouche petit à petit quand la fumée devient bleue.

BOUTON n. m. **1.** Moyeu. Le *bouton* de cette roue est en acier. (acad.) **2.** Fig. *Casser ou manger son bouton* : en parlant d'un *lacordaire* ou d'une *jeanne-d'Arc,* manquer à sa promesse de ne plus boire de boissons alcooliques, un bouton spécial étant le signe extérieur que le porteur a fait cette promesse. **3.** *Bouton d'or* : renoncule âcre. [+++]

BOUTONNU, E adj. **1.** Couvert de boutons, boutonneux. Un adolescent au visage *boutonnu.* (Charsalac) Syn. : **puronné.** **2.** Ornée de boucles de laine en parlant d'une couverture de lit.

BOUTS-RONDS n. f. pl. Variété de raquettes à neige en forme d'œuf (d'où son appellation) et utilisées en pays boisé ou montagneux. Voir : **raquette** (différentes variétés).

BOVRIL n. m. Bouillon de bœuf. Marque de commerce.

BOX n. m. (angl. box) **[Ø]** Voiture d'hiver constituée d'une boîte munie de sièges amovibles et servant au transport des personnes et des marchandises. Syn. : **berlot.**

BOXING DAY n. m. **[Ø]** Soldes de marchandises le lendemain de Noël et qui occasionnent souvent des bousculades.

BOXON n. m. Maison close, maison de débauche, bordel. Ce mot français est arrivé ici avec le retour des soldats canadiens après la guerre de 1914-1918.

BOX-STALL, BASTORE n. m. (angl. box-stall) **[Ø]** Parc dans l'écurie ou l'étable où un animal est laissé en liberté. (O 27-116) Syn., voir : **clos** (sens 4).

BOXSTOVE n. m. (angl. boxstove) **[Ø]** Poêle à bois, de forme rectangulaire, à un étage. (O 34-91)

BOYARD n. m. Bayart, bard, civière à bras dont on se sert pour transporter les poissons ou sur lequel on place le porc qu'on vient d'abattre pour le laver et l'époiler. (E 9-133)

BOYARDER v. tr. Transporter à bras sur un *boyard,* bard ou bayart. Les pêcheurs *boyardent* des baquets remplis de morues.

BOYAU n. m. *Boyau d'arrosage* : tuyau d'arrosage.

BOZO n. et adj. Niais, simple d'esprit, arriéré mental, demeuré. Syn., voir : **épais.**

BRAÇAGE, BRÉÇAGE n. m. (angl. to brace) **[Ø]** **1.** Action de *bracer,* de poser des contre-fiches. [+++] **2.** Contrefiche oblique dans une charpente. Syn., voir : **gousset.**

75

BRACE, BRÉCE n. f. (angl. brace) [Ø] Contrefiche posée obliquement et tenant lieu de lien d'angle dans une charpente. [+++] Syn., voir : **gousset**.

BRACELET n. m. Trait court reliant la cheville d'attelage au collier du cheval. (E 28-101) Syn. : **couplet**, **tirant**, **tire**, **tirette**.

BRACER, BRÉCER v. tr. (angl. to brace) [Ø] Poser des *braces*, des contrefiches à une charpente. [+++]

BRACKET n. f. (angl. bracket) [Ø] Potence de cheminée; support d'une console.

BRAILLADE, n. f.; **BRAILLAGE** n. m. Pleurs abondants. La *braillade* a cessé vers minuit. (O 37-85) Ne plus pouvoir supporter les *braillages*. Syn. : **braille**, **braillement**.

BRAILLARD n. m. Oiseau. Nom vulgaire du pluvier kildir. [+]

BRAILLARD, E, BRAILLEUX, EUSE (+), **BRAILLOUX, OUSE** (acad.) adj. et n. Pleurard, qui pleure pour des riens en parlant d'un enfant.

BRAILLE n. f. Pleurs abondants et prolongés. Le bébé a fait toute une *braille* au milieu de la nuit. (E 40-84) Syn., voir : **braillade**.

BRAILLEMENT n. m. Pleurs abondants. Le braillement a cessé vers minuit. Syn., voir : **braillade**.

BRAILLER v. intr. Pleurer en parlant des enfants et aussi mais plus rarement en parlant d'adultes. [+++]

BRAISON n. m. Gros tison, grosse braise.

BRAKE-CHAIN n. f. (angl. brake chain) [Ø] Chaîne servant au freinage des traîneaux dans les descentes. (entre 36-86 et 8-134)

BRALEUR n. m. (angl. broiler) [Ø] Voir : **broiler**.

BRAN n. m. Vx en fr. *Bran de scie* : sciure de bois. [+++] Syn., voir : **moulée de scie**.

BRANCARD n. m. **1.** Plateau amovible du chariot à foin, de la fourragère. (Entre 27-116 et 55-165) Syn., voir : **rack à foin**. **2.** Support en bois d'une cheminée de briques. Ce *brancard* repose sur le sol de la cave, traverse le plancher du rez-de-chaussée et s'arrête à environ 65 cm du plafond. Syn., voir : **chèvre** (sens 3).

BRANCHAGES n. m. pl.; **BRANCHAILLES** n. f. pl. **1.** Broussailles. Couper les *branchages* le long des fossés et des clôtures. [+++] Syn. : **branche**, **brousse**, **fardoches**. **2.** Sous-bois dans une forêt. [++] Syn. : **branches**, **brousse**, **fardoches**.

BRANCHE n. f. **1.** *Branche d'affection, branche d'amour* : appellations humoristiques du céleri. Syn. : **affection en branche**. **2.** *À travers les branches* : par ouï-dire. Apprendre ou entendre dire *à travers les branches* qu'Untel allait se marier. **3.** Au pl. Voir : **branchages** (sens 1). **4.** Voir : **branchages** (sens 2).

BRANCHÉ, E p. adj. **1.** Se dit d'un arbre coupé qui reste encroué, accroché à d'autres arbres au lieu de tomber sur le sol. Un arbre *branché* est très dangereux. Syn. : **accroché**. **2.** *Être branché sur le 220* : être très nerveux, être un paquet de nerfs. Syn. : gros **nerf**.

BRANCHER (SE) v. pron. **1.** S'encrouer, rester accroché à des arbres en parlant d'un arbre qu'on abat. C'est en se servant de coins que les bûcherons expérimentés empêchent un arbre de *se brancher*. Syn. : s'**accrocher**, s'**accrocheter**. **2.** Fig. Se décider, faire un choix. Plusieurs électeurs ne sont pas encore *branchés*, ils ne savent pas pour qui ils voteront. Syn. : s'**enlumiérer**.

BRANCHU, CANARD BRANCHU n. m. Canard huppé, qui doit cette appellation à son habitude de se percher sur les arbres.

BRANCO n. m. Voir : **bronco**.

BRANDY n. m. (angl. brandy) **1.** Eau-de-vie de vin provenant de nombreux pays et dont la qualité et le prix sont inférieurs à ceux du cognac. **2.** Variété de danse ancienne.

BRANDY NOSE n. pr. [Ø] Blason populaire. Appellation des Écossais qui auraient un faible pour l'alcool.

BRANGELER, BRANGEOLER v. intr. **1.** Branler, être branlant surtout en parlant d'une table. (acad.) **2.** Fig. Avoir la tremblote. (acad.) Syn. : **branler** (sens 3).

BRANLAGE n. m. Action d'hésiter, de *branler* (sens 2). Syn., voir : **berlandage**.

BRANLANT n. m. **1.** Partie brune de la graisse de rôti. [++] Syn. : **brun**, **grouillant**, **minoune**. **2.** Appellation humoristique du *jello*. Syn. : **jello**.

BRANLE n. m. Fig. *Être en branle* : être hésitant, hésiter. [+++] Syn., voir : **berlander**.

BRANLE-CUL n. m. **1.** Voir : **véloneige traditionnel**. **2.** Oiseau. *Branle-cul, branle-queue* : maubèche branle-queue. Syn. : **lève-cul** (sens 1)

BRANLER v. tr., intr. et pron. **1.** Vx en fr. Remuer, bouger, se dandiner. Il n'arrête pas de *branler* la tête. Même assis sur une chaise, il *se branle* sans arrêt. [+++] **2.** Fig. *Branler dans le manche, branler* : hésiter, ne pas arriver à prendre une décision ferme. [+++] Syn., voir : **berlander**. **3.** Avoir la tremblote. J'ai vu Édouard, je te dis qu'il en *branle* un coup, il n'arrête pas de *branler*. [+++] Syn. : **brangeler**, **brangeoler**.

BRANLETTE n. f. Tremblote. Il vieillit, il a la *branlette*. [+++] Syn. : **tremblette**.

BRANLEUSE n. f. Boulette de pâte non sucrée que l'on fait cuire dans la graisse et que l'on mange avec du sucre ou du sirop d'érable.

BRANLEUX, EUSE adj. et n. **1.** Vx en fr. et fig. Personne qui branle la tête sans arrêt. [+++] **2.** Fig. Hésitant, indécis, lent à démarrer. [+++] Syn., voir : **berlandeur**.

BRANLON n. m. Branche flexible, hart servant à menacer, voire à fouetter les bêtes qu'on ramène à l'étable ou que l'on conduit au pâturage. [++]

BRAOULE n. f. **1.** Sorte de pelle-cuiller à long manche utilisée pour la vidange des puisards. (O 37-85) **2.** Louche en bois ou tout genre de cuiller de fortune servant à transvaser. (O 37-85) Syn. : **gargouche**, **micouenne**, **mouvette**.

BRAQUE n. et adj. Fou, dérangé. Il est *fou braque*, il est *braque*, c'est un *braque*. [+++] Syn., voir : **écarté**.

BRAQUETTE n. f. [#] Vx en fr. Pointe, broquette.

BRAS n. m. **1.** *Bras d'escalier.* a) Rampe qui borde un escalier. [+++] b) Main courante qui coiffe la rampe d'un escalier. **2.** *Bras de la faucheuse.* Voir : **tournebroche**. **3.** *Bras de vitesse* : levier de vitesse d'une automobile à transmission manuelle. [+++] **4.** Argot. *Boire sur le bras* : boire sans payer, aux frais du propriétaire d'un bar, d'un candidat en période électorale. **5.** Argot. *Sur mes bras!* : à mes frais!

Expression lancée à la cantonade dans une taverne par la personne qui paie une tournée; se payer du bon temps l'hiver en Floride *sur le bras* de l'assurance chômage. **6.** Argot. *Faire quelque chose sur son bras* : faire quelque chose soi-même, sans aide. **7.** Argot. *Coûter un bras* : coûter très cher. Un voyage comme celui-là, ça doit *coûter un bras*!

BRASSE n. f. **1.** Mar. Mesure de profondeur de l'eau équivalent à 6 *pieds*, soit 1,828 m. **2.** Au jeu de cartes, main. À qui la *brasse* maintenant? [+++]

BRASSE-CAMARADE n. m. Engueulade, discussion vive. Le parti politique qui vient d'être battu aura une réunion à huis clos : il va y avoir du *brasse-camarade*, il va s'y *brasser du camarade*.

BRASSE-CORPS loc. adv. [#] *À brasse-corps* : à bras-le-corps. Saisir quelqu'un *à brasse-corps*. [+++]

BRASSÉE n. f. **1.** Quantité de beurre, de savon, de pain, de sucre, de *tire* que l'on fait en une seule fois. [+++] Syn., voir : **façon**. **2.** Quantité de linge qu'on lave en une seule fois. [+++] **3.** Fig. Enfant en bas âge qu'on porte dans ses bras. Notre voisine sort de chez elle avec sa *brassée*. [+++]

BRASSEKÈSE n. f. Oiseau. Macreuse à front blanc.

BRASSER v. tr. **1.** Mêler, battre. *Brasser* les cartes. [+++] **2.** Tisonner. *Brasser* le feu pour l'aviver. [+++] Syn. : **achaler**, **attisonner**, **pigouiller**. **3.** Battre la crème dans une baratte pour en faire du beurre. [+++] **4.** *Brasser du camarade* : discuter vivement, s'engueuler. À la première réunion qui a suivi la défaite de ce parti politique, il s'y est *brassé du camarade*. **5.** Fig. Réprimander. *Brasser* un étudiant qui remet toujours ses travaux en retard. **6.** Mesurer à la brasse, les deux bras étendus. *Brasser* un arbre centenaire. (acad.) **7.** *Brasser la cage à* quelqu'un : semoncer quelqu'un.

BRASSEUR n. m. **1.** Nom vulgaire du phoque du Groenland qui fréquente le golfe du Saint-Laurent et qu'on appelle aussi *pivelé*, *barre sale*, *barre noire*, *cœur marqué*. **2.** Agitateur de la machine à laver le linge. Syn., voir : **dévidoir** (sens 3). **3.** Aux cartes, joueur qui bat et distribue les cartes, donneur.

BRASSEYER v. tr. Transporter, à bras, la morue d'un endroit à un autre. (acad.)

BRASSIÈRE n. f. (angl. brassiere) [Ø] Soutien-gorge. Certaines femmes ne portent plus de *brassière*, paraît-il. [+++]

BRASSIN n. m. **1.** Sève d'érable réduite, épaissie par l'évaporation et en voie de devenir du sirop. Syn., voir : **réduit**. **2.** Quantité de sucre d'érable, de tire, de savon que l'on fait en une seule fois. Syn., voir : **brassée** (sens 1), **façon**.

BRAVE adj. *Être brave de* : oser. Je suis sûr que tu n'es pas *brave de* traverser la rivière à la nage.

BRAYER v. tr. Enduire de brai un fil de lin, du ligneul qu'on tord pour lui donner de la force et le rendre imputrescible.

BRAYET n. m. (Diminutif du vieux mot *braies*, pantalon des Gaulois) **1.** Caleçon de bain, maillot de bain, maillot. [+++] Syn. : **habit de bain**. **2.** Caleçon court. Se promener en *brayet* en plein centre-ville.

BRAYON n. m. **1.** Chiffon, guenille, torchon. (acad.) **2.** *En brayons* : en haillons. (acad.)

BRAYON, ONNE n. et adj. Blason populaire. Natif ou habitant du Madawaska (nord-ouest du Nouveau-Brunswick); du Madawaska.

BRAYONNAGE n. m. Fig. Chose compliquée, incompréhensible. Quel *brayonnage* raconte-t-il là? (acad.)

BRAYONNER v. tr. et pron. **1.** Gâcher, faire quelque chose de travers. *Brayonner* son travail. (acad.) Syn., voir : **broucheter**. **2.** S'habiller sans goût, mal s'habiller. (acad.)

BRAYU, E adj. Qui a un gros ventre, ventru surtout en parlant des hommes. Syn., voir : **bedaineux**.

BREAK n. m. (angl. break) [Ø] **1.** Pause-café que les employés syndiqués prennent au milieu de l'avant-midi et au milieu de l'après-midi. Anglicisme en voie de disparition. **2.** Frein d'un véhicule automobile.

BREAKER v. intr. (angl. to break) [Ø] Freiner, appliquer les freins d'un véhicule automobile. Anglicisme en voie de disparition.

BREAKEUR n. m. (angl. breaker) [Ø] Disjoncteur automatique. Toutes les constructions d'aujourd'hui ont des *breakeurs* au lieu de fusibles.

BREAST (angl. breast) [Ø] Veston *simple breast* ou *double breast* : veston droit ou croisé. Anglicismes disparus.

BRÉÇAGE n. m. (angl. brace) [Ø] Voir : **braçage**.

BRÉCANTER, BROCANTER v. intr. Faire des échanges, échanger. (surtout Lanaudière)

BRÉCANTEUX, EUSE, BROCANTEUX, EUSE adj. et n. Personne qui *brécante*, qui fait des échanges. (surtout Lanaudière)

BRÉCE n. f. (angl. brace) [Ø] Voir : **brace**.

BRÉCER v. tr. (angl. to brace) [Ø] Voir : **bracer**.

BRÈCHE adj. et n. Vx en fr. Édenté, qui a perdu une ou plusieurs dents de devant, brèche-dent. Syn. : **brèche-cul**, **dédentelé**, **ébréché**.

BRÉCHÉ, E adj. Édenté. C'est à la suite d'un accident d'autos qu'il est devenu *bréché*.

BRÈCHE-CUL n. et adj. Voir : **brèche**.

BREDOUILLES, BORDOUILLES n. f. pl. Morceaux de pâte cuits dans l'eau et que l'on mangeait avec de la mélasse. (acad.)

BREECHES n. m. pl. (angl. breeches) [Ø] Culottes courtes surtout pour jeunes garçons. [++]

BREECHING n. f. (angl. breeching) [Ø] Avaloire du harnais du cheval. (O 48, 49 et acad.) Syn., voir : **acculoire**.

BREEDER, BRIDER v. tr. (angl. to breed) [Ø] Saillir, couvrir. Faire *breeder* une jument par un étalon de race.

BRÈME, BROME n. f. Poisson. Noms vulgaires de la couette. Syn. : **buffalo** (sens 3).

BRENCHE-BRENCH, BRINCHE À BRANCHE n. m. (angl. leap and run) [Ø] Jeu de cache-cache codé.

BRETON, BERTON, BORTON n. m. Étincelle. Notre cheminée jetait des *bretons*, nous avons dû la faire ramoner. (acad.) Syn. : **bluette**.

BRETTAGE n. m. **BRETTAILLERIE** n. f. Action de *bretter*, de faire de menus travaux, de musarder, de perdre son temps. [+++]

BRETTE n. f. **1.** Céréales, légumes, plantes industrielles dont le développement est anormalement déficient et qui sont souvent laissés sur le champ. Ce n'est même pas la peine de couper ce tabac-là, c'est de la *brette*. **2.** *À la brette* :

79

en très petite quantité à la fois. Dans les grosses familles d'autrefois, on n'achetait jamais le sucre blanc ou la farine, *à la brette*. Syn. : à la **graine**, à la **micouenne**.

BRETTER v. intr. Musarder, faire de menus travaux, perdre son temps. Nous *avons bretté* toute la journée. [++] Syn. : **bardasser**, **bonnetter**, **chef-d'œuvrer**, **flagosser**, **foquailler**, **foquer** le chien, **fourrer** le chien, **gaboter**, **niaiser**, **nigosser**, **nivelasser**, **pigrasser**, se **poigner** le beigne, le cul, **le moine**, **le moineau**, **taponner**, **têter** (sens 2), **vernailler**, **vernousser**, **zigner**, **zigonner** (sens 2), **zigouner** (sens 2).

BRETTEUX, EUSE n. et adj. Individu qui perd son temps, lent, lambin, amusard. C'est un *bretteux*, il est *bretteux*. [+++] Syn. : **bardasseux**, **niaiseux** (sens 2), **taponneux** (sens 3), **zigonneux**.

BREUILLES n. f. Intestins, entrailles.

BREUVAGE n. m. Vx et litt. en fr. Boisson non alcoolisée, boisson. Au restaurant la serveuse d'ici demande quel *breuvage* (thé, café, lait) on veut boire. C'est l'anglais beverage qui a remis en circulation le vieux mot français *breuvage*.

BRICOLE n. f. pl. Bretelles de pantalon. Acheter des *bricoles* solides. [+++] Syn. : **police**.

BRIDER v. tr. Voir : **breeder**.

BRIGADIER, ÈRE n. Personne qui veille à la sécurité des écoliers à certains feux de circulation et près des établissements scolaires.

BRIMBALE n. f. **1.** Cigogne ou perche à bascule chargée d'un contrepoids et servant autrefois à puiser de l'eau d'un puits. [+++] Syn. : **bringueballe**, **regiboire**. **2.** Perche enlevante avec collet utilisée par le trappeur, piège à levier. [++] Syn., voir : **giboire**. **3.** Potence de cheminée en fer ou en bois à laquelle on accroche une crémaillère. **4.** *Brimbale à bobine* : pour la pêche d'hiver sous glace, engin rotatif immergé muni d'un mécanisme qui fait apparaître un petit drapeau rouge lorsqu'un poisson est ferré. **5.** Vulg. Organe imposant de copulation de l'homme et de certains animaux. Syn., voir : **pine** (sens 5).

BRIN n. m. **1.** Dent de fourche à foin ou à fumier, de fourchette. [+] Syn. : **broque** (sens 4). **2.** *Brin de neige* : flocon de neige. Tiens, voici les premiers *brins de neige* de l'hiver qui tombent. [+++] **3.** *Brin de pluie* : gouttelette de pluie. [+++] **4.** [#] *Brin de scie* : bran de scie, sciure de bois. [+++] **5.** *Petit brin* : petite quantité, peu. Ajouter un *petit brin* de sucre ou de crème à son café. [+++]

BRINGUE n. f. **1.** Gaule utilisée comme canne à pêche. (acad.) Syn. : **manche de ligne**. **2.** Fig. et fam. en fr. Femme grande et maigre. (acad. et Lanaudière)

BRINGUEBALLE n. f. **1.** Voir : **brimbale** (sens 1). **2.** Vulg. Organe de l'étalon. Syn., voir : **pine** (sens 5).

BRINGUER v. intr. **1.** Rare et fam. en fr. Faire la noce, s'amuser. **2.** Remuer la canne à pêche pour mieux attirer le poisson. (acad.)

BRINGUEUX, EUSE adj. et n. Qui aime s'amuser, danser, prendre un verre.

BRINKS n. f. Société de transport de numéraire. Allusion au convoi de camions blindés de la *Brinks* dans lesquels le Trust Royal était censé avoir déposé des titres et valeurs pour les expédier de nuit vers l'Ontario, juste avant les élections du 29 avril 1970, et ce pour essayer d'infléchir le vote des Québécois.

BRIQUADE n. f. (angl. brick yard) [Ø] Briqueterie. Travailler dans une *briquade*.

BRIQUE n. f. **1.** *Brique à feu* (angl. fire brick) [Ø] : brique réfractaire pouvant résister à de très hautes températures. [++] **2.** *Brique de lard*, de savon : gros morceau de lard, de savon. [+++] Syn. : **carreau de lard**. **3.** *Brique de pain.* a) Gros morceau coupé à un grand pain, quignon. b) Pain de forme rectangulaire. **4.** *Brique de sel* : bloc solide de sel qu'on met à la disposition des bêtes à cornes au pâturage et dont se servent les braconniers pour attirer le chevreuil et l'orignal; pierre à lécher. **5.** Fig. *Attendre quelqu'un avec une brique et un fanal* : attendre quelqu'un de pied ferme, prêt à une vive discussion. [+++]

BRIQUELER v. tr. [#] Briqueter, construire en briques. Installer un grand chaudron sur un foyer *briquelé*.

BRIQUELEUR n. m. [#] Briqueteur, maçon qui pose de la brique.

BRIQUETTE n. f. *Briquette de lard* : petit morceau de lard, petite brique.

BRISE-BABINES n. m., **BRISE-GUEULE** n. f. Appellations amusantes de l'harmonica. Syn., voir : **musique à bouche**.

BRISE-FER n. et adj. **1.** Brise-tout, qui casse tout, même les objets les plus solides en parlant des enfants, rarement des adultes. Un *brise-fer*, un enfant *brise-fer*. (O 37-85) **2.** Enfant qui use rapidement ses vêtements. (O 37-85) Syn. : **usurier**.

BRISER v. tr. et impers. **1.** Fig. *Briser la glace* : dans les compétitions sportives (hockey, base-ball, etc.) réussir à compter un premier but. [+++] Syn. : **casser la glace**. **2.** Faire du vent, de la brise. Il a *brisé* toute la journée. (acad.)

BRISEUX DE MER n. m. Oiseau. Macreuse à front blanc.

BRISTOUQUE n. m. Morceau de bois qui épouse la forme intérieure de l'étrave à laquelle il est chevillé pour la renforcer. (acad.)

BROC n. m. Voir : **broque**.

BROCANTER v. intr. Voir : **brécanter**.

BROCANTEUX, EUSE adj. et n. Voir : **brécanteux**.

BROCHE n. f. **1.** Fil de fer. Acheter de la *broche* pour faire des réparations temporaires. [+++] **2.** Anneau qu'on passe dans le groin d'un porc pour l'empêcher de fouir. (E 20-127) Syn., voir : **anneau**. **3.** *Broche à balle* : a) Fil de fer pour balles de foin pressé. Syn. : **broche à foin**, **broche à presse**. b) Fig. *De broche à balle* : non sérieux, mal organisé, mal structuré. Une compagnie *de broche à balle*. Syn. : de **broche à foin**. **4.** *Broche à brocher* : aiguille à tricoter. (acad.) Syn. : **broche à tricoter**. **5.** *Broche à clos* : fil de fer pour réparer les clôtures. (E 36-86) **6.** *Broche à épines* : fil de fer barbelé, barbelé. Syn. : **broche barbelée**, **broche piquante**, **broche à piquants**. **7.** *Broche à foin.* a) Fil de fer pour balles de foin pressé. [+++] Syn., voir : **broche à balle**. b) Fig. *De broche à foin* : non sérieux, mal organisé, mal structuré. Une compagnie, une organisation *de broche à foin*. [+++] Syn. : **de broche à balle**. **8.** *Broche à linge* : corde à linge qui peut d'ailleurs être un fil de fer. Syn., voir : **corde à butin**. **9.** *Broche à mouches* : toile métallique à treillis très serré, moustiquaire. Une porte de *broche* empêche mouches et moustiques d'entrer. Syn. : **screen**. **10.** *Broche à presse* : fil de fer pour balles de foin pressé. Syn., voir : **broche à balle**.

11. Vx et rég. en fr. *Broche à tricoter, à tricotage* : aiguille à tricoter. [+++] Syn. : **broche à brocher**. **12.** *Broche barbelée* : fil de fer barbelé, barbelé. Syn., voir : **broche à épines**. **13.** *Broche carreautée* : grillage à carreaux. [+++] **14.** *Broche de téléphone* : fil de téléphone. **15.** *Broche piquante, broche à piquants* : fil de fer barbelé, barbelé. [+++] Syn., voir : **broche à épines**. **16.** *Broche unie* : fil de fer non barbelé, uni.

BROCHÉE, BROCHETÉE n. f. **1.** Poissons enfilés ensemble sur un même *brochet* ou porte-poissons. Une *brochée, une brochetée* de truites. [+++] **2.** *Une brochée, une brochetée* : beaucoup, grande quantité. *Une brochée* de monde assistait à l'enterrement. Syn., voir : **tralée**.

BROCHER v. tr. et intr. **1.** Tricoter. Passer une soirée à *brocher*. (acad.) **2.** Réparer un filet de pêche. (acad.) **3.** Voir : **aléner** (sens 1) **4.** Faire l'amour. Passer ses vacances à *brocher*.

BROCHET n. m. Porte-poissons permettant au pêcheur d'enfiler par les ouïes les poissons qu'il a capturés.

BROCHETER v. tr. **1.** Bousiller, bâcler le travail qu'on a à faire. Syn., voir : **broucheter**. **2.** Voir : **aléner** (sens 1).

BROCHEUSE n. f. **1.** Agrafeuse. Un secrétaire doit avoir une *brocheuse* à portée de la main. **2.** Femme qui fait l'action de brocher, de tricoter, tricoteuse. (acad.)

BROCHURE n. f. Tricot. Les femmes d'autrefois se déplaçaient toujours avec leur *brochure*. (acad.) Syn. : **tricotage**.

BROIE n. f. Braie.

BROILER, BRALEUR n. m. (angl. broiler) [Ø] Poulet qu'on élève pour le gril. Untel a un gros poulailler et il ne fait que du *broiler*.

BROME n. f. Voir : **brème**.

BROMO n. m. (angl. Bromo Seltzer) Médicament pétillant, effervescent, qui facilite la digestion. Marque déposée.

BRONCHES n. f. pl. *Avoir les bronches* : souffrir de bronchite. [+++]

BRONCHITE n. et adj. Bronchitique, atteint de bronchite. Il est *bronchite*, c'est un *bronchite*. [+++]

BRONCO, BRANCO n. m. **1.** Cheval sauvage de l'Ouest du Canada. [+++] Syn. : **cayousse**, **cayuse**, **ouest**. **2.** Cheval mal bâti, dégénéré. **3.** Vieux cheval, haridelle. Syn., voir : **piton**. **4.** Sobriquet que les Québécois donnent à leurs compatriotes francophones de l'Ouest du Canada.

BRONNES n. f. pl. Mamelles d'une truie. (acad.)

BROQUE, BROC n. m. **1.** Dial. en fr. Fourche à quatre ou cinq fourchons, servant à manier le fumier. (O 27-116 et E 19-128) Syn. : **fourche à fumier**. **2.** Dial. en fr. Fourche à foin à trois fourchons. (E 26-116) **3.** Dial. en fr. Fourche à bêcher, fourche de jardinier. (O 36-86) **4.** Dial. en fr. Dent, fourchon. Une fourchette, une fourche à quatre *brocs*. Syn. : **brin** (sens 1).

BROQUER v. tr. Manier le fumier ou le foin avec un *broc*, un *broque*. Syn. : **broqueter**.

BROQUETÉE n. f. Quantité de foin ou de fumier que l'on prend en une fois avec un *broc*, un *broque*. (Charsalac)

BROQUETER v. tr. Manier le fumier ou le foin avec un *broc*, un *broque*. (Charsalac) Syn. : **broquer**.

82

BROSSAILLER v. intr. S'enivrer légèrement, *brosser* légèrement mais d'une façon continue.

BROSSE n. f. **1.** Blaireau pour la barbe. Syn., voir : **savonnette**. **2.** *Brosse de blé d'Inde* : bouchon de feuilles d'épis de maïs utilisé comme brosse à plancher. **3.** Cuite, état d'ivresse. Prendre, *virer, revirer une brosse*. [+++] Syn., voir : **brosser**. **4.** *Être en brosse, sur la brosse* : être ivre. [+++] Syn., voir : être **chaud**. [+++] **5.** *Partir sur la brosse, sur une brosse, prendre, revirer, virer une brosse* : s'enivrer. [+++] Syn., voir : **brosser**. **6.** *Sortir d'une brosse* : reprendre ses esprits après avoir trop bu.

BROSSER v. intr. Boire avec excès, prendre une *brosse*, s'enivrer. [+++] Syn. : **balloune**, en **boisson**, partir sur une **brosse**, partir pour la **gloire**, prendre, revirer, virer une **brosse**, se **déranger**, **fringuer**, **fripe**, se **gazer**, se **paqueter**, **skid**, **tanker**.

BROSSEUX, EUSE n. et adj. Ivrogne, personne qui souvent prend des *brosses*. [+++] Syn. : **buvard**, **buveron**, **éponge**, **tankeux**.

BROUCHETAGE n. m. Action de *broucheter*, de bousiller, de bâcler son travail. Syn. : **bisounage**, **botchage**, **bouillie**, **boulacrage**.

BROUCHETE-BROUCHETE (À LA) loc. adv. *Travailler à la brouchete-brouchete* : bâcler, bousiller, faire un travail sans soin. Syn., voir : **broucheter**.

BROUCHETER, BOUCHETER v. tr. Bousiller, bâcler, exécuter sans soin ce qu'on a à faire. *Broucheter son travail*. Syn. : **bâcher**, **bisouner**, **botcher**, **bouchonner**, **boulacrer**, **brayonner**, **brocheter**, faire à la **brouchete-brouchete**, **raboudiner**.

BROUCHETEUX, EUSE n. et adj. Personne qui *brouchète*, qui bousille un travail, bousilleur. Syn. : **botcheux**, **bouchonneux**, **boulacreux**, **raboudineux**.

BROUE n. f. **1.** Mousse de savon. [+++] Syn. : **savonnure**. **2.** Écume de mer. [+++] **3.** Écume qui se forme sur le sirop ou les confitures en ébullition et qui contient des saletés, des impuretés. [++] **4.** Fig. Vantardise, paroles en l'air, vent. Tout ce qu'il dit celui-là, c'est de la *broue*. [++] Voir : **péter de la broue**. **5.** (Angl. brew) [Ø]. Bière. Un grand buveur de *broue*. **6.** Mousse de la bière.

BROUÉE n. f. Vx et rég. en fr. Brouillard, pluie fine.

BROUILLARD n. m. **1.** *Brouillard de neige* : chute légère de neige. Ce n'est pas une *bordée* de neige qui est tombée, c'est un *brouillard*. **2.** Ondée peu importante, de courte durée. Vers l'heure du midi, nous avons eu un *brouillard*. (acad.)

BROUSSE n. f. **1.** Au pl. Sous-bois, broussailles. (E 132,129) Voir : **branchages** (sens 1). **2.** Branches de sapin que l'on plaçait sur les *vigneaux* et sur lesquelles on faisait sécher la morue.

BROUTER v. intr. **1.** Produire de la mousse, de la *broue* (sens 1), mousser, faire de la *broue*. Ce nouveau savon *broute* bien. (Beauce) **2.** Fig. Afficher un air prétentieux, dédaigneux. Mot dérivé de *broue* (sens 4). (Beauce) Syn. : **péter de la broue**.

BROUTEUX, EUSE adj. et n. Vantard, pédant, prétentieux. Mot dérivé de *broue* (sens 4). (Beauce) Syn, voir : **frais**.

BRÛBRÛLE, BUBRÛLE n. *Faire brûbrûle, bubrûle* : en langage enfantin, brûler. Ne touche pas à la casserole, ça fait *brûbrûle*, c'est *brûbrûle*. [+++]

BRÛLÉ n. m. et adj. Partie de forêt incendiée, brûlis. Aller cueillir des baies dans les *brûlés*. Mot très fréquent dans la toponymie du Québec où foisonnent les lacs *brûlés*, les rivières *brûlées*, les montagnes *brûlées*, etc. [+++] Syn. : **mocauque** (sens 2).

BRÛLEMENT n. m. Rare en fr. *Brûlement d'estomac* : brûlure d'estomac. [+++]

BRÛLE-POUCE n. m. Appellation amusante des allumettes constituées d'un brin de carton dont le manque de rigidité oblige, pour l'allumage, à placer le pouce tout près de la partie inflammable, d'où le risque de se brûler le pouce.

BRÛLER v. tr. et intr. **1.** *Brûler son argent* : gaspiller follement, rapidement son argent. Syn., voir : **flamber**. **2.** Être incendié. Mon beau-frère *a brûlé* : sa maison a été incendiée, ou sa grange ou même les deux ont été incendiées. Syn. : passer au **feu**.

BRÛLETTE n. f. Voir : **brûlotte**.

BRÛLOT n. m. **1.** Pipe à tuyau très court, brûle-gueule. [+] **2.** Insecte de la famille des Cératopogonidés dont la piqûre donne la sensation d'une brûlure. Il y a beaucoup de *brûlots* sur le bord du lac. [+++]

BRÛLOTTE, BRÛLOTTE SAUVAGE, BRÛLETTE, BOURLETTE n. f. **1.** Ail civette. (E 25-117) Syn., voir : **ciboulette**. **2.** *Semer en brûlotte, en brûlette* : semer de façon inégale.

BRUMASSAGE n. m. Pluie fine, brumasse. Si le *brumassage* cesse, on va pouvoir aller aux foins. Syn., voir : **mouillasserie**.

BRUMASSER v. impers. Rare en fr. Tomber lentement en parlant d'une pluie fine, bruiner. [+++] Syn., voir : **mouillasser**.

BRUMASSEUX, EUSE adj. Brumeux. Temps *brumasseux*.

BRUME n. f. **1.** Voir : **boucane** (sens 5). **2.** Bruine. Depuis deux jours, il tombe de la *brume*. [++] Syn., voir : **mouillasserie**. **3.** *En brume* : à toute vitesse, à vive allure en parlant des voitures, des autos qui filent à toute allure. [+++] Syn., voir : en **ripousse** (sens 3).

BRUMÉE n. f. Mélange de brouillard et de fumée.

BRUMER v. impers. Rare en fr. Faire de la brume. Ce matin il *a brumé* jusqu'à dix heures.

BRUN, E n. et adj. **1.** Crépuscule, nuit. Il faisait déjà *brun* quand nous sommes partis. [+++] **2.** Partie brune de la graisse de rôti. Syn., voir : **branlant**. **3.** Marron. Porter des souliers *bruns*, avoir les yeux *bruns*. [+++] **4.** *Papier brun* (angl. brown paper) [Ø] : papier gris d'emballage. **5.** *Sucre brun* (angl. brown sugar) [Ø] : cassonade. [++] **6.** Bai, d'un rouge brun en parlant d'un cheval dont la robe est baie. **7.** *Brun à chaussures, à souliers* : cirage brun servant à cirer les chaussures. [++] Syn., voir : **Nugget**.

BRUNANTE n. f. **1.** Brune, tombée de la nuit. En novembre, la *brunante* arrive vers quatre heures. [+++] **2.** *À la brunante* : à la tombée de la nuit. Ils sont arrivés *à la brunante*. [+++]

BRUNCH n. m. (angl. brunch) [#] **1.** Dans les restaurants et les hôtels, repas du midi combinant le petit déjeuner et le déjeuner en un seul repas servi de onze heures à quatorze heures. **2.** *Brunch-bénéfice*. Voir : **bénéfice**.

BRUNCHER v. intr. (angl. to brunch) **[#]** Prendre un *brunch.*

BRUNETTE n. f. Vx en fr. Jeune femme dont les cheveux tirent sur le brun. Une jolie *brunette* l'accompagnait.

BRUNIR, BRUNEZIR v. impers. Commencer à faire nuit, à faire *brun*. Tiens, il n'est que vingt heures et il commence à *brunir.*

BRUSQUAILLER v. tr. Brusquer, traiter quelqu'un d'une manière brusque.

BS n. m. Sigle. *B*ien-être *s*ocial. Voir : **bien-être social**.

BU, E part adj. *Être bu* : être ivre. (acad.) Syn. : **chaud**.

BUANDERETTE, BUANDERIE n. f. Établissement où l'on porte le linge ou les vêtements à laver, à nettoyer et à repasser, blanchisserie. [+++]

BUANDIER, ÈRE n. Personne qui tient une *buanderie*, blanchisseur. [+++]

BUBUSSE n. m. *Faire bubusse, prendre son bubusse* : prendre sa tétée, boire, faire boire, en langage enfantin.

BÛCHAGE n. m. Action de *bûcher*, c'est-à-dire d'abattre des arbres, de couper du bois. La saison du *bûchage* est finie. [+++]

BÛCHE n. f. **1.** Ironiquement, chaise. Tire-toi une *bûche*, tu n'es pas pressé, on va causer. **2.** Personne stupide, inintelligente.

BÛCHÉ n. m. Bois, étendue de forêt où tous les arbres ont été coupés, où l'on a fait une coupe à blanc. [++]

BÛCHER n. m. Coin de la cour de ferme où l'on range du bois à brûler.

BÛCHER v. tr. et intr. **1.** Rég. en fr. Abattre des arbres, couper du bois, faire le travail du bûcheron, du *bûcheur*. *Bûcher* toute la journée. [+++] **2.** Fig. *Bûcher en castor* : abattre un arbre qui reste encroué aux arbres qui l'entourent, faute d'une entaille de bonne direction de la part de l'abatteur. **3.** Argot des écoliers. Donner des coups de poings, des coups de pied. C'est quand la surveillance semble relâchée que certains écoliers *bûchent* leurs camarades.

BÛCHEUR, BÛCHEUX n. m. Bûcheron. Une équipe de bûcherons comprenait deux *bûcheux* qui abattaient les arbres et qui les tronçonnaient ainsi qu'un **chat-mort** et un **civet**. [+++]

BÛCHERON n. m. Voir : **maladie des bûcherons**.

BUCK n. m. (angl. buck) **[Ø] 1.** Mâle, du *caribou*, du *chevreuil*, de l'*orignal*. [+++] **2.** Sobriquet donné autrefois aux frères religieux et enseignants. [++] Syn., voir : **corbeau**. **3.** Homme resté célibataire. Paul c'est un *buck* de quarante ans.

BUCK-BEAVER n. m. (angl. buck beaver) **[Ø]** Fig. Contremaître de l'équipe d'ouvriers chargée de l'entretien des chemins forestiers l'hiver.

BUCK-FEVER n. m. (angl. buck fever) **[Ø]** Énervement qui paralyse le chasseur en face d'un gros gibier et l'empêche de tirer.

BUCKINOIS, E n. et adj. Gentilé. Natif ou habitant de Buckingham dans l'Outaouais; de Buckingham.

BUCK-ORIGNAL, BUCK n. m. (angl. buck) **[Ø]** *Orignal* mâle, élan du Canada.

BUCKSAW, BOCSON n. m. (angl. bucksaw) **[Ø]** Scie à bûches à cadre tubulaire métallique ou à cadre de bois. Le *buchsaw*, apparu ici vers 1920, serait d'origine finlandaise. [+++] Syn., voir : **sciotte**.

BUCK-STOVE n. m. (angl. buckstove) [Ø] Poêle à bois rudimentaire de forme carrée.

BUCKWHEAT, BOCOUITE n. m. (angl. buckwheat) [Ø] Sarrasin. Faire des crêpes avec de la farine de *buckwheat*. (acad.)

BUFFALO n. m. (angl. buffalo) [Ø] **1.** Bison, buffle. Les *buffalos* étaient presque exterminés à la fin du XIXe siècle. [+++] **2.** *Peau de buffalo, robe de buffalo* : peau de bison dont on se couvrait l'hiver quand on voyageait en traîneau. [+++] **3.** Poisson. Nom vulgaire de la couette. Syn. : **brème, brome**.

BUIS, BUIS DE SAPIN n. m. If du Canada, arbuste qui ne dépasse pas deux mètres. [+++] Syn. : **sapin traînard**.

BULB n. f. (angl. bulb) [Ø] Ampoule électrique. Anglicisme presque disparu. Syn., voir : **pochette**.

BULK-TANK n. f. (angl. bulk tank) [Ø] Gros réservoir dans lequel les producteurs laitiers font refroidir leur lait.

BULL, BOULE n. m. (angl. bull) [Ø] **1.** Taureau. [+] Syn., voir : **banal**. **2.** Voir : **bulldozer**.

BULL-COOK n. m. (angl. bull cook) [Ø] Aide-cuisinier dans les chantiers forestiers. Syn., voir : **chore-boy**.

BULLDOZER v. tr. (angl. to bulldoze) [Ø] **1.** Déplacer de la terre, du gravier, etc., en utilisant un *bulldozeur*. **2.** Fig. Évincer quelqu'un d'un poste, d'un emploi.

BULLDOZEUR, BULL, BOULE n. m. (angl. bulldozer) [Ø] **1.** Bouteur à pneus ou à chenilles utilisé pour le terrassement. **2.** *Terre de boule, de bull* : terre qui a été déplacée, bouleversée par un *bulldozeur*, impropre à la culture et utilisée comme terre de remblayage.

BULL'S EYE n. m. (angl. bull's eye) [Ø] **1.** Bonbon rond en forme d'œil. [++] **2.** Argot. Sexe de la femme, vulve. [++] Syn., voir : **noune**. **3.** Petite quantité, miette. La sauce manque de sel, mets-en encore un *bull's eye*. Syn., voir : **graine**. **4.** *Faire bull's eye* : faire mouche.

BULLSHIT n. f. (angl. bullshit) [Ø] Toute marchandise, tout objet de mauvaise qualité, sans valeur. C'est de la *bullshit*. [++] Syn., voir : **cull**.

BULLY, BOULÉ n. m. (angl. bully) [Ø] Homme fort. Les premiers *boulés* sont apparus lors d'élections au début du XIXe siècle et ont fait la loi dans les *chantiers* forestiers de l'Outaouais jusqu'au début du XXe siècle. [+++] Syn. : **bounceur, fort-à-bras, fier-à-bras**.

BULOVA n. f. Montre pour hommes. Quand on a quelques moyens, on s'achète une *Bulova*. Marque déposée.

BUM, BOMME n. m. (angl. bum) [Ø] **1.** Voyou, bon à rien, vaurien, ivrogne. Fréquenter des *bums*. [+++] Syn. : **hobo, robineux**. **2.** Faillite. Depuis que le père est décédé, ce commerce s'en va sur la *bum*.

BUMMER, BOMMER v. tr. et intr. (angl. bum) [Ø] **1.** Quêter, mendier. *Bummer* une cigarette, un verre de bière. Syn. : **téter** (sens 1). **2.** Fainéanter, ne pas travailler, bambocher. Il passe ses journées à *bummer*.

BUMPER v. tr. (angl. to bump) [Ø] Faire du *bumping*, supplanter. *Bumper* un employé.

BUMPING n. m. (angl. to bump) [Ø] Action d'un employé qui, en vertu d'un droit conféré par l'ancienneté, évince de son poste un autre employé qui est alors déplacé, mis en disponibilité ou même licencié suite à des changements technologiques, à la réorganisation, voire à la fermeture de départements ou de services; supplantation.

BUNCH n. f. (angl. bunch) [Ø] **1.** Touffe d'arbres de la même espèce. Une *bunch* d'érables. [+] Syn., voir : **bouillée**. **2.** Groupe de personnes. Il y a toute une *bunch* de chômeurs en quête d'emplois. Syn. : **gang**. **3.** Petit tas de billes de bois transportées à bras d'homme.

BUNCHER v. tr. (angl. to bunch) [Ø] Mettre les billes de bois en petits tas, en *bunchs* quand on craint une chute de neige.

BUNGALOW n. m. (angl. bungalow) Maison individuelle, maison unifamiliale n'ayant qu'un seul niveau d'habitation. [++]

BUNK n. m. (angl. bunk) [Ø] Sommier du *bobsleigh*.

BUNKEUR n. m. (angl. bunker) [Ø] **1.** Surnom de l'édifice J du gouvernement du Québec où se trouvent les bureaux du premier ministre et ceux du conseil exécutif et dont l'aspect extérieur fait penser à un blockhaus. **2.** Fig. Le gouvernement du Québec. Le *bunkeur* n'a pas du tout apprécié la dernière déclaration de son délégué général.

BURCE *Tit Burce est arrivé* : se dit d'une femme qui a ses menstruations. (Région de Québec) Syn., voir : **lunes**.

BUREAU n. m. Commode. Beaucoup de gens d'ici appellent *bureau* ce qui est une commode.

BUREAU-CHEF (angl. head office) [Ø] Bureau central. Siège social.

BURGAU, BORGO, BORGOT, BOURGOT n. m. **1.** Porte-voix, souvent en écorce de bouleau. (acad.) **2.** Cornet de l'ancien téléphone. (acad.) **3.** Klaxon d'une automobile. (acad.) Syn. : **criard**. **4.** Sirène d'un bateau. **5.** Buccins (NOLF), gros mollusques.

BURGAUTER, BORGOTTER, BOURGOTTER v. intr. **1.** Appeler quelqu'un en se servant d'un *burgau* ou porte-voix. (acad.) **2.** Klaxonner. (acad.) Syn. : **crier** (sens 2). **3.** Sur un bateau, actionner la sirène de brume. (acad.)

BURNER, BORNEUR n. m. (angl. burner) [Ø] Brûleur de la lampe à l'huile d'autrefois.

BUSTLE, BOSSEUL n. m. (angl. bustle) [Ø] Vertugadin. La mode de porter des *bustles* sévissait encore ici au début du XXe siècle. [++] Syn. : **grichignebagne**.

BUTIN n. m. **1.** Mobilier, meubles d'une maison. [+++] Syn., voir : **ménage**. **2.** Vêtements en général. Ranger son *butin* d'hiver, ne porter que du butin de bonne qualité. [+++] Syn. : **hardes**. **3.** *Armoire à butin* : armoire à vêtements. [++] **4.** *Coffre à butin* : coffre à vêtements. [++] **5.** *Butin de bébé* : vêtements d'enfants. [+++] **6.** *Butin de corps* : sous-vêtements, linge de corps. [+++] **7.** *Butin de lit* : literie comprenant matelas, oreillers, couvertures, draps, taies, couvre-lits. **8.** *Butin de semaine, butin d'ouvrage* : vêtements de travail. [+++] **9.** *Butin du dimanche, butin propre* : vêtements du dimanche. [+++] 10. Fig. *Du bon butin* : se dit d'une personne, surtout d'une femme qui a toutes les qualités imaginables. La défunte Roxy, c'était *du bon butin*. [++]

BUTT, BOTTE n. f. (angl. butt) [Ø] Le gros bout d'une bille de bois, d'une grume.

BUTTAILLEUX, EUSE adj. Accidenté, montueux, en parlant d'un terrain. Syn., voir : **côteux**.

BUTTE n. f. Voir : **dormir par sauts et par buttes**.

87

BUTTER, BOTTER v. tr. (angl. to butt) [Ø] Tronçonner, rogner, couper le gros bout, la *butt* d'une grume. [++]

BUTTEREAU n. m. Petite colline, monticule, côteau. (acad.) Syn., voir : **button**.

BUTTEUSE, BOTTEUSE n. f. (angl. butter) [Ø] Appareil servant à rogner une bille de bois, rogneuse.

BUTTEUX, EUSE adj. Accidenté, montueux, couvert de buttes, de collines en parlant d'une étendue de terrain, d'un chemin. [+] Syn., voir : **côteux**.

BUTTON n. m. Petite colline, petit monticule. [+++] Syn. : **buttereau, cabouron, dos-de-cheval** (sens 2), **piqueron**.

BUTTONNEUX, EUSE, BUTTONNU, E adj. Accidenté, montueux, rempli de *buttons* en parlant d'un terrain, d'une région. [+] Syn., voir : **côteux**.

BUVARD n. m. Ivrogne qui s'enivre souvent. (acad.) Syn., voir : **brosseux**.

BUVERON n. m. **1.** Biberon de nourrisson. **2.** Ivrogne invétéré. Syn., voir : **brosseux**.

BUVEUR SOCIAL n. m. (angl. social drinker) [Ø] Voir : **social**.

BUZZANT, E adj. Argot. Amusant, très drôle, en parlant d'une personne, d'un film, d'une pièce de théâtre. Syn., voir : **tripant**.

BUZZER v. tr. Argot. Prendre de la drogue.

BYE! (angl. bye) [Ø] (exclamation, salutation) Mot anglais en train de reléguer aux oubliettes bonjour, bonsoir, au revoir.

BYTOWNIEN, ENNE adj. et n. Gentilé taquin. Habitant ou natif de Bytown, devenu Ottawa, capitale du Canada en 1854.

CA n. Sigle. *C*omptable *a*gréé.

CABALAGE n. m. Action de *cabaler*, de faire de la *cabale*.

CABALE n. f. Propagande politique à domicile pour un candidat ou pour soi-même. [+++]

CABALER v. tr. et intr. En période électorale, faire de la propagande politique à domicile, solliciter le vote de quelqu'un, quelquefois au moyen de promesses, voire de dons. [+++]

CABALEUR, CABALEUX, EUSE n. Personne qui fait de la propagande politique à domicile en temps d'élection. [+++]

CABAN n. m. Toit rudimentaire servant à protéger le bois de chauffage contre la pluie. (Gaspésie)

CABANE n. f. **1.** a) *Cabane à sucre, cabane* : bâtiment construit dans une *érablière*, où l'on fabrique les produits de l'érable : sirop, *tire*, *sucre* et où ont lieu les *parties de cabane*. [+++] Syn. : **sucrerie**. b) *Partie de cabane* : partie de plaisir qui se tient à l'*érablière* le printemps et où l'on déguste *tire* et *sucre* d'érable. [+++] Syn. : **fête à la tire**. c) *Temps de cabane à sucre* : temps doux et ensoleillé où la neige fond le jour et où il gèle la nuit, ce qui favorise la montée de la sève sucrée d'érable. d) Voir : **bois de cabane**. e) Voir : **raquettes de cabane**. **2.** Moyette de quatre à six gerbes. Mettre l'avoine en *cabanes* pour qu'elle continue de mûrir. (acad.) Syn., voir : **quinteau**. **3.** Gîte de l'ours pendant l'hiver : arbre creux, caverne, chablis. Syn. : **ouache** (sens 2). **4.** Petit abri où le chasseur installe ses pièges à loutre, à martre ou à vison. **5.** Lieux d'aisances à l'extérieur de la maison, à la campagne autrefois. Syn., voir : **chiardes**. **6.** Par antiphrase, grosse maison d'habitation. As-tu vu la *cabane*? Syn., voir : **arche**. **7.** Rimette. *Pas de chicane dans ma cabane!* dit le maître de la maison lorsque les participants à une discussion risquent d'en venir aux coups. **8.** *Cabane du boulanger, du boucher, du laitier* : voiture d'autrefois, d'hiver ou d'été, avec caisse fermée permettant au boulanger, au laitier ou au boucher de faire leur tournée à l'abri du froid, de la *poudrerie* ou de la pluie aussi bien en ville qu'à la campagne.

CABANEAU n. m. Endroit sous un escalier où l'on range des vêtements ou du bois de chauffage. (O 25-117) Syn., voir : **caveau**.

CABANER v. tr., intr. et pron. **1.** Installer une tente, un campement pour y passer la nuit, surtout lorsqu'on voyage en forêt. Syn., voir : **tenter**. **2.** Entrer en état d'hibernation en parlant de l'ours. L'ours *se cabane* souvent dans un arbre creux. Syn. : **ouacher**. **3.** a) S'enfermer chez soi pour la période de l'hiver. Certaines personnes âgées *se cabanent* chez elles lorsque le froid arrive. [+++] b) Devenir casanier. [+++] **4.** Faire des moyettes de quatre à six gerbes. Se hâter de *cabaner* l'avoine lorsque les nuages sont menaçants. (acad.) Syn. : **stooker**.

CABANEUX, EUSE n. Citadins ou villageois qui le printemps, au *temps des sucres,* vont aux *parties de cabane.* Avec la *poudrerie* qu'il fait, les *cabaneux* vont être rares aujourd'hui. (Lanaudière)

CABARET n. m. Vx en fr. Plateau. Dans les cafétérias, chacun utilise un *cabaret.* [+++]

CABAROUET n. m. Voir : **cabrouet**.

CABAS n. m. Bruit, tapage. Les enfants, arrêtez de faire du *cabas*! [++] Syn. : **berda, carillon, carnage, chafrail, ravaud, sacacoua, saccage, train**.

CABASSÉ, E adj. Fatigué, abattu. Paul a l'air *cabassé,* il couve peut-être une grippe. [++] Syn. : **caduc, cagou, émarmelé**.

CABASSER v. tr. et intr. **1.** Fatiguer, ennuyer. Les dix heures d'avion l'ont *cabassé.* **2.** Secouer. On se fait *cabasser* au volant d'un tracteur. **3.** Faire du bruit, du *cabas.* Qui est-ce qui *cabasse* dans le grenier? Syn. : **bardasser, carillonner, ravauder**

CABESTRAN n. m. [#] Rég. en fr. Cabestan. [++]

CABETTE n. f. Voir : **cupboard**.

CABICHE n. f. Argot. Dans les maisons de jeux clandestins, contribution payée par un joueur gagnant.

CABINE, CABINE DE TOURISTE n. f. (angl. cabin) [Ø] Maisonnette pour touristes installée le long des routes à grande circulation. Les *cabines* pour touristes ont presque toutes été remplacées par des *motels.*

CABINET FANTÔME Voir : **fantôme**.

CÂBLÉ, E n. m. Abonné à la télédistribution, à la câblodistribution.

CABOCHE n. f. Embarcation à faible tirant d'eau, surmontée d'une cabane avec meurtrières, ancrée dans les joncs et où prennent place deux ou trois chasseurs de canards. (Îles de Sorel) Syn. : **boléro, chasseuse, gabion**.

CABOCHER v. tr. et pron. **1.** Abattre. Cette vache-là, on va la *cabocher* à l'automne, elle ne donne presque pas de lait. [+++] **2.** Se frapper à la tête, se battre. Les deux boxeurs se sont *cabochés* pendant neuf rondes. [+++]

CABOCHON n. m. **1.** Terme ironique pour tête, caboche. Avoir de la difficulté à se mettre quelque chose dans le *cabochon.* (O 22-114) Syn. : **bloc, bol, chignon, coco, tomate**. **2.** Bûche pleine de nœuds, très difficile à fendre. Tous les *cabochons,* on les brûlera à la *cabane à sucre,* à la *sucrerie.* Syn., voir : **nouasse**. **3.** Péjor. Employé, ouvrier incompétent. [+++] Syn. : à **gros-grain**.

CABOUCHE n. f. Nid de fourmis, fourmillière, qui dans un champ cultivé forme une butte de plus d'un *pied* de hauteur. (acad.)

CABOURNE adj. et n. **1.** Bosselé, sonnant creux en parlant d'un terrain; creux en parlant d'un arbre. (acad.) **2.** Trou, cavité, crevasse. (acad.)

CABOURON n. m. Petite colline, monticule, mamelon. (surt. E 34-91) Syn., voir : **button**.

CABOURONNEUX, EUSE adj. Accidenté, montueux, où il y a des *cabourons*. Une région *cabouronneuse*. (surt. E 34-91) Syn., voir : **côteux**.

CABROUET, CABAROUET n. m. **1.** Voiture hippomobile d'autrefois, légère et à deux roues, genre cabriolet, servant au transport des personnes. [+] **2.** Rég. en fr. Haquet à deux roues servant au transport des tonneaux, des marchandises.

CACA n. m. Fig. *Faire caca dans ses culottes* : en parlant d'un adulte, avoir peur, perdre son sang-froid.

CACAGOUÈCHE n. m. (amér.) Grand duc de Virginie. (acad.)

CACAILLER v. intr. Caqueter, en parlant des poules. (E 22-114) Syn. : **cacasser**, **carcasser**, **gargousser**.

CACAMO n. m. (amér.) Gâteau de suif.

CACAOUETTE, CAOUETTE n. f. Véloneige rudimentaire, fait d'une douve de tonneau, équipé en son centre d'un court poteau supportant un siège et servant à dévaler les côtes. (acad.) Syn., voir : **véloneige traditionnel**.

CACAOUI, CACAOUITE, CAOUI, KAKAOUI n. m. (amér.) Harle du Nord, variété de canards de mer. (E 18-132)

CACASSAGE, CACASSEMENT n. m. Action de *cacasser*, de potiner, de cancaner. Syn., voir : **placotage**.

CACASSER v. intr. **1.** Caqueter, en parlant des poules. [+++] Syn., voir : **cacailler**. **2.** Gazouiller, piailler. Les oiseaux *cacassent*. Syn., voir : **piaquer**. **3.** Fig. Jacasser, cancaner, bavarder d'une manière fatigante. Quand ces deux femmes se rencontrent, elles *cacassent* sans arrêt. De méchantes langues prétendent que les femmes *cacassent* plus que les hommes. Syn., voir : **mémérer**.

CACASSEUX, EUSE adj. et n. Personne qui aime *cacasser*, cancaner, bavarder.

CACHE n. f. **1.** Vx en fr. Abri de chasseur fait de roseaux, de branches ou de neige. Mot fréquent dans la toponymie du Québec. [++] Syn. : **cachette**, **échafaud**, **gabion**, **ouache**. **2.** Dépôt de vivres en forêt hors de portée des animaux prédateurs. **3.** *Mettre en cache* : en forêt, mettre hors de la vue et difficile à atteindre : objets, canots, nourriture que l'on reprendra au retour. [++] **4.** Couverture de lit. Quand un enfant est fiévreux, on le couvre d'une *cache* de laine supplémentaire. (E 22-124) **5.** Enveloppe. Écrire lisiblement l'adresse du destinataire sur une *cache*. (Beauce) Syn. : **encache**, **encacheture**.

CACHÉ p. adj. *En avoir de caché* : avoir de l'argent en réserve, ne pas être à court d'argent. Ne t'en fais pas pour lui, il *en a de caché*. Syn., voir : **motton** (sens 2).

CACHE-MA-BAGUE, CACHE-PETIT-POT n. m. Furet, jeu de société. [++]

CACHE-ŒIL n. m. Coquille en plastique servant à protéger un œil qui a subi une opération.

CACHE-OREILLER n. m. Autrefois, carré de tissu brodé, empesé, attaché aux poteaux de la tête du lit et destiné à cacher les oreillers. Syn., voir : **menteuse** (sens 1).

CACHER v. tr. et pron. **1.** Couvrir dans un lit au moyen d'une *cache* ou couverture. Bien *cacher* un enfant qui fait de la fièvre. (E 22-124) **2.** Se couvrir dans son lit. Je me suis bien *caché*, je n'ai pas eu froid. (E 22-124) Syn. : **abrier.**

CACHETTE n. f. **1.** Abri de chasseur fait de roseaux, de branches, de neige. Syn., voir : **cache. 2.** Cachotterie. Raconter tout ce qui s'est passé, sans *cachette*. **3.** *Jouer à la cachette* : jouer à cache-cache. [+++] **4.** *Fumer à la cachette* : fumer en cachette. [++]

CACHIGATE n. f. Oiseau comestible du golfe du Saint-Laurent et qui serait le plongeon du Nord.

CACHOU n. m. (angl. cashew) [Ø] Voir : **cashew.**

CACOUÈNE n. f. Branche fourchue utilisée comme fourchette de dépannage par les trappeurs et les pêcheurs.

CACOUINAN n. pr. Personnage imaginaire, espèce de marchand de sable dont on menace les enfants qui ne veulent pas se coucher ou s'endormir. Syn. : **Bonhomme-Sept-Heures**. [+]

CADAVRE n. m. **1.** Homme de très grande taille. Ce bûcheron, c'est un *cadavre* d'homme qui mesure six *pieds* et demi. [++] Syn., voir : **fanal. 2.** Argot en fr. Bouteille d'alcool ou de bière vide. On a retrouvé les deux voleurs ivres morts au milieu d'un monceau de *cadavres*. Syn. : **corps-mort** (sens 2). **3.** *Être mal cadavre* : être en mauvaise santé. (acad.)

92

CADEAU n. m. *Ne pas être un cadeau* : être une corvée. Avoir 200 copies à corriger en vingt-quatre heures, ce n'est pas un *cadeau*.

CADENAS n. m. *Loi du cadenas* (1937-1957) : loi passée sous le régime de Duplessis et qui permettait la fermeture sans procès de tout établissement soupçonné d'être un endroit de propagande communiste. Cette loi fut déclarée *ultra-vires* en 1957.

CADRÂCHE n. m. *Huart* à gorge rousse. Syn., voir : **huart.**

CADRAN n. m. [#] Réveille-matin. Ce matin je suis en retard, mon *cadran*, que j'avais cru avoir remonté, n'a pas sonné. [+++]

CADRE n. m. [#] Tableau. Madame Bertrand s'est acheté un beau *cadre* qu'elle a accroché dans son salon. [+++]

CADUC, UQUE; CADU, E adj. Vx en fr. Triste, abattu, fatigué. Louis est *caduc, cadu,* ces jours-ci, il doit couver une grippe. (acad. et Lanaudière) Syn., voir : **cabassé.**

CAFÉ n. m. *Café du diable* : hamamélis de Virginie.

CAFIÈRE n. f. Vx et dial. en fr. Cafetière.

CAGE n. f. **1.** Autrefois, train de bois flotté, composé de plusieurs radeaux appelés *cribs* ou *drams* se déplaçant au fil de l'eau sous la direction des *cageux* (sens 3) ou tiré par un bateau, brelle. Syn. : **cageux, raft. 2.** Bout d'une cordée de bois dont les morceaux sont disposés par rangs alternés. Syn., voir : **croisée.** (E 22-124) **3.** Pile de planches, de madriers disposés en échiquier pour en faciliter le séchage au grand air. (E 40-83) Syn. : **échiquette, moulinette. 4.** Nasse à anguilles. Syn., voir : **bourne. 5.** Cage à homards : casier à homards. [++] Syn., voir : **attrape à homards.**

CAGEAGE n. m. Action de *cager* (sens 1, 2, 3, 4).

CAGER v. tr. **1.** Attacher ensemble des billes de bois pour en faire une *cage*, une brelle. Syn. : **encager**. **2.** Mettre du bois par rangs alternés au bout d'une cordée de bois. **3.** Piler des planches, des madriers en échiquier pour en faciliter le séchage au grand air. Syn. : **croisailler**. **4.** [#] Mettre dans une cage, encager. *Cager* des poules pour les conduire à l'abattoir.

CAGEUX n. m. **1.** [#] Celui qui met en cage, qui encage, encageur. Un *cageux* de poules travaille toujours de nuit car tôt le matin les poules devront être à l'abattoir. [+++] Syn. : **poigneux de poules**. **2.** Train de bois se déplaçant au fil de l'eau ou tiré par un bateau, brelle. [+] Syn. : **cage** (sens 1) **3.** Ouvrier forestier employé au flottage du bois, qui dirigeait une *cage* (sens 1), un train de bois. Syn., voir : **draveur**. **4.** Fig. Groupe de canards qui se déplacent ensemble, en formation sur l'eau. Un *cageux* de canards. **5.** Fig. Volée d'oiseaux migrateurs. Voir arriver un *cageux* d'outardes.

CAGOU, E; CANGOU, E n. et adj. **1.** Triste, abattu, malade. Être *cagou*. (acad.) Syn., voir : **cabassé, caduc**. **2.** *Avoir le cagou* : avoir le cafard, être triste. (acad.) Syn. : avoir le **pesant**.

CAGOUET, CAGOUETTE, GAGOUET n. m. Derrière du cou, nuque. Se faire serrer le *cagouet*. (acad.) Syn., voir : **chignon**.

CAGOULARD n. m. Bandit armé masqué qui porte une cagoule. [+++]

CAGOULÉ, E part. adj. Dont la tête est recouverte d'une cagoule, en parlant d'un bandit.

93

CAHOT n. m. Autrefois, inégalité de la route qui imprimait des secousses aux voitures d'été ou d'hiver et à leurs occupants. Route pleine de *cahots*. [+++] Syn., voir : **saquet**.

CAHOTER v. intr. Autrefois, imprimer des secousses aux voitures d'été ou d'hiver, en parlant d'une route remplie de *cahots*.

CAHOTEUX, EUSE adj. Se dit d'un chemin raboteux, qui a beaucoup de *cahots*, d'inégalités. Syn. : **bardasseux, rabotu, saboteux, sagoteux**.

CAILLARD n. m. Œufs d'esturgeons jaunes, de *camus*.

CAILLE n. f. **1.** Graphie fautive du mot *caye* au sens de rocher à fleur d'eau, d'écueil. **2.** Voir : **coil**. **3.** Au pl. Lait caillé. Manger des *cailles*. (surt. E 30-100) Syn. : **caillettes, crottes**.

CAILLE, CAILLET, ETTE adj. et n. **1.** De couleur pie, à robe noire et blanche, tacheté. Une vache *caille, caillette*. [+++] Syn. : **barré, fleuré, fleuri, fleuret, marbré, mataché, moustaché, picoté, pivelé, piveloté, taché**. **2.** Nom que l'on donne souvent à une vache de couleur pie. La *Caille*, ou *Caille* est à la veille de vêler. **3.** (Angl. coil) Ø : rouleau de cordage.

CAILLER v. tr. et intr. **1.** Fig. Avoir sommeil. Va donc te coucher, tu commences à *cailler*. Syn. : **cogner, endormir, planter des clous, figer**, avoir une **peau sur l'œil, planter des piquets**. **2.** (Angl. to coil) [Ø]. Enrouler du cordage pour faire une *caille*.

CAILLETTE n. f. **1.** Présure provenant de l'estomac des ruminants. [++] **2.** Au pl. Lait caillé. Manger des *caillettes* avec du sucre d'érable. [++] Syn., voir : **cailles**. **3.** Nom que l'on donnait souvent à une vache de couleur pie.

CAILLETTER, CAILLOTTER; CAYETTER, CAYOTTER
v. intr. En parlant de l'avoine qui mûrit, devenir de couleur
pie. [++]

CAILLOT n. m. Oiseau. Nom vulgaire du garrot commun
(Bucephala clangula americana).

CAILLOUSSE n. m. [#] Voir : **cayuse**.

CAJUN n. m. Acadien de la Louisiane.

CALABASH, CALABACHE n. f. (angl. calabash) [Ø] Pipe
épousant vaguement la forme de la calebasse, fruit du
calebassier. [++] Syn. : **pipe croche**.

CALABRE, GRAND CALABRE n. m. Homme de très
grande taille. Quand ce *calabre* est entré, les enfants ont
eu peur. Syn., voir : **fanal**.

CALANT, E adj. **1.** Mouvant, qui a peu de consistance, où
l'on enfonce facilement. Une terre, une neige *calante*. [++]
2. Canard, fondrier. Tout bois qui a séjourné longtemps
sous l'eau devient *calant*.

CALBRETTE n. m. Poêle à bois de marque Calbreight.
Par extension, tout poêle à bois utilisé dans les chantiers
forestiers et qui ressemble au Calbreight.

CALCULER v. intr. (angl. to calculate) [Ø] Compter. Notre
voisin *calcule* partir demain.

CALCULOT n. m. Oiseau. Macareux arctique.

CALE n. f. **1.** Demi-bille de bois creusée en auge dans toute
sa longueur et servant à couvrir les camps forestiers
d'autrefois, à la façon des tuiles rondes. Syn., voir : **auge**
(sens 3). **2.** Autrefois, bille de bois fendue et dont les
extrémités amincies étaient destinées à glisser dans les
cannelures des poteaux de grange plantés en terre. **3.** Vx
en fr. Plomb utilisé pour la pêche à la ligne ou pour lester
un filet. Syn. : **pesée**.

CALÉ, E adj. Chauve, dégarni. Un homme *calé* à trente
ans, qui a la tête *calée*. [+++]

CALÈCHE n. f. **1.** Voiture hippomobile à deux roues, genre
cabriolet, dont la caisse est suspendue sur des soupentes.
[++] **2.** Fig. *Avoir la calèche, mener la calèche* : avoir la diarrhée,
aller souvent aux toilettes. Syn., voir : **cliche**. **3.** Fig. *Menton
en calèche* : en galoche. Notre ancien ministre avait un de
ces mentons *en calèche*!

CALÉCHIER, ÈRE n. À Québec, propriétaire d'une *calèche*
utilisée pour faire visiter la ville aux touristes. En français,
un caléchier est un fabricant de calèches, de voitures de
promenade.

CALER v. tr., intr. et pron. **1.** Enfoncer. *Caler* son chapeau
pour que le vent ne l'emporte pas. [+++] **2.** Boire ou
manger rapidement. *Caler* une bouteille de bière, un repas
en quelques minutes. [+++] Syn., voir : **entonner**.
3. Enfoncer dans l'eau, dans la boue, dans la neige. Une
pierre qu'on jette à l'eau *cale* au fond. [+++] **4.** S'enfoncer
dans l'eau qu'elle recouvre, en parlant de la glace dont la
cohésion se brise à la fin de la période de gel hivernal.
C'est au printemps que les lacs *calent*, que la glace des lacs
cale. [+++] **5.** Fig. Devenir chauve. Dans cette famille, les
hommes *calent* très jeunes. [+++] **6.** S'abaisser. Léo a
vraiment des complexes : il passe son temps à *se caler*, à
répéter que ce qu'il fait ne vaut rien.

CALIBORNE n. f. Louche, cuiller à pot. Syn. : **cuiller
potagère**.

CALICE! n. m. Juron. *Calice* qu'il fait chaud!

CALICER v. tr. Abandonner, flanquer, jeter, se défaire de. Mes vieilles bottes, je les ai *calicées* à la poubelle. Verbe formé à partir du juron *calice*! [+] Syn., voir : **chrisser**.

CALIFOURCHON n. m. **1.** Jonction des cuisses et du buste, région du périnée. [++] **2.** Fourche. Recoudre le *califourchon* d'un pantalon. Syn. : **fourcat**.

CALINE n. m. Juron. Atténuation ou altération phonétique de *calice*. Ça, c'est une *caline* de belle robe!

CÂLINER v. intr. Fig. Perdre de sa violence, en parlant du vent. (acad.)

CALIN-FILLETTE n. m. Péjor. Petit garçon qui suit toujours sa mère, qui a des goûts de petite fille. [+++] Syn., voir : **catiche**.

CALIQUETTE n. f. Bûchette, éclisse tenant lieu d'allumette et servant à recueillir et à transmettre la flamme. Syn., voir : **aiguillette**.

CALL n. m. (angl. call) [Ø] **1.** Cri du chasseur pour appeler l'orignal mâle. [+++] **2.** Appel téléphonique, coup de fil. Il ne faut pas que j'oublie : j'ai deux *calls* à faire. Anglicisme en perte de vitesse.

CALL-DOWN n. m. (angl. call-down) [Ø] Réprimande, verte semonce. Il a eu tout un *call-down* parce qu'il est rentré à la maison aux petites heures du matin. Anglicisme en perte de vitesse [++] Syn. : **beurrée**, **blé d'Inde**, **chapitre**, **gratte**, **ronde**, **sarabande**.

CALLER v. tr. (angl. to call) [Ø] **1.** Appeler, annoncer, mener les figures d'une danse folklorique. *Caller* une danse folklorique. [+++] **2.** Appeler (au téléphone). Quand tu reviendras, *calle* quelqu'un de la famille. Anglicisme en perte de vitesse. [++] **3.** En parlant du chasseur d'orignal, imiter le cri de la femelle orignal pour attirer le mâle. [+++] **4.** Fig. *Caller l'orignal* : vomir pour avoir trop bu, écorcher le renard. Anglicisme en perte de vitesse. [+++] Syn., voir : plumer son **renard**. **5.** *Caller, caller ça à* un employé : le semoncer, le réprimander. Anglicisme en perte de vitesse. [+++] Syn. : **conter ça à**. **6.** *Se faire caller* : se faire semoncer, réprimander. Anglicisme en perte de vitesse. Syn. : se faire **conter ça**.

95

CALLEUR n. (angl. caller) [Ø] Meneur de danses folkloriques qui appelle les figures de danse à exécuter. [+++]

CALMIR v. intr. Devenir calme en parlant de la mer, s'accalmir (rare en fr.). La mer a commencé à *calmir* en fin de journée. (acad.)

CALOTTE n. f. Casquette, coiffure en général. Quand on entre dans une maison, on doit enlever sa *calotte*. (surt. E 27-116) Syn., voir : **casque** (sens 1).

CALOTTER (SE) v. pron. Se couvrir la tête en mettant un chapeau, une casquette, une *calotte*. Quand il fait moins trente et qu'il vente, il faut se *calotter*. (surt. E 27-116)

CALOUETTER v. intr. Cligner des yeux. Regarder un coucher de soleil, ça fait *calouetter*. (acad.) Syn. : **ébarouir**.

CALUMET n. m. Rég. en fr. Toute pipe à long tuyau. Mot fréquent dans la toponymie du Québec. [+++]

CALURON n. m. Chapeau, galurin. Il fait froid, mets ton *caluron* pour aller dehors. Syn., voir : **casque**.

CALVABEC n. m. Eau-de-vie de pomme, fabriquée au Québec. Mot formé des premières syllabes de *calva*dos et de la dernière de Qué*bec*. Marque de commerce.

CALVAIRE n. m. **1.** *Bois de calvaire* : au figuré et négativement, se dit de quelqu'un à qui on ne peut se fier. Méfie-toi de lui, ce n'est pas du *bois de calvaire*. **2.** Convoyeur servant au transport des déchets d'une mine, du bois à scier dans une scierie. [++] Syn. : **bœuf**, **cochon**. **3.** Armoire de rangement aménagée entre les supports en bois d'une cheminée de brique, dans le *brancard* de cheminée. **4.** Juron. *Calvaire!* qu'il fait froid aujourd'hui!

CALVETTE n. f. (angl. culvert) [Ø] Ponceau en général, ponceau de voie ferrée en particulier. Anglicisme en perte de vitesse. [++]

CAMAIL n. m. Péjor. Chapeau de femme extravagant et de grande dimension. [+++]

CAMBUSE n. f. Mar. **1.** Habitation rudimentaire des bûcherons au XIXe siècle et au début du XXe construite en bois rond, calfeutrée de mousse et bousillée de glaise, couverte de deux rangs d'*auges* de bois à la façon des tuiles rondes. Cette habitation n'ayant pas de cheminée, le toit était percé d'un trou de huit *pieds* de longueur sur quatre de largeur juste au-dessus d'un carré de sable de même dimension appelé *cimetière* sur lequel on brûlait des bûches et qui tenait lieu de cuisinière pour la cuisson des *fèves au lard*, de la soupe aux pois et de la *cipaille*, nourriture habituelle des bûcherons. **2.** Cabane à provisions dans les chantiers forestiers d'autrefois. **3.** Maison peu confortable, masure. Syn., voir : **giole**. **4.** Poêle rudimentaire installé sur les embarcations de pêche. (acad.) **5.** Mets de pêcheurs à base de pommes de terre ainsi que de têtes et de foies de morue cuits à l'étuvée. (acad.) **6.** Voir : **cimetière**.

CAMELOT n. Dans les villes, distributeur de journaux aux abonnés. Il s'agit surtout de jeunes écoliers de 10 à 13 ans qui font cette livraison avant de partir pour l'école. (OLF) Syn. : **porteur de journaux**.

CAMILIENNES n. f. pl. Toilettes publiques à Montréal (du prénom du maire qui les popularisa : Camilien Houde). Syn. : **luciennes**.

CAMP n. m.; **CAMPE** n. f. (angl. camp) [Ø] **1.** Construction rudimentaire servant d'habitation aux bûcherons dans les chantiers forestiers d'autrefois. Dans ce sens seulement ce mot se prononce à l'anglaise et est parfois féminin. Mot fréquent dans la toponymie du Québec. [+++] Syn. : **chantier**. **2.** *Camp d'été, camp* : maison de campagne souvent construite sur pilotis près d'un lac, ou d'une rivière et utilisée pendant la belle saison. [+++] Syn. : **chalet**. **3.** *Camp de chasse, camp de pêche* : petite maison construite en forêt près d'un ruisseau ou d'un lac à l'usage des chasseurs ou des pêcheurs sportifs. [+++] **4.** *Camp de vacances* : colonie de vacances.

CAMPAGNE n. f. [#] *En campagne* : à la campagne. Préférer habiter *en campagne* plutôt qu'en ville.

CAMPEAU n. m. **1.** Petit champ, petite pièce de terre. **2.** Abri rudimentaire pour les animaux, constitué d'un toit supporté par quatre poteaux.

CAMPER v. tr. et pron. **1.** Préparer un camp forestier en construisant tous les éléments (cuisine, logements, hangars, écuries...) qui devaient être prêts pour l'arrivée des bûcherons. Il fallait *camper* un camp forestier avant les grandes pluies de l'automne. **2.** Fig. Se mettre au lit, se coucher. Tiens, déjà dix heures! c'est le temps de *se camper*. Syn. : se **canter**. **3.** Vivre sous une tente.

CAMPEUR n. m.; **CAMPEUSE** n. f. (angl. camper) [Ø] Camionnette dont la caisse est aménagée en petit logement et utilisée par les vacanciers, caravane. L'aménagement de nombreux campings a favorisé l'accroissement du nombre de *campeurs*.

CAMPISME n. m. Mot mis en orbite pour remplacer camping. Faire du *campisme*.

CAMPIVALLENSIEN, ENNE n. et adj. Gentilé. Natif ou habitant de Salaberry-de-Valleyfield en Montérégie; de Salaberry-de-Valleyfield.

CAMUS n. m. Esturgeon jaune.

CAN n. f. (angl. can) [Ø] Voir : **canne** (sens 2).

CANACK n. m. (angl. cannuck) [Ø] Voir : **cannuck**.

CANADA n. pr. Voir : **Petit Canada**.

CANADIANA n. m. pl. Documents, manuscrits, correspondance, publications concernant l'histoire globale du Canada. *Canadiana* calqué sur *americana* aurait dû être formé à partir de *canadensis* donnant *canadensia* au pluriel neutre.

CANADIANISER v. tr. Rendre canadien le contrôle d'une compagnie, d'un secteur industriel par la nationalisation ou par l'achat de la majorité des actions en cours. *Canadianiser* les compagnies pétrolières.

CANADIANISME n. m. Mot, tournure, image propres au français parlé et écrit au Canada, plus particulièrement au Québec. *Débarbouillette, être de valeur, ne pas être sorti du bois* sont des *canadianismes*. Le mot canadianisme apparaît pour la première fois en 1888 dans une brochure intitulée *Anglicismes et canadianismes* d'Arthur Buies.

CANADIANITÉ n. f. Ensemble des caractéristiques propres aux habitants du Canada. La *canadianité* comprendrait le bilinguisme, le multiculturalisme, les régionalismes et plusieurs autres ingrédients en -isme.

CANADIANITUDE n. f. Ensemble des caractères, des manières de penser, de sentir propres aux habitants du Canada.

CANADIEN, ENNE n. et adj. **1.** Canadien francophone. Longtemps, jusqu'au début de 1960, les francophones du Québec se sont dits *canadiens* en parlant d'eux-mêmes et c'est ainsi que les appelaient leurs compatriotes non francophones, de 1763 à 1867. **2.** Variété de fromage fabriqué au Canada. **3.** Variété de tabac à pipe cultivée ici au Québec par opposition au tabac jaune ou à cigarettes. Fumer du *canadien*. **4.** Équipe de hockey professionnel de Montréal. Cette équipe a de multiples appellations. Syn. : **Bleu-Blanc-Rouge**, **Glorieux**, **Habs**, **Sainte-Flanelle**, **Tricolore**. **5.** Races d'animaux (vaches laitières, chevaux) créées ici. Une vache *canadienne*, un cheval *canadien*. **6.** Fig. *Se mouiller le canadien* : boire à l'excès, s'enivrer. Syn., voir : se mouiller la **dalle** (sens 5). **7.** Voir : **mange-canadien**. **8.** *Canadien pure laine* : Voir : **laine**.

CANADIEN-FRANÇAIS n. et adj. Francophone du Canada; de langue française et habitant le Canada. Syn. : **canadien** (sens 1), **franco-canadien**.

CANAL n. m. **1.** Fossé. (acad.) **2.** Dans l'étable, ou dans la porcherie, rigole d'écoulement du purin.

CANAL n. m. (angl. channel) [Ø] Chaîne (de télévision).

CANALER v. tr. Faire des fossés, fossoyer. J'ai *canalé* ma terre d'un bout à l'autre depuis que je l'ai achetée. (acad.)

CANAOUA, CANOUACHE, CANAOUICHE n. m. **1.** Péjor. Sobriquets donnés aux Amérindiens par les Blancs. **2.** Langue qu'on ne comprend pas. Parler le *canaouiche,* le *canaoua,* le *canaouache.* (E 129, 132) Syn. : **micmac**.

CANARD n. m. Bouilloire. Remplis le *canard* et mets-le sur le feu. (O 25-117) Syn. : **bombe**, **coquemar**.

CANARD BRANCHU n. m. Syn. : **branchu**.

CANCANEUX, EUSE n. et adj. Cancanier, qui rapporte des ragots, des cancans. Attention à ce que tu dis devant elle car elle est *cancaneuse*!

CANDY n. m. (angl. candy) [Ø] Bonbon. Anglicisme est en perte de vitesse. Syn. : **divinité**, **douceur**, **menuté**, **nanane**.

CANE n. f. *Cane de roche* : canard arlequin.

CANETTE n. f. (angl. can) [Ø] Contenant, boîte métallique pour les boissons (bière, jus, boissons gazeuses). Beaucoup de campeurs pollueurs jettent leurs *canettes* vides ici et là.

CANGRÈNE n. f. [#] Gangrène.

CANI, E adj. Dial. en fr. Moisi, chanci. Le pain est *cani,* il faut le donner aux poules. [+++]

CANIR v. tr. et intr. Dial. en fr. Moisir, chancir. Un peu d'aération empêche le pain de *canir.* [+++] (E-28-100)

CANISSURE n. f. [#] Dérivé de *canir.* Moisissure, chancissure. [+++] (E-28-100)

CANISTEAU n. m. Voir : **caristeau**.

CANISTER, CANISSE, CANISTRE n. (angl. canister) [Ø] **1.** Tout bidon de quelque dimension que ce soit. (O 27-116) **2.** Jeu consistant à aller frapper une boîte de conserve vide placée sur un poteau en déjouant la vigilance du gardien. Si le gardien réussit à toucher un attaquant, ce dernier remplace le gardien qui rejoint alors les rangs des attaquants.

CANNAGE n. m. (angl. to can) [Ø] **1.** Action de *canner,* de mettre en conserve. En août, le *cannage* des tomates bat son plein. **2.** Au pl. Boîtes de conserve. Passer l'hiver à manger des *cannages.* Syn. : **boîtage**.

CANNE 1 n. f. **1.** *Être reçu de la canne* : jusqu'en 1940, porter la canne était le signe extérieur de la richesse, de l'appartenance aux professions libérales ou qu'on était étudiant à l'université. **2.** *Vivre la canne à la main* : être riche, ne pas avoir de soucis financiers. **3.** Au pl. et fig. *Cannes-de-quêteux* : jambes longues et maigres. [+++] Syn. : **échasses**, **quenelles**, **quenouilles**. **4.** *Canne à pommeau d'or* : canne remise chaque année au capitaine du premier navire qui, sans avoir fait escale dans un autre port canadien, entre dans un des ports du Québec (Montréal, Québec, Sept-Îles).

CANNE 2 n. f. (angl. can) [Ø] **1.** Boîte de conserve en fer-blanc. **2.** Contenant en verre pour le lait d'une capacité d'une *pinte.* Acheter cinq *cannes* de lait par jour.

CANNEDOGUE n. Voir : **cant-dog**.

CANNELIER n. m. Rouet à filer à très grande roue actionnée à la main.

CANNER v. tr. et intr. (angl. to can) [Ø] Faire des conserves alimentaires. *Canner* des légumes, des fruits. [+++]

CANNERIE n. f. (angl. cannery) [Ø] Usine de conserves alimentaires, conserverie.

CANNEUSE n. f. (angl. canning machine) [Ø] Appareil servant à fermer les boîtes de conserve en métal, sertisseuse.

CANNUCK, CANACK, CANOQUE, CANNUC n. m. (angl. Cannuck) [Ø] Sobriquet donné aux Canadiens francophones par leurs compatriotes anglophones et aussi par les Américains. [++] Dérivé : s'**encanaquer**. Autres sobriquets : **French Pea soup**, **Frog**, **nègre blanc**, **Pea soup**, **Pepsi**, **Pissou**, **White trash**.

CANON n. m. *Puits à canon* : puits circulaire à parois maçonnées, par opposition au puits carré et *boisé*.

CANOT n. m. (amér.) **1.** Vx en fr. Canoé canadien de randonnée. L'OLF conseille la graphie canoé au lieu de canoë. Mot très fréquent dans la toponymie du Québec. **2.** *Canot bâtard* : canoé d'écorce d'environ 25 *pieds* de longueur. **3.** *Canot de maître*. Voir : **rabaska**. **4.** *Canot du nord* : canoé d'écorce d'environ trente *pieds* de longueur et qui pouvait transporter environ 3 000 *livres* de marchandises. **5.** Navette du métier à tisser dont la forme rappelle celle du *canoé*. **6.** Argot. *Claque* de caoutchouc protégeant la semelle et le talon des souliers, plus basse que la *chaloupe*. (surt. O 27-116)

CANOTÉE n. f. Charge que peut transporter un *canot*.

CANOTEUR, CANOTIER n. m. Homme qui dirige un *canot*.

CANT n. m. [#] Dial. en fr. Face étroite d'un objet (madrier, brique...), chant. Placer un madrier sur le *cant*, ou de *cant*. [+++] Dérivés : **canter**, **décanter**, **désencanter**.

CANT-DOG, CANNEDOGUE n. (angl. cant-dog) [Ø] Levier à main muni d'un crochet pointu mobile et servant à tourner et à déplacer les billes de bois; tourne-billes (à pointe ou à griffes), sapi. (surt. E 38-84) Syn., voir : **cant-hook**.

CANTÉ, E adj. [#] Penché. La clôture est *cantée* à quelques endroits, il faudra la redresser.

CANTER v. tr., intr. et pron. [#] **1.** Dial. en fr. Mettre, poser de chant. *Canter* un madrier, une planche. [+++] Syn. : **encanter** (sens 2). **2.** Fig. Enivrer. Réussir à *canter* quelqu'un. **3.** Pencher, ne pas être droit. Cet arbre *cante* trop sur la maison : il faudra l'abattre. [+++] **4.** Fig. Se reposer, faire sa sieste, se coucher pour la nuit. La journée a été très dure, il faut se *canter* de bonne heure. [+++] Syn. : se **camper**.

CANT-HOOK, CANTOUQUE n. m. (angl. cant-hook) [Ø] Levier à mains muni d'un crochet pointu et mobile et qui sert à tourner et à déplacer les billes de bois; tourne-billes (à pointe ou à griffes). Ce levier est connu en France en particulier en Savoie où il porte le nom de sapi, mot qui ne figure pas dans les dictionnaires. (surt. O 25-117) Syn. : **cant-dog**, **peavy** (sens 1)

CANTINE MOBILE n. f. Camionnette munie d'une boîte avec glacière et cafetière qui, sur le coup du midi et aux heures de pause-café, parcourt un circuit de distribution dans les milieux de travail (garages, chantiers de construction, etc.) pour y servir café, sandwichs et pâtisseries.

CANTINIER, ÈRE n. Personne qui exploite une *cantine mobile*.

CANTON n. m. Division territoriale établie dans les domaines de l'État après 1763. Ces divisions, qui ont approximativement dix *milles* carrés, soit 2 589,9 hectares, étaient appelées autrefois *townships* mais s'appellent *cantons* depuis 1864.

CANUCK, CANUK n. m. (angl. Cannuck) [Ø] Voir : **cannuck**.

CAOUETTAGE n. m. Idées farfelues. Mot formé d'après le nom du chef québécois du *Crédit social*, Réal Caouette.

CAOUETTE n. f. Voir : **cacaouette**.

CAOUETTISTE adj. et n. Partisan du *Crédit social* de Réal Caouette.

CACOUI n. m. Voir : **cacaoui**.

CAOUIN, E; CAOUICHE adj. et n. Sobriquet. Amérindien, amérindienne. Avoir l'air *caouin*.

CAOUTCHOUC n. m. **1.** Imperméable, manteau de pluie. **2.** Voir : **rondelle** (de hockey). **3.** Au pl. Voir : **claque** (de caoutchouc).

CAP n. m. **1.** Rocher nu à fleur de terre, *nunatak* (mot amér.). Aller aux *bleuets* dans les *caps*. (Lanaudière) Syn., voir : **cran**. **2.** Falaise abrupte souvent taillée à pic. (acad.) **3.** (Angl. cap) [Ø]. Embout d'acier des chaussures que portent certains travailleurs dont ceux de la construction. Porter des chaussures avec *cap* d'acier. **4.** (Angl. cap) [Ø]. Enjoliveur de roue d'automobile. Perdre un *cap* de roue. **5.** Sigle. Comptable *p*ublic *a*gréé. **6.** Péjor. Bout de l'organe de l'étalon. Syn., voir : **assiette**.

CAPABLE adj. Fort, vigoureux, robuste. Le vieux Untel, c'était un homme bien *capable*. [+++]

CAPACITÉ n. f. **1.** Santé physique, robustesse. Je n'ai jamais vu un homme d'une telle *capacité*. **2.** *Rempli à capacité, à pleine capacité* (angl. filled to capacity) [Ø] : comble, bondé. La salle était *remplie à capacité* quand le feu s'est déclaré. **3.** (Angl. capacity) [Ø]. Charge utile d'un ascenseur, nombre de places d'un amphithéâtre.

CAP-BOUDOIR n. m. (angl. boudoir cap) [Ø] Bonnet d'intérieur que portaient les femmes pour protéger une mise en plis, charlotte. Syn. : **bonnet-boudoir**, **bonnet de boudoir**.

CAP-CHATIEN, ENNE n. et adj. Gentilé. Natif ou habitant de Cap-Chat, en Gaspésie; de Cap-Chat.

CAPELIN, CAPLAN n. m. [#] Capelan.

CAPEUX, EUSE adj. Où il y des *caps*, des rochers nus à fleur de terre, des *nunataks*, ce qui est gênant pour la culture. (Beauce et Lanaudière)

CAPICHE n. f. Fig. *Prendre une capiche* : se heurter à une difficulté à un obstacle; subir un échec, avoir une déception. Syn., voir : frapper un **nœud**.

CAPINE n. f. **1.** Vx en fr. Capuche ou coiffure en forme de capuchon, capeline. [+++] **2.** Blason populaire. Sobriquet donné aux religieuses. [+++] Syn., voir : **pisseuse**.

CAPITATION n. f. Don que chaque catholique fait annuellement à son église. Ce mot malheureux qui jadis désignait une taxe infamante a été choisi par l'épiscopat pour remplacer le mot *dîme* qui depuis longtemps avait perdu son sens originel.

CAPORAL n. m. Oiseau. Carouge à épaulettes.

CAPOT n. m. **1.** Vx en fr. Manteau d'hiver de drap ou de fourrure pour hommes. *Capot* ne se dit jamais pour un manteau porté par les femmes. La mode des *capots* de fourrure (pour hommes) est revenue. [+++] Dérivés : **s'encapoter**, **se décapoter**. **2.** *Capot de chat* : manteau de fourrure pour homme fait de peaux de *chat sauvage* (raton laveur ou lynx roux). [+++] **3.** *Capot de poil* : manteau de fourrure pour hommes. **4.** Veston de complet. Syn., voir : **coat**. **5.** Fig. *En avoir plein son capot* : en avoir assez, en avoir ras le bol. **6.** Fig. *Virer capot, virer son capot, virer son capot de bord, changer son capot, changer son capot de bord, tourner capot* : changer d'allégeance politique, changer de religion, changer d'avis. [+++] Voir : **virer** (sens 1). **7.** Fig. *Donner le capot à* : renvoyer, congédier, en parlant d'une jeune fille qui congédie un prétendant (*capot* a alors le sens de manteau). [++] Syn. : mettre à l'**herbe**, donner sa **portion**, donner la **pelle**, donner son **biscuit**.

CAPOTANT, E adj. Argot. Drôle ou angoissant.

CAPOTÉ, E adj. Argot. Qui vit en dehors de la réalité souvent après absorption de drogue. [++] Syn. : **flyé**.

CAPOTER v. intr. et pron. 1 Fig. Déplaire fortement. Être angoissé. Ça fait *capoter* les jeunes que les politiciens n'écoutent pas leurs revendications. 2 Fig. Devenir fou. S'il continue à travailler sans jamais se reposer, il va finir par *capoter*. Syn., voir : perdre la **carte**. **2.** Argot de prison. *Se capoter* : se suicider.

CAPOTIN n. m. **1.** Ouverture pratiquée au sommet du toit d'une *cabane à sucre* et permettant l'évacuation de la vapeur, grâce à l'ouverture de deux panneaux. **2.** Ouverture permettant aux couvreurs l'accès au toit d'un immeuble à toit plat.

CAPU, E adj. En parlant d'une terre où il y a beaucoup de *nunataks*, de rochers à fleur de terre, de *caps*. (Lanaudière)

CAPUCHE n. f. **1.** Argot. Sage-femme. Syn., voir : **matrone**. **2.** Argot. Préservatif masculin, condom, capote. Syn. : **tuque**.

CAPUCIN, CAPUCHON n. m. Jeune phoque à capuchon, d'une espèce autre que celle des *blanchons*.

CAQUICHE, QUAQUICHE n. f. Dent de lait, quenotte, en langage enfantin. Syn., voir : **crique**.

CARAMEL n. m. Fig. *C'est le caramel sur la crème glacée* : c'est le coup de fion, le cachet final à quelque chose. Syn., voir : **cerise sur le sundae**.

CARAQUET n. f. Variété d'huîtres provenant de huîtrières ou des bancs d'huîtres de Caraquet, situé au nord-est du Nouveau-Brunswick.

CARCAJOU n. m. (amér.) **1.** Nom vulgaire de l'animal très rusé qu'est le glouton ou blaireau du Labrador et dont la fourrure orne souvent nos *parkas*. **2.** Fig. Voleur, rusé. Méfie-toi de cet homme, c'est un vrai *carcajou*. **3.** Dentaire à deux feuilles. Les rhizomes du *carcajou* sont comestibles et excellents quand ils sont bien marinés. (Lanaudière et Outaouais) Syn. : **snakeroot, snicroute**.

CARCAN n. m. **1.** Entrave ou tout élément qu'on attache au cou de certains animaux de ferme (moutons, veaux, vaches et taureaux) pour les empêcher de passer à travers les clôtures ou les haies. (O 27-116) Syn. : **talbot**. **2.** Collier servant à attacher les bêtes dans l'étable. [+++] **3.** *Carcan du cou* : clavicule. Se fracturer le *carcan du cou*. Syn., voir : **anse du cou**.

CARCASSER v. intr. Caqueter, en parlant des poules. Syn., voir : **cacailler**.

CARDINAL n. m. **1.** *Le cardinal est arrivé* : euphémisme pour dire qu'une femme a ses règles. Syn., voir : être dans ses **lunes**. **2.** Oiseau. Tangara écarlate.

CARÊME n. m. Voir : **vesse de carême**.

CARESSER v. tr. et pron. Vulg. Masturber, se masturber. Syn., voir : **crosser**.

CARGUER (SE) v. pron. Mar. Fig. Se tenir droit. Quand le vieux Untel est arrivé à l'église, il *se carguait*. (acad.)

CARIBOU n. m. (amér.) **1.** Renne du Canada. Les Québécois distinguent le *caribou des plaines* (Nord) et le *caribou des bois* (Gaspésie). Mot très très fréquent dans la toponymie du Québec. [+++] **2.** Boisson domestique constituée de vin coupé d'alcool et qui à l'origine aurait été un mélange d'alcool et de sang de *caribou* à l'époque des coureurs de bois. [+++] **3.** Nom d'une liqueur mise sur le marché en 1976 par la Société des alcools du Québec. **4.** Alcool de fabrication domestique. [++] Syn., voir : **bagosse**.

CARILLON n. m. Vx en fr. Bruit, tapage. Faire du *carillon*. [+] Syn., voir : **cabas**.

CARILLONNER v. intr. Faire du bruit, du tapage. Je n'ai pas fermé l'œil, les voisins ont *carillonné* toute la nuit. Syn., voir : **cabasser**.

CARISTEAU, CARICHETEAU, CANISTEAU n. m. Chaussure de peau verte taillée dans le jarret d'un *original*, ou d'un bœuf. (acad.) Syn. : **gaspin**.

CARLETONITE n. f. Nom d'un nouveau minéral découvert au mont Saint-Hilaire.

CARNAGE n. m. Bruit, tapage. Les enfants ont fait un de ces *carnages* pendant votre absence! (O 30-100 et acad.) Syn., voir : **cabas**.

CARNAVALER v. intr. Participer activement au carnaval, s'amuser.

CARNAVALEUR, CARNAVALEUX, EUSE n. Participant à un carnaval, carnavalier. Les *carnavaleux* envahissent la ville de Québec tous les ans.

CAROTTE n. f. **1.** *Carotte à Moreau* : cicutaire maculée, ciguë, poison. (O 25-117) Syn. : **herbe à Moreau**, **carotte sauvage**. **2.** *Carotte blanche* : panais sauvage. **3.** *Carotte d'original, carotte à original* : nénuphar à fleurs panachées. **4.** *Carotte sauvage* : poison. a) Cicutaire maculée. Syn., voir : **carotte à Moreau**. b) Carotte potagère. **5.** Vulg. Organe de copulation de l'homme et de certains animaux. [+] Syn., voir : **pine** (sens 5).

CAROUGEOIS, E n. et adj. Gentilé. Natif ou habitant de Cap-Rouge, près de Québec; de Cap-Rouge.

CARPE n. f. **1.** *Carpe à cochon* : nom vulgaire du catostome noir et du moxostome à cochon. Syn. : **carpe noire**, **meunier noir**. **2.** *Carpe allemande, carpe d'Europe, carpe cuir, carpe miroir* : carpe (NOLF). **3.** *Carpe noire* : nom vulgaire du catostome noir. Syn., voir : **carpe à cochon**.

CARPICHE, CARPUCHE n. f. **1.** *Prendre une carpiche, une carpuche* : faire une culbute, piquer une tête. Syn., voir : **fouille**. **2.** Fig . *Prendre une carpiche, une carpuche* : se heurter à une difficulté, à un obstacle, avoir une déception, subir un échec. Syn., voir : frapper un **nœud**.

CARPON, ONNE n. Personne en qui on ne peut avoir confiance. Ne fréquente pas ce garçon, c'est un *carpon*.

CARPONNAGE n. m. Action de *carponner*, de braconner.

CARPONNER v. tr. Chasser ou pêcher sans permis ou avec des engins prohibés, braconner. Il paraît que l'on *carponne* beaucoup dans le parc des Laurentides. Syn. : **poacher**.

CARPONNEUR, EUSE; CARPONNIER, ÈRE n. et adj. Personne qui *carponne*, qui aime *carponner*, braconnier. Syn. : **poacheur**.

CARRÉ n. m. **1.** Partie de la grange où l'on tassait le foin en vrac, les gerbes de céréales. (O 27-116 et acad.) Syn., voir : **tasserie**. **2.** Jeu de la marelle. Jouer au *carré*. Syn. : **carreau, hopscotch, paradis**. **3.** Compartiment dans un hangar à grains où l'on emmagasine les grains en vrac : avoine, blé, orge, sarrasin. **4.** (Angl. square) [Ø]. Place dans une ville. Le *carré* Saint-Louis à Montréal, le *carré* D'Youville à Québec sont maintenant des places.

CARRÉ, E adj. **1.** Voir : **danse carrée, set carré**. **2.** À pas carrés : à pas réguliers. Pour avoir une idée de la distance entre deux points, on doit marcher *à pas carrés*, un pas normal étant l'équivalent d'un *pied* et demi.

CARRÉ adv. **1.** Directement. On place la marmite *carré* sur le feu. [+++] **2.** *Coupé carré* : en pente abrupte en parlant d'une falaise, d'un pan de montagne. Attention, n'avance plus, la falaise est *coupée carré*.

CARREAU n. m. **1.** Jeu de la marelle. Jouer au *carreau*. [++] Syn., voir : **carré**. **2.** *Carreau de lard* : gros morceau de lard. [++] Syn. : **brique de lard**.

CARREAUTÉ, E adj. **1.** À carreaux en parlant d'un tissu, d'une étoffe. Porter une chemise *carreautée* pour aller à la chasse. [+++] **2.** Quadrillé en parlant d'une feuille de papier, d'un parquet, etc. **3.** Voir : **tarte carreautée**. **4.** *Broche carreautée* : grillage à carreaux qui, avec le fil de fer barbelé, a remplacé petit à petit les anciennes clôtures de perches.

CARRER (SE) v. pron. Vx en fr. Prendre une attitude de satisfaction, de béatitude. Quand on le voit *se carrer* dans son fauteuil berçant, on le croirait millionnaire, premier ministre ou monseigneur. [+++]

CARRIAGE n. m. (angl. carriage) [Ø] Voir : **chariot de la fourche mécanique**.

CARRIOLE n. f. **1.** Traîneau d'hiver sur patins bas et pleins, avec sièges fixes dont l'un, genre strapontin, était réservé au conducteur. [+++] **2.** *Lit carriole* : lit dont la forme du chevet ressemble à celle de la *carriole* sur patins. **3.** Voir : *robe* de carriole, *peau* de carriole.

CARROSSE n. m. Voiture d'enfant à caisse suspendue, landau. [+++]

CARTE n. f. **1.** Vx en fr. *Perdre la carte* : déraisonner, tenir des propos dépourvus de sens, devenir fou. (O 30-100) Syn. : **capoter, chalouper, dépelotonner, écarder**, perdre le **nord**. **2.** Fig. *Mettre sur la carte* : faire connaître, rendre célèbre quelqu'un. C'est son dernier roman qui a mis son auteur sur la *carte*. [++] Syn. : mettre sur la **map**. **3.** *Carte mortuaire* : faire-part de décès. **4.** *Carte rose* : à l'époque de Duplessis, avant l'assurance maladie que nous connaissons, papier rose signé par un *patroneux* de l'Union nationale et permettant l'entrée à l'hôpital sans débourser un sou. **5.** *Carte de mode* : élégant. Sa belle-mère était mise comme une *carte de mode*. **6.** *Carte soleil*. Pop. Carte de l'assurance maladie du Québec. Voir : **castonguette**.

CARTÉ, E adj. Bien mis, sur son trente et un. Paul était *carté*, sur le coup, je ne l'ai pas reconnu!

CARTELLE n. f. Voir : **quartelle**.

CARTERPILLAR n. m. (marque déposée) Véhicule à chenilles.

CARTON n. m. **1.** *Carton de coca-cola (six bouteilles)* : caisse. **2.** *Carton d'allumettes* : carnet d'allumettes, pochette d'allumettes. Syn., voir : **peigne d'allumettes**.

CARTOON n. m. (angl. cartoon) [Ø] Cartouche. Un *cartoon* de cigarettes.

CARTOUCHE n. m. Coureur de jupons. (acad.)

CARVELLE n. f. Mar. **1.** Gros clou forgé à tige et à tête carrées, utilisé autrefois par les charpentiers. [++] **2.** Clou carré servant à fixer les rails aux traverses en bois d'une voie ferrée. [++] Syn. : **spike**. **3.** Dent de herse en fer, qui a remplacé les dents en bois de jadis.

CAS n. m. [#] *Par cas* : par hasard. Si *par cas* il pleut, nous n'irons pas pique-niquer.

CASCOUINE n. f. Maison peu confortable, mal bâtie, masure. [++] Syn., voir : **giole**.

CASH n. m. (angl. cash) [Ø] **1.** Comptant, argent liquide. Payer *cash* ce qu'on achète. **2.** Caisse dans un magasin. Quand on achète, on va payer au *cash*, c'est-à-dire à la caisse.

CASHEW, CACHOU n. f. (angl. cashew) [Ø] Noix d'acajou. Acheter une boîte de *cachous*, une tarte aux *cachous*.

CASIER POSTAL n. m. [#] Case, boîte postale. En français, un casier est un ensemble de cases.

CASIMUSSE n. m. Petit poisson.

CASOU n. m. Voir : **kazoo**.

CASQUE n. m. **1.** Terme générique désignant toute espèce de coiffures d'homme. En entrant chez quelqu'un, on enlève son *casque*. [+++] Syn. : **calotte**, **caluron**. **2.** *Casque de poil, casque en poil* : toque de fourrure pour hommes. [+++] Syn. : **krimmeur** (sens 2), **tuque** (sens 2). **3.** *Casque de bain* : bonnet de bain. **4.** *Casque de joueur de hockey* : masque. **5.** Fig. *Gros casque* : personne importante, gros bonnet. [++] Syn. : **big bug**, **big shot**, **gros**, haute **gomme**, **pochereau**. **6.** Fig. *En avoir plein son casque, plein le casque* : en avoir par-dessus la tête, en avoir ras le bol, en avoir assez. [+++] Syn. : avoir son **voyage**. **7.** *Avoir du casque* : avoir du toupet. [++] **8.** Fig. *Prendre le casque* : exiger un grand effort. Faire tout ce travail en un seul jour, ça *prend le casque*. **9.** Fig. *Casque de fer* : sage-femme. (Gaspésie) Syn., voir : **matrone**.

CASSÉ n. m. Rupture de pente brusque mais de faible dénivellation. La rivière Ouareau a des *cassés* à plusieurs endroits. Syn. : **chuton**.

CASSÉ, E adj. et n. **1.** Sans le sou, démuni, fauché. Untel, il est toujours *cassé*, c'est un éternel *cassé*. [+++] Syn. : **ras**. **2.** *Cassé comme un clou* : vraiment sans le sou.

CASSEAU, CASSOT n. m. **1.** Emballage à claire-voie en bois ou en plastique servant au transport des fruits (cerises, fraises, framboises, etc.), cageot, cagette. [+++] **2.** *Casseau, casseau d'écorce* : contenant d'écorce de bouleau servant autrefois à différents usages dont la cueillette de la sève de l'érable. [+++] **3.** Tout contenant de fer-blanc ou même de verre pour liquides. **4.** Fig. *Maigre comme un casseau* : très maigre, en parlant d'une personne ou d'un animal. Syn. : **charcois**, **charcot**.

CASSE-CROÛTE n. m. Restaurant où l'on sert des repas rapides, snack-bar.

CASSE-CUL n. m. [+] Voir : **véloneige traditionnel**.

CASSE-GUEULE n. m. **1.** Mors à gourmette de la bride

du cheval. (O 8-134) **2.** Casse-nez pour maîtriser un cheval indocile au moment du ferrage. (O 8-134) Syn., voir : **mouchettes**.

CASSER v. tr. ou intr. **1.** (Angl. to break) [Ø]. Écorcher, baragouiner une langue. *Casser* le français. **2.** (Angl. to break) [Ø]. *Casser un billet* de banque : changer pour de petites tranches ou de la menue monnaie. *Casser* un billet de vingt dollars, un dollar. **3.** Labourer un terrain, une pièce de terre pour la première fois. **4.** Cueillir. *Casser* des pommes, des pois, des tomates, du maïs. (E 36-86) Syn. : **trier**. **5.** Moudre grossièrement. Donner de l'avoine *cassée* à un vieux cheval dont les dents sont usées. [+++] Syn., voir : **rouler**. **6.** (Angl. to break) [Ø]. Cesser de se fréquenter en parlant d'amoureux. Paul et Marie ont *cassé* il y a un mois. [+++] **7.** *Casser un chemin* : ouvrir, tracer un chemin dans la neige l'hiver. Syn. : **battre un chemin**. **8.** *Casser maison*. a) Cesser de tenir maison. [+++] Syn. : **fermer maison, lâcher de tenir maison**. b) Divorcer, se séparer. **9.** *Casser son bouton*. Voir : **Lacordaire** ou **Jeanne d'Arc**. **10.** Fig. *Casser la glace*. Voir : **briser la glace**. **11.** Fig. *Se casser une jambe, une cuisse* : devenir enceinte en parlant d'une jeune fille. Syn., voir : se faire **attraper**.

CASSE-REINS n. m. Hachette utilisée pour couper au ras du bol les pieds de tabac à pipe, donc de travailler très courbé.

CASSEROLE n. f. **1.** Grande bassine de zinc rectangulaire installée autrefois dans les cabanes à sucre et servant à faire réduire la sève l'érable. Syn. : **chaland**. **2.** Boîte à cendre placée sous le feu du poêle à bois, cendrier. Syn., voir : **cendrière**. **3.** Moule à pain. [+++] Syn., voir : **tôle**. **4.** La Grande Ourse. Syn., voir : **chaudron**.

CASSE-TÊTE, CASSE-TÊTE CHINOIS n. m. Jeu de patience composé d'éléments à assembler, appelé puzzle en anglais. [+++]

CASSEUSE n. f. Charrue employée pour le défoncement des terres, défonceuse.

CASSEUX, EUSE adj. et n. *Casseux de veillée, casseux de party* : personne qui quitte avant la fin de la veillée ou d'un *party*, qui ne fait qu'acte de présence ou qui semble s'embêter. [+++]

CASSEVEL, ELLE adj. **1.** Délicat, faible de santé, frêle. Un enfant *cassevel*. [+] Syn. : **casuel, catéreux**. **2.** Cassant, fragile. Un verre de mauvaise qualité est très *cassevel*.

CASSIS n. m. Gadellier noir. Ribes nigrum.

CASSOT n. m. [#] Voir : **casseau**.

CASTILLE n. f. (angl. cast steel) [Ø] Acier trempé. Les meilleurs marteaux sont en *castille*.

CASTILLON n. m. Nom vulgaire du saumon mâle âgé de moins de cinq ans. Syn. : **madeleineau**.

CASTIPITAGAN n. m. (amér.) Peau de castor Syn., **pelu**.

CASTONGUETTE n. f. **1.** Imprimante servant aux médecins pour la facturation des comptes de l'assurance maladie. Mot dérivé de Castonguay, du nom du ministre qui instaura l'assurance maladie, en 1970. [+++] **2.** Carte d'assurance maladie en usage au Québec. [+++]

CASTOR n. m. **1.** Voir : **foin de castor**. **2.** Voir : **huile de castor**. **3.** Voir : **prairie de castor**. **4.** Fig. Élève zélé, appliqué, modèle. [++] **5.** Fig. Surnom péjoratif donné autrefois aux *conservateurs* du Québec. **6.** Fig. *Être castor* : être effronté, avoir du front. [++] **7.** Fig. Bûcheron malhabile qui n'a pas bien orienté la chute d'un arbre, d'où l'expression *bûcher en castor*. Le mot *castor* est très fréquent dans la toponymie du Québec. **8.** *Petit castor* : araignée d'eau qui se déplace sur la surface de l'eau comme un patineur sur la glace, hydromètre. Syn., voir : **patineur**. **9.** *Avoir une mentalité de castor* : en parlant d'Hydro-Québec, ne penser qu'à construire des barrages. **10.** *Castor manchot* : castor dont l'une des pattes arrière a été sectionnée par un piège.

CASUEL, UELLE adj. Voir : **cassevel**.

CATALOGNE n. f. Étoffe faite de retailles de tissus de coton ou de laine de différentes couleurs et dont on faisait des tapis servant à recouvrir les planchers des pièces peu fréquentées comme le salon. Occasionnellement, on en faisait des couvertures ou mieux des couvre-pieds. [+++]

CATAU, CATEAU n. f. **1.** Péjor. Femme malpropre, négligée, mal habillée. (E 34-91) Syn., voir : **souillon**. **2.** *Être atriquée, attifée, habillée comme Catau* : être mal mise, habillée sans goût, d'une façon bizarre, ridicule, toujours en parlant d'une femme. **3.** Femme de mauvaise vie, prostituée. Syn., voir : **guidoune**.

CATCH n. m. (angl. catch) [Ø] Pièce de fer mobile (loquet, clenchette ou pêne) maintenant une porte fermée ou maintenant en prise un mécanisme.

CATCHER v. intr. (angl. to catch) [Ø] Fig. Comprendre vite. Quand on lui explique quelque chose, il *catche* tout de suite. [++] Syn. : **clencher**.

CATÉCHISME n. m. *Marcher au catéchisme* : aller au catéchisme. Jusque vers 1950, le printemps, à la campagne tous les enfants d'environ 10 ans quittaient l'école pour un mois au cours duquel le curé et le vicaire les préparaient, d'une façon intensive, à leur communion solennelle.

CATÉREUX, CAUTÉREUX, COTÉREUX, EUSE adj. Maladif, faible, de faible constitution, en parlant d'une personne ou d'un animal. Syn., voir : **cassevel**.

CATHERINE, GRANDE CATHERINE n. f. **1.** Argot. À la scierie, une *catherine* est une scie à fendre ou à refendre et la *grande catherine* est une scie à fendre multiple, possédant plusieurs lames. **2.** Argot. Seau hygiénique d'autrefois, d'une bonne contenance, avec couvercle et anse. Syn. : **chaudière**, **jacqueline**, **ours**. **3.** Voir : **catherinette**. **4.** Voir : **sainte-catherine** (sens 1).

CATHERINETTE, CATRINETTE n. f. Ronce pubescente vivace dont le fruit a une certaine ressemblance avec les framboises. [+++] Syn. : **catherine**.

CATHOLIQUE n. et adj. **1.** Convenable. Ce n'est pas *catholique* de raconter des *histoires sales* devant des enfants. [+++] **2.** *Catholique à gros grain* : catholique plus ou moins croyant, plus ou moins pratiquant. [+++] Syn. : **léger de croyance**. **3.** *Culotte catholique*. Voir : **culotte**.

CATICHE n. m. et adj. Péjor. Garçon qui a des goûts de petite fille, qui s'amuse aux jeux des petites filles. (O 30-100) Syn. : **calin-fillette**, **catinet**, **catineur**, **fifi**, **fillette**, **garçonnette**, **Jean-fillette**, **menette**.

CATIN n. f. **1.** Rég. en fr. Poupée. Toutes les petites filles adorent avoir une *catin*. [+++] **2.** Doigtier qui recouvre un pansement à un doigt malade. [+++] Syn., voir : **doyon**. **3.** Agitateur de la machine à laver le linge. Syn., voir : **dévidoir** (sens 3). **4.** Argot des mineurs. Foreuse utilisée dans les mines. **5.** Poteau fixé aux bouts des sommiers du *bobsleigh* ou de la fourragère. Syn., voir : **échelot**, **épée**, **piquet**.

CATINAGE n. m. Action de *catiner*.

CATINER v. tr. et intr. **1.** Dorloter, gâter, cajoler. Ses parents ont passé leur temps à *catiner* leur unique fils. (surt. O 34-91) Syn. : **dodicher**. **2.** Jouer à la poupée, en parlant d'une petite fille ou d'un petit garçon. **3.** Argot des mineurs. Utiliser une foreuse appelée *catin*.

CATINET, ETTE; CATINEUR, EUSE n. et adj. Péjor. Petit garçon qui aime jouer à la poupée, à la *catin*, qui a des goûts de petite fille. Syn., voir : **catiche**.

CAUCUS n. m. (angl. caucus) Réunion à huis clos des députés ou de la direction d'un parti politique. Les journalistes sont toujours à l'affût et cherchent à savoir ce qui a été dit ou décidé lors d'un *caucus*. [+++]

CAUSAPSCALIEN, ENNE n. et adj. Gentilé. Natif ou habitant de Causapscal, dans la Matapédia; de Causapscal.

CAUSE n. f. **1.** *À cause?*, *d'à cause?* : pourquoi? Tu n'étais pas là hier; *à cause?* **2.** Vx en fr. *À cause que* : parce que. Il ne sort pas *à cause qu'*il a un gros rhume.

CAVAGNER v. tr. Voir : **gavagner**.

CAVALIER n. m. Vx ou rég. en fr. Amoureux, qui fréquentait sérieusement une jeune fille. [+++] Syn. : **amant**, **chum** (sens 2), **faraud**, **galant**.

CAVE adj. et n. Demeuré, retardé intellectuellement, peu brillant. Ne fais pas le *cave*, tu as très bien compris ce que je t'ai dit. [+++] Syn., voir : **épais** (sens 1).

CAVEAU, CAVREAU n. m. **1.** Réduit pratiqué sous un escalier d'une habitation et utilisé comme armoire. **2.** Cave extérieure creusée à flanc de coteau où l'on conserve les légumes. Syn. : **cave-dehors**. **3.** Cave ou partie de la cave d'une maison où l'on conserve les légumes. **4.** Dans la maison, endroit où l'on range le bois à brûler pendant un jour ou deux, à proximité du poêle. (E 24-123) Syn. : **boîte à bois**, **cabaneau**, **coin à bois**, **trou à bois**.

CAVÈCHE n. f. Voir : **chavèche**.

CAVE-DEHORS n. f. À la campagne, cave extérieure souvent creusée à flanc de coteau où l'on conserve surtout des légumes. Syn. : **caveau** (sens 2).

CAVERIE n. f. Niaiserie, platitude venant d'un *cave* ou d'une *cave*.

CAYE n. f. Rocher à fleur d'eau dangereux pour la navigation, écueil. Dérivé : s'encayer. (E 40-84) Syn. : **couillon**, **dos-de-père**, **rif**.

CAYEN, ENNE n. et adj. **1.** Gentilé. Acadien en général. **2.** Gentilé. Natif ou habitant de Havre-Saint-Pierre, sur la Côte-Nord; de Havre-Saint-Pierre.

CAYOUSSE, CAYUSE n. m. (angl. cayuse) [Ø] **1.** Cheval dégénéré élevé par les Métis de l'Ouest du Canada. **2.** Cheval sauvage de l'Ouest du Canada. Syn., voir : **bronco**.

CAZAGOT n. m. (amér.) Porte-bébé ressemblant à un sac à dos et dans lequel les Amérindiennes transportent leur nourrisson. Syn., voir : **porte-papoose**.

C.B. (angl. citizens' band) [Ø] Voir : **cibi**.

CÈDRE n. m. **1.** *Cèdre blanc* : thuya occidental. Le *cèdre* est un bois odorant, léger et réfractaire à la pourriture. Très connu en médecine populaire. Mot fréquent dans la toponymie du Québec. [+++] Syn. : **balai**. **2.** *Cèdre rouge* : genévrier de Virginie. [+++]

CÉDRIÈRE n. f. **1.** Terrain où poussent des *cèdres blancs*, c'est-à-dire des *thuyas*. [+++] (ROLF). **2.** Terrain où poussent des *cèdres rouges*, c'est-à-dire des genévriers de Virginie. [+++] (ROLF).

CÉDULE n. f. (angl. schedule) [Ø] Indicateur, liste, horaire, calendrier, emploi du temps. La *cédule* d'une saison de hockey, c'est le calendrier. Anglicisme qui a la vie dure.

CÉGEP n. m. Sigle. *C*ollège *d'*enseignement *g*énéral *e*t *p*rofessionnel, dont le niveau se situe entre le secondaire et l'université.

CÉGÉPIEN, ENNE n. et adj. Étudiant qui fréquente un *cégep*. Les activités *cégépiennes* sont très suivies par les *cégépiens*.

CEINTURE n. f. **1.** Entretoise ou pièce de bois qui, dans une charpente, maintient un écartement fixe entre deux poteaux. Syn., voir : **filière** (sens 1). **2.** *Ceinture fléchée* : ceinture de laine tressée, longue et large, à fond rouge et à motifs multicolores en forme de flèches, portée durant le carnaval d'hiver pour serrer le manteau. [+++] Voir : **fléché**.

CENDRIÈRE n. f. Boîte à cendre placée sous le feu du poêle à bois, cendrier. Syn. : **boîte**, **casserole**, **gamelle**, **lèchefrite**, **pan**, **plat**, **tiroir**, **tôle**.

CENDRILLON, ONNE; CENDRILLOUX, OUSSE n. et adj. Vx en fr. Malpropre en parlant d'une femme et aussi d'un homme. [++] Syn., voir : **souillon**.

CENELLE n. f. Aubépine commune, l'arbuste lui-même. Arracher ou couper les *cenelles* qui poussent le long des clôtures. [+++] Syn. : **cenellier**.

CENELLIER n. m. Rég. en fr. Aubépine commune dont le fruit est la cenelle. [+++] Syn. : **cenelle**.

CENNE n. f.; **CENT** n. m. (angl. cent) **1.** Cent ou centième partie du dollar canadien. Syn. : **centin**, **sou**. **2.** *Ne pas valoir une cenne, cinq cennes.* a) N'être d'aucune valeur, être de mauvaise qualité, en parlant d'une marchandise. [++] Syn. : **guedine**. b) Fig. Être faible, ne pas avoir de résistance, ne pas savoir travailler, en parlant d'une personne. [+++] Syn. : **chique**, **token**, **tôle**, **trente-sous**. **3.** *Cenne noire, grosse cenne noire* : allusion aux pièces de cuivre d'un cent, plus grosses que nos 25 cents actuels et remplacées depuis 1922 par les *cents* actuels, beaucoup plus petits. **4.** *Quinze-cennes* Magasin, bazar où l'on vend toutes sortes d'objets d'utilité courante et à prix populaires. Appellation en perte de vitesse. Syn. : **cinq-dix-quinze**.

CENT n. m. **1.** *Un cent de farine* : un sac de farine de cent *livres*. **2.** *Un cent de poireaux* : une botte de cent poireaux. **3.** *Du cent* : pour cent. Emprunter à neuf *du cent*.

CENTAINE n. f. Fig. *Perdre la centaine* : ne plus savoir où on en est, s'y perdre.

CENTER JAM n. f. (angl. jam) [Ø] Voir : **jam**.

CENTIN n. m. Appellation ancienne du *cent*, centième partie du dollar. Mot encore employé au milieu du XXe siècle dans les manuels scolaires d'arithmétique mais disparu depuis. Syn., voir : **cenne**.

CENTRE COMMERCIAL n. m. Groupe de magasins de détail, qui peut comprendre généralement un ou plusieurs magasins à grande surface et divers services (poste, banques, etc.), occupant un ensemble de bâtiments donnant sur un stationnement dans une zone urbaine ou à proximité d'une ville. (NOLF) Syn. : **centre d'achats**. [#]

CENTRE D'ACHATS n. m. (angl. shopping center) [#]
Voir : **centre commercial**.

CENTRIFUGE n. m. [#] Écrémeuse ou appareil servant à
séparer la matière grasse du lait pour obtenir la crème.
[+++] Syn. : **séparateur**.

CERBÈRE n. m. Au hockey, gardien de buts. Mot en perte
de vitesse.

CERCLE n. m. **1.** Voir : **corbillard**. **2.** *Cercle du cou* :
clavicule. Se fracturer le *cercle du cou*. Syn., voir : **anse du
cou**. **3.** *Cercle des fermières* : à la campagne surtout, association
de femmes s'adonnant à certaines activités : filage, tissage,
tricot, couture, etc.

CÉRÉMONIE n. f. **1.** *Parler en cérémonie* : parler en
employant des termes précis mais avec affectation. Syn.,
voir : parler en **termes**. **2.** *Être de cérémonie* : être parrain,
être marraine.

CERISE n. f. **1.** *Cerise, cerises à grappes* : les fruits du cerisier
de Virginie. [+++] **2.** *Cerise-à-grappier* : cerisier de Virginie
produisant des *cerises* ou *cerises à grappes*. [+++] **3.** *Cerise
d'automne* : fruit du *cerisier à grappes* tardif. **4.** *Cerise
d'habitant* : fruit du *cerisier à grappes* ou cerisier de Virginie.
Voir : **habitant**. **5.** *Cerise de France, cerise de jardin* : cerise par
opposition aux cerises indigènes qui sont à grappes. [+++]
6. *Cerise de Maskinongé* : variété de *cerises à grappes* produites
par le cerisier de Virginie. **7.** *Cerises de terre* : airelle vigne
d'Ida qui pousse à l'état sauvage et que l'on cultive dans
les potagers. Syn., voir : **berri**. **8.** *Cerises sauvages* : cerises
indigènes à grappes, par opposition aux cerises appelées
ici *cerises de France, cerises de jardin*. **9.** Fig. *C'est la cerise sur le
sundae* : c'est le coup de fion, le cachet final, le détail,
l'ornement qui met le point final à quelque chose. Par
antiphrase : c'est le bouquet, la gaffe à éviter. [+++] Syn. :
caramel. **10.** Fig. et vulg. Virginité, pucelage. a) Avoir sa
cerise, perdre sa *cerise*. Syn. : **fraise**. b) *Péter, faire perdre la
cerise à* : dépuceler. Syn., voir : **dévierger**.

109

CERISIER n. m. **1.** Cerisier de Virginie. Syn. : **cerisier à
grappes**, **cerisier sauvage**. **2.** *Cerisier à grappes* : cerisier de
Virginie produisant ce que nous appelons *cerises* tout court
poussant en grappes. Syn. : **cerisier sauvage**. **3.** *Cerisier
d'automne* : cerisier tardif. Syn. : **cerisier noir**. **4.** *Cerisier de
France* : cerisier, par opposition au *cerisier à grappes* qui est
indigène. [+++] **5.** *Cerisier de Maskinongé* : variété de *cerisier
à grappes* créée à Maskinongé au Québec. **6.** *Cerisier noir* :
cerisier tardif. Syn. : **cerisier d'automne**. **7.** *Cerisier sauvage* :
cerisier de Virginie produisant ce que nous appelons *cerises*
tout court poussant en grappes. Syn. : **cerisier à grappes**.

CERNE n. m. Couronne brillante autour du soleil, halo
solaire.

CERNÉ, E adj. **1.** Se dit d'un arbre dont le pied, sous l'effet
du soleil printanier, a été dégagé de la neige. Quand les
arbres sont *cernés*, c'est vraiment le printemps, le temps
d'*entailler* les érables. **2.** Entouré d'un halo en parlant du
soleil. Le soleil était *cerné* au couchant, c'est mauvais signe!

CERTAIN adv. Sûrement, certainement. Il est chez lui
certain, je l'ai vu il y a à peines trois minutes. [+++]

CÉSAIN, CÉSAN n. m. **1.** Morceau de cuir qui constitue
le dessus du soulier, le cou-de-pied. (acad.) **2.** Fig. *Frotter le
césain* : danser. Ils ont *frotté le césain* toute la nuit. (acad.)

CESNA n. m. Petit avion à hélice qui permet d'atterrir à
peu près n'importe où. Marque déposée.

CHABRAQUE adj. Indécis, menaçant, mauvais en parlant du temps. (acad.) Syn. : **chagagnac**.

CHACOTE n. f. Dispute, querelle. Avoir une *chacote* avec un voisin. (acad.) Syn. : **plée**.

CHACOTER v. tr. et pron. **1.** Tailler un morceau de bois avec un canif ou un couteau. (acad.) Syn., voir : **gosser** (sens 1). **2.** Fig. Taquiner, agacer, se taquiner. (acad.) Syn., voir : **attiner**.

CHACULOT n. m. Dernier-né d'une famille nombreuse. Syn., voir : **chienculot**.

CHACUN, E pron. ind. Vx en fr. *Un chacun, tout un chacun, tout à chacun* : chacun, n'importe qui. On n'ouvre pas sa porte à *un chacun*.

CHADRON n. m. [#] Chardon des champs. [+++] Syn. : **chadronnet, chardonnet, chardron, chardronnet, chaudron**.

CHADRONNET n. m. [#] **1.** Chardon des champs. Syn., voir : **chadron**. **2.** Oiseau. Chardonneret des pins.

CHAFAUD, CHAFAUD, ÉCHAFAUD n. m. Construction sur pilotis, au bord de la mer, où se fait l'habillage de la morue. (E 7-142) Syn. : **chef-d'œuvre**.

CHAFRAIL n. m. Bruit, vacarme, va-et-vient. Il y a tout un *chafrail* chez nos voisins, on voit qu'ils déménagent! (acad.) Syn., voir : **cabas**.

CHAGAGNAC adj. **1.** Voir : **chabraque, marchander**. **2.** Fatigué. Je me sens *chagagnac* aujourd'hui. (acad.) Syn., voir : **resté**.

CHAGRINER (SE) v. pron. Se couvrir en parlant du ciel. Le temps *se chagrine*, il va pleuvoir. [+++] Syn. : se **charger**, se **crotter**, s'**encrasser**, se **gâter**, se **graisser**, se **gricher**, se **morpionner**, se **salir**.

CHAGRINEUX, EUSE adj. Qui cause du chagrin, chagrinant.

CHAÎNAGE n. m. Action de *chaîner* (sens 1).

CHAÎNE n. f. **1.** Chaîne d'arpenteur valant 66 *pieds*, soit 20,117 m. **2.** *Chaîne de lacs* : chapelet, enfilade de lacs communiquant les uns avec les autres. **3.** *Chaîne de roches* : de chaque côté du Saint-Laurent, enfilade de roches déposées par les glaçons de chaque côté du chenal, à peu de profondeur, souvent invisibles à marée haute et qu'on appelle *cayes* ou *couillons*. **4.** *Chaîne du trottoir* : bordure de béton ou de pierre de taille qui marque le dénivellement entre le niveau de la chaussée et celui du trottoir. L'auto a heurté la *chaîne du trottoir*.

CHAÎNER v. tr. **1.** Traîner à l'aide d'une chaîne des billes de bois depuis l'endroit où elles ont été coupées jusqu'à l'endroit où on les empile, débusquer. [+++] Syn., voir : **haler** (sens 1). **2.** Attacher solidement à l'aide d'une chaîne un chargement de billes de bois. Syn., voir : **gatonner**. **3.** Arpenter, faire arpenter une terre, une forêt par un arpenteur.

CHAIN-SAW n. f. (angl. chain saw) [Ø] Tronçonneuse mécanique et portative, tronçonneuse. Syn. : **perdrix, scie à chaîne**.

CHAIRANT, E; CHAIRU, E adj. Qui a de l'embonpoint, qui est bien fourni de chair. Préférer une femme *chairante* à une femme maigre. Syn. : **chaireux, viandé, viandeux, viandu**.

CHAIREUX, EUSE adj. **1.** Gras, en parlant des poissons. De la morue *chaireuse*. (acad.) **2.** Qui a de l'embonpoint, en parlant d'une personne. Notre voisine est *chaireuse*. [++] Syn., voir : **chairant**.

CHAISE n. f. **1.** Chaire. Le curé ne monte pas toujours en *chaise* pour faire son sermon. [+] **2.** *Chaise à roulettes* : siège à bascule, avec ou sans bras. (acad.) Syn. : **berçante**, **berceuse, chaise berçante, chaise berceuse. 3.** *Chaise à trou* : chaise percée d'autrefois. [++] **4.** *Chaise berçante* : siège à bascule, avec ou sans bras. [+++] Syn., voir : **chaise à roulettes. 5.** *Chaise berceuse* : siège à bascule, avec ou sans bras. [+++] Syn., voir : **chaise à roulettes. 6.** Fig. *Chaise de barbier* (angl. barber chair) [Ø] : éclat de bois qui reste quelquefois sur la souche d'un arbre abattu, parce que le bûcheron n'avait pas fait l'entaille de direction assez profonde du côté où l'arbre devait tomber, lardoire. Cet éclat de bois fait penser par sa forme à une *chaise de barbier* ou à une porte cintrée d'église. Syn. : **porte d'église. 7.** *Chaise musicale* : jeu de société et au figuré, remaniement ministériel où l'on retrouve exactement les mêmes ministres mais à des ministères différents. [+++] **8.** *Chaise de parterre* : chaise de jardin. [+++] **9.** Fig. *Chaise renversée, chaise* : la Grande Ourse. Syn., voir : **chaudron. 10.** Fig. *Petite chaise, petite chaise renversée* : la Petite Ourse. Syn., voir : **cuiller, cuiller à pot, dippeur. 11.** *Chaise roulante* (angl. wheel chair) Ø : fauteuil roulant (ce siège ayant toujours des bras).

CHALAND n. m. Mar. Bac de fonte rectangulaire, monté sur un fourneau en pierre et servant autrefois à faire bouillir la sève de l'érable. Le *chaland* a succédé au *chaudron* (sens 2) et a été remplacé par l'*évaporateur*. (Lanaudière) Syn. : **casserole**.

CHÂLE DU PAYS n. m. Voir : **pays**.

CHALET n. m. Maison de campagne, souvent construite sur pilotis près d'un lac ou d'une rivière et utilisée pendant la belle saison. [+++] Syn. : **camp, camp d'été**.

CHALIN n. m.; **CHALINE** n. f. Éclair de chaleur. Il y a des *chalins*, du *chalin* ou des *chalines* ce soir. *Chalin* et *chaline* s'opposent à *éloise*. (acad.)

CHALINER, CHALOUNER v. impers. Faire des éclairs de chaleur. Le temps était très humide, il *a chaliné* toute la nuit. *Chaliner* s'oppose à *éloiser*. (acad.)

CHALOT, E adj. Légèrement ivre. Syn., voir : **chaudaille**.

CHALOUPE n. f. **1.** Embarcation de pêcheur à rames, non pontée et à fond plat, et dont l'arrière se termine en cul-de-poule. **2.** Argot. *Claque* de caoutchouc protégeant tout le soulier contre la pluie et l'humidité, plus haute que le *canot* (sens 6). (O 34-91)

CHALOUPÉ, E p. adj. Mar. Fig. Dérangé, détraqué, dont le cerveau est troublé. Syn., voir : **écarté**.

CHALOUPER v. tr. et intr. Mar. **1.** Déranger, tracasser, fatiguer. Cette histoire de testament me *chaloupe*. **2.** Fig. Déraisonner, perdre l'esprit, devenir fou. Syn., voir : perdre la **carte**.

CHALOUPEUX, EUSE adj. Mar. Fig. Accidenté en parlant d'un chemin, d'une route.

CHALOUPIER n. m. [++] **1.** Fabricant de chaloupes. **2.** Personne qui faisait du petit cabotage sur le Saint-Laurent au XIXe siècle; petit caboteur.

CHALUMEAU n. m. **1.** Tuyau court fixé à l'érable et qui dirige la sève sucrée de l'érable vers un récipient suspendu

111

au *chalumeau*. Le *chalumeau* a depuis longtemps remplacé les *goudrelles*. [+++] Syn. : **andouille, coin, coulisse, entaille, goudrelle, goudrille, gouge, trème. 2.** Lampe du genre bec-de-corbeau, utilisant l'huile de foie de morue comme combustible. Syn. : **corneille**.

CHAMBLYEN, ENNE; CHAMBLYSARD, E n. et adj. Gentilé. Natif ou habitant de Chambly, en Montérégie ; de Chambly.

CHAMBRANLE n. m. **1.** Maladie du cheval résultant d'une intoxication par la prêle des champs. Syn : **tricoli. 2.** *Avoir le chambranle* en parlant d'une personne : tituber sous l'effet de l'alcool.

CHAMBRANLER v. intr. **1.** Branler en parlant d'une porte, qui risque de tomber. **2.** Fig. Tituber après avoir trop bu, marcher en zigzaguant, chanceler. [+] Syn. : avoir le **chambranle, tricoler**.

CHAMBRE n. f. **1.** La chambre à coucher réservée aux visiteurs s'appelle : *chambre à visite, chambre blanche, bleue* ou *rose, chambre d'amis, chambre de l'évêque, chambre de loose* (angl. loose) [Ø], *chambre de relais, chambre de réserve, chambre de visite, chambre des étrangers, chambre des invités, chambre des maîtresses d'école, chambre des messieurs, chambre des promeneurs, chambre des visiteurs, chambre du fond, chambre du père* (prêtre), *chambre du shérif.* **2.** *Grand-chambre* : chambre mieux meublée que les autres et que l'on donne aux visiteurs. **3.** *Chambre de bains* (angl. bathroom) [Ø] : salle de bains, les toilettes. **4.** Bureau (angl. room) [Ø]. La *chambre* du professeur X est au pavillon des sciences, au numéro 3222.

CHAMBRÉ, E adj. **1.** *Neige chambrée* : neige printanière recouverte d'une mince pellicule de glace et qui fond sous l'effet des rayons du soleil. [+] **2.** *Glace chambrée* : glace qui sous l'effet des rayons du soleil se désagrège par l'intérieur. [+]

CHAMBRER 1. v. intr. Fondre en se désagrégeant de l'intérieur, en parlant de la neige ou de la glace le printemps.

CHAMBRER 2. v. intr. **1.** (Angl. to room) [Ø]. Occuper une chambre louée chez un particulier. Au lieu d'aller à l'hôtel, il *chambre* près de son travail. [+++] Syn. : **pensionner** (sens 2). **2.** *Donner à chambrer* (angl. to room) [Ø] : offrir en location une chambre garnie en parlant d'un particulier qui loue des chambres. [+++] Syn. : **pensionner** (sens 1).

CHAMBREUR, EUSE n. Locataire d'une chambre chez un particulier. Il y a beaucoup de *chambreurs* dans ce quartier du centre-ville. [+++]

CHAMOISANT, E; CHAMOISEUX, EUSE adj. et n. Fig. Taquin, importun, fatigant, casse-pieds. (acad.) Syn., voir : **attineux**.

CHAMOISER v. tr. Fig. Taquiner, importuner. Arrête donc de *chamoiser* ta petite sœur! (acad.) Syn., voir : **attiner**.

CHAMP DE MARS n. m. **1.** À Montréal, lieu de promenade, de rencontre qui se veut l'équivalent de la *terrasse Dufferin* de Québec. **2.** Fig. *Avoir déjà vu le Champ de Mars* : ne pas être naïf, ne pas être né de la dernière pluie. Syn. : avoir déjà vu passer les **chars**, les **gros chars**, avoir déjà **navigué**, connaître le **tabac**.

CHAMPAGNE n. m. Ironiquement. *Champagne du pauvre* : la bière.

CHAMPAGNETTE n. f. **1.** Variété de vin blanc aux fruits de fabrication canadienne. **2.** Cidre peu alcoolisé vendu dans les épiceries.

CHAMPION n. m. *Évaporateur* servant à la fabrication du sirop d'érable. Marque de commerce.

CHAMPLURE, CHAMPLEURE, CHANTEPLEURE n. f. **1.** Robinet. Fermer, ouvrir la *champlure*. [+++] Syn. : **aqueduc**, **fausset**, **robin**. **2.** Fig. Intempérance, l'un des trois péchés traditionnels, *champlure* (intempérance) rimant avec *créature* (luxure) et *sacrure* (blasphème). Sens apparu en 1960.

CHAMPOUNE n. f. Raclée, volée de coups. Son père lui a donné une de ces *champounes*! [++] Syn. : passer les **beignes**, **rabâte**, **ramasse**, **rince**, **rincée**, **ronde**, **soince**.

CHANCE n. f. **1.** *Par chance* : par hasard. C'est *par chance* que nous nous sommes rencontrés à Paris. **2.** *Par chance que* : heureusement. *Par chance que* nous étions là pour le sortir de l'eau car il se serait noyé. **3.** *Prendre une chance* (angl. to take a chance) [Ø] : se risquer, prendre un risque, essayer, tenter.

CHANCER v. intr. Avoir de la chance, de la veine. On a pêché toute la journée et on n'a pas *chancé*, ça n'a pas mordu. Syn. : **lucker**.

CHANCEUX, EUSE adj. Qui porte chance. Ne pas garder ses vieux parents chez soi n'est pas *chanceux*.

CHANCRE n. m. Crabe. Faire bouillir les *chancres* comme les homards avant de les manger. (acad.)

CHANDELEUR n. f. Dicton : à la *Chandeleur*, (le 2 février) la neige est à sa hauteur. [+++] Voir : **courir la Chandeleur**.

CHANDELIER n. m. Moule à chandelles.

CHANDELLE n. f. **1.** Étai placé verticalement pour soutenir une poutre. **2.** Stalactite de glace qui pend des toits l'hiver. [++] Syn. : **glaçon**. **3.** Morve épaisse. Cet enfant a toujours des *chandelles* au nez. [+] **4.** *En chandelle* : à moitié désagrégée par l'action du soleil printanier, en parlant de la neige ou de la glace. [++] Syn. : **chambré**. **5.** *Chandelle du pays*. Voir : **pays**. **6.** *Tenir la chandelle* : lors du mariage d'un homme très âgé avec une jeune femme, les hommes de son entourage ont l'habitude de dire avec un sourire entendu, qu'il est tout de même encore bon pour *tenir la chandelle*! **7.** Fig. *Avoir des chandelles dans les yeux* : se dit de quelqu'un qui ment. (acad.)

CHANGE 1. n. m. **1.** Vêtement de rechange. Apporter un *change* pour le cas où l'on se ferait mouiller. [+++] **2.** *Change pour change* : troc pour troc.

CHANGE 2. PETIT CHANGE n. m (angl. change) [Ø] **1.** Monnaie ou petite coupure. Demander du *change* pour vingt-cinq cents, pour dix dollars. [+++] **2.** Fig. *Prendre tout son change, prendre tout son petit change* : devoir utiliser toutes ses forces. Ça lui *prend tout son change* pour lever cent kilos. Syn. : Prendre toute sa petite **monnaie**, son **raide**.

CHANGEAILLER v. tr. et intr. Échanger. Tit Paul a toujours aimé *changeailler*, il aurait dû se lancer en affaires.

CHANGEMENT n. m. *Changement d'huile* (angl. oil change) [Ø] : vidange d'huile, vidange.

CHANGER v. tr. et pron. **1.** Échanger. *Changer* de montres, en parlant de deux écoliers. **2.** Fig. *Changer son capot, changer son capot de bord* : changer d'allégeance politique, d'avis, de religion. Syn. : **tourner capot**, **revirer son capot**, **virer**

capot, **virer son capot**. **3.** Argot en fr. *Changer d'eau, changer son poisson d'eau*. Euphémisme pour uriner. Excusez-moi une minute, je vais *changer mon poisson d'eau*. Syn., voir : **lâcher de l'eau**. **4.** Quitter ses habits du dimanche et reprendre ses habits de semaine, de travail ou l'inverse. *Se changer* en rentrant de son travail. **5.** *Changer un chèque* (angl. to change) [Ø] : encaisser, toucher un chèque.

CHANGETEUX, EUSE adj. et n. Qui change souvent d'idée, d'ami, d'amie. Thomas est *changeteux*, c'est un *changeteux*. (acad.)

CHANTEAU, CHATEAU n. m. **1.** *Chanteau de chaise* : arceau, patin d'un siège à bascule. (E 27-116) Syn., voir : **berce**. **2.** Vx ou rég. en fr. *Chanteau de pain* : gros morceau de pain, quignon. Syn., voir : **chignon de pain**.

CHANTECLERC n. f. Variété de poules créée au Québec à la trappe d'Oka.

CHANTEPLEURE n. f. Voir : **champlure**.

CHANTER v. tr. **1.** Fig. *Chanter la pomme* : essayer d'amadouer une femme, lui conter fleurette, lui faire la cour. **2.** Fig. *Faire chanter le rouet* : actionner le rouet pour filer de la laine, ce qui produit un bruit continu. **3.** Fig. *Chanter le coq* : crier victoire. **4.** Fig. *Changer matines* : annoncer le lever du jour en parlant des coqs.

CHANTEUR DE POMME n. m. Volage, flirt, en parlant d'un homme. Les jeunes filles devraient se méfier des *chanteurs de pomme*, la forme féminine n'existe pas encore. Syn. : **effaré**, **joueur de violon**.

CHANTIER n. m. **1.** Mar. Morceau de fer ou bûche qu'on utilise en guise de chenêts. **2.** Habitation rudimentaire en bois rond, pour bûcherons et forestiers. [+++] Syn. : **camp** (sens 1). **3.** Exploitation forestière. D'où *ouvrir un chantier, faire chantier, monter aux chantiers, monter dans les chantiers, aller aux chantiers, aller dans les chantiers, partir pour les chantiers, travailler dans les chantiers* et, finalement, *descendre des chantiers*. [+++] **4.** *Gars de chantier, homme de chantier* : bûcheron, travailleur forestier. Syn., voir : **voyageur**.

CHAOUÈCHE n. f. Voir : **chavèche**.

CHAOUIN, CHAT-HUANT n. m. [#] **1.** Grand-duc de Virginie. Syn., voir : **chat-huant**. **2.** Fig. Appellation péjorative d'une personne mal habillée, laide.

CHAPEAU n. m. **1.** Bâtiment adossé à une grange et servant de hangar, de remise. Syn., voir : **appent**. **2.** *Faire, réussir le tour du chapeau* (angl. hat trick) [Ø]. Voir : **tour du chapeau**. **3.** *Parler à travers son chapeau* (angl. to speak through one's hat) [Ø] : parler à tort et à travers, sans connaissance de cause. [+++] **4.** *Passer le chapeau*. a) Faire la quête à l'église. [+] Syn., voir : **assiette** (sens 3). b) Dans une assemblée, recueillir de l'argent. [+++] Syn., voir : **assiette**.

CHAPELET n. m. **1.** *Chapelet en bardeau*. Voir : **bardeau** (sens 4). **2.** Fig. *Chapelet de lacs* : groupe, enfilade de lacs. [+++] **3.** Par antiphrase. *Dire des chapelets* : sacrer, jurer d'abondance.

CHAPISSURE n. f. Charpie que l'on obtient en défaisant de vieux tissus pour la filer de nouveau. (acad.) Syn., voir : **échiffe**.

CHAPITRE n. m. Réprimande, verte semonce. Il a reçu un de ces *chapitres*! [++] Syn., voir : **call-down**.

CHAR n. m. **1.** Wagon de chemin de fer. [+++] **2** Au pl. a) Le train. Ça faisait trois ans qu'il n'avait pas pris les **chars**. [++] Mot en perte de vitesse. b) La gare. Je vais aux *chars* chercher mon petit-fils. **3.** [#] Automobile. Aujourd'hui, avoir un *char*, c'est courant. Syn., voir : **machine**. **4.** Fig. *Avoir déjà vu passer les chars, les gros chars* : ne pas être naïf, ne pas être né de la dernière pluie. Syn., voir : **Champ de Mars**. **5.** Fig. *Ne pas être les chars* : ne pas être extraordinaire. Le paletot qu'il s'est acheté, *ce n'est pas les chars*; cette fille, *ce n'est pas les chars*. **6.** *Un char pis une barge* : beaucoup. De la marchandise à vendre, il en a *un char pis une barge*. **7.** Voir : **chariot de la fourche mécanique**.

CHARCOIS, CHARCOT n. m. **1.** Carcasse de phoque, de loup-marin. (acad.) **2.** Personne ou animal très maigre qui n'a que la peau et les os. (acad.) Voir : **maigre**.

CHARCOTTE n. Voir : **short cut**.

CHARDON ANGLAIS n. m. Chardon rouge.

CHARDONNET, CHARDRON, CHARDRONNET n. m. [#] Chardon des champs.

CHARGE n. f. **1.** Dans un *chapelet de lacs*, cours d'eau par lequel un lac reçoit le surplus d'eau d'un autre lac; la *charge* est opposée à la *décharge* par laquelle s'écoule le surplus d'eau d'un lac. Syn. : **recharge**. **2.** *À morte charge* : à charge maximale, voire excessive. Le camion était chargé *à morte charge*. **3.** *Charges renversées* (angl. reversed charge) [Ø]. À frais virés. Faire un appel téléphonique *charges renversées*. Anglicisme en perte de vitesse.

CHARGEANT, E adj. **1.** Lourd, indigeste. Le rôti de porc, c'est bon mais c'est *chargeant*. [+++] **2.** Cher, trop cher. Ce dentiste est excellent mais il est *chargeant*, il nous égorge!; il nous prend pour des millionnaires. Syn. : **chérant**.

CHARGER (SE) v. pron. Se couvrir en parlant du ciel. Syn., voir : se **chagriner**.

CHARGER v. tr. (angl. to charge) [Ø] **1.** Porter, inscrire au compte d'un client qui achète à crédit. [+++] **2.** Demander. Ce médecin *charge* dix dollars par visite. [+++]

CHARGEUR n. m.; **CHARGEUSE** n. f. Machine agricole servant à monter, dans la fourragère, le foin déjà en andains, donc en vrac.

CHARIOT n. m. **1.** Nom donné par les navigateurs au courant très fort qui passe au milieu du chenal du Saint-Laurent en aval de Tadoussac. Syn. : **taureau** (courant fort de Québec à Tadoussac). **2.** *Chariot de la fourche mécanique* : chariot roulant sur un rail fixé au faîte d'une grange et qui servait au déchargement du foin en vrac, de la voiture à la tasserie. (E 30-99) Syn. : **char**, **truck**. **3.** Corbillard. Autrefois, le *chariot* était tiré par des chevaux. (Lanaudière)

CHARIVARI n. m. Vx en fr. Manifestation bruyante faite à l'occasion d'un mariage peu conventionnel (veufs de fraîche date, personnes âgées, couple ayant une grande différence d'âge) ou à l'occasion d'un *enterrement de vie de garçon*. [+++]

CHARLEMAGNE n. m. Variété de jeu de cartes. [+]

CHARLEY HORSE n. m. (angl. charley horse) [Ø] Crampe dans les muscles des bras ou des jambes fréquente chez les sportifs. [+++]

CHARLOT n. m. **1.** Alcool de fabrication domestique. Syn., voir : **bagosse**. **2.** *Le vieux Charlot* : le diable. Autrefois on menaçait de la venue de *Charlot* les enfants qui n'étaient pas sages. Syn., voir : **jacapon**.

115

CHARNIER n. m.; **CHARNIÈRE** n. f. Petite construction le plus souvent en pierre, sise dans le cimetière, près de l'entrée et dans laquelle on rangeait les cercueils pendant l'hiver lorsque la terre était gelée. Le printemps venu, on creusait les fosses et on vidait le charnier. [+++]

CHAROGNARD n. m. Appellation donnée aux saumons, devenus maigres et efflanqués après la période de ponte et qui redescendent à la mer. Syn. : **bécard**.

CHARPETTE n. m. Alcool de fabrication domestique. Syn., voir : **bagosse**.

CHARRETTE n. f. **1.** Tombereau de ferme à boîte basculante. (acad.) Syn. Voir : **banneau**. **2.** *Charrette, charrette à poches* : voiture à deux roues servant au transport des personnes et, occasionnellement, de marchandises. [+]

CHARRIAGES, CHARROYAGES n. m. pl. Action de transporter du bois sur des traîneaux. Enfin, les *charriages* sont finis!

CHARRUE n. f. **1.** *Charrue à neige, charrue* (angl. snowplow) [Ø] : chasse-neige. La *charrue* vient de passer. Syn. : **snowplow**. **2.** *Charrue à une raie, à deux raies, à trois raies* : à un, à deux ou à trois versoirs fixes. **3.** *Charrue à une, deux oreilles* : à un, à deux versoirs fixes. **4.** *Charrue à rouelles* : nom de l'ancienne charrue ayant un avant-train avec roues. **5.** *Charrue à bascule, charrue basculante, charrue à vire-oreille, charrue à tourne-oreille, charrue tournante, charrue réversible* : charrue alternative. **6.** *Charrue à rigoles*. Voir : **rigoleuse**.

CHARRUE-SULKY, CHARRUE À SULKY n. f. (angl. sulky plow) [Ø] Variété de charrue légère à un versoir, avec roues et munie d'un siège.

116

CHARTIER n. m. Conducteur, chauffeur d'automobile ou de camion. Paul est un bon *chartier*, il n'a jamais eu d'accident. Syn. : **chauffeur**.

CHARTIL n. m. Plateau amovible du chariot à foin, de la fourragère, ridelles comprises. (acad.) Syn., voir : **rack à foin**.

CHAS n. m. Voir : **tête de chas**.

CHASSE n. f. *En chasse* : en rut surtout en parlant des vaches. Syn. : **en humeur**.

CHÂSSE n. f. **1.** Bâti d'un métier à tisser. **2.** *Scie à châsse* : scie à main avec monture de bois ou de métal par opposition à la scie égoïne. Syn., voir : **sciotte**.

CHASSE-FEMME, CHASSEPINTE n. f. [#] Sage-femme. Syn., voir : **matrone**.

CHASSE FINE n. f. Chasse à la trace par opposition à la chasse avec chien.

CHASSE-GALERIE n. f. Rég. en fr. Légende relatant les rondes nocturnes de sorciers et de loups-garous qui transportent des voyageurs dans les airs en canot d'écorce.

CHASSEPANNE n. f. (angl. saucepan) [Ø] Voir : **saucepan**.

CHASSEPAREILLE n. f. [#] Salsepareille, aralie à grappes ou aralie à tige nue, plante très utilisée en médecine populaire. [+++] Syn. : **anis** (sens 2).

CHASSEPINTE n. f. (angl. saucepan) [Ø] **1.** Casserole de cuisine à manche ou à anse. Anglicisme en perte de vitesse. **2.** Fig. La Grande Ourse. Syn., voir : **chaudron**.

CHASSEPINTÉE n. f. (angl. saucepan) [Ø] Contenu d'une *chassepinte* ou casserole.

CHASSEUSE n. f. Chaloupe ou radeau camouflés et immobilisés dans les joncs pour la chasse au canard. Syn. : **boléro, caboche, gabion**.

CHÂSSIS n. m. **1.** [#] Fenêtre. On ferme les *châssis* quand il fait froid. **2.** [#] *Châssis double* : double fenêtre. [+++] **3.** [#] *Châssis français* : fenêtre à deux battants et ouvrant vers l'intérieur par opposition à la fenêtre à guillotine qui est anglaise. **4.** Fig. *Regarder par le châssis* : s'intéresser aux jeunes filles, en parlant des jeunes garçons. Syn. : **clôture** (sens 32), **manger** (sens 5). **5.** Argot. *Châssis-doubles* : lunettes. [+++] Syn. : **bernicles**.

CHAT n. m. **1.** Vx en fr. Espèce de grappin dont les pêcheurs se servent pour haler leurs filets, pour les *chatter*. Syn. : **chatte**. **2.** Au pl. *Chats, petits chats* : saule discolore ou saule de Bebb dont les bourgeons éclatent fin mars; les bourgeons eux-mêmes. Syn. : **chaton**. **3.** Nom vulgaire de l'aune grise. **4.** Argot des anciens pensionnats des garçons. Élève qui faisait l'objet d'amitiés particulières de la part d'un enseignant, *chouchou*. Le pendant féminin est *chatte*. Syn. : **best**, **chou**. **5.** *Chat sauvage.* [#] a) Raton laveur. Porter un manteau de *chat sauvage*. (O 8-134) Syn. : **bonhomme couèche** ou **kouèche**, **machecouèche**, **racoune**. b) Lynx roux. (E 34-91) **6.** Fig. *Lâcher la queue du chat, de la chatte* : être parrain ou marraine pour la première fois. À cinquante ans, il n'a pas encore *lâché la queue du chat*. Variantes : *écraser la queue du chat, faire la queue du chat*. [++] **7.** Argot. Sexe de la femme, vulve. Syn., voir : **noune**. **8.** Voir : **capot de chat**.

CHATEAU n. m. [#] Voir : **chanteau**.

CHAT-HUANT n. m. Grand duc de Virginie. (O 25-117) Syn. : **chaouin**, **hibou à cornes**, **hibou à tête de chat**, **tête-de-chat**.

CHATIÈRE n. f. Trou d'aération ayant la forme d'un losange, pratiqué dans une fenêtre et que peut fermer une planchette coulissante ou pivotante. (acad.) Syn., voir : **éventilateur**.

CHAT-MORT n. m. Fig. et argot des bûcherons. Ouvrier qui dans une équipe de bûcherons entretenait les chemins forestiers l'hiver. Syn., voir : **chickadee**, **civet**.

CHATON n. m. Au pl. Saule discolore ou saule de Bebb dont les bourgeons éclatent fin mars; les bourgeons eux-mêmes. [+++] Syn. : **chat** (sens 2).

CHATONNER v. intr. Vx et rare en fr. Chatter, mettre bas, en parlant d'une chatte.

CHATTE n. f. **1.** Espèce de grappin dont se servent les pêcheurs pour haler des filets, pour les *chatter*, les haler. Syn. : **chat** (sens 1). **2.** Argot des anciens pensionnats de jeunes filles. Élève qui faisait l'objet d'amitiés particulières, *chouchoute* d'une religieuse. Syn. : **noune, nounoune** des sœurs. **3.** Argot. Sexe féminin, vulve. Syn., voir : **noune**.

CHATTER v. tr. et intr. **1.** Haler des filets de pêche à l'aide d'une espèce de grappin appelé *chat* ou *chatte*. **2.** Argot des anciens pensionnats. Se livrer à des amitiés particulières. Syn. : **bester**.

CHATTEUX, EUSE n. et adj. **1.** Argot des anciens pensionnats. Qui se livre à des amitiés particulières. Syn. : **besteux**. **2.** Fig. *Ne pas être chatteux* : être ordinaire, moyen. La récolte de pommes *n'est pas chatteuse* cette année; ce matin, le temps n'est pas *chatteux*. Syn. : **traître, vergeux**.

CHAUD, E adj. **1.** Rég. en fr. Ivre. Quand Charles est *chaud*, il ne comprend rien. Syn. : être en **boisson**, en **brosse**, en **fringue**, **gazé**, **gommé**, **paqueté**, **plein**, **rond**, avoir **les pieds**

117

ronds, sa **piole**. **2.** *Être chaud comme une grive* : être ivre.
3. *Lait chaud* : lait qui vient d'être trait, qui sort du pis de
la vache. Syn. : lait **doux**. **4.** Sensuel, ardent en parlant d'un
homme ou d'une femme. Être *chaud* comme un lapin,
chaude comme une lapine.

CHAUDAILLE, CHAUDASSE, CHAUDET, ETTE;
CHAUTASSE adj. Légèrement ivre. Syn. : **chalot**, **fraisé**,
gaillard, **giddy**, **joyeux**, **réchauffé**.

CHAUDIÈRE n. f. **1.** a) Vx et fr. Récipient de métal servant
à faire chauffer, bouillir ou cuire. Les coureurs de bois se
déplaçaient avec leur *chaudière*. Mot très fréquent dans la
toponymie du Québec. [+++] b) [#] Tout récipient en bois
ou en plastique avec une anse. [+++] **2.** *Mettre un veau à la*
chaudière : le sevrer et le faire boire au seau. [+++] Syn.,
voir : **détrier**. **3.** *Élever un veau à la chaudière* : l'engraisser
en le faisant boire son lait au seau jusqu'à ce qu'il soit à
point pour qu'on l'abatte. **4.** [#] *Chaudière à lait* : seau en
métal utilisé autrefois pour traire les vaches. [+++] **5.** [#]
Chaudière-couloir, chaudière à couloir, chaudière à bec : seau à
couler le lait et dont le bec verseur est muni d'un grillage.
Syn. : **couloir**. **6.** [#] *Chaudière à sucre* : seau en métal, sans
anse, qu'on accroche au *chalumeau* fiché au tronc de
l'érable pour en recueillir la sève sucrée. **7.** [#] *Chaudière à*
thé : théière. **8.** Contenant de métal de bonne contenance
avec couvercle et anse, utilisé comme pot de chambre dans
les familles nombreuses d'autrefois. Syn., voir : **catherine**
(sens 2). **9.** Fig. *Faire chaudière*. a) Prendre son repas en
parlant du voyageur ou du chasseur en forêt. b) *Faire*
chaudière ensemble : vivre ensemble en parlant d'une femme
et d'un homme qui vivent en concubinage. **10.** Nom
populaire des trous ronds creusés par des cailloux
tourbillonnants au pied de chutes comme celles de la
rivière Chaudière (près de Charny) et celles du Saint-
Maurice à Shawinigan.

CHAUDIÉRÉE n. f. [#] Contenu d'une *chaudière*.

CHAUDRON n. m. **1.** Marmite de fer ou de fonte, avec
couvercle, dans lequel on fait cuire les aliments sur le poêle
ou la cuisinière. **2.** Grand récipient de fonte au fond
arrondi, sans couvercle, avec anse, dans lequel on faisait
bouillir la sève d'érable à grand feu, dans les temps anciens.
3. Fig. La Grande Ourse. Syn. : **chaise**, **chaise renversée**,
chassepinte, **dippeur**. **4.** Argot des bûcherons. Entrepreneur de peu d'importance. **5.** Voir : **chadron**.

CHAUDRONNE n. f. [#] Marmite, le plus souvent de métal
léger (aluminium, tôle émaillée, fer-blanc), dans laquelle
on fait cuire les aliments.

CHAUFAUD n. m. Voir : **chafaud**.

CHAUFFER v. tr. et intr. **1.** Conduire un véhicule
automobile. On a créé des auto-écoles pour apprendre à
chauffer. [+++] Syn. : **mener** (sens 3), **runner** (sens 2).
2. Argot étudiant. Étudier sans répit, sous pression. Quand
on n'a pas travaillé, on doit *chauffer* la veille d'un examen.
Syn., voir : **clencher, rusher**. **3.** Fig. Talonner dans les
compétitions sportives, dans la concurrence économique.
Les Nordiques *chauffent* les Canadiens cette année au
hockey.

CHAUFFERETTE n. f. **1.** Dispositif de chauffage d'une
voiture automobile. **2.** Radiateur électrique portatif.

CHAUFFERIE n. f. Séchoir où l'on fait sécher le bois. Du bois qui a séché dans une *chaufferie* n'a rien de comparable avec celui qui a séché à l'air libre pendant de longues années.

CHAUFFEUR, EUSE n. **1.** Vx en fr. Conducteur de véhicule automobile. Syn. : **chartier**. **2.** *Être chauffeur!* : d'une façon exclamative, être très bon conducteur de véhicule automobile.

CHAULER v. tr. Faire tremper dans de l'eau de chaux. *Chauler* une peau de chat pour en faire tomber le poil pour ensuite en faire une blague à tabac.

CHAUMER v. tr. [#] Chauler, blanchir à la chaux. *Chaumer* un mur. (surt. acad.)

CHAUSSÉE n. f. **1.** Barrage construit par l'homme sur un cours d'eau pour en utiliser la force motrice ou pour avoir un plan d'eau. (O 27-117 et acad.) Syn., voir : **digue** (sens 1). **2.** Barrage construit par les castors. Syn., voir : **digue** (sens 1).

CHAUSSER v. tr. Côcher, couvrir. Tiens, le coq est encore en train de *chausser* une poule, il peut bien être maigre! [+] Syn. : **renchausser**.

CHAUSSETTE n. f. **1.** Pantoufle. En rentrant chez soi, on enlève ses souliers et on met ses *chaussettes*. [+++] **2.** Chausson de bébé, de laine tricotée, souvent coulissé à la cheville. Syn., voir : **patte**.

CHAUSSON, ONNE adj. et n. Péjor. Se dit d'une personne mal dégrossie, sans manières. Quelle *chaussonne* que cette femme-là! [++] Syn., voir : **épais**.

CHAUSSONS n. m. pl. Voir : **pattes d'ours** (raquettes à neige).

CHAUTASSE, CHAUDASSE adj. Voir : **chaudaille**.

CHAVÈCHE, CHAOUÈCHE, CHEVÈCHE, CAVÈCHE n. f. Chouette rayée. [+++]

CHAVIRÉ, E adj. Mar. Fig. Devenu fou. Il est *chaviré* depuis le gros accident qu'il a eu. [+] Syn., voir : **écarté**.

CHAVIRER v. tr. et intr. Mar. **1.** Renverser. Il a *chaviré* le seau de lait. (acad.) **2.** Fig. Devenir fou. [+] Syn. : **troubler**.

CHEAP adj. (angl. cheap) [Ø] De peu de valeur, de mauvaise qualité. [+++] Syn. : **commun** (sens 1).

CHECKE! Exclam. (angl. to check) [Ø] Argot des jeunes. Attention! écoute! regarde! fais gaffe!

CHECKER v. tr. et pron. (angl. to check) [Ø] **1.** Surveiller, enregistrer ses bagages. **2.** Pointer les absences, une liste électorale. **3.** Vérifier un compte. **2.** Se mettre sur son trente et un surtout en parlant d'un homme. Syn. : se **toiletter**.

CHEDDAR n. m. Variété de fromage fabriqué ici depuis le début du XIXe siècle. Le *cheddar* peut être fort ou doux. [+++]

CHEF-D'ŒUVRE n. m. **1.** Chevalet du scieur de bois. **2.** Échafaudage. (acad.) **3.** Construction sur pilotis au bord de la mer où les pêcheurs habillent le poisson. (acad.) Syn. : **chafaud**. **4.** Menu travail d'entretien, réparation. Passer une matinée à faire des *chefs-d'œuvre*. (surtout Charsalac)

CHEF-D'ŒUVRER v. tr. **1.** Inventer, bricoler, construire. (surtout Charsalac) Syn., voir : **gréementer** (sens 1). **2.** Faire de menues besognes; perdre son temps. Syn., voir : **bretter**.

CHEF-D'ŒUVREUX, EUSE n. et adj. Ingénieux, capable de faire des réparations difficiles, inventif. Ce garçon-là est *chef-d'œuvreux*, il ira loin! Syn., voir : **estéqueux**.

CHEFFERIE n. f. [#] Direction d'un parti politique. Untel s'est présenté à la *chefferie* du Parti rhinocéros.

CHEMIN n. m. **1.** *Chemin croche.* [+++] Voir : **chemin double**. **2.** *Chemin d'érablière* : chemin rudimentaire utilisé pour le ramassage de la sève d'érable. Syn. : **chemin de ramasse, chemin de sucrerie, chemin de tournée. 3.** *Chemin d'habitant* : chemin utilisé seulement par les cultivateurs ou *habitants*. Voir : **habitant**. **4.** *Chemin de barrières, chemin à barrières* : chemin à péage d'autrefois. Syn. : **route de barrière. 5.** *Chemin de bois, chemin de bacagnole* : chemin rudimentaire en forêt et qui ne sert que pour les opérations forestières. [+++] **6.** *Chemin de catalogne* : laize de *catalogne* permettant de traverser une pièce sans marcher directement sur le plancher. [+++] Syn. : **chemin de tapis. 7.** *Chemin de front, chemin de frontière* : chemin public établi sur le travers des terres et desservant les *habitants* d'un *rang*. [++] **8.** *Chemin de glace* : *chemin balisé* sur la glace qui recouvre un cours d'eau ou un lac. Prendre le *chemin de glace* du lac raccourcit le trajet. [++] **9.** Fig. *Chemin de lièvre* : à la campagne l'hiver, piste dans la neige depuis la maison jusqu'aux *bâtiments chauds*. Syn., voir : chemin en **corduroy. 10.** *Chemin de pavé.* Syn., voir : chemin en **corduroy. 11.** *Chemin de pieds* : sentier pour piétons. **12.** *Chemin de pontage.* Syn., voir : chemin en **corduroy. 13.** *Chemin de portage.* Voir : **portage. 14.** *Chemin de rollons.* Voir : chemin en **corduroy. 15.** *Chemin de sucrerie.* Voir : **chemin d'érablière. 16.** *Chemin de tapis* : laize de tapis étendue sur le plancher. [+++] Syn. : **chemin de catalogne. 17.** *Chemin de tournée.* Voir : **chemin d'érablière. 18.** *Chemin de traverse* : chemin *balisé* tracé à travers champs ou sur la glace qui recouvre un cours d'eau ou un lac. Prendre le *chemin de traverse* raccourcit le trajet. **19.** *Chemin double* : chemin établi sur la neige pour des attelages de front, de façon que les patins de traîneaux passent dans les traces des chevaux, formant ainsi deux ornières séparées par une butte de neige. [+++] Syn. : **chemin croche. 20.** *Chemin du roi, chemin de roi, chemin royal, chemin de la reine* : chemin public conduisant d'un village à un autre. [+++] **21.** *Chemin en, de corduroy, corderoy.* (angl. corduroy) [Ø]. En terrain marécageux, chemin bachonné dont la surface a été garnie de rondins, de troncs d'arbres, de fascines. Syn. : **chemin de pavé, chemin de pontage. 22.** *Chemin simple* : chemin établi sur la neige pour un traîneau tiré par un seul cheval qui marchait entre les deux traces laissées par les patins de traîneaux; contrairement au *chemin double*, le chemin simple n'a pas de butte de neige en son milieu. [+++] **23.** Fig. *Être dans le chemin* : être ruiné, sans le sou, sur la paille; *se faire mettre dans le chemin* : se faire ruiner. [+++] **24.** *Donner du chemin à une scie* : donner de la voie à une scie lors d'un affûtage, avoyer une scie en utilisant un tourne-à-gauche. [+++] **25.** Voir : **vieux comme le chemin. 26.** Fig. *Avoir du chemin* : en parlant d'une jeune fille ou d'un jeune garçon, aimer sortir, s'amuser, danser. [++]

CHEMINÉE n. f. *Fausse cheminée* : les maisons d'autrefois n'avaient très souvent qu'une seule cheminée à l'un des deux pignons. Pour l'apparence, l'équilibre, à l'autre pignon on construisait une souche de cheminée qui donnait l'illusion d'une vraie cheminée.

CHEMISE n. f. Voir : **queue de chemise**.

CHENAIL n. m. [#] Chenal.

CHENAILLER v. intr. Déguerpir, se sauver, courir très vite, filer. [+++] Syn. : **décaniller**.

CHÊNE n. m. **1.** *Chêne blanc frisé* : chêne à gros fruits. **2.** *Chêne bleu* : chêne bicolore. **3.** Voir : **planter le chêne**.

CHENICOT n. m. Chose de peu de valeur. Passer son temps à ramasser des *chenicots*. Syn. : **cossin**.

CHENILLE n. f. **1.** Véhicule à chenilles très utilisé en forêt pour le débusquage et aussi en ville pour le déneigement. **2.** Fig. *Chenille-à-poil* : personne laide, voire d'une laideur excessive. Syn., voir : **amanchure**.

CHENIQUER v. intr. Voir : **sneaker**.

CHENOLLE n. f. **1.** Vulg. Testicule chez l'homme, plus rarement chez les animaux. Syn., voir : **gosse**. [+++] **2.** Tabac à pipe de mauvaise qualité. Syn., voir : **vérine**. **3.** Toute marchandise, tout objet de mauvaise qualité. N'achète pas ces chaussures, c'est de la *chenolle*. Syn., voir : **cull** (sens 2).

CHENTIER n. m. [#] Sentier.

CHENU, E adj. Pauvre, misérable, vulgaire. Une maison *chenue*; avoir l'air *chenu*. Parler *joual*, pour un premier ministre, ça fait *chenu*. Syn., voir : faire **dur**.

CHÉRANT, E n. et adj. Se dit d'un marchand qui vend trop cher, ou de quelqu'un (dentiste, médecin, vétérinaire, avocat) dont les honoraires sont trop élevés. [+++] Syn. : **chargeant**.

CHESSAKOIS n. m. Voir : **chichicois**.

CHESSER v. tr. [#] Sécher.

CHESTERFIELD n. m. Divan, sofa confortable installé dans le salon. Marque de commerce. [+++]

CHÉTICANTIN, E adj. et n. Gentilé. Habitant de Chéticamp, localité acadienne du Cap-Breton.

CHÉTIF, IVE adj. **1.** Méchant, vicieux. Tu as été trop *chétif*, tu n'auras pas de dessert! Syn., voir : **malin** (sens 1). **2.** *Avoir l'air chétif* : sembler malade. (acad.)

CHEUF n. m. *Le Cheuf* : Maurice Duplessis, premier ministre du Québec, décédé en 1959. Sobriquet que ses ennemis politiques lui ont donné à cause de sa façon plus que populaire de s'exprimer.

CHEVAL n. m. **1.** *Cheval de quêteux* : vieux cheval, haridelle. Syn., voir : **piton**. **2.** *Cheval entier, cheval rond* : cheval non castré, étalon. **3.** *Cheval à neige* : cheval qui, sans se blesser ou s'énerver, était particulièrement efficace pour *battre les chemins* après une grosse chute de neige. **4.** *Cheval à renard* : vieux cheval qu'on doit abattre et dont la viande servira à nourrir des renards d'élevage. **5.** Voir : *Quêteux monté à cheval*.

CHEVALET n. m. [#] Tréteau. La table des invités reposait sur des *chevalets*. [+]

CHEVALIER DE COLOMB n. m. Membre de l'Association d'entraide catholique et secrète fondée aux États-Unis en 1882 sur le modèle de la franc-maçonnerie et établie au Canada en milieu francophone en 1897.

CHEVANNE n. f. *Culotte à chevanne* : sorte de pantalon à pont boutonné comme le pantalon des matelots et que les hommes portaient autrefois. Syn., voir : **bavaloise**.

CHEVÈCHE n. f. Voir : **chavèche**.

CHEVILLE n. f. **1.** Atteloire pénétrant dans les trous du brancard. Atteler à la *cheville* et non aux traits. (E 34-91) Syn., voir : **feton**. **2.** Boulon. Les *chevilles* sont souvent utilisées à la place des clous. [+++] Syn. : **bolt**. **3.** Fig. *Un trou, une cheville* : dans une discussion, répondre du tac au tac à son interlocuteur.

CHÈVRE n. f. **1.** Système de frein à contrepoids utilisé dans la descente des côtes abruptes couvertes de neige. Syn. : **bœuf, chienne, cochon, snub. 2.** Support formé de trois perches d'égale longueur dressées en faisceau, attachées à leur sommet et servant à suspendre le chaudron des trappeurs ou des campeurs. **3.** Solide support en bois sur lequel est assise la cheminée de beaucoup de maisons, à la campagne et qui s'arrête à environ 65 cm du plafond du rez-de-chaussée. Syn. : **boiserie, brancard**.

CHEVREU n. m. **1.** Chevreuil, c'est-à-dire cerf de Virginie. Tuer un *chevreu* en période de chasse. **2.** Automobile de marque Chevrolet.

CHEVREUIL n. m. **1.** Cerf de Virginie. Nos *chevreuils* sont des cerfs. Mot très fréquent dans la toponymie du Québec. [+++] **2.** Poêle à bois dont les côtés représentent un *chevreuil*. Marque de commerce.

CHEVROPE n. f. Faire la *chevrope* à quelqu'un : faire de la misère, donner du trouble.

CHEZ prép. *Chez* Noël sont venus nous voir : Noël et sa femme sont venus nous voir. *Chez* ton oncle Léon sont venus nous voir : l'oncle Léon et sa femme sont venus nous voir.

CHIAC, CHIACQUE n. et adj. **1.** Sobriquet donné aux Acadiens des Maritimes en général et plus particulièrement à ceux de la région de Moncton et à ceux du Madawaska au Nouveau-Brunswich. **2.** Parler populaire des Acadiens. Parler le *chiac*, parler *chiac*. Le *chiac* des Acadiens est un peu le *joual* des Québécois. Syn.: **acadien**.

CHIACQUISATION n. f. Action de *chiacquiser*.

CHIACQUISER v. intr. Parler la langue populaire des Acadiens, souvent en exagérant ses particularités.

CHIALER v. intr. Bougonner, rechigner, rouspéter, se plaindre sans arrêt. [+++]

CHIALEUR, CHIALEUX, EUSE n. et adj. Plaignard, rechigneux, bougon. [+++]

CHIARD n. m. **1.** Hachis de restes de viande et de pommes de terre, très à la mode dans les pensionnats d'autrefois et dans les familles nombreuses, hachis parmentier. [+++] **2.** *Chiard de goélette* : plat de pêcheurs dont les deux ingrédients principaux sont des tranches de lard salé et des pommes de terre. Syn., voir : **binegingo. 3.** *Chiard-de-maringouins* : engoulevent commun. Syn., voir : **chie-maringouins. 4.** Fig. Publicité tapageuse. Les journaux ont fait tout un *chiard* à la suite d'une déclaration d'un député d'arrière-ban. **5.** Fig. Assemblage disparate et incohérent là où devrait exister une certaine unité. La dernière émission de Variétés de Michel X était un véritable *chiard*. [+++]

CHIARD, E adj. et n. Pleutre, peureux, indécis, incapable de prendre une décision au moment opportun. Syn. : **chie-en-culotte**.

CHIARDE n. f. Vieux vêtement, genre vareuse à tout faire. Pour nettoyer la porcherie ou pour aider une vache à vêler, il met sa *chiarde*. Syn. : **froc**.

CHIARDES n. f. pl. Autrefois, toilettes extérieures et rudimentaires à la campagne, dans les villages et dans les quartiers pauvres des villes. [++] Syn. : **bécosses**, **cabane**, **chioir**, **chiottes**, **closets**, **communs**, **lieux**, **privés**.

CHIBAGNE n. f. Voir : **shebang**.

CHIBEN, CHIBEQUI, CHICAMIN, CHIQUEBI n. m. (amér.) Topinambour. (Gaspésie et acad.)

CHICANE n. f. **1.** Dans les chantiers forestiers, siège rudimentaire formé d'une rondelle de bois montée sur trois pieds et ressemblant au tronchet des tonneliers. [+++] Syn. : **chienne**. **2.** Voir : **clôture en chicane**. **3.** Voir : **cabane** (rimette)

CHICANER v. tr. Réprimander fortement, gronder. Pierre serait un bon patron s'il *chicanait* un peu moins ses employés.

CHICANEUX, EUSE adj. et n. Chicanier, bagarreur.

CHICHICOIS, C^{H}ICHICOUÉ n. m. (amér.) Vessie séchée contenant des osselets, d**es pois, des gra**ins de plomb, attachée au bout d'un bâton et que les Amérindiens secouent pour faire du bruit à l'occasion d'une fête.

CHICKADEE n. m. (angl. chickadee) [Ø] **1.** Mésange à tête noire qui hiverne ici au lieu de descendre vers le Sud. [+] Syn., voir : **qui-es-tu**. **2.** Fig. Travailleur chargé d'entretenir des chemins forestiers, l'hiver, et de ramasser le crottin de cheval, nourriture dont raffolent les *chickadees* (mésanges à tête noire). (surt. O 28, 29) Syn. : **chat-mort**, **diguedi**, **guedi**, **guidi**, **jiguedi**, **siffleux**.

CHICOT n. m. **1.** Chaume, restes de plantes coupées presque au niveau du sol. Marcher sur les *chicots* quand l'avoine est coupée. **2.** *Maigre comme un chicot* : très maigre, en parlant d'une personne.

CHICOTER v. tr. Tracasser, inquiéter, ennuyer. Ce qu'il t'a dit me *chicote* beaucoup.

CHICOUTÉ, CHICOUTEY, SHIKOUTÉ n. (amér.) Ronce petit-mûrier contenant de la vitamine C, anti-scorbutique et dont l'exploitation commerciale a débuté sur la Basse-Côte-Nord en 1985. (E 9) Syn. : **margot**, **mûre blanche**, **plaquebière**.

CHICOUTÉEN, ENNE adj. Tourbière *chicoutéenne* : tourbière où poussent les *chicoutés*.

CHIÉ, E adj. Fig. *Tout chié* : parfaitement ressemblant. Cet enfant, c'est son père *tout chié*. Syn., voir : **recopié**, **en peinture**.

CHIE-EN-CULOTTE 1. n. m. Fig. Disamare de certains arbres avec laquelle les enfants se font des pince-nez. Syn., voir : **avion**.

CHIE-EN-CULOTTE 2. adj. et n. Peureux, poltron. Il est *chie-en-culotte* comme il n'est pas permis, c'est un *chie-en-culotte*. Syn. : **chiard**.

CHIE-MARINGOUINS, CHIEUR-DE-MARINGOUINS, CHIARD-DE-MARINGOUINS n. m. Engoulevent commun. (E 27-116) Syn. : **mange-maringouins**, **mangeur-de-maringouins**.

CHIEN n. m. **1.** Argot. Agent de police, surtout celui qui fait de l'auto-patrouille. Syn. : **bœuf** (sens 4), **coche 2**. **2.** *Froid à couper les chiens en deux* : froid exceptionnel, à pierre fendre. **3.** *Avoir du chien dans le corps* : avoir de l'entrain, de l'initiative, de la débrouillardise. **4.** *Jeu de chien* : jeu qui risque de dégénérer en rixe. Pas de *jeu de chien* dans la maison, dira-t-on aux enfants. **5.** *Son chien est mort!* voilà ce qu'on dit de quelqu'un qui n'a pas réussi ce qu'il espérait. **6.** Fig. *Chien de poche* : se dit de quelqu'un qui suit toujours ses camarades. Arrête donc de nous suivre, *chien de poche!* **7.** *Chien de prairies* : appellation fréquente du *coyote*. **8.** *En chien* : très, beaucoup. Ça fait mal *en chien*. **9.** Argot. *Chien, chien rouge* : alcool de fabrication domestique. Syn., voir : **bagosse**. **10.** *Chien chaud* n. m. Traduction ridicule de *hot-dog* heureusement presque disparue. **11.** Voir : **fourrer le chien**. **12.** Fig. *Le chien jaune est arrivé* : être enceinte en parlant d'une femme mariée. (Gaspésie) Syn., voir : être en **famille**. Au plur. *Chiens blancs* : moutons blanc sur la mer. (Gaspésie)

CHIENCULOT, CHIENCULOTTE n. Dernier-né d'une famille nombreuse d'autrefois. Syn. : **bouquet**, **chaculot**, **chouette**, **dernier**, **estèque**, **gratin**, **nichet**, **nichouet**, **niochon**, **pet**.

CHIENNE n. f. **1.** Sarrau, blouse, que portent tous ceux qui travaillent dans les laboratoires. [+++] **2.** Banc sur lequel on déposait les seaux d'eau avant l'arrivée de l'eau courante dans les maisons. Syn. : **banc des seaux**. **3.** Voiture à quatre roues, le plus souvent à un seul siège fixé sur des planches flexibles posées directement sur les essieux. Syn., voir : **barouche**. **4.** Marotte ou chevalet servant à maintenir à hauteur voulue le morceau de bois à parer. Syn. : **banc à parer**, **bœuf**. **5.** Dans les chantiers forestiers, siège rudimentaire formé d'une rondelle de bois montée sur trois pieds. (E 36-86) Syn. : **chicane**. **6.** Poêle rudimentaire formé d'un bidon d'acier horizontal monté sur quatre pieds et utilisé surtout dans les chantiers forestiers. Syn., voir : **truie**. **7.** Système de frein à contrepoids utilisé en forêt l'hiver pour la descente des côtes abruptes à l'époque des chevaux. Syn., voir : **chèvre**. **8.** Longue et forte chaloupe à fond plat utilisée pour la *drave*. [+] Syn., voir : **pine de drave**. **9.** Traîneau rudimentaire formé de deux patins non ferrés, tiré par un cheval ou par des hommes et employé pour le débusquage des billes de bois, travois. [++] Syn., voir : **bob**. **10.** Pinces à grumes accrochées au centre d'une volée, portées par deux hommes et servant à transporter les billes de bois là où un cheval ne pouvait aller. Syn. : **bacul, diable** (sens 2), **pattes d'oie**, **vache**. **11.** *Être habillé, atriqué, attelé comme la chienne à Jacques* : être mal mis, porter de vieux vêtements. (O 25-117) **12.** Fig. *Avoir la chienne* : a) Avoir peur. La première fois que Paul est monté dans un avion il a eu la *chienne* de sa vie. b) Se sentir veule, ne pas avoir envie de travailleur. **13.** Fig. *Être enfant de chienne* : être dangereux. Travailler avec une *scie à chaîne*, c'est *enfant de chienne*.

CHIENNE adj. **1.** Paresseux. Du travail, il y en a mais il est trop *chienne* pour travailler. Syn., voir : **vache**. **2.** Peureux. Il est trop *chienne* pour défendre ses enfants. Syn. : **chieux**.

CHIENNER v. tr. et intr. **1.** Débusquer des billes de bois à l'aide d'une sorte de *chienne* tirée par un cheval ou à bras d'hommes. [++] Syn., voir : **haler**. **2.** Paresser, ne rien faire. Passer sa journée à *chienner* au lieu de travailler. Syn. : **vacher**. **3.** Rare en fr. Avoir des petits, mettre bas en parlant d'une chienne. Syn. : **chienneter**.

CHIENNETAGE n. m. Action de *chienneter* des billes de bois à l'aide d'une *chienne* (sens 10).

CHIENNETÉE n. f. Chiennée (mot rare en fr.), portée d'une chienne.

CHIENNETER v. tr. et intr. **1.** Mettre bas, avoir des petits en parlant de la chienne, *chienner*. **2.** Débusquer des billes de bois avec une *chienne* tirée par un cheval ou à l'aide d'une *chienne* (sens 10) à bras d'hommes. Syn., voir : **haler**.

CHIENNEUR, CHIENNEUX n. Homme qui traîne des billes de bois à l'aide d'une *chienne* (sens 10).

CHIENNEUX, EUSE adj. Peureux, froussard; paresseux.

CHIER v. intr. **1.** *Chier dans la face* ou sur la tête de quelqu'un : mépriser quelqu'un (ne s'emploie qu'au conditionnel heureusement!). Ah! celui-là je lui *chierais dans la face*! **2.** Fig. *Chier sur le bacul* a) Refuser d'avancer en parlant d'un cheval. [+++] b) Fig. Changer d'idée, renoncer à exécuter ce qu'on avait pourtant décidé, laisser en plan. [+++] c) Fig. *Chier sur le bacul* : se décourager. **3.** *Aller chier dehors* : aller s'aérer, sortir de la maison parce qu'on a fait des vents. *Allez chier dehors!* se faisaient dire certains jeunes qui faisaient des vents trop indiscrets. Syn. : s'**épivarder**. **4.** Fig. *Chier le cœur.* a) Avoir une diarrhée qui ne finit plus, qui dure. b) Passer un long moment sur le siège des toilettes. Es-tu en train de te *chier le cœur?* lance celui qui attend son tour. **5.** Fig. *Ne pas aller chier loin* : être insuffisant, ne pas durer longtemps en parlant d'un montant d'argent, d'un salaire. Aujourd'hui, on ne va pas *chier loin* avec un très petit salaire! **6.** Fig. et vulg. *Envoyer chier quelqu'un* : envoyer promener. **7.** Faire un temps à *chier sur la pelle* : faire une tempête de neige à ne voir ni ciel ni terre, ce qui obligeait les hommes à aller à l'écurie faire leurs besoins sur une pelle et à lancer les excréments sur le tas de fumier. **8.** *Avoir chié au pied de tous les arbres d'une région* : très bien connaître une région.

CHIEUR-DE-MARINGOUINS n. m. Voir : **chie-maringouins**.

CHIEUX, EUSE adj. et n. Peureux, poltron. Syn. : **chienne** (sens 2).

CHIFFE, CHIFFRE n. m. (angl. shift) [Ø] Voir : **shift**.

CHIGNASSER v. intr. Pleunicher en parlant d'un enfant, *chigner* légèrement. Syn., voir : **lyrer**.

CHIGNÉE n. f. Voir : **échinée**.

CHIGNER, RECHIGNER v. intr. Vx en fr. Pleurnicher sans arrêt en parlant d'un enfant. [++] Syn., voir : **lyrer**.

CHIGNEUR, CHIGNEUX, EUSE n. et adj. Enfant pleurnicheur. [+]

CHIGNOLER, GIGNOLER v. intr. Pleurnicher. Un enfant qui *chignole*. Syn., voir : **lyrer**.

CHIGNON n. m. **1.** Tête. Il s'est mis cette idée dans le *chignon* avant même de se marier. Syn., voir : **cabochon**. **2.** Vx en fr. *Chignon, chignon du cou* : derrière du cou, jonction du cou avec le derrière de la tête, nuque. Il s'est fait serrer le *chignon*. [+++] Syn. : **cagouet, cagouette, fosse, fossette, gagouet**. **3.** [#] *Chignon de pain* : quignon, gros morceau de pain. [+++] Syn. : **bourguignon, chanteau, tapon**. **4.** Pâte qui a débordé du moule à pain. **5.** Croûton, extrémité d'un pain.

CHINIQUISTE adj. et n. Francophone adepte de *Chiniquy*, ayant abandonné la religion catholique.

CHINIQUY n. m. Francophone non catholique. Cette appellation vient du nom d'un prêtre du Québec (1809-1899) devenu ministre protestant au grand scandale de ses contemporains. [++] Syn. : **francisson, mézan, reviré, suisse**.

CHIOIR n. m.; **CHIOIRE** n. f. Toilettes extérieures, souvent rudimentaires. Syn., voir : **chiardes**.

CHIOTTE n. f. **1.** Rare en fr. au sing. Autrefois, toilettes extérieures à la campagne. [+++] Syn., voir : **chiardes**. **2.** Fig. et vulg. *Faire la chiotte* : ne pas devenir enceinte, en parlant d'une femme mariée. Syn., voir : être encore à l'**ancre**.

CHIPOTÉE n. f. Grand nombre, multitude. Il y a une *chipotée* d'enfants dans cette famille; il y avait une *chipotée* de monde à l'assemblée. [+++] Syn., voir : **tralée**.

CHIPOTERIE n. f. Chose peu importante, bagatelle, vétille. Tout de même, ne vous chicanez pas pour des *chipoteries*!

CHIPS n. f. pl. (angl. chips) [Ø] Voir : **croustilles**.

CHIQUE n. f. **1.** Larves d'œstrus se développant sous la peau du cheval. Ce cheval a des *chiques*, c'est pour ça qu'il est maigre. **2.** Fig. *Ne pas valoir une chique* : être faible, manquer de force. Quand on retourne travailler après une longue maladie, on *ne vaut pas une chique*. Syn. : ne pas valoir une **cenne**, cinq **cennes**, **trente-sous**. **3.** Fig. *Changer sa chique de bord* : changer d'idée, abandonner un projet. Autrefois, à la campagne, tous les hommes chiquaient.

CHIQUEBI n. m. Voir : **chiben**.

CHIQUE-GUENILLE n. Voir : **chiqueux de guenille**.

CHIQUER LA GUENILLE loc. verb. (angl. to chew the rag) [Ø] Ronchonner, bougonner, grommeler, rouspéter. [+++]

CHIQUEUX DE GUENILLE, CHIQUE-GUENILLE n. Ronchonneur, bougon, rouspéteur. [+++]

CHIRE n. f. (angl. sheer) [Ø] **1.** Faux pas, chute. Faire une *chire* parce qu'on a marché sur une peau de banane. **2.** Fig. *Prendre une chire* : se heurter à une difficulté, à un obstacle, avoir une déception, subir un échec. Syn., voir : frapper un **nœud**.

CHIRER, SHEERER v. intr. (angl. to sheer) [Ø] Glisser, déraper, faire une embardée surtout l'hiver sur une route glacée. Syn., voir : **barauder**.

CHIRO n. m. Praticien de la chiropraxie, chiropraticien. Certaines personnes n'aiment pas les *chiros*.

CHIROPRATIQUE n. f. Chiropraxie.

CHIROUETTE n. f. (angl. sheer) [Ø] Pirouette. Télescopage des mots *chire* (sheer) et *pirouette*.

CHO-BOY n. m. (angl. chore-boy) [Ø] Voir : **chore-boy**.

CHOLÉRA n. m. [#] Voir : **cliche**.

CHÔMEUR n. m. **1.** *Petit chômeur* : paquet de cinq cigarettes seulement, très populaire pendant la crise des années 30. Syn. : **gloria**. **2.** Voir : **pudding-chômeur**.

CHOPINE n. f. **1.** Contenant équivalent à un huitième de *gallon*, une demi-*pinte* ou deux *demiards*, soit 0,568 litre. [+++] **2.** *Chopine à eau*. [+++] Voir : **grande-tasse à eau**.

CHOQUANT, E adj. Fâchant, enrageant. C'est *choquant* d'arriver deuxième avec un centième de seconde après le premier coureur. Syn. : **pinant**.

CHOQUARD, E adj. et n. Prompt à se fâcher, irascible. Surtout, ne le taquine pas, il est *choquard*. (acad.)

CHOQUÉ, E adj. Furieux, de mauvaise humeur, en colère.

CHOQUER v. tr. et pron. Faire fâcher quelqu'un, se fâcher, se mettre en colère, devenir furieux. Les jeunes s'amusent souvent à faire *choquer* certains de leurs camarades.

CHORE-BOY, CHO-BOY, SHOW-BOY n. m. (angl. chore-boy) [Ø] Aide-cuisinier, assistant cuisinier dans les chantiers forestiers d'autrefois. [++] Syn. : **bull-cook**, **cookie**.

CHOU n. m. **1.** *Chou de Siam*, *choutiam* : navet, chou-navet. [+++] **2.** *Chou gras* : chénopode blanc qui est une mauvaise herbe des jardins. (O 27-116) Syn. : **épinard sauvage**, **herbe grasse**, **poule grasse**, **poulette grasse**. **3.** *Chou puant* : symplocarpe fétide. Syn. : **tabac du diable**. **4.** Fig. *Jeter ses choux gras* : jeter des choses qui peuvent encore servir, ne pas être économe. **5.** Fig. Préféré, chouchou, objet d'amitiés particulières dans les pensionnats de garçons ou de filles de jadis. Syn., voir : **chat**.

CHOU interj. Voir : **shoo**.

CHOUCHOU n. m. Autrefois, jeune garçon ou très jeune fille faisant l'objet d'amitiés particulières de la part d'un enseignant.

CHOUCHOUNE n. f. Terme affectif qu'on emploie quand on s'adresse à une petite fille ou qu'on parle d'elle.

CHOUENNE n. f. Blague, racontar, histoire invraisemblable. (Charsalac) Syn. : **almanach**, **peur** (sens 1).

CHOUENNER v. intr. Dire des blagues, des mensonges plaisants, blaguer, hâbler. (Charsalac)

CHOUENNEUX, EUSE n. et adj. Blagueur, farceur. (Charsalac)

CHOUETTE n. f. **1.** Terme affectif à l'endroit des petites filles. Une maman dira : viens m'embrasser, ma petite *chouette*. [+++] Syn., voir : **toutoune**. **2.** Dernier-né d'une famille nombreuse. Syn., voir : **chienculot**.

CHOUINARD n. Voir : **Jonas**.

CHOUKSER, CHOULER, CHOUQUER v. tr. Exciter un chien contre quelqu'un ou contre un autre chien. Syn. : **kisser**, **sikser**, **siler**, **siquer**, **souler**, **souquer**.

CHOUQUET n. m. Mar. Morceau de bois placé sur une pierre et supportant la sole d'une grange; pilier de ciment ayant la même fonction. (acad.)

CHOUSSE n. f. [#] Souche d'un arbre.

CHOUTIAM n. m. [#] Voir : **chou de Siam**.

CHRISSANT, E adj. Enrageant, fâchant, vexant. C'est *chrissant* de rater son avion. La réflexion du ministre est *chrissante*.

CHRISSER, CRISSER v. tr. [#] **1.** *Chrisser dehors* : mettre à la porte, congédier. Ce patron a l'habitude de *chrisser dehors* un employé qui ne veut pas travailler. Syn. : **calicer**, **fourrer**, **sacrer dehors**. **2.** *Chrisser le camp*, *son camp* : quitter les lieux, déguerpir. Il a enduré son patron pendant deux mois et il a décidé de *chrisser le camp*. Syn. : **sacrer**, **saprer**. **3.** Jeter, se défaire de, abandonner. Ton vieux chapeau, *chrisse*-le à la poubelle! Syn. : **calicer**, **fourrer**, **sacrer**, **saprer**.

CHRIST n.m. ; **CRISSE** n. ou adv. Juron, déformation, altération phonétique de *Christ* 1 Mon petit *crisse*, tu vas finir tes devoirs avant d'aller jouer! **2.** Madame X, c'est une *crisse* de vieille folle! **3.** *Crisse!* qu'il fait chaud aujourd'hui!. En apprenant cette nouvelle, il est retourné chez lui au plus *crisse*. Syn. Voir : au plus **coupant**.

CHRISTORAMA n. m. Ensemble de tableaux représentant la vie du Christ et que visitent les pèlerins de Sainte-Anne-de-Beaupré.

CHROMÉ, E n. et adj. Fig. Se dit d'une personne parvenue qui est d'une élégance criarde. Il y avait un groupe de *chromés* dans le cinéma.

127

CHROMO n. m. Fig. et péjor. Personne très laide. On se demande où elle a pu dénicher le *chromo* qui l'accompagnait. Syn, voir : **amanchure**.

CHU, SU prép. [#] Chez. Cette année, j'habite *chu* ou *su* mon frère.

CHU, CHUS (forme verbale) [#] Je suis. *Chu*-t-à l'université et je ne sais pas encore conjuguer le verbe être. [++]

CHUM n. (angl. chum) [Ø] **1.** Ami, camarade, copain. Sortir avec son *chum* ou sa *chum*. [+++] Syn.: **ami**. **2.** Amoureux, fiancé, concubin. Ce soir, Hélène est allée au cinéma avec son *chum*. [+++] **3.** *Chum de fille* : amie, copine d'une fille. Andrée sort souvent avec sa *chum de fille*.

CHUMMER v. intr. (angl. to chum) [Ø] Devenir ami de quelqu'un. Un garçon très timide ne *chumme* pas facilement avec ses camarades de classe. Syn. : faire **ami**.

CHUTE n. f. C*hute à déchets* (angl. garbage chute) [Ø] [#] Vide-ordures.

CHUTON n. m. Petite chute d'eau. Ce que tu vois ici ce n'est pas une chute, c'est un *chuton*. Syn. : **cassé**.

CHUTON, ONNE adj. et n. Vulgaire et mal éduqué. Une mère dira à sa fille : ne va pas jouer avec Céline, elle est *chutonne*, c'est une *chutonne*. (Lanaudière) Syn. : **commun** (sens 2).

CIBI n. m. (angl. C.B. ou citizens' band) [Ø] Appareil de radio récepteur-transmetteur très utilisé par les conducteurs de poids-lourds, poste bande publique, poste BP.

CIBIEUR, EUSE n. m. (angl. citizen's band) [Ø] Personne qui possède ou utilise un poste bande publique ou appareil de radio récepteur-transmetteur appelé *C.B.* (prononcé à l'anglaise *cibi*), cibiste.

CIBOULETTE n. f. Ail civette. [+++] Syn. : **brûlette**, **brûlotte**, **brûlotte sauvage**, **cives**, **cives farouches**, **oignon sauvage**.

CIEL n. m. *À plein ciel* : beaucoup, abondamment. Il neige *à plein ciel*. [+++]

CIGAILLER v. tr. Rudoyer, saccader un cheval en tirant mal à propos sur le mors tantôt à droite, tantôt à gauche. [+] Syn., voir : **cisailler**.

CIGARE n. m. Petit pain à hors-d'œuvre dont la forme rappelle celle d'un cigare.

CIGARETTE n. f. *Cigarettes à plumes* : cigarettes de contrebande vendues par les Amérindiens en 1993 et 1994 au Québec.

CIGONNER v. tr. Rudoyer, saccader un cheval en tirant mal à propos sur le mors tantôt à droite, tantôt à gauche. [+++] Syn., voir : **cisailler**.

CILER v. intr. Rire mais en essayant de se retenir.

CIMETIÈRE n. m. **1.** Dans les camps forestiers du XIXe siècle et du début du XXe, four à pain improvisé constitué d'un carré de sable sur lequel on faisait un bon feu et dont le sable brûlant servait à recouvrir la casserole contenant le pain à cuire, appelé d'ailleurs *pain de cimetière* ou le pot de *fèves au lard*. Syn. : **cambuse**. **2.** Voir : **pain de cimetière**.

CINCE n. f. Voir : **since**.

CINÉ-PARC n. m. Cinéma de plein air où l'on peut voir un film sur un écran géant tout en restant dans sa voiture. La clientèle des *ciné-parcs* augmente alors que celle des salles de cinéma diminue.

CINQ-DIX-QUINZE n. m. Voir : **quinze-cennes**.

CINQUANTE n. f. Marque de bière. Boire une *cinquante* pour se désaltérer.

CINQUANTE CENTS n. m. **1.** Ancienne pièce de monnaie équivalant à la moitié d'un dollar. **2.** *Avoir les yeux grands comme des cinquante cents* : en avoir les yeux écarquillés de surprise, être très surpris. Syn. : avoir les yeux grands comme des **piastres**.

CINQUANTE-SIX-MÉTIERS n. m. Voir : **trente-six-métiers**.

CINTRE n. m. Aux deux extrémités d'une pièce de terre, endroit où peut tourner une machine aratoire, chaintre. (O 27-116) Syn. : **about**.

CIPAILLE, CIPATE n. m. (angl. sea-pie) [Ø] Voir : **sea-pie**.

CIRCUIT n. m. Terrain en dehors des limites normales d'une terre et qu'un cultivateur a acheté pour agrandir son exploitation agricole. (E 123, 122)

CIRE n. f. **1.** *Cire pour skis* : fart servant à farter les skis. **2.** *Cire à chaussures* : cirage de différentes couleurs servant à faire briller les chaussures.

CIRÉ n. m. **1.** Endroit où le lit d'un cours d'eau se rétrécit et où le courant est plus rapide. (E 27-116) Syn., voir : **rétréci**. **2.** Imperméable des pêcheurs.

CIRÉ, E adj. Paraffiné. Utiliser du papier *ciré* pour envelopper un gâteau.

CIRER v. tr. *Cirer des skis* : farter des skis en utilisant du fart. [+++]

CIROÈNE n. f. Vx en fr. Mot masculin en français. Cataplasme fait souvent avec de la résine de conifère (pin ou sapin). Rien ne vaut une *ciroène* pour guérir un rhume d'estomac. [+++]

CISAILLER v. tr. Rudoyer, saccader un cheval en tirant mal à propos sur le mors, tantôt à droite, tantôt à gauche. Syn. : **arcanser**, **cigailler**, **cigonner**, **tirailler**, **zigailler**, **zigonner**.

CISCAOUET, CISCAOUETTE n. m. (amér.) Poisson de la famille des salmonidés, cisco de lac. Syn., voir : **poisson d'automne**.

CISEAU n. m. **1.** *Ciseau à fret, ciseau à froid* : ciseau d'acier servant à couper le fer à froid, ciseau à fer. [+++] **2.** *En criant ciseau* : rapidement, en peu de temps. Ce travail-là, on peut le faire *en criant ciseau*. Voir : **criant**.

CITÉ n. f. Ville (angl. city) [Ø].

CITRON n. m. (argot américain lemon) [Ø] **1.** Argot. Automobile qui a des défauts de fabrication, clou. Untel s'est fait vendre un *citron*, il est toujours chez le garagiste. **2.** Argot. *Prix citron*. Par antiphrase, surtout en parlant d'une automobile toujours en panne, on dit qu'elle mérite le *prix citron*.

CITROUILLE n. f. Fig. *Avoir mangé de la citrouille* : accoucher. Syn., voir : **acheter**

CIVES, CIVES FAROUCHES n. f. pl. Ail civette. Syn., voir : **ciboulette**.

CIVET n. m. Argot des bûcherons d'autrefois. Ouvrier qui, dans une équipe de bûcherons, entretenait les chemins forestiers l'hiver. Syn. : **chat-mort**.

CIVIL, E adj. **1.** Un employé *civil* (angl. civil) [Ø] : un fonctionnaire (du Québec, du Canada). **2.** Les *employés* *civils* (angl. civil servants) [Ø] : la fonction publique, les fonctionnaires.

CIVIQUE adj. (angl. civic) [Ø] **1.** *Hôpital civique* : hôpital municipal créé et administré par une ville. **2.** *Employé civique* : employé municipal.

CIZARRO n. m. Argot. Camisole de force.

CLABORD n. m. (angl. clapboard) [Ø] Voir : **clapboard**.

CLABORDER v. tr. (angl. to clapboard) [Ø] Voir : **clapboarder**.

CLAIR adv. *À clair, tout à clair* : distinctement, clairement. Quand il n'y a pas de brume, on voit l'autre rive du Saint-Laurent *tout à clair*. Entendre *tout à clair* ce que l'on dit dans une chambre voisine. [+++]

CLAIR, E adj. (angl. clear) [Ø] **1.** Se dit d'un bois sans défaut, sans nœuds, *clair* de nœuds. [+++] **2.** Profit *clair* : profit net.

CLAIRDILLER v. intr. Briller. Ses souliers sont bien cirés, ils *clairdillent*. Un toit en aluminium *clairdille* au soleil. (acad.)

CLAIRER v. tr. (angl. to clear) Ø **1.** Faire évacuer. Creuser une rigole pour *clairer* l'eau. [++] **2.** Congédier. *Clairer* un employé, du personnel. [+++] **3.** Débarrasser. *Clairer* la rue. [+++] **4.** Faire un profit. *Clairer* 500 $ dans un marché. [+++]

CLAIREUR n. m. (angl. clearer) [Ø] Dans les chantiers forestiers, ouvrier qui nettoie le terrain où passera un chemin, débroussailleur, layeur. Syn., voir : **swampeur**.

CLAIRIÈRE n. f. Éclaircie entre deux ondées. Syn. : **clairon, embellesie**.

CLAIRON n. m. **1.** Voir : **bouffie** (sens 4). **2.** Éclaircie entre deux ondées. Profitons du *clairon* pour rentrer à la maison. (acad.) Syn., voir : **clairière**. **3.** Au pl. Aurore boréale. Il y avait des *clairons* dans le ciel la nuit dernière. (entre 36-86 et 8-134) Syn., voir : **marionnettes**.

CLAIRTÉ n. f. [#] Clarté. Dès mars, la *clairté* prend tôt le matin.

CLAISSE n. m. Appareil servant à l'analyse de carottes extraites du sous-sol par les compagnies minières. Du nom de son inventeur.

CLAJEUX n. m. Iris versicolore. [+++] Syn. : **clerjeux, glai**.

CLAM n. f. (angl. clam) [Ø] **1.** Mye. **2.** Palourde américaine.

CLAM CHOWDER n. m. (angl. clam chowder) Ø Chaudrée de myes, de palourdes.

CLANCHE, ÉCLANCHE adj. **1.** Aux flancs creux, en parlant d'un animal qui n'a pas mangé. **2.** Qui est maigre, maigre à l'excès en parlant d'une personne. (Beauce)

CLANCHIR v. intr. Devenir les flancs creux, maigrir. (Beauce)

CLAPBOARD, CLABORD n. m. (angl. clapboard) [Ø] **1.** Planches servant au revêtement extérieur des pans de bâtiments, de maisons et se posant horizontalement; le revêtement lui-même. [++] Syn. : **clin, déclin**. **2.** *Clapboard canadien* : lambrissage horizontal, à la façon des bordages d'une embarcation, dont les planches se chevauchent l'une l'autre. **3.** *Clapboard américain* : lambrissage horizontal avec des planches moulurées ou bouvetées, la partie mâle de la planche inférieure pénétrant dans la partie femelle ou rainure de la planche supérieure.

CLAPBOARDER, CLABORDER v. tr. (angl. to clapboard) [Ø] Poser du *clapboard* : poser du clin sur les murs extérieurs d'une maison, recouvrir à clins. [++] Syn. : **décliner**.

CLAPET n. m. Pont de culotte, de pantalon d'autrefois. Porter des culottes à *clapet* (acad.) Syn., voir : **bavaloise**.

CLAPET, CRAPET n. m. Hache de bûcheron à joues légèrement rebondies. [+]

CLAQUE 1. n. f. **1.** *Claque des dimanches, petite claque* : chaussure en caoutchouc qui se porte par-dessus les chaussures de ville pour les protéger contre la pluie, l'humidité. La *claque haute* ou *chaloupe* couvre tout le soulier et la *claque basse* ou *canot* ne protège que la semelle et le talon. (O 28-101) Syn. : **caoutchouc**, **rubber**. **2.** *Claque de travail, claque de semaine, grosse claque, claque de tous les jours* : solide bottine de travail en caoutchouc par opposition à la *claque* des *dimanches* ou *petite claque* qui se porte par-dessus le soulier. (O 28-101) Syn. : **caoutchouc**, **rubber**.

CLAQUE 2. 1. Argot. *Donnes-y la claque!* : vas-y, il faut essayer! **2.** Argot. *Manger une claque* : échouer, rater, devoir déposer son bilan. Syn., voir : frapper un **nœud**.

CLASSIQUE n. m. Voir : **cours classique**.

CLAVET n. m. Ciseau servant à calfater un bateau.

CLAVISSE (angl. clevice) [Ø] Voir : **clevice**.

CLAYON, CLÉON, CLION n. m. **1.** Barrière à barreaux assez longue pour laisser passer les machines aratoires. (acad. et pass. O 37, 38) **2.** Petite barrière à barreaux pour piétons. (acad. et pass. O 37, 38) **3.** Porte intérieure de l'étable ou de l'écurie dont la partie supérieure est à claire-voie. (acad. et pass. O 37, 38) Syn. : **ratelier**. **4.** Collier moderne de la vache dans l'étable, dont l'une des branches est mobile.

131

CLEF n. f. **1.** Registre servant à régler le tirage d'un poêle à bois, clef du tuyau. Tourner la *clef* du tuyau d'un poêle pour activer ou ralentir le tirage. **2.** *Clef de poêle* : clef ou poignée de rondelles servant à enlever ou remettre les rondelles d'un poêle. Syn. : **bordiche**, **ferrée**, **marnouche**, **poignée**, **queue**.

CLENCHER v. tr. et intr. **1.** Fermer correctement une porte de façon que la clenche soit bien retenue par le mentonnet. **2.** Lever la clenche d'un loquet pour ouvrir une porte. **3.** Agiter la clenche d'une porte pour signaler sa présence. **4.** Fig. Comprendre. Il lui a bien expliqué la chose et tout d'un coup il a *clenché*. Syn. : **catcher**. **5.** Argot étudiant. Étudier avec acharnement, piocher, bûcher, surtout la veille d'un examen. Syn., voir : **rusher**.

CLÉON n. m. Voir : **clayon**.

CLERGYMAN n. m. (angl. clergyman) [Ø] Habit que porte un pasteur protestant. Nos prêtres catholiques d'il y a quelques années portaient la soutane, mais, en voyage, ils étaient tout heureux de porter un *clergyman*.

CLÉRICAL, E adj. (angl. clerical) [Ø] **1.** Personnel, travail *clérical* : de bureau, administratif. **2.** Erreur *cléricale* : faute de frappe, faute ou erreur de copiste.

CLÉRICALITE n. f. Maladie contagieuse de notre société à l'époque où l'Église du Québec a joué un rôle prépondérant dans tous les domaines imaginables : éducation, santé, sports, syndicats, caisses populaires, etc. Voir : **-ite**.

CLERJEUX n. m. Iris versicolore. Syn., voir : **clajeux**.

CLEVICE, CLAVISSE n. m. (angl. clevice) [Ø] **1.** Manille constituée d'un morceau de fer courbé en U et fermé par une cheville amovible. (surt. O 22-124) **2.** Étrier utilisé comme frein autour d'un patin de traîneau chargé dans les descentes abruptes.

CLICHE n. f. Diarrhée, chez les êtres humains. (O 36-86) Syn. : **calèche**, **choléra**, **corps lâche**, **cours-vite**, **débâcle**, **débord**, **flûte**, **flux**, **foira**, **foire**, **glissade**, **paille**, ventre **slack**, **va-vite**, petite **voiture**.

CLIENT n. m. *Faire un client* : chez les prostituées, avoir un rapport sexuel avec un client. [++]

CLIMATISÉ, É part. adj. *Air climatisé* : air conditionné. On climatise une salle pour que l'air y soit conditionné.

CLIN, DÉCLIN n. m. Mar. **1.** Planche à clin. Acheter du *clin* pour le revêtement extérieur d'un garage. **2.** Revêtement extérieur d'une maison ou d'un hangar dont les planches horizontales chevauchent l'une sur l'autre comme dans les embarcations à clins. [++] Syn., voir : **clapboard**.

CLION n. m. Voir : **clayon**.

CLIPPER v. tr. (angl. to clip) [Ø] Couper les cheveux ou les poils, tondre avec un *clippeur*.

CLIPPEUR n. m. (angl. clipper) [Ø] Tondeuse manuelle ou électrique pour tondre un animal ou pour couper les cheveux. [+++]

CLISSE n. f. [#] **1.** Éclisse ou lamelle de bois battu (hêtre, frêne, orme) servant à garnir le fond d'un siège ou à fabriquer des paniers. Syn. : **toubi**. **2.** Bûchette, éclisse tenant lieu d'allumette. Syn., voir : **aiguillette**.

CLOAK, CLOQUE n. f. (angl. cloak) [Ø] Manteau d'homme en tissu épais. Mot en perte de vitesse. [+]

CLOCHE n. f. **1.** Vx en fr. Ampoule, cloque due aux frottements, aux brûlures. Mettre des gants de jardinier pour prévenir les *cloches*. [+++] **2.** Voir : **bouffie** (sens 4). **3.** *Sonner les cloches, sonner la cloche* : jeu où les deux joueurs adossés et accrochés par les bras se soulèvent alternativement, imitant ainsi le mouvement d'une cloche. [++] Syn. : **bascule** (sens 1). **4.** *Cloche à vache* : clarine suspendue au cou des bestiaux.

CLOCHER n. m. **1.** Cheminée d'aération d'une étable ou d'une écurie souvent surmontée d'une girouette représentant un cheval, une vache, etc. **2.** Autrefois, grelots ou clochettes disposés en triangle sur la sellette du harnais des chevaux, l'hiver. (O 22-124) Syn. : **clochette**.

CLOCHER v. intr. Locher. Ce cheval a un fer qui *cloche*. [+++] Syn. : **galocher**.

CLOCHETTE n. f. **1.** Au pl. Autrefois, série de petites cloches fixées au harnais des chevaux ou au brancard des voitures d'hiver. Syn. : **clocher** (sens 2). **2.** Au pl. Seins d'une jeune fille qui a oublié de mettre son soutien-gorge.

CLOQUE n. f. (angl. cloak) [Ø] Voir : **cloak**.

CLORE v. tr. **1.** Vx en fr. Faire une clôture, clôturer. *Clore* une érablière pour y faire pacager les animaux. (E 36-86) Syn. : **closer**. **2.** *Clore à l'embarras* : faire une clôture en entassant souches et chablis.

CLOS n. m. **1.** Clôture. Réparer un *clos*. (E 36-86) **2.** *Clos d'embarras* : clôture faite de souches, de branches et de chablis entassés. (E 36-86) **3.** Terrain clôturé et servant de pâturage, de pacage. Mettre les vaches dans le *clos*. (E 34-91) Syn. : **por** (sens 1), **renclos**. **4.** Dans une écurie, parc où le cheval est laissé en liberté. (E 36-86) Syn. : **box-stall**, **por** (sens 3). **5.** Fig. *Prendre le clos* : perdre le contrôle de son véhicule automobile et se retrouver dans un *clos*, dans un champ, dans un fossé. (E 36-86) Syn. : prendre le **champ**, prendre le **fossé**. **6.** *Clos de bois*, *clos à bois*. Voir : **cour à bois**.

CLOSER v. tr. [#] Voir : **clore**.

CLOSETS n. m. (angl. water closets) [Ø] Toilettes. Demander où sont les *closets*. [+++] Syn., voir : **chiardes**.

CLOSSER, CLOUCHER, CLOUSSER v. intr. [#] Glousser. La poule *closse* pour appeler ses petits. (acad.)

CLÔTURAGE n. m. Action de fermer par une clôture, de faire une clôture, de clôturer. (surt. O 27-116) Syn. : **bouchurage**.

CLÔTURE n. f. **1.** *Clôture à arêches*, *clôture d'arêches* : clôture constituée de dosses ou de perches plantées obliquement dans le sol. **2.** *Clôture à billochets* : clôture dont les *boulins* horizontaux sont maintenus en place par des *billochets* ou billes de bois cochées et superposées. **3.** *Clôture à boulins*, *de boulins* : clôture de perches rondes, de billes de bois. (O 37-84) **4.** *Clôture à cheval*. Voir : **clôture à chevalets**. **5.** *Clôture à chevalets* : clôture dont les perches sont maintenues en place non par des pieux jumeaux fichés en terre mais par un support en forme de X majuscule. [+++] Syn. : **clôture à cheval**, **clôture à croisée**, **clôture à jambettes**, **clôture anglaise**, **clôture en X**. **6.** *Clôture à croisée*. Voir : **clôture à chevalets**. **7.** *Clôture à jambettes*. (Beauce) Voir : **clôture à chevalets**. **8.** *Clôture anglaise*. Voir : **clôture à chevalets**. **9.** *Clôture à palissade* : clôture formée de deux lisses horizontales sur lesquelles sont clouées des planchettes verticales. Il s'agit d'une clôture de fantaisie près de la maison. **10.** *Clôture bâtarde*. Voir : **clôture manchote**. **11.** *Clôture carreautée* : clôture de grillage à carreaux. Syn. : **clôture de broche**, **clôture maillée**. **12.** *Clôture d'arrachis* : clôture faite d'arbres arrachés ou abattus, de souches. [++] **13.** *Clôture d'embarras* : clôture faite de souches, d'arbres ou de branches d'arbres morts. [+++] Syn. : **embarras**. **14.** *Clôture de broche*. [+++] Voir : **clôture carreautée**. **15.** *Clôture de broche piquante* : clôture de barbelé. [+++] Syn. : **clôture piquante**. **16.** *Clôture de lisses* : clôture de perches. (acad.) **17.** *Clôture de pierres* : clôture formée par l'entassement des pierres dont on a débarrassé un champ cultivé ou à cultiver. Syn. : **clôture de roches**, **haie de roches**, **mur de roches**, **wall de roches**. **18.** *Clôture de pieux* : clôture de perches. (E 25-117) **19.** *Clôture de refente* : clôture qui divise une terre sur sa longueur, clôture de refend. Syn. : **clôture du milieu**. **20.** *Clôture de roches* : clôture faite de pierres ou roches entassées et disposées sur une ligne. [++] Syn., voir : **clôture de pierres**. **21.** *Clôture de souches* : clôture faite d'un entassement de souches. [++] Syn. : **digue de souches**, **haie de souches**. **22.** *Clôture du milieu* : clôture qui sépare une terre sur sa longueur. Syn. : **clôture de refente**. **23.** *Clôture en chicane* : clôture de perches dont les *pagées* sont disposées en zigzag au lieu d'être rectilignes. Syn. : **clôture en dentelle**. **24.** *Clôture en dentelle* : clôture de perches dont les *pagées* sont disposées en zigzag au lieu d'être rectilignes. [+] Syn. : **clôture en chicane**. **25.** *Clôture en herse*, *clôture*

133

hersée : clôture à palissade dont les planchettes sont obliques. **26.** *Clôture en X.* Voir : **clôture à chevalets.** **27.** *Clôture maillée.* Voir : **clôture carreautée. 28.** Fig. *Clôture manchote* : clôture de trois perches de hauteur seulement et dont l'un de deux pieux dépasse suffisamment l'autre pour qu'on y fixe deux fils de fer barbelé. (Vallée du Richelieu) Syn. : **clôture bâtarde. 29.** *Clôture piquante* : clôture de barbelé. Syn. : **clôture de broche piquante. 30.** Fig. *À pleine clôture* : en grande quantité. Cette année, il y a du foin *à pleine clôture.* (surt. O 27-116) **31.** Fig. *Être sur la clôture* : hésiter, ne pas arriver à se décider. Syn., voir : **berlander. 32.** Fig. *Sauter la clôture* : devenir enceinte en parlant d'une jeune fille. Syn., voir : se faire **attraper. 33.** Fig. *Regarder par-dessus la clôture* : en parlant des jeunes garçons ou des jeunes filles, s'intéresser aux jeunes filles, s'intéresser aux garçons. Syn. : **châssis** (sens 4).

CLOU n. m. **1.** *Clou à cheval* : clou de ferrure servant à fixer les fers aux sabots de cheval. **2.** *Clou-de-chien* : furoncle, clou. C'est surtout à la fin de l'hiver qu'apparaissent les *clous-de-chiens.* **3.** *Clou de juif* : attache ondulée en acier, dont la partie qui pénètre dans le bois est affûtée. **4.** *Clou de la semaine.* Voir : **semaine. 5.** *Clou du dimanche.* Voir : **dimanche. 6.** *Clou tranché* : clou d'autrefois coupé à la tranche par opposition au clou rond qui a été coulé. **7.** Voir : **cogner des clous. 8.** Fig. *Tomber des clous* : pleuvoir à verse.

CLOUCHER, CLOUSSER v. intr. [#] Voir : **closser.**

CLOUTER v. tr. [#] Fixer à l'aide d'un clou, clouer. *Clouter* un chevron sur la sablière.

CLSC n. m. Sigle. Centre local de services communautaires.

CLUB n. m. (angl. club) [Ø] (Le U de ce mot se prononce toujours au Québec comme le U de cube) **1.** Dans les sports, équipe comprenant un nombre déterminé de joueurs pour disputer des compétitions, des championnats. Un *club* de hockey, de baseball, de *ringuette.* **2.** *Club de nuit* (angl. night club) [Ø] : boîte de nuit qui présente des attractions et où l'on peut manger et boire. **3.** *Club de pêche, de chasse* : association de pêcheurs et de chasseurs sportifs à laquelle le Québec louait, pour un prix dérisoire, le droit exclusif de chasse ou de pêche sur un cours d'eau, un lac, un territoire déterminé. Mot fréquent dans la toponymie du Québec. Dérivés de *club* : **clubage, cluber, déclubage, décluber. 4.** *Club social* (angl. social club) [Ø] : organisme à caractère philanthropique et mondain regroupant des personnes ayant des intérêts communs. Les *clubs sociaux* foisonnent en Amérique du Nord : Club Rotary, Club Richelieu.

CLUBAGE n. m. (angl. club) [Ø] Action de *cluber* un cours d'eau un territoire à un *club de chasse*, à *club de pêche...* Dans la décennie 1970-1980 on a assisté au *déclubage.*

CLUBER v. tr. (angl. club) [Ø] De la part du Québec, à la fin du XIXe siècle et au début du XXe, louer pour un prix dérisoire le droit exclusif de chasse et de pêche à des *clubs* réunissant de riches anglophones canadiens et américains appelés d'ailleurs *sports.* C'est dans la décennie 1970-1980 qu'on s'est mis à *décluber.*

COACH n. m. (angl. coach) [Ø] Entraîneur, dans les sports.

COAT n. m. (angl. coat) [Ø] **1.** Veston du complet. [+++] Syn. : **blouse**, **bougrine**, **capot**, **jacket**. **2.** *Coat à queue* : habit de cérémonie, habit. [+++] Syn., voir : **arrache-broquette**.

COBBLER, COBBLEUR n. f. Variété de pommes de terre.

COBETTE n. f. Voir : **cupboard**.

COBI, E adj. **1.** Bosselé. Casserole, carrosserie d'une auto, *cobie*. (acad.) Syn. : **bossé**. **2.** Fig. Voûté, dont le dos est courbé par l'âge. (acad.) Syn. : **bossé**, **croche**, **crochu**.

COBIR v. tr. Bosseler. Il conduit prudemment pour ne pas *cobir* la carrosserie de son auto. (acad.)

COBOTTES n. f. pl. (angl. caulk [Ø], suivi du mot bottes) Chaussure de *drave* d'autrefois à semelle épaisse et à crampons qui empêchaient de glisser sur les billes de bois humides. Syn. : bottes **corkées**.

COCHE 1. n. f. **1.** Vx et rég. en fr. Entaille de direction faite à un arbre qu'on va abattre. [+++] Syn. : **notch**. **2.** Fig. *Être à côté, en dehors de la coche* : se tromper, être dans l'erreur, à côté de la question. [+++] Syn., voir : **patate** (sens 5), **track** (sens 4). **3.** Fig. *Une coche mal taillée* : une bévue, une gaffe, une maladresse. [++] **4.** Ondulation, vague, cran d'une chevelure.

COCHE 2. n. m. Argot. Agent de police, surtout celui qui fait de l'auto-patrouille. (Euphémisme pour **cochon** (sens 11). Syn., voir : **bœuf** (sens 6).

COCHÉ, E adj. **1.** Ondulé. La surface de la planche à laver est en tôle *cochée*. Syn. : **cossé**. **2.** Frisé, ondulé. Être *coché* comme un mouton.

COCHER v. tr. Vx en fr. Faire une *coche* ou entaille de direction à un arbre à abattre. Syn. : **notcher**.

135

COCHON n. m. **1.** Au pl. *Cochons-de-lait* : asclépiade commune. S yn., voir : **cotonnier**. **2.** Au pl. *Cochons, petits cochons* : sarracénie pourpre. (E 37-85) Syn., voir : **herbe à crapaud**. **3.** Tirelire ayant la forme d'un cochon et dans laquelle les enfants introduisent leurs pièces de monnaie. [+++] Syn. : **banque**, **crésus**. **4.** Système de frein à contrepoids utilisé dans la descente des côtes raides, surtout dans les chemins forestiers l'hiver. Syn., voir : **chèvre**. **5.** Argot. Machine à déchiqueter le bois dont on veut faire du papier, déchiqueteuse. **6.** Argot. Dans une scierie ou une mine, convoyeur servant à transporter des débris de bois, des déchets de minerais. Syn., voir : **calvaire**. **7.** Pâte mise dans un sachet de coton et cuite dans l'eau bouillante. **8.** Fig. *Jouer une patte de cochon* à quelqu'un : lui jouer un sale tour. Syn. : **patte** (sens 10). **9.** *Jouer cochon* : au jeu, dans les sports en général, ne laisser aucune chance à l'adversaire. [+++] **10.** Argot des draveurs. *Cochon de grève* : bille de bois à flotter échouée sur la grève. **11.** Argot. Agent de police qui fait de l'auto-patrouille Syn., voir : **bœuf** (sens 6).

COCHON, ONNE n. et adj. Exceptionnellement difficile en parlant d'un examen.

COCHONNE n. f. **[#]** Femelle du cochon, truie. [++] Syn. : **mère-cochon**, **mère-cochonne**, **mère-truie**.

COCHONNER v. intr. Rare en fr. Mettre bas, en parlant d'une truie. [+++]

COCHONNERIE n. f. **1.** Grain de poussière, moucheron, saleté, escarbille. Enlever une *cochonnerie* de l'œil à l'aide d'une graine de lin qu'on glisse sous la paupière. [+++] Syn. : **bourrier**, **saloperie**. **2.** Au pl. Balayures. Sortir la pelle

à poussière et la balayette pour ramasser les *cochonneries.*
(O 22-124) Syn., voir : **baliures. 3.** Fig. et pl. Histoires
grivoises, actes indécents. On ne raconte pas et on ne fait
pas de *cochonneries* devant des enfants! **4.** Par antiphrase et
au pl. Amuse-gueules, croustilles, sucreries. **5.** Au pl.
Comptoir des cochonneries : dans les épiceries à grande
surface, comptoir situé près des caisses et où se trouvent
des tas de gadgets inutiles à portée de mains des enfants
qui ne se privent pas de mettre la main dessus.

COCO n. m. **1.** Ironiquement, tête. Passer l'hiver le *coco* à
l'air. [+++] Syn., voir : **cabochon. 2.** Chapeau melon, melon.
[+] **3.** Cône des conifères. Syn., voir : **cocotte.**

COCOLOGIE n. f. Intelligence. Avoir de la *cocologie.* [+++]

COCONUT n. m. (angl. coconut) [Ø] Noix de coco. De
la crème glacée au *coconut.*

COCOTIER n. m. [#] Coquetier dans lequel on place un
œuf à la coque pour le servir à table.

COCOTTE n. f. Rég. en fr. Cône de conifères. Une *cocotte*
de pin. [+++] Syn. : **berlicoco**, **coco** (sens 3), **codette**,
quedette.

COCU n. m. **1.** Souci d'eau qui pousse dans les marécages
et dont les fleurs sont jaunes. **2.** Fig. Sale tour. Jouer un
cocu à quelqu'un. [+++] Syn. : se faire **bitcher**, **jouer** dans
les cheveux (sens 2), jouer une **patte de cochon** (sens 10).

CODE MORIN n. m. Code de procédure régulièrement
utilisé dans les assemblées délibérantes des syndicats, et
dont la première édition remonte à 1938. Nom donné
d'après celui de son auteur, M. Victor Morin.

CODETTE n. f. Cône de conifères. (Charsalac) Syn., voir :
cocotte.

CODINDE n. m. [#] Voir : **coq-d'Inde.**

CŒUR n. m. **1.** Marque blanche sur le front de certaines
bêtes à cornes, étoile. Syn. : **demi-lune**, **feuille d'érable**,
lune, **rose**, **rosette 2.** *Cœur marqué* : nom vulgaire d'une
variété de phoques. **3.** *À cœur de* : à longueur de. Travailler
à cœur de jour, d'année. [+++] **4.** Fam. en fr. *Avoir le cœur
sur la main* : être serviable, généreux, prêt à tout faire pour
aider quelqu'un. **5.** Fig. *Avoir une crotte sur le cœur* : éprouver
du ressentiment, en avoir gros sur le cœur.

CŒURAGE n. m. Quatre-temps du Canada.

CŒUREUX, EUSE adj. Courageux. Autrefois, il fallait être
cœureux pour s'engager comme bûcheron. (acad.)

CŒURS-SAIGNANTS n. m. pl. Plante d'ornement
appartenant au genre dicentre. [++]

COFFE n. m. (angl. cuff) [Ø] Voir : **cuff.**

COFFRE n. m. **1.** Nasse à anguilles. [+] Syn., voir : **bourne.**
2. Cercueil. Photographier un mort dans son *coffre.* Syn. :
tombe. 3. *Coffre à butin.* Voir : **butin. 4.** *Coffre, coffre à crayons* :
plumier en bois dans lequel les écoliers mettaient plumes,
crayons, stylos, gomme, etc. [+++] **5.** *Coffre d'espérance* : coffre
contenant le trousseau d'une jeune fille à marier : taies
d'oreiller brodées, nappes brodées, draps brodés, etc. [+++]

COFFRER v. tr. et intr. **1.** Gondoler, se déjeter, travailler
en parlant du bois. Une porte faite avec du bois
insuffisamment sec risque toujours de *coffrer.* [+++] Syn. :
barnacher. 2. Devenir étanche. Pour faire *coffrer* un baril,
il faut l'arroser et le remplir d'eau.

COFFRET DE SÛRETÉ n. m. Coffre. Louer un *coffret de
sûreté* dans une banque.

COGNE-CUL n. m. [+] Voir : **véloneige traditionnel**.

COGNER v. tr. et intr. **1.** Vx en fr. Heurter, frapper accidentellement. *Cogner* le frigidaire. [+++] **2.** Fig. *Cogner des clous, des piquets* : sommeiller assis en faisant avec la tête des mouvements de haut en bas et de bas en haut. [+++] Syn. : **planter des clous, planter des piquets**. **3.** Palpiter, battre, en parlant du cœur. Quand on voit un accident grave, on sent son cœur *cogner*. [++]

COIFFE n. f. **1.** Membrane qui enveloppe les intestins des animaux de boucherie. **2.** *Saucisse en coiffe* : saucisse plate enveloppée d'un morceau de coiffe, de crépine, de crépinette qui enveloppe les intestins des animaux de boucherie. [++] Syn. : **panne** (sens 1).

COIL, CAILLE n. f. (angl. coil) [Ø] **1.** Radiateur dans lequel circule l'eau chaude ou la vapeur servant à chauffer une pièce, une maison. **2.** Rouleau de cordage.

COIN n. m. **1.** Voir : **chalumeau**. **2.** *Coin à bois* : à la campagne, endroit, réduit près de la cuisine, où l'on rangeait le bois de chauffage de la journée. Syn., voir : **caveau**.

COINCÉ, E adj. et n. Fig. Stressé, rempli de complexes, complexé. Syn. : **poigné**.

COINTER v. tr. [#] **1.** Poser un coin, coincer. *Cointer* le manche d'un outil pour l'affermir. Syn. : **accointer**. **2.** *Bardeau à cointer* : bardeau de bois dont on se sert pour caler une pièce de bois, la mettre au niveau, la coincer, l'assujettir.

COKE n. m. Appellation usuelle du Coca-Cola, boisson gazeuse. Marque déposée.

137

COL n. m. **1.** [#] Faux-col de chemise d'autrefois, détachable et rigide. Syn. : **collet** (sens 1). **2.** Cravate. (O 28-101) **3.** [#] Mousse d'un verre de bière, faux col. Syn. : **collet** (sens 3).

COL BLANC, COLLET BLANC n. m. (angl. white collar) [Ø] Employé de bureau, technicien, cadre. [+++]

COL BLEU, COLLET BLEU n. m. (angl. blue collar) [Ø] Ouvrier, travailleur manuel, manuel, salarié. Les ordures ménagères s'entassent sur les trottoirs parce que les *cols bleus* sont en grève. [+++]

COLD FLAT n. m. (angl. cold flat) [Ø] Maison construite après la guerre de 1914-1918 destinée surtout aux ouvriers de Montréal, avec fenêtres et portes seulement en façade et à l'arrière, achetée ou louée sans chauffage.

COLEMAN n. m. Fanal à manchon fonctionnant à l'essence. Marque déposée.

COLISÉE n. pr. m. À Québec, établissement couvert où se trouve une patinoire de glace entourée de gradins et où avaient lieu les matchs de hockey des *Nordiques*. Syn. : **forum, aréna**.

COLLAGE n. m. (dérivé de l'anglais to cull) [Ø] **1.** Mesurage du bois abattu en forêt, ou scié dans une scierie. **2.** Mise au rebut du bois qui ne répond pas aux normes fixées, rebutement.

COLLANT n. m. **1.** *Collant à mouches* : papier tue-mouches spiralé, enduit de colle. (O 34-91) Syn. : **papier à mouches, rubandelle à mouches, tirette à mouches**. **2.** Au pl. Collants [#]. En français, on porte un collant mais on peut en acheter plusieurs.

COLLANT, E adj. **1.** Se dit d'une neige molle qui se met facilement en boule, en *pelote*. [++] Syn., voir : **pelotant** (sens 1). **2.** Se dit d'un chemin d'hiver lorsque la neige fondante colle et fait boule sous les sabots des chevaux. Syn., voir : **boulant** (sens 2). **3.** Fig. Importun, qui suit à la trace. Syn., voir : **tache**.

COLLATIONNER v. intr. Vx en fr. Goûter, prendre un goûter, une collation. Les écoliers ont l'habitude de *collationner* en rentrant de l'école. Syn. : prendre, manger une **croûte**.

COLLE n. f. (angl. cull) [Ø] Voir : **cull**.

COLLÉ part. adj. *En avoir de collé* : avoir des moyens, être riche. [+] Syn., voir : **motton** (sens 2).

COLLÈGE n. m. [#] Collège des médecins (angl. college) : ordre des médecins.

COLLÉGIAL, E adj. Relatif à un collège ou *cégep*. L'enseignement *collégial* fait le pont entre les études secondaires et les études universitaires.

COLLER v. tr. (angl. culler) [Ø] Voir : **culler**.

COLLET n. m. [#] **1.** Autrefois, faux col de chemise détachable et rigide. [+++] Syn. : **col** (sens 1). **2.** Vx en fr. Col non détachable d'une chemise; col de manteau souvent en fourrure. [+++] **3.** Mousse d'un verre de bière, faux col. [++] Syn. : **col** (sens 3).

COLLETAILLER (SE) v. pron. Se colleter, lutter à bras le-corps, en parlant de jeunes garçons. Se *colletailler* avec des voyous. [+++]

COLLET BLANC n. m. (angl. white collar) [Ø] Voir : **col blanc**.

COLLET BLEU n. m. (angl. blue collar) [Ø] Voir : **col bleu**.

COLLEUR n. m. (angl. culler) [Ø] Voir : **culleur**.

COLLEUX, EUSE; COLLOUX, OUSE adj. et n. **1.** Câlin, affectueux en parlant d'un enfant. [+++] **2.** Adulte qui ne quitte pas d'une semelle la personne aimée, qui ne peut supporter le fait d'être seul de temps à autre. [+++] **3.** Péjor. Importun, collant en parlant de quelqu'un dont on ne peut se débarrasser. [+++] Syn., voir : **tache**.

COLLIER n. m. **1.** *Collier à bœuf* : véritable collier de harnais dont la forme épouse celle des épaules du bœuf et qui a souvent remplacé les jougs à cornes ou à garrot. Un collier à cheval bas en haut et haut en bas pouvait être utilisé comme *collier à bœuf*. [++] **2.** *Collier canadien, collier français* : collier de harnais dont le coussin est fixé aux attelles. [+++] **3.** *Collier anglais, collier américain* : collier de harnais dont le coussin n'est pas fixé aux attelles. [+++] **4.** *Collier de portage, de portageur* : longe de cuir que le *portageur* passe sur son front et aux extrémités de laquelle sont attachés les paquets à transporter dans un *portage*. **5.** *Collier du cou* : clavicule. Se fracturer le *collier du cou*. [++] Syn., voir : **anse du cou**.

COLLOUX, OUSE adj. et n. (acad.) Voir : **colleux**.

COLOMBAGE n. m. Pièce de bois de construction d'épaisseur, de largeur et de longueur variables, solive. [++] Syn. : **deux-par-quatre**, **scantling**, **studding**.

COLOMBIEN, ENNE n. et adj. **1.** Gentilé. Habitant de la Colombie canadienne; de la Colombie canadienne. **2.** Membre de l'association des *Chevaliers de Colomb*, relatif à cette association.

COLON, E n. et adj. **1.** Homme qui faisait du défrichement dans une *colonie* au Québec. Les *colons* de l'Abitibi ont eu la vie très dure dans les années vingt et trente de ce siècle. [+++] **2.** *Avoir l'air colon* : avoir l'air rustre. [+++] **3.** Variété de poêle de cuisine rudimentaire utilisé comme cuisinière. **4.** Imbécile, demeuré. Ce que tu peux être *colon*! [+++]

COLONIE n. f. Paroisse de colonisation en voie de formation ou de consolidation au Québec. [+++]

COMBINE n. f. **1.** Sous-vêtement ou survêtement combinant en une seule pièce gilet et caleçon, combinaison. [+++] **2.** (Angl. combine) [Ø]. Moissonneuse-batteuse. **3.** (Angl. combine) [Ø]. Dans les sports, passe du ballon, de la rondelle, etc., à un coéquipier. [++]

COMBINER v. intr. (angl. to combine) [Ø] Dans les sports, faire une passe, passer le disque, le ballon, la *rondelle* à un coéquipier. [+++]

COMBLER v. tr. **1.** Rare en fr. Charger par-dessus bord une charrette, une fourragère, remplir par-dessus les bords un contenant (minot, boisseau). **2.** Pourvoir. *Combler* le poste de secrétaire dans une association.

COMÉTIQUE, COMITIK n. m. (mot inuit) **1.** Traîneau à chiens d'une dizaine de *pieds* de longueur, de 20 à 22 *pouces* de largeur et foncé de planches bouvetées et lacées, encore en usage sur la Côte-Nord. (E 20) **2.** Traîneau-jouet d'enfant fait comme un *cométique*. (E 20)

COMFORTABLE, COMFORTEUR (O 25-117 et acad.) n. m. (angl. comfortable) Ø Couvre-pieds, édredon qui recouvre et orne un lit. [+++] Syn. : **confiteur**, **douillette**.

COMIQUES n. m. pl. (angl. comics) [Ø] Bandes dessinées, B.D.. Les enfants adorent les *comiques* et les comprennent même avant de savoir lire.

COMMANDEUR n. m. Oiseau. Carouge à épaulettes.

COMME DE FAIT loc. adv. [#] En effet, de fait, en réalité. [+++]

COMME DE RAISON loc. adv. Sans doute, assurément. *Comme de raison*, il ne s'est pas excusé d'arriver en retard. [+++]

COMMENT adv. **1.** [#] Combien. *Comment* d'argent gagnes-tu par semaine? *Comment* ça coûte? [+++] **2.** [#] *Comment que* : comment, de quelle façon. Dis-moi *comment que* tu as fait pour en arriver là? *Comment que* tu t'appelles toi?

COMMENTIÈME adj. et n. [#] Combientième. C'est la *commentième* cigarette que tu fumes aujourd'hui?

COMMERCER v. tr. Faire le commerce de quelque chose. *Commercer* le poisson, le sirop, les pommes.

COMMÈRE n. f. Vx et rég. en fr. Marraine d'un enfant. [+++]

COMMÉRER v. intr. Rare en fr. Faire du commérage, du potinage. [+++] Syn., voir : **mémérer**.

COMMÉREUX, EUSE; COMMETTE n. et adj. Personne qui aime *commérer*. Les femmes seraient plus *comméreuses*, *commettes* que les hommes. [++]

COMME TOUT loc. adv. Très, beaucoup. Cet enfant est beau *comme tout*, intelligent *comme tout*. [+++]

COMMISSAIRE D'ÉCOLE n. Membre élu d'une *commission scolaire* et dont le rôle est d'administrer les écoles élémentaires et secondaires.

COMMUN, E adj. **1.** De qualité inférieure, de mauvaise qualité. Quand on achète un complet *commun*, il ne faut pas s'attendre à ce qu'il soit inusable. Syn. : **cheap**.

2. Vulgaire, mal éduqué. N'amène pas Nicole chez tes parents, elle est trop *commune*. Syn. : **chuton**.

COMMUNE n. f. **1.** Île ou terrain servant de pâturage commun aux animaux de ferme dans une municipalité (ROLF). **2.** Depuis le début de la révolution sexuelle, groupe de garçons et de filles qui vivent ensemble et qui changent volontiers de partenaire. [+++]

COMMUNION n. f. *Ne pas donner la communion sans confession à quelqu'un* : ne pas avoir confiance en quelqu'un. Celui-là, je ne lui *donnerais pas la communion sans confession*. [+++]

COMMUNS n. m. pl. *Les communs* : les toilettes. Syn., voir : **chiardes**.

COMPACT n. m. (angl. compact) [Ø] Poudrier de dimension réduite que les femmes transportent dans leur sac à main.

COMPAGNÉE, COMPAGNIE n. f. **1.** Groupe de personnes qu'un arrivant salue en disant : bonjour la *compagnée* ou la *compagnie*! **2.** Partenaire féminine (épouse, amie) avec laquelle un homme danse. Dans certaines danses, le meneur de jeu lance : saluez votre *compagnée*! ou changez de *compagnée*!

COMPAGNIE DE FINANCE n. f. (angl. finance company) [Ø] Société de prêts. Les *compagnies de finance* font des affaires d'or dans les quartiers populaires.

COMPAS n. m. *Compas des Sauvages* : appellation du mélèze à feuilles caduques parce que ce conifère a toujours la tête tournée vers le nord-est.

COMPASSEUX, EUSE; COMPASSIEUX, EUSE; COMPATISSEUX, EUSE adj. et n. Compatissant, qui prend part aux souffrances des autres. [++]

COMPÉRAGE n. m. **1.** Cérémonie du baptême d'un enfant. Assister à un *compérage*. [+++] **2.** Groupe de personnes qui assistent au baptême d'un enfant. Regarder passer un *compérage* qui se dirige vers l'église. [+++]

COMPÈRE n. m. **1.** Vx et rég. en fr. Parrain d'un enfant. [+++] **2.** *Les compères* : le parrain et la marraine par rapport aux parents.

COMPLICE n. m. *Être de complice* : être de complicité, de complot, être complice. Ces deux-là étaient sûrement *de complice*! [+++]

COMPLON n. m. Pâte versée à la cuiller dans un sirop ou dans un jus de viande. (Gaspésie) Syn : **grand-père** (sens 1)

COMPOLETTE n. f. En forêt, toilette sèche constituée d'un trou dans le sol avec tirant d'air créé par une cheminée débouchant à l'extérieur de la cabine.

COMPRENABLE adj. Compréhensible. Tenir un discours *comprenable*.

COMPRENURE n. f. Compréhension, esprit, intelligence, comprenette. Il est lent, dur de *comprenure*. (surt. O 27-116)

COMPTER v. tr. **1.** Sports. *Compter un point* : marquer un point, en parlant d'un joueur. **2.** *Compter l'un sans l'autre* : compter en laissant tomber les nombres pairs. Pour créer deux équipes de joueurs, prendre la liste alphabétique des joueurs et *compter l'un sans l'autre*, en sautant le deuxième, le quatrième, etc.

COMPTEUR, EUSE n. Dans les sports, joueur qui marque des points, marqueur. Syn. : **pointeur**.

COMPTOIR, COMPTOIR DE CUISINE n. m. Dans les cuisines modernes, aire, plan de travail fixe situé à proximité de l'évier. [+++]

COMTÉ n. m. (angl. county) [Ø] Circonscription électorale. Lors de la première élection au Québec en 1792 tous les *comtés* ont reçu des appellations anglaises à l'exception des *comtés* de Montréal, de Québec et de Gaspé qui avaient tout de même perdu leur accent aigu. [+++]

CONCERNE, CONCERVE n. f. (angl. concern) [Ø] Compagnie d'exploitation forestière. À la fin du XIXe siècle et au début du XXe, les *concernes* américaines étaient très importantes au Québec. Anglicisme disparu.

CONCERT-BÉNÉFICE n. m. Voir : **bénéfice**.

CONCESSION n. f. **1.** Au sens cadastral, ensemble de lots qui constituent un *rang*. **2.** Au pl. Partie d'une municipalité rurale éloignée du village. Habiter dans les *concessions*. **3.** Au pl. Territoire ouvert à la colonisation plus récemment que le lieu où habite le sujet parlant.

CONCIERGERIE n. f. [#] Immeuble d'habitation. Les *conciergeries* poussent comme des champignons dans le centre-ville. Syn. : **block-appartements**.

CONCOMBRE n. m. **1.** *Concombre grimpant* : échinocystis lobé. **2.** *Concombre sauvage.* a) Échinocystis lobé. b) Médéole de Virginie dont la baie est d'un rouge foncé. Syn. : **jarnotte**. **3.** Fig. Imbécile, niais, cornichon.

CONCORDE n. m. Autrefois, voiture d'été hippomobile, à deux sièges fixes, utilisée par les familles nombreuses pour aller à la messe.

CONCOURS n. m. **1.** Examen hebdomadaire, mensuel ou de fin d'année des élèves (au primaire et au secondaire). Autrefois, il y avait régulièrement des *concours* pour chacune des matières. **2.** Vx et litt. en fr. Rassemblement de personnes. Dix minutes après l'accident, il y avait déjà un grand *concours* de curieux. **3.** Neuvaine, Prière des quarante heures qui ont lieu à l'église. Dans les *concours*, il vient beaucoup de monde. (acad.)

141

CONDAMNÉ, E adj. Gelé profondément en parlant du sol. En ce pays-ci la terre est *condamnée* pendant cinq mois. [++] Syn., voir : **barré**.

CONDAMNER v. tr. *Condamner une maison* : en clore toutes les ouvertures avec des planches, des panneaux, pour la laisser inhabitée.

CONDENSÉ, E adj. (angl. condensed) [Ø] *Lait condensé* : lait concentré sucré.

CONDO, CONDOMINIUM n. m. (angl. condominium) [Ø] Copropriété. La mode des *condos* est très récente au Québec . [+++]

CONFÉRENCITE n. f. Maladie contagieuse qui consiste à organiser des conférences inutiles, qui sont une perte de temps et d'énergie.

CONFESSE n. f. *Ne pas être à confesse, au confessionnal* : ne pas se sentir obligé, comme jadis le pénitent au confessionnal, de dire en détail tout ce que l'interlocuteur aimerait savoir. [+++]

CONFESSER v. intr. *À s'en confesser* : très, beaucoup. Détester quelqu'un *à s'en confesser*.

CONFESSIONNALITÉ n. f. Caractère confessionnel d'un syndicat, d'un hôpital, d'une école, d'un collège, d'une université, etc. La *confessionnalité* était une caractéristique du Québec francophone avant la *Révolution tranquille*; depuis, le Québec s'est *déconfessionnalisé*.

CONFITEUR n. m. (angl. comforter) [Ø]; **CONFORTABLE** n. m. (angl. confortable) [Ø] Courtepointe, édredon.

CONFRÈRE n. m. Condisciple, camarade de classe au niveau secondaire. Les *confrères* de classe des anciens collèges classiques aiment beaucoup se revoir. [++]

CONFUSION n. f. [#] *Tomber en confusion, dans les confusions* : tomber en convulsions.

CONGRESS n. f. (angl. congress boot) [Ø] Bottine à tige élastique. [+]

CONJOINT, E n. Homme ou femme qui vit avec une personne du sexe opposé sans être uni par les liens du mariage. [+++]

CONJONCTION n. f. [#] Congestion. Attraper une *conjonction* pulmonaire. (surt. O 25-117)

CONNAISSANCE n. f. *Être sans connaissance* : être furieux, hors de soi.

CONNAISSANT, E adj. et n. **1.** Vx en fr. Connaisseur, instruit, compétent, qui sait. [+++] **2.** *Faire le connaissant* : faire le savant, parler comme si l'on était connaisseur, compétent. [+++] **3.** Voir : **Jos-connaissant**.

CONNAÎTRE v. tr. *Connaître un endroit comme le fond de sa poche, connaître quelqu'un comme si on l'avait tricoté* : très bien connaître, connaître à fond.

CONNECTER v. tr. (angl. to connect) [Ø] Brancher. *Connecter* le grille-pain pour se faire des *rôties*.

CONNECTICUT n. m. Variété de tabac à pipe cultivée ici.

CONNEXIONS n. m. pl. (angl. connexion) [Ø] Relations. Le député X a des *connexions* auprès des hommes d'affaires.

CONQUÊTE n. pr. f. Il s'agit de la conquête du Canada par les Anglais sanctionnée par le traité de Paris en 1763.

CONSEIL n. m. **1.** *Être sur le conseil* (angl. to be on the board) [Ø] : se dit de chômeurs ou de personnes nécessiteuses qui recevaient une aide financière de leur ville ou de leur municipalité, aide votée par le conseil municipal. **2.** *Conseil de ville* (angl. city council) [Ø] : conseil municipal. Anglicisme en perte de vitesse.

CONSERVATEUR, TRICE n. et adj. **1.** *Parti conservateur* : parti politique ayant une aile fédérale, le PCC à Ottawa et une aile provinciale dans chacune des provinces canadiennes, dont le PCQ au Québec. **2.** Adhérent du *Parti conservateur*. **3.** Personne prudente à l'extrême (mot angl.) [Ø].

CONSOMMAGE n. m. **1.** Action de *consommer*, de *faire consommer*. [+++] **2.** Restes de viande, suif, graisse que l'on fait bouillir pour en fabriquer du savon de ménage. [+++] Syn. : **couennailles**, **graissages**, **graissailles**.

CONSOMMER v. intr. *Faire consommer* : faire bouillir restes de viande, suif, graisse pour en faire du savon de ménage appelé *savon du pays*. [+++]

CONSOMPTIF, IVE adj. Rare en fr. Phtisique, poitrinaire. Pierre est mort *consomptif*. Syn. : **consomption**.

CONSOMPTION adj. [#] Phtisique, poitrinaire. Alexis est *consomption*. [+++] Syn. : **consomptif**.

CONSTIPÉ, E p. adj. et n. Fig. Personne complexée, aux prises avec des problèmes psychologiques. [+++] Syn., voir : **poigné**.

CONTABLE adj. Racontable. Cette histoire n'est pas *contable* devant des enfants, on ne peut la *conter* devant des enfants. [+++]

CONTAINER n. m. (angl. container) [Ø] L'équivalent français de ce mot anglais est conteneur, dérivé du verbe contenir.

CONTER v. tr. **1.** Vx et rég. en fr. Raconter, dire. Viens me *conter* comment cet accident est arrivé. [++] **2.** *Conter ça à quelqu'un* : réprimander quelqu'un, lui dire son fait. Syn. : **caller**.

CONTER DES PEURS loc. verb. Voir : **peur** (sens 1).

CONTINUATIONS n. f. pl. Terrain, en dehors des limites normales d'une terre, qu'un cultivateur achète pour agrandir son exploitation agricole. Syn. : **circuit**.

CONTRACTEUR n. m. (angl. contractor) [Ø] Entrepreneur. Joseph, c'est un gros *contracteur* en travaux de terrassement. [+++]

CONTRE-PORTE n. f. Double porte s'ouvrant vers l'extérieur et destinée à protéger une habitation contre le froid excessif de l'hiver. Syn. : **porte d'hiver**, **porte double**.

CONTRÔLE n. m. *Être sous contrôle* (angl. under control) [Ø] : être maîtrisé en parlant d'un incendie. Une heure après l'arrivée des pompiers, l'incendie *était sous contrôle*.

CONVENTUM n. m. Réunion d'anciens élèves d'un établissement scolaire. Le *conventum* des *finissants* du collège de Rigaud de 1940 a eu lieu en 1990.

CONVERTIBLE n. et adj. (angl. convertible) [Ø] Décapotable. Une *convertible* n'est pas recommandable en hiver. Anglicisme en perte de vitesse.

CONVOYEUR n. m. Dans l'étable, nettoyeur automatique.

COOK n. m. (angl. cook) [Ø] Cuisinier dans les chantiers forestiers et sur les bateaux. [+++]

143

COOKERY n. f. (angl. cookery) [Ø] **1.** Dans les chantiers forestiers, pièce, endroit où l'on fait la cuisine, cuisine. Syn. : **cookroom**. **2.** *Faire la cookery* : faire la cuisine dans les chantiers forestiers.

COOKIE, COOKY n. m. (angl. cooky) [Ø] Aide-cuisinier dans les chantiers forestiers. Syn., voir : **chore-boy**.

COOKROOM n. f. (angl. cookroom) [Ø] **1.** Dans les chantiers forestiers, lieu où l'on fait la cuisine, cuisine. (surt. sud du Saint-Laurent) Syn. : **cookery** (sens 1). **2.** Cabane rudimentaire construite sur la grève et où les pêcheurs de morue préparaient leurs repas.

COOKY n. m. (angl. cooky) [Ø] Voir : **cookie**.

COOL n. et adj. (angl. cool) [Ø] Se dit d'un individu serein, détendu, sans préjugés.

COPIE n. f. (angl. copy) [Ø] Exemplaire. Ce livre a été tiré à cinq mille *copies*. Un journal tire à X exemplaires ou numéros.

COPIÉ, E adj. *Tout copié* : parfaitement ressemblant. Cet enfant, c'est son père tout *copié*. Syn., voir : **recopié, chié**.

COPPE n. f. (angl. copper) [Ø] **1.** Cuivre. Du fil de *coppe*, un toit recouvert en *coppe*. (O 27-117) **2.** Pièce de monnaie de peu de valeur d'autrefois. **3.** *Ne pas avoir une coppe* : ne pas avoir un sou, être pauvre. [+++] **4.** *Ne pas devoir une coppe* : ne pas avoir de dettes. [+++] **5.** *Ne pas valoir une coppe* : ne rien valoir. [+++]

COPPÉ, E adj. (angl. copper) [Ø] Riche, qui a des moyens. Ce vieux-là, il est bien plus *coppé* qu'on pense! Syn., voir : avoir le **motton**.

COQ n. m. **1.** À la campagne, girouette installée sur un bâtiment de ferme, servant à indiquer la direction du vent et qui représente un coq. (entre 34-91 et 9-130) Syn., voir : **revire-vent**. **2.** Voir : **rognons-de-coq**. **3.** *Coq des sœurs* : ironiquement, homme à tout faire dans les couvents de religieuses. Syn. : **homme des sœurs**. **4.** Argot des étudiants du secondaire. Premier de la classe, premier en tout. *Coqueresse* est alors le féminim de *coq*. **5.** *Chanter le coq* : crier victoire. **6.** *Coq d'eau* : grèbe à bec bigarré. **7.** *Coq de Bruyère* : grand pic.

COQ-D'INDE, CODINDE n. Fig. et injurieux. Personne niaise, imbécile, bête. As-tu vu le *coq-d'Inde* qui n'a même pas réagi? [++]

COQ-L'ŒIL adj. et n. **1.** Borgne. Lui, il est devenu *coq-l'œil* à dix ans. **2.** Personne atteinte de strabisme, loucheur. [+++] Syn. : **bicleur**, **borniquet**, **croche** (sens 5), **yeux-croches**.

COQUE n. f. **1.** Mye : palourde américaine. **2.** Mye des sables, variété de coquillages.

COQUE n. m. Réunion de cheveux ramassés sur le devant de la tête des garçons et ayant l'aspect d'une coquille ou *coque* d'œuf. Mode des années 1930.

COQUELUCHE n. f. **1.** Cosse de haricots, de pois. (acad.) **2.** Feuilles enveloppant un épi de maïs. (acad.) **3.** Coquille du homard. (acad.)

COQUEMAR n. m. Vx en fr. Bouilloire. Remplis le *coquemar* et mets-le sur le feu. (acad.) Syn., voir : **canard**.

COQUERELLE n. f. (angl. cockroach) [Ø] Blatte. Les *coquerelles* se trouvent surtout dans les cuisines. [+++]

COQUERESSE n. f. Argot des étudiants du secondaire. Première de classe, forme féminine de *coq*.

COQUERON n. m. Mar. **1.** Espace minuscule situé dans l'avant-toit d'une maison, lieu de rangement exigu. Syn. : **ravalements**. **2.** Chambre à coucher de très petite dimension, minuscule. **3.** Logement, maison plus que modeste. Une famille de cinq personnes habite ce *coqueron*! Syn., voir : **giole**.

COQUILLE n. f. **1.** Maison délabrée, abandonnée ou dont l'intérieur n'est pas terminé. (acad.) **2.** *Coquille Saint-Jacques* : pétoncles en sauce, gratinés.

CORBEAU n. m. **1.** Arbre carbonisé à la suite d'un incendie de forêt. **2.** Morceau de charbon de bois insuffisamment carbonisé, fumeron. Syn. : **incuit**. **3.** Péjor. Sobriquet donné aux religieux, surtout aux frères enseignants. Syn. : **bavette**, **buck**, **corneille**, **crosseur**, **mets-ta-main**.

CORBIGEAU n. m. **1.** Nom vulgaire du courlis. (E 18-132) **2.** *Graines à, de corbigeaux* : camarine noire dont raffolent les courlis. Syn., voir : **goules noires**.

CORBILLARD n. m. Cerceau placé à la hauteur des genoux, suspendu aux épaules et permettant de transporter jusqu'à quatre seaux d'eau à la fois. Syn. : **cercle**.

CORDAGE n. m. Empilement du bois de chauffage, du bois en général; action d'empiler.

CORDE n. f. **1.** Fil de canne à pêche. **2.** *Corde à butin* : corde à linge. Étendre le linge qu'on vient de laver sur la *corde à butin*. Syn. : **broche à linge**, **ligne à linge**, **ligne à butin**. **3.** *Corde à lieuse* : ficelle lieuse servant à attacher les gerbes de la moissonneuse-lieuse. [+++] **4.** Fil électrique. La *corde* du grille-pain est brisée. [++] **5.** Fig. *Coucher sur la corde à linge* : passer une nuit blanche. **6.** *Corde de bois* : unité de mesure pour le bois de chauffage (quatre *pieds* de hauteur, quatre de largeur et huit de longueur ou cent vingt-huit *pieds* cubes soit 3,625 m³). [+++] **7.** Pile de bois d'une dimension indéterminée. Syn. : **cordée, corderie.**

CORDEAUX n. m. pl. **1.** Rênes du harnais servant à diriger le cheval, à le mener. (E 34-91 et acad.) Syn. : **guides. 2.** Fig. *Tenir les cordeaux* : porter la culotte, en parlant d'un homme ou d'une femme qui commande dans un ménage. (E 34-91 et acad.) Syn., voir : **mener.**

CORDÉE, CORDERIE, CORDE n. f. Voir : **corde** (sens 7).

CORDELER v. tr. Haler une embarcation à l'aide d'une cordelle, haler à la cordelle pour traverser un cours d'eau ou pour remonter le courant.

CORDER v. tr. Empiler, mettre en pile, du bois de chauffage, du *bois de corde*, de la *pitoune.*

CORDERIE n. f. Voir : **cordée.**

CORDEROI n. m. (angl. corduroy) [Ø] Voir : **corduroy.**

CORDON n. m. **1.** Courroie étroite, lacet de chaussure en cuir ou en coton. Les gens de la campagne taillent euxmêmes leurs *cordons* à chaussures dans des peaux de cuir tannées. (O 25-117) Syn. : **amarre** (sens 3), **courriette. 2.** Ligne qui marque l'extrémité d'une terre défrichée ou à défricher. Syn., voir : **trait-carré.** [++] **3.** Le quart d'une *corde de bois* de chauffage. [+++] **4.** Fig. *Avoir le cordon du cœur trop long* : être paresseux. Syn., voir : **vache.**

CORDONNER v. intr. Exercer le métier de cordonnier, travailler le cuir.

CORDUROY, CORDEROI n. m. (angl. corduroy) [Ø] **1.** Velours côtelé. Pantalon en *corduroy*. Anglicisme en voie de disparition. **2.** *Chemin en corduroy* : en terrain marécageux, chemin bachonné dont la surface a été garnie de rondins, de troncs d'arbres, de fascines. [++] Syn. : chemin de **pavé**, chemin de **pontage**, chemin de **rollons.**

CORÉGONE DE LAC n. m. Nom vulgaire du grand corégone. Syn., voir : **pointu.**

CORKÉ, E adj. (angl. to calk) [Ø] *Bottes corkées* : bottes de *drave* à crampons qui empêchent de glisser sur les billes de bois humides. Syn. : **cobottes.**

CORMIER n. m. **1.** Rég. en fr. Sorbier d'Amérique, sorbier. [+++] Syn., voir : **mascot, mascou. 2.** *Sorbier des montagnes* : sorbier plus nordique que le sorbier d'Amérique.

CORMORAILLÈRE, CORMORANDIÈRE, CORMORANTIÈRE n. f. Anfractuosités dans les rochers où les cormorans font leurs nids. (acad.)

CORNAILLER, CORNER v. tr. et pron. Donner des coups de cornes, en parlant des bêtes à corne, se donner des coups de cornes. [+++] Syn., voir : **cosser.**

CORNAILLEUR, CORNEUR, EUSE n. et adj. En parlant de bêtes à cornes, qui a la manie de cosser, de donner des coups de cornes. Cette vache, c'est une vraie *cornailleuse, corneuse.*

CORNAR n. m. Capitule de bardane.

CORNE n. f. **1.** Fig. *Mal de cornes* : mal de tête, gueule de bois au lendemain d'une soirée de libations. [+++] Syn. : mal de **bloc. 2.** Fig. *Avoir mal aux cornes* : être jaloux. [++]

CORNE-EN-CUL n. m. Alcool de fabrication domestique. (Charsalac) Syn., voir : **bagosse.**

CORNEILLE n. f. **1.** Péjor. Sobriquet donné aux frères enseignants. [++] Syn., voir : **corbeau** (sens 3). **2.** Péjor. Sobriquet donné aux religieuses. [+++] Syn., voir : **pisseuse**. **3.** Lampe rudimentaire du genre bec-de-corbeau, utilisée dans les chantiers forestiers. Syn. : **chalumeau**. **4.** Voir : **bordée des corneilles, épinette à corneilles, pin à corneilles, tempête des corneilles. 5.** *Corneille de mer* : guillemot noir.

CORNER v. tr. et pron. Voir : **cornailler**.

CORNETTE n. f. Blason populaire. Sobriquet donné aux Religieuses. [+++] Syn., voir : **pisseuse**.

CORNEUR, EUSE n. et adj. Voir : **cornailleur**

CORNICHE n. f. Fig. Poitrine féminine plantureuse. [++] Syn., voir : **magasin**.

CORN STARCH n. m. (angl. corn starch) [Ø] Amidon de maïs. [+++]

CORNUCHE n. f. Angle droit formé par deux planches clouées sur leur longueur et servant à finir les coins extérieurs d'une maison. (acad.)

CORNUCHER v. tr. Poser les *corniches* d'une maison. (acad.)

CORONAIRE, CORONER n. (angl. coroner) [Ø] Officier de justice chargé des enquêtes préliminaires, avec l'assistance d'un jury, dans les cas de mort violente ou suspecte. [+++]

CORPORENCE n. f. Corpulence. Cette femme a une *corporence* imposante. [+++]

CORPS n. m. **1.** Camisole d'homme couvrant le torse et portée sur la peau. [+++] **2.** *Aller au corps, aller prier au corps, aller prier le bon Dieu au corps* : aller faire une visite au défunt exposé autrefois dans les maisons et, depuis la Deuxième Guerre mondiale, dans les *salons mortuaires*. Voir : **veillée au corps. 3.** *Avoir le corps changé* : avoir la diarrhée. (acad.) Syn., voir : **cliche. 4.** *Avoir le corps lâche* : avoir la diarrhée. Syn., voir : **cliche. 5.** *Corps de robe, robe.* Aller faire des courses, aller à une réception en *corps de robe* c'est y aller en robe. [+++]

CORPS-MORT n. m. **1.** Tronc d'arbre renversé ou abattu et qui pourrit sur place. Si on veut passer en traîneau ici l'hiver prochain, il faut ranger les *corps-morts.* [+++] Syn. : **pourrillon. 2.** Fig. Bouteille vide dont le contenu (alcool ou bière) a été bu. On les a retrouvés ivres morts à côté d'un tas de *corps-morts.* Syn. : **cadavre.**

CORQUE n. f. (angl. calk) [Ø] Clous fixés aux semelles des chaussures des *draveurs* et qui empêchaient de glisser.

CORSÉ, E adj. **1.** Vx et rég. en fr. En parlant d'une personne ou d'un cheval, ni gras ni maigre, sans bedon ou embonpoint, mince. Les chevaux de course sont toujours *corsés.* C'est un homme grand et *corsé.* Syn. : en **ordre** (sens 2). **2.** *Corsé comme une maîtresse d'école* : se dit d'une femme mince qui se tient bien droite, corsetée.

CORSON, CORSON SAUVAGE n. m. [#] Cresson, cresson sauvage.

CORTLAND n. f. Variété de pommes à couteau.

CORTONS n. m. pl. [#] Voir : **cretons.**

CORVÉE, COURVÉE [#] n. f. À la campagne, prestation de travail collective, volontaire et gratuite, pour aider quelqu'un qui est en difficulté. Faire une *corvée* pour reconstruire une maison détruite par un incendie. [+++] Syn. : **bee.**

COSSADE n. m. Oiseau. Busard des marais.

COSSE n. f. **1.** Coquille d'œuf. (acad.) **2.** Quartier d'orange.

COSSÉ, E adj. Ondulé. De la tôle *cossée*. Syn. : **coché**.

COSSER (SE) v. pron. Vx ou rég. en français. Se heurter de la tête, en parlant des bêtes à cornes. Syn. : **cornailler**, **corner**, **encorner**.

COSSIN n. m. **1.** Tout objet de peu de valeur, vieux clou, bout de fer, de ficelle, qui pourrait éventuellement être utile. (Mauricie) Syn. : **chenicot**. **2.** Au pl. Menus objets, babioles que chérissent les femmes et par lesquelles elles s'identifient. À Montréal, il y a le magasin « Les *cossins* d'ailleurs ». **3.** [#] Coussin d'un collier d'attelage pour cheval.

COSSINER v. intr. Acheter, ramasser, collectionner des babioles, des bricoles, des *cossins*. (Mauricie)

COSSINEUX, EUSE n. et adj. Personne qui ramasse des babioles, des bricoles, des *cossins*. (Mauricie)

COSTARDE n. f. (angl. custard) [Ø] Flan; crème anglaise pâtissière renversée.

COST PLUS n. m. (angl. cost plus) [Ø] Variété de contrat par lequel un entrepreneur obtient un contrat lui assurant un pourcentage de profit fixé d'avance.

CÔTE n. f. **1.** À la campagne, en pays plat, *rang* de cultivateurs. (île de Montréal, île Jésus et Lanaudière) Syn., voir : **rang**. **2.** Fig. *Avoir les côtes sur le long* : être paresseux. Syn., voir : **vache**. **3.** Fig. *Faire côte* : devenir enceinte en parlant d'une jeune fille. Faire côte en parlant d'un bateau, c'est s'échouer. (acad.) Syn., voir : se faire **attraper**.

CÔTÉ n. m. **1.** *Côté, petit côté* : à la campagne, allonge au corps principal d'une maison utilisée surtout l'été. Syn., voir : **cuisine d'été**. **2.** *L'autre côté* : l'Europe. Passer ses vacances d'été de l'*autre côté*. Syn., voir : l'autre **bord**.

COTEAU n. m. À la campagne, en pays plat, *rang* plus court que les *rangs* avoisinants. Diminutif de *côte* (sens 1). (île de Montréal, île Jésus et Lanaudière) Syn., voir : **rang**.

CÔTEILLAGE n. m. Sentier, route en lacet.

CÔTEILLER v. tr. Dans les chantiers forestiers, faire des chemins en lacet, sans pente trop accentuée en vue du débusquage. *Côteiller* une montagne.

COTÉREUX, EUSE adj. Voir : **catéreux**.

COTEUR n. m. Voir : **cutteur**.

CÔTEUX, EUSE; COTOYEUX, EUSE adj. Accidenté, montueux en parlant d'un terrain, d'une région. [+++] Syn. : **buttailleux**, **butteux**, **buttonneux**, **cabouronneux**, **houleux**, **rabotu**, **vallonneux**.

COTI, E adj. **1.** Pourri, en parlant du bois. Cœur d'arbre *coti*. [+++] **2.** Gâté, en parlant d'un fruit. Une pomme *cotie*. [++]

COTILLON n. m. **1.** Vx en fr. Jupon. [++] **2.** Vx en fr. Variété de danse traditionnelle.

COTIR v. intr. et pron. **1.** Pourrir, en parlant du bois. Un madrier qui a commencé à *cotir*. [+++] **2.** Se gâter, en parlant d'un fruit. [++]

COTON n. m. **1.** Fane de pomme de terre. [+++] **2.** Tige de pois desséchée, pesat. [+++] **3.** Trognon de chou. [+++] **4.** Tige de maïs dégarnie de ses épis. [+++] Syn. : **sucet**. **5.** Épi de maïs dégarni de ses grains. **6.** *Coton de la queue* (d'un animal) : coccyx. (surt. Charsalac) **7.** Fig. *Être au*

147

coton, être rendu au coton : être épuisé, à bout de force. Syn., voir : **resté. 8.** *Coton à fromage* (angl. cheese-cloth) [Ø] : gaze servant à envelopper certaines variétés de fromage, étamine. **9.** *Au coton* : loc. adv. Beaucoup. Aider quelqu'un *au coton!*

COTONNÉ, E adj. En désordre, non peignés, épars en parlant des cheveux. Syn. : **couetté**.

COTONNIER n. m. Asclépiade commune. Syn. : **cochon-de-lait**, **petit cochon**.

CÔTOYAGE n. m. Chemin en lacet permettant d'éviter une montée trop abrupte.

CÔTOYEUX, EUSE adj. Voir : **côteux**.

COTU, E adj. *Faire cotu* : faire pauvre, misérable. Syn., voir : faire **dur**.

COTTAGE, COTTAGE CHEESE n. m. (angl. cottage cheese) [Ø] Variété de fromage blanc, fabriqué à partir de lait écrémé.

COTTEUR n. m. Voir : **cutteur**.

COU n. m. **1.** Fig. *Avoir le cou sous l'aile* : en parlant d'une personne, être dans une situation difficile. **2.** Fig. *Se casser le cou* : se marier. (acad.)

COUAC n. m. **1.** Bihoreau à couronne noire, variété de héron ou butor d'Amérique. [+] **2.** Voir : **CWAC**.

COU-BLANC, COU-LONG n. m. Oiseau. Pluvier à collier.

COU-ROUGE n. m. Oiseau. Huart à gorge rousse.

COUCHE n. f. **1.** Fig. *Avoir la couche aux fesses* : être jeune, manquer d'expérience. Il aimerait avoir des responsabilités mais il a encore la *couche aux fesses!* Syn., voir : ne pas avoir le **nombril** sec. **2.** *Couche chaude* : boîte rectangulaire recouverte de châssis, renfermant un terreau placé sur un lit de fumier de cheval en décomposition et dans laquelle on sème, tôt le printemps, ce qui sera repiqué à l'extérieur par la suite. Les serres ont fait disparaître les *couches chaudes*. **3.** *Épingle à couches* : épingle de sûreté, de nourrice.

COUCHÉE n. f. *Couchée du soleil* : le coucher du soleil.

COUCHER v. tr. intr. et pron. **1.** *Coucher dans la laine* : coucher entre deux draps de laine. [+++] **2.** Fig. *Coucher sur la corde à linge* : fêter, boire toute la nuit, découcher, passer une nuit blanche. [+++] **3.** Fig. *Se coucher tout rond* : se coucher tout habillé. Syn. : se coucher en **pompier**. **4.** *Coucher dehors* : laisser dehors pour la nuit. On ne laisse pas une échelle en bois *coucher dehors*. **5.** *À coucher dehors* : inimaginable, invraisemblable en parlant d'un prénom ou d'un nom de famille. Aimable Paillard, mais c'est un nom *à coucher dehors!*

COUCHETTE n. f. **1.** Lit. Ces gens-là sont tellement pauvres qu'ils n'ont pas de *couchette*, ils couchent sur le plancher. **2.** Fig. Coucherie, amour physique. Ce vieux-là, il est encore fort sur la *couchette*.

COUCOU n. m. [#] Oiseau. Coulicou.

COUDON! interj. Dis donc!, dis? Voilà ce qu'on dit pour changer de sujet de conversation.

COUDRE, COUDE n. m. Vx en fr. Coudrier, noisetier dont les tiges très flexibles peuvent servir de liens. Les sourciers utilisent une fourche de *coudre* pour repérer les cours d'eau souterrains. [+++] Syn. : **arbre de coudre**, **arbre de noisettes**.

COUDRE v. tr. [#] Nous *coudons*, vous *coudez* : nous cousons, vous cousez. Je *coudais* : je cousais : *Coudu* : cousu.

COUENNAILLES n. f. pl. Débris de viande, suif, graisse servant à la fabrication du savon domestique, du *savon du pays*. Syn., voir : **consommage**.

COUENNE n. f. **1.** Surface herbeuse du sol. [+++] **2** Fig. *Avoir la couenne dure, épaisse* : être endurci à l'épreuve, pouvoir encaisser, ne pas être vulnérable. [+++]

COUETTE n. f. **1.** Brème d'Amérique. **2.** Natte de cheveux, tresse, mèche.

COUETTÉ, E adj. Ébouriffé, mal peigné. Avoir les cheveux *couettés*. Syn. : **cotonné**.

COUILLIER n. m. Voir : **couyer**.

COUILLON n. m. **1.** Au pl. Grosses roches, *cayes* que la marée montante recouvre et qui sont dangereuses pour la navigation dans le Saint-Laurent. Syn., voir : **caye**. **2.** *Faire le couillon* : se masturber. Syn., voir : **crosser**.

COUILLON, ONNE adj. et n. **1.** Dangereux. Les *cayes* sont *couillonnes* pour la navigation. **2.** Vx en fr. Peureux, poltron.

COUILLONNAGE n. m. Le fait de taquiner, de *couillonner*. (acad.)

COUILLONNER v. tr. et pron. Taquiner, se taquiner, gouailler, répondre du tic au tac. (acad.)

COULANT n. m. Érablière de 10 000 *coulants* : 10 000 entailles. Syn. : **entaille**.

COULANT, E adj. **1.** Boueux, où l'on glisse. Chemin *coulant*. **2.** Glissant, en parlant d'un chemin d'hiver recouvert d'une neige molle.

COULÉE n. f. **1.** Ruisseau qui coule dans un ravin. [++] **2.** Quantité de sève d'érable recueillie à chaque ramassage.

COULER v. tr. et intr. **1.** *Faire couler* : exploiter une érablière le printemps. Notre voisin n'est pas complètement remis de sa dernière opération, il a donc décidé de ne pas *faire couler* cette année. Syn. : **entailler** (sens 2). **2.** Fig. *Les érables coulent*! Remarque taquine faite à quelqu'un dont le nez coule. [+++] **3.** *Faire couler son corps* : se masturber en parlant des personnes du sexe masculin. Syn., voir : se **crosser**.

COULEUR n. f. *Rêver en couleur, faire des rêves en couleur* : concevoir des choses irréalistes, des projets irréalisables.

COULEUX, EUSE adj. **1.** En parlant des érables, qui produisent beaucoup de sève. Les érables à l'abri du vent sont plus *couleux* que ceux qui y sont exposés. **2.** Se dit d'une période de temps (printemps, semaine, jour) au cours de laquelle la production de la sève a été considérable. La semaine de Pâques a été très *couleuse* cette année.

COULISSE n. f. **1.** Gouttière de bois ou de métal qui conduisait la sève de l'érable au contenant servant à la recueillir. Syn., voir : **chalumeau**. **2.** Entaille, trou de mèche à un érable par où coule la sève sucrée d'un érable. Un gros érable peut avoir plusieurs *coulisses*. À vendre : érablière de 3000 *coulisses*. Syn. : **entaille**. **3.** Coulure, trace que laisse un liquide en coulant sur une surface verticale. La fenêtre étant restée ouverte, la pluie a fait plusieurs *coulisses*.

COULOIR n. m. **1.** Vx en fr. Seau à couler le lait dont le bec verseur est muni d'un grillage. Syn. : **chaudière-couloir**, **chaudière à couloir**. **2.** Grand entonnoir qui s'adapte sur un bidon à lait et qui est muni d'un filtre. Syn. : **passe** (sens 2).

COU-LONG n. m. Butor d'Amérique.

149

COUP n. m. **1.** *Coup chaud* : boisson chaude à base d'alcool, grog qu'on absorbe quand on est grippé ou quand on rentre du froid. [+++] Syn., voir : **ponce. 2.** *Coup d'eau* : pluie très abondante qui tombe dans un espace de temps relativement court, crue subite des eaux. [+++] Syn. : **abat d'eau. 3.** *En coup de fusil* : très vite. Partir *en coup de fusil.* [+++] Syn., voir : **pinouche. 4.** *Coup de mort.* Voir : **attraper son coup de mort. 5.** Pop. en fr. *Un coup que* (loc. conj.) : dès que. Il était réticent mais *un coup qu'*il s'est décidé on n'a pas pu l'arrêter. **6.** Pop. en fr. *Tout à coup que, tout d'un coup que* (loc. conj.) : si par hasard. *Tout à coup qu'*il le saurait, qu'est-ce qu'on pourrait lui dire? **7.** *Prendre un coup, un coup chaud* : a) Prendre un verre, un grog. *Prendre un coup* avant d'aller au grand froid. b) Boire souvent et abondamment des boissons alcooliques, être ivrogne. **8.** *Avoir un coup* : être un peu ivre.

COUPANT n. m. *Au plus coupant* (loc. adv.) : rapidement, au plus vite. Va chercher le médecin *au plus coupant.* Syn. : au plus **Christ**, au plus **sacrant**.

COUPE-BROCHE n. m. Pinces universelles utilisées pour sectionner de la *broche* ou fil de fer.

COUPE-CORNES n. m. Variété de ciseaux pour couper les cornes, pour décorner les vaches ou les bœufs. Syn. : **écorneur**.

COUPE-FOIN n. m. Longue lame tranchante, arquée et dentelée servant à couper le foin d'une *tasserie* pour y pratiquer une tranchée devant servir de passage. Syn. : **tranche à foin**.

COUPER v. tr. et pron. **1.** Castrer un animal (bélier, goret, cheval, bouvillon). [+++] Syn., voir : **affranchir. 2.** Fig. *Couper comme un mal de ventre* : se dit d'un instrument tranchant qui ne coupe plus, qui a besoin d'être aiguisé. [++] **3.** Fig. *Couper des dents* : percer des dents. [+++] **4.** Recouvrir, faire disparaître. *Couper* les joints des bardeaux d'une couverture pour en assurer l'étanchéité. **5.** Crotter ses chaussures. Tu vas *te couper* si tu passes là, il y a des bouses de vache!

COUPEUR, COUPEUX n. m. **1.** Hachette qu'on utilise pour couper les pieds de tabac à pipe ou à cigare arrivés à maturité avant de les faire sécher *enfilés* sur des lattes. (Lanaudière) **2.** *Coupeur de chemin* : layeur qui déboise le tracé d'un futur chemin en forêt. Syn., voir : **swampeur**.

COUPE-VENT n. m. (angl. windbreaker) [Ø] Blouson, sorte de veste de sport ou de ville. [+++]

COUPLE n. f. Vx en fr. Un petit nombre. Untel a habité une *couple* d'années en ville.

COUPLET n. m. Trait court reliant le collier à l'attelloire qui pénètre dans les prolonges du brancard, mancelle. (O 37-85) Syn. : **bracelet, tirant, tire, tirette**.

COUR À BOIS n. f. Endroit où l'on vend du bois de construction prêt à être utilisé et en général tous les matériaux de construction. Syn. : **clos à bois, clos de bois**.

COURAILLAGE n. m. Action de *courailler*.

COURAILLER v. tr. et intr. **1.** Aller à plusieurs endroits. J'avais cinq courses à faire et j'ai dû *courailler* dans tout le village. **2.** Fam. en fr. Mener une vie légère, courir la prétentaine. Syn., voir : courir la **galipote**.

COURAILLEUR, EUSE n. et adj. Vx en fr. Personne qui mène une vie légère, qui court la prétentaine, coureur, coureuse. Syn., voir : **galopeur**.

COURANT n. m. **1.** Vestige de crème à la surface d'un lait mal écrémé. Syn. : **écrémillon**, **filet**, **fleurette**, **restant**. **2.** Au pl. *Courants verts* : lycopode claviforme.

COURBE n. m. Lien d'angle droit ou obtus façonné à partir du coude formé par une branche qui sort d'un tronc d'arbre et épousant exactement l'angle en question. [++] Syn., voir : **gousset**.

COUREUR, COUREUX, EUSE n. **1.** Vx en fr. *Coureur de bois* : chasseur et trappeur. **2.** *Coureur de Chandeleur* : personne qui *court la Chandeleur*. Voir : **courir la Chandeleur**. **3.** *Coureur de derouine* : personne toujours en course, en voyage, hors de chez elle. **4.** *Coureur d'érables* : homme qui fait l'action de *courir les érables*, de recueillir la sève des érables. (E 34-91) **5.** *Coureur de guignolée* : personne qui court la *guignolée*. Voir : **guignolée**. **6.** *Coureur de mardi gras* : personne qui *court le mardi gras (ou Mardi gras)*. Voir : **courir le mardi gras**. **7.** *Coureur de mi-carême* : personne qui *court la mi-carême*. Voir : **courir la mi-carême**. **8.** *Coureur de côtes* : marchand ambulant, colporteur aux XVIIe et XVIIIe siècles. Ce sont des *peddleurs* qui au XIXe siècle ont succédé aux *coureurs de côtes*.

COUREUSE n. f. Lampe électrique munie d'un grillage et d'un long fil permettant de la déplacer, baladeuse.

COURGE n. f. **1.** Palonnier aux extrémités duquel on accroche les traits des chevaux. (acad.) Syn., voir : **bacul** (sens 1). **2.** Porte-timon. (acad.) Syn. : **neckyoke**. **3.** Gorge ou morceau de bois échancré utilisé par les porteurs d'eau ou de lait, permettant de transporter deux seaux à la fois. (acad.)

COURGÉE n. f. Rég. en fr. Charge de deux seaux d'eau ou de lait transportée en utilisant une *courge*, une gorge. (acad.) Syn., voir : **jouquée**.

COURIR v. tr. **1.** Vx en fr. Poursuivre. *Courir* le chevreuil toute une journée et rentrer bredouille. Syn. : **galoper** (sens 1). **2.** *Courir la Chandeleur* : faire une quête pour les pauvres en passant de porte en porte le 2 février, jour de la Chandeleur. [+++] **3.** *Courir la derouine*. Voir : **derouine**. **4.** *Courir la galipote*. Voir : **galipote**. **5.** *Courir la guignolée*. Voir : **guignolée**. **6.** *Courir le loup-garou*. Voir : **loup-garou**. **7.** *Courir la mi-carême* : fêter la mi-carême en passant de maison en maison, masqué et déguisé. [+++] **8.** *Courir le mardi gras* : fêter le mardi gras en passant de maison en maison, masqué et déguisé. [+++] **9.** *Courir les érables* : passer d'un érable à un autre pour recueillir la sève sucrée amassée dans les *chaudières*. (E 34-91) Syn., voir : faire la **tournée**.

COURONNE n. f. **1.** Voir : **société de la Couronne**, **terre de la Couronne**. **2.** Fig. *Tricher la Couronne* : en parlant de personnes mariées, faire ce que la morale ne permet pas, tromper son conjoint.

COU-ROUGE n. m. Plongeon arctique à gorge rousse. Syn., voir : **huart**.

COURRIÉRISTE PARLEMENTAIRE n. m. Journaliste attaché à la galerie de la presse à l'Assemblée nationale du Québec ou au Parlement du Canada.

COURRIETTE n. f. Lacet de cuir, courroie étroite, lanière de peau d'anguille utilisée surtout comme lacet de chaussure. (Beauce) Syn., voir : **amarre** (sens 3), **cordon** (sens 1).

COURROIE n. f. Cuir à rasoir. Syn. : **strop**.

COURS n. m. **1.** *Cours classique, classique, grand cours, cours* : avant la création des *cégeps* en 1965, études secondaires avec latin et grec d'une durée de huit ans qui se terminaient par le baccalauréat ès arts ouvrant la porte de l'université. Faire son *classique*, son *cours classique*, son *cours*, son *grand cours*. **2.** *Cours commercial* : par opposition à *cours classique*, études qui préparaient directement au marché du travail comme vendeur, employé de bureau. **3.** Fig. *Cours-vite* : diarrhée. Avoir ou attraper le *cours-vite*. Syn., voir : **cliche**.

COURSE n. f. *Course sous harnais* (angl. harness race) [Ø] : course attelée.

COURSER v. tr. et intr. **1.** Poursuivre en courant ou en auto, poursuivre. La police a *coursé* les voleurs et les a rattrapés dans un cul-de-sac. **2.** Lutter de vitesse. Tous les trois, nous avons *coursé* pour rentrer à la maison. Syn. : **baucher** (sens 2), **speeder**.

COURSEUR n. m. Cheval trotteur, trotteur.

COURT adv. *De court de* : à court de. Être *de court d'*argent.

COUSIN n. m. **1.** Pâtisserie de forme humaine offerte par la marraine à ses filleuls ou filleules à Noël. Syn. : **naulet**. **2.** *Petit cousin, petite cousine* : cousin issu de germain, cousine issue de germain.

COUSU, E p. adj. Fig. *Être cousu de* : abondance de. Une terre *cousue de* roches, un lac *cousu de* truites, un firmament *cousu* d'étoiles, une famille *cousue* d'argent. Syn., voir : **ponté**.

COÛTANCE, COUTANGE n. f. Coût, dépense, frais. C'est une grosse *coûtance* de passer l'hiver en Floride! [++] Syn. : **coûtément**.

COUTEAU n. m. **1.** Coutre de la charrue. [+++] **2.** *Couteau à bardeau* : départoir servant à fendre les billes de bois pour en faire du *bardeau fendu* par opposition au *bardeau scié*. [++] **3.** *Couteau à doler* : couteau ressemblant à un gros canif, mais à lame fixe et incurvée, utilisé pour parer les sabots d'un cheval ou pour tailler un morceau de bois. (acad.) Syn. : **couteau croche**. **4.** *Couteau à prélart* : couteau à linoléum. [+++] **5.** *Couteau à ressort* : couteau de poche dont la lame est maintenue ouverte ou fermée par un ressort, canif. [+++] **6.** *Couteau croche* : couteau de fabrication artisanale muni d'une lame *croche* c'est-à-dire recourbée et utilisé depuis le début du XVIIe siècle par les *coureurs de bois*, les *voyageurs* et plus près de nous par les trappeurs, les bûcherons, les *draveurs* et les chasseurs, bref par tous ceux qui en forêt doivent se tirer d'affaires pour assurer leur survie. **7.** Fig. *Femme taillée au couteau croche* : femme bien en chair, rondelette, non anguleuse. **8.** Fig. Eau ou boisson gazeuse ajoutée à de l'alcool pour le diluer. Ce whisky est trop fort, il lui faudrait un *couteau*.

COUTELLERIE n. f. (angl. cutlery) [Ø] Service de couverts de table, couteaux, fourchettes, cuillers souvent conservés dans un coffret, ménagère.

COÛTÉMENT n. m. Vx et dial. en fr. Coût, dépense. C'est un gros *coûtément* que de marier une de ses filles. [+++] Syn. : **coutance**.

COUTRE À ROULETTE n. m. Disque tranchant de la charrue, utilisé au lieu du coutre droit.

COUTRILLE n. f. Solide lame d'un gros couteau. (acad.)

COUTUME n. f. Vx en fr. *Avoir coutume de* : avoir l'habitude de, avoir *coutume* de manger à des heures fixes.

COUVERT n. m. [#] **1.** Couvercle (d'un seau, d'un chaudron, d'un puits, d'une malle). [+++] **2.** Abaisse qui recouvre un pâté, une tarte. [+] **3.** Couverture d'un livre.

COUVERTE n. f. Vx en fr. Couverture de lit, de voyage, de cheval. [+++]

COUVERTURE n. f. **1.** Toit d'une maison, d'une construction. Une *couverture* n'est pas un toit mais la partie extérieure d'un toit. **2.** *Couverture à planches* : couverture de lit à rayures ou *planches* larges.

COUVRE-CHAUSSURES n. m. pl. Chaussures imperméables qui se portent surtout l'hiver par-dessus les souliers ou les bottines et qui montent plus haut que la cheville. [+++] Syn. : **overshoes**, **pardessus**.

COUVRE-TOUT n. m. Tablier-blouse que portent les ménagères. Syn. : **smock**.

COUVREUR n. m. Étalon ou verrat qui s'accouple avec une jument ou une truie.

COUYER n. m. Dial. en fr. Coffin de la pierre à faux. [+]

COYOTE n. m. (amér.) Ce mammifère, originaire de l'Ouest du Canada, apparut dans le sud du Québec vers 1940, en Gaspésie vers 1970, serait un hybride du coyote de l'Ouest et du loup de l'Ontario. Syn. : **chien des prairies**.

CR Sigle. Conseiller de la reine ou du roi. Honneur attribué à certains avocats en reconnaissance de leur contribution aux progrès du droit.

CRAB n. f. (angl. crab) [Ø] Fruit du *crabier* dont on fait des compotes. (acad.)

CRABIER n. m. (angl. crab-tree) [Ø] Pommier sauvage. (acad.)

153

CRAC, CRAQUE n. m. Substance que les cordonniers mettaient entre les semelles des chaussures de ceux qui tenaient à se faire remarquer et qui, lorsqu'ils marchaient, produisait un craquement. Syn. : **craquant**, **craqueux**.

CRACHER v. tr. **1.** Fig. et vulg. *Cracher à côté, cracher à terre* : euphémismes de confession; lors de la copulation, se retirer pour éjaculer à côté. [++] **2.** Fig. *Ne pas cracher dedans* : aimer les boissons alcooliques. [+++]

CRACHOIR n. m. Autrefois, voiture d'hiver, de promenade, chic, haute sur patins, et qui a précédé la *sainte-catherine*. (O 36-85)

CRACKER JACK n. m. Maïs soufflé et sucré dont on fait une grande consommation dans les salles de cinéma. Marque déposée.

CRADLE n. m. (angl. cradle) [Ø] Faux à râteaux, faux armée. (E 128) Syn., voir : **javeleux**.

CRAIGNANT-DIEU n. et adj. Se dit d'une personne très religieuse. Les jeunes d'aujourd'hui sont moins *craignants-Dieu* que les gens d'autrefois.

CRÂLER v. intr. **1.** Crisser, en parlant de la neige sèche sur laquelle on passe. (acad.) Syn. : **craquer**, **crier**, **gricher**. **2.** Craquer, produire des bruits secs. Quand il vente très fort, les granges *crâlent*. (acad.)

CRAMPANT, E adj. Argot. Amusant, drôle au point d'en avoir des crampes d'estomac. Les monologues de Deschamps sont *crampants* pour certains. Syn., voir : **tripant**.

CRAMPE n. f. **1.** Crampillon servant à fixer les fils de fer barbelés aux piquets de clôture, cavalier. [+++] **2.** Boucle de fil de fer qu'on passe dans le groin d'un porc pour l'empêcher de fouir. Syn., voir : **anneau**.

CRAMPER v. tr. et intr. **1.** (Angl. to cramp) [Ø]. Réparer une plaque de fer fêlée ou brisée à l'aide de crampillons rivés. **2.** Tourner les roues d'une voiture à droite ou à gauche, braquer. *Cramper* les roues d'une auto pour faire un créneau. **3.** Rendre visite à quelqu'un. *Cramper* chez sa marraine chaque fois qu'on passe devant sa maison en voiture. **4.** Être victime d'une crampe. Il nageait depuis cinq minutes lorsqu'il *a crampé*.

CRAMPONNER (SE) v. pron. Se blesser aux pattes avec les crampons de ses fers surtout dans la neige haute en parlant d'un cheval. [+++]

CRAMPONNURE n. f. Blessure que se fait un cheval avec les crampons de ses fers surtout quand la neige est haute. [+++]

CRAN, ÉCRAN n. m. **1.** Rocher coupé perpendiculairement, falaise. (E 123124) Syn. : **écorchis, écorchats**. **2.** Rocher nu à fleur de terre, faisant partie d'une veine de roche dans un champ cultivé, *nunatak*. (E 123-124) Le mot *cran* est fréquent dans la toponymie du Québec. Syn. : **cap, rond-de-fesse**.

CRANK, CRINQUE n. (angl. crank) [Ø] Manivelle de démarrage. Les premières autos démarraient au *crank*.

CRANKER, CRINQUER v. tr. (angl. to crank) [Ø] **1.** Démarrer une auto à la manivelle, au *crank*. **2.** Fig. Taquiner fortement. Paul s'est fait *cranker* toute la soirée et il a bien failli se fâcher. [+++] Syn., voir : **attiner**. **3.** Fig. Remonter le moral d'une personne. [++]

CRAPAUD, E adj. et n. **1.** En parlant d'un adulte, rusé, malhonnête. Méfie-toi du vieux Gédéon, il est tellement *crapaud*! Syn. : **crasse** (sens 1), **crasseux** (sens 1), **véreux** (sens 1). **2.** Espiègle, joueurs de tours, cajoleur en parlant d'un enfant. Petit *crapaud*, je l'ai vu pincer sa petite sœur! Syn., voir : **insécrable**.

CRAPAUD n. m. **1.** Crapaud de mer : nom vulgaire du chaboisseau ou chabot, à pines courtes, baudroie. Syn. : **lotte**. **2.** Bleu de lessive enveloppé dans un carré de tissu et qu'on fait tremper. Syn., voir : **bleu à laver**.

CRAPET, CLAPET n. m. **1.** Hache de bûcheron à joues légèrement rebondies. **2.** Variété de piochon utilisé surtout comme coupe-racines. **3.** Poisson. *Crapet calicot* : marigane noire. **4.** Poisson. *Crapet jaune* : nom vulgaire du crapet-soleil.

CRAPOTE n. m. [#] Crapaud. On voit beaucoup de *crapotes* la veille d'une pluie. [+]

CRAPOTEUX, EUSE adj. En parlant de la peau d'un homme qui travaille toujours au grand air, rugueuse, rude.

CRAPOUILLE n. f. [#] Crapule. Cet homme, c'est une *crapouille*.

CRAQUANT n. m. Voir : **crac**.

CRAQUE n. f. (angl. crack) [Ø] **1.** Fente, fissure, fêlure, crevasse (dans le bois, la glace, le métal). As-tu vu la *craque* dans la solive? [+++] Syn. : **gerce, pétassure, seam**. **2.** Fig. *Avoir une craque* : avoir l'esprit dérangé. [++] Syn., voir : **écarté**. **3.** Voir : **crac**. **4.** Argot. Femme, jeune fille. Tiens hier j'ai vu Jean-Louis avec une belle grande *craque* blonde. [++] **5.** Argot. Sexe féminin, vulve. [+++] Syn., voir : **noune**. **6.** Blague, mot d'esprit. [++]

CRAQUÉ, E adj. et n. (angl. crack) [Ø] **1.** Fêlé, fendillé, fendu, crevassé, craquelé. [+++] Syn. : **seamé**. **2.** Plissé accordéon, plissé soleil. Porter une jupe *craquée*. **3.** Fig Dont le cerveau est dérangé. Il est *craqué* ce jeune-là. [++] Syn., voir : **écarté**.

CRAQUER v. tr., intr. et pron. (angl. to crack) [Ø] **1.** Fêler, fendre, fendiller, crevasser, craqueler. Le vent a fait *craquer* la porte. La glace du lac *est craquée*, elle est dangereuse. [+++] Syn. : **pétasser**. **2.** Crisser, en parlant de la neige sur laquelle on passe. Syn., voir : **crâler**. **3.** Produire un craquement, en parlant de chaussures d'hommes ou de femmes auxquelles les cordonniers avaient mis du *crac* à la demande expresse de ceux qui tenaient à se faire remarquer. **4.** Fig. *Riche à craquer* : très riche.

CRAQUEUX n. m. Voir : **crac**.

CRASSE n. et adj. **1.** Canaille, rusé, vaurien, malhonnête en parlant d'un adulte. Méfie-toi de lui c'est un *crasse*, il est *crasse*. [+++] Syn., voir : **crapaud** (sens 1). **2.** Câlin, cajoleur, joueur de tours, en parlant d'un enfant. [+++] Syn., voir : **insécrable**. **3.** Égrillard. Avoir les yeux *crasses*. [+++] Syn., voir : yeux à la **gadelle**.

CRASSERIE n. f. Malhonnêteté, canaillerie, vilain tour dont seul un adulte *crasse* peut être l'auteur.

CRASSEUX, EUSE adj. et n. **1.** En parlant d'un adulte, rusé, malhonnête. Méfie-toi de lui, c'est un vieux *crasseux*. Syn., voir : **crapaud** (sens 1). **2.** En parlant d'un enfant, espiègle. Ah! mon petit *crasseux* tu as encore tiré les cheveux de ta petite sœur! Syn., voir : **insécrable**.

CRASSOUX, OUSE adj. Crasseux, sale, malpropre. [+++]

CRATE, CRÈTE n. m. (angl. crate) [Ø] Emballage à claire-voie en général, cageot en particulier. Acheter un *crate* de fraises ou de *bleuets*.

155

CRATER, CRÉTER v. tr. (angl. to crate) [Ø] Emballer à claire-voie. *Créter* les fraises, les framboises, les bleuets pour les vendre au marché.

CRAVATE n. f. **1.** Cache-nez qu'on utilise pour se protéger contre le froid. (surt. acad.) Syn., voir : **crémone**. **2.** Déchirure faite à un canot. Réparer une *cravate* avant de monter dans son canot.

CRAVATER v. tr. Faire accidentellement une déchirure, une *cravate* à un canot.

CRAWFISH n. (angl. crawfish) [Ø] Sobriquet que les francophones donnent à leurs compatriotes anglophones. Syn., voir : **tête carrée**.

CRAYON n. m. Fig. Pénis. Manger des œufs, ça met de la mine dans le *crayon*.

CRAYONNER v. intr. Écrire en parlant d'un écolier. Cet enfant-là aime *crayonner*, il faudra le faire instruire.

CREAM SODA, CRÈME SODA n. m. (angl. cream soda) [Ø] Soda mousse.

CRÉATURE n. f. **1.** Femme en général, personne de sexe féminin. As-tu vu les belles *créatures* qu'il y avait à la messe? [+++] Syn. : **femelle**. **2.** *Luxure*, l'un des trois péchés traditionnels rimant avec *sacrure* (blasphème) et *champlure* (intempérance). Regroupement de termes employés par des prédicateurs vers 1960.

CRÉCHARD n. m. Appellation péjorative des fonctionnaires provinciaux parce qu'ils travaillent à la *crèche*. Ce mot n'a pas encore de féminin.

CRÈCHE n. f. **1.** Vx et litt. en fr. Mangeoire pour les bestiaux, pour les chevaux. **2.** Stalle du cheval ou de la vache dans l'étable ou l'écurie. Syn., voir : **entredeux. 3.** Fig. Appellation péjorative de la fonction publique provinciale. Travailler à la *crèche*. **4.** Fig. *Manger à toutes les crèches* : être opportuniste, manger à tous les râteliers. [+++] **5.** Fig. *Avoir le derrière à la crèche* : n'être d'accord sur rien, bouder, être bourru. **6.** Établissement tenu par des communautés religieuses féminines qui accueillait des enfants nés hors mariage, des orphelins, des enfants de familles éclatées ou d'une très grande pauvreté ainsi que des enfants handicapés. Les enfants non adoptés, et c'était la très grande majorité, restaient à la crèche jusqu'à l'âge de 16 ans. À cet âge, tout enfant que l'on jugeait inapte à gagner sa vie était envoyé dans un hôpital psychiatrique. [+++] Voir : **orphelins de Duplessis**.

CRÉCHER, CRÉCHETER v. tr. Attacher les vaches ou les chevaux à leur place dans l'étable ou l'écurie. (surt. acad.) Syn. : **encrécher**.

CRÉDITISTE n. et adj. Membre ou partisan des partis politiques *Crédit social* (Canada) ou *Ralliement des créditistes* (Québec). Les partis *créditistes* étaient en voie de disparition à la fin des années soixante-dix.

CREEK, CRIQUE n. (angl. creek) [Ø] Ruisseau.

CRÉMAGE n. m. Glace, glaçage recouvrant un gâteau.

CRÉMAILLÈRE n. f. **1.** Potence de cheminée munie d'une crémaillère. **2.** Tout système tenant lieu de potence au-dessus d'un feu à l'extérieur : chèvre ou support fait de trois ou quatre gaules en faisceau attachées à leur sommet; perche plantée obliquement dans le sol.

CRÈME À LA GLACE n. f. (angl. ice cream) [Ø] Crème glacée, glace. [+++]

CRÉMER v. tr. et intr. **1.** *Crémer un gâteau* : le glacer, le couvrir d'une couche unie et transparente de glace, de glaçage. **2.** Commencer à geler. La nuit a été très froide, l'eau du lac a commencé à *crémer*. [++]

CRÉMEUR n. m. **1.** Voir : **crémeuse. 2.** Voir : **krimmer**.

CRÉMEUSE, CRÉMEUR n. f. Récipient dans lequel on laissait reposer le lait à écrémer, avec à sa base un robinet pour l'écoulement du lait écrémé, crémoir. [+++]

CRÉMONE n. f. Cache-nez dont on s'entoure le cou pour se protéger contre le froid ou le vent. [+++] Syn. : **cravate, écharpe, nuage, paratine, scarf**.

CRÊPE n. f. **1.** *Crêpe à Séraphin* : crêpe faite avec de la farine de sarrasin, mets quotidien de *Séraphin*. Syn., voir : **galette** (sens 2). **2.** Fig. *Faire des crêpes* : faire des ricochets en lançant des cailloux plats sur une surface d'eau. Syn., voir : faire des **galettes**.

CRÉSUS n. m. Tirelire dans laquelle les enfants introduisent leurs pièces de monnaie. Syn., voir : **cochon**.

CRÊTE-DE-COQ n. f. Rég. en fr. Échinocloé, plante de la famille du blé.

CRETONS, CORTONS, GORTONS, GRETONS n. m. pl. Variété de rillettes ou rillons. [+++]

CRÉTOU adj. et n. Niais, demeuré qui *croit tout* ce qu'on lui dit. Syn., voir : **épais**. (acad.)

CREUSETTE n. f. Partie femelle de la bouveture d'une planche, d'un madrier.

CREUSEUR n. f. Profondeur d'un labour, d'un fossé, d'un lac. (acad.)

CREUX n. m. Mar. Mar. Profondeur. Puits qui a vingt

mètres de *creux*.

CREUX, EUSE adj. Mar. Profond. Le Saint-Laurent est très *creux* en face de Québec. Mot fréquent dans la toponymie du Québec.

CREVARD, CREVARD DE BREBIS, CREVARD DE MOUTONS n. m. Arbuste. Kalmia à feuilles étroites. (acad.) Syn. : **laurier**.

CRÈVE-FAIM n. Personne dans la misère, crève-la-faim.

CREVÉ, E n. et adj. [#] Hernieux, qui est atteint d'une hernie. [++]

CREVER v. tr. et pron. **1.** Éteindre. Ne pas oublier de *crever* la lampe en fin de soirée. (acad.) Syn. : **tuer**. **2.** *Se crever.* Contracter une hernie. C'est en soulevant une caisse de livres qu'il *s'est crevé*.

CREVETTE DE MATANE, CREVETTE DE SEPT-ÎLES, CREVETTE ROSE n. f. Variété de crevette du golfe du Saint-Laurent et de la côte du Labrador, de petite taille et vivant en eau froide, crevette nordique.

CRÈVE-Z-YEUX n. m. **1.** Laiteron des champs. [++] **2.** Nom vulgaire de la libellule. [+++]

CRI, E n. et adj. Amérindien d'une nation autochtone du Québec comptant 8 500 personnes dont 90 % habitent huit villages de la région de la Baie-James; relatif à ces Amérindiens. Les *Cris* de la Baie-James. Le Grand Conseil des *Cris*.

CRIANT p. prés. *En criant bine, ciseau, couteau, lapin* : faire quelque chose rapidement.

CRIARD n. m. **1.** Klaxon de véhicule automobile. Syn. : **burgau**. **2.** Sifflet d'une scierie, d'une manufacture marquant le commencement ou la fin du travail. [++] **3.** *Criard à brume* : corne de brume utilisée par les navires pour signaler leur présence surtout à l'époque où le radar n'existait pas.

157

CRIARD, E adj. En parlant de la neige sèche, qui fait du bruit, qui crisse, qui *crie* quand on marche dessus. [++]

CRIB n. m. (angl. crib) [Ø] Petit radeau de grumes ou de bois équarri devant faire partie d'un train de bois. Syn. : **raft** (sens 2).

CRIBLE n. m. Tarare servant à vanner. Passer l'avoine de semence au *crible*. [+++] Syn., voir : **vannoir**.

CRICCRAC, TRICTRAC n. m. Crécelle que l'on utilisait le Vendredi saint. Le *criccrac* appelait les fidèles aux offices lorsque les cloches des églises étaient « parties à Rome ».

CRICRI n. m. Voir : **tritri**.

CRIÉE n. f. *Criée pour les âmes* : sorte de vente aux enchères ou d'*encan* qui se déroulait sur le perron de l'église et dont les revenus servaient à payer des messes pour les défunts.

CRIER v. intr. **1.** Crisser, en parlant de la neige sèche sur laquelle on marche. [+++] Syn., voir : **crâler**. **2.** Klaxonner en actionnant le *criard*. [++] Syn. : **burgauter**. **3.** *Crier des noms.* Voir : **appeler des noms**.

CRIGNASSE, CRINIÈRE n. f. [#] Chevelure très fournie, tignasse. [+++] Syn. : **crigne** (sens 2).

CRIGNE, CRINE n. f. [#] **1.** Crinière d'un cheval. [+++] **2.** Chevelure très fournie, épaisse. [++] Syn., voir : **crignasse**.

CRIN n. m. Voir : avoir les **oreilles dans le crin**.

CRIN-CRIN n. m. Oiseau. Sittelle à poitrine blanche.

CRINQUE n. m. (angl. crank) [Ø] Voir : **crank**.

CRINQUER v. tr. (angl. to crank) [Ø] Voir : **cranker**.

CRIQUE n. f. **1.** Dent de lait, dent d'enfant en général. Notre bébé a déjà deux *criques*. [+++] Syn. : **caquiche**, **quaquiche**, **quenotte**. **2.** Voir : **creek**.

CRIQUET n. m. Grillon. L'été dernier, il y a eu une invasion de *criquets*. [+++]

CRISE D'OCTOBRE n. f. Grave événement politique survenu au Québec en octobre 1970 et marqué par l'enlèvement du diplomate britannique James Cross, libéré par la suite, et aussi par l'enlèvement et le meurtre du ministre québécois, Pierre Laporte.

CRISE D'OKA n. f. Événement politique survenu en juillet 1990 à la suite du soulèvement des indiens Mohawks de la réserve d'Oka qui réclamaient l'annexion d'un territoire adjacent à leur réserve.

CRISSER v. tr. Voir : **chrisser**.

CROC n. m. **1.** Hameçon utilisé par les pêcheurs de morue seulement. Appâter les *crocs* avec de l'encornet. (E 8-134) Syn. : **apçon**, **haim**. **2.** Dent canine, canine chez les humains. Syn. : **dent de l'œil** (sens 2).

CROCHE n. m. **1.** Courbe, tournant d'un chemin. Les *croches* d'une route qui zigzague. [+++] **2.** Déviation dans le fût d'un arbre, d'une pièce de bois.

CROCHE adj. **1.** Crochu, recourbé, gauchi, qui n'est pas droit, qui n'est pas rectiligne, qui n'est pas perpendiculaire. **2.** Voûté, courbé. Avoir le dos *croche*. Syn., voir : **cobi** (sens 2). **3.** Fig. Fourbe en parlant d'une personne, malhonnêtes en parlant des idées. [+++] **4.** Fig. *Avoir la tête croche* : être une forte tête, une tête dure. **5.** Fig. *Avoir un œil croche* : loucher d'un œil. Syn., voir : **coq-l'œil**. **6.** *Pipe croche* : pipe dont la queue est recourbée. [+++] **7.** *Voiture croche* : voiture d'hiver à brancard décentrable. [+++] **8.** *Mettre croche* : décentrer le brancard d'une voiture d'hiver. [+++] **9.** *Travail croche* : brancard décentrable de voiture d'hiver. (O 27-116) Syn. : *menoires croches*. **10.** *Menoires croches* : brancard décentrable de voiture d'hiver. (E 36-86) **11.** Voir : **chemin double**.

CROCHE adv. De travers. Marcher *croche*, raisonner *croche*. [+++]

CROCHET n. m. **1.** *Crochet à pitoune* : main coudée en crochet pointu, utilisée pour le déplacement, l'empilement ou le chargement manuel du bois à pâte, de la *pitoune*. **2.** *Tirer au crochet* : jeu consistant à lutter de force par le doigt du milieu de la main de chaque adversaire.

CROCHETÉ, E part. adj. Fait au crochet en parlant d'un napperon, d'un foulard et surtout d'un tapis appelé *tapis crocheté*.

CROCHETER v. tr. **1.** Accrocher, suspendre. *Crocheter* ses vêtements. [+] **2.** Heurter. La voiture était en stationnement quand on l'a *crochetée*. Syn., voir : **frapper** (sens 2). **3.** Faucher, en parlant des pois seulement. *Crocheter* des pois. (O 34-91) **4.** Fermer une porte à l'aide d'un crochet. (acad.) **5.** Faire un tapis au crochet. *Crocheter* des tapis l'hiver. [++]

CROCHETON n. m. Variété de faux, de dandinette, de turlutte que des pêcheurs occasionnels fabriquent à l'aide de trois hameçons. Syn., voir : **jiggeur**.

CROCHIR v. tr. et intr. **1.** Vx et dial. Rendre crochu, courber. *Crochir* une barre de fer. [+++] **2.** Retirer, se retirer, gauchir en parlant d'une pièce de bois.

158

CROCHU, E adj. Voûté, courbé. Avoir le dos *crochu*. Syn., voir : **cobi** (sens 2).

CROIRE (SE) v. pron. Avoir de la prétention, avoir trop d'estime pour soi. Depuis que son mari est maire, la mairesse *se croit*. Syn., voir : se **prendre** pour un autre.

CROISAILLER v. tr. Mettre des planches, des madriers en piles ajourées pour les faire sécher au grand air. Syn. : **cager**.

CROISÉE n. f. **1.** Bout d'une corde de bois dont les morceaux sont disposés en échiquier, par rangs alternés. (entre 34-91 et 22-124) Syn . : **cage** (sens 2), **échiquette**, **moulinet**. **2.** Carrefour, endroit où se croisent deux chemins. Syn., voir : **quatre-chemins**. **3.** Voie latérale dans certains chemins d'hiver, qui permet à une voiture de croiser ou de doubler une autre voiture. [+] Syn., voir : **rencontre** (sens 1).

CROISSANTERIE n. f. Établissement de restauration où l'on consomme du prêt-à-manger et surtout des croissants garnis (ROLF).

CROIX n. f. **1.** *Rég. en fr.* Carrefour, endroit où se croisent deux chemins. Syn., voir : **quatre-chemins**. **2.** Fig. Personne insupportable, importune. **3.** *Ne pas être une croix de Saint-Louis* : se dit de quelqu'un à qui on ne peut trop se fier. À remarquer que la croix de Saint-Louis était la plus haute décoration que les Canadiens pouvaient obtenir sous le régime français. [++] Syn. : bois de **calvaire**. **4.** Dans une famille, enfant anormal, infirme. **5.** *Mettre quelque chose au pied de la croix* : se résigner.

CROQUANT n. m. Cartilage de l'oreille. Une femme amoureuse peut avoir envie de mordre le *croquant* d'oreille de son homme.

159

CROQUE n. m. [#] Outil de jardinage constitué d'une panne et de deux dents, croc (prononcé KRO en français).

CROQUIGNOLE, CROXIGNOLE n. f. Pâtisserie légère cuite dans la friture puis recouverte de sucre. Souvent cette pâtisserie est faite de bâtons de pâte roulés, croisés et même tressés. [+++]

CROSSAGE n. m. Masturbation, automasturbation. Le *crossage* revenait souvent dans les sermons des pensionnats d'autrefois.

CROSSE, LACROSSE n. f. **1.** Sport d'équipes qui se pratique avec une balle et un bâton terminé par une sorte de panier. Les Blancs ont emprunté le jeu de *crosse* aux Amérindiens de l'Ouest. On dit indifféremment *crosse* ou *lacrosse*. **2.** Bâton muni d'une sorte de panier pour pratiquer le jeu de *crosse*, ou de *lacrosse*. **3.** Tisonnier servant à attiser le feu. Syn., voir : **pigou**. **4.** *Crosse de fougère* : jeune pousse de fougère que l'on apprête en salade. Syn. : **tête-de-violon**.

CROSSER v. tr. et pron. Vulg. Masturber, se masturber. [+++] Syn. : faire son **bonheur** soi-même, tirer une **botte à l'œil**, faire le **couillon**, se **flamber**, faire **couler son corps**, **gauler**, **se gauler**, faire ou se faire la **job**, passer ou se passer un **poignet**, se faire un **self-service**, commettre le **péché solitaire**.

CROSSETTE n. f. Vulg. Masturbation rapide.

CROSSEUR, CROSSEUX, EUSE adj. et n. **1.** Vulg. Personne qui masturbe ou qui se masturbe. [++] **2.** Vulg. Autrefois, sobriquet donné aux frères enseignants. Syn., voir : **corbeau**. **3.** Péj. Profiteur qui essaie de tirer profit de tout.

CROSSEUSE n. f. Carabine de chasse semi-automatique ainsi nommée à cause du va-et-vient à imprimer à la culasse. Il est parti à la chasse avec sa *crosseuse*.

CROTTES n. f. pl. **1.** *Fromage en crottes* : fromage en grains. Victoriaville est la capitale mondiale du *fromage en crottes*. [++] Syn., voir : **cailles** (sens 3). **2.** *Avoir ses crottes* : avoir ses règles, être menstruée. Syn., voir : avoir ses **lunes**.

CROTTER (SE) v. pron. Fig. Se couvrir, en parlant du ciel. [++] Syn., voir : **chagriner**.

CROUPIGNON n. m. **1.** Morceau délicat qu'est le croupion d'une volaille. [+] Syn., voir : **troufignon**. **2.** Coccyx. Avoir le *croupignon* sensible, suite à une chute. [++]

CROUSER v. tr. et intr. (angl. to cruise) [Ø] Voir : **cruiser**.

CROUSTILLES n. f. pl. Pommes de terre frites en minces rondelles. Néologisme créé pour remplacer le mot anglais *chips*. (ROLF) Syn. : **chips**, **patates chips**.

CROÛTE n. f. **1.** Première ou dernière planche sciée dans une bille de bois et dont une face conserve son écorce, dosse. [+++] Syn. : **slab**. **2.** Le croûton, entame d'un pain. Passe-moi la *croûte*, j'adore ça. **3.** *Manger une croûte, prendre une croûte* : prendre une collation, un goûter. Syn. : **collationner**. **4.** Surface de la neige durcie, consistante et capable de porter un certain poids. Aller à la *cabane à sucre* en marchant sur la *croûte*. [+++]

CROÛTER v. intr. En parlant de la neige mouillée, se durcir à sa surface et former une *croûte* (sens 4).

CROWBAR n. n. et f. (angl. crowbar) [Ø] **1.** Barre de fer droite utilisée comme levier, pince. [++] **2.** Pied-de-biche, pince-monseigneur. Syn. : **barre à clou**.

CROXIGNOLE n. f. Voir : **croquignole**.

CROYANCE n. f. Voir : **léger de croyance**.

CRSSS (prononcé CR trois S) n. m. Sigle. Centre régional de santé et de service social.

CRU, E adj. **1.** Rég. en fr. Froid et humide, en parlant de l'air, du temps. C'est *cru* dans une maison qui n'a pas été chauffée ou aérée pendant longtemps. [+++] **2.** (Angl. crude) [Ø]. Brut, non raffiné. De l'huile *crue*.

CRUDITÉ n. f. État de l'air qui est *cru*, c'est-à-dire froid et humide. Faire un courant d'air pour chasser la *crudité* d'une maison qui n'a pas été chauffée depuis longtemps. [+++]

CRUISER, CROUSER v. tr. et intr. (angl. to cruise) [Ø] Fig. Draguer, raccoler. Toutes les villes ont des quartiers où les âmes seules vont *cruiser* ou se faire *cruiser*.

CRUTCH n. f. (angl. crutch) [Ø] Traîneau rudimentaire servant au débusquage du bois. [+] Syn., voir : **bob**.

CRUTE adj. [#] Forme féminine fautive de l'adjectif *cru*, non cuit. Manger des pommes de terre *crutes*, de la viande *crute*.

CSST Sigle. Commission de la santé et de la sécurité au travail.

CUFF, COFFE n. m. (angl. cuff) [Ø] Repli d'un pantalon, revers. Syn. : **pagode** (sens 2).

CUILLER n. f. **1.** *Cuiller à chaussures* : chausse-pied de métal ou de corne, servant à faciliter l'entrée du pied dans la chaussure. [+++] Syn. : **langue**, **palette**, **talonnette**, **talonnière**. **2.** *Cuiller à pot* : la Petite Ourse. [+] Syn., voir : **chaise (petite chaise)**. **3.** *Cuiller à table* (angl. tablespoon) [Ø] : cuiller à soupe. **4.** *Cuiller à thé* (angl. teaspoon) [Ø] : cuiller à café. [+++] **5.** *Cuiller potagère* : louche, cuiller à pot. Syn. : **caliborne**.

160

CUIRETTE n. f. (mot formé sur le modèle anglais : leatherette) [Ø] Simili-cuir, imitation du cuir.

CUISINE n. f. **1.** *Cuisine d'été, petite cuisine* : à la campagne, allonge au corps principal d'une maison, utilisée surtout l'été. Exceptionnellement, la *cuisine d'été* ou *petite cuisine* ne fait pas corps avec la maison. (O 8-134) Syn. : **bas-côté**, **cuisinette**, **fournil**, **haut-bord**, petit côté, **retirance**, **salle d'été**. **2.** Voir : **assemblée de cuisine**.

CUISINETTE n. f. Voir : **cuisine d'été**.

CUISSE n. f. Ironiquement, fenêtre. Il fait froid, ferme les *cuisses*.

CUITE n. f. Quantité de pain que l'on fait cuire en une seule fois, fournée. Syn., voir : **façon**.

CUL n. m. **1.** Péjor. *Bas-du-cul* : homme de petite taille, bout de cul. Syn. : **bougon** (sens 4). **2.** Vulg. *Se pogner, se poigner, se prendre le cul* : ne rien faire, ne pas travailler. [+++] Syn., voir : **bretter**. **3.** *Jouer un cul* (à quelqu'un) : rouler, duper quelqu'un. Syn., voir : **cocu** (sens 2). **4.** Vulg. *Temps de cul* : mauvais temps. Quand est-ce que ça va finir ce *temps de cul?* **5.** *Se baiser le cul* : manquer son coup, échouer, subir une défaite à une élection. **6.** Vx en fr. *Se fendre le cul en quatre* : travailler très fort, se donner beaucoup de mal. Syn., voir : **s'effieller**. **7.** *Fourrer dans le cul* : dans un moment d'impatience, à quelqu'un qui refuse de prêter quelque chose, de fournir un renseignement, on lui dira de se le *fourrer dans le cul*. Syn. : fourrer dans le **derrière**. **8.** *Fourrer à plein cul* : faire l'amour avec le premier venu ou la première venue. **9.** *Ne pas valoir le cul* : être d'aucune valeur. Ces nouveaux skis, ça ne *vaut pas le cul*, ce film ne *vaut pas le cul*. **10.** *Baise-moi le cul!* : injure lancée à quelqu'un. **11.** *Avoir quelqu'un dans le cul* : détester, mépriser quelqu'un. **12.** *Finir gros cul* : manquer son coup, subir une défaite à une élection.

CULBUTE n. f. Fig. *Prendre une culbute* : se heurter à une difficulté, avoir une déception, subir un échec. Syn., voir : frapper un **nœud**.

CULBUTEUR, CULBUTEUX n. m. Homme tombeur de femmes. Le vieux Salomon, c'était un *culbuteux* de *créatures*.

CULBUTON n. m. Larve de *maringouin*. Syn. : **lève-cul**.

CULLAGE, COLLAGE n. m. (angl. cullage) [Ø] **1.** Action de mesurer du bois scié ou du bois en billes. **2.** Action de mettre au rebut, de rebuter le bois qui ne correspond pas aux normes fixées.

CULL, COLLE n. f. (angl. cull) [Ø] **1.** Bois de rebut, de mauvaise qualité. **2.** Fig. Toute marchandise de mauvaise qualité. [+++] Syn. : **bullshit**, **chenolle**, **guenille**, **pénille**, **poche**, **saloperie** (sens 2), **scrap**.

CULLER, COLLER v. tr. (angl. to cull) [Ø] **1.** Mesurer du bois scié ou du bois en billes. **2.** Mettre au rebut, rebuter le bois qui ne correspond pas aux normes fixées.

CULLEUR, COLLEUR n. m. (angl. culler) [Ø] Homme chargé de mesurer le bois en billes ou le bois scié, et de mettre au rebut, de rebuter le bois qui ne correspond pas aux normes fixées.

CUL-LEVÉ n. m. Arbre renversé par le vent et dont les racines sont à nu, chablis. (O 36-85) Syn., voir : **renversis** (sens 1).

CUL-NOIR n. m. Au pl. Nuages noirs qui annoncent la pluie et l'orage. Syn., voir : **tapons** noirs.

CULOTTE n. f. **1.** *Culotte à grandes manches, culotte catholique* : autrefois, culotte de femme descendant aux genoux, pourvue d'élastiques interdisant tout regard indiscret. [+++] **2.** Fig. *Se faire prendre les culottes à terre* : se faire prendre de façon inattendue, sans préparation. [+++] **3.** *Culotte du pays* : culotte de fabrication artisanale remontant à l'époque où il y avait un métier à tisser dans chaque famille. **4.** Fig. Disamare de certains arbres avec laquelle s'amusent les enfants. Syn., voir : **avion**. **5.** Fig. *Être à pleines culottes* : se dit d'un homme qui a du ventre, de l'embonpoint. **6.** *Attraper une paire de culottes* : avoir une déception, subir un échec, se heurter à une difficulté. Syn., voir : frapper un **nœud**.

CULOTTON n. m. Vêtement d'hiver pour enfants, d'une seule pièce, fermé par une glissière et avec capuchon tenant ou amovible, esquimau. Syn., voir : **habit de neige**.

CUL-PLAT (À CUL-PLAT) Manière de s'asseoir dans un canot de toile, le cul, le derrière en contact avec le fond du canot.

CULTEUX n. m. Araignée d'eau, hydromètre. Syn., voir : **patineur**.

CUNIT n. m. (angl. cunit) [Ø] Dans le commerce du bois, unité de mesure équivalant à cent *pieds* cubes, soit 2,83 m^3.

CUPBOARD, CABETTE, COBETTE n. f. (angl. cupboard) [Ø] **1.** Buffet à vaisselle, vaisselier. **2.** Armoire fixe, placard de cuisine où l'on rangeait la vaisselle de tous les jours. **3.** Placard où l'on range les provisions destinées à la table. [+++] **4.** Placard à tout usage. Anglicisme en perte de vitesse.

CURATEUR n. m. (angl. curator) [Ø] Conservateur de musée, de bibliothèque. Anglicisme presque disparu.

CURÉ n. m. **1.** Voir : **bedaine** de curé (sens 1). **2.** Voir : **bois** de curé (sens 15). **3.** Voir : **tabac** de curé (sens 3). **4.** Voir : **vache** de curé (sens 9).

CURIEUX, EUSE adj. Vx en fr. Qui a le souci de, qui est attentif à. Le vieux Gédéon est toujours *curieux* de sa santé; il est aussi soigneux, *curieux* de ses habits. (Beauce)

CURVE n. f. (angl. curve) [Ø] Tournant d'une route. Syn., voir : **dévirage**.

CUTE adj. (angl. cute) [Ø] Mignon, gentil, beau. Ce petit bébé, il est *cute*! Il est *cute* ton chapeau! [+++] Syn. : **flash**.

CUTEX n. m. Vernis à ongles. Marque déposée.

CUTTEUR n. m. (angl. cutter) [Ø] Autrefois, voiture d'hiver pour la promenade, légère et à deux places. [++] Syn. : **speedeur**.

CUVE, CUVETTE, CUVOTTE n. f. Baquet, cuveau en bois pour la lessive. [+++] Syn., voir : **baille** à laver.

CWAC n. f. Sigle. Canadian Women Army Corps. Femme dans l'armée canadienne, soldate, au cours de la guerre 1939-1945.

CYPRÈS n. m. [#] Pin de Banks, pin divariqué. (Charsalac) Syn. : **pin gris**.

DACTYLO n. f. Rég. en fr. Machine à écrire. Utiliser une *dactylo* électrique.

DADO n. m. (angl. dado) [Ø] Lambris d'appui, boiserie recouvrant les murs des pièces nobles (salon, salle à manger) des grandes demeures dans les quartiers cossus. Syn. : **boisure**.

DAGUE, DAILLE n. f. (angl. die) [Ø] Emporte-pièce. On se sert de *dailles,* de *dagues* pour découper des semelles dans un morceau de cuir.

DAGUER v. tr. (angl. to die) [Ø] Découper du cuir, du carton en utilisant une *dague,* une *daille.*

DALLE n. f. **1.** Vx en fr. Gouttière ou petite auge de bois ou de métal qui borde les toits pour recueillir les eaux et les transporter jusqu'au sol au moyen de tuyaux de descente. [+++] Syn. : **dalot, dégouttière** (sens 3), **égouttière. 2.** Autrefois, demi-bille de bois creusée en auge dans toute sa longueur et servant à couvrir les camps forestiers à la façon des tuiles rondes. [++] Syn., voir : **auge** (sens 3). **3.** Tuyau de descente de la gouttière. Syn. : **dalot, dégouttière, égouttière. 4.** *Eau de dalle* : eau pluviale. Là où l'eau de puits est trop calcaire, on ramasse l'*eau de dalle* pour laver le linge. **5.** Dans l'étable, rigole d'écoulement du purin. Syn. : **dalot** (sens 3). **6.** *Dalle humide* : dalle de bois légèrement en pente, pourvue d'un courant d'eau et servant à transporter des billes de bois au-dessus d'une route ou d'une vallée, le long d'un rapide, à côté d'une chute ou d'un barrage. Syn., voir : **sluice. 7.** Fig. *Se mouiller la dalle, le dallot* : boire à l'excès, s'enivrer, se rincer la dalle. [++] Syn. : **se mouiller le canadien, le dalot, le gau, le gorgoton, la luette**; se **déranger, se mouiller les pieds**, se **paqueter**, se **paqueter la fraise.**

DALOT n. m. Mar. **1.** Gouttière ou petite auge de bois ou de métal qui borde les toits pour recueillir les eaux et les transporter jusqu'au sol au moyen d'un tuyau de descente.

(pass) Syn., voir : **dalle** (sens 1). **2.** Tuyau de descente de la gouttière. Syn., voir : **dalle** (sens 2). **3.** Dans l'étable, rigole d'écoulement du purin. [++] Syn., voir : **dalle** (sens 5). **4.** *Se mouiller, se rincer le dalot* : s'enivrer, se rincer la dalle. Syn., voir : se mouiller la **dalle** (sens 7). **5.** Doigtier qui recouvre un pansement à un doigt, poupée. (E 24-124) Syn., voir : **doyon**.

DAM n. f. (angl. dam) [Ø] Barrage sur un cours d'eau, construit par l'homme ou par le castor. [++] Syn., voir : **digue**.

DAME n. f. **1.** Pop. en fr. Femme, épouse. Le maire était à la soirée avec sa *dame*. **2.** *Dames de Sainte-Anne* : association paroissiale pieuse regroupant des femmes mariées et des veuves.

DAMER v. tr. (angl. to dam) [Ø] Construire un barrage, une *dam*, sur un cours d'eau. Cette rivière pourrait être *damée* à plusieurs endroits. Syn. : **harnacher**.

DAMIER n. m. Herse d'autrefois dont la forme faisait penser à un damier.

DAMNÉ, E adj. et n. **1.** Variété de juron; mauvais, de mauvaise qualité. *Damnée* terre qui ne produit presque rien! **2.** *Travailler comme un damné* : travailler d'arrache-pied, sans arrêt.

DANÉ n. m. Voir : **déné**

DANS prép. **1.** Fam. en fr. *Dans les* : environ. Avoir *dans les* vingt ans. **2.** Moins. Il est midi *dans* dix. **3.** Sur. L'enfant avait réussi à monter *dans* l'échelle et ne pouvait pas descendre seul. **4.** Pour. Elle a dû revendre ses bijoux à cinquante sous *dans* la *piasse*.

DANSE n. f. **1.** Soirée dansante. Les mariages sont l'occasion de *danse*. **2.** *Danse callée* (angl. called dance) [Ø] : danse dont les figures sont annoncées par un meneur. [+++] **3.** *Danse carrée* (angl. square dance) [Ø] : danse où les danseurs se disposent en forme de carré, comme pour le quadrille, le lancier, etc. [+++]

DANSER v. intr. **1.** Corde à *danser*, *danser* à la corde : corde à sauter, sauter à la corde. [++] **2.** Fig. *Ne pas danser plus vite que le violon* : prendre le temps qu'il faut pour bien faire un travail. **3.** *Danser sur la gueule*. Voir : **gueule**.

DANSEUSE n. f. *Danseuse à gogo, danseuse topless* (angl. topless) [Ø]. Voir : **gogo-girl**.

DARDER (SE) v. pron. Rare en fr. Se lancer, se jeter, se précipiter. Le chien s'est *dardé* sur le voleur. Syn. : se **garrocher** (sens 3), se **tirer** (sens 3).

DASH n. m. (angl. dash) [Ø] Tableau de bord d'un véhicule automobile. Anglicisme en perte de vitesse.

DATE n. f. (angl. date) [Ø] **1.** Rendez-vous. Donner une *date* à une jeune fille. **2.** a) *À date* (angl. up to date) [Ø] : à ce jour, pour le moment, jusqu'à maintenant. *À date*, les dépenses sont très élevées. b) *Mettre à date* (angl. to date) [Ø] : mettre à jour. La comptabilité a été mise *à date*. c) *Être à date* (angl. to date) [Ø] : être à jour.

DAVIER n. m. *Avoir besoin d'un davier* : en parlant d'une chatte, être en chaleur, *avoir mal aux dents*.

DE prép. [#] Cette préposition est explétive, donc inutile dans les cas suivants : c'est *de* leur faute, c'est *de* son affaire, gagner dix dollars *de* l'heure, à part *de* ça (souvent prononcé à part *de'd* ça).

DÉBÂCLE n. f. Fig. Diarrhée. Avoir, attraper la *débâcle*. [++] Syn., voir : **cliche**.

DÉBÂCLER v. pron. Fig. *Se débâcler de* : se débarrasser de quelque chose.

DÉBAPTISER (SE) v. pron. Jurer énergiquement et terminer un chapelet de jurons en criant : je me *débaptise*!

DÉBARBOUILLETTE n. f. Carré de tissu-éponge servant à la toilette, petite serviette jouant le rôle du gant de toilette français. [+++]

DÉBARDEAUCHER v. tr. Enlever les bardeaux de bois qui couvraient le toit ou les murs d'une construction. *Débardeaucher* est le contraire de *bardeaucher*.

DÉBARQUE n. f. *Prendre une débarque.* a) Faire une chute, tomber, s'étaler par terre. Syn., voir : **fouille**. b) Fig. Subir une perte importante à la suite d'une mauvaise transaction financière, subir un échec. Syn., voir : frapper un **nœud**.

DÉBARQUER v. tr. et intr. Mar. **1.** Descendre. *Débarquer* d'une voiture, d'un train, d'une échelle... [+++] Syn., voir : **dégrimper**. **2.** Abattre, tuer. *Débarquer* une grive d'un coup de fusil.

DÉBARRER v. tr. Vx et rég. en fr. Ouvrir à l'aide d'une clef, déverrouiller. *Débarrer* une porte. [+++]

DÉBARRIS n. m. Glaces adhérant aux rivages de la mer. (acad.) Syn., voir : **bordages** (sens 1).

DÉBÂTIR v. tr. Démolir, défaire. *Débâtir* une vieille grange, un vieux pont. [+++]

DÉBATTEMENT n. m. Palpitation, battement violent et déréglé du cœur. À la moindre émotion, il a des *débattements* de cœur. [+++]

DÉBATTRE v. intr. Palpiter, battre de façon déréglée. S'il marche un peu vite, le cœur lui *débat*. [+++]

DÉBAUCHE n. f. *Jour de débauche* : jour où les pêcheurs ne vont pas à la pêche. (acad.)

DÉBAUCHER v. intr. et pron. Ne pas travailler. Hier, il y avait tempête, les pêcheurs de morue *ont débauché, se sont débauchés*. (acad.)

DÉBAUCHEUSE n.f. Organe génital, pénis imposant d'un adulte. Syn., voir : **pine** (sens 5).

DÉBENTURE n. f. (angl. debenture) Obligation non garantie, émise par une société et qui repose uniquement sur le crédit général de cette société.

DÉBIFFÉ, E adj. Vx en fr. Fatigué, pâle, abattu. Il est bien *débiffé* depuis quelque temps.

DÉBISCAILLÉ, E adj. Déformé, bossué, brisé. On s'est assis sur mon chapeau : il est tout *débiscaillé*.

DÉBLOQUER v. tr. Briser un embâcle de billes de bois de flottage ou de blocs de glace sur un cours d'eau en utilisant de la dynamite. Syn. : **déjammer** (sens 1).

DÉBORD n. m. Diarrhée. Attraper, avoir le *débord*. [++] Syn., voir : **cliche**.

DÉBOSSAGE n. m. [#] Débosselage. Ce garage est spécialisé dans le *débossage*.

DÉBOSSER v. tr. [#] Faire disparaître les bosses de la carrosserie d'une automobile, débosseler. [+++] Syn. : **décobir**.

DÉBOSSEUR, EUSE n. m. [#] Tôlier qui répare les bosses d'une carrosserie d'automobile, débosseleur.

DÉBOTTER v. tr. Enlever des sabots des chevaux la neige molle qui y adhère en utilisant un *débottoir*. [+++]

DÉBOTTOIR n. m. Maillet servant à *débotter* les pieds des chevaux et que l'on gardait à portée de la main, près de la porte de l'écurie.

165

DÉBOUCHE n. f. **1.** Fossé important dans lequel se déversent des fossés de moindre importance. (Lanaudière) Syn. : **décharge** (sens 2). **2.** Cours d'eau par lequel s'écoule le trop-plein d'un lac. Syn. : **décharge** (sens 1).

DÉBOUGRINER v. pron. Enlever sa *bougrine*, son veston ou son manteau. Syn., voir : **décapoter**.

DÉBOULER v. tr. et intr. **1.** Jeter en bas, pousser bas, faire rouler de haut en bas. *Débouler* du foin. [+++] **2.** Tomber du haut en bas, *débouler* dans un escalier. [+++] **3.** Fig. Faire une fausse couche ou accoucher. Syn., voir : faire une **perte**.

DÉBOULIS n. m. [#] Glissement de terrain, éboulement, éboulis. La route qui longe le cap est fermée à cause d'un important *déboulis*. [++]

DÉBOURBER v. tr. Fig. Tirer hors de la neige. *Débourber* une automobile prise dans la neige.

DÉBOUTONNER (SE) v. pron. Fig. Se montrer généreux, ouvrir grande sa bourse, ne pas faire les choses de façon mesquine. Pour l'enterrement de sa femme, Joseph *s'est déboutonné*. [+++] Syn. : se **déculotter**.

DÉBRAGER (SE) v. pron. Gesticuler fortement, s'agiter, se démener. Essayer de chasser les moustiques en *se débrageant*, en agitant les bras. (Charsalac)

DÉBRÉLÉ, E adj. En piteux état, en parlant d'un vêtement et aussi de la personne qui porte ce vêtement, débraillé. Ne va pas faire tes courses *débrêlé* comme ça, habille-toi autrement! (Lanaudière)

DÉBRÉLER v. tr. (Lanaudière) Voir : **débretter**.

DÉBRENER, DÉBORNER v. tr. et pron. Détruire, se débarrasser de. Réussir à *débrener*, *déborner* un terrain pourri de chiendent. (Verbe formé à partir du mot *bren*, cher à Rabelais.) Syn., voir : **dégeancer**.

DÉBRETTÉ, E adj. **1.** Dérangé, hors d'état de fonctionner. Sa montre a reçu un coup et elle est *débrettée* depuis. [++] **2.** Fig. En mauvaise santé, malade. Sa femme est toujours *débrettée*. [++]

DÉBRETTER v. tr. et pron. Déranger, détraquer, briser. Ne touche pas au moteur, tu vas le *débretter*. Une lieuse-batteuse, ça se *débrette* souvent. [++] Syn. : **débréler**, **dérénecher**, **désettler**.

DEÇÀ prép. *En deçà de* : en moins de. On peut finir ce travail *en deçà d*'une semaine. Syn. : **en dedans** de.

DÉCACHER v. tr. et pron. **1.** Découvrir. *Décacher* les rosiers dès que les risques de gel sont passés, *décacher* un bébé qui a trop chaud en enlevant une *cache*, une couverture. (E 22-124) Syn. : **désabrier**. **2.** Se découvrir. *Se décacher* en dormant. (E 22-124) Syn. : **se désabrier**.

DÉCALCULER v. tr. et intr. Tromper dans ses espoirs. Un ouragan mêlé de grêle quand le blé est encore sur pied, ça *décalcule*, ça *décalcule* son homme!

DÉCALOTTER (SE) v. pron. Enlever, ôter son chapeau, sa *calotte*, se découvrir. Quand on entre chez quelqu'un la politesse veut qu'on *se décalotte*. (Région de Québec)

DÉCANADIANISER v. tr. Perdre une partie de son identité canadienne, devenir plus ou moins déraciné.

DÉCANILLER v. intr. Fam. en fr. Déguerpir, déménager, décamper très rapidement. Dès que le voleur a entendu venir quelqu'un, il a *décanillé*. Syn. : **chenailler**.

DÉCAPÉ part., adj. m. *Ne pas être encore décapé.* a) Avoir encore le gland du pénis plus ou moins recouvert par le prépuce.

b) Fig. Être jeunet, manquer d'expérience. Paul ne peut pas prendre la direction de cette compagnie, il n'est pas encore *décapé*. Syn., voir : ne pas avoir le **nombril sec** (sens 2).

DÉCAPER v. tr. et pron. Découvrir de son prépuce le gland du pénis.

DÉCAPOTER v. tr. et pron. Déshabiller, ôter les vêtements portés à l'extérieur (chapeau, *capot* ou manteau, gants, etc.), se déshabiller. *Décapoter* un enfant qui arrive du froid. En rentrant chez soi l'hiver, on se *décapote*. [+++] Syn. : **débougriner**, **défarger**, **dégréer**, **dégreyer**.

DÉCARÊMER (SE) v. pron. Fam. et vx en fr. Cesser de faire carême. Autrefois c'était très grave d'oser *se décarêmer*.

DÉCATCHER v. tr. (angl. to catch) [Ø] Faire jouer le *catch*, la clenche ou pièce de fer mobile maintenant une porte fermée ou maintenant en prise un mécanisme. Syn. : **déclencher**.

DÉCHAÎNÉ, E part., adj. et n. **1.** Vx en fr. Désenchaîné, en liberté, non attaché. Il est imprudent de garder un chien *déchaîné*. **2.** Crier comme un *déchaîné* : crier à tue-tête, comme un diable *déchaîné*.

DÉCHAÎNER v. tr. Vx en fr. Désenchaîner, détacher la chaîne de... *Déchaîner* un taureau, un chien dangereux.

DÉCHANGER v. tr. et pron. **1.** Annuler un échange. Tu vas aller *déchanger* tes billes! [+++] **2.** Quitter ses vêtements du dimanche et remettre ses vêtements de la semaine ou vice-versa, c'est le contraire de *se changer*. [+++]

DÉCHARGE n. f. **1.** Cours d'eau par lequel s'écoule le trop-plein d'un lac. Ce qui est la *décharge* d'un lac est en même temps la *charge* ou *recharge* d'un autre lac situé en aval. [+++] Syn. : **débouche** (sens 2). **2.** Fossé important dans lequel se déversent des fossés de moindre importance. [++] Syn. : **débouche** (sens 1). **3.** Sperme émis lors de l'éjaculation. **4.** (Angl. discharge) [Ø]. Licenciement, libération. Obtenir sa *décharge* de l'armée. **5.** Pièce de débarras dans les grandes maisons d'autrefois.

DÉCHARGER v. tr. Se dit d'une *décharge* par laquelle le trop-plein d'un lac est évacué vers un autre lac. C'est ce ruisseau-ci qui *décharge* le lac qui est en face de nous.

DÉCHOQUER (SE) v. pron. Cesser d'être *choqué*, d'être fâché, en colère; décolérer.

DÉCLAREUR, EUSE n. À l'école, mouchard. Syn., voir : **porte-panier**.

DÉCLENCHER v. tr. Vx en fr. Soulever la clenche maintenant une porte fermée ou maintenant en prise un mécanisme. Syn. : **décatcher**.

DÉCLIN n. m. Mar. Voir : **clin**.

DÉCLINAGE n. m. Mar. **1.** Partie des *bardeaux* d'un toit ou d'un mur exposée aux intempéries. Laisser un *déclinage* de quatre *pouces*. [+++] Syn., voir : **échantillon**. **2.** Partie des planches horizontales recouvrant les murs extérieurs exposée aux intempéries.

DÉCLINER v. tr. Mar. Recouvrir de *clins*, de planches horizontales chevauchant l'une sur l'autre comme sur les embarcations à clin. *Décliner* un mur de pierres exposé au vent du nord. [+++] Syn. : **clapboarder**.

DÉCLORE, DÉCLOSER v. tr. Vx en fr. Défaire un *clos*, une clôture. Il faut entraver cette vache, elle passe son temps à *déclore*.

DÉCLOS, E adj. Non clôturé. Cultiver un jardin *déclos* afin de pouvoir utiliser un tracteur.

DÉCLOUTER v. tr. Déclouer ce qui est *clouté*, ce qui est cloué.

DÉCLUBAGE n. m. Action de *décluber*. Le *déclubage* massif de plus de 1 100 *clubs* de chasse et de pêche eut lieu en 1978 suite à une loi québécoise.

DÉCLUBER v. tr. Rendre accessibles au public des cours d'eau, des lacs, des territoires *clubés* qui étaient réservés aux *clubs* privés de chasse et de pêche.

DÉCLUTCHER, DÉCLOTCHER v. tr. (angl. clutch) [Ø] Débrayer. Quand on remorque une automobile, il faut la *déclutcher*. Anglicisme en perte de vitesse. Syn. : mettre au **neutre**.

DÉCOBIR v. tr. Débosseler. *Décobir* un chapeau, une casserole de fer-blanc. (acad.) Syn. : **débosser**.

DÉCOINCER (SE) v. pron. Fig. Se débarrasser de certains complexes psychologiques, se libérer, se décomplexer, cesser d'être *coincé*. Syn. : se **dépogner**.

DÉCOLLER v. tr. et intr. **1.** Couper la tête et éviscérer la morue à saler ou à faire sécher. **2.** Fig. Partir, s'en aller. Tiens, il est temps que je *décolle!* [+++] Syn. : **décoster** (sens 2)

DÉCOMPTER v. tr. Dire de quelqu'un que ses jours sont comptés. Le médecin *décompte* notre voisin. [+++] Syn. : ne pas revoir la **neige**, ne pas revoir la **terre**.

DÉCONFESSIONNALISER v. tr. et pron. Rendre non confessionnel une école, un collège, un hôpital, une université, un syndicat ouvrier, une association professionnelle comme l'UCC. Le Québec s'est beaucoup *déconfessionnalisé* mais les commissions scolaires tirent encore de l'arrière.

DÉCONFORTÉ, E adj. Vx ou litt. en fr. Découragé. Il est bien *déconforté* depuis qu'il a perdu son fils. (acad.) Syn. : **démonté**.

DÉCONFORTER v. tr. et pron. Vx ou litt. en fr. Décourager, se décourager. Ce n'est pas un homme à se *déconforter* pour si peu! (acad.)

DÉCONNECTER v. tr. (angl. to disconnect) [Ø] **1.** Débrancher. Il faut *déconnecter* le fer à repasser après usage. **2.** Fig. *Être déconnecté des électeurs* : ignorer les besoins, les désirs de ceux qui votent.

DÉCORDER v. tr. Défaire une *corde* de bois, une pile de bois; dépiler ou mieux désempiler. [+++]

DÉCORNER v. tr. Rare en fr. Écorner, couper les cornes. *Décorner* un taureau.

DÉCOSTER v. intr. Mar. **1.** Quitter la côte, le port. La tempête les a empêchés de *décoster*. **2.** Fig. Partir, s'en aller. Quand il vient nous voir, il n'arrive plus à *décoster*. Syn. : **décoller** (sens 2)

DÉCOUPURE n. f. [#] Coupure. Coller des *découpures* de journaux dans un cahier.

DÉCOUVER v. intr. Cesser de couver, en parlant d'une poule. [++]

DÉCOUVERT n. m. **1.** Abattis qu'un propriétaire d'une forêt doit faire sur une étendue de quinze *pieds* de la ligne de séparation entre sa forêt et celle de son voisin. **2.** Partie des *bardeaux*, d'un toit exposée aux intempéries. (E 124, 125) Syn., voir : **échantillon**. **3.** Clairière naturelle ou faite par l'homme en forêt. Syn., voir : **éclaircie**.

DÉCRAMPER (SE) v. pron. Faire disparaître une crampe ou contraction douloureuse d'un muscle en faisant des massages ou des exercices appropriés.

DÉCRASSER (SE) v. pron. Fig. S'éclaircir, se mettre au beau en parlant du temps. Syn., voir : **abeaudir**.

DÉCROCHAGE n. m. Fig. Action de *décrocher*, d'abandonner les études avant la fin de la période obligatoire. (ROLF).

DÉCROCHER v. tr. et intr. **1.** *Décrocher une claque* à quelqu'un : donner une claque à quelqu'un, gifler. **2.** Fig. Abandonner l'école avant la fin de la période obligatoire. (ROLF).

DÉCROCHETER v. tr. Décrocher ce qui est suspendu à des crochets, ce qui est accroché, *accrocheté*. *Décrocheter* les rideaux pour les laver.

DÉCROCHEUR, EUSE n. Fig. (ROLF) Élève qui quitte l'école avant la fin de la période obligatoire. Mot destiné à remplacer l'anglicisme *drop-out*. Syn. : **drop-out**.

DÉCULOTTER v. tr. et pron. **1.** Fig. Tromper, rouler quelqu'un dans un marché. Syn., voir : **emmiauler**. **2.** Fig. Ruiner, réduire à la mendicité. **3.** Fig. Se montrer généreux, ne pas compter, ne pas faire les choses mesquinement. Syn. : **se déboutonner**. **4.** Expr. fig. *Déculotter Jacques pour culotter Jean* : être du pareil au même. Dans un budget équilibré, ajouter des fonds à un poste en les prélevant d'un autre poste, c'est *déculotter Jacques pour culotter Jean*.

DÉDAIN n. m. **1.** Répulsion. Avoir du *dédain* pour la viande chevaline. **2.** *Avoir dédain de* : ne pas aimer. *Avoir dédain de* manger dans une assiette sale, de manger de la viande crue.

DEDANS adv. **1.** *En dedans de* : en moins de. Le facteur fait sa journée *en dedans de* trois heures. Syn. : **en deçà de**. **2.** Voir : **fourrer dedans**.

DÉDENTELÉ, E adj. et n. Édenté, qui a perdu une ou plusieurs dents. Beaucoup de personnes âgées sont *dédentelées*. Syn., voir : **brèche-dent**.

DÉDOUBLER v. intr. Commencer à vêler et laisser paraître la matrice, en parlant d'une vache. Syn., voir : montrer le **bonnet**, **dévelouter**.

DÉDUCTIBLE n. m. (angl. deductible) [Ø] Franchise. Une assurance d'auto qui comporte un *déductible* de 200 $. [+++]

DÉFÂCHER (SE) v. pron. Vx et rég. en fr. Cesser d'être fâché, reprendre son calme, sa bonne humeur. [+++]

DÉFAISURE n. f. Charpie provenant de tissus qu'on défait pour la filer de nouveau. (surt. acad.) Syn., voir : **échiffe**, **pénille**.

DÉFAIT n. m.; **DÉFAITE** n. f. Charpie provenant de tissus qu'on défait pour la filer de nouveau. (E 9-132) Syn., voir : **échiffe**.

DÉFAITE n. f. **1.** Vx en fr. Prétexte, fausse raison, échappatoire. Il s'est trouvé une *défaite* pour ne pas venir nous aider. **2.** *Ne pas avoir de défaite* : être incapable de se défendre dans une dispute, de répondre du tac au tac. **3.** Voir : **défait**.

DÉFARGER v. tr. et pron. **1.** Désentraver un animal (cheval, mouton, vache), lui enlever ses *enfarges*, ses entraves. Syn. : **désenfarger**. **2.** Fig. Se dévêtir, enlever ses vêtements. Syn., voir : se **décapoter**.

169

DÉFAUT n. m. Partie d'une colline, d'une montagne ou il y a un endroit suffisamment plat pour permettre une construction. Cette maison, construite dans le *défaut* de la colline a une vue superbe.

DEFFALER (SE) v. pron. **1.** Se découvrir la *fale*, la gorge, se décolleter. Syn. : **dépoitrailler, effaler, époitrailler. 2.** Fig. Se vider le cœur.

DEFFILOPÉ, EFFILOPÉ, E adj. Déchiré en parlant d'un tissu, d'un vêtement. (acad.) Syn., voir : **échiffé.**

DÉFLAILLÉ, E; DÉFLYÉ, E p. adj. (angl. fly) [Ø] Dont la *fly* ou braguette est ouverte. Se promener dans la rue tout *déflaillé* n'est pas recommandé. Syn., voir : **foin** (sens 10).

DÉFINITIVEMENT adv. (angl. definitely) [Ø] Assurément, à coup sûr. Ce boxeur est *définitivement* supérieur à son adversaire.

DÉFONCÉ, E adj. et n. Fig. Se dit de quelqu'un qui a un gros appétit, qui est insatiable. Manger comme un *défoncé*, être *défoncé*.

DÉFONCER v. tr. **1.** Enfoncer. *Défoncer* une porte pour secourir quelqu'un prisonnier des flammes. **2.** Fig. *Défoncer la nouvelle année, défoncer la nuit* : le soir du 31 décembre, fêter l'arrivée de la nouvelle année en buvant un coup, en s'amusant jusqu'aux petites heures du matin.

DÉFOURCHER v. tr. Décharger du foin en vrac en utilisant une fourche. (acad.)

DÉFOURRASSER v. tr. Débrouiller, éclaircir une situation où tout est embrouillé. (acad.)

DÉFRICHÉ n. m. Terrain défriché, prêt à son premier ensemencement.

DÉFRICHER, DÉFRICHETER v. tr. **1.** Fig. *Défricher, les liens de parenté* : démêler et faire connaître les liens de parenté d'une famille, d'un groupe de familles. (acad.) **2.** Fig. *Défricher. défricheter une écriture* : déchiffrer.

DÉFRICHETÉE n. f. Fig. *Faire une défrichetée de parenté* : démêler les liens de parenté. (acad.)

DÉFRICHETER v. tr. **1.** Défricher. *Défricheter* un lopin de terre pour ensuite le mettre en culture. **2.** Fig. Démêler les liens de parenté. (acad.)

DÉFRICHETEUR, EUSE n. m. **1.** Défricheur. Les *défricheteurs* de l'Abitibi avaient beaucoup de courage. **2.** Fig. *Défricheteur, défricheur de parenté* : personne qui connaît de mémoire les liens de parenté qui unissent les familles.

DÉFROQUER (SE) v. Intr. et pron. **1.** Quitter l'ordre religieux auquel on appartient. **2.** Pr. Enlever son *froc*, sa blouse de travail faite de toile solide de denim, sa vareuse [+++]

DÉFUNTER v. tr. Tuer. Réussir à *défunter* un bourdon.

DÉFUNTISER v. tr. et intr. **1.** Fig. Détériorer, abîmer, briser, démolir, endommager. Cet enfant *défuntise* tout ce qui lui tombe sous la main. **2.** Mourir. Quand vous *défuntiserez*, qu'est-ce qu'on en fera de votre manteau de castor? Syn. : accrocher sa **tuque**, lever les **pattes**, partir de l'autre **bord.**

DÉGACER v. intr. Faire un changement pour le mieux, rompre la monotonie. Retrouver la nourriture de sa mère après des mois de pensionnat, ça *dégace*.

DÉGATTER (SE) v. pron. Sortir du bourbier, de la *gatte* où l'on s'était embourbé. (Charsalac)

DÉGAZER (SE) v. pron. Se dégriser, dessoûler, cesser d'être *gazé*. Syn., voir : se **dégommer.**

DÉGAZONNEUSE n. f. Machine servant à enlever la surface gazonnée d'un terrain pour en faire des rouleaux qui serviront à gazonner.

DÉGEANCER v. tr. et pron. Détruire, se défaire de, se débarrasser de. Réussir à se *dégeancer* du chiendent, des punaises, des souris. Syn. : **déborner, débrener, dégendrer, dépester, désembrener**.

DÉGELÉ, DÉGELIS n. m. Sur un cours d'eau ou sur un lac, endroit où la glace prend à peine ou ne prend pas du tout. Syn. : **trou chaud**.

DÉGELOTER v. tr. et intr. Dégeler, faire dégeler petit à petit. Faire *dégeloter* une dinde en la plaçant dans le bas du réfrigérateur.

DÉGENDRER v. tr. et pron. Voir : **dégeancer**.

DÉGÊNER v. tr. et pron. Guérir quelqu'un de sa timidité, de sa *gêne*, perdre sa timidité, sa *gêne*. Faire partie de notre club de hockey l'a *dégêné*.

DÉGOMMER (SE) v. pron. Se dégriser, dessoûler, cesser d'être *gommé*. Le gros Charles a mis deux jours à se *dégommer*. [++] Syn. : **se dégazer, se dépaqueter**.

DÉGOSSER v. intr. À l'impératif. *Dégosse!* : commence!, pars!, vas-y!

DÉGOTTER v. tr. et pron. **1.** Retirer l'hameçon qui est accroché au *gau* ou estomac de la morue. (E 9-133) **2.** Fig. Voir : **se dérhumer**.

DÉGOTTOIR n. m. **1.** Bâton pointu que le pêcheur introduit dans la bouche du poisson pour en élargir la gorge et assurer la récupération de l'hameçon accroché au *gau* ou estomac. (E 9-133) **2.** Crochet utilisé pour retirer l'hameçon accroché au *gau* d'un poisson. (E 9-133)

DÉGOURDIR v. tr. Vx en fr. Faire chauffer légèrement pour rendre tiède. Faire *dégourdir* de l'eau pour soigner un animal.

DÉGOURMER (SE) v. pr. Voir : **se dérhumer**.

DÉGOUTTIÈRE n. f. **1.** Interstice d'un toit par lequel l'eau s'infiltre. Il est souvent très difficile de repérer les *dégouttières* d'une toiture. **2.** Gouttes d'eau qui tombent d'un toit. **3.** Gouttière installée au bas d'un toit pour recueillir les eaux pluviales. Syn., voir : **dalle** (sens 1).

DÉGRADER v. tr. Mar. **1.** Retarder, faire arriver en retard. Le mauvais temps et les mauvais chemins nous ont *dégradés*. [++] **2.** *Dégrader des pommes de terre* : les arracher en utilisant une pioche. (acad.)

DÉGRAISSER (SE) v. pron. Fig. Se mettre au beau en parlant du temps. Syn., voir : s'**abeaudir**.

DÉGRAT n. m. Mar. Retard. Si nous avons eu un peu de *dégrat*, c'est à cause du mauvais temps.

DÉGRÉER, DÉGREYER v. tr., intr. et pron. Mar. **1.** Déshabiller, ôter les vêtements (chapeau, manteau, gants, etc.); se déshabiller, ôter ses vêtements. *Dégreyer* les enfants qui rentrent du dehors. [+++] Syn., voir : **arracher** (sens 5). **3.** Desservir, dégarnir. *Dégreyer* la table, l'arbre de Noël. **4.** Vendre, se défaire. Se *dégreyer* d'une partie de ses meubles.

DÉGREYAGE n. m. Action de *dégréer*, de *dégreyer*.

DÉGRIMONER, GRIMONER v. intr. et pron. **1.** Déblatérer, dégoiser, médire, gronder. Cesse donc de *grimoner* et travaille! [++] **2.** Se débattre, travailler d'arrache-pied. Il *se dégrimone* comme un diable, il va sûrement réussir.

DÉGRIMPER, DÉGRIMPIGNER, DÉGRUCHER (acad.) v. tr., intr. et pron. Faire descendre, descendre. *Dégrimper* un gamin monté dans un arbre. Veux-tu bien *dégrimper* de là, tu peux te casser le cou! [+] Syn. : **déjouquer, débarquer**.

DÉGUEULER v. tr. Fig. Dans les rapides, refouler avec force, en parlant d'un obstacle qui provoque un remous. Un remous *dégueule* l'eau qu'il a fait tourbillonner.

DÉGUISER v. tr. Enlaidir, défigurer. La cicatrice qu'il a au front le *déguise* beaucoup. [++]

DEHORS adv. **1.** [#] *En dehors* : à l'extérieur. Un vrai cultivateur ne travaille que sur sa terre, jamais *en dehors*. [+++] **2.** *En dehors de* : hors de, en sus de. Faire de la comptabilité *en dehors de* ses heures de travail. [+++] **3.** *Porte de dehors* : porte d'entrée d'une demeure. La *porte de dehors* de cette maison est mal située, elle donne sur le nord-est. [+++]

DÉJAMMER v. tr. (angl. jam) [Ø] **1.** Défaire une *jam*, un embâcle de glaçons ou de bois de pulpe, souvent en utilisant de la dynamite. [+++] Syn. : **débloquer**. **2.** Dégripper un mécanisme, une serrure, un écrou en utilisant un lubrifiant appelé un dégrippant. [++]

DÉJEUNER n. m. Vx et rég. en fr. Repas du matin, petit déjeuner. [+++]

DÉJOUALISER (SE) v. pron. Passer du *joual*, langue bâtarde, à une langue correcte; c'est le contraire de *joualiser*. Syn. : passer du **joual** au cheval.

DÉJOUQUER v. tr. et pron. Voir : **dégrimper**.

DÉLABRE n. m. [#] Délabrement, ruine, état de ce qui est délabré. Maison en *délabre*. Syn., voir : **démance**.

DÉLAGUER v. tr. (angl. lag) [Ø] Enlever les *lags*, c'est-à-dire les tuiles défectueuses d'un véhicule à chenilles pour les remplacer par de nouvelles tuiles.

DÉLICATISÉ, E adj. Piquée, attendrie, en parlant de viande de boucherie. Les personnes ayant des prothèses dentaires préfèrent le bifteck *délicatisé* à celui qui ne l'est pas.

DÉLIVRE n. m. Vx en fr. Placenta expulsé après la mise bas, surtout en parlant des vaches. [+++] Syn., voir : **suite**.

DÉLIVRER v. tr. et intr. **1.** Vx en fr. Expulser le *délivre* ou placenta après la mise bas. La Caillette n'a pas encore *délivré*. **2.** (Angl. to deliver) Ø. Livrer, faire la livraison au domicile de l'acheteur. Ce magasin *délivre* dans un rayon de cent kilomètres.

DÉLURER v. tr. Rare en fr. Déniaiser, éveiller. Commencer à travailler en usine a beaucoup *déluré* le fils de notre voisin.

DÉMANCE, DÉMANCHE, DÉMENCE n. f. *En démance, en démanche* : en ruine, en mauvais état. Une maison, une grange *en démance* ou *en démanche*. (De la famille de *démancher*.) Syn. : **besace, délabre**.

DÉMANCHAGE n. m. Action de défaire, de démonter, de démolir, de *démancher* (sens 1).

DÉMANCHER v. tr. et pron. **1.** Défaire, démonter, démolir. *Démancher* une vieille grange, une clôture, un tricot. [+++] **2.** Luxer, déboîter. Se *démancher* une épaule. [+++] **3.** Fig. Désappointer, déranger. La mort de sa femme l'a bien *démanché*. [+++]

DEMANDANT, E adj. Exigeant. Ce qu'un enfant gâté peut être *demandant*!

DEMANDE n. f. **1.** *Petite demande* : autrefois, demande en mariage entre les intéressés seulement, privément. **2.** *Grande demande* : autrefois, demande en mariage officielle et solennelle, le garçon et ses parents se rendant chez les parents de la jeune fille.

DEMANDER v. tr. *Demander* une question : poser une question mais demander un renseignement.

DÉMARIÉ, E n. Séparé par le divorce, divorcé. Il est encore aux études et il vit avec une *démariée*.

DÉMARIER v. tr. et pron. **1.** Vx en fr. Séparer juridiquement les époux; se séparer, cesser de vivre ensemble, en parlant d'un couple marié. Autrefois, il était très difficile de *se démarier*. **2.** Fig. Défaire une paire de chaussettes, de chaussures. Je ne peux pas porter ces chaussettes, elles sont *démariées*, elles ne vont pas ensemble.

DÉMARRER v. tr. Mar. Désamarrer, détacher. *Démarrer* un cheval qu'on avait *amarré*, attaché.

DÉMATINER (SE) v. pron. *Se dématiner* : se lever tôt.

DÉMÊLER v. tr. [#] Délayer, détremper. *Démêler* de la farine avec du lait.

DÉMÉNAGITE n. f. Maladie des ouvriers des villes qui, il n'y a pas tellement longtemps, déménageaient tous les ans le 1er mai. Voir : **-ite**.

DÉMENCE n. f. [#] Voir : **démance, démanche**.

DEMEURE n. f. *À demeure* (loc. adv.) : tout à fait, complètement, d'une façon durable. Être fou *à demeure*.

DEMESHUY adv. Désormais. Mon fils, *demeshuy* tu pourras te servir de mon auto! (acad.)

DEMIARD n. m. Vx et rég. en fr. Mesure de capacité des liquides valant une demi-*chopine*, soit 284 cl. [+++]

DEMI-BOUCHE n. f. *À demi-bouche* : à voix basse. Quand on est en groupe, raconter une histoire grivoise *à demi-bouche* pour ne pas scandaliser certaines oreilles scrupuleuses. (Lanaudière)

DÉMICMAQUER v. tr. Démêler ce qui est dans un désordre extrême, s'y retrouver, y voir clair. *Démicmaquer* une histoire de drogue, de vol et de viol.

DEMIE n. f. Dans le domaine de l'habitation, pièce qui, par ses dimensions réduites, compte pour une demi-pièce. Louer un appartement de deux pièces et *demie*, un deux et *demie*. [+++]

DEMI-LUNE n. f. **1.** Marque blanche sur le front de certaines bêtes à cornes. Syn., voir : **cœur**. **2.** Petite table demi-circulaire, table demi-lune (*demi-lune* étant alors adj. inv.).

DEMI-MINOT n. m. **1.** Mesure de capacité pour les grains valant 7,70 kg. Ce contenant se retrouve dans toutes les fermes, le *minot* n'existant pas parce que trop embarrassant, difficilement maniable. [+++] **2.** Fig. *Avoir la tête comme un demi-minot* : avoir une tête très grosse. [+++]

DEMOISELLE n. f. pl. **1.** Colline arrondie faisant penser à un mamelon. Mot que l'on retrouve dans la toponymie du Québec. **2.** Au pl. Branches de sapin qui mêlées à de la terre sont utilisées dans la construction de barrages. (acad.) Syn. : **rosettes**.

DÉMON n. m. *En démon.* a) Très, beaucoup. Le sermon du curé était beau *en démon*. b) En colère, en mauvaise humeur. Cette lettre l'a mis *en démon*.

DÉMONE n. f. Diablesse. Cette femme est une vraie *démone* et souvent elle crie comme une *démone*.

173

DÉMONSTRATEUR n. m. **1.** Chez les vendeurs d'automobiles, auto que tout acheteur potentiel peut essayer pour un parcours de son choix. [+++] **2.** Automobile ayant été utilisée comme *démonstrateur* et qui, en fin de saison, est vendue à un prix très avantageux. **3.** Chez les marchands de meubles, tout meuble rembourré qui a été en montre très longtemps et que l'on vend à un prix avantageux.

DÉMONTANT, E adj. Décourageant. C'est *démontant* de voir tout le travail qu'il faudra faire.

DÉMONTÉ, E adj. Découragé. Notre voisin est bien *démonté* depuis que ses granges et sa maison ont brûlé. [+++] Syn. : **déconforté**.

DÉMORPHOSER v. tr. C'est le contraire des verbes *amorphoser*, *emmorphoser*, ramener à son état premier.

DÉMOUSSER v. tr. En parlant de certains oiseaux, des *démousseurs*, enlever la mousse où se cachent des insectes et qui sert à calfeutrer une construction en bois rond.

DÉMOUSSEUR n. m. Oiseau qui enlève la mousse servant à calfeutrer une construction en bois rond.

DÉNÉ, DANÉ n. (amér.) Homme.

DÉNÉDGÉRÉ n. (amér.) Ennemi.

DÉNEIGEUSE n. f. Petite *souffleuse* à neige servant à déneiger les entrées de maison, de garage. [+++]

DÉNERFER, DÉNERVER v. tr. Anglaiser, couper les muscles abaisseurs de la queue d'un cheval pour la maintenir relevée. Syn. : **niquer**.

DÉNÉYOU n. (amér.) Petit homme.

DÉNICHETER, DÉNIQUER (acad.) v. tr. Dénicher. *Dénicheter* des hirondelles, une couvée, des guêpes. [+++]

DENT n. f. **1.** *Dent de l'œil* : chez les humains, dent canine, canine. Syn. : **croc** (sens 2). **2.** *Dents de magasin.* Prothèse dentaire. **3.** Fig. *Avoir mal aux dents* : être en chaleur, en parlant d'une chatte. On dit alors qu'elle *a besoin d'un davier*. [++] **4.** Fig. *Avoir des dents.* En parlant d'une loi, être assortie de peines sévères pour les contrevenants. La nouvelle loi, pour conduite d'un véhicule automobile en état d'ivresse, *a des dents*.

DENTUROLOGISTE n. Prothésiste dentaire.

DÉNUAGER v. tr. et pron. Enlever le *nuage* ou cache-nez. *Dénuager* un enfant lorsqu'il revient à la chaleur, *se dénuager* parce que le temps est plus doux. [+++]

DÉOFFER v. tr. (angl. to lay off) [Ø] Licencier un travailleur. Quand un employeur n'a pas suffisamment de travail à offrir, il lui faut *déoffer* un certain nombre d'ouvriers. Anglicisme en perte de vitesse.

DÉÔTER v. tr. Sevrer. *Déôter* de sa mère un veau qui tête. Syn., voir : **détrier**.

DÉOUACHER v. tr. et pron. **1.** Débusquer un animal à la chasse, le faire sortir de sa *ouache*. **2.** Sortir de sa *ouache* (sens 3) en parlant d'un chasseur ou d'un animal. [+++]

DÉPANNEUR n. m. **1.** Petite épicerie qui peut être ouverte vingt-quatre heures par jour et sept jours par semaine (ROLF). Mot qui gagne du terrain sur son concurrent *accommodation*. (O 28-101) Syn. : **accommodation**. **2.** Personne qui exploite une épicerie ouverte tous les jours, même en soirée. L'exploitante d'un tel commerce est une *dépanneuse*. **3.** Espèce de grille à crampons que l'on place sous les roues motrices d'un véhicule automobile immobilisé dans la neige ou sur la glace et qui permet de repartir.

DÉPAQUETER (SE) v. pron. (angl. to pack) [Ø] Se dégriser, dessoûler, cesser d'être *paqueté* : c'est le contraire de *se paqueter*, de s'enivrer. [+++] Syn., voir : se **dégommer**.

DÉPAREILLÉ, E adj. Sans pareil, incomparable. Un homme *dépareillé*. [+++]

DÉPAREILLÉ adv. Sans comparaison, très. Ce sirop est bon *dépareillé*. [+++]

DÉPARLER v. intr. Vx en fr. Divaguer, délirer. À cause de sa forte fièvre, il a *déparlé* une partie de la nuit.

DÉPEINTURER v. tr. Enlever, faire disparaître la peinture qui couvre un plancher, un mur. La porte qui s'ouvre sur le nord est *dépeinturée*.

DÉPELOTONNER v. intr. Fig. Tenir des propos incohérents, dépourvus de sens. Syn., voir : perdre la **carte**.

DÉPENDAMMENT QUE, DÉPENDAMMENT DE loc. conj. (angl. depending) [Ø] Rare en fr. Selon que, compte tenu que, advenant que, etc. Syn. : **dépendant que**, **dépendant de**.

DÉPENDANT n. m. **1.** Flanc, versant. Le *dépendant* d'une colline, d'une montagne. Syn., voir : **pendant**. **2.** (Angl. dependant) [Ø]. Personne à charge aux yeux de l'impôt.

DÉPENDANT DE, DÉPENDANT QUE loc. prép. (angl. dependant) [Ø] Selon. Nous louerons une grande salle ou une petite salle, *dépendant du* nombre de personnes. Syn. : **dépendamment**.

DÉPÉNILLER, ÉPÉNILLER v. tr. Défaire un tissu, le mettre en charpie ou *pénille* pour la filer de nouveau, écharper. (O 35, 36) Syn., voir : **écharpiller**.

DÉPENSE n. f. **1.** Vx et rég. en fr. Dans les maisons particulières, lieu où l'on range les provisions destinées à la table. [+++] **2.** *De dépense* : dépensier, qui aime dépenser. On prétend que les femmes sont plus *de dépense* que les hommes. [++] **3.** *Dépenses de voyage* (angl. travel expenses) [Ø] : frais de déplacement, de voyage.

DÉPENSER v. tr. Consommer. Une grosse famille *dépense* beaucoup d'électricité, beaucoup de confitures.

DÉPENT n. m.; **DÉPENTE** n. f. Versant, flanc d'une colline, d'une montagne. Syn., voir : **pendant**.

DÉPESTABLE adj. Dont on peut se débarrasser, se *dépester*, qu'on peut détruire. Le chiendent, les punaises, les souris, ce n'est pas *dépestable*.

DÉPESTER v. tr. et pron. Voir : **dégeancer**.

DÉPILER v. tr. **1.** Défaire une pile, un empilement, désempiler. *Dépiler* des madriers qu'on a fait sécher au grand air. **2.** Fig. Dépenser son argent sans compter. C'est le contraire de *piler* (sens 3).

DÉPIQUER v. intr. Donner moins d'entrure, de *pique* à la charrue en labourant. Syn., voir : **détremper**.

DÉPISTEUR, EUSE n. Dans les sports, personne chargée par une équipe professionnelle de découvrir chez les jeunes joueurs ceux dont le comportement laisse deviner un futur champion.

DÉPITER (SE) v. pron. Se démener, se donner du mal. *Se dépiter* pour se trouver un emploi. [++]

DÉPLANTER, DÉPLOMBER v. tr. Fig. Faire tomber, abattre, tuer. *Déplanter* un oiseau de proie d'un seul coup de fusil.

DÉPLET, ETTE adj. Vif, expéditif, habile. Un ouvrier *déplet* fait beaucoup de travail en peu de temps.

DÉPLEYER v. tr. Déplier. *Dépleyer* un drap, un hameçon. (acad.)

DÉPLEYOIR n. m. Petit instrument qu'utilisent les pêcheurs pour redonner à leurs hameçons la courbature qu'ils avaient perdue. (acad.)

DÉPLUGUER, DÉPLOGUER v. tr. (angl. to plug) [Ø] **1.** Débrancher. *Dépluguer* le grille-pain après usage. **2.** Fig. Vivre hors du temps, décrocher, ne pas s'intéresser à quoi que ce soit. Les drogués finissent souvent par être complètement *déplugués*.

DÉPOCHER v. tr. Exploiter quelqu'un, ruiner, dépouiller. Le vieux Siméon s'est fait *dépocher* par son fils cadet.

DÉPOGNER (SE) v. pron. Se débarrasser de certains complexes psychologiques, se décomplexer, se libérer, s'émanciper, cesser d'être *pogné*. [+++] Syn. : se **décoincer**.

DÉPOITRAILLER (SE) v. pron. Se découvrir le cou, la gorge, se décolleter. On n'a pas idée de se présenter à un lancement de livres ainsi *dépoitraillée*. Syn., voir : se **deffaler**.

DÉPOQUER v. tr. Faire disparaître les marques, les coups, les *poques* d'un meuble, d'un contenant en tôle ou en aluminium. *Dépoquer* un meuble, un seau de métal. [+++]

DÉPÔT n. m. **1.** (Angl. deposit) [Ø] : arrhes, caution. Verser un *dépôt* à titre d'acompte. [+++] **2.** (Angl. direct deposit) [Ø] : *dépôt direct* : virement automatique. **3.** (Angl. depot) [Ø] : gare de chemin de fer. Beaucoup de villes ou de villages du Québec ont une rue qui s'appelle la *rue du dépôt*.

DÉPOTOIR À NEIGE n. m. Décharge (la neige, même sale, ne pouvant être assimilée aux ordures ménagères). [+++]

DÉPRENDRE v. tr. Rare en fr. Dégager, libérer, tirer d'un mauvais pas. *Déprendre* quelqu'un qui s'est pris dans des barbelés. [+++]

DÉPUTAILLE n. f. Mot péjoratif pour désigner l'ensemble des députés.

DÉRAGER v. intr. Litt. en fr. Cesser d'être en colère, décolérer. [++]

DÉRAIL n. m. Graisse attachée aux intestins du porc.

DÉRAILLER v. tr. Dégraisser. *Dérailler* les boyaux de porc en les grattant pour en retirer le *dérail*, la graisse qui y adhère. (surt. Charsalac)

DÉRANGEMENT, GRAND DÉRANGEMENT n. m. Euphémisme pour désigner la déportation brutale des Acadiens par les Anglais en 1755.

DÉRANGER (SE) v. pron. S'enivrer mais légèrement. Lui, je ne l'ai jamais vu se *déranger*, il prend un verre mais ne se *dérange* pas. [+++] Syn., voir : se mouiller la **dalle** (sens 7).

DÉRÉNECHER, DÉRINECHER v. tr. (angl. wrench) [Ø] Voir : **débretter**.

DÉRÉVEILLER (SE) v. pron. Se réveiller, en langage enfantin.

DÉRHUMER (SE) v. pron. S'éclaircir la voix. *Se dérhumer* avant de parler au micro, avant de commencer un discours, un cours, un sermon. [+++] Syn. : se **dégotter**, se **dégourmer**, se **dérouiller** la voix.

DÉRIVER, DRIVER v. intr. Aller de côté et d'autre, en parlant d'un traîneau qui glisse tantôt à droite tantôt à gauche dans les pistes des chemins de neige. [++] Syn., voir : **barauder**.

DERNIER, ÈRE; PETIT DERNIER, PETITE DERNIÈRE
n. Dernier-né d'une famille nombreuse. [+++] Syn., voir :
chienculot.

DÉROCHER v. tr. Épierrer, débarrasser un terrain des
pierres, des *roches* gênantes pour la culture. [++] Syn. :
érocher.

DÉROFFER, DÉROUGHER v. tr. (angl. rough) [Ø]
Planer, faire qu'une pièce de bois ne soit plus *rough.* Syn. :
blanchir (sens 1).

DÉROUGIR v. intr. **1.** Chauffer sans arrêt en parlant du
poêle à bois. Quand il fait très froid l'hiver le poêle ne
dérougit pas. [+++] **2.** Fig. Ne pas cesser en parlant de la
circulation automobile, du commerce, de l'achalandage,
du téléphone, etc. Aujourd'hui le téléphone n'a pas *dérougi.*
[+++]

DÉROUILLER (SE) v. pr. Voir : se **dérhumer**.

DÉROUINE n. f. **1.** *En dérouine* : en voyage, hors de chez
soi. Untel, je me demande quand il peut travailler sur sa
terre, il est toujours *en dérouine.* **2.** *Coureur de dérouine* :
personne toujours en course, en voyage, hors de chez elle.
3. *Courir la dérouine* : aller ici et là, ne pas rester en place.

DERRIÈRE n. m. **1.** *Faire noir comme dans le derrière d'un
bœuf.* Voir : **noir comme... 2.** *Fourrer dans le derrière* : dans
un moment d'impatience, à quelqu'un qui refuse de prêter
quelque chose, de fournir un renseignement, on lui dira
de se le *fourrer dans le derrière.* Syn. : fourrer dans le **cul**.
3. *Derrière de canot, derrière de barge* : homme d'expérience
placé à l'arrière du canot et qui aidait le commandant
appelé *devant* de barge ou *devant de* canot.

DÉSABRIER, DÉSABRILLER v. tr. et pron. Découvrir, se
découvrir. *Désabrier* un enfant dans son lit lorsqu'il fait très
chaud. [+++] Syn. : **décacher**.

DÉSAMAIN adj. inv. **1.** Incommode, désavantageux.
L'abribus est trop loin, il est *désamain.* [+++] Syn. : **mal à
main. 2.** *À désamain* : incommode. Le bureau de poste est
trop loin, il est *à désamain.*

DÉSÂMER v. tr. et pron. **1.** Faire mourir. Ce garçon-là qui
se drogue et qui vole va finir par *désâmer* ses pauvres parents.
2. Se fatiguer, travailler dur, s'épuiser au travail. (O 36-86)
Syn., voir : **effieller**.

DESCENDANT n. m. Descente d'une côte. Mets-toi en
première vitesse pour le *descendant* de cette côte.

DÉSEMBOURRER v. tr. Déballer un colis, un meuble; c'est
le contraire *d'embourrer.* (acad.)

DÉSEMBRENER, DÉSEMBORNER v. tr. et pron. Voir :
dégeancer.

DÉSEMPIGEONNER v. tr. Délivrer quelqu'un d'un
mauvais sort, d'un maléfice dont il a été victime, qui a été
empigeonné. [++]

DÉSENFARGER v. tr. Désentraver un animal, lui enlever
ses *enfarges* ou entraves. [+++] Syn. : **défarger**.

DÉSENTAILLER, DÉTAILLER v. tr. et intr. Fin saisonnière
de l'exploitation d'une *érablière* consistant à enlever les
chalumeaux qu'on arrache, à laver les *chaudières* et à les
ranger pour le printemps suivant; c'est le contraire
d'entailler. Syn., voir : **arracher** (sens 5).

DÉSERGOTER (SE) v. pron. Fig. Se blesser les orteils en
marchant pieds nus.

DÉSERRER v. tr. **1.** Abattre les arbres en vue du défrichement, défricher, déboiser, essarter, faire du *désert*. [+] Syn., voir : **déserter**. **2.** *Déserrer une poule de son nid* : prendre toutes sortes de moyens pour empêcher une poule de couver.

DÉSERT n. m. **1.** Clairière naturelle ou faite par l'homme dans une forêt. [+] Syn., voir : **éclaircie**. **2.** Champ cultivé entouré de forêt, endroit où tous les arbres ont été abattus. **3.** *Faire du désert* : abattre les arbres en vue du défrichement, défricher, essarter. [++] Syn., voir : **déserter**.

DÉSERTER v. tr. Abattre les arbres, en vue du défrichement, défricher, déboiser, essarter, faire du *désert*. [++] Syn. : **déserrer** (sens 1), faire du **désert** (sens 3).

DÉSESPOIR n. m. *En désespoir* : a) Très, beaucoup. Il fait chaud *en désespoir*. b) En colère. Cette mauvaise nouvelle l'a mis *en désespoir*. Syn., voir : en **sacre**.

DÉSETTLER v. tr. (angl. to settle) [Ø] Voir : **débretter**.

DÉSHONNEUR n. m. *Petit déshonneur* : pénis en s'adressant à un enfant. Cache donc ton *petit déshonneur*! Syn., voir : **pine** (sens 5)

DÉSLACKER, DÉSLAQUER v. tr. (angl. to slack) [Ø] Desserrer, détendre, donner du mou, du *slack*. *Déslaquer* un cordage, la ceinture de son pantalon. Syn. : **slacker**.

DÉSOUBLIER v. tr. Oublier. Cet enfant apprend ses leçons mais il les *désoublie* aussitôt.

DÉSOUILLER v. tr. et pron. Fig. Faire passer le dégoût amené par une satiété causée le plus souvent par des choses sucrées, cesser d'être *ouillé*. C'est le contraire du verbe *ouiller*. Boire de l'eau pour se *désouiller*. (surt. O 27-116)

DESSEIN n. m. **1.** *Avoir dessein de* : avoir l'intention de. Avoir dessein de descendre en Floride. **2.** Voir : **sans-dessein**.

DESSOUFFLER v. tr. et pron. Dégonfler; c'est le contraire de *souffler* (au sens de gonfler). Un pneu de la voiture s'est *dessoufflé*, il faut le regonfler.

DESSOÛLER v. intr. Cesser d'être repu, d'être *soûl*, d'avoir l'estomac rempli, en parlant d'un cheval, d'une vache... Il faut laisser *dessoûler* un cheval avant de le remettre au travail.

DESSOUR n. m. [#] Dessous. Le *dessour* d'un plancher, d'une table.

DESSOUS prép. *En dessous* : a) En déficit. Notre compagnie est *en dessous* cette année. b) Fig. Hypocrite, sournois, qui manque de franchise.

DESSUR n. m. [#] Dessus. Le *dessur* de cette table est abîmé.

DÉTAILLER 1. v. tr. et intr. Voir : **désentailler**.

DÉTAILLER 2. v. intr. (angl. to tie) [Ø] Jeter de nouveau les dés, jouer de nouveau quand on est but à but, quand les partenaires sont *tie*, à égalité. [+++]

DÉTAMER (SE) v. pron. Perdre la couche d'étain qui préserve un métal de l'oxydation. Cette casserole *s'est détamée*.

DÉTARAUDER v. tr. [#] Desserrer, enlever le *taraud*, l'écrou d'un boulon qu'on avait *taraudé*.

DÉTARGETTER v. tr. Tirer les targettes (celle du haut et celle du bas) d'un châssis pour ouvrir une fenêtre.

DÉTEINDRE v. tr. Éteindre de la chaux vive en versant de l'eau dessus.

DÉTELER v. tr. Fig. Désappointer. La nouvelle de sa mise à pied a bien *dételé* notre voisin.

DÉTERRASSER v. tr. Vx et en fr. Le printemps, enlever la terre, la paille, le bran de scie qui avait servi à protéger, à *terrasser* les fondations de la maison pendant la saison froide. (acad.)

DÉTERRER v. tr. Fig. Déneiger, désenneiger. *Déterrer* les trottoirs après une chute de neige, déterrer une auto ensevelie sous la neige. [+++]

DÉTORDRE v. tr. intr. et pron. Courber, gauchir, se tordre, se contourner en parlant d'une planche, d'un madrier, d'une porte. [+++] Syn., voir : **coffrer**.

DÉTORSE n. f. [#] Entorse. Notre voisin ne peut pas marcher, il s'est fait une *détorse*. [++]

DÉTOUR n. m. **1.** Vx en fr. Ruse, subterfuge, tour. Je me demande quel *détour* il va imaginer pour se tirer d'affaire. Syn. : **ratour**. **2.** Jour, moment, occasion. Je passerai te voir à quelque *détour*. **3.** *Détour de reins*. Voir : **tour de reins**.

DÉTOURBEUSE n. f. (angl. turf) [Ø] Appareil conçu pour enlever la *tourbe* ou surface gazonnée d'un terrain et en faire des rouleaux qui seront transportés là où l'on veut *tourber*, gazonner un terrain. Cet appareil s'appelle une *dégazonneuse* en français.

DÉTOUREUR, DÉTOUREUX, EUSE n. et adj. **1.** Rusé en affaires en parlant d'un adulte. [+++] Syn., voir : **ratoureur**. (sens 1). **2.** Espiègle, joueur de tours, en parlant d'un enfant. [+++] Syn., voir : **ratoureur**. (sens 2)

DÉTREMPER v. intr. et pron. **1.** Donner moins d'entrure à la charrue en labourant; c'est le contraire de *tremper*. Syn. : **dépiquer**, donner moins de **pique**. **2.** Fig. *Se détremper* : s'énerver, s'exciter, dire des sottises.

DÉTRIER v. tr. Sevrer. Il serait temps de *détrier* ce veau-là. (acad.) Syn. : mettre à la **chaudière**, mettre au **siau**, **déôter** de sa mère.

DEUX n. m. **1.** Billet de deux dollars. Peux-tu me prêter un *deux*? Les billets de deux dollars ont été retirés de la circulation au début de l'année 1996. **2.** Péjor. *Être aux deux* : être à la fois hétérosexuel et homosexuel qu'il s'agisse d'une femme ou d'un homme. Syn., voir : **bilingue**.

DEUX-FESSES n. m. inv. Voir : **fesse de pain**.

DEUX-PAR-QUATRE n. m. inv. Pièce de bois de deux *pouces* d'épaisseur sur quatre de largeur; un deux-sur-quatre.

DEUX-SEMAINEUX, EUSE n. Québécois de condition modeste qui, pour oublier le froid de nos hivers, se croit obligé d'aller passer deux maigres semaines sous le soleil de la Floride ou des Antilles.

DÉVALAGE n. m. Pente raide, dévalement, à-pic. Côte qui a un *dévalage* de 15 %.

DEVANT, DEVANT DE BARGE, DEVANT DE CANOT n. m. **1.** Commandant d'une embarcation toujours placé à l'avant, par opposition aux *milieux* (rameurs) et à l'*arrière*, au *derrière* (aide du commandant) sur les anciennes embarcations à rames. **2.** Marcher *vent devant* : marcher contre le vent.

DEVANTEAU n. f. **1.** Rég. en fr. Tablier que portent les femmes. (acad.) **2.** Rég. en fr. Tablier ciré des pêcheurs en eau salée. (E 9-133 et acad.)

DEVANTURE n. f. **1.** Façade d'une maison, d'un bâtiment. [+++] **2.** Parterre devant une maison. [+++] **3.** Fig. Poitrine féminine généreuse, plantureuse. [++] Syn., voir : **magasin**.

DÉVARIR, DÉVARISER v. intr. S'écarter de son chemin, de sa route. Prends cette direction et ne *dévarise* pas! Verbes employés par les pêcheurs du golfe du Saint-Laurent.

DÉVELOPPEMENT n. m. (angl. development) [Ø] Mise en valeur. Commencer le *développement* d'une nouvelle mine de cuivre.

DÉVELOUTER v. intr. Commencer à vêler et laisser paraître une partie de la matrice, de la *portière*. Syn. : montrer le **bonnet**, **dédoubler**, montrer la **portière** (sens 2).

DEVENIR v. intr. *Faire un aller d'venir* : faire un aller-retour, un aller et revenir.

DÉVIANDER (SE) v. pron. **1.** Se blesser accidentellement en y laissant de la peau et de la chair. (Lanaudière) **2.** Fig. Se fatiguer à l'extrême, se donner beaucoup de mal. Syn., voir : **effieller**.

DÉVIDANGES n. f. pl. [#] Voir : **vidanges**.

DÉVIDOIR n. m. **1.** Treuil d'un puits où l'on va puiser de l'eau. Syn. : **guindeau**, **rouleau**, **tourillon**, **tournailleur**, **mâtereau**, **virevau**, **winch**. **2.** Abat-grain de l'ancienne moissonneuse-lieuse. Syn., voir : **râtelier**. **3.** Agitateur de la baratte à manivelle ou de la machine à laver le linge. Syn., voir : **brasseur** (sens 2), **catin** (sens 3).

DÉVIERGER, DÉVIARGER v. tr. **1.** Vulg. Dépuceler, déflorer, dévirginer, dévirginiser. Syn. : péter la **cerise** (sens 2), péter la **fraise**. **2.** Fig. Abîmer, en parlant d'une auto lors d'une collision.

DEVINE n. f. Devinette. Tiens j'ai une bonne *devine* pour toi.

DEVINEUR, DEVINEUX, EUSE adj. et n. Rare en fr. Personne habile à deviner; habile à deviner.

DÉVIRAGE, DEVIRE, DÉVIRÉE [#], DEVIRON [+] n. m. Tournant d'une route. [+] Syn. : **croche**, **curve**, **revirant**, **virage**, **virant**.

DÉVIRE n. f. **1.** Voir : **dévirage**. **2.** En forêt, piste tracée autour d'une étendue d'arbres à abattre. Syn., voir : **revirée**. **3.** Girouette placée sur les bâtiments de ferme. Syn., voir : **vire-vent**.

DÉVIRER v. tr., intr. et pron. Voir : **virer**.

DÉVISAGEANT, E adj. Insultant. C'est *dévisageant* de se faire snober par un blanc-bec.

DÉVOILER v. tr. (angl. to unveil) [Ø] Inaugurer. On a *dévoilé* le monument de Duplessis sur la colline parlementaire.

DEVOIR n. m. *En devoir* (angl. on duty) [Ø] : de service, de garde, de permanence, de quart. Prière de s'adresser à l'agent *en devoir*. Cet anglicisme a la vie dure! [++]

DÉVORATION n. f. Démangeaison très vive. J'ai attrapé je ne sais quoi, mais c'est une *dévoration*.

DÉVORER v. intr. et pron. **1.** Démanger. Ces boutons-là, ça *dévore*, je me gratterais! **2.** Se gratter maladivement. Avec ces boutons-là, on se *dévore*, on se gratte au sang.

DÉVOTIEUX, EUSE adj. et n. **1.** Vx ou litt. en fr. Qui manifeste une grande dévotion, dévot, pieux. Les femmes seraient plus *dévotieuses* que les hommes. Syn. : **prieux**. **2.** Qui porte à la dévotion en parlant de certaines églises ou chapelles.

DÉZONAGE n. m. Action de *dézoner*.

DÉZONER v. tr. Décider par une loi qu'un territoire ou une partie d'un territoire faisant déjà partie d'une zone agricole devienne zone industrielle ou résidentielle.

DIABLE n. m. **1.** Appareil constitué de deux ou trois gros crochets pointus et servant à essoucher ou à *érocher*, à épierrer. [++] Syn., voir : **essoucheuse. 2.** Pinces à grumes constituées de deux crochets mobiles fixés au milieu d'une volée et permettant à deux hommes de soulever et de transporter une grume en forêt. Syn., voir : **chienne** (sens 9). **3.** Raidisseur de câble. **4.** *Diable à rigoles.* Voir : **rigoleuse. 5.** *Diable en calèche* : se dit de quelqu'un qui est mal habillé, qui est mal bâti. Untel, c'est le *diable en calèche.* **6.** *Être en diable* : être en colère, en furie. [+++] **7.** *Faire noir comme chez le diable.* Voir : **noir. 8.** *Le diable est aux vaches* : il y a des divisions internes, de la bisbille (dans un syndicat, une association, un parti politique, etc.) **9.** *Sentir le diable* : sentir mauvais. Il peut bien *sentir le diable*, il ne se lave jamais! **10.** *Donner, mener le diable à quelqu'un* : réprimander, semoncer quelqu'un. **11.** *Du diable* : énorme, considérable en parlant d'un montant d'argent. Le stade olympique de Montréal a coûté un montant *du diable.* **12.** *Le diable l'emporte* : aller à toute vitesse, très vite. C'est Charles qui passe, *le diable l'emporte.* Syn., voir : passer en **ripousse** (sens 3). **13.** *Que le diable* : beaucoup, très. Hier, il a fait chaud *que le diable.* **14.** *Diable des bois* : appellation du carcajou.

DIABLÉE n. f. *Une diablée* : beaucoup, un très grand nombre. Autrefois, il y avait toujours *une diablée* de monde à la grand-messe du dimanche. Syn., voir : **trâlée.**

DIFFICULTÉ n. f. (NOLF) *En difficulté* : se dit d'un enfant qui a besoin de mesures médicales, sociales, pédagogiques et éducatives particulières. Dans un tel cas, il ne s'agit pas d'un enfant exceptionnel mais *en difficulté*, un enfant exceptionnel est un surdoué.

DIGUE n. f. **1.** Barrage sur un cours d'eau, construit par l'homme ou par les castors. [+] Syn. : **chaussée, dam. 2.** Amoncellement de billes de bois de flottage formant barrage sur un cours d'eau, embâcle. [+] Syn. : **jam, tapon** (sens 7). **3.** Embâcle de glaces sur un cours d'eau. Il s'est fait une *digue* près d'ici. [+] Syn. : **jam, tapon** (sens 6). **4.** *Digue de roches* : clôture faite avec des pierres provenant de l'épierrement d'un champ, entassées les unes sur les autres et disposées sur une ligne. (E 27-102) Syn., voir : **clôture de pierres. 5.** *Digue de souches* : clôture faite de souches et de branches entassées et disposées sur une ligne. Syn., voir : **clôture de souches.**

DIGUEDI n. m. (angl. chickadee) [Ø] Voir : **chickadee.**

DIGUER v. intr. et pron. Former un embâcle, se former en embâcle sur un cours d'eau, en parlant des glaces ou du bois flotté. Syn. : **jamer.**

DIGUIDOU, TIGUIDOU adv. Argot. Très bien, parfait. En plaçant la table ici, ça va être *diguidou.* Comment ça va? Ça va *diguidou!*

DIMANCHE n. m. **1.** *Clous du dimanche* : ensemble des crochets réservés aux vêtements du dimanche, par opposition aux *clous de la semaine*, réservés aux vêtements de travail. **2.** *Langue des dimanches* : langage soignée. **3.** *Vêtements, accoutrement des dimanches, de dimanche* : vêtements qu'on ne porte que le dimanche, vêtements du dimanche. Syn. : **fin**, de **messe**, **propre. 4.** *Trou, chemin du*

181

dimanche : de quelqu'un qui a avalé de travers on dira, à la blague, que ce qu'il a avalé a pris le *trou, le chemin du dimanche.* **5.** *Se mettre en dimanche* : mettre ses vêtements du dimanche, s'endimancher. [+++]

DÎME n. f. Fig. *Ne pas être la dîme de* : être très inférieur à, en parlant des personnes ou des choses. Comme charpentier, il *n'est pas la dîme de* son père.

DINDE n. **1.** [#] Dindon sans référence au fait que c'est un mâle ou une femelle. Éleveur de *dindes.* **2.** [#] *Petit dinde, petite dinde* : dindonneau. **3.** *Œuf de dinde.* Avoir la peau comme *un œuf de dinde* : avoir des taches de rousseur. Syn., voir : **rouillé.**

DINDONNE n. f. **1.** Dinde, femelle du dindon. **2.** Fig. Femme stupide, dinde. [+++]

DINDONNIER n. m. Abri rudimentaire pour les dindons constitué d'un toit et de trois pans, le quatrième côté servant à l'aération.

DÎNER n. m. **1.** Vx et rég. en fr. Repas du midi, déjeuner. [+++] **2.** *Dîner d'État* (angl. state dinner) [Ø] : dîner officiel. **3.** *Dîner-bénéfice.* Voir : **bénéfice. 4.** *Salle à dîner* (angl. dining room) [Ø] : salle à manger. Anglicisme en perte de vitesse.

DÎNER v. intr. **1.** Vx et rég. en fr. Prendre le repas du midi. Venez donc *dîner* avec nous demain midi! [+++] **2.** *Dîner à la souche* : en parlant des bûcherons, prendre son repas en forêt en utilisant une souche comme table ou comme siège.

DINKS n. m. (angl., sigle de *double income, no kids*) [Ø] Catégorie de consommateurs mariés, sans enfants, dont mari et femme travaillent et dont le but est de profiter égoïstement de la vie. Le comité de linguistique de Radio-Canada propose comme équivalent SEDS (sans enfant, double salaire).

DIPPEUR n. m. (angl. dipper) [Ø] **1.** Contenant de fer-blanc d'une capacité d'environ deux litres, à anse ou à queue et servant à transvaser des liquides. (O 27-116 et acad.) Syn., voir : **grande-tasse à eau. 2.** Casserole à queue utilisée comme écumoire à la *cabane à sucre.* (O 27-116) **3.** *Grand dippeur* : la Grande Ourse. Syn., voir : **chaudron. 4.** *Petit dippeur* : la Petite Ourse. Syn., voir : **chaise (petite chaise).**

DIRE n. m. *Avoir pour son dire* : dire, prétendre. Il a pour son *dire* qu'il a inventé la *motoneige* avant les Bombardier.

DIRECT adv. [#] Directement. On lui a lancé un caillou *direct* sur le front.

DIRECTION n. f. (angl. directions) [Ø] Mode d'emploi (accompagnant un produit, un remède).

DISABLE adj. [#] *N'être pas disable* : marque de superlatif. Il était content ce *n'est pas disable*!

DISCO-MOBILE, DISCOTHÈQUE MOBILE n. f. Organisme privé offrant en location stéréo, son et lumière, animateur et technicien compris, pour tout genre de réunions : mariages, soirées dansantes, festival, etc.

DISPATCHEUR n. m. (angl. dispatcher) [Ø] Responsable du mouvement des taxis, des autobus, des autocars, répartiteur. Anglicisme en perte de vitesse.

DISPENDIEUX, EUSE adj. [#] Cher à l'achat, coûteux, trop cher. Acheter une cravate trop *dispendieuse.*

DISPOSER v. intr. (angl. to dispose of) [Ø] *Disposer de* : en langage des sports, battre, vaincre, l'emporter sur.

DISPUTER v. tr. Rég. en fr. Gronder. C'est toujours moi qu'on *dispute* quand ça va mal!

DISPUTEUX, EUSE n. et adj. Personne qui a l'habitude de gronder, d'attraper, de réprimander, de *disputer* quelqu'un.

DISQUAGE n. m. Action de herser, de *disquer* en utilisant une herse à disques.

DISQUE n. Voir : **rondelle** (de hockey).

DISQUER v. tr. Herser en utilisant une herse à disques dont les pièces travaillantes, en forme d'écuelles, ont un bord tranchant. [++] Syn. : **grubber**, **rouletter**.

DISTANCE n. f. *Longue distance* (angl. long distance, call) [Ø] : appel téléphonique interurbain, interurbain. Anglicisme en perte de vitesse.

DISTILLER v. intr. Suppurer, produire du pus. Une plaie qui *distille*.

DISTRICT ÉLECTORAL n. m. (mot angl.) [Ø] Circonscription électorale.

DIVANETTE n. f. Petit divan de salon pouvant accommoder deux personnes, rarement trois, avec dossier et bras.

DIVINITÉ n. f. (angl. divinity) [Ø] Sorte de sucre à la crème. Les enfants aiment beaucoup les *divinités*. Syn., voir : **candy**.

DIX n. m. **1.** Canal de télévision privé de Montréal. Passer la soirée au *dix*; regarder le *dix*. **2.** Billet de banque de dix dollars. [+++]

DIX-ONCES n. m. inv. Bouteille d'alcool de *dix onces* soit 283,49 millilitres. [+++]

DIZEAU n. m. Moyette formée de quatre à six gerbes de céréales. Syn., voir : **quinteau**.

DJAM n. f. (angl. jam) [Ø] Voir : **jam**.

DJESSER v. intr. Taller, en parlant de l'avoine, du blé. (acad.) Syn., voir : **tiger**.

DJO n. m. **1.** Sein, mamelle de la femme. [+++] Syn., voir : **quenoche** (sens 1). **2.** Syn. : **tétonnière**, **sac** à d'jos.

DODICHAGE n. m. Action de *dodicher*, de trop caresser, dorloter, gâter les enfants.

DODICHER v. tr. Caresser, dorloter, gâter. C'est un enfant qu'on a trop *dodiché*. [++] Syn. : **catiner** (sens 1).

DOIGT DE DAME n. m. (angl. lady's finger) [Ø] Biscuit à la cuiller.

DOIGTS BLANCS n. m. pl. Voir : **maladie des doigts blancs**.

DOLAGE n. m. Action de *doler*, de dresser, de polir du bois en utilisant une doloire.

DOLBIEN, ENNE n. et adj. Gentilé. Natif ou habitant de Dolbeau, au Lac-Saint-Jean; de Dolbeau.

DOLER v. tr. **1.** Dresser, polir avec une plane, une doloire. (E 20-127) Voir : **couteau à doler**. **2.** Vx en fr. Tailler un morceau de bois avec un canif ou un couteau. (E 20-127) Syn., voir : **gosser** (sens 1). **3.** Dégrossir une pièce de bois avec une hache. (E 20-127) **4.** Tailler. *Doler* les sabots d'un cheval. (E 20-127)

DOLLAR n. m. Depuis 1858, unité monétaire du Canada divisée en 100 *cents* ou *cennes*. Syn. : **huart**, **piastre**.

DOMINION n. m. *Évaporateur* servant à transformer la sève de l'érable à sucre en sirop. Marque de commerce.

DOMMAGE n. m. *Beau dommage!* (loc. exclam.) : mais oui!, évidemment!, certainement!

DOMPE n. f. (angl. dump) [Ø] Voir : **dump**.

DOMPER v. tr. (angl. to dump) [Ø] Voir : **dumper**.

183

DOMPEUSE n. f. (angl. to dump) [Ø] Voir : **dumpeuse**.

DOMPLÈNE, DOMPLAINE n. f. (angl. dumpling) [Ø] Voir : **dumpling**.

DOMPTE adj. Dompté, dressé en parlant d'un cheval. Acheter un cheval non *dompte*. (acad.)

DONAISON n. f. Autrefois, donation à charge de rente viagère en usage à la campagne chez les cultivateurs. [+++]

DONALDA n. f. **1.** Surnom donné aux premières jeunes filles admises à l'Université McGill en 1884 et formé à partir du prénom de Donald Smith, mécène qui paya le coût des aménagements nécessités par l'arrivée de cette nouvelle clientèle. **2.** Prénom de femme devenu populaire chez les Québécois grâce au roman *Un homme et son péché* de Claude-Henri Grignon.

DONDAINE n. f. Jeune fille légère, volage. [++] Syn., voir : **guedoune**.

DONNACONA n. f. Panneau de construction souple et fibreux. Marque de commerce. [+++] Syn. : **ten-test**.

DONNANT, E adj. Vx et rég. en fr. Généreux, qui donne facilement. Cette personne est très *donnante*.

DONNER (SE) v. pron. **1.** Autrefois, faire donation ou *donaison* de sa terre à quelqu'un, le plus souvent au plus jeune de ses fils à charge de rente viagère. [+++] **2.** Se faire. *Se donner* une entorse en tombant.

DORÉ n. m. **1.** Embarcation qu'utilisent les pêcheurs du golfe du Saint-Laurent appelée doris en français. **2.** *Poisson doré, doré* : poisson à chair succulente de la famille des Percidés, lacustre et fluviatile. Existent le *doré* bleu, le jaune ainsi que le noir. [+++]

184

DORMANT, DORMEUR n. m. (angl. sleeper) [Ø] Traverse de chemin de fer ou longerine autrefois en bois, aujourd'hui souvent en béton, sur laquelle sont fixés les rails. [++] Syn. : **tie**.

DORMIR v. intr. Fig. *Dormir par sauts et par buttes* : dormir par intermittence, par accès, mal dormir. [+]

DOS n. m. Fig. *Avoir le dos large* : être victime de reproches injustifiés. Oui, c'est ça, dis donc que c'est de ma faute s'il pleut aujourd'hui, moi, j'ai le *dos large*!

DOS-BLANC n. m. Sobriquet que les citadins donnaient autrefois aux *habitants* des campagnes.

DOS-DE-CHEVAL n. m. **1.** Gueule-de-loup pivotante installée au sommet d'une cheminée pour en faciliter le tirage. Syn. : **garde-vent**, **gueule-de-chien**, **récollet**, **revirette**, **tête-de-coq**, **virole**. **2.** Petite colline, monticule. Syn., voir : **button**.

DOS-DE-PÈRE n. m. Rocher à fleur d'eau très dangereux pour la navigation. Syn., voir : **caye**.

DOSSIER n. m. [#] Dossière du harnais d'un cheval posée sur la sellette et soutenant les brancards.

DOUBLE adj. **1.** S'applique à toute voiture d'été ou d'hiver, à toute machine aratoire à laquelle on attelait deux chevaux côte à côte. Un traîneau *double*, un râteau (à foin) *double*. Voir : **atteler double. 2.** *Attelage double* : deux chevaux attelés de front. Syn., voir : **span. 3.** Voir : **châssis double. 4.** Voir : **chemin double. 5.** Voir : **lit double. 6.** Voir : **salon double.**

DOUBLE adv. *Atteler double* : atteler deux chevaux côte à côte, de front. [+++]

DOUBLE n. m. **1.** Paire de chevaux attelés côte à côte. Ces deux chevaux font un beau *double*. Syn., voir : **span.**

2. *Être double, en double* : utiliser un attelage de deux chevaux attelés côte à côte. **3.** Charge transportée par une voiture d'été ou d'hiver (fourragère ou bobsleigh) et tirée par deux chevaux. C'est le contraire de *simple*. **4.** Rang, couche. Recouvrir un mur de deux *doubles* de planches.

DOUBLE-SLEIGH n. f. (angl. double sleigh) [Ø] Voir : **bobsleigh**.

DOUBLEUR, EUSE n. Élève qui double ou redouble une classe, redoublant. Les enseignants n'aiment pas beaucoup avoir des *doubleurs* dans leur classe.

DOUCEUR n. f. **1.** Friandise, sucrerie, pâtisserie. Donner des *douceurs* à un enfant. (acad.) Syn., voir : **candy**. **2.** Sucre. Mettez donc un peu de *douceur* dans votre thé. (acad.)

DOUCIN n. m. Écume sortant du bois fraîchement coupé. (acad.)

DOUCINE n. f. Cuir à rasoir pour rasoir droit. Syn. : **strop**.

DOUELLE, TOUELLE n. f. [#] **1.** Douve de tonneau, quelle qu'en soit la dimension. [+++] **2.** *Douelle, douelle de quart.* Voir : **véloneige traditionnel**. **3.** Fig. *Tomber en douelles* : en parlant d'une personne, tomber de fatigue, être exténué.

DOUELLEAU n. m. Traîneau rudimentaire fait de cinq ou six douves de tonneau liées ensemble. (acad.)

DOUELLON n. m. (acad.) Voir : **véloneige traditionnel**.

DOUILLE n. f. Argot. Appellation du dollar canadien. Syn. : **bâton**, **douleur**, **fripée**, **pompier**, **tomate**.

DOUILLER v. tr. Enrouler. Les pêcheurs du golfe *douillent* leurs câbles et les rangent sur le pont de leur embarcation. (acad.)

DOUILLETTE n. f. Couvre-pieds matelassé de duvet ou de plumes, qui recouvre le lit. [+++] Syn., voir : **comfortable**.

DOULEUR n. f. Voir : **douille**.

DOUX adj. et n. **1.** *Lait doux* : lait qui sort du pis de la vache, non encore refroidi. Syn. : lait **chaud**. **2.** *Doux-temps* : période de temps relativement doux qui suit un grand froid. Pendant le Carnaval, on a souvent un *doux-temps*. **3.** Exclam. *Mon doux!* Mon Dieu!

DOUZE n. m. Fusil de chasse de calibre 12. Acheter un *douze* pour la chasse.

DOYON n. m. Doigtier qui recouvre un pansement à un doigt. (acad.) Syn. : **dalot**, **catin**.

DRAB adj. (angl. drab) Ø [Ø] **1.** Beige. Un veston *drab*. Anglicisme ancien qui perd du terrain. **2.** Fig. Ordinaire, banal, sans originalité, stéréotypé, en parlant d'un spectacle, d'une peinture, d'une sculpture, etc. Anglicisme récent.

DRÂCHE n. f. (forme ancienne de drêche) **1.** Lie, particules solides qui se déposent au fond d'un liquide au repos, drêche, dépôt. yn., voir : **rache**. **2.** Résidus de foie de morue dont on a extrait l'huile et qui entrent dans la fabrication d'un savon domestique appelé *savon de drâche*.

DRAFFE n. f. (angl. draught) [Ø] Voir : **draught**.

DRAGCHAIN n. f. (angl. dragchain) [Ø] Chaîne servant au freinage des traîneaux dans les descentes trop abruptes. [++]

DRAGUE n. f. Pâtée qu'on donnait aux cochons et que l'on conservait pour la journée dans un *quart à drague*. Ce mot est d'origine gauloise. (O 37-85) Syn. : **bouette**.

DRAPEAU n. m. Vx en fr. Lange d'enfant, couche. (acad.)

DRAUGHT, DRAFFE n. f. (angl. draught beer) [Ø] Bière en fût; bière pression, pression. Deux *draughts* S.V.P.!

DRAVABLE adj. (angl. drive) [Ø] Ruisseau, rivière surtout où la *drave* est possible, où l'on peut *draver*. [++]

DRAVAGE n. m. (angl. drive) [Ø] Action de *draver*, de faire flotter du bois à billes perdues. [+++]

DRAVE n. f. (angl. drive) [Ø] **1.** Flottage du bois à billes perdues. [+++] **2.** Autrefois, tournée de livraison de lait ou de glace. (Rég. de Montréal)

DRAVER v. tr. (angl. to drive) [Ø] **1.** Diriger le flottage du bois à billes perdues. [+++] **2.** Autrefois, faire la livraison de lait ou de glace en milieu urbain. *Draver* le lait ou la glace. (Rég. de Montréal)

DRAVEUR n. m. (angl. driver) [Ø] **1.** Ouvrier forestier qui faisait la *drave*, c'est-à-dire qui dirigeait le flottage du bois à billes perdues, flotteur. [+++] Syn. : **cageux**, **raftsman**. **2.** *Draveur de lait* : en milieu urbain, autrefois, laitier qui vendait et distribuait le lait de porte à porte. (Rég. de Montréal) **3.** *Draveur de glace* : en milieu urbain, autrefois, distributeur de blocs de glace chez tous ceux qui avaient des glacières. (Rég. de Montréal)

DRAY n. m. (angl. dray) [Ø] Traîneau rudimentaire servant au débusquage du bois. [+++] Syn., voir : **bob**.

DRESS-SUIT n. m. (angl. dress-suit) [Ø] Voir : **arrache-broquette**.

DRIGAIL n. m. Objets divers, équipement, mobilier, bagage. [+++]

DRILLER v. tr. (angl. to drill) [Ø] Forer. *Driller* un puits pour avoir de l'eau potable.

DRIVE n. f. # Dérive. Dans ce commerce, tout s'en va à la *drive*, à la dérive.

DRIVER v. intr. Voir : **dériver**.

DROGUE n. f. Rognons de castor conservés dans l'alcool et utilisés par les trappeurs comme appât pour le castor. Syn., voir : **tondreux**.

DROIT adj. et adv. **1.** *Atteler droit* : atteler un cheval à une voiture d'hiver à brancard non décentré. **2.** *Être droit* : avoir un brancard de voiture d'hiver non décentré. **3.** *Mettre droit* : centrer le brancard d'une voiture d'hiver. **4.** *Travail droit* : brancard de voiture d'hiver non décentré.

DRÔLE, DRÔLESSE n. Jeunes garçon et jeune fille qui se fréquentent sérieusement en vue du mariage. (acad.)

DRÔLE adj. *C'est encore drôle!* : ce n'est pas si sûr que ça!, dira-t-on pour souligner son incertitude.

DROP-OUT n. m. (angl. drop out) [Ø] Fig. Élève qui quitte l'école avant la fin de la période obligatoire. Anglicisme qui a fait place à **décrocheur**.

DROSSER v. tr. et intr. **1.** Porter sans arrêt, sans désemparer. *Drosser* un manteau, des souliers. [++] **2.** *Manteau, vêtements à drosser* : manteau, vêtements à porter tous les jours jusqu'à usure complète.

DROSSES n. f. pl. Criblures, vannures, grains de rebut. (acad.) Syn., voir : **agrains**.

DRU, E adj. Fig. Nombreux, en grand nombre. Les étoiles étaient *drues* le nuit dernière.

DRUM n. m. (angl. drum) [Ø] **1.** Baril d'acier qui est souvent utilisé dans les chantiers forestiers ou à la ferme pour la fabrication d'un poêle rudimentaire. [+++]

2. Écorceuse formée d'un cylindre d'acier dont l'intérieur est garni de pointes.

DÛ, DUE p. passé (angl. due) [Ø] **1.** Attendu. L'avion est *dû* à midi juste. **2.** Donné. Ce n'est pas *dû* à tout le monde d'avoir une voix qui porte, d'avoir un bon organe phonateur. **3.** a) *Être dû* suivi d'un nom comporte l'idée de nécessité. *Être dû* pour le coiffeur quand on a les cheveux trop longs. b) *Être dû* suivi d'un verbe comporte une idée de fatalité. Louise et Paul *étaient dus* pour se rencontrer! **4.** *Dû à* (angl. due to) [Ø] : en raison de, à cause de. L'avion n'a pu décoller, est en retard, *dû à* la tempête.

DUBLEUET n. m. Apéritif à base de vin de *bleuets* fabriqué au Québec. Marque de commerce.

DUCHESSE n. f. Variété de pommes à couteau.

DUHAIMETTE n. f. Certificat attestant qu'un chasseur a subi avec succès l'examen sanctionnant le Cours de sécurité dans le maniement des armes à feu. Mot dérivé du nom du ministre Duhaime qui a imposé cet examen.

DULL adj. (angl. dull) [Ø] Ennuyant, monotone, languissant. La fins de semaine sont *dull* dans les petites localités; les affaires sont *dull*, il y a trop de chômage. Anglicisme en perte de vitesse.

DUMP, DOMPE n. f. (angl. dump) [Ø] **1.** Dépotoir pour ordures ménagères. [+++] **2.** Lieu où l'on jette les déblais, décharge. [+++]

DUMPER, DOMPER v. tr. (angl. to dump) [Ø] **1.** Décharger, déverser, basculer. *Dumper* des déchets au dépotoir, de la neige dans une décharge. [+++] **2.** Fig. Plaquer. *Dumper* un fiancé. [+++]

DUMPEUSE, DOMPEUSE n. f. (angl. dumper) [Ø] Benne basculante dont sont munis des camions, camion à bascule. [+++]

DUMPLING, DOMPLAINE, DOMPLÈNE n. f. (angl. dumpling) [Ø] Entremets constitué de fruits enrobés de sirop ou de cassonade puis enveloppés de pâte, le tout cuit au four. [+]

DUPLESSISME n. m. Période antérieure à 1960, au cours de laquelle Maurice Duplessis, premier ministre du Québec, avait maintenu un régime de statu quo.

DUPLEX n. m. (angl. duplex) [Ø] **1.** Immeuble formé de deux maisons semblables séparées par un mur mitoyen. **2.** Maison à deux logements généralement pourvus d'entrées distinctes (ROLF). **3.** Appartement ayant deux niveaux d'habitation.

DUR, E adj. **1.** *Faire dur* : être inimaginable, impensable. Dire des sottises ou étaler son ignorance, ça *fait dur*. Habiter un tel taudis avec trois enfants dont l'aîné a quatre ans, ça *fait dur*. *Sacrer* comme un bûcheron, pour un premier ministre, ça *fait dur*. [++] Syn. : faire **chenu**, **quétaine**. **2.** *Dur de gueule* : difficile à mener, dur de bouche en parlant d'un cheval.

DUR adv. *Entendre dur* : entendre difficilement, être dur d'oreille.

DURANT QUE loc. conj. Vx et litt. en fr. Pendant que. Surveille les enfants *durant que* je vais faire les courses.

DUSTPAN n. f. (angl. dustpan) [Ø] Pelle à poussière. (acad.) et Estrie) Syn., voir : **porte-poussière**.

187

E

EARLY ROSE, ARLÉROSE, ORLÉROSE n. f. (angl. early rose) [Ø] Variété de pomme de terre hâtive et rose. [+++]

EAU n. f. **1.** *Eau d'érable* : sève sucrée de l'érable servant à faire du sirop. [+++] **2.** *Eau de dalle* : eau de pluie. Recueillir l'*eau de dalle* pour la lessive. [+++] Syn. : **eau douce**, **eau du ciel**. **3.** *Eau de Floride* : eau de toilette parfumée, déjà très populaire à la fin du XIXe siècle. Marque de commerce. **4.** *Eau de mai* : eau de pluie ou de neige recueillie le premier jour de mai et qui, selon la croyance populaire avait des effets bénéfiques. [++] **5.** *Eau de Pâques* : eau courante que l'on puise le matin de Pâques, avant le lever du soleil, et à laquelle la foi populaire prête des vertus bénéfiques. [+++] **6.** *Eau de Pentecôte* : eau recueillie le jour de la Pentecôte et qui aurait des effets bénéfiques. **7.** *Eau de sève* : sève sucrée d'érable de fin de printemps, un peu jaunâtre, et qui sert à faire du *sucre de sève*. **8.** *Eau de trempe* : eau froide dans laquelle le forgeron plonge le fer rouge pour le refroidir et qui est très utilisée en médecine populaire. **9.** *Eau douce* : eau de pluie. [+++] Syn., voir : **eau de dalle**. **10.** *Eau du ciel* : eau de pluie. Syn., voir : **eau de dalle**. **11.** *Faire de l'argent comme de l'eau* : gagner de l'argent très facilement. [+++] **12.** *Il y a de l'eau dans la cave!*, *l'eau est haute!* : remarques faites à la cantonade à l'endroit de quelqu'un qui porte un pantalon trop court. [++] Syn., voir : la **marée** est haute (sens 2). **13.** *Jeter à l'eau* : jeter, se débarrasser de quelque chose qui est brisé, usé, inutile, en le jetant dans les cours d'eau, les lacs, la mer considérés comme des poubelles. Cette vieille auto qui démarre quand elle en a envie, mais *jette ça à l'eau* ! [+++] Syn. : envoyer au **large** (sens 2). **14.** *Compteur d'eau* : compteur à eau. [+++] **15.** *Petite eau* : eau peu profonde. Pêcher à *petite eau*. Syn. : **maigre d'eau**, **mince d'eau**. **16.** Fig. *S'en aller à l'eau* : s'en aller à la ruine, vers la banqueroute, en parlant d'un commerce, d'une entreprise. **17.** Fig. *Passer à l'eau* : être inondé, être victime

188

de l'inondation lorsque les cours d'eau débordent. Tous les trois ou quatre ans, les maisons et les granges de ces cultivateurs *passent à l'eau*. [++] **18.** Fig. *Être dans l'eau bouillante, dans l'eau chaude.* (angl. to be in hot water) [Ø] : être dans de mauvais draps, dans une situation embarrassante. Le ministre X *est dans l'eau bouillante* depuis qu'un député de l'opposition a mis la main sur un document compromettant pour lui. [++]

ÉBALLÉ, E part. adj. Épuisé, fatigué, à bout de force. (acad.) Syn., voir : **resté**.

ÉBALLER (S') v. tr. et pron. Rendre quelqu'un au bout de ses forces, s'épuiser au travail. (acad.) Syn., voir : **s'effieller**.

ÉBAROUI, E adj. **1.** Défait, disjoint en parlant d'un tonneau vide exposé au soleil et dont les douves sont tombées. [++] **2.** Fig. Gourmand, glouton, qui mange beaucoup en parlant d'une personne insatiable. **3.** Fig. *Feu ébaroui* : feu dont des tisons sont dispersés autour du brasier.

ÉBAROUIR v. tr. et pron. **1.** Rég. en fr. Se défaire, se disjoindre. Le tonneau va s'*ébarouir* si on le laisse au soleil. Syn. : **tomber en bottes**, **tomber en douelles**. **2.** Fig. Faire cligner les yeux. Le soleil du midi nous *ébarouissait*. Syn. : **calouetter**. **3.** Fig. Étonner, surprendre. La vue de cet homme à la figure ensanglantée nous a tous *ébarouis*.

ÉBLUETTER v. Voir : **bluetter**.

ÉBOUILLANTER v. tr. [#] Infuser. *Ébouillanter* du thé. [+++] Syn. : **échauder**.

ÉBRANCHER v. tr. Débroussailler. *Ébrancher* les levées d'un fossé le long des clôtures. [+] Syn., voir : **effardocher**.

ÉBRÉCHÉ, E n. et adj. Fig. Édenté, qui a perdu une ou plusieurs dents de devant. [++] Syn., voir : **brèche-dent**.

ÉBREILLER, ÉBREUILLER v. tr. Vx en fr. Vider un poisson de ses *breilles* ou *breuilles*, de ses entrailles. [++] Syn. : **éguiber**.

ÉBROUSSER v. tr. Débroussailler. Tous les ans, il faut *ébrousser*, couper les *brousses* ou broussailles le long des fossés et des clôtures. (E 132, 129) Syn., voir : **effardocher**.

ÉCAILLE n. f. **1.** [#] Coquille d'œuf. [+++] Syn. : **écale** (sens 3). **2.** [#] Écale de noix. [+++] **3.** Gousse de haricots.

ÉCAILLÉ n. m. Esturgeon noir, poisson marin et fluviatile.

ÉCAILLER v. tr. [#] Écaler. *Écailler* des noix.

ÉCALE n. f. **1.** Vx en fr. Cosse. *Écale* de haricot, de pois. **2.** [#] Enveloppe des grains de céréales, glume. Syn. : **écorce**. **3.** [#] Coquille. Enlever l'*écale* d'un œuf dur. [+++] Syn. : **écaille** (sens 1). **4.** [#] Écaille. Enlever les *écales* d'un poisson avant de le faire cuire. [+++]

ÉCALER v. tr. **1.** Vx en fr. Écosser. *Écaler* des haricots, des pois. [++] Syn. : **écoquelucher**, **écorcer**. **2.** [#] Écailler. *Écaler* un poisson.

ÉCALVATRÉ, ÉCALVENTRÉ, E adj. Décolleté, qui a le cou découvert, dont le haut de la chemise ou du corsage est ouvert. [+++] Syn., voir : **effalé**.

ÉCARDE n. f. [#] **1.** Carde ou planchette garnie de pointes et servant à carder la laine. [+++] **2.** *Écarde à cheval*, étrille. (acad.)

ÉCARDER v. tr. et intr. **1.** [#] Carder. *Écarder* de la laine. [+++] **2.** Étriller. Étriller un cheval avec une *écarde à cheval*. (acad.) **3.** Fig. Parler de façon incohérente, tenir des propos décousus. Syn., voir : perdre la **carte**.

ÉCARDERIE n. f. Fête au cours de laquelle les invités *écardent* et qui se termine par la danse et les chansons.

189

ÉCARDEUR, EUSE n. [#] Cardeur, cardeuse.

ÉCARDON n. m. Petit rouleau de laine à filer qu'on roule autour d'un doigt.

ÉCARTANT, E adj. **1.** Où l'on risque de *s'écarter*, de s'égarer. La forêt, c'est toujours *écartant*. [+++] **2.** *Herbe écartante* : herbe, qui selon la croyance populaire, fait perdre le chemin à celui qui marche dessus. [+++]

ÉCARTÉ, E p. adj. **1.** Vx en fr. Égaré. Il était *écarté* en forêt depuis deux jours quand on l'a retrouvé. [+++] **2.** Fig. Dont le cerveau est dérangé. Le vieux, il est pas mal *écarté*. [+++] Syn. : avoir perdu un **alluchon**, à qui manque un **alluchon**, un **bardeau** (sens 3), **braque**, **chaloupé**, **chaviré**, **craque**, **craqué**, **fêlé**, **foqué**, **fou braque**, **fou raide**, **mouiller** dans son fani, **sauté**, à qui manque un **taraud**, **troublé**.

ÉCARTER v. tr. et pron. **1.** Rég. en fr. Égarer, perdre. J'ai *écarté* ma montre, je vais m'en acheter une autre. *S'écarter* en forêt l'hiver. [+++] **2.** S'égarer, se perdre, prendre une mauvaise direction.

ÉCARTILLER, ÉCARQUILLER v. tr. et pron. **1.** [#] Écarter, s'écarter. *Écartiller* ou *s'écartiller* les jambes. [++] Syn. : **éjarrer** (sens 1). **2.** Fig. S'énerver, perdre la tête. Chaque fois qu'elle prend un verre, elle s'*écartille*. [++] **3.** Fig. Dépenser plus que ne le permettent ses moyens. S'il s'*écartille* trop, il va devoir déposer son bilan. [++] Syn. : s'**éjarrer** (sens 2).

ÉCHAFAUD n. m. **1.** Plate-forme construite dans un arbre d'où le chasseur fait le guet et où il dépose ses provisions de bouche, hors de portée des prédateurs. *Mettre* ses provisions *en échafaud*. Syn., voir : **cache**. **2.** Voir : **chafaud (des pêcheurs)**. **3.** Vx en fr. Échafaudage. Monter un *échafaud* pour refaire le toit d'une maison.

ÉCHALOT n. m. Ridelle avant et arrière d'une fourragère d'une charrette à foin. (acad.)

ÉCHANCRÉ, E p. adj. Fig. Dont la forme habituelle est brisée par un obstacle naturel : montagne, cours d'eau. Une terre *échancrée* au lieu d'être un rectangle allongé.

ÉCHANTILLON, ÉCHANTILLONNEMENT, ÉCHANTILLONNAGE n. m. Partie d'un bardeau de cèdre d'un toit ou d'un mur exposée aux intempéries. [++] Syn. : **déclinage**, **découvert**.

ÉCHANTILLONNER v. tr. *Échantillonner un bardeau* : laisser à l'air, aux intempéries, une partie de bardeau de cèdre recouvrant un toit, un mur.

ÉCHAPE n. f. [#] Voir : **écharpe**.

ÉCHAPPÉ, E n. *Échappé de l'asile* : personne à la limite de la folie et de la normalité.

ÉCHAPPER v. tr. Rég. en fr. Laisser tomber involontairement. *Échapper* ses lunettes sur le parquet. [+++] Syn. : **larguer**.

ÉCHAROGNER v. tr. Couper maladroitement. *Écharogner* une pièce de tissu, les cheveux d'un enfant. [++]

ÉCHARPE, ÉCHAPE n. f. [#] **1.** Écharde. Porter des gants pour éviter de se planter des *écharpes*, des *échapes*. [+++] **2.** Cache-nez dont on s'entoure le cou pour se protéger contre le froid et le vent. [+++] Syn., voir : **crémone**.

ÉCHARPILLER, ÉCHARPIR v. tr. Défaire un tissu, le mettre en charpie, écharper. Syn., voir : **dépeniller**, **échiffer**, **épéniller.**.

ÉCHASSE n. f. Fig. et au pl. Jambes longues et maigres. L'as-tu vu sur ses *échasses*? Syn., voir : **cannes de quêteux**.

ÉCHAUDER v. tr. et intr. [#] Infuser. *Échauder* du thé, de la menthe. Syn. : **ébouillanter**.

ÉCHAUFFAISON n. f. Vx en fr. Irritation de la peau par frottement ou par manque d'hygiène. Les bébés qu'on ne change pas assez souvent risquent des *échauffaisons*.

ÉCHELLE, ÉCHELON n. f. Échelette avant ou arrière de la charrette à foin, de la fourragère. [+++] Syn. : **aridelle**, **échelot** (sens 1), **éridelle**, **ridelle**.

ÉCHELLES À POUX n. f. pl. Argot. Favoris.

ÉCHELLE À SAUMONS n. f. Voir : **passe migratoire**.

ÉCHELOT, ÉCHALOT n. m. **1.** Voir : **échelle**. **2.** Petit poteau fixé aux bouts des sommiers du *bobsleigh* ou de la fourragère pour le transport de grumes. Syn., voir : **épée**.

ÉCHENOLÉ adj. Vulg. Qui a perdu une ou même les deux *chenoles* ou testicules suite à un accident ou à une opération. Syn. : **égossé**.

ÉCHENOLER v. tr. et pron. Perdre ou enlever les *chenoles* ou testicules en parlant d'un homme ou d'un animal. Syn. : **égosser**.

ÉCHET n. m. Lors de l'écotonnage, petites feuilles de tabac, rabougries, provenant du pied d'un plant de tabac, qui n'avait pas de valeur marchande mais que les fumeurs aimaient parce que c'était du tabac très doux.

ÉCHETONNER v. tr. Enlever les *chetons*, les *jetons*, drageons des plants de tabac ou de tomates. Syn. : **éjetonner**, **édrageonner**.

ÉCHEVIN n. m. Conseiller municipal d'une ville. Mot en perte de vitesse. [++]

ÉCHEVINAGE n. m. Poste d'*échevin* dans une ville. Être candidat à l'*échevinage*. Mot en perte de vitesse. [++]

ÉCHEVINAL, E, AUX adj. Relatif au conseil municipal d'une ville. Créer un comité *échevinal* pour étudier le problème du stationnement. Mot en perte de vitesse. [++]

ÉCHEVINAT n. m. Fonction d'*échevin*. Mot en perte de vitesse.

ÉCHIFFE n. f. Charpie provenant de tissus qu'on défait pour la filer de nouveau. [+++] Syn. : **chapissure**, **défaisure**, **défait**, **défaite**, **pénille**.

ÉCHIFFÉ, E adj. Déchiré, en parlant d'un vêtement. Syn. : **deffilopé**, **effilopé**, **éralé**.

ÉCHIFFER v. tr. et intr. **1.** Déchirer accidentellement un vêtement. *Échiffer* ses vêtements sur du fil barbelé. **2.** Défaire un tissu, le mettre en charpie pour la filer de nouveau, écharper. [++] Syn., voir : **écharpir**. **3.** Fig. *En échiffer* : éprouver des difficultés, ne pas avoir la vie facile. S'il va défricher une terre, il va *en échiffer*. Syn. : en **arracher**.

ÉCHIGNER (S') v. pr. [#] Vx en fr. S'échiner, se donner beaucoup de mal, beaucoup de peine.

ÉCHINE n. f. Fig. *En avoir plein l'échine* : en avoir plein le dos, assez de faire un travail qu'on déteste.

ÉCHINÉE, ÉCHIGNÉE, CHIGNÉE n. f. Échine de porc provenant de la partie du dos, près du cou.

ÉCHIQUETTE, ACHIQUETTE n. f. **1.** Bout d'une corde de bois dont les morceaux sont disposés en échiquier, par rangs alternés. (O 30-100) Syn., voir : **croisée**. **2.** Pile de planches ou de madriers disposés en échiquier et par carrés alternés pour en faciliter le séchage à l'air libre. (O 30-100) Syn. : **cage** (sens 3). **3.** Cage de bois remplie de pierres pour fixer un poteau là où le terrain est rocheux ou marécageux. (O 30-100)

ÉCHIRAILLÉ, E adj. Se dit d'un vêtement portant une déchirure en zigzag, déchiré.

ÉCHO adj. inv. Où il y a de l'écho, propice à la répétition des sons. C'est *écho* ce matin : on va avoir de la pluie, le temps est *écho*. [+++]

ÉCHOPPURE n. f. Copeau, mince morceau provenant d'une pièce de bois. Syn., voir : **écopeau**.

ÉCHOUER v. intr. Mar. Fig. *Se faire échouer* : devenir enceinte en parlant d'une jeune fille. Syn., voir : se faire **attraper**.

ÉCHOUERIE n. f. **1.** Endroit, plage où, à cause des marées et des vents, se retrouvent des herbes marines, du *bois de marée* et où les phoques vont se reposer au soleil. (acad.) **2.** Troupe de phoques sur un glaçon ou sur une plage, dans une baie. (acad.) **3. Bois d'échouerie** : bois d'épave échoué sur le rivage. (acad.) Syn. : **bois de marée**.

ÉCHOUSSER v. tr. [#] Essoucher, arracher les souches.

ÉCLAIRCIE n. f. Rare en fr. Clairière naturelle ou faite par l'homme dans une forêt. Installer sa tente dans une *éclaircie*. [++] Syn. : **découvert**, **désert**.

ÉCLAIRE n. f. Rég. en fr. Chélidoine, plante qui aurait la propriété de détruire les verrues. Syn. : **herbe à verrues**, **aux verrues**.

ÉCLAIRER v. impers. Vx et rég. en fr. Faire des éclairs. Il a *éclairé* toute la nuit. [+++] Voir : **chaliner** et **éloiser**.

ÉCLANCHE adj. Voir : **clanche**.

ÉCLAT n. m. *Éclat de cèdre* : à la campagne, bois de thuya de 15 pouces de longueur dont on avait toujours ample provision, conservé au sec et qui servait à faire des *ripes*, des *gossures* pour allumer le poêle le matin. [++]

ÉCLISSE n. f. **1.** Lamelle de bois battu (hêtre, frêne, orme) servant à garnir le fond d'une chaise. **2.** Bûchette tenant lieu d'allumette, petit paquet de bûchettes ou de rubans de bois servant à allumer un poêle, à partir un feu. Faire des *éclisses* avant de se mettre au lit pour allumer le poêle le lendemain matin. Syn., voir : **aiguillette**.

ÉCŒURANT, E n. et adj. **1.** Se dit d'une personne dont la conduite est répréhensible. **2.** Par antiphrase. *En écœurant* : très, beaucoup. C'est beau, c'est bon *en écœurant* ! [+++]

ÉCŒURANTERIE n. f. Parole, chose, action répréhensible, répugnante.

ÉCŒURER v. tr., intr. et pron. **1.** Fig. Taquiner, piquer, déranger quelqu'un sans arrêt. Il a *écœuré* son professeur pendant toute la semaine. [++] Syn., voir : **attiner**. **2.** Fig. Lasser, fatiguer. Se lever à six heures tous les jours, beau temps, mauvais temps, et tous les jours de l'année, ça *écœure* ! [++] **3.** Fig. Se décourager. Il *s'est écœuré* très vite dans un tel milieu. [++]

ÉCŒURITE n. f. Maladie contagieuse qui frappe particulièrement les jeunes sans emploi et désabusés. Voir : **-ite**.

ÉCOLE n. f. **1.** Dans les collèges et les universités, le mot *école* s'emploie très souvent et abusivement au sens de cours. En dentisterie et en médecine, on a de l'*école* tous les jours. [+++] **2.** *École de conduite* (angl. driving school) [Ø] : auto-école.

ÉCOLE POLYVALENTE n. f. Voir : **polyvalente**.

ÉCOLLETÉ n. m. [#] Décolleté. Un *écolleté* de robe trop grand.

ÉCONOMISEUX, EUSE adj. et n. Économe. [++]

ÉCOPEAU n. m. [#] Copeau. Faire des *écopeaux* avec une hache. [+++] Syn. : **échoppure**, **gossure**.

ÉCOPOIR, ÉCOPOUÉ n. m. Mar. Pelle en bois servant à vider l'eau qui s'est accumulée dans la partie la plus basse d'une embarcation, écope.

ÉCOQUELUCHER v. tr. **1.** Effeuiller. *Écoqueclucher* les épis de maïs avant de les faire cuire. (acad.) Syn. : **éplucher**. **2.** Écosser des haricots, des pois. (acad.) Syn., voir : **écaler** (sens 1).

ÉCORCE n. f. [#] Enveloppe des grains de céréales, glume. Syn. : **écale** (sens 2).

ÉCORCER v. tr. [#] Écosser des haricots, des pois. Syn., voir : **écaler** (sens 1).

ÉCORCHEUR n. m. Nom vulgaire de la pie-grièche.

ÉCORCHIS, ÉCORCHATS n. m. pl. Rives, falaises escarpées, érodées, rongées par un cours d'eau, par la mer, par le vent. [++] Syn. : **crans**.

ÉCORE n. m.; **ÉCORES** n. m. pl. Mar. Escarpements, falaises abruptes de la mer, d'un cours d'eau, accore. À la fonte des neiges, l'eau de cette rivière monte à l'*écore*, aux *écores*. Mot fréquent dans la toponymie du Québec. [+++]

ÉCORE adj. Mar. Abrupt, escarpé, accore. À Québec, les berges du Saint-Laurent sont très *écores*. [+++] Syn. : **écran**.

ÉCORNER v. tr. **1.** Rare en fr. Décorner, couper les cornes. Autrefois, c'était une coutume d'*écorner* les taureaux et aussi certaines vaches. [+++] **2.** Fig. *Vent à écorner les bœufs* : vent très fort. [+++] Syn. : **Vent à dépanacher les orignaux**.

ÉCORNEUR n. m. Variété de ciseaux pour décorner, couper les cornes des bêtes. Syn. : **coupe-cornes**.

193

ÉCORNIFLER v. tr. et intr. Chercher à voir et à entendre ce qui se passe et ce qui se dit, moucharder. [+++] Syn. : **écumer**, **seiner**, **sentir**, **sneaker**.

ÉCORNIFLEUR, ÉCORNIFLEUX, EUSE n. et adj. Indiscret qui se glisse partout pour voir et entendre ce que font et ce que disent les gens. [+++] Syn. : **écumeux**, **espionneux seineux**, **senteux**, **senteur**, **sneakeur**.

ÉCOTONNAGE n. m. Action d'*écotonner*. L'*écotonnage* du tabac à pipe et à cigare se fait en novembre. (Lanaudière)

ÉCOTONNER v. tr. Dégarnir de leurs feuilles les pieds de tabac à pipe ou à cigare qui ont séché pendant deux mois dans les *séchoirs* à tabac pour ensuite les presser en ballots. (Lanaudière)

ÉCOTONNEUX, EUSE adj. et n. Personnes qui font l'*écotonnage*. (Lanaudière)

ÉCOUENNER v. tr. Enlever ou détruire la *couenne* ou surface herbeuse du sol.

ÉCOULEMENT n. m. *Vente d'écoulement* : articles mis en solde. Après la période des Fêtes, il y a des *ventes d'écoulement* partout. [++]

ÉCOURTICHÉ, E p. adj. Vêtu trop court en parlant des femmes. Elle devrait avoir honte d'aller dans la rue aussi *écourtichée* ! [+++]

ÉCOURTICHER, ÉCOURTINER v. tr. Couper un vêtement trop court. Cette robe, il fallait la raccourcir un peu mais non l'*écourticher*, l'*écourtiner*. [+++]

ÉCRAN n. m. Voir : **cran**.

ÉCRAN adj. inv. À pic, abrupt, escarpé. C'est très *écran* près du cap; la rive est *écran*. [++] Syn. : **écore**.

ÉCRAPOUTIR v. tr. et pron. **1.** Écraser, écrabouiller. *Écrapoutir* une guêpe. [+++] **2.** S'accroupir, se blottir, se cacher pour échapper aux regards.

ÉCRASER v. tr. Moudre grossièrement. On donne de l'avoine *écrasée* à un vieux cheval dont les dents sont usées. Syn., voir : **rouler**.

ÉCRÉMEUR, ÉCRÉMOIR n. m. Voir : **crémeuse**.

ÉCRÉMILLON n. m. Vestige de crème sur le lait qui a été mal écrémé. Syn., voir : **restant**.

ÉCRIANCHER, ÉCRÉANCHER v. tr. et pron. Disjoindre, disloquer, rendre de guingois, se disjoindre, se disloquer, être branlant. La table de cuisine est *écrianchée*. [++] Syn. : **gignoler, gingeoler**.

ÉCRIN n. m. Dans une malle, un coffre à vêtements, petit compartiment où l'on range les objets de valeur. Syn. : **équipette**.

ÉCRO n. m. [#] Écrou du boulon. [+] Syn. : **noix, nut, taraud**.

ÉCU n. m. Pièce de monnaie encore très connue dans la première moitié du XXe siècle et valant 50 *cents*.

ÉCUELLE n. f. Assiette conique tronquée constituant l'âme d'un *bol d'écrémeuse*. [+++]

ÉCUMER v. intr. Fig. Chercher à voir et à entendre ce qui se passe et ce qui se dit, moucharder. [++] Syn., voir : **écornifler**.

ÉCUMEUX, EUSE adj. et n. Fig. Personne indiscrète qui cherche à voir et à entendre ce qui se passe et ce qui se dit. [++] Syn., voir : **écornifleux**.

ÉCURAGE n. m. Vx et dial. en fr. Lavage, nettoyage, action d'*écurer*. Le samedi, c'est la journée de l'*écurage* des planchers. (E 8-134 et acad.)

ÉCURER v. tr. **1.** Vx et rég. en fr. Balayer, nettoyer, laver. *Écurer* le plancher de la cuisine. (E 8-134 et acad.) **2.** Vx et rég. en fr. Nettoyer, sortir le fumier. L'hiver, il faut *écurer* l'étable deux fois par jour. (E 8-134 et acad.)

ÉCUREUIL n. m. **1.** *Écureuil volant* : polatouche, assapan. L'*écureuil volant* ne se rencontre que dans l'extrême sud du Québec et il ne vole pas, il plane. **2.** *Avoir des joues d'écureuil* : en parlant de quelqu'un, être joufflu. Syn. : être **jotté, jottu**.

ÉCUREUX n. m. Dial. en fr. Écureuil.

EDDY n. f. *Allumettes Eddy* : allumettes soufrées fabriquées par la compagnie Eddy. Marque de fabrique. Acheter une boîte d'*Eddy*, allumer sa pipe avec une *Eddy*.

ÉDIFICE n. m. Tout immeuble ayant une certaine hauteur, mais n'ayant pas nécessairement de valeur architecturale. Depuis qu'on a élargi cette artère, les *édifices* y poussent comme des champignons.

ÉDRAGEONNAGE n. m. Action d'*édrageonner*.

ÉDRAGEONNER v. tr. Enlever, casser, couper les drageons des plants de tomate ou de tabac. [+++] Syn. : **échetonner, éjetonner**.

ÉDRAGEONNEUR, EUSE n. et adj. Personne qui *édrageonne*, qui fait de l'*édrageonnage*.

ÉDRÔLER, ÉTROLER v. tr. Couper les branches d'un arbre qu'on vient d'abattre, ébrancher. (acad.)

EFFACE n. f. [#] Gomme à effacer, gomme. [+++]

EFFALÉ, E adj. Décolleté, la poitrine, la *fale* non couverte. Aller dehors *effalé* quand il fait froid est un moyen infaillible pour attraper la grippe. (Charsalac) Syn. : **écalvatré**, **écalventré**, **époitraillé**, **fale** (sens 2).

EFFALER (S') v. pron. Se découvrir la *fale* ou poitrine, se décolleter. Si tu veux attraper une pneumonie, *effale-toi* ! Syn. : **deffaler**, **dépoitrailler**, **époitrailler**.

EFFARDOCHAGE n. m. Action d'*effardocher*, de débroussailler. [+++]

EFFARDOCHÉ n. m. Terrain où l'on a débroussaillé, *effardoché*.

EFFARDOCHER v. tr. Débroussailler, essarter le long des fossés, des clôtures, couper les *fardoches*. [+++] Syn. : **ébrancher**, **ébrousser**, **fardocher**, **serper**.

EFFARÉ, E adj. et n. Volage. Ce jeune garçon semble plutôt *effaré* que sérieux. (acad.) Syn. : **chanteur de pomme**, **joueur de violon**.

EFFARES n. m. pl. **1.** Poissons coupés menu servant de bouette pour attirer le poisson. (acad.) **2.** Déchets de poissons, surtout de morue (têtes, entrailles, arêtes) utilisés comme engrais dans les champs. (acad.)

EFFIELLANT, E adj. Fatigant, épuisant. Faire du défrichement, c'est *effiellant*. Syn. : **éralant**.

EFFIELLÉ, E adj. Fatigué, exténué. En rentrant de son travail, il était *effiellé*. Syn., voir : **resté**.

EFFIELLE-MONDE n. m. Travail ou métier extrêmement dangereux qui ruine la santé et risque même la vie du travailleur. Syn., voir : **tuasse**.

EFFIELLER v. tr. et pron. Dial. en fr. Fatiguer, se rendre au bout de ses forces. Il *s'est effiellé* en faisant du défrichement. Ce travail-là m'a *effiellé*. Syn. : s'**arracher l'âme**, se **désâmer**, s'**éballer**, se **déviander**, se **fendre le cul en quatre**, se **rester** (sens 1).

195

EFFILOPÉ, DEFFILOPÉ, E adj. Déchiré en parlant d'un vêtement. (acad.) Syn., voir : **échiffé**.

EFFOIRÉ, E adj. Fig. Affalé, affaissé, effondré. Quand on est entré, il était *effoiré* sur un fauteuil. [+++]

EFFOIRER (S') v. pron. Fig. S'affaisser, s'étaler. *S'effoirer* sur la glace, dans une flaque d'eau, sur un fauteuil. [+++]

EFFORT n. m. Vx en fr. Vive douleur musculaire ou articulatoire due à une trop forte tension des muscles. [+++]

EFFRAYAMMENT adv. Beaucoup. Les immigrants ont la réputation de travailler *effrayamment* et de réussir à se tirer d'affaire. Syn. : **effrayant**.

EFFRAYANT, UNE AFFAIRE EFFRAYANTE, C'EST EFFRAYANT adv., loc. adv. **1.** Beaucoup. Les érables coulent *effrayant, une affaire effrayante, c'est effrayant*. [+++] Syn. : **effrayamment**. **2.** Très. Il fait beau *effrayant, chaud* effrayant, froid *effrayant*.

EFFRONTÉ, E adj. *Être effronté comme un bœu maigre* : être très effronté.

ÉGAIL n. m. Voir : **aiguail**.

ÉGAL adv. [#] Également. Lever *égal* un fardeau, ne pas pousser *égal* en parlant d'une pelouse.

ÉGALIR v. tr. [#] Égaliser, aplanir. *Égalir* un chemin.

ÉGAROUILLÉ, E adj. Écarquillé, hagard, dans le vague. Regarder quelqu'un avec des yeux tout *égarouillés*. (Surt. Charsalac et Beauce)

ÉGLISE n. f. **1.** *Aller à l'église* : aller se confesser et communier. Quand nous étions jeunes, nous allions à la messe tous les dimanches, mais nous *allions à l'église* une fois par mois. (Lanaudière) **2.** Village. Autrefois, un cultivateur âgé vendait sa terre ou *se donnait* à un de ses fils pour aller vivre à l'*église*. [++]

ÉGOÏNE n. f. *Égoïne musicale* : égoïne utilisée comme instrument de musique.

ÉGOÏNISTE n. Joueur d'*égoïne musicale*.

ÉGOSSÉ adj. Vulg. Qui a perdu une ou même les deux *gosses* ou testicules à la suite d'une opération ou d'un accident. Syn. : **échenolé**.

ÉGOSSER v. tr. et pron. Vulg. Perdre ou enlever les *gosses* ou testicules, en parlant d'un homme ou d'un animal. Syn. : **échenoler**.

ÉGOUSSER v. tr. [#] Écosser. *Égousser* des haricots, des pois. (O 27-116)

ÉGOUTTIÈRE n. f. [#] **1.** Gouttière posée au bas d'un toit. Syn. : **dalle**, **dégouttière**. **2.** Tuyau de descente de la gouttière. Syn. : **dalle**, **dégouttière**.

ÉGRAINER, ÉGRÉMILLER, ÉGRÉMIR (O 37-85) et acad.) v. tr. Voir : **égrener**.

ÉGRANDIR v. tr. [#] Agrandir. *Égrandir* un trou de mèche avec une queue-de-rat. Syn. : **égueuler**.

ÉGRÉMILLANT, E adj. Qui s'*égrémille* facilement, qui s'émiette facilement. Syn., voir : **grémilleux**.

ÉGRÉMILLEUX, EUSE adj. Voir : **grémilleux**.

ÉGRENER v. tr. Émietter, réduire en miettes. *Égrener, égrémiller, égrémir* du pain sec. Syn. : **égrainer, égrémiller, égrémir, émier, émiocher, grémiller, grémir**.

ÉGRICHÉ, E adj. Voir : **griché**.

ÉGRUGER v. tr. Égrener. *Égruger* les épis de maïs. (acad.)

ÉGUEULER v. tr. Agrandir. *Égueuler* un trou de mèche en utilisant une queue-de-rat. Syn. : **égrandir**.

ÉGUIBER v. tr. Vider un poisson, plus spécialement la morue de ses entrailles de ses *éguibes* ou *guibes*. (acad.) Syn. : **ébreiller**.

ÉGUIBES, GUIBES n. f. pl. Entrailles de poissons, plus spécialement de la morue. (acad.)

ÉJARRER (S') v. pron. **1.** Écarter les jambes, faire le grand écart, tomber les jambes écartées. *S'éjarrer* sur la glace vive. [+++] Syn. : **écartiller** (sens 1). **2.** Fig. Dépenser plus que ne le permettent ses moyens. S'il *s'éjarre* trop, il va devoir déposer son bilan. [++] Syn. : **écartiller** (sens 3). **3.** Fig. Exagérer. Ne *t'éjarre* pas, ta truite pesait exactement un kilo et non cinq ou six.

ÉJETONNER, ÉCHETONNER v. tr. Voir : **édrageonner**.

EKWEN n. m. (mot inuit) Renne.

ÉLAITER v. tr. Faire disparaître les restes de petit lait du beurre en tapant sur le beurre à l'aide d'une palette. (Beauce)

ÉLAN n. m. Instant, peu de temps. Attends-le un *élan*, il revient. (acad.)

ÉLÉPHANT BLANC n. m. (angl. white elephant) [Ø] Fig. Construction coûteuse. Le stade olympique de Montréal est peut-être beau, mais c'est un *éléphant blanc*.

ÉLÉVATEUR n. m. (angl. elevator) [Ø] **1.** Ascenseur (pour les personnes). **2.** Monte-charge (pour les fardeaux). **3.** *Élévateur à grains* : silo à céréales, le plus souvent à blé. On trouve des *élévateurs à grains* dans plusieurs ports de mer mais surtout le long des voies ferrées du Manitoba, de la Saskatchewan et de l'Alberta.

ÉLÈVE n. m. **1.** Enfant d'un parent ou d'un voisin que l'on élève comme son propre enfant sans qu'il y ait d'adoption légale, l'enfant gardant son nom. *Élève* s'oppose donc à adopté. [+++] **2.** *Élève* : éducation. *Avoir de l'élève, ne pas avoir d'élève* : être bien élevé, être mal élevé. (acad.)

ÉLINGUÉ, E adj. **1.** De taille élevée et mince, grand et mince en parlant d'une femme ou d'un homme. [++] Syn., voir : **fanal** (sens 2). **2.** Ayant peu de branches en parlant des arbres.

ÉLOISE n. f. Éclair d'orage, par opposition à *chalin*, éclair de chaleur. (acad.)

ÉLOISER v. impers. Faire des éclairs d'orage par opposition à *chaliner*, faire des éclairs de chaleur. Il a *éloisé* une partie de la nuit. (acad.)

ÉLONGER v. tr. et pron. Vx en fr. Allonger, s'allonger. Aux Rois, les jours *élongent* d'un pas d'oie. *S'élonger* sur son lit.

ÉMARMELÉ, E adj. Fatigué, usé, dont la santé est précaire. Il est bien *émarmelé* depuis son opération. (acad.) Syn., voir : **cabassé**.

EMBANDÉ, E n. Concubin, concubine.

EMBANDER (S') v. pron. Se mettre en concubinage. Syn., voir : **accoter**.

EMBARDÉE n. f. Mar. Fig. Entreprise risquée, décision risquée. C'est une *embardée* de prendre la route avec ce brouillard. [+++] Syn. : **émouracherie**, **émourie**, **émouvance**, **lyre** (sens 2).

EMBARDER (S') v. pron. Mar. Fig. S'engager dans une affaire risquée, hasardeuse. [+++]

EMBARDEUX, EUSE adj. et n. Mar. Fig. Qui aime tenter des entreprises risquées, hasardeuses, faire des *embardées*. [+++]

197

EMBARGER v. tr. Mar. Mettre le foin en *barges* ou meules. (acad.)

EMBARQUER v. tr. Mar. **1.** Monter dans une voiture, un autobus, un train. [+++] **2.** Fig. Rouler, duper quelqu'un. Ce promoteur a *embarqué* beaucoup de personnes et leur a fait perdre des milliers de dollars.

EMBARRAS n. m.; **CLÔTURE D'EMBARRAS** n. f. Clôture ou haie morte faite de souches, d'arbres abattus, ou de branches d'arbres.

EMBARRER v. tr. et pron. **1.** Vx en fr. Enfermer. *Embarrer* un chien dans son chenil, *embarrer* les poules dans le poulailler. [+++] **2.** Vx en fr. S'enfermer par inadvertance ou volontairement. Un adulte qui ne veut pas être dérangé peut *s'embarrer* dans une pièce; un enfant peut accidentellement *s'embarrer* dans les toilettes. [+++]

EMBELLE n. f. Voir : **belle** (sens 1).

EMBELLESIE n. f. Éclaircie entre deux ondées. Profiter d'une *embellesie* pour rentrer chez soi. (acad.) Syn., voir : **clairière**.

EMBICHER (S') v. pron. *S'embicher des amis* : se faire des amis. (Beauce)

EMBOÎTER v. tr. Mettre en moule, mouler. *Emboîter* du sucre d'érable et le laisser refroidir. Syn., voir : **emmouler**.

EMBORNÉ, E p. adj. Voir : **embrené**.

EMBOUCANÉ, E adj. et n. **1.** Enfumé, où il y a de la *boucane* ou fumée. Ouvrons les fenêtres, la pièce est *emboucanée*. **2.** Où il y a de la *boucane* ou vapeur.

EMBOUCANER v. tr. et pron. **1.** Enfumer, remplir de *boucane* ou fumée, se remplir de fumée. **2.** Remplir ou se remplir de *boucane* ou vapeur.

EMBOUDINER v. tr. Remplir de sang apprêté les boyaux à boudin à l'aide d'une boudinière. Syn. : **entonner** (sens 2).

EMBOUFFETER v. tr. [#] Bouveter, faire des rainures et des languettes à des planches en vue d'un assemblage.

EMBOURBER v. tr. et pron. Fig. Enfoncer ou s'enliser dans la neige, y rester pris. Joseph s'est *embourbé* dans un banc de neige, il *a embourbé* sa charge de bois. [+++] Syn. : **ancrer, empanner, encayer, engatter, envaser, se prendre, stucker**.

EMBOURRER v. tr. *Embourrer* un colis c'est l'empaqueter de façon à en protéger le contenu.

EMBOUTEILLEUR n. m. Oiseau. Butor d'Amérique.

EMBRASSER v. tr. Fig. *Aller embrasser la médaille* : aller voir des gens par obligation, sans que ça plaise.

EMBRAYER v. intr. À l'impératif. *Embraye* ! : vas-y! pars! dépêche-toi!

EMBRENÉ, EMBORNÉ, E p. adj. **1.** Fig. Empesté. Jardin *embrené* ou *emborné* de pavots. [++] **2.** Fig. Empêtré, enterré de travail. Joseph est *embrené* ou *emborné* de travail. [++]

EMBRENER, EMBORNER v. tr. **1.** Vx en fr. Salir (évidemment il s'agit d'excréments). Dans *embrener* et *emborner* on reconnaît *bren* au sens de merde, mot cher à Rabelais. [++] **2.** Fig. Empester. Le chiendent *embrène* ou *emborne* souvent les champs de céréales. [++] Antonymes : **désembrener, désemberner**.

EMBREVÉ, E, EMBEURVÉ, E part. adj. Trempé. Ça fait dix jours qu'il pleut, la terre est *embrevée*. (acad.)

198

ÉMICHER v. tr. Retirer la mie de l'intérieur d'un pain. Les enfants aiment *émicher* les pains qui sortent du four.

ÉMIER, ÉMIOCHER v. tr. Vx en fr. Émietter. *Émier* du pain sec dans une tasse de lait pour un enfant. Syn., voir : **égrener**.

ÉMIGRÉ, E n. [#] Immigrant. Dans l'entre-deux guerres, certains cultivateurs francophones de Lanaudière au Québec engageaient des *émigrés* anglophones à l'année longue. [++]

ÉMILLER v. tr. Voir : **miller**.

EMMALICER v. tr. et pron. **1.** Devenir méchant, vicieux. Attention au chien : en vieillissant, il *s'est emmalicé*. **2.** Devenir grognon en parlant d'un vieillard.

EMMANCHÉ, E adj. et p. pass. Voir : **amanché**.

EMMANCHER v. tr. Voir : **amancher**.

EMMANCHURE n. f. Voir : **amanchure**.

EMMIAULER v. tr. Enjôler, enbobiner, circonvenir quelqu'un. Syn. : **amiauler, amorphoser, beurrer, bourrer, déculotter, empigeonner, emplir, enchanter, endormir** (sens 2), **enfirouaper, engourloucher, fourrer**.

EMMIAULEUX, EUSE adj. et n. Qui fait l'action d'*emmiauler*, enjôleur, amadoueur.

EMMICOUENNER v. tr. (amér.) Remplir un contenant, un moule à l'aide de la louche appelée *micouenne*, mouler. *Emmicouenner* du sucre d'érable dans des moules. (O 25-117) Syn., voir : **emmouler**.

EMMIEUTER (S') v. pron. Voir : **amieuter**.

EMMILLER v. tr. Voir : **miller**.

EMMITAINER v. tr. Mettre des *mitaines*, des moufles à un enfant qui va jouer dans la neige.

EMMITONNER v. tr. ou pron. Vx en fr. Emmitoufler, s'emmitoufler. Bien *emmitonner* les enfants qui vont jouer dehors l'hiver, bien *s'emmitonner* quand il fait très froid. Syn. : **abrier** (sens 3), **encapoter**, **gabionner**.

EMMORPHOSER v. tr. Voir : **amorphoser**.

EMMOULER v. tr. Vx en fr. Mettre en moule, mouler. *Emmouler* du sucre d'érable et le laisser refroidir.   (O 25-117) Syn. : **emboîter**, **emmicouenner**, **entonner**.

EMMOURACHER (S') v. pron. [#] S'amouracher, tomber amoureux. Léon s'est *emmouraché* d'une jeune veuve sans enfants.

EMMOYENNÉ, E adj. *Être emmoyenné* : être riche, avoir des moyens. Syn., voir : avoir le **motton**.

EMMULER (E 37-85); **EMMULONNER** (O 30-100) v. tr. **1.** Charger par-dessus bord une charrette à foin, une fourragère à la façon d'une *mule* ou meule **2.** Faire un comble à un contenant de grains, donner bonne mesure. *Emmuler* un demi-minot d'avoine.

EMMULERONNER v. tr. Mettre le foin en *mulerons*, en veillotes dans le champ avant de l'engranger.

EMMURAILLER v. tr. Entourer d'une maçonnerie. On *emmuraillait* le grand chaudron servant à faire du sucre.

ÉMOURACHERIE, ÉMOURIE n. f. Impulsion subite qui fait faire des choses inattendues. Quelle *émourie* l'a pris d'acheter cette maison? (acad.) Syn., voir : **embardée**.

ÉMOUVANCE n. f. Idée subite, impulsion subite. Quelle *émouvance* l'a prise de se marier avec ce garçon? (acad.) Syn., voir : **embardée**.

ÉMOYER (S') v. pron. S'informer, prendre des nouvelles de quelqu'un. N'oublie pas de *t'émoyer* de ton parrain. (acad.)

199

EMPAILLER v. tr. **1.** Garnir le fond d'un siège avec l'un des matériaux suivants : paille, ficelle, cuir, *babiche*, lamelles d'orme. [+++] Syn. : **babicher**, **foncer**. **2.** Entourer, couvrir de paille. Quand on *fait boucherie*, on *empaille* le cochon abattu pour en faire griller les soies et rendre la couenne dorée. [++]

EMPAILLURE n. f. Garniture du fond d'un siège même si elle n'est pas de paille.

EMPAN n. m. Vx en fr. Mesure de longueur de 9 pouces, soit 22,86 cm, comprise entre les extrémités du pouce et du petit doigt, main grande ouverte et doigts écartés.

EMPANNER v. tr., intr. et pron. Mar. Fig. S'embourber, rester pris dans une fondrière, dans la boue, surtout dans la neige. Verbe formé à partir de l'expression mettre un bateau à voile *en panne* : disposer les voiles de façon à l'immobiliser. (O 27-116) Syn., voir : **embourber**.

EMPARESSER (S') v. pron. Se laisser aller à la paresse, ne pas travailler. (acad.)

EMPÂT n. m. [#] Appât, amorce fixée à l'hameçon pour attirer le poisson. Syn. : **abouette**.

EMPÂTER v. tr. [#] Amorcer, appâter. *Empâter* un hameçon avec un lombric.

EMPHASE n. f. (angl. emphasis) [Ø] **1.** Accent. Le gouvernement a décidé de mettre l'*emphase* sur la création d'emplois. **2.** *Avec emphase* : avec force, énergie, catégoriquement. Le témoin a nié sa culpabilité avec *emphase*.

EMPIGEONNER v. tr. **1.** Tromper, embobiner, enjôler, duper. (E 20-127) Syn., voir : **emmiauler**. **2.** Jeter un mauvais sort, un maléfice à quelqu'un. *Empigeonner* un voisin qu'on n'aime pas.

EMPIGEONNEUX, EUSE adj. et n. **1.** Enjôleur, embobineur. Il faut se méfier de ces démarcheurs *empigeonneux* capables de vendre des frigidaires aux Inuits. **2.** Jeteur de sort.

EMPILLE n. f. [#] Empile ou fil reliant un hameçon au maître brin d'une ligne dormante.

EMPILOTER v. tr. et pron. Voir : **apiloter**.

EMPLACITAIRE n. m. À la campagne, propriétaire d'une maison bâtie sur un emplacement pris d'une terre de cultivateur. [+++]

EMPLETTE n. f. Fig. *Faire emplette* : accoucher. Notre voisine est à la veille de *faire emplette*. Syn., voir : **acheter**.

EMPLIR v. tr. **1.** Vx ou littér. en fr. Remplir. *Emplir* d'eau un tonneau, une bouteille. **2.** Fig. *Emplir, remplir* : rouler quelqu'un, faire avaler des bourdes à quelqu'un. Gaétan a eu le tour d'*emplir* Paul en un rien de temps. Syn., voir : **emmiauler**.

EMPLISEUR, EUSE n. [#] Fig. Personne qui fait avaler des bourdes à quelqu'un, emplisseur, menteur.

EMPLOYÉ CIVIL, EMPLOYÉE CIVILE n. (angl. civil employee) [Ø] Fonctionnaire (municipal, provincial, fédéral). Anglicisme en perte de vitesse.

EMPLOYER v. intr. Se faire chanter pouille, se faire semoncer. Pierre s'est fait *employer* par le patron, il a la tête basse! [++]

EMPOCHER v. tr. **1.** Vx en fr. Mettre en *poche* c'est-à-dire en sac, ensacher. *Empocher* de l'avoine pour aller à la meunerie. **2.** Au jeu de billard, blouser une bille.

EMPOCHEUR, EMPOCHETEUR n. m. Lors du battage des céréales, homme préposé aux *poches* ou sacs, ensacheur. [+++] Syn. : **homme aux poches**.

EMPREMIER adv. Voir : **enpremier**.

EN prép. **1.** À. Arriver, partir *en* temps. **2.** Sur. La mise *en* orbite d'un véhicule spatial.

ENALLER (S') v. pron. Dial. en fr. et fam. S'en aller. Il s'est *enallé* de bonne heure : il s'en est allé de bonne heure.

ENAP n. f. Sigle. *É*cole *n*ationale d'*a*dministration *p*ublique du Québec.

ENCABANER v. tr. et pron. Voir : **cabaner** (sens 3).

ENCACHE, ENCACHETURE n. f. Enveloppe, pochette de papier destinée à contenir le courrier. Syn. : **cache**.

ENCAGER v. tr. Attacher ensemble des billes de bois pour en faire une *cage*, une brelle qui sera entraînée par le courant.

ENCAN n. m. Vx en fr. Vente aux enchères. Samedi prochain, il y aura un *encan* au village. [+++]

ENCANNELER v. tr. [#] Canneler, faire des cannelures à un poteau de galerie, à une planche.

ENCANTER v. tr. **1.** Vx en fr. Vendre aux enchères, à un *encan*. Tout l'ameublement sera *encanté*. [+++] **2.** Mettre, poser de *cant*, de chant. *Encanter* un madrier. [++] Syn. : **canter** (sens 1). **3.** S'asseoir à son aise, prendre une position inclinée dans un fauteuil. [++]

ENCANTEUR, EUSE n. Vx en fr. Commissaire-priseur dans un *encan*. [+++]

ENCAPOTER v. tr. et pron. Habiller, s'habiller chaudement pour affronter le froid, mettre un *capot*. Je n'ai pas eu froid, je m'étais bien *encapoté*. [+++] Syn., voir : **emmitonner**.

ENCARCANER v. tr. et pron. **1.** Mettre un *carcan*, c'est-à-dire une entrave, à un animal. [++] Syn. : **talboter. 2.** Fig. Se marier. On n'a pas idée de *s'encarcaner* à dix-huit ans!

ENCAYER v. tr. et pron. Mar. **1.** En parlant d'un bateau, s'échouer sur une *caye*, sur un récif, un écueil. **2.** Fig. Embourber, s'embourber, rester pris dans la neige ou dans la boue en parlant d'une voiture d'hiver ou d'été. *Encayer* son tracteur dans la boue, *s'encayer* dans un *banc de neige*, dans une fondrière. Syn., voir : **embourber**.

ENCENS n. m. Résine des conifères. (acad.) Syn. : **gomme** (sens 1), **rosine**.

ENCHANTER v. tr. En parlant d'un vendeur, d'un démarcheur, réussir par de belles paroles à vendre quelque chose dont l'acheteur n'a pas besoin, rouler, enjoler, embobiner quelqu'un. Syn., voir : **emmiauler**.

ENCLAVER v. tr. (entre 34-91 et 8-134) Voir : **aléner** (sens 1).

ENCLOPE n. f. Abot qu'on attache au pied d'un animal (cheval, taureau) pour l'empêcher de partir. (entre 38-84 et 27116) Syn. : **enfarge**.

ENCLOQUER (S') v. pron. (angl. cloak) [Ø] S'habiller chaudement en mettant une *cloque*.

ENCORNAILLER v. tr. et pron. Cosser, heurter, blesser à coups de cornes. Les deux taureaux doivent être séparés l'un de l'autre, ils risquent trop de *s'encornailler*. Syn., voir : **cosser**.

ENCRASSER (S') v. pron. Fig. Se couvrir, s'ennuager, en parlant du temps. Syn., voir : **chagriner**.

ENCRÉCHER v. tr. Attacher une bête à sa crèche dans l'étable. *Encrécher* une vache. (acad.) Syn. : **crécher**.

ENCRÉMONER v. tr. et pron. Utiliser une *crémone*, un cache-nez pour protéger contre le froid. *Encrémoner* un enfant qui va au froid.

ENCULASSÉ, E adj. En parlant d'une personne : qui a un postérieur bien en chair, bien matelassé.

ENCULOTTER v. tr. et pron. Mettre une culotte à quelqu'un (un enfant, un adulte alité); se culotter, mettre son pantalon. Quand il a senti la fumée, il sortit de la maison sans prendre le temps de *s'enculotter*, son pantalon au bout du bras. [++]

ENDÊVER v. tr. Vx ou rég. en fr. Taquiner, faire enrager quelqu'un. [+++] Syn., voir : **attiner**.

ENDORMIR v. tr. et pron. **1.** Avoir sommeil. Je commence à *m'endormir*; je vais aller me coucher. Syn., voir : **cailler. 2.** Litt. en fr. Enjôler, embobeliner, tromper quelqu'un. Syn., voir : **emmiauler**.

ENDORMITOIRE n. m. Envie, besoin de dormir. Il était tellement fatigué que l'*endormitoire* l'a pris en sortant de table.

ENDOS n. m. **1.** Terre retournée par le versoir de la charrue. **2.** *Faire l'endos* : tracer les deux premiers sillons dans un champ, *endosser*, enrayer.

ENDOSSER v. tr. Tracer les deux premiers sillons dans un champ, faire un *endos*, enrayer. Syn. : faire l'**endos**.

ENDOYER v. tr. Mesurer la longueur des doigts de gants qu'on est en train de tricoter. (acad.)

ENDURER v. intr. Vx en fr. Souffrir, supporter avec patience. Ne pas pouvoir *endurer* le bruit environnant.

201

ENFALER (S') v. pron. [#] **1.** Avoir le jabot gonflé par la nourriture, avoir la *fale* grosse en parlant des volailles. **2.** Avaler de travers en parlant des personnes. Syn. : **engotter**.

ENFANT n. m. **1.** *Enfant de chienne* n. m. (angl. son of a bitch) [Ø]. a) *Enfant de chienne!* Injure adressée à quelqu'un. b) *Être enfant de chienne* : être retors, malhonnête en parlant d'une personne, être dangereux en parlant de certains outils. c) *En enfant de chienne* : très, beaucoup. Être fort *en enfant de chienne*. d) *Être en enfant de chienne* : être fâché, en colère. Il était *en enfant de chienne* dès son arrivée à la réunion. Syn., voir : être en **sacre**. **2.** *Enfant de Marie* : a) Association paroissiale pieuse regroupant des jeunes filles qui lors de leur mariage avaient le privilège de se marier en blanc, signe de leur virginité. b) Par antiphrase. Avoir des *airs d'enfant de Marie* : être hypocrite. **3.** Fig. *Petits enfants* : petits oignons de semence. **4.** Fig. *Enfants des épinettes* : enfant né hors mariage, les amoureux se rencontrant dans un bois d'épinettes pour leurs ébats amoureux. **5.** *Enfants de Duplessis* n. m. pl. Voir : **orphelins de Duplessis**.

ENFANT-DU-DIABLE n. m. Ancienne appellation de la mouffette d'Amérique. Syn. : **bête puante**.

ENFARER v. tr. Garnir de *far*, de *fars*, c'est-à-dire de farce, une volaille, des tomates, etc.

ENFARGE n. f. Entrave mise aux pattes de certains animaux de ferme pour les gêner. Mettre une *enfarge* à un cheval, à un taureau. [+++] Syn. : **enclope**.

ENFARGEANT, E p. adj. Gênant, embarrassant. Marcher en forêt, c'est *enfargeant*. [+++]

ENFARGER v. tr. et pron. **1.** Entraver. Il faut *enfarger* cette vache qui saute par-dessus les barrières. [+++] **2.** Faire tomber quelqu'un en lui donnant un croc-en-jambe. [++] **3.** Se barrer les jambes en marchant, donner des jambes contre un obstacle et tomber. S'*enfarger* sur une racine. [+++] **4.** Fig. Faire un lapsus en parlant. Ce député de l'opposition prend un malin plaisir à pousser le premier ministre à se mettre en colère et à s'*enfarger*. [+++]

ENFER n. m. Dans nos bibliothèques publiques (et même universitaires d'avant 1965), local fermé à clef où se trouvaient les livres à l'Index et que seuls pouvaient lire les lecteurs munis d'une dispense.

ENFIFEROUAPER v. tr. Voir : **enfirouaper**.

ENFILER v. tr. **1.** [#] Affiler, rendre tranchant. *Enfiler* une faux. Syn. : **apprimer**, **morfiler**. **2.** Avaler rapidement, engloutir, boire d'un trait, lamper. *Enfiler* un verre de whisky. Syn., voir : **entonner** (sens 4). **3.** Voir : **enlatter**.

ENFILEUR. ENFILEUX n. m. Voir : **enlatteur**.

ENFIOLER v. tr. Avaler avidement, engloutir, boire d'un trait, lamper. *Enfioler* un repas, un grand verre de whisky. (Lanaudière) Syn., voir : **enfiler** (sens 2), **entonner** (sens 4).

ENFIROUAPER, ENFIFEROUAPER v. tr. (angl. to wrap in fur, in fur wrapped) [Ø] **1.** Fig. Tromper, attraper quelqu'un dans un marché. [+++] **2.** Fig. Rouler quelqu'un dans une discussion, se faire avoir. [+++] **3.** Fig. Lamper un verre d'alcool, lamper un trait; manger avidement. [++] Syn., voir : **entonner** (sens 4). **4.** Fig. Enjôler, circonvenir. [+++] Syn., voir : **emmiauler**. **5.** Fig. *Se faire* *enfirouaper*: devenir enceinte involontairement en parlant d'une jeune fille. (O 30-100) Syn., voir : **attraper.**

ENFIROUAPETTE n. f. (angl. in fur wrapped) [Ø] Manœuvre habile de politicien pour éviter de répondre à une question. Le député X est docteur en *enfirouapette*. [++] Syn. : **patinage.**

ENFIROUAPEUX, EUSE adj. et n. Personne qui fait l'action d'*enfirouaper*.

ENFOURLOUCHER, ENFOURLUCHER v. tr. Emberlificoter, tromper. C'est son petit-fils qui a réussi à *enfourloucher* le vieux Gédéon.

ENGAGÉ, HOMME ENGAGÉ n. m. À la campagne, autrefois, serviteur, domestique qui travaillait à la ferme. [+++]

ENGAGÈRE, FEMME ENGAGÈRE, FILLE ENGAGÈRE n. f. Servante, domestique d'âge canonique qui trônait surtout dans les presbytères. Tiens, le curé qui passe avec son *engagère*! Syn. : **ménagère.**

ENGATTER v. tr. et pron. Embourber, s'embourber, rester pris dans une *gatte* ou fondrière, dans la neige. Antonyme : **dégatter.** (Charsalac) Syn., voir : **embourber.**

ENGERBER v. tr. Fig. Recueillir un héritage. Cette fille, elle n'est jamais là pour travailler mais toujours là pour *engerber.*

ENGIN n. f. ou m. (angl. engine) [Ø] **1.** *Engin à gasoline* : moteur à essence qui a remplacé la trépigneuse et qui sera remplacé par le tracteur pour actionner les batteuses et les scies circulaires. [+++] **2.** Moteur d'une automobile. Anglicisme en perte de vitesse. **3.** Locomotive. Les locomotives à moteur diesel ou électriques ont remplacé les *engins* à vapeur.

ENGOTTER, AGOTTER (S') v. pron. **1.** En parlant de la morue, avaler goulûment l'appât ainsi que l'hameçon qui s'accroche alors au *gau* ou estomac de la morue. **2.** Fig. Avaler de travers, en parlant des personnes. [++] Syn. : **enfaler.**

ENGOURLICHER, ENGORLICHER v. tr. **1.** Tromper, circonvenir. Il a réussi à *engourlicher* sa vieille tante qui lui a légué tout ce qu'elle possédait. Syn., voir : **emmiauler. 2.** Au jeu (cartes, billes), faire tous les points, ramasser toutes les billes. Le joueur qui n'a fait aucun point a fait *gorliche* ou *gourliche.*

ENGRAINER v. tr. [#] Voir : **grainer.**

ENGRAIS n. m. **1.** Porcherie d'autrefois pour deux ou trois cochons seulement. [E 134, 135] Syn. : **soue, loge à cochons, mue à cochons, souille, tet à porcs. 2.** Cochon qu'on engraissait pour le vendre ou pour l'abattre à la ferme. (E 134, 135) Syn., voir : **porc frais. 3.** *Engrais de ferme* : fumier par opposition à engrais chimique.

ENGRUCHER (S') v. pron. S'encrouer, rester accroché à des arbres. Des bûcherons expérimentés savent empêcher les arbres qu'ils abattent de *s'engrucher.* Syn. : **accrocheter, se crocheter.**

ENGUEULER v. tr. Fig. Dans les rapides, aspirer avec force, en parlant d'un remous provoqué par un obstacle. Un remous *engueule* l'eau qu'il fait tourbillonner pour ensuite la *dégueuler.*

ENJABLAGE n. m. Action d'*enjabler*, de jabler un tonneau en utilisant un jabloir.

203

ENJABLER v. tr. [#] Jabler, faire le jable des douves d'un tonneau en utilisant un jabloir.

ENJABLOIR, ENJABLEUR n. m. [#] Outil du tonnelier servant à jabler les douves d'un tonneau, jabloir.

ENJAMBONNÉ, E adj. et n. Voir : **boucané**.

ENJEUX, EUSE adj. **1.** En parlant d'un cheval ou d'un chien, courir ici et là, dépenser de l'énergie. Un cheval qu'on n'a pas attelé depuis quelque temps est *enjeux* si on le met en liberté dans un parc. (Lanaudière) **2.** En parlant d'une personne, enjouée, qui aime s'amuser, taquiner, jouer des tours. (Lanaudière)

ENLATTER v. tr. Traverser d'une latte munie d'une *lance* les pieds de tabac à pipe ou à cigare pour en faire une *lattée* qu'on fait sécher dans les séchoirs à tabac. Jadis, on *enfilait* les pieds de tabac sur un fil de fer. (Lanaudière) Syn. : **enfiler**, **enlatter**, **lancer**, **latter**.

ENLATTEUR, ENLATTEUX, EUSE n. Personne qui *enlatte* les pieds de tabac à pipe ou à cigare sur une latte munie d'une *lance*. (Lanaudière) Syn. : **enfileur**, **lanceur**, **latteur**.

ENLIGNER v. tr. *Enligner quelqu'un* : avoir quelqu'un à l'œil, surveiller quelqu'un.

ENLUMIÉRER (S') v. pron. Se décider, faire un choix. Vous ne savez pas encore pour qui voter? mais *enlumiérez*-vous mon ami! Syn. : se **brancher**.

ENNUYANT, E adj. Vx et rég. en fr. Ennuyeux, importun, qui contrarie. Cette femme, elle est *ennuyante* comme la pluie et son mari est encore plus *ennuyant* qu'elle!

ENNUYER (S') v. pron. Vx et rég. en fr. Souffrir de l'absence de quelqu'un. Il n'a pu rester au pensionnat : il *s'ennuyait* trop de ses parents.

ENNUYEUX, EUSE adj. Enclin à l'ennui, parce qu'on souffre de l'absence de quelqu'un. Être trop *ennuyeux* pour s'absenter de sa famille.

ÉNŒUSER, ÉNŒUTER v. tr. Faire disparaître, enlever les nœuds d'une pièce de bois.

ENPREMIER adv. et n. m. **1.** Jadis, autrefois. *Enpremier*, les vieux travaill*iont* beaucoup et ét*iont* point riches. (acad.) **2.** Le temps passé. Dans l'*enpremier* les gens viv*iont* plus longtemps que maintenant. (acad.)

ENQUÉBÉCOISER, QUÉBÉCOISER v. tr. et pron. Devenir, rendre québécois, prendre des allures, des façons de parler, de réagir, une contenance, des idées qui seraient propres aux *Québécois*.

ENQUERRE, ENQUIÈRE adj. [#] Entier, non castré en parlant d'un étalon, d'un taureau, d'un verrat.

ENRÂPER v. tr. et pron. Ancrer une embarcation à l'aide d'une ancre, d'un grappin, d'une ancre rudimentaire appelée *picasse*.

ENRUCHER v. tr. Mettre un essaim d'abeilles dans une ruche.

ENSELLÉ, ENSLÉ, E adj. Fig. Se dit d'une personne dont le dos se creuse exagérément dans la région lombaire, ce qui fait penser à une selle. Dans certaines familles, tous les enfants, ont le dos *ensellé*. Écrire *en sleigh* est une hérésie. Ensellé se dit d'un cheval en français.

ENSUITE prép. **1.** *D'ensuite* : suivant. Le dimanche *d'ensuite*, il est revenu nous voir. **2.** Vx en fr. *Ensuite de* (loc. prép.) : après. *Ensuite de* ça, il est parti.

ENTAILLAGE n. m. Action d'*entailler* les érables le printemps, dans les érablières. L'*entaillage* va commencer avec la prochaine lune.

ENTAILLE n. f. Dans la bouche des *acériculteurs*, avoir une *érablière* de 3 000 *entailles* signifie que cette érablière peut avoir moins de 3 000 érables, un gros érable pouvant avoir plusieurs *entailles*. Syn. : **coulisse**.

ENTAILLER v. tr. et intr. **1.** Autrefois, faire une ou des entailles, aujourd'hui, faire un ou des trous de mèche à un érable pour en recueillir la sève sucrée. Autrefois, on pratiquait une entaille réelle avec une hache, mais aujourd'hui un simple trou de mèche suffit. Il reste cinq cents érables à *entailler*. [+++] **2.** Mettre une *érablière* en exploitation. Cette année, notre voisin n'*entaille* pas. Syn. : faire **couler**.

ENTENDEMENT n. m.; **ENTENTE** n. f. Rég. en fr. Sens de l'ouïe, l'ouïe. Recouvrer l'*entendement* suite à une opération. Être dur d'*entente*, avoir l'*entente* dure.

ENTENDRE v. tr. E*ntendre à rire* : savoir accepter la taquinerie ou la plaisanterie dont on est l'objet, entendre la plaisanterie.

ENTENDU-DIRE n. m. Ce qu'on connaît, ce qu'on a appris par ouï-dire. Moi, l'*entendu-dire* ça me laisse indifférent.

ENTERREMENT DE VIE DE GARÇON n. m. Fête initiatrice réservée au futur marié par ses amis et compagnons et au cours de laquelle le fêté est souvent quelque peu malmené. [+++]

ENTERRER v. tr. **1.** Enneiger, faire disparaître sous la neige. La dernière chute de neige a *enterré* les clôtures à beaucoup d'endroits. **2.** Fig. *Enterrer le mardi gras* : se livrer aux dernières folies du carnaval, fêter la fin du carnaval, enterrer le carnaval. **3.** Fig. *Enterrer sa vie de garçon* : être le héros mais aussi la victime de la fête initiatrice appelée *enterrement de vie de garçon*. **4.** Fig. *Enterrer la vieille année* : participer à une fête le soir du 31 décembre où l'on simule un enterrement accompagné de libations. **5.** Fig. *Être enterré d'ouvrage* : avoir beaucoup de travail à faire.

ENTOGAN n. m. (amér.) Harpon en os ressemblant au *nigog*.

ENTOME n. f. [#] Entame d'un pain, d'un gâteau, première tranche ou pointe.

ENTOMER v. tr. [#] Entamer un pain, une tarte, un gâteau de mariage.

ENTONNER v. tr. Mar. **1.** Voir : **emmouler**. **2.** Remplir de sang apprêté les boyaux à boudin, à l'aide d'un entonnoir particulier appelé *boudinière*. Syn. : **embouiner**. **3.** Servir la batteuse, engrener. Syn. : **feeder, soigner**. **4.** Fig. Manger rapidement sans mastiquer suffisamment; boire avidement, lamper. Il a d'abord *entonné* un grand verre de vin puis il a *entonné* son repas en un rien de temps. Syn. : **caler, enfiler, enfioler, enfirouaper** (sens 3).

ENTONNEUR n. m. Homme qui servait la batteuse, engreneur. [++] Syn. : **feedeur, soigneur**.

ENTOUR DE loc. prép. [#] *À l'entour de* : autour de, environ, à peu près. Cette année, il a commencé à neiger à *l'entour des* fêtes. Ils étaient à *l'entour de* vingt à l'enterrement.

ENTRAIDISTE n. m. Membre d'une *Caisse d'entraide économique*. Fin 1982, il y avait 175 000 *entraidistes* au Québec.

205

ENTRAIT, RENTRAIT n. m. **1.** Au pl. Pièces de bois horizontales réunissant deux chevrons qui se font face dans le grenier d'une maison ou d'un hangar à toit pointu et sur lesquelles on range vieux lits, sommiers, chaises bancales, etc. dont on ne sait que faire pour le moment, mais qu'on ne veut pas jeter. **2.** Fig. *Mettre, être sur les entraits* : dans un groupe, mettre un camarade au ban; être au ban d'un groupe.

ENTRE-CLEF n. m. Trou d'une serrure.

ENTREDEUX n. m. **1.** Stalle. L'*entredeux* du cheval ou de la vache dans l'écurie ou l'étable. (O 36-86)   Syn. : **appartement**, **barrure**, **crèche**, **paré**, **rengard**. **2.** Cloison entre deux stalles dans l'écurie ou l'étable. Syn. : **barrure**, **paré**, **séparation**. **3.** Guide attachée aux brides d'une paire de chevaux afin de maintenir toujours la même distance entre les deux.

ENTREFAITE n. f. Vx en fr. Espace, intervalle de temps. Il est arrivé juste sur l'*entrefaite*.

ENTREGELER v. intr. et pron. Geler à demi, légèrement. Cette viande n'est pas gelée, elle n'est qu'*entregelée*. S'*entregeler* les mains.

ENTREMISE n. f. Mar. Vx en fr. Entretoise, pièce de bois horizontale qui, dans la charpente des granges, maintient un écartement fixe entre deux poteaux. (surt. 0 37-85) Syn., voir : **filière** (sens 1).

ENTREMPAGE n. m. Action d'*entremper*.

ENTREMPAS n. m. Dans les anciennes charrues à rouelles, système permettant de régler la profondeur du labour.

ENTURE À CLEF n. f. Manière bien particulière d'enter deux pièces de bois, sans utiliser clous ou chevilles.

ENTREMPER v. tr. Donner de la profondeur au labour en réglant l'*entrempas* des charrues d'autrefois.

ÉNUMÉRATEUR n. m. (mot angl.) [Ø] Recenseur en période électorale. Recenser. Recensement.

ENVAILLOCHER, ENVEILLOCHER v. tr. Mettre le foin en *vailloches*, *veilloches* ou veillotes dans le pré.

ENVALER v. tr. [#] Avaler. Prendre l'habitude de bien mastiquer avant d'*envaler*.

ENVASER v. tr. et pron. Embourber, s'embourber, rester pris dans une fondrière, dans la boue, dans la *vase*, dans la neige. Lors de la construction de routes il arrive que des engins de chantier (tracteurs, pelles mécaniques) s'*envasent*. Fais attention, ne passe pas là, tu vas *envaser* ton tracteur. Syn., voir : **embourber**

ENVERS n. m. Vx en fr. Revers. L'*envers* d'une médaille est opposé à l'avers ou face.

EN-VEUX-TU-EN-VLÀ loc. adv. Beaucoup, en grande quantité. De la marchandise à vendre, des chômeurs qui veulent vraiment travailler il y en a en *en-veux-tu-en-vlà*.

ENVIEUSERIE, ENVIEUSETÉ, ENVIOUSERIE, EN-VIOUSETÉ n. f. Jalousie, envie. C'est par *envieuserie* que tu parles ainsi de ta belle-soeur. (acad.)

ENVIEUX n. m. pl. Envies qui se détachent de la peau autour des ongles. (surt O 38-84) Syn. : **nuisants**, **reculons**, **repoussons**.

ENVOYER LA MAIN loc. verb. Saluer de la main, faire un signe amical de la main en parlant d'un adulte ou d'un enfant. [+++] Syn. : faire **tata** (en parlant d'un enfant).

ÉPAILLER v. tr. **1.** Épandre. Avant l'invention des épandeurs de fumier, on *épaillait* le fumier manuellement, à la fourche. **2.** Fig. Disperser, éparpiller. Les Tremblay sont *épaillés* aux quatre coins de l'Amérique du Nord.

EPAIS, AISSE n. et adj. **1.** Fig. Naïf, niais, imbécile, balourd, pas fûté. Syn. : **beseau**, **bleuet** (sens 5), **bouché**, **bozo**, **cave**, **chausson**, **gioleux**, **gougoune** (adj.), **habitant**, **innocent**, **moumoune**, **naveau**, **newfie**, **niaiseux**, **niochon**, **nono**, **noune**, **nounoune**, **poupoune**, **quétaine**, **venir des rangs** (sens 3), **sansallure**, **sans-dessein**, **sans-génie**, **tapette** (sens 2), **tarla**, **tata**, **tatais**, **tetais**, **téteux** (sens 1), **touite**, **zarzais**. **2.** Fig. *Épais, six pouces dans le plus mince* : très *épais*, très niais.

ÉPARÉE n. f. Grande quantité. Après la terrible tempête que nous avons eue, il y avait une *éparée* de poissons morts sur la grève. (acad.)

ÉPARE-FUMIER n. m. Épandeur de fumier. (acad.) Syn. : **épareux à fumier**, **étendeur à fumier**.

ÉPARER v. tr. et pron. **1.** Étendre du linge sur la corde à linge. (acad.) **2.** Épandre du fumier, de l'engrais, de l'insecticide... (acad.) **3.** Se disperser en parlant des nuages. (acad.) **4.** Fig. Tomber, s'étaler sur la glace vive. (acad.)

ÉPARERIE n. f. Désordre. Les enfants sont restés seuls pendant quelques heures : si tu avais vu l'*éparerie* dans la cuisine! (acad.)

ÉPAREUX n. m. *Épareux à fumier, à engrais chimique* : épandeur (acad.)

ÉPARGNE n. f. **1.** Vx en fr. Économie, ce qu'on ne dépense pas et qu'on met de côté. **2.** Voir : **épergne**.

ÉPARGNER v. intr. Vx en fr. Économiser. Profiter des rabais, des soldes pour *épargner*.

ÉPAROIR n. m. Étendoir, fait d'une perche supportée par deux branches fourchues fichées en terre et sur laquelle les pêcheurs étendent leurs filets pour les faire sécher. (acad.) Syn., voir : **piano**.

ÉPAULE n. f. **1.** Fig. *Épaules de quêteux* : épaules tombantes d'une personne. Tous les enfants de certaines familles ont des *épaules de quêteux*. Voir : **quêteux**. **2.** Fig. *Épaules-carrées* : bouteille de gin de 40 *onces*, soit 1 L 136 , ainsi appelée à cause de sa forme.

ÉPAULÉE n. f. *À l'épaule* : sur l'épaule. Transporter du bois *à l'épaulée*.

ÉPÉE n. f. Poteau fixé aux bouts des sommiers du *bobsleigh*, de la fourragère. Syn. : **bonhomme**, **catin**, **échelot**, **piquet**, **poteau**.

ÉPELAN, ÉPLAN n. m. [#] Éperlan.

ÉPELURE n. f. [#] Pelure de pomme, de pomme de terre, épluchure. [+++] Voir : **épluche**.

ÉPELURER v. tr. Peler une pomme de terre, un navet, une pomme.

ÉPÉNILLER, DÉPÉNILLER v. tr. Défaire un tissu, le mettre en charpie pour le filer de nouveau, écharper. (Lanaudière) Syn., voir : **écharpir**.

ÉPERGNE, ÉPARGNE n. f. (angl. epergne) [Ø] Milieu de table, surtout, pièce d'orfèvrerie décorative qu'on place sur la table de la salle à manger.

ÉPEURANT, E adj. [#] Litt. et rare en fr. Qui effraie, qui fait peur, apeurant. Ce film d'horreur est on ne peut plus *épeurant*. [++]

ÉPEURE-CORNEILLES, ÉPEUREUX DE CORNEILLES
n. m. Épouvantail à corneilles, à moineaux, à oiseaux en général, installé dans les jardins, dans les champs, pour effrayer les oiseaux et les empêcher de manger grains et fruits. Syn. : **bonhomme de jardin**, **bonhomme de paille**, **bonne-femme**, **fantôme**, **peureux**, **peureux à corneilles**.

ÉPEURER v. tr. Vx et litt. en fr. Effrayer, effaroucher, apeurer. *Épeurer* un cheval en ouvrant brusquement un parapluie devant lui.

ÉPICERIE n. f. **1.** Faire l'*épicerie, son épicerie, les épiceries, ses épiceries* : faire le marché, son marché quotidien ou hebdomadaire. Préférer faire son *épicerie* dans les grandes surfaces. Syn. : **grocery**. **2.** Fig. Dépenses courantes et intérêt des emprunts. En parlant d'un gouvernement, faire des emprunts pour payer l'*épicerie*.

ÉPINARD SAUVAGE n. m. Chénopode blanc. Plante identifiée par Jacques Rousseau, botaniste. (acad.) Syn., voir : **chou gras**.

ÉPINÉE n. f. [#] Épine dorsale. L'orignal a été atteint par une balle dans l'*épinée*.

ÉPINE-VINETTE n. f. Berbéris vulgaris.

ÉPINETTE n. f. **1.** Épicéa n. m. [+++] Syn. : **prusse**. **2.** *Épinette à corneilles* : épicéa étêté où nichent souvent les corneilles. [++] **3.** *Épinette blanche* : épicéa glauque. Ce sont les radicelles de cet arbre qu'utilisaient les Amérindiens pour coudre l'écorce de bouleau de leurs canots et qu'ils appelaient *watap*. [+++] **4.** *Épinette de savane, épinette noire* : épicéa marial. Cet arbre est à la base de la fabrication de la *bière d'épinette*. [+++] **5.** *Épinette rouge* : épicéa rouge. [+++] **6.** *Épinette rouge* : mélèze laricin, seul de nos conifères à perdre ses feuilles à l'automne. Syn. : **hacmatak**, **tamarac**, **violon**. **7.** Fig. *Passer une épinette*. Voir : **passer un Québec**. **8.** Voir : **bière d'épinette** (sens 1).

ÉPINETTIÈRE n. f. Peuplement d'*épinettes* ou épicéas. [+++] Syn. : **prussière**.

ÉPINETTITE n. f. Variété de dépression nerveuse dont sont victimes surtout les femmes qui, nées au sud du Québec, accompagnent leurs maris travaillant au Nouveau-Québec. Voir : **-ite**.

ÉPINGLE À COUCHES n. f. Épingle de nourrice, épingle de sûreté. [+++] Syn. : **épingle à spring**.

ÉPINGLE À LINGE n. f. (angl. clothes pin) [Ø] Pince à linge formée de deux leviers articulés et utilisée lorsqu'on étend du linge à sécher sur la corde à linge.

ÉPINGLE À SPRING n. f. (angl. spring pin) [Ø] Épingle de sûreté, épingle de nourrice. Anglicisme en perte de vitesse. Syn. : **épingle à couches**.

ÉPINGLETTE n. f. **1.** Épinglier du rouet. **2.** Bijou, broche portant une pierre précieuse. [+++]

ÉPIOCHON n. m. Épi de maïs rabougri, resté petit. Syn., voir : **piochon**.

ÉPISSOIR n. m. Mar. Fig. *Avoir le nez comme un épissoir* : avoir le nez très pointu. Un *épissoir* est un bâton très pointu servant à défaire les torons d'un câble lorsqu'on veut faire une épissure. (acad.) Syn. : **nez de butor**.

ÉPIVARDER (S') v. pron. **1.** S'éplucher, faire sa toilette, se rouler dans le sable en parlant des oiseaux, des poules. [+++] Syn. : **se gravailler**, **se poudrer**. **2.** Faire sa toilette, en parlant des personnes. (O 29, 38 et acad.) Syn., voir : se **toiletter**. **3.** Aller s'aérer, sortir de la maison parce qu'on a fait des vents. Va *t'épivarder* dehors! se faisaient dire certains jeunes lorsqu'ils faisaient des vents trop indiscrets. Syn. : **chier**. **4.** Fig. Se démener, s'agiter, s'amuser follement.

ÉPLAN, ÉPELAN n. m. [#] Éperlan du lac.

ÉPLUCHE, ÉPLURE n. f. [#] Épluchure, pelure. Des *épluches* de pomme de terre, des *éplures* d'oignons. Syn. : **épelure**.

ÉPLUCHER v. tr. Enlever les feuilles qui entourent un épi de maïs, effeuiller. *Éplucher* les épis de maïs avant de les faire cuire. Syn. : **écoquelucher** (sens 1).

ÉPLUCHERIE (acad); **ÉPLUCHETTE** n. f. **1.** Autrefois, au début de l'automne, réunion de parents, d'amis, de voisins pour effeuiller les épis de maïs et qui se terminait par des danses, des jeux et des chansons. [+++] Syn. : **bee**. **2.** Aujourd'hui, fête populaire, à la fin de l'été, où l'on déguste des épis de maïs cuits dans l'eau ou à la vapeur et dont les grains mûris à point sont encore très tendres.

ÉPOCHER v. tr. Lors de la castration d'un animal, enlever à la fois les testicules et la *poche* ou bourse. (O 27-116)

ÉPOILER v. tr. Épiler, arracher les poils. La grande mode chez les femmes, c'est de se faire *époiler* les sourcils.

ÉPOITRAILLAGE n. m. Décollage, état de ce qui est trop décolleté.

ÉPOITRAILLER (S') v. pron. Se décolleter un peu trop. Syn., voir : se **deffaler**.

ÉPONGE n. f. Fig. Individu qui boit d'une façon exagérée, ivrogne. Syn., voir : **brosseux**.

ÉPOQUE n. f. *À l'époque* : autrefois, anciennement. *À l'époque*, les chevaux faisaient tous les travaux agricoles. Syn. : dans l'ancien **temps**, dans le **temps**, dans le **temps des vieux**, **jadis**.

209

ÉPOUVANTE n. f. **1.** Allure très vive d'un cheval de promenade. Notre voisin est pressé, il se dirige vers le village à la fine *épouvante*. **2.** *Prendre l'épouvante*. a) Prendre le mors aux dents, en parlant d'un cheval. b) Fig. Se fâcher, monter sur ses grands chevaux, en parlant d'une personne. **3.** Fig. *À l'épouvante* : vite, rapidement. Travailler *à l'épouvante* en parlant d'une personne. Syn. : **ventre à terre**.

ÉPURER v. tr. *Épurer un torchon* : le tordre, l'essorer pour en faire sortir l'eau.

ÉQUERRE n. f. **1.** a) Endroit où un chemin, un fossé, un cours d'eau tourne à angle droit. b) Le chemin, le fossé, le cours d'eau lui-même. **2.** Fig. *Être d'équerre* : être d'accord, consentant. Il *est d'équerre* pour faire ce travail avec nous.

ÉQUIPÉ, E adj. Sali, barbouillé. L'automne et le printemps, les enfants rentrent souvent tout *équipés*.

ÉQUIPER v. tr. Abîmer, briser, gâcher, salir. *Équiper* ses vêtements, des outils de travail.

ÉQUIPETTE n. f. [#] Mar. Dans une malle, un coffre, petit compartiment où l'on range les objets de valeur, équipet (n. m.). (E 27-102) Syn. : **écrin**.

ÉQUIPOLLENT n. m. **1.** Vx en fr. Équivalent. Récolter en pommes de terre l'*équipollent* de trente fois ce qu'on a semé. **2.** *En équipollent de* : en proportion de, pour la même valeur. Être payé *en équipollent du* travail qu'on a fait.

ÉQUIPOLLER v. pron. Être la même chose, être du pareil au même. Par les temps qui courent, voter *rouge* ou voter *bleu* ça s'*équipolle*.

ÉRABLE n. m. Ce mot est masculin en français. **1.** *Érable bâtard, érable bâtarde* : érable à épis. **2.** *Érable blanc, érable blanche* : érable argenté. **3.** *Érable franc, érable franche* : érable à sucre. **4.** *Érable Giguère, érable à Giguère* : érable négondo. (O 27-116) **5.** Fig. *Les érables coulent* : remarque taquine lancée à quelqu'un dont le nez coule. [+++]

ÉRABLIÈRE n. f. Peuplement d'érables à sucre exploité pour la fabrication des produits de l'érable : sirop, *tire*, sucre. Exploiter une *érablière* de trois mille érables. [+++] Syn. : **sucrerie**.

ÉRALANT, E adj. Fig. Fatigant, épuisant. Faire de la clôture, c'est *éralant*. (O 27-116) Syn. : **effiellant**.

ÉRALÉ, DÉRALÉ, E adj. **1.** Déchiré, en parlant d'un vêtement, éraillé. (O 27-116) Syn., voir : **échiffé**. **2.** Fig. Fatigué, exténué. Syn., voir : **resté**.

ÉRALER v. tr. et pron. **1.** Érailler un tissu, une étoffe. (O 27-116) **2.** Fig. Se fatiguer jusqu'à épuisement. [+++] Syn., voir : **effieller**. **3.** Fig. Se blesser légèrement, s'érafler. Il s'est *éralé* le dos sur une branche. [++] Syn. : **érifler**.

ÉRALLER v. tr. Couper la *ralle* ou maîtresse branche d'un arbre.

ÉREINTE n. f. *À toute éreinte* : de toute sa force. Il a couru *à toute éreinte* pour rattraper le voleur. [+++]

ÉRIDELLE, ARIDELLE n. f. [#] Échelette avant ou arrière de la charrette à foin, de la fourragère, ridelle. [+++] Syn., voir : **échelle**.

ÉRIFLER v. tr. et pron. Écorcher légèrement, s'érafler. Il s'est *ériflé* les mains en tombant. Syn. : **éraler**.

ERMITE n. m. Variété de fromage fabriqué à Saint-Benoît-du-Lac (Estrie) par les Bénédictins.

ÉROCHER v. tr. Épierrer, débarrasser un terrain des pierres, des *roches* gênantes pour la culture. [+++] Syn. : **dérocher**.

ÉROUSER, ÉROUSSER v. tr. Égrener les épis de maïs. Autrefois, l'automne ou l'hiver, on *érousait*, on *éroussait* le maïs manuellement en frottant les épis sur le tranchant d'une bêche posée sur une cuvette.

ERRE n. f. **1.** Élan, poussée. Donner de l'*erre* ou des *erres* à un enfant assis sur une balançoire. **2.** *Faire de l'erre* : se déplacer, s'en aller. À un importun, on dira : fais de *l'erre*! **3.** Voir : **roue d'erre**. **4.** Fig. *N'avoir plus que le tic-tac et l'erre d'aller* : être à bout de force, être très faible, en parlant de quelqu'un.

ERSOURCE n. f. [#] Voir : **ressource**.

ESBAILLER, S'BAILLER, SE BAILLER v. pron. (angl. buoy) [Ø] Dans les jeux d'enfants comme celui de la *cachette*, de cachecache, se délivrer en allant toucher le but, la *buoy*.

ESCABEAU n. m. Plate-forme pour bidons à lait ou à crème, installée autrefois au bord de la route et à hauteur de plateau du véhicule de ramassage. Syn. : **banc, plate-forme, stand, table**.

ESCALATEUR n. m. (angl. escalator) [Ø] Escalier roulant, escalier mécanique.

ESCALIER À POISSONS n. m. Voir : **passe migratoire**.

ESCAOUETTE n. f. Danse de la Chandeleur (le 2 février) exécutée par ceux qui font du porte à porte en vue de recueillir des dons pour les nécessiteux. (acad.)

ESCAPI n. m. Amer constitué d'un tas de pierres servant de point de repère aux pêcheurs côtiers de la CôteNord. Syn. : **amet**.

ESCAPIA n. m. (amér.) Serviteur, chez les amérindiens.

ESCARE n. f. **1.** Écarts imprévisibles d'un cheval ombrageux. **2.** Fig. Action prétentieuse, geste, attitude de quelqu'un qui veut en imposer. Syn. : **gibar** (sens 2).

ESCARER (S') v. pron. **1.** En parlant d'un cheval ombrageux, faire des écarts imprévisibles. **2.** Fig. Faire des choses prétentieuses, se donner des airs, se pavaner en parlant d'une personne. [+++] **3.** Fig. S'asseoir de travers.

ESCAREUR, ESCAREUX, EUSE n. et adj. **1.** Ombrageux, surtout en parlant d'un cheval. [+] **2.** Fig. Prétentieux, personne remplie d'elle-même. [+++]

ESCARGOT n. m. **1.** Nom vulgaire du jeune esturgeon noir de moins de cinq kilos capturé en eau douce. (O 22124) Syn. : **maillé**. **2.** *Escargot de mer* : buccins (n. m. pl.)

ESCLAVE n. Se dit d'un impotent, d'un infirme, d'un arriéré mental, de toute personne, quel que soit son âge, qui est à charge des autres. Il y a deux *esclaves* dans cette famille. (O 37-86)

ESCLOPÉ, E adj. et n. Éclopé, qui se déplace péniblement, suite à un accident. [++]

ESCLOPER (S') v. pron. Devenir éclopé suite à un accident.

ESCOUER v. tr. et pron. [#] Secouer, se secouer.

ESCOUSSE n. f. [#] Voir : **secousse**.

211

ESCRAMPÉ, E adj. Perclus de rhumatismes, rhumatisant. Le vieux Léo ne peut plus marcher, il est *escrampé*. (acad.)

ESCRIMER (S') v. pron. Parler avec force tout en faisant de très nombreux gestes.

ÉSHERBER v. tr. [#] Sarcler, désherber. (acad.)

ESIPAN n. m. (amér.) Raton laveur communément appelé *chat sauvage*.

ESPÉRER v. tr. Rég. en fr. Attendre. Ta mère est contente que tu sois là, elle t'*espérait* depuis deux jours. (acad.)

ESPIONNEUX, EUSE adj. et n. Personne indiscrète qui cherche à voir et à entendre ce que font et disent les gens.

ESPRIT n. m. *Whisky en esprit* : alcool de grains épuré, rectifié titrant à plus de 90 degrés d'alcool.

ESQUIMAU, AUDE n. et adj. Ancienne appellation servant à désigner les habitants des terres arctiques de l'Amérique du Nord appelés maintenant Inuits. Ce mot figure dans la toponymie du Québec. Havre-Saint-Pierre sur la Côte-Nord s'est appelé Pointe-aux-Esquimaux jusqu'en 1925.

ESSAYEUR, ESSAYEUX, EUSE adj. et n. Se dit d'une personne qui n'hésite pas à se lancer dans une première entreprise, puis dans une deuxième et une troisième; entreprenant.

ESSIVER v. tr. [#] Voir : **lessiver**.

ESSOUCHEUSE n. f. Appareil utilisé pour l'arrachage des souches. Syn. : **arrache-souche**.

ESSUIE-MAINS n. m. Torchon de toile servant à essuyer la vaisselle. Autrefois on utilisait de la toile de lin nouvellement tissée pour s'essuyer les mains et, lorsque cette toile devenait suffisamment souple et absorbante, elle servait à essuyer la vaisselle. [+++] Syn. : **serviette à vaisselle**.

ESTÈQUE n. **1.** Tout procédé ingénieux destiné à faciliter un travail. (Surtout Charsalac) Syn., voir : **patente** (sens 1). **2.** Fig. Dernier-né d'une famille nombreuse. (Surtout Charsalac) Syn., voir : **chienculot**. **3.** Aux cartes, la dernière levée. (Surtout Charsalac) **4.** Femme légère, coureuse. Syn., voir : **guedoune**.

ESTÉQUEUX, EUSE adj. et n. Ingénieux, inventif, fertile en expédients, en *estéques*. [++] Syn. : **chef-d'œuvreux**, **inventioneux**, **patenteux**.

ESTERLET n. m. Vx en fr. Hirondelle de mer, sterne commune. (E 7-141) Voir : **isterlet**, **istorlet**, **sterlet**.

ESTOMAC n. m. Fig. Poitrine féminine généreuse, plantureuse. Syn., voir : **magasin**.

ESTRIEN, ENNE n. et adj. Gentilé. Natif ou habitant de l'Estrie; de l'Estrie. (L'Estrie s'appelait autrefois les Cantons-de-l'Est).

ESTRIETTE n. f. Nouvelle de l'Estrie. Ce mot, au pluriel, coiffe des chroniques de journaux diffusés dans cette région.

ESTURGEON n. m. **1.** *Esturgeon de lac* : esturgeon jaune. **2.** *Esturgeon de mer* : esturgeon noir.

ESURGNIS (amér.) Petites boules de poterie servant à faire des colliers utilisés comme gages de paix.

ÉTALON n. m. Fig. Homme particulièrement porté sur la chose. Luc, c'est tout un *étalon*! Syn. : **mâle**.

ÉTAMPE n. f. Papier buvard, buvard qui boit l'encre. Sécher avec une *étampe* ce qu'on vient d'écrire à l'encre.

ÉTAMPER v. tr. (angl. to stamp) [Ø] **1.** Tamponner, estampiller, oblitérer. Cette enveloppe est *étampée* de Trois-Rivières. **2.** Marquer au fer rouge. *Étamper* les animaux qui vivent en liberté dans des pâturages communaux. **3.** Mettre K.-O., frapper, assommer. Paul s'est levé et a *étampé* son adversaire. **4.** Sécher une lettre qu'on vient d'écrire à l'aide d'une étampe, buvarder.

ÉTAMPERCHE n. f. Longue perche horizontale fixée à deux poteaux et utilisée en forêt comme potence pour accrocher des chaudrons sur le feu ou comme étendoir pour faire sécher les vêtements.

ÉTARQUÉ, E Mar. Fig. Épuisé, fatigué. Il est rentré de son travail, *étarqué*. Syn., voir : **resté**.

ÉTATS n. m. pr. pl. États-Unis d'Amérique. Mon parrain a travaillé dix ans aux *États*. Cette appellation est en perte de vitesse. Syn. : **Amérique**.

ÉTATSUNIEN, ENNE adj. et n. **1.** Relatif aux États-Unis, américain. La culture *étatsunienne*. **2.** Habitant des États-Unis.

ÉTÉ n. m. **1.** *Été des Indiens* : été de la Saint-Martin ou derniers beaux jours de l'arrière-saison avant les premiers froids. [+++] Syn. : **été des Sauvages**. **2.** *Se mettre en été* : quitter ses vêtements d'hiver pour ses vêtements d'été, c'est le contraire de *se mettre en hiver*. [+++]

ÉTEINDRE v. pron. *Ça vient de s'éteindre* : c'est fini, n'en parlons plus, inutile d'insister. [+++]

ÉTENDEUR À FUMIER, DE FUMIER n. m. [#] Machine agricole servant à épandre le fumier, épandeur de fumier. [++] Syn. : **épare-fumier**.

ÉTENDRE v. tr. **1.** [#] Accrocher, pendre. *Étendre* le bas de Noël. **2.** [#] Tendre. *Étendre* un piège, un collet.

212

ETHNIQUE n. et adj. (angl. ethnic) [Ø] Membre d'un groupe ethnique minoritaire à l'intérieur d'un pays, d'une province, d'une ville; relatif à l'un de ces groupes; allophone. Les *ethniques* habitent majoritairement certains quartiers d'une ville. Le vote *ethnique*.

ÉTIRÉ, E adj. [#] Tiré, fatigué. Avoir les traits *étirés*, le visage *étiré*, la figure *étirée*.

ÉTOC n. m. Étau. L'*étoc* des charpentiers et des menuisiers d'autrefois était souvent une presse en bois fixée à un établi et dont on rapprochait les deux parties à l'aide d'une vis en bois, de manière à assujettir solidement l'objet que l'on voulait travailler. (E 36-86)

ÉTOFFE DU PAYS n. f. Tissu de laine très épais fabriqué par nos grands-mères sur leur métier à tisser.

ÉTOILE n. f. **1.** *Étoile volante* : étoile filante. **2.** Fig. *Trois étoiles* : de première qualité. Voir un film *trois étoiles*. Allusion aux étoiles qui figurent sur les étiquettes des bouteilles de whisky : une seule étoile signifie whisky jeune, deux étoiles un whisky de qualité moyenne et trois étoiles un très bon whisky. Syn. : **trois x**. **3.** *En étoile* : a) Très, beaucoup. Il fait froid *en étoile*. b) À toute vitesse. Le camion filait *en étoile* quand il nous a dépassés.

ÉTRANGE n. et adj. **1.** Étranger, quelqu'un qui n'est pas originaire de la paroisse, des endroits que l'on connaît. Cet *étrange*, personne ne le connaît ici. Syn., voir : **rapporté**. **2.** *Paroisse étrange* : à la campagne, paroisse qu'on ne connaît pas.

ÉTRANGLE n. f. ; **ÉTRANGLON** n. m. Variété de cerises indigènes qui épaissit la langue.

ÉTRÉCI n. m. [#] Voir : **rétréci**.

ÉTRÉCIR v. intr. [#] Fig. Rétrécir. Un lavage à l'eau chaude fait *étrécir* un lainage.

ÉTRETTE n. m. [#] Endroit où le lit d'un cours d'eau devient plus *étroit* (prononcé *étrette* dans la langue populaire) et où le courant est plus rapide. Voir : **rétréci**.

ÉTRIVANT, E adj. et n. Taquin, qui aime taquiner. Lui, il est aussi *étrivant* que son père. [+++] Syn., voir : **attineur**.

ÉTRIVATION n. f. Taquinerie. Ne pas aimer les *étrivations* de telle personne.

ÉTRIVER, FAIRE ÉTRIVER v. tr. et pron. Taquiner. On l'*étrive* chaque fois qu'on le rencontre. Il n'aime pas se *faire étriver*. [+++] Syn., voir : **attiner**.

ÉTRIVEUR, EUSE adj. et n. Taquin, qui aime taquiner. Syn., voir : **attineur**.

ÉTROLER, ÉDRÔLER v. tr. Ébrancher, couper les branches d'un arbre qu'on a abattu. (acad.)

ÉTRON, ONNE n. et adj. Fig. et vx en fr. Terme de mépris à l'endroit d'une personne incapable, impuissante, indécise, gauche. Un jour, le maire d'une paroisse agricole se fit traiter publiquement d'*étron gelé* par un de ses administrés. Il s'ensuivit un procès dont on parle encore dans Lanaudière. Ça va à l'université et c'est trop *étron* (ou *étronne*) pour remplacer une ampoule!

ÉTURGEON n. m. [#] Esturgeon.

EUCHRE, YOUKEUR n. m. (angl. euchre) [Ø] **1.** Jeu de cartes. Jouer au *youkeur*. **2.** Soirée paroissiale dont les profits allaient à la fabrique d'une paroisse. Les *euchres* ont été remplacés par les *bazars* puis par les *bingos*.

213

ÉVAPORATEUR n. m. Bouilloire moderne installée dans les *cabanes à sucre* et servant à transformer en sirop la sève sucrée de l'érable. Les six marques principales d'évaporateur sont les suivantes : *Champion, Dominion, Grimm, Jutras, Small, Waterloo.* [+++]

ÉVAPORÉ, E adj. *Lait évaporé* (angl. evaporated milk) [Ø] : lait concentré.

ÉVÉNEMENT n. m. *À tout événement,* (angl. at all events) [Ø] : quoi qu'il arrive, dans tous les cas.

ÉVENTÉ, E adj. Qui a perdu ses qualités originales de résistance en parlant d'un tissu, de cuir, de caoutchouc. La tétine de ce biberon est *éventée,* elle sent l'*éventé.*

ÉVENTER v. tr. et pron. **1.** *Éventer les cris* : pousser les hauts cris. Les passants ont *éventé les cris* en voyant l'auto heurter un piéton. **2.** S'altérer à l'air. Avec le temps, le caoutchouc *s'évente.*

ÉVENTILATEUR n. m. Trou d'aération pratiqué dans une fenêtre et que peut fermer une planchette coulissante ou pivotante. [++] Syn. : **tire-pet**, **tire-vesse**, **ventilateur**.

ÉVENTUELLEMENT adv. Plus tard, quand on aura le temps. La mise au point du moteur de la voiture, on s'en occupera *éventuellement.*

EX n. Selon les circonstances, ex-mari, ex-épouse, ex-amant, ex-maîtresse. Ne pas aimer rencontrer son *ex.*

EXÉCRABLE adj. Litt. en fr. Remuant, indiscipliné, détestable en parlant d'un enfant désobéissant.

EXCÉDAGE, EXCÉDANT n. m. Avant-toit d'une construction.

EXCEPTIONNEL, ELLE adj. (angl. exceptional) [Ø] Voir : **difficulté**.

EXCÈS n. m. *Aux excès, d'excès* : à l'excès, trop. Il mange toujours *aux excès.*

EXHIBITION n. f. (angl. exhibition) [Ø] Exposition. Anglicisme presque disparu.

EXPRÈS adv. *Par exprès* : exprès, intentionnellement. Il a été désagréable *par exprès.*

EXPRESS n. f. (angl. express) [Ø] **1.** Voiture hippomobile à quatre roues utilisée autrefois pour le transport des marchandises. [+++] Syn., voir : **wagon** (sens 1). **2.** Voiture-jouet à quatre roues pour enfant. Nom commercial. [+++] Syn. : **quatre-roues** (sens 3).

EXTENSION n. f. (angl. extension) [Ø] **1.** Rallonge. Pour utiliser le grille-pain, il faudra acheter une *extension,* car la prise est trop loin. **2.** *Table-extension* : table à rallonge, table extensible.

EXTRA n. m. Supplément de travaux, de coût, de marchandises. Payer un *extra* pour utiliser un stationnement intérieur.

FACE n. f. **1.** Fig. *Face de bœuf, face de bœu* : air abruti, hébété, ahuri. As-tu vu la *face de bœuf* qu'il a? [+++] **2.** *Face à claques* : personne particulièrement antipathique qu'on giflerait volontiers, tête à claques. [+++] **3.** Fig. *Visage à deux faces, visage à deux taillants* : personne à double face, hypocrite. Ne te fie pas à ce député, c'est un *visage à deux faces, à deux taillants*. **4.** Fig. *Fendre la face* : exaspérer. Lui, avec ses airs prétentieux, il me *fend la face*.

FACÉ, E adj. *Mur facé* : mur avant ou arrière d'une maison par opposition à ceux des pignons.

FAÇON n. f. **1.** Quantité de sucre d'érable, de *tire*, de savon que l'on fait en une seule fois; chaudronnée, fournée. Faire deux *façons* de sucre. (E 27-116) Syn. : **batch**, **battée**, **brassée**, **brassin**, **cuite**. **2.** Vx en fr. Air, allure, politesse, gentillesse. Jacques a la *façon* de son père. **3.** *Faire de la façon*. a) Faire bonne mine (à quelqu'un). b) Faire des façons, dire des choses agréables. **4.** *Avoir de la façon* : être poli, avoir des manières agréables, dire des gentillesses. **5.** Espèce. Attention! il a deux *façons* de corbeaux ici. (acad.)

FACTERIE, FACTRIE n. f. (angl. factory) [Ø] Manufacture, usine, fabrique. Au XIXe siècle et au début du XXe, beaucoup de Québécois sont allés travailler dans les *facteries* de la Nouvelle-Angleterre.

FADE adj. *Se sentir le cœur fade* : ne pas se sentir bien, être sur le point de perdre connaissance.

FAFINAGE n. m. Voir : **farfinage**.

FAFINER v. intr. Voir : **farfiner**.

FAFOUIN, E adj. et n. Tête folle, écervelé, qui agit sans réfléchir. Syn., voir : **foin** adj. et n.

FAIBLE adj. *Faible de croyance* : crédule. (acad.)

FAIBLESSE n. f. **1.** Personne qui n'a pas une grande force physique. Untel, mais c'est une *faiblesse*! **2.** Vx en fr. Inclination, penchant pour quelqu'un. Marie a une *faiblesse* pour Jacques. **3.** Vx en fr. *Tomber en faiblesse* : s'évanouir. Syn., voir : **faillette**.

FAILLETTE n. f. **1.** Évanouissement, faiblesse, syncope. Quand il a appris cet accident, il a eu une *faillette*. [++] Syn. : tomber en **botte**, tomber en **douelle**, tomber en **faiblesse**, se **pâmer**, faire la **toile**. **2.** *Mois de la faillette* : le mois de juillet au cours duquel la *bouette* des pêcheurs de morue se fait plus rare. Syn. : **mois jaune**.

FAILLI, E adj. **1.** Malade. Le pauvre Gédéon, il est bien *failli*, il a de *faillies* jambes. (acad.) **2.** Mauvais, pourri en parlant du temps. On a eu un *failli* hiver. (acad.)

FAILLIR v. intr. **1.** Vx en fr. Faire faillite. C'est la deuxième fois que cet hôtelier *faillit*. **2.** Perdre connaissance, s'évanouir. [++]

FAIM n. f. **1.** *Faim d'ours* : très grande faim, en parlant des personnes, faim de loup. **2.** *Faim de chien* : très grande faim, en parlant des personnes, faim de loup. **3.** *Faim ardente* : très grande faim. **4.** *Faim féroce* : très grande faim. **5.** Fig. *Avoir faim de* : désirer vivement. *Avoir faim de* fumer, de danser, de s'amuser, de faire l'amour.

FAÎNE n. f. *En faîne* : a) Dans les revêtements de murs à *clins*, se dit d'une planche dont un côté, celui du haut, est plus mince que le côté du bas. b) En forme de V majuscule. Faire une auge ou une gouttière avec des madriers cloués *en faîne*.

FAIR adj. (angl. fair) [Ø] Gentil, loyal. Ce n'est pas *fair* de toujours taquiner sa petite sœur. [+++]

FAIRE v. intr. **1.** Aller, en parlant d'un vêtement, d'une couleur. Cette robe lui *fait* bien. Le bleu ne lui *fait* pas bien. [+++] **2.** *Se faire prendre* : devenir enceinte en parlant d'une jeune fille. Syn., voir : se faire **attraper**.

FAISAGE n. m. Le fait de faire, d'agir au lieu de se contenter du *parlage*, de se contenter de parler. D'où la rimette grand *parlage*, petit *faisage*.

FAISEUR DE VEUVES n. m. Se dit d'un arbre mort mais encore debout et dont les branches en tombant risquent de tuer bûcherons et chasseurs, donc de *faire des veuves*. Syn. : **matelot**.

FAISEUX, EUSE n. Personne d'action qui travaille, qui agit au lieu de passer son temps à parler. Rimette : grand *parleux* petit *faiseux*.

FAIT n. m. *Question de fait* [Ø]. En fait, en réalité.

FAÎT n. m. Faîte, sommet. Le *faît* d'un arbre, d'un édifice, de la tête d'une personne. (acad.)

FAITE n. f. Cigarette de manufacture par opposition à celle que le fumeur fait lui-même, roule lui-même. Aimer mieux fumer des *faites* que des *rouleuses*.

FAKER, FÉKER v. intr. (angl. to fake) [Ø] Simuler, feindre, faire semblant. Les lutteurs apprennent à *faker*.

FAKEUR, FÉKEUR, EUSE n. (angl. faker) [Ø] Simulateur, personne qui simule.

FALAISE n. f. Amas de neige entassée par le vent, *banc de neige*, congère. Le chemin est impraticable, il y a des *falaises* partout. (surtout Charsalac) Syn., voir : **banc de neige**.

FALBANA, FARBANA n. m. [#] Falbala, garniture d'un vêtement féminin.

FALBALA n. f. Tente pointue utilisée par les *draveurs* d'autrefois.

FALE n. f. **1.** Jabot des gallinacés [+++] **2.** Fig. Poitrine des êtres humains. Avoir la *fale* à l'air. [+++] **3.** Fig. *Avoir la fale* *basse.* a) Avoir très faim, être affamé. [+++] b) Fig. Avoir le moral bas, être découragé. [+++] Dérivés et composés : *défaler, éfaler.*

FALINGO n. m. Soirée où l'on s'amuse beaucoup et où l'on boit. (acad.)

FALLA n. m. (mot inuit) Missionnaire. Ce mot est la prononciation du mot anglais father.

FAMEUSE n. f. Variété de pommes à couteau appelée *pomme fameuse* ou *fameuse.* [+++]

FAMEUX, EUSE adj. **1.** Fier et orgueilleux en parlant d'une personne. **2.** Considérable. Prendre une *fameuse* bouchée de pain, une *fameuse* gorgée.

FAMILLE n. f. **1.** *Partir pour la famille, tomber en famille* : devenir enceinte. [+++] Syn. : partir de l'autre **bord**, partir pour la **gloire**. **2.** *Être en famille, être en chemin de famille* : être enceinte. [+++] Syn. : être **autrement**, en **balloune**, de l'autre **bord**, en **ceinture**, le **chien jaune** est arrivé, être partie pour la **gloire**, attendre le **Messie**, attendre du **nouveau**, avoir mangé de l'**ours**, avoir mangé du **trèfle**, attendre les **Sauvages**. **3.** Rég. en fr. *Grande famille* : famille nombreuse. Avant 1940, à la campagne il y avait beaucoup de *grandes familles.*

FAMOUCHÉ n. m. Variété d'oiseau de proie du golfe Saint-Laurent.

FANAL n. m. **1.** *Fanal à l'huile* : lanterne à pétrole dont on se servait autrefois pour s'éclairer dans les granges. [+++] **2.** Fig. *Attendre quelqu'un avec une brique et un fanal* : attendre quelqu'un de pied ferme, avec des intentions hostiles. [+++] **3.** Fig. *Fanal, grand fanal* : homme grand et maigre. Quand ce *grand fanal* est entré, les enfants ont eu peur. [+] Syn. : **cadavre**, **calabre**, **élingué**, grand **fusil**, **fuseau**, **fusée**, **jack**, **lingard**.

FANAU, FUSEAU, FUSÉE n. m. Autrefois, lanterne des anciennes voitures hippomobiles. [+]

FANCY adj. (angl. fancy) [Ø] Élégant, coquet. Notre voisin était *fancy* pour le mariage de sa fille. Anglicisme en perte de vitesse.

FANFARE n. f. Corps de musique qui comportait aussi des bois. Autrefois, les pensionnats de garçons possédaient tous des *fanfares.*

FANFRELUCHER (SE) v. Rare en fr. Porter des ornements de peu de valeur. Les femmes aiment se *fanfrelucher.*

FANI n. m. [#] **1.** Fenil, grenier à foin. Un *fani*, c'est toujours au-dessus de l'étable et de l'écurie. (surt. E 3491) **2.** Voir : **mouiller** dans son *fani.*

FANTASQUE adj. Effronté, arrogant surtout en parlant des enfants et des adolescents. (E 25-117)

FANTISEUX, EUSE n. et adj. **1.** Capricieux, qui aime satisfaire ses envies, ses fantaisies. [+++] **2.** Qui aime être bien mis, qui aime tirer du grand. [+++]

FANTÔME adj. (angl. phantom) [Ø] **1.** *Auto fantôme, voiture fantôme* : auto banalisée utilisée pour patrouiller les routes. [+++] **2.** *Cabinet fantôme* : groupe de députés du parti de l'opposition dont chacun se spécialise dans les dossiers relevant de chacun des ministres en poste du parti au pouvoir. **3.** Épouvantail à oiseaux en général pour protéger les moissons. Syn., voir : **épeure-corneille**. **4.** Au pl. Petits nuages annonciateurs de pluie.

FAON n. m. Autrefois, sac constitué d'une peau de jeune chevreuil et servant à transporter de la viande séchée ou de l'avoine chez les *voyageurs*.

FAR, FARS n. m. Rég. en fr. Farce, hachis de viandes épicées servant à farcir. Servir une aile de poulet avec un peu de *far*. [+++] Dérivé : **enfarer**.

FARAUD, E n. et adj. **1.** Jeune homme qui fait la cour à une jeune fille, amoureux. Martine est allée au cinéma avec son *faraud*. Syn., voir : **cavalier**. **2.** Vx en fr. *Faire le faraud, être faraud* : se comporter d'une façon ridicule et prétentieuse. [+++] Syn. : **farauder**.

FARAUDER v. tr. et intr. **1.** Faire la cour à une jeune fille. Syn. : **galanter**. **2.** Se comporter d'une façon ridicule et affectée. Syn. : faire le **faraud** (sens 2).

FARBANA n. m. Voir : **falbana**.

FARCE n. f. **1.** *Farce plate* : plaisanterie déplacée, de mauvais goût. Chaque fois qu'il nous rencontre, c'est pour faire des grosses *farces plates*. [+++] **2.** *Pas de farce!* : sérieusement, sans blague! **3.** *C'est pas des farces!* : mais c'est vrai, ce n'est pas une blague!

FARCER v. intr. Vx ou rég. en fr. Ne pas parler sérieusement, plaisanter, railler, s'amuser, raconter des histoires pour mystifier, faire des *farces*. Arrête donc de *farcer*! [+++] Syn. : **chouenner**.

FARCI, E part. adj. Fig. Couvert. La nuit dernière, le ciel était *farci* d'étoiles. Syn., voir : **ponté**.

FARCIN n. m. **1.** Crasse épaisse qui s'amasse sur la peau des personnes malpropres (mains, plis du cou, tête, oreilles). [+++] **2.** Maladie de la peau des porcs due à la malpropreté. [+++]

FARDE n. f. [#] Fard. Les filles du peuple se barbouillent de *farde*. [++]

FARDÉ, E adj. [#] Hardé, sans coquille, en parlant d'un œuf. Pour que les poules ne pondent pas des œufs *fardés*, il faut leur donner des écailles d'huîtres écrasées. [+++]

FARDOCHER v. tr. Débroussailler, essarter le long des fossés, des clôtures, couper des *fardoches*. Syn., voir : **effardocher**.

FARDOCHES, FERDOCHES n. f. pl. **1.** Rég. en fr. Broussailles poussant le long des fossés et des clôtures. [+++] Syn., voir : **branchages**. **2.** Jeunes arbres, jeunes pousses dans une forêt de haute futaie. Syn., voir : **branchages**.

FARFINAGE, FAFINAGE n. m. Action de *farfiner*, de manger du bout des lèvres. Syn. : **farfinerie**.

FARFINER, FAFINER v. intr. **1.** À table, faire le difficile, manger du bout des lèvres. Une mère dira à un enfant : si tu n'arrêtes pas de *farfiner*, tu vas monter te coucher! **2.** Hésiter, tergiverser, ne pas arriver à prendre une décision.

FARFINERIE n. f. Le fait de *farfiner*, de manger du bout des lèvres. Syn. : **farfinage**.

FARFINEUX, EUSE, FAFINEUX, EUSE n. et adj. Personne qui mange du bout des lèvres.

FARINIER n. m. Autrefois, à la campagne, grand coffre placé dans le grenier de la maison et dans lequel on gardait la farine.

FARLOUCHE n. f. Voir : **ferlouche**.

218

FARLOUSE n. m. Oiseau. Pipit commun.

FARME n. f. (angl. farm) [Ø] Terre, exploitation agricole dont l'exploitant est propriétaire. (acad.)

FARS n. m. Voir : **far**.

FATIQUE n. f. [#] Fatigue. [+++]

FATIQUÉ, E adj. [#] Fatigué. [+++]

FATIQUER v. tr., intr. et pron. [#] Fatiguer. *Fatiquer* ses voisins, *fatiquer* de ne rien faire, se *fatiquer* inutilement. [+++]

FAUBOURG-À-M'LASSE (Faubourg-à-la-mélasse) n. pr. Quartier pauvre de Montréal, du centre-sud et habité par des francophones.

FAUCHEUSE-LIEUSE n. f. Moissonneuse-lieuse, lieuse. La *faucheuse-lieuse* a remplacé la moissonneuse qui ne liait pas les gerbes et elle a été remplacée par la moissonneuse batteuse.

FAUCILLER v. tr. Rare en fr. Couper à la faucille.

FAUSSE-GORGE n. f. Goitre. Se faire opérer pour la *fausse-gorge*.

FAUSSE-SANGLE n. f. Sous-ventrière qui passe sous le ventre d'un cheval et qui est attachée aux deux timons d'une charrette ou d'un tombereau. [+++]

FAUSSE-TOMBE n. f. Boîte de bois teinte en noir dans laquelle on plaçait le cercueil pour le mettre en terre.

FAUSSER v. intr. Vx en fr. Détonner, chanter faux. Le maire *a faussé* en chantant le Minuit, chrétiens. [+++] Syn. : faire un **veau**

FAUSSET n. m. (angl. faucet) [Ø] Robinet d'évier. Syn., voir : **champlure**.

FAUX n. f. **1.** *Faux à bras* : faux à manche, par opposition à la faux mécanique de la faucheuse. Syn. : **petite faux**. **2.** *Faux à branches* : faux à broussailles, serpe.

FAUX-FRÈRE n. m. Frère défroqué retourné à la vie laïque. Il s'agit d'un stigmate que le défroqué portera jusqu'à sa mort.

FAUX-MANCHE n. m. Dial. en fr. Manche de la faux. (acad.)

FAUX-PAS n. m. Fig. Fausse couche. C'est la deuxième fois que sa femme fait un *faux-pas*. Syn., voir : **perte**.

FAX n. m. (angl. telefacsimile devenant telefax puis fax) [Ø] **1.** Télécopieur. N'oubliez pas d'indiquer votre numéro de *fax*. **2.** Télécopie, texte expédié ou reçu par télécopieur. Recevoir, expédier, attendre un *fax*.

FAXER v. tr. (angl. to fax) [Ø] Expédier par *fax*, par télécopieur. Syn. : **téléxer**.

FAXMANIE n. f. Passion, mode du télécopieur. La *faxmanie* a déjà envahi les PME.

FÉDÉRAL n. m. Le gouvernement fédéral du Canada, par opposition au gouvernement provincial du Québec appelé le *provincial*.

FÉDÉRALISME n. m. Doctrine politique favorisant un gouvernement central fort, au sein de la confédération canadienne.

FÉDÉRALISTE n. et adj. Partisan inconditionnel du *fédéralisme*, relatif à un *fédéralisme* inconditionnel.

FÉDÉRALITE n. f. Virus dangereux dont souffriraient beaucoup de *fédéralistes*.

FÉDÉRASTE n. et adj. Appellation péjorative des *fédéralistes*, partisans inconditionnels d'un gouvernement central fort.

FEED, FIDE n. f. (angl. feed) [Ø] Nourriture qu'on donne aux animaux. (acad.)

FEEDBAG n. m. (angl. feedbag) [Ø] Musette, mangeoire portative en toile que l'on suspend à la tête d'un cheval au travail et qui contient son picotin pour l'heure de son repas. [+]

FEEDER, FIDER v. tr. (angl. to feed) [Ø] **1.** Nourrir, donner de la *feed*, de la nourriture. *Feeder* des vaches, des cochons. (acad.) **2.** Servir, engrener la batteuse. (acad.) Syn., voir : **entonner** (sens 3).

FEEDEUR, FIDEUR n. m. (angl. feeder) [Ø] Homme qui sert la batteuse, engreneur. (acad.) Syn., voir : **entonneur**.

FEELER, FILER v. intr. (angl. to feel) [Ø] Se sentir bien ou mal. Comment *files*-tu aujourd'hui? Il *feele* mal depuis deux jours mais la semaine dernière, il *filait* bien.

FEFESSE n. f. **1.** En s'adressant à un petit enfant, fesses. Viens je vais essuyer tes *fefesses*! **2.** *Jouer fefesse*. Voir : **jouer fesse**.

FÉKER v. intr. (angl. to fake) [Ø] Voir : **faker**.

FÉKEUR, EUSE n. (angl. faker) [Ø] Voir : **fakeur**.

FÊLÉ, E adj. et n. Fam. en fr. Dont l'esprit est dérangé. Il est aussi *fêlé* que son père, c'est un *fêlé*. Syn., voir : **écarté**.

FÉLIX n. m. Variété d'Oscar, de César. Prix, trophée offert aux gagnants de l'ADISQ (Association du *d*isque, de l'*i*ndustrie du spectacle *q*uébécois et de la vidéo) en l'honneur du pionnier de la chanson québécoise Félix Leclerc.

FELQUISTE n. m. Membre du *FLQ* (*F*ront de *l*ibération du *Q*uébec) dont les activités ont abouti à la *Crise d'octobre*, en 1970.

FELUET, ETTE adj. [#] Fluet. Un homme *feluet*, une femme *feluette*.

FEMELLE n. f. Femme le plus souvent avec un sens péjoratif. Syn. : **créature**.

FEMME n. f. **1.** *Être aux femmes*. a) En parlant d'une femme, être homosexuelle, lesbienne. b) En parlant d'un homme, être hétérosexuel, aimer les femmes. **2.** *Femme aux femmes* : femme homosexuelle, lesbienne. Syn. : **fifine**.

FENDANT, E adj. et n. **1.** Qui se fend facilement, en parlant du bois. L'érable est beaucoup plus *fendant* que l'orme. [+++] **2.** Vx ou rég. en fr. Prétentieux, rempli de soi-même, arrogant. Il doit être difficile de vivre avec un *fendant* comme lui, il est tellement *fendant*! Syn. : **fend-le-vent**.

FEND-LE-VENT n. m. Prétentieux, rempli de soi-même, arrogant, insolent en parlant des hommes seulement. [++] Syn. : **fendant** (sens 2).

FENDON n. m. Chacune des deux parties d'une bille de bois fendue sur toute sa longueur. Les *fendons* servent à paver un chemin marécageux.

FENDRE v. tr., intr. et pron. **1.** Se fendre. Une bûche sans nœud *fend* très facilement. **2.** Fig. et vulg. *Se fendre le cul en quatre* : se donner beaucoup de mal, travailler fort. [+++] Syn., voir : s'**effieller**.

FENTE n. f. **1.** Femme en général. Avec le beau temps qui arrive, les *fentes* vont sortir. **2.** Sexe de la femme, vulve. Syn., voir : **noune**.

FER n. m. **1.** *Magasin de fer* : quincaillerie. Appellation de plus en plus rare. **2.** *Marchand de fer* : quincaillier. Appellation de plus en plus rare. **3.** *Mettre les fers* : castrer un animal (étalon, bouvillon, verrat) au moyen de serres en fer. Syn., voir : **affranchir**. **4.** *Fer à cheval* : jeu consistant à lancer des fers à cheval le plus près possible d'un piquet fiché en terre. [+++] **5.** Fig. *De fer*. Avoir un appétit *de fer* : avoir un gros appétit, être insatiable. Les adolescents ont souvent un appétit *de fer*.

FERDOCHES n. f. pl. Voir : **fardoches**.

FERIOUSSE n. f. Blague à tabac du fumeur de pipe. Syn., voir : **bordine**.

FERLOUCHE, FARLOUCHE n. f. Garniture de tarte à base de mélasse, de farine et de raisins secs. D'où *tarte à la ferlouche* ou *à la farlouche*. [+++] Syn. : **bise**, **mistra**, **pichouille**, **pichoune**.

FERME n. f. Grande ferme des compagnies forestières du Québec de 1850 à 1930. L'absence de routes, donc de moyens de transport efficaces, en direction des forêts à exploiter, a amené les compagnies forestières à imaginer des moyens de pallier, au moins partiellement, cet inconvénient. Elles ont procédé ici et là au défrichement de grandes étendues pour y établir des *fermes* agricoles destinées à créer l'autosuffisance alimentaire pour les milliers de bûcherons à leur emploi : pommes de terre, navets, carottes, lait, beurre, viande ainsi que du foin pour leurs chevaux. La toponymie du Québec conserve le souvenir de ces *fermes* des compagnies forestières.

FERMÉ, E adj. Gelée profondément, en parlant de la terre. Ici, la terre reste *fermée* pendant cinq mois. Syn., voir : **barré**.

FERMER v. tr. *Fermer maison* : cesser de tenir maison. Syn., voir : **casser maison**.

FERMIER n. m. (angl. farmer) [Ø] Cultivateur propriétaire. (acad.)

FERMOIR n. m. Fermeture à glissière d'un vêtement, glissière. Syn. : **zip**, **zipper**.

FERRÉE n. f. **1.** Bêche faite d'un fer plat, large et tranchant, adapté à un manche. [+] **2.** Clef ou poignée de rondelles servant à soulever les rondelles du poêle d'autrefois. Syn., voir : **clef de poêle**.

FERRER v. tr. 1 Remuer la terre avec une *ferrée*, une bêche. Syn. : **ferreyer**. **2.** (surt. Charsalac) Voir : **aléner** (sens 1). **3.** Garnir d'une lame de fer ou d'acier les patins d'un traîneau. Syn. : **lisser**. **4.** Faire durcir la pointe d'un bâton pour la rendre aussi dure que du fer en l'exposant à la flamme ardente sans cependant la faire brûler, on parle alors de bois *ferré*. **5.** *Ferrer de la bière* : plonger un fer rouge dans la bière avant de la servir. **6.** *Ferrer prime* : ferrer un cheval avec des fers à crampons pointus quand les routes sont glacées.

FERREYER v. tr. Voir : **ferrer** (sens 1).

FERRURE n. f. **1.** Lame de fer ou d'acier fixée sous les patins d'un traîneau. Syn. : **lisse** (sens 2). **2.** Bandage métallique entourant la jante d'une roue.

FESSE n. f. **1.** Vulg. *Jouer aux fesses* : faire l'amour. Syn., voir : **peau** (sens 5). **2.** *Film de fesses* : film pornographique. **3.** *Usé à la fesse* : très usé en parlant d'un pneu.

FESSE DE PAIN n. f. **1.** Le moule à pain traditionnel pouvant contenir deux, trois, voire quatre pains, à la cuisson, ces pains se soudaient ensemble à leur partie inférieure, d'où l'appellation plaisante de *fesse*. Syn. : **fesses françaises**, **fesses de curé**, **de sœur**, **pain à deux fesses**, **pain à quatre fesses**, **pain de fesses**, **pain en fesses**. **2.** *Fesses*

221

de sœur, fesses de curé. Voir : **fesse de pain** (sens 1). **3.** *Fesses françaises.* Voir : **fesse de pain** (sens 1).

FESSER v. tr. et intr. **1.** Frapper avec n'importe quoi, n'importe où. *Fesser* avec un bâton dans l'eau, avec un marteau sur un clou, fesser un chien, un enfant. **2.** Frapper sur les rochers en parlant des vagues. La mer *fesse* aujourd'hui. Syn. : **fouailler, varger, verger**.

FESSIER n. m. **1.** Siège d'une chaise. Réparer le *fessier* d'une chaise, d'un fauteuil. **2.** Croupière du harnais pour cheval. (E 22-123) **3.** Argot. *Jouer fessier.* Voir : **jouer fesse**. **4.** Pingre, avare, harpagon. Syn., voir : **avaricieux**.

FÊTAILLER v. intr. Faire la noce, s'enivrer. Passer les Jours gras à *fêtailler.* Syn., voir : **fêter**.

FÊTE n. f. **1.** *Être en fête* : être légèrement ivre. Syn., voir : **chaud**. **2.** *Fête à la tire.* Voir : **tire**.

FÊTER v. intr. Faire la noce, boire, se griser. Il passe son temps à *fêter* au lieu de travailler. Syn. : **fêtailler, fringuer, froliquer**.

FETON, FTON n. m. **1.** Atteloire pénétrant dans les trous du brancard d'une voiture à cheval. Atteler un cheval aux *fetons* et non aux traits. (O 34-91) Syn. : **cheville, pine, pissette, tapon, tébert, tenon**. **2.** Fig. *Partir rien que sur un feton* : partir très rapidement. (Normalement, on utilise les deux *fetons*.)

FEU n. m. **1.** *À grand feu* : sur un feu à l'extérieur, au grand air. Faire cuire les aliments *à grand feu.* **2.** *Brique à feu* (angl. fire brick) [Ø] : brique réfractaire, qui résiste à de très hautes températures. [++] **3.** *Feu de Saint-Elme* : météorite. Dans la croyance populaire, le feu de «Saint-Elme» est associé à l'idée de mortalité, de malheur. (Lanaudière) **4.** *Feu sauvage* : herpès, feu volage. Avoir un *feu sauvage* sur la lèvre supérieure. [+++] **5.** *Passer au feu* : a) Être incendié, être victime d'un incendie, en parlant d'une maison, d'un bâtiment ou en parlant du propriétaire de ce qui a été incendié. La maison de notre voisin a *passé au feu*; c'est la deuxième fois que notre voisin *passe au feu.* [+++] Syn. : **brûler.** b) Fig. et vx en fr. Se faire couper les cheveux très courts en parlant des hommes seulement. Tiens, tu as *passé au feu*! : remarque lancée à la cantonade à quelqu'un qui sort d'un salon de coiffure avec des cheveux très courts. Syn. : Faire ses **foins** (sens 11). **6.** Fig. et vx en fr. *Prendre le feu* : se fâcher, se mettre en colère, s'emporter, prendre feu. Chaque fois qu'on aborde la politique, il *prend le feu.* **7.** *Avoir le feu au cul.* a) Être pressé, se hâter. [+++] b) Avoir une envie irrésistible de faire l'amour en parlant d'un homme ou d'une femme. [+++] **8.** *Vente de feu* (angl. fire sale) [Ø] : vente de liquidation de marchandises plus ou moins avariées à la suite d'un incendie. [+++] **9.** *Feu de forêt* : incendie de forêt. **10.** *Assurance contre le feu* : assurance-incendie. **11.** *Feu chalin* : éclair de chaleur. (acad.)

FEU-FOLLET n. m. Espèce de lutin qui se manifeste la nuit et à qui la croyance populaire attribuait les choses les plus étranges : crinières de chevaux tressées, bruits insolites, etc.

FEUILLE D'ÉRABLE n. f. **1.** Marque blanche sur le front de certaines bêtes à cornes. Syn., voir : **cœur. 2.** Drapeau officiel du Canada sur lequel apparaît une *feuille d'érable* et devenu officiel seulement en 196**5.** Syn. : **unifolié**.

FEUSEU, FEUSOU n. m. Briquet à essence. (acad.) Syn. : **allumeur**, **batte-feu**, **flaubette**, **lighter**, **use-pouce**.

FÈVE n. f. **1.** Haricot. *Fèves* jaunes, *fèves* au beurre. [+++] **2.** *Fève à gousse, fève en gousse* : haricots mange-tout. [+++] **3.** *Fève à palette, fève en palette* : haricots verts. [++] **4.** *Fèves au lard* : haricots cuits au four avec du lard, de la mélasse ou du sirop d'érable introduits au Québec par les chantiers forestiers du XIXe siècle. **5.** *Fève en cosse* : haricots mange-tout. [++] **6.** *Fèves rameuses* : fèves ramées. [++]

FIABLE adj. Vx en fr. Digne de confiance, à qui on peut se fier. C'est un homme *fiable*, on peut compter sur lui. [+++]

FIANCE n. f. Vx ou rég. en fr. Confiance. Avoir *fiance* en l'avenir. Un tel, c'est pas de *fiance*. (acad.) Syn. : **fiat**.

FIAT n. **1.** Confiance, foi, sûreté. Avoir de la *fiat* ou du *fiat* en quelqu'un. Je n'ai pas de *fiat* en lui. [++] Syn. : **fiance**. **2.** Personne en qui on peut avoir confiance. Untel, ce n'est pas un *fiat*. [++]

FIAULER v. tr. Frapper avec un fouet, fouetter. (acad.)

FICHEUR, FICHOIR n. m. (angl. fish-wire) [Ø] Fil de fer flexible terminé par une vrille, actionné par une manivelle ou un moteur et servant à déboucher les tuyaux, furet.

FICHU, E adj. *Fichu de* : très. Un *fichu de* bon travailleur, un *fichu de* mauvais temps.

FICHUMENT adv. Très. Il fait *fichument* beau depuis dix jours.

FIDE n. f. (angl. feed) [Ø] Voir : **feed**.

FIDÉEN, ENNE n. et adj. Gentilé. Natif ou habitant de la ville de Sainte-Foy, en banlieue de Québec; de Sainte-Foy.

FIDER v. tr. (angl. to feed) [Ø] Voir : **feeder**.

FIER, ÈRE adj. **1.** Vx en fr. Vaniteux, arrogant, hautain, orgueilleux. [+++] Syn., voir : **frais**. **2.** En parlant de la glace, vive et unie. La glace est *fière*, tu risques de glisser. [+++] **3.** Abrupt. À cet endroit, les rives du fleuve sont *fières*.

FIER-À-BRAS n. m. Voir : **fort-à-bras**.

FIÉRER (SE) v. pron. Se toiletter, se mettre sur son trente et un. (acad.) Syn., voir : se **pimper**.

FIER-PET n. et adj. Fat, vaniteux. C'est un vrai *fier-pet* que ce garçon, il est *fier pet*! Syn., voir : **frais**.

FIFERLOT n. m. *En fiferlot* : en colère, irrité. Être *en fiferlot*. Syn., voir : en **sacre**.

FIFI n. m. et adj. **1.** Péjor. Petit garçon qui a des goûts de petites filles. [++] Syn., voir : **catiche**. **2.** Péjor. Homme homosexuel, pédéraste. [+++] Syn. : **bardache**, **gai**, **homme aux hommes**, **menette**, **mangeux de banane**, **mangeux de batte**, **moumoune**, **poignant-cul**, **poignet-cassé**, **poigneux de cul**, **senteux de pet**, **serein**, **suceux**, **tantoune**. **3.** Homme qui parle une langue châtiée. [++]

FIFINE n. f. et adj. Péjor. Forme féminine de *fifi* (sens 2), lesbienne. Un homme dira à un autre homme : ne compte surtout pas sur cette jeune fille, c'est une *fifine*, elle est *fifine*. [++] Syn. : **femme aux femmes**.

FIGER v. intr. Fig. Avoir sommeil, tomber de sommeil. Commencer à *figer* dès dix-neuf heures. Syn., voir : **cailler**.

FIGURER v. tr. (angl. to figure) [Ø] Calculer, prévoir, imaginer. Les marchands doivent *figurer* le prix de vente en tenant compte de tous les éléments dont maintenant la *TPS* et la *TVQ*.

FIL n. m. *Fil à loup-marin* : cordage utilisé par les chasseurs de phoques pour traîner les peaux de phoques jusqu'à leur embarcation.

223

FILE n. f. *De file* : d'affilée, sans interruption. La semaine dernière, il a plu cinq jours *de file*.

FILÉE n. f. File, longue file, queue. Une *filée* d'autos suivait le corbillard.

FILER v. intr. (angl. to feel) [Ø] Voir : **feeler**.

FILER SON ROUET, FILER v. tr. Fig. Faire ronron, ronronner en parlant du chat. Écoute la chatte qui *file son rouet*. [+++] Syn. : **rouetter**.

FILET n. m. Vestige. Il reste un *filet* de crème sur ce lait écrémé. Syn., voir : **courant**.

FILEUR, FILEUSE n. Machine agricole servant à faire des andains, andaineuse.

FILIÈRE n. f. Mar. **1.** Mar. Entretoise ou pièce de bois horizontale qui dans une charpente maintient un écartement fixe entre deux poteaux. (Lanaudière) Syn. : **ceinture, entremise, lisse**. **2.** Classeur (angl. file-cabinet, filing cabinet) [Ø]. Fermer à clef ses *filières* pour éviter de se faire piller par des personnes indélicates.

FILLE ENGAGÈRE n. f. Voir : **engagère**.

FILLE D'ISABELLE n. f. Pendant féminin du *Chevalier de Colomb*.

FILLETTE adj. et n. Péjor. Petit garçon qui a des goûts de petites filles. Ce petit garçon est *fillette* ! Syn., voir : **catiche**.

FILLEU, FILLOL, OLLE, FILLOT n. Rég. et dial. en fr. Filleul, filleule. [+++]

FIN, E adj. et n. **1.** Docile, intelligent, en parlant d'un animal (chien, cheval, etc.) [+++] **2.** Aimable, gentil, en parlant des personnes. [+++] **3.** *Beau fin* : par antiphrase, nigaud, prétentieux. [+++] **4.** Être à la *fine pointe* de la mode, de la recherche... : être à la dernière mode, exceller dans la recherche... [+++] **5.** *Voitures fines* : autrefois, voitures hippomobiles d'été ou d'hiver réservées pour les grandes occasions : messe, mariage, sortie. Syn., voir : **du dimanche** (sens 3) **6.** *Chaussures fines* : chaussures que l'on mettait pour aller à la messe, pour un repas de famille pour un mariage ou un enterrement. Syn., voir : **du dimanche** (sens 3).

FIN n. f. *Fin de semaine* : week-end comprenant au moins le samedi et le dimanche. Profiter de la *fin de semaine* pour faire du ski. [+++]

FINALISER v. tr. (angl. to finalise) [Ø] Achever, mettre la dernière main à un projet.

FINANCE n. f. (angl. finance company) [Ø] **1.** Acheter quelque chose sur la *finance* : acheter à crédit. **2.** *Compagnie de finance* : société, établissement de crédit, de prêts.

FINETTE n. f. Orge agréable (Hordeum jubatum). (acad.)

FINI adv. [#] Très, tout à fait. Ce tissu est beau *fini*.

FINISSANT, E n. et adj. Élève, collégien ou étudiant qui termine un cycle d'études, sortant. Tous les *finissants* du secondaire ont réussi leurs examens.

FINITASSE! adv. Exclamation lancée à la cantonade par quelqu'un qui a terminé son travail !

FIOLE n. f. **1.** Bouteille en général, quelle qu'en soit la dimension, alors qu'en français c'est une petite bouteille. **2.** Ironiquement, bouteille de vin ou d'alcool. **3.** Argot. En politique, poste, emploi bien rémunéré accordé à quelqu'un pour services rendus. **4.** Bouffiole de gomme de sapin.

FION n. m. Rég. en fr. Pointe, pique, bon mot. En soirée, il ne peut s'empêcher de pousser des *fions*. Syn., voir : **flagosse**

FIOUSE n. f. Vent intestinal plus discret que parfumé. [++] Syn. : **poivrine**, **vesse**.

FIOUSER v. intr. Lâcher des vents nauséabonds, des *fiouses*. [++] Syn. : se **lâcher**, **vesser**.

FIOUSEUX, EUSE adj. et n. Personne qui fait des *fiouses*, des vents nauséabonds.

FISCAL, E, AUX adj. *Année fiscale* (angl. fiscal year) [Ø] : année financière, par opposition à année civile. L'*année fiscale* de cette compagnie commence le premier mars.

FISSELLE n. f. [#] Récipient percé de trous pour faire égoutter le fromage, faisselle.

FITOU n. m. Renard d'élevage de qualité médiocre.

FLACATOUNE n. f. Alcool de fabrication domestique ou de contrebande. (acad.) Syn., voir : **bagosse**.

FLACON n. m. Vx en fr. Bouteille en verre ou en porcelaine qui peut contenir du liquide ou du solide comme des comprimés. Acheter un *flacon* de gin, de whisky. En français, un flacon est toujours une petite bouteille. Syn. : **flask**.

FLACOSSER, FLACOTER v. intr. Patauger dans la boue, barboter dans l'eau. [++] Syn., voir : **pigrasser**.

FLAG, FLAILLE n. m. (angl. flag) [Ø] Drapeau, fanion, pavillon. Anglicisme en perte de vitesse.

FLAGOSSE n. f. **1.** Remarque désobligeante, pique, pointe. Passer son temps à pousser des *flagosses*. Syn. : **fion**, **pine**. **2.** Bière de fabrication domestique. (acad.)

FLAGOSSER v. tr. **1.** Perdre son temps, tuer le temps au lieu de travailler. Syn., voir : **bretter**. **2.** Lancer des piques, des pointes, des *flagosses* à quelqu'un. Syn. : **piner**, **piquer dans le gras**, **piquer dans le maigre**, **pointer**.

FLAGOSSEUX, EUSE n. et adj. **1.** Personne qui perd son temps, qui tue le temps. **2.** Personne qui lance des piques, des pointes, des *flagosses*.

FLAILLE n. m. **1.** Voir : **flag** (drapeau). **2.** Voir : **flask** (bouteille). **3.** Voir : **fly** (braguette).

FLAILLER v. tr. (angl. to fly) [Ø] Voir : **flyer**.

FLAMBANT adv. Tout à fait, complètement. Un exhibitionniste aime se montrer en costume d'Adam, *flambant* nu, nu comme un ver, en public. [+++]

FLAMBE n. f. [#] **1.** Flamme. [+++] **2.** *Flambe roulante* : flamme vive.

FLAMBER v. tr. et pron. **1.** Vx en fr. *Flamber son argent* : gaspiller follement, rapidement, son argent. Syn. : **brûler**, **friper**, faire **revoler**. **2.** Masturber, se masturber. [++] Syn., voir : **crosser**.

FLAMBOTER v. intr. Flamboyer, jeter des flammes par intervalles en parlant d'un brasier qui s'éteint petit à petit.

FLAMMÈCHE n. f. **1.** Étincelle. Les *flammèches* d'une lampe à pétrole. [++] **2.** Fig. *Faire des flammèches* : être fâché, en colère surtout en parlant des hommes. [++]

FLANC-MOU adj. et n. Personne sans énergie, nonchalante, paresseuse. Untel, mais ne l'engage pas, c'est un *flanc-mou*, il est *flanc-mou*. [+++] Syn. : **pâte-molle**, **poche**, **poche-molle**, **vache**.

FLANELLE n. f. **1.** *Flanelle d'habitant* : flanelle de confection artisanale tissée autrefois à la maison. Voir : **habitant**. **2.** *Flanelle rouge, Sainte-Flanelle*. Voir : **Canadien** (équipe de hockey).

225

FLANNELETTE n. f. (angl. flannelette) [Ø] Finette, flanelle de coton. L'hiver, les draps de *flannelette* remplacent les draps de coton. [+++]

FLASE n. f. (angl. floss) [Ø] Filoselle, soie floche servant à faire de la broderie. Anglicisme en perte de vitesse.

FLASER v. tr. (angl. to floss) [Ø] **1.** Broder avec de la filoselle, de la soie floche. Les femmes, les jeunes filles d'autrefois *flasaient* beaucoup plus que celles d'aujourd'hui. Verbe en perte de vitesse. **2.** Fig. En parlant d'un homme, perdre son temps.

FLASH adj. inv. (angl. flash) [Ø] Argot des jeunes. Mignon, gentil, beau. Syn. : **cute**.

FLASHLIGHT n. f. (angl. flashlight) [Ø] Torche, torche électrique, lampe de poche. Diriger sa *flashlight* vers une voiture accidentée. Anglicisme en perte de vitesse.

FLASK, FLAILLE n. m. (angl. flask) [Ø] Bouteille. Acheter un *flaille* de whisky. Anglicisme en perte de vitesse. [++] Syn. : **flacon**.

FLAT n. m. (angl. flat) [Ø] **1.** Garçonnière, petit appartement meublé. Dans le Vieux-Québec, il y a plusieurs *flats* à louer. [++] **2.** Crevaison. Avec les pneus d'aujourd'hui, on fait rarement des *flats*. Anglicisme en perte de vitesse. [+++] **3.** Enduit que l'on étend sur une surface à peindre et qui sert de couche de fond, apprêt. Acheter un litre de *flat*. [+++] **4.** Petite embarcation à rames et à fond plat, de 10 à 12 *pieds* de longueur et utilisée par les pêcheurs côtiers du Saint-Laurent et de la baie des Chaleurs. (E 22-123)

FLÂTRE adj. [#] **1.** Dial. en fr. Flasque. Il a beaucoup maigri, ses vêtements sont *flâtres*. (acad.) **2.** Fig. Nonchalant, sans énergie. Je me sens *flâtre* depuis quelque temps. (acad). **3.** Fanée, flétrie en parlant d'une plante.

FLAU, FLEAU, FLO n. m. **1.** [#] Fléau servant à battre les céréales. [+++] **2.** [#] Batte (n. f.) du fléau à céréales. **3.** Vulg. Organe de l'étalon. Syn., voir : **fourreau**. **4.** Clenche de loquet de porte.

FLAUBER v. tr. **1.** Battre, accabler de coups un animal ou une personne en utilisant un fouet, un bâton; donner la fessée à un enfant. [+++] Syn., voir : **ramoner**. **2.** Fig. Tromper, attraper. Se faire *flauber* dans un marché.

FLAUBETTE n. f. Briquet à essence. Syn., voir : **feuseu**.

FLÈCHE n. f. Girouette représentant une flèche installée sur les bâtiments de ferme. Syn., voir : **revire-vent**.

FLÉCHÉ, E n. et adj. **1.** Procédé de tissage par tressage des fils selon un dessin en forme de flèche. Le *fléché* est revenu à la mode. [++] **2.** Se dit du produit fabriqué selon le procédé du *fléché*. Les ceintures *fléchées* se portent pendant le Carnaval d'hiver de Québec. [+++] Voir : **ceinture fléchée**.

FLEUR n. f. (angl. flour) [Ø] Dial. en fr. Farine. De la *fleur* c'est toujours de la farine de blé; quand c'est de la farine de sarrasin, on dit toujours farine de sarrasin. [+++]

FLEUR DE LA PASSION n. f. Plante d'ornement appartenant au genre dicentre.

FLEUR DE MAI n. f. (angl. Mayflower) [Ø] Épigée rampante, plante printanière très répandue.

FLEURDELIS, FLEURDELISÉ n. m. **1.** Le drapeau officiel du Québec depuis 1948. Le Québec a eu son *fleurelisé* dix-sept ans avant que le Canada ait son *unifolié*. **2.** Appellation fréquente des *Nordiques*, équipe de hockey de la ville de Québec dont les chandails étaient ornés d'une fleur de lis.

3. Un joueur de l'équipe de hockey le *Fleurdelis*. L'arbitre vient d'infliger une punition de deux minutes à un *fleurdelis*.

FLEURDELISÉ, E adj. Orné d'une fleur de lis. Un chandail *fleurdelisé*.

FLEURÉ, E, FLEURET, ETTE, FLEURI, E adj. À robe tachetée. Une vache *fleurée*, *fleurette*. Syn., voir : **caille**.

FLEUREMENT n. m. Loc. prép. *À fleurement de* : au ras de, au niveau de. Couper une branche d'arbre *à fleurement* du tronc.

FLEURETTE n. f.; **FLEURISSON** n. m. **1.** Très petite quantité. Il est tombé une *fleurette* ou un *fleurisson* de neige. **2.** Rég. en fr. Vestige de crème sur le lait écrémé. Syn., voir : **courant**.

FLEURS n. f. pl. Fig. *Être dans ses fleurs* : avoir ses règles, être menstruée. Syn., voir : être dans ses **lunes**.

FLEUVE n. m. Le fleuve Saint-Laurent ou mieux le Saint-Laurent. Syn. : **mer**.

FLIQUE n. f. Morceau de gras coupé dans le gras d'un cochon ou d'un marsouin.

FLO 1. n. m. (angl. fellow) [Ø] **1.** Garçon d'une dizaine d'années. Formes féminines : **flouche**, **floune**.. [++] **2.** Au pl. La marmaille. [+++]

FLO 2. n. m. Voir : **flau** (sens **1.**

FLOPPÉE n. f. **1.** Grand nombre de personnes. Il y avait une *floppée* de curieux à l'arrivée du cardinal. **2.** Femme légère, dévergondée, coureuse. Syn., voir : **guedoune**.

FLOPPER v. tr. (angl. to flop) [Ø] Argot étudiant. Rater. *Flopper* un examen. Syn. : **bloquer**, **foirer**, **pocher**.

FLOTTE n. f. Vessie natatoire des poissons.

227

FLOTTER v. intr. Argot. Aller bien. Quant deux amis se rencontrent, à la question : *Puis, ça va?* la réponse est souvent *Ça flotte!*

FLOTTEUX, EUSE adj. Qui flotte facilement. Du bois *flotteux*.

FLOUCHE, FLOUNE n. f. (angl. fellow) [Ø] Fillette d'une dizaine d'années. Formes féminines de *flo*. [++]

FLQ n. m. *Sigle*. Front de libération du Québec : groupuscule, mouvement révolutionnaire dont les activités ont abouti à la *crise d'Octobre* en 1970.

FLUSH, FLOCHE n. et adj. (angl. flush) [Ø] **1.** Dépensier, prodigue. Seul, il ne dépense jamais mais, avec les filles, il est *flush*. Anglicisme en perte de vitesse. **2.** Juste, égal, droit, en parlant menuiserie. C'est beau, ça arrive *flush*.

FLUSHER v. tr. (angl. to flush) [Ø] F*lusher les toilettes* : faire partir, actionner la chasse d'eau. Anglicisme en perte de vitesse.

FLÛTE n. f. **1.** Grive solitaire dont le chant ressemble au son de la flûte. **2.** Fig. Femme ou homme très grand et mince.

FLUTE n. f.; **FLUX** n. m. Diarrhée chez les êtres humains et chez les animaux, *flux* de ventre. [+++] Syn., voir : **cliche**.

FLUTER v. intr. Avoir la diarrhée, le *flux*. Syn. : **foirer**, **voyager**.

FLY, FLAILLE n. f. (angl. fly) [Ø] Braguette d'un pantalon. Anglicisme en perte de vitesse. Syn., voir : **pagette**.

FLYÉ, E adj. et n. (angl. to fly) [Ø] **1.** Argot. Qui a perdu son équilibre, son bon sens. Des *flyés* de cette espèce devraient être enfermés. **2.** Argot. Drogué. Ce bar-là est un rendez-vous de *flyés*. Syn., voir : **écarté**.

FLYER v. intr. (angl. to fly) [Ø] Vivre d'une façon originale, peu commune. Ça *flye* dans cette famille : elle, est mannequin à Paris, lui, chante à New York, et les enfants font du théâtre à Montréal.

FOCAILLAGE n. m. Voir : **foquaillage**.

FOCAILLER v. Voir : **foquailler**.

FOIN, FOIN FOU adj. et n. Fig. Tête folle, écervelé, qui agit sans réfléchir. Être *foin, fou comme un foin*. Syn. : **fafouin**.

FOIN n. m. **1.** *Foin à vaches* : pâturin des prés; pâturin des bois. **2.** *Foin bleu* : calamagrostis du Canada. **3.** *Foin d'eau, foin de castor* : foin qui pousse dans des prairies souvent inondées. (O 38, 39) **4.** *Foin de grève, foin de batture* : scirpe d'Amérique. **5.** *Foin d'odeur* : a) flouve odorante. b) hiérochloé odorante. Syn. : **herbe** sainte (sens 17 b). **6.** *Foin follet, foin fou* : agrostis scabre. [+++] **7.** *Foin plat* : variété de carex ou laîche. **8.** *Foin de caribou* : lichen dont se nourrit le *caribou*. **9.** Fig. *Avoir du foin* : avoir de l'argent, être riche. [+++] Syn., voir : **motton** (sens 3). **10.** Fig. *Avoir du foin à vendre* : avoir oublié de fermer sa braguette. Syn. : **déflaillé**, **porte** (sens 15). **11.** Fig. *Foin fou* : tête folle. C'est un *foin fou* quand il voit une jolie femme. Syn., voir : **foin** adj. et n. **12.** Fig. Avoir fait *ses foins* : s'être fait couper les cheveux courts. Tiens tu *as fait les foins*! Remarque lancée à la cantonade à quelqu'un qui sort d'un salon de coiffure avec des cheveux courts. Syn. : passer au **feu** (sens 5b).

FOIRA n. m. [#] Voir : **cliche**.

FOIRE n. f. Vx et vulg. en fr. Diarrhée. [+++] Syn., voir : **cliche**.

FOIRER v. tr. et intr. **1.** S'amuser, se divertir, prendre un verre. Chaque fin de semaine, Arthur va *foirer* dans la vieille ville. **2.** Rater un examen. Il a *foiré* sa chimie. Syn., voir : **flopper**. **3.** Voir : **flûter**. **4.** Se heurter à une difficulté, à un obstacle, avoir une déception, subir un échec. Syn., voir : frapper un **nœud**.

FOIREUX, EUSE adj. Voir : **bois** foireux (sens 22).

FOL, FOLLE adj. Dans les couvre-pieds, fait de morceaux cousus tels qu'ils sont taillés. Couvre-pieds à pointes *folles*, en ouvrage *fol*.

FOLLERIE n. f. Folie, extravagance. Les Québécois en voyage et en groupe se permettent souvent toutes sortes de *folleries*.

FOLLE AVOINE n. f. **1.** Zizanie aquatique appelée aussi *riz sauvage*. **2.** Zizanie des marais appelée aussi *riz sauvage*. **3.** Avoine sauvage.

FOLLET, ETTE adj. Se dit d'une neige fine et sèche déjà au sol et qui peut être soulevé et faire tourbillonner pour créer une *poudrerie*.

FONCÉ, E adj. **1.** Garni d'une doublure. Un couvre-pieds *foncé*. **2.** Fig. *Être foncé* : avoir des moyens, être riche, avoir des fonds. Syn. : **motton** (sens 2).

FONCER v. tr. Mar. Garnir le fond d'un siège avec l'un des matériaux suivants : paille, ficelle, cuir, *babiche*, lamelles d'orme. [+++] Syn., voir : **empailler** (sens 1).

FONÇURE n. f. **1.** Dial. en fr. Garniture de siège, de chaise, quel qu'en soit le matériau (paille, ficelle, lanières de cuir, *babiche*, etc.). (surt. O 36-86) Syn. : **fond** (sens 1). **2.** Dial. en fr. Fond d'une boîte, d'une caisse, d'une voiture. (surt. O 36-86)

FOND n. m. **1.** Siège d'une chaise, empaillage, garniture. Syn. : **fonçure** (sens 1). **2.** Touffe d'arbres d'une même espèce (ormes, épicéas, sapins, etc.). Tiens, à ta droite, il y a un beau *fond* de pins. Syn., voir : **bouillée**.

FONDS n. m. pl. *Pas de fonds* (angl. no funds) [Ø] : sans provision. Faire des chèques *pas de fonds*, c'est grave.

FONNE n. m. (angl. fun) [Ø] Voir : **fun**.

FONTAINE n. f. [#] Puits pratiqué dans le sol pour atteindre une veine d'eau. Creuser une *fontaine*. (E 22-124)

FONTIF, IVE adj. Bas, humide, marécageux. Un terrain *fontif*. Syn., voir : **savaneux**.

FOOTING n. m. (angl. footing) [Ø] Empattement sur lequel reposent les fondations d'une maison, d'un édifice. Syn. : **partance**.

FOQUAILLAGE, FOCAILLAGE n. m. (angl. to fuck) [Ø] Action de *foquailler*.

FOQUAILLER, FOCAILLER v. intr. (angl. to fuck) [Ø] Perdre son temps, avoir de la difficulté à exécuter son travail. *Focailler* dans un moteur une partie de la journée sans trouver le bobo. [+++] Syn., voir : **bretter**.

FOQUÉ, E p. adj. (angl. fucked) [Ø] Argot. Perdu, dérangé, dont le cerveau est quelque peu troublé. Depuis ses expériences de drogue, Paul est tout *foqué*. Syn., voir : **écarté**.

FOQUER v. tr. (angl. to fuck) [Ø] **1.** Abîmer, endommager. *Foquer* une auto qu'on vient d'acheter. **2.** *Foquer le chien* : perdre son temps, travailler sans résultat visible, faire différents petits travaux. Sun., voir : **fourrer le chien** (sens 6).

FORBIR v. tr. Voir : **fourbir**.

FORÇAIL n. m. *Au forçail* : à la rigueur, au pis aller. *Au forçail*, on pourrait te prêter mille dollars.

FORCE n. f. **1.** Cheval-vapeur, cheval. Un moteur diesel de dix *forces*. [+++] **2.** *En force* (angl. in force) [Ø] : en vigueur. Cette loi entrera *en force* ou sera *en force* dans une semaine. **3.** Au pluriel : *les Forces canadiennes* (mot angl.) [Ø]. Les forces armées canadiennes, l'armée canadienne.

FORCÉ, E adj. Voir : **obligé**.

FORCER v. tr. et pron. Luxer, déboîter. *Se forcer* une cheville en trébuchant. [+++]

FORCES n. f. pl. Voir : **force**.

FORÇURE n. f. Voir : **forsure**.

FOREMAN n. m. (angl. foreman) [Ø] Contremaître. Anglicisme en perte de vitesse. [++] Syn. : **boss**.

FORESTERIE n. f. Ensemble des sciences et des techniques de l'économie forestière. Une faculté de *foresterie* et de géodésie existe à Québec, à l'Université Laval.

FORGER v. tr. (angl. to forge) [Ø] Contrefaire. *Forger* une signature. [+++]

FORLAQUE n. Homme ou femme de moeurs légères, coureur, coureuse. (acad.) Syn., voir : **guedoune**.

FORLAQUER v. intr. Courir la prétentaine. (acad.) Syn., voir : **galipote**.

FORMANCE n. f. Apparence, forme. Dans l'obscurité, le témoin a cru reconnaître une *formance* d'homme et non d'animal.

FORSURE, FORÇURE n. f. [#] Gros viscères d'un animal (cœur, foie, rate, poumons), fressure. [+++]

FORT n. m. **1.** À la campagne, agglomération de maisons hors d'un village et où il y avait souvent une petite épicerie

de dépannage, une boutique de forge, une école. [++]
2. Fig. *Garder le fort, tenir le fort* : a) Assurer la permanence
au bureau central d'un parti politique, d'un organisme
quelconque. [+++] b) Garder les enfants pendant que les
adultes étaient à la messe ou en visite chez des parents.
[+++] **3.** *Jouer au fort* : l'hiver par temps doux, construire
avec de la neige un *fort* qui sera défendu par une équipe
de jeunes enfants contre les assauts répétés d'une autre
équipe, les seules armes permises étant les boules de neige.
[+++] **4.** Eau-de-vie. Nos grands-pères cultivateurs buvaient
du *fort*, jamais de bière. (surt. O 24-117) Syn. : petit **blanc**.
FORT-À-BRAS n. m. Rare en fr. Homme fort, lutteur utilisé
autrefois en temps de période électorale par des candidats
peu scrupuleux et, plus près de nous, à l'occasion de grèves,
par des patrons non moins scrupuleux. [+++] Syn., voir :
bully.
FORTILLER v. intr. [#] Frétiller, remuer sans arrêt surtout
en parlant d'un enfant.
FORTILLON, ONNE n. [#] Vx en fr. Enfant qui remue
sans cesse, frétillon. Syn., voir : **vertigo** (sens 2).
FORUM n. m. À Montréal, établissement où se trouve une
patinoire à glace couverte, entourée de gradins et où avaient
lieu les matchs de hockey du *Canadien*. Syn. : **colisée**, **aréna**.
FOSSE n. f. **1.** *Fosse à saumon* : partie d'un cours d'eau
généralement plus profonde et moins rapide que les eaux
adjacentes, servant d'aire de repos au saumon dans sa
montaison vers les frayères. Au XIXe siècle, des Américains
louaient des *fosses à saumons* pour une saison et à des prix
fabuleux. (NOLF) **2.** *Fosse du cou* : nuque, derrière du cou.
(E 22-124) Syn., voir : **chignon**.
FOSSÉ n. m. **1.** *Fossé de fronteau* : fossé mitoyen coïncidant
avec le *fronteau*, ligne qui sépare deux terres à leurs
extrémités. (E 36-86) **2.** *Fossé de ligne* : fossé mitoyen, dans
la ligne qui sépare deux terres sur la longueur. [+++] **3.** *Fossé
de refente* : fossé tracé sur une même terre dans le sens de la
longueur, fossé de refend. Syn. : **fossé du milieu**. **4.** *Fossé
de travers* : fossé tracé sur une terre dans le sens de la largeur.
5. *Fossé du milieu* : fossé tracé sur une terre dans le sens de
la longueur, fossé de refend. Syn. : **fossé de refente**. **6.** Fig.
Prendre le fossé : perdre le contrôle de son véhicule
automobile et se retrouver dans un fossé. Syn., voir :
prendre le **clos**.
FOSSET n. m.; **FOSSETTE** n. f. [#] Fossé. Creuser,
déblayer, nettoyer des *fossets* pour assurer un meilleur
égouttement.
FOSSETTE, FOSSETTE DU COU n. f. Derrière du cou,
nuque. Syn., voir : **chignon**.
FOU, FOLLE n. et adj. **1.** *Fou braque, fou raide* : fou comme
braque, dérangé, fou. [+++] Syn., voir : **écarté**. **2.** *Fou comme
un balai, comme un foin, comme de la merde* : se dit d'une
personne gaie, exubérante, qui aime rire s'amuser. [+++]
3. *Faire un fou de soi* (angl. to make a fool of himself) [Ø] :
se rendre ridicule. **4.** *Un fou dans une poche!* : remarque que
lance à la figure de son interlocuteur celui que l'on semble
prendre pour un imbécile, pour un demeuré. **5.** Voir :
lâcher son fou.
FOUAILLER v. tr. et intr. **1.** Vx ou litt. en fr. Frapper, battre
avec un *fouaillon*, une *hart*, un fouet. [++] Syn., voir :
ramoner. **2.** Frapper avec bruit en parlant des vagues qui

par gros vents se brisent sur les falaises. (acad.) Syn., voir : **fesser**.

FOUAILLON n. m. Tout objet flexible (branche, hart, arbuste) utilisé comme fouet. Syn. : **hart** (sens 3).

FOUDRAILLER, FOUDREILLER v. impers. Tourbillonner dans le vent, en parlant de la neige. Il a *foudreillé* toute la journée. (acad.) Syn. : **poudrer**.

FOUET n. m. **1.** Vulg. Organe de l'étalon, du taureau. Syn., voir : **fourreau**. **2.** *Fouet de voiture, fouet de boghei* : fouet de parade, fragile, long et droit dont on ne se servait jamais pour fouetter.

FOUETTER v. tr. Attacher l'extrémité d'un câble qu'on vient de couper pour empêcher les torons de se défaire en utilisant une ficelle. (acad.)

FOUFOUNES n. f. pl. Fesses, postérieur, souvent en langage enfantin. Mot qui aurait été créé au Saguenay–Lac–Saint-Jean et qui s'est répandu rapidement dans tout le Québec. Syn. : **péteux** (sens 2).

FOUFOUNÉ, E adj. En parlant d'un homme ou d'une femme, pourvu d'un postérieur imposant, de grosses *foufounes*.

FOUILLE n. f. *Faire, prendre une fouille* : faire un faux pas, une chute, une culbute, tomber à la renverse. [+++] Syn. : **carpiche**, **débarque**, **fouiller**, **plante**, **planter**, **planter chêne**, **plonge** (sens 2b), **sheer**.

FOUILLER v. tr. et intr. **1.** Froisser. Tu ne peux pas aller à la messe avec une robe *fouillée*! (acad.) **2.** Tomber, faire un faux pas, une *fouille*, une chute, une culbute. En arrivant sur la glace vive, il a *fouillé*. Syn., voir : faire, prendre une **fouille**.

231

FOUILLON n. m. **1.** Groin. Le *fouillon* d'un cochon. (O 28-101) **2.** Machine aratoire servant à déterrer les pommes de terre.

FOUINE n. f. [#] Foëne servant à harponner, à *fouiner* le poisson, l'anguille. Syn. : **nigog**.

FOUINER v. tr. [#] Harponner le poisson, l'anguille en utilisant une *fouine*, une foëne, foëner.

FOULANGE, REFOULANCE n. f. Écume de mer gelée, neige en suspension dans l'eau et rejetée sur le rivage. (acad.)

FOULERIE n. f. Réunion de personnes, pour une soirée de foulage des tissus fabriqués autrefois à domicile et qui se terminait par une danse. (acad.)

FOULON n. m. Bac en bois rectangulaire qu'on remplissait d'eau chaude pour y tremper le porc abattu, dans le but de faire tomber les soies.

FOURBIR, FORBIR v. tr. Laver le parquet, le plancher de la cuisine. (acad.)

FOURCAT n. m. Fourche d'un pantalon. Il est tellement gros que le *fourcat* de sa culotte est toujours décousu. (Charsalac) Syn. : **califourchon**.

FOURCHE n. f. **1.** Vx en fr. Carrefour où se croisent deux voies. **2.** Vx en fr. Endroit où une voie se sépare en deux. **3.** Fourche à bêcher constituée de quatre fourchons plats. **4.** *Fourche à cheval, grande fourche* : fourche mécanique installée dans une grange et servant au déchargement du foin en vrac, de la voiture à la tasserie. **5.** Fig. *Nourrir au bout de la fourche* : mal nourrir des animaux ou des êtres humains. Son cheval peut bien être maigre, il est *nourri au* *bout de la fourche.* Elle ne garde pas ses pensionnaires, elle les *nourrit au bout de la fourche.*

FOURCHETÉE n. f. [#] Quantité que l'on prend en une fois avec une fourche, fourchée. [+++]

FOURCHETER v. tr. Utiliser une fourche pour déplacer du foin en vrac.

FOURCHUSE adj. f. [#] Fourchue. Une branche *fourchuse.*

FOURGAILLER v. tr. **1.** Tisonner avec un *fourgaillon*, avec un fourgon. *Fourgailler* le feu pour l'aviver. (acad.) Syn., voir : **pigouiller. 2.** Fig. Fureter. Ne pas laisser tout un chacun *fourgailler* dans ses affaires.

FOURGAILLON n. m. Fourgon, tisonnier. (acad.) Syn., voir : **pigou.**

FOURNAISE n. f. (angl. furnace) [Ø] **1.** Poêle cylindrique, à bois ou au charbon, utilisé seulement pour chauffer une pièce d'habitation, un couloir. [+++] **2.** Chaudière d'un chauffage central. Changer le brûleur d'une *fournaise* au mazout au moins une fois par an. [+++]

FOURNEAU n. m. **1.** Four d'une cuisinière dans lequel on fait cuire les viandes, les pâtisseries, etc. [+++] **2.** *Poêle à fourneau* : cuisinière comportant un four. [+++]

FOURNÉE n. f. Fig. *Perdre un pain de sa fournée* : avoir une grande déception.

FOURNI, E part. adj. F*ourni d'étoiles* : étoilé, semé d'étoiles. Syn., voir : **ponté.**

FOURNIL n. m. **1.** À la campagne, allonge au corps principal d'une maison utilisée l'été comme cuisine. (entre 38-84 et 20-127) Syn., voir : **cuisine d'été. 2.** Dépendance, petit hangar où l'on range un peu de tout : outils, instruments de jardinage, pinces, clous, marteaux, scies, etc.

FOURRAGE DE CHIEN (angl. to fuck the dog) [Ø] Le fait de *fourrer le chien*, de perdre son temps.

FOURRAGEUX, EUSE adj. Fertile, qui produit beaucoup. Une terre *fourrageuse.* Syn., voir : **pousseux** (sens 2).

FOURRANT, E adj. **1.** *C'est fourrant* : c'est décevant, c'est dommage! **2.** Question d'examen *fourrante* : qui comporte un piège, qui est délicate.

FOURRÉ, E adj. *Être fourré* : se heurter à une difficulté, avoir une déception, subir un échec. Syn., voir : frapper un **nœud.**

FOURRÉ, E-PARTOUT n. Enfant agité, remuant, qui ne reste pas en place. [+++] Syn., voir : **vertigo** (sens 2).

FOURREAU n. m. **1.** Vulg. Organe de l'étalon et du taureau. Syn. : **fléau, fouet, fusil. 2.** Verge, pénis des humains. Syn., voir : **pine** (sens 5). **3.** Argot des bûcherons. *Petit fourreau* : contremaître n'ayant que de cinq à dix hommes sous ses ordres. Syn. : **chaudron** (sens 4).

FOURRE-QUEUE n. m. Culeron de la croupière du harnais de cheval. (acad.) Syn., voir : **porte-queue.**

FOURRER v. tr. et intr. **1.** Vulg. en fr. Faire l'amour, baiser, en parlant d'une femme ou d'un homme.. [+++] Syn., voir : **peau** (sens 5). **2.** Fig. Tromper, rouler. Il s'est fait *fourrer* en achetant cette vieille auto. [+++] **3.** Fig. Enjôler. Syn., voir : **emmiauler. 4.** Vx et fam. en fr. Donner. *Fourrer* une taloche, une volée, un coup de pied à quelqu'un. [+++] Syn., voir : **chrisser. 5.** *Fourrer dedans* : incarcérer, mettre en prison. [+++] Syn., voir : **renfermer. 6.** *Fourrer dehors* : mettre à la porte, congédier. [+++] Syn., voir : **chrisser dehors. 7.** *Fourrer le chien* (angl. to fuck the dog) [Ø] : perdre son temps, travailler sans résultat visible, faire différents petits travaux. Le moteur ne voulait plus partir, la courroie s'est brisée, on a *fourré le chien* toute la matinée. Syn., voir : **bretter**. **8.** *Fourrer dans le cul, dans le derrière* : à quelqu'un qui refuse de fournir un renseignement, un document, on lui dira, dans un moment d'impatience, de se le *fourrer dans le cul* ou *dans le derrière*. **9.** *Fourrer les freins* : freiner, appliquer les freins. [+++]

FOURREUR n. m. Voir : **fourrer** (sens 1).

FOURREUX-DE-CHIEN n. Argot des bûcherons. Homme sans métier précis, homme à tout faire. Syn. : **trente-six-métiers**.

FOURROLE n. f. Bonnet de laine en forme de cône et surmonté d'un pompon. [+] Syn. : **tuque**.

FOURRURIER n. m. Marchand qui vend des manteaux de fourrure, fourreur. Avant la *Révolution tranquille*, le mot *fourreur* n'était pas employé à cause de son double sens.

FOUTER v. tr. et pron. Foutre, se foutre de. *Fouter* un coup de pied, *fouter* la paix, *fouter* dehors, *fouter* dedans; *se fouter* des qu'en dira-t-on. [++]

FOUTREAU n. m. Vison. (O 36-85 et acad.) Syn. : **sautereau**.

FOUTÛMENT adv. Extrêmement, foutrement. Il est *foutûment* intelligent ce garçon.

FRAÎCHE n. f. **1.** Dial. en fr. Frais, air frais. La *fraîche* arrive dès que le soleil se couche. **2.** *Prendre la fraîche, prendre de la fraîche* : prendre froid.

FRAIS, FRAÎCHE adj. et n. **1.** Vaniteux, arrogant, prétentieux, fat. Tiens, le petit *frais* qui arrive. [+++] Syn. : **bec-pincé**, **brouteux**, **fier**, **fier-pet**, **frais-chié**, **frappé**, **glorieux**, **jars**, **péteux**, **péteux de broue**, **puffeur**. **2.** *Faire son frais, faire le frais* : faire l'homme important, le matamore. [+++] **3.** *En frais de* : en train de. Il était *en frais de* fumer quand je suis entré. [+++] Syn. : **après** (sens 2) **4.** *À frais virés* (angl. reversed charge call) [Ø] : mode d'appel téléphonique interurbain où l'appelé accepte de payer les frais de la communication. En France, c'est un appel en P.C.V. (*p*ayable *c*ontre *v*érification). *Appels interurbains.*

FRAIS-CHIÉ, E n. et adj. Pédant, vantard, prétentieux. Tiens, un autre *frais-chié* de la ville qui croit pouvoir tout nous apprendre, disent souvent les gens de la campagne. Syn., voir : **frais**.

FRAISE n. f. **1.** Vulg. Virginité. Il y a belle lurette que Marie a perdu sa *fraise*. Syn. : **cerise** (sens 9). **2.** Vulg. *Se faire péter la fraise* : se faire dépuceler. Syn., voir : **dévierger**. **3.** Argot. *Se montrer la fraise* : apparaître, arriver. Ça faisait une heure que nous attendions quand, enfin, le ministre s'est *montré la fraise*.

FRAISÉ, E adj. Fig. Un peu, légèrement ivre. Syn., voir : **chaudaille**.

FRAISIL n. m. Voir : **frasil**.

FRAISIER n. m. **1.** *Fraisier à vaches* : fraisier américain **2.** *Fraisier des champs* : fraisier de Virginie.

FRAISIÈRE n. f. Vx en fr. Terrain planté de fraises, fraiseraie.

FRAME, FRÉME n. m. (angl. frame) [Ø] **1.** Charpente d'une construction. **2.** Fût de la raquette à neige. Syn., voir : **monture**.

233

FRANC adv. **1.** *Parler franc* : parler en articulant bien, en détachant bien les syllabes, les mots. [++] **2.** *Tirer franc* : en parlant d'un cheval, tirer sans à coup, doucement.

FRANC, FRANCHE adj. **1.** *Franc, franche* du collier, qui tire avec énergie et sans à-coup, qui obéit à la parole. Un cheval *franc*, une jument *franche*. **2.** *Franc trappeur* : trappeur qui gagne sa vie à trapper par opposition au trappeur d'occasion.

FRANÇAIS, E n. et adj. Voir : **bottes françaises**, **bottines françaises**, **châssis français**, **collier français**, **comble français**, **fesses françaises**, **pain français**, **pâtisserie française**, **souliers français**.

FRANCE n. pr. f. Voir : **cerise de France**, **banque de France**.

FRANCISSON n. **1.** Francophone non catholique qui disait-on, mangeait de la viande, du saucisson le vendredi. Mot inventé par le père Lacasse à la fin du XIXe siècle. Syn., voir : **chiniquy**. **2.** Francophone du Canada qui après un séjour en France affecte d'être Français. (acad.)

FRANC-JEU n. m. Comportement loyal. Mot destiné à remplacer l'anglicisme *fairplay*. (ROLF)

FRANC-MAÇON, ONNE, FRAMAÇON, ONNE n.Fig. Cachottier en parlant de personnes, de familles, de gens qui donnent l'impression de faire des choses un tantinet répréhensibles.

FRANCO, FRANCOTE n. et adj. Voir : **franco-américain**.

FRANCO-ALBERTAIN, E n. et adj. Francophone habitant l'Alberta; de l'Alberta et de langue française.

FRANCO-AMÉRICAIN, E n. et adj. Descendant de francophones du Canada qui habite les États de la Nouvelle-Angleterre (États-Unis) et qui parle encore un peu le français; des États-Unis et parlant le français. Mot souvent abrégé en *franco*.

FRANCO-CANADIEN, ENNE n. et adj. **1.** Canadien de langue française; habitant le Canada et de langue française. Les Franco-Canadiens habitent surtout le Québec. Syn., voir : **canadien-français**. **2.** Se dit du français propre aux francophones du Canada, plus particulièrement du Québec. Syn. : **franco-québécois**, **québécien**, **québécois** (sens 3).

FRANCO-COLOMBIEN, ENNE n. et adj. Francophone habitant la Colombie-Britannique; de la Colombie-Britannique et de langue française.

FRANCOGÈNE n. et adj. Personne de descendance francophone et dont la langue dominante n'est plus le français. Il y aurait près d'un million de francogènes hors du Québec selon un sondage CROP tenu en 1983.

FRANCO-MANITOBAIN, E n. et adj. Francophone habitant le Manitoba; du Manitoba et de langue française.

FRANCONISATION n. f. Action de franconiser, résultat de l'action de franconiser.

FRANCONISER v. tr. Rendre une unité administrative apte à fonctionner en français.

FRANCO-ONTARIEN, ENNE n. et adj. Francophone habitant l'Ontario; de l'Ontario et de langue française. Cette appellation est maintenant remplacée par *Ontarois* et *franco-ontarois*.

FRANCO-ONTAROIS, E n. et adj. Francophone habitant l'Ontario; de l'Ontario et de langue française. Syn. : **ontarois**.

FRANCO-QUÉBÉCOIS, E n. et adj. Se dit du français propre au Québec. Syn., voir : **franco-canadien** (sens 2).

FRANCO-SASKATCHEWANAIS, E n. et adj. Francophone habitant la Saskatchewan; de la Saskatchewan et de langue française. Syn. : **fransaskois**.

FRANCO-YUKONAIS, E n. et adj. Francophone habitant le territoire du Yukon; du Yukon et de langue française.

FRANSASKOIS, E n. et adj. Gentilé. Francophone habitant la Saskatchewan; de la Saskatchewan et de langue française. Mot créé au début des années 1980 pour remplacer *franco-saskatchewanais*.

FRAPPÉ, E n. et adj. Pédant, vaniteux, personne remplie d'elle-même. Espèce de *frappé*! Syn., voir : **frais**.

FRAPPE-ABORD, FRAPPE-D'ABORD n. m. Taon qui s'attaque aux chevaux, aux chevreuils. [++]

FRAPPE-JARRET n. m. Fig. Habit de cérémonie, habit. Porter un *frappe-jarret* pour le mariage de sa fille. Syn. voir : **arrache-broquette**.

FRAPPER v. tr., intr. et pron. **1.** Trouver, rencontrer, avoir de la chance. Il cherchait un emploi depuis deux mois et il *a frappé* la semaine dernière. [+++] Syn. : **poigner**. **2.** Se donner un air important, se guinder. As-tu vu comme il *frappe* depuis qu'il a un emploi à la banque? **3.** Heurter, se heurter. Sa voiture *a frappé* un arbre. Les deux véhicules *se sont frappés* de front. [+++] Syn. : **accrocher** (sens 1), **crocheter**, **lutter**. **4.** Fig. *Frapper un nœud*. Voir : **nœud**. **5.** *Frapper le gros lot* : gagner le gros lot. **6.** *Frapper le jackpot* : gagner le gros lot. **7.** Attirer l'attention. C'est dans ce restaurant que cette jolie blonde m'a *frappé*.

FRASIL n. m. Cristaux ou fragments de glace en suspension dans l'eau ou flottant à sa surface. [+++] Syn. : **lolly**, **magonne**.

FRÉDÉRIC n. m. Bruant à gorge blanche. [+++] Syn., voir : **siffleur** (sens 2).

FRÉDILEUX, EUSE, FRÉDILLEUX, EUSE, FRIDILEUX, EUSE, FRIDILLEUX, EUSE, FRÉDILLOUX, OUSE (acad.) adj. Frileux. Un homme *frédilleux*. [++] Syn., : **friloux**.

FRÉDIR v. intr. Froidir, refroidir. Laisser *frédir* sa soupe. [++]

FREDOCHES n. f. pl. Voir : **fardoches**.

FRELASSER v. intr. Faire des plis en parlant d'un vêtement trop grand. Depuis que notre curé a été malade, il a maigri et sa soutane a *frelassé*.

FRÉME n. m. (angl. frame) [Ø] Voir : **frame**.

FRÉMILLE n. f. [#] **1.** Fourmi. Les *frémilles* adorent tout ce qui est sucré. [+++] **2.** Fig. Avoir des *frémilles* dans les jambes. Avoir un envie irrésistible de danser.

FRÉMILIÈRE n. f. [#] **1.** Fourmilière. [+++] **2.** Grosse famille. Autrefois, dans chaque maison il y avait une *frémilière d'enfants*. Syn., voir : **tralée**.

FRENCHER v. tr. et intr. (angl. French kiss) [Ø] Donner un *french kiss*, s'adonner au *french kiss*. [++]

FRENCHIE n. m. (angl. Frenchie, Frenchy) [Ø] Canadien francophone. On retrouve des *Frenchies* dans tous les clubs de hockey du Canada et des États-Unis.

FRENCH KISS n. m. (angl. French kiss) [Ø] Baiser où la langue joue un rôle actif, baiser profond. [+++]

FRENCH PEA SOUP, PEA SOUP n. (angl. French pea soup) [Ø] Sobriquets donnés aux Canadiens francophones par leurs compatriotes anglophones. Syn., voir : **Cannuck**.

FRENCH POWER n. m. (angl. French Power) [Ø] Terme utilisé par les journalistes anglo-canadiens, voire américains, pour désigner le pseudo-pouvoir à Ottawa de la brochette de ministres et de députés francophones du Québec, depuis l'arrivée au pouvoir de P.-E. Trudeau, jusqu'en 1984.

FRENCH-TOAST n. f. (angl. French toast) [Ø] Voir : **pain doré**.

FRÊNE n. m. **1.** *Frêne blanc* : frêne d'Amérique. **2.** *Frêne épineux* : clavalier d'Amérique. **3.** *Frêne gras* : frêne noir. **4.** *Frêne rouge* : frêne de Pennsylvanie.

FRÊNIÈRE n. f. Vx et fr. Terrain où poussent des frênes, frênaie. [++]

FRÉQUENTER v. tr. Courtiser, faire la cour à une jeune fille. [+++]

FRÈRE ANDRÉ n. pr. *Ne pas être le Frère André* : ne pas faire de miracles. Le frère André (1845-1937) à qui on attribue de nombreux miracles est à l'origine de la construction de l'oratoire Saint-Joseph, célèbre lieu de pélerinage, sur le Mont-Royal, à Montréal.

FRÉROT n. m. Nom que portent les cousins germains issus de deux frères mariés aux deux sœurs ou d'un frère et d'une sœur mariés à la sœur et au frère. Pendant féminin : **sœurette**.

FRESAIE n. f. Dial. en fr. Engoulevent. (acad.)

FRETTE n. et adj. m. et f. [#] **1.** Froid. Le *frette* a commencé tôt cette année. Il fait *frette*, l'eau est *frette*. Certains linguistes prétendent que *frette*, c'est plus froid que froid. [+++] **2.** *Chanter à frette* : chanter à jeun, sans avoir bu d'alcool. Phaël est un *vive-la-joie* qui sait presque toutes les chansons, de plus excellent chanteur mais il *ne chante jamais à frette* : donne-lui quelques verres et il va chanter toute la nuit. (Beauce et Lanaudière)

FRETTE adv. *Se tuer frette* : se tuer sur le coup, instantanément. Les deux autos se sont heurtées de front et les deux conducteurs se sont tués *frette*.

FRICHE n. m. [#] Friche (n. f.). Faire pacager les animaux dans le *friche* d'en haut.

FRICHER v. tr. Faire pacager les bêtes dans un champ qui ne doit pas être labouré, dans un *friche*.

FRICOT n. m. **1.** Rég. en fr. Festin, repas de famille extraordinaire. Il y a eu tout un *fricot* lors du cinquantième anniversaire de mariage de nos grands-parents. [+++] Syn. : **snack**. **2.** Variété de ragoût.

FRICOTER v. tr. Préparer le repas. Qu'est-ce que tu nous *fricotes* pour ce soir?

FRIDILEUX, FRIDILLEUX, EUSE adj. Voir : **frédileux, frédilleux**.

FRIDOLINADES n. f. pl. Dérivé de Fridolin, personnage comique créé par Gratien Gélinas dans ses revues et spectacles.

FRIGIDAIRE n. m. Fig. *Mettre au frigidaire* : en parlant d'un projet, le reporter à plus tard. Syn., voir : mettre sur la **glace**.

FRIGOUSSE n. f. **1.** Variété de ragoût avec pommes de terre. **2.** Mets ordinaire, médiocre.

FRILEUSE n. f. Vêtement sans manche, généralement de laine que portent les personnes alitées ou convalescentes ainsi que les femmes âgées, liseuse. (Surt. Charsalac)

FRILOUX, OUSE adj. [#] Voit : **frédileux, frédilleux, frédilloux**.

FRIMAS n. m. Poét. en fr. Givre. Rien n'est plus beau que des arbres couverts de *frimas* sous un soleil radieux. [+++]

FRIMASSER, FRIMATER v. impers. et pron. **1.** Produire du *frimas*, du givre. Il a *frimassé*, *frimaté* la nuit dernière, les arbres sont *frimassés*, *frimatés*. [+++] **2.** Se couvrir de givre, de *frimas*, se givrer. Les carreaux des fenêtres *se sont frimassés*, *frimatés* la nuit dernière. [+++]

FRINGALE n. f. Frisson, étourdissement. Quand on a la *fringale*, on prend le lit et on se couvre bien.

FRINGANT, E adj. et n. Se dit de quelqu'un qui aime s'amuser, boire; élégant, ami du plaisir.

FRINGUE n. f. **1.** Soûlerie, beuverie. Il y a eu toute une *fringue* chez nos voisins la nuit dernière. (acad.) **2.** *Être en fringue* : s'amuser bruyamment, batifoler, courir çà et là; boire, *fringuer*. Syn., voir : **chaud**.

FRINGUER v. intr. **1.** Vx en fr. S'amuser bruyamment, courir çà et là, être en *fringue*. Les jeunes d'aujourd'hui aiment *fringuer*. (acad.) Syn., voir : **fêter**. **2.** Boire exagérément, s'enivrer. Syn., voir : **brosser**.

FRINGUEUX, EUSE adj. et n. Qui aime s'amuser, boire. Dans ce *rang* il n'y a que des *fringueux*! (acad.)

FRIOUSSE, FERIOUSSE n. f. Blague à tabac du fumeur de pipe. Syn., voir : **bordine**.

FRIPE n. f. **1.** *Partir rien que sur une fripe* : partir rapidement, à toute allure. Syn., voir : **pinouche**. **2.** Cuite. Prendre une *fripe*, partir sur une *fripe*. [++] Syn., voir : **brosse**.

FRIPÉ, E adj. ou p. adj. Fig. Fatigué, avoir la mine fatiguée. Je me suis levé *fripé* : je n'ai pas assez dormi.

FRIPÉE n. f. Argot. Dollar canadien. Peux-tu me passer une *fripée*? Syn., voir : **douille**.

FRIPER v. tr. et intr. **1.** Vx en fr. Gaspiller. Il *a fripé* cent dollars dans la soirée. Syn., voir : **flamber**. **2.** Fig. Fatiguer. Passer une nuit blanche, ça *fripe*. [+++] **3.** Lécher. Il est malpoli de *friper* sa cuiller ou son couteau à table. (acad.)

FRIPONNER n. f. Embrasser, becqueter. Il passe son temps à *friponner* sa petite amie. (acad.)

FRIQUE n. f. Prairie naturelle où poussent les fraises, les *bleuets*, friche.

FRISER, REFRISER v. tr. et intr. **1.** Gaspiller follement. Quand il touche son salaire, il le *frise* en peu de temps. [++] Syn., voir : **flamber**. **2.** Gicler. Le tuyau était percé ici, c'est par là que l'eau *frisait*. [+++] Syn. : **revoler** (sens 1).

FRISETTE, FRISETTINE, FRISOTTINE n. f. Papillote à friser, bigoudis. [++]

FRISEUR n. m. Ustensile de cuisine ressemblant à un presse-purée et servant à réduire les pommes de terre en riz, à faire des *patates* rizées, frisées.

FRISON n. m. **1.** Volant qui garnit le bas d'une jupe, d'une robe. Cette robe, avec ses *frisons*, est très seyante. **2.** Au pl. Moutons, vagues blanchissantes lorsque le vent est déchaîné.

FRISSONNEUX, EUSE adj. Frissonnant, qui a le frisson. Se sentir *frissonneux*.

FRIT n. m. [#] *Donner du frit à un mur de pierre* : lui donner du fruit, c'est-à-dire construire ce mur en diminuant son épaisseur côté extérieur, à mesure qu'on le monte.

FROC n. **1.** Vx en fr. À la campagne, blouse de travail faite de toile solide de denim, vareuse souvent appelée *froc à vêler*. [+++] Syn. : **chiarde**. **2.** Manteau ample. [+]

237

FROG n. m. (angl. frog) [Ø] Péjor. Sobriquet donné aux Canadiens francophones, aux Québécois par les Canadiens anglophones. Syn., voir : **Cannuck**.

FROID, E, FRET adj et n. Faire très froid se dit : faire froid *à tout casser, comme le diable, en torrieu, en chien, à craquer les clous, à péter des clous, à geler les chiens, à couper les chiens en deux, à ne pas mettre les chiens dehors, à fendre les pierres, à pierre fendre, un froid ardent, un froid de loup, faire un froid noir.*

FROIDURE n. f. Vx en fr. Froid. C'est surtout en janvier et en février que la *froidure* sévit.

FROLIC n. f. (angl. frolic) [Ø] Réunion joyeuse où l'on danse et où l'on boit. (acad.)

FROLIQUER v. intr. (angl. to frolic) [Ø] S'amuser, boire et danser. (acad.) Syn., voir : **fêter**.

FROMAGÈRE n. f. Plante. Mauve négligée.

FRONDE n. f. [#] Jouet d'enfants constitué d'une branche fourchue munie d'élastiques reliés à une pochette de cuir où l'on place les pierres à lancer. Syn. : **tire-roches**.

FRONDE, FRONTE n. f. [#] Furoncle, clou. Avoir une *fronde* dans le cou. [+++]

FRONDER v. tr. Vx en fr. Lancer à la main ou avec un lance-pierre, une *fronde* ou un *tire-pois. Fronder* des boules de neige, des noyaux de cerises sur les passants. [++] Syn., voir : **garrocher** (sens 1).

FRONT n. m. **1.** Vx ou litt. en fr. *Avoir du front* : être effronté. [+++] **2.** *Avoir du front tout le tour de la tête, un front de bœuf, un front de boeu maigre* : être très effronté. [+++] Syn., voir : **bœuf**.

FRONTEAU n. m. Ligne d'arpenteur qui marque l'extrémité, le bout d'une terre. (E 36-86) Syn., voir : **trait-carré**.

FRONTIÈRE n. f. [#] **1.** Limite d'une terre donnant sur un chemin. **2.** Frontal de la bride du cheval qui passe au-dessus des yeux. [+++]

FROTTER v. tr. Cirer. *Frotter* ses souliers, ses chaussures.

FROTTEUR, FROTTEUX DE PIERRE n. m. Batte-feu ou morceau de métal avec lequel on tire des étincelles en le frottant contre un caillou. Syn., voir : **batte-feu** (sens 1).

FROTTEUSE n. f.; **FROTTOIR** n. m. Planche à laver à surface ondulée sur laquelle on frottait le linge. Syn., voir : **laveuse** (sens 1).

FROUCHETEUX, EUSE adj. Fureteur surtout en parlant d'un enfant.

FROUFROU adj. et n. Se dit surtout d'un enfant agité, qui bouge sans arrêt. Syn., voir : **vertigo** (sens 2).

FROUSSETER v. intr. Faire du bruit. Entends-tu *frousseter* les branches?

FRU adj. inv. Abréviation du mot *frustré* chez les jeunes.

FRUITAGES n. m. pl. *Aller aux fruitages* : aller à la cueillette des fruits sauvages, des baies comestibles. [+++] Syn. : aller aux **grainages**, aller aux **graines**.

FULL, FULL TOP adj. et adv. (angl. full) [Ø] **1.** Bondé, rempli, comble. Salle *full, full* de monde. Anglicisme en perte de vitesse. **2.** Au maximum, complètement. Remplir un réservoir *full, full top*. Anglicisme en perte de vitesse.

FULL DRESS n. m. (angl. full dress) [Ø] Habit, habit de cérémonie. Syn., voir : **arrache-broquette**.

FULL PIN adv. (angl. full pin) [Ø] Rapidement. Arriver *full pin* sur le lieu d'un accident.

FUMAGE n. m. Action de fumer (cigares, pipe, cigarettes), fumer. Le *fumage* est maintenant interdit dans les endroits publics.

FUMER v. intr. **1.** Fig. Se reposer, continuer à bavarder, prolonger une visite. *Fumez* encore un peu, vous n'êtes pas en retard. Syn. : **allumer**. **2.** Fig. En parlant d'un prétentieux, d'un vantard, d'un *frais-chié*, on marquera la forme superlative par le verbe *fumer*. Il est tellement *frais-chié* qu'il *fume* (allusion aux défécations d'animaux qui, par temps frais ou froid, dégagent de la vapeur, de la *boucane*). Syn., voir : se **prendre** pour un autre. **3.** *Fumer comme une cheminée* : fumer sans arrêt, comme un dragon, comme un sapeur, comme une locomotive. [+++]

FUMETTE n. f. Bout de racine de frêne ou de jonc utilisé comme succédané du tabac.

FUMEUSE n. f. Contenant en métal de bonne dimension, percé de quelques trous sur les côtés et dans lequel on fait brûler ce qui peut produire beaucoup de fumée soit pour éloigner les moustiques ou pour protéger contre la gelée les récoltes encore sur le champ (tomates, tabac...). Syn. : chaudière à **boucane**, **boucaneuse**.

FUN, FONNE n. m. (angl. fun) [Ø] **1.** Plaisir, amusement. Avoir du *fun*, jouer un tour à quelqu'un pour le *fun*. [+++] **2.** *Fun bleu, fun noir, fun vert* : plaisir extrême. Quand nous étions étudiants à l'université nous avons eu des *funs noirs*. [+++] **3.** *Être le fun* : être amusant, distrayant, drôle. Aller danser *c'est le fun*, c'est très le *fun*. [+++]

FUNNY adj. et n. (angl. funny) [Ø] Drôle, amusant, plaisant. Anglicisme en perte de vitesse.

FUNÉRARIUM n. m. Établissement spécialisé où l'on expose les morts aussi bien à la campagne qu'en ville, thanaté. Syn. : **maison funéraire**, **maison mortuaire**, **résidence funéraire**, **salon funéraire**, **salon mortuaire**.

FURIEUX, EUSE adj. Pousser drue en parlant d'une céréale (blé, avoine, orge). Cette année, l'avoine est *furieuse*.

FURLONG n. m. (angl. furlong) [Ø] Mesure de longueur des arpenteurs équivalant à 10 *chaînes* d'arpenteurs soit 660 *pieds*, 220 *verges* ou 194,9 m.

FUSE n. f. (angl. fuse) [Ø] Fusible. Depuis que les disjoncteurs automatiques ont fait leur apparition, on utilise de moins en moins les *fuses*.

FUSEAU n. m. **1.** Fig. Individu grand et fluet. Syn., voir : **fanal** (sens 3). **2.** Fig. *Être au bout de son fuseau, de sa fusée* : être fatigué, à bout de force. Syn., voir : être **resté**.

FUSIL n. m. **1.** Vulg. Organe du taureau. Syn., voir : **fourreau**. **2.** *Partir en coup de fusil* : partir très vite. Dès qu'on a vu de la fumée, on est *parti en coup de fusil*. Syn., voir : *pinouche*. **3.** *Être en fusil, en beau fusil* : être en colère, de mauvaise humeur. Syn., voir : être en **sacre**. **4.** Fig. *Grand fusil* : individu grand et maigre. Syn., voir : **fanal**. **5.** *Avoir les cheveux faits au fusil* : coupés inégalement.

239

G

GABARE n. f. Mar. **1.** Espèce de petit chaland divisé en parcs dans lesquels les pêcheurs côtiers conservent vivants les poissons qu'ils ont capturés. [++] **2.** Vieille auto, guimbarde. [++] Syn., voir : **bazou**. **3.** Traîneau rudimentaire servant au transport de provisions en forêt ou au débusquage des billes de bois. Syn., voir : **bacagnole** (sens 1 et 3) **4.** Fig. Homme très âgé. La vie n'est plus drôle pour une vieille *gabare* comme moi! (Gaspésie)

GABAREAU, GABAROT n. m. **1.** Derrière, postérieur. Faire ce qu'il a fait mériterait un bon coup de pied dans le *gabareau*. **2.** *Lever le gabareau* : lever le cul, ruer en parlant d'un cheval. (O 28-101)

GABARER v. intr. Mar. Naviguer à droite et à gauche le long des côtes. (acad.)

GABAREUX, EUSE adj. Mar. Fig. Instable, qui change souvent d'emploi. (acad.) Syn., voir : **bagosseux**.

GABELLE n. f. Espèce de sac de toile à fond rigide et muni d'une courroie, que l'on suspendait à la tête d'un cheval harnaché et qui contenait le picotin d'avoine qui constituait son repas du midi. (Beauce)

GABION, GABIOT n. m. **1.** Abri de chasse en branches, en roseaux, en neige ou en blocs de glace. (E 20-127) Syn., voir : **cache**. **2.** Fig. Embarcation camouflée pour la chasse au canard. Syn. : **boléro**, **caboche**, **chasseuse**.

GABIONNER v. tr. et pron. **1.** Se mettre à l'affût dans un abri de chasse appelé *gabion*. (E 20-127) **2.** Fig. Emmitoufler, habiller chaudement. Par temps très froid, il faut bien *gabionner* les enfants qui vont jouer dehors et bien se *gabionner* soi-même. (E 20-127) Syn., voir : **emmitonner**.

GABOTER v. intr. (variante de caboter) Mar. **1.** Fig. Courir la prétentaine. (surt. acad.) Syn., voir : **galipote**. **2.** Fig. Perdre son temps, travailler sans résultat visible, flâner, aller de part et d'autre.. (++) Syn., voir : **bretter**.

GABOTEUR, GABOTEUX, EUSE adj. et n. (variante de caboteur) Mar. **1.** Fig. Coureur de jupons. Syn., voir : **galopeur**. **2.** Fig. Vaurien, propre à rien. [+] Syn., voir : **tramp**.

GABOTTE n. f. (Gaspésie) Voir : **grande-tasse à eau.**

GABOURAGE n. m. Mélange d'avoine, de pois, de luzerne qu'on donne en vert aux vaches lorsque l'herbe des pâturages se fait plus rare. (entre 46-79 et 37-85) Syn. : **gaudriole.**

GADELLE n. f. **1.** Fruit du groseillier, groseille. *Gadelle* blanche ou rouge. [+++] **2.** Fig. *Avoir les yeux à la gadelle :* avoir le regard langoureux et invitant de quelqu'un qui a besoin d'amour. [+++] Syn. : avoir les yeux **crasses**, avoir les yeux **sales.**

GADELLE NOIRE n. f. Cassis ou groseille noire. [+++]

GADELLIER n. m. Groseillier à grappes. [+++]

GADENDART n. m. Voir : **godendart.**

GAFFE n. f. Argot. *Faire la gaffe :* surtout en parlant des jeunes, vivre de vol, de vente de drogue, de prostitution.

GAFFE DE DRAVE, DE DRAVEUR n. f. Gaffe utilisée par le flotteur de bois, ou *draveur*, pour déplacer et dériver le bois de flottage, dérivotte. Syn. : **peavy** (sens 2), **pickaroon**, **pickpole**, **pole.**

GAFFER v. tr. Saisir fortement avec une main. (acad.)

GAGER v. tr. Vx en fr. Parier, faire un pari. *Gager* cent dollars que tel candidat sera vainqueur. [+++]

GAGES n. f. pl. Gages (n. m. pl. en fr.) *Gagner de grosses gages :* un gros salaire.

GAGEURE n. f. (doit être prononcé gajure) Vx en fr. Pari. Faire une *gageure* que tel candidat est élu. [+++]

GAGNE n. m. **1.** Gain au jeu. **2.** Travail, ouvrage. La construction d'un barrage est synonyme de *gagne*, c'est un endroit où il y a du *gagne*. **3.** Salaire. Dépenser son *gagne* à la taverne et au casino.

GAGNÉ, VIEUX-GAGNÉ n. m. Économies, épargnes. En période de chômage, il faut vivre sur le *gagné*, sur le *vieux-gagné*. [+++]

GAGNER v. tr. **1.** *Gagner gros, cher :* toucher un gros salaire. **2.** Ne pas *gagner son sel :* se dit d'un travailleur paresseux, dont le rendement est presque nul. **3.** Aller à, rejoindre. Quel chemin faut-il prendre pour *gagner* Mont-Laurier?

GAGOUET n. m. Voir : **cagouet.**

GAI, E n. et adj. (angl. gay) [Ø] Homosexuel, homosexuelle. Syn., voir : **fifi, fifine.**

GAILLAR n. m. Poêle rudimentaire utilisé autrefois dans les chantiers forestiers. Syn., voir : **truie.**

GAILLARD, E adj. Légèrement ivre. À la fin de la soirée, la plupart des invités étaient *gaillards*. Syn., voir : **chaudaille.**

GAITERS n. f. pl. (angl. gaiters) [Ø] **1.** Bottines à élastiques d'autrefois. [+] **2.** Vieilles chaussures, savates. Syn. : **galoches**. **3.** Autrefois, guêtres de tissu ou de cuir. **4.** Fig. *Se mouver les gaiters :* se hâter, se dépêcher.

GALABRE adj. Gourmand, glouton, goinfre, goulu, goulafre. (Surt. Charsalac) Syn., voir : **safre.**

GALACHE n. f. Voir : **gosse.**

GALAFRER v. intr. Manger gloutonnement.

GALAFRERIE n. f. Gourmandise. Manger par *galafrerie.*

GALANCE, GALANCINE, GALANCETTE n. f. (acad.) Voir : **balançoire.**

GALANCER v. tr. et pron. Balancer, se balancer sur une balançoire, sur une *galance*. (acad.) Syn., voir : **balancigner.**

GALANCINER v. tr. et pron. Balancer, se balancer sur une balançoire. (acad.) Syn., voir : **balancigner.**

241

GALANT n. m. Vx en fr. Amoureux, qui fréquente sérieusement une jeune fille. [+] Syn., voir : **cavalier**.

GALANTER v. tr. (angl. to gallant) [Ø] Faire la cour à. Les femmes aiment se faire *galanter*, quel que soit leur âge. Syn. : **farauder** (sens 1).

GALARNEAU n. m. Le soleil. Tiens, *Galarneau* est levé! [+]

GALE n. f. [#] **1.** Escarre, croûte qui se forme sur une plaie en voie de guérison. Enlever une *gale* risque de laisser une cicatrice. [+++] **2.** *Pauvre comme la gale* : très pauvre, en parlant de quelqu'un. Voir : **pauvre**. **3.** Fig. Personne qui s'accroche à quelqu'un, qui suit à la trace. Syn., voir : **tache 4.** Expr. fig. *Ne pas avoir la gale aux dents* : avoir la fringale, une faim de loup.

GALÉ, E adj. Recouvert d'escarres, de croûtes, de *gales* en parlant d'une plaie en voie de guérison.

GALENDART n. m. Voir : **godendart**.

GALER v. intr. [#] Croûter, se recouvrir d'une *gale* d'une croûte, d'escarre. Sa plaie a commencé à *galer*. [+++]

GALÈRE n. f. **1.** Très longue varlope munie de deux poignées, actionnée par deux hommes et servant autrefois à dresser planches, madriers, pièces de bois. [++] **2.** Petite pile de morues sur les vigneaux dans l'opération de séchage. **3.** Au pl. Prison. D'où *aller aux galères* : aller en prison. (acad.)

GALERIE n. f. À la campagne, balcon généralement couvert qui longe la façade des maisons et qui quelquefois en faisait le tour. [+++]

GALET n. m. *Être au galet* : être à sec, tari, en parlant d'un puits, d'un cours d'eau. Syn., voir : **séché**.

GALETAS n. m. Lit rudimentaire de la *cabane à sucre* dans lequel on se couche tout habillé. Syn. : **bed**.

GALETTAGE n. m.; **GALETTERIE** n. f. Pâtisserie. Avant Noël, les femmes font du *galettage*. Finir le repas avec des *galettages, des galetteries*. (O 3884) Syn. : **tortasserie**.

GALETTE n. f. **1.** *Galette à cuire* : carré de levain de fabrication industrielle et utilisé lors de la fabrication du pain, de gâteaux, etc. [++] Syn., voir : **lève-vite**. **2.** Rég. en fr. *Galette de sarrasin* : crêpe de farine de sarrasin. [+++] Syn. : **crêpe à Séraphin**, **pitoune**, **plug**, **séraphin**, **tarteau**, **tireliche**. **3.** Ricochet (sur l'eau). Lancer des cailloux plats sur l'eau pour faire des *galettes*. Syn. : faire des **crêpes**. **4.** *Galette mâtée*. Argot des bûcherons, des chasseurs et des trappeurs. Variété de pain fait de farine détrempée à laquelle on ajoute un peu de sel et qui forme une pâte épaisse que l'on fait cuire dans une casserole. Syn., voir : **bassane**.

GALFAT n. m. [#] Étoupe goudronnée servant à calfater une embarcation.

GALFATER v. tr. [#] Calfater une embarcation pour la rendre étanche. (O 37-85)

GALFEUTRER v. tr. [#] Calfeutrer (une fenêtre, etc.).

GALIMAFRÉE n. f. Gourmandise. Manger par *galimafrée*.

GALIPOTE n. f. *Courir la galipote* : courir la prétentaine, courir les jupons, faire la noce. [+++] Syn.: **forlaquer**, **gaboter** (sens 1), **galipoter**, **galoper**, **galvauder** (sens 2), être en **garouage**, **guedouner**, **guidouner**, courir la **gueuse**, courir le **loup-garou**, **ravauder** (sens 2).

GALIPOTER v. intr. Courir la prétentaine, courir les jupons, faire la noce. [++] Syn., voir : courir la **galipote**.

242

GALIPOTEUX n. et adj. Celui qui est coureur, qui *court la galipote*. Ne se dit que des hommes. Syn., voir : **galopeur**.

GALLON n. m. **1.** *Gallon impérial* : mesure de capacité correspondant à 4 *pintes* ou 4,545 L et qui n'a plus cours ici depuis l'adoption du système métrique. **2.** *Gallon américain* : mesure de capacité ayant toujours cours aux États-Unis et correspondant à 3,787 L.

GALOCHE n. f. Au pl. Vieilles chaussures, savates. Ne va pas au mariage avec ces *galoches*! [++] Syn. : **gaiters** (sens 2).

GALOCHER v. intr. Locher. Cheval avec un fer qui commence à *galocher*. Syn. : **clocher**.

GALON n. m. [#] Autrefois, ruban à mesurer gradué en *pieds*, en *pouces* et en *lignes*. [+++] Syn. : **tape**.

GALOP n. m. **1.** *Faire le petit galop* : le père ou le grand-père fait asseoir un petit enfant sur son cou-de-pied et le tenant par les deux mains lève lentement puis de plus en plus rapidement le pied en criant p'tit galop, ... grand galop ... **2.** Faire un travail *au galop* : le faire très rapidement. Syn. : à l'**épouvante**.

GALOPE-CHEMIN n. m. Coureur de femmes. Syn., voir : **galopeur** (sens 1).

GALOPER v. tr. et intr. et pron. **1.** Vx en fr. À la chasse, suivre la piste de, courir après. *Galoper* un chevreuil. Syn. : **courir** (sens 1). **2.** Fréquenter les lieux où l'on s'amuse. *Galoper* les salles de danse, passer son temps à *galoper* (acad.) **3.** *Galoper les filles* : courir après les filles. (acad.) **4.** Courir les uns après les autres en parlant de chevaux en liberté. Ces chevaux se *galopent* souvent.

GALOPEUR, GALOPEUX, EUSE adj. et n. **1.** Vx en fr. Coureur. C'est un *galopeur* de femmes. (acad.) Syn. : **courailleur**, **gaboteur**, **galipoteux**, **galope-chemin**, **galvaudeux**. **2.** Personne qui court les chemins, qui n'est presque jamais chez elle.

GALOPIN n. m. Instrument servant à mesurer l'épaisseur d'une pièce de bois.

GALOT n. m. Motte de terre gelée, dans les chemins de terre d'autrefois. (O 36-86) Syn., voir : **bourdignon**.

GALUETTANT, E, GUELUETTANT, E adj. Gluant. Un poisson qu'on vient de capturer est toujours *galuettant*, *gueluettant*.

GALVAUDER v. intr. **1.** Vx en fr. Flâner, traîner, ne rien faire. À son âge, il devrait travailler au lieu de *galvauder*. **2.** Courir la prétentaine, avoir des aventures galantes. Il est sage maintenant, mais il a longtemps *galvaudé*. (O 25-117) Syn., voir : courir la **galipote**.

GALVAUDEUX, EUSE adj. et n. Vx en fr. Qui a l'habitude de *galvauder*, de courir la prétentaine. Syn., voir : **galopeur**.

GAME, GUÈME, GUIME n. f. (angl. game) [Ø] Jeu de cartes à l'argent. Les vieux d'autrefois se réunissaient souvent pour jouer une petite *guime*.

GAMELLE n. f. **1.** Boîte à cendre placée sous le feu du poêle à bois, cendrier. Syn., voir : **cendrière**. **2.** Voir : **bol de l'écrémeuse**.

GAMIQUE n. f. (angl. gimmick) [Ø] Voir : **gimmick**.

GANG n. f. (angl. gang) [Ø] Bande, troupe, bon nombre, équipe. Il y a une *gang* d'enfants qui jouent dans la rue. Le mot *gang* n'est pas péjoratif ici. [+++]

243

GANGWAY, GANOUÉ n. m. (angl. gangway) [Ø] Plan incliné par où les fourragères chargées montent dans le fenil de la grange. (pass. O 20-127) Syn. : **garnaud**, **pont de fani**, **pont de grange**.

GANSE n. f. [#] **1.** Tirant, boucle de cuir ou de tissu solide cousu en haut des tiges de botte ou de bottine et sur laquelle on tire pour chausser bottes ou bottines. **2.** Fig. *Tenir, avoir quelqu'un par la ganse* : avoir quelqu'un à sa merci.

GANTS DE NOTRE-DAME n. m. Ancolie du Canada et ancolie vulgaire. [+]

GARAGE n. m. **1.** Fig. Hôpital en général. Aller au *garage* pour y subir une opération. **2.** Fig. Dans les communautés religieuses, maison où l'on prend soin des religieux ou religieuses âgés ou malades. Chaque communauté religieuse a son propre *garage*. **3.** *Vente de garage, vente de débarras* : en milieu urbain, vente qu'un particulier fait, dans son garage et son entrée de garage, d'objets dont il veut se débarrasser.

GARCE, PETITE GARCE n. f. Voir : **toutoune** (sens 2).

GARCETTE n. f. **1.** Matraque utilisée autrefois par les agents de police, bâton plombé. Le mot *garcette* a été supplanté par le mot matraque au tout début des années 60, lors du passage à Québec de la reine d'Angleterre, d'où la *Journée de la matraque*. Rimette : un coup de matraque, ça frappe, ça frappe, un coup d'matraque, ça *frappe* en *tabarnac!* **2.** Amarre de cordage servant à haler les peaux de phoques. (acad.)

GARÇON n. m. Vx et rég. en fr. Jeune homme non marié, célibataire. Jules est toujours *garçon*, ses parents croient qu'il ne se mariera jamais.

GARÇONNETTE n. f. Péjor. Petit garçon qui aime jouer à la poupée. Syn., voir : **catiche**.

GARÇONNIÈRE n. f. Jeune fille qui a des allures et des goûts de garçon.

GARDE n. f. Garde-malade, infirmière. [+++]

GARDE-CHASSE n. m. Agent de conservation chargé de prévenir le braconnage.

GARDE-CHIEN n. m. Argot. Dans les églises autrefois, suisse chargé de maintenir l'ordre pendant les offices religieux. Syn. : **vire-chien**.

GARDE-FEU n. m. [#]Garde forestier chargé de surveiller, de prévenir et de combattre les incendies de forêt. Son subalterne est un *sous-garde-feu.* C'est du haut de miradors que les *garde-feux* peuvent le mieux surveiller la forêt. [+++]

GARDE-FOIN n. m. Voir : **range-foin**.

GARDE-GRAIN n. m. Petit mur entre l'aire de la grange et la tasserie qui empêchait le grain de se perdre à l'époque où le battage se faisait au fléau sur l'aire de la grange. [+++]

GARDE-NEIGE n. m. Clôture de lattes de bois destinée à empêcher la formation de *bancs de neige* à des endroits précis.

GARDER v. tr. (angl. to keep) [Ø] Tenir éloigné, se protéger contre. Mettre des moustiquaires aux fenêtres pour *garder* les maringouins.

GARDE-VASE n. m. Garde-boue d'une voiture de promenade hippomobile, d'un véhicule automobile, d'une moto, d'une bicyclette. (E 27-116)

GARDE-VENT n. m. Gueule-de-loup installée au sommet d'une cheminée pour en faciliter le tirage. Syn., voir : **dos-de-cheval**.

244

GARDE-YEUX, GARDE-Z-YEUX n. m. Œillères de la bride du cheval. [+++]

GARETTE n. f. Machine servant au débusquage des billes de bois dans les chantiers forestiers, débusqueuse. Syn., voir : **skiddeuse**.

GARGOTE n. f. Plat à base de poissons et de légumes. (Région du lac Saint-Pierre) Syn., voir : **gibelotte** (sens 2).

GARGOTER v. intr. et pron. **1.** Vx en fr. Faire du bruit en mangeant ou en buvant. **2.** Faire du bruit, en parlant de l'eau qui bout ou de l'eau d'une source qui gargouille. [+] Syn. : **gargouiller. 3.** Se gargariser. *Se gargoter* avec de l'eau salée quand on a un mal de gorge. Syn. : se **gargouler**.

GARGOTON n. m. Voir : **gorgoton**.

GARGOUCHE n. f. **1.** Cuiller de dépannage pour boire ou pour puiser de l'eau, constituée d'un cornet d'écorce de bouleau fixé au bout d'un bâton. Autrefois la gargouche servait à mesurer la quantité de poudre à mettre dans les canons. Syn., voir : **micouenne** (sens 1). **2.** Cône de sucre d'érable qui a été moulé dans un cornet d'écorce de bouleau. Syn., voir : **meule de sucre**.

GARGOUCHET, GARGOUSSET n. m. **1.** Armoire de rangement construite sous le toit d'une maison au-dessus d'un mur. **2.** Armoire pratiquée sous un escalier.

GARGOULER (SE) v. pron. Se gargariser. Quand on a mal à la gorge, il faut *gargouler* avec de la saumure. (acad.) Syn. : se **gargoter**.

GARGOUSSE n. f. Plat à base de jeunes esturgeons noirs (*escargots, maillés*) et de légumes. (région du lac Saint-Pierre) Syn., voir : **gibelotte** (sens 2).

245

GARGOUSSER v. intr. **1.** Gazouiller, piailler. Les oiseaux *gargoussent* tôt le matin. Syn., voir : **piaquer. 2.** Caqueter en parlant des poules. Syn., voir : **cacailler. 3.** Gargouiller en parlant de l'eau qui bout. Syn. : **gargoter** (sens 2).

GARIBALDI n. m. Autrefois, blouse blanche serrée à la taille et portée surtout par les femmes et les enfants.

GARNAUD n. m. Plan incliné permettant aux fourragères chargées de monter dans le fenil de la grange. Syn., voir : **gangway**.

GARNOTTE, GORNOTTE n. f. Voir : **grenotte**.

GAROUAGE n. m. Vx en fr. *Être en garouage*. a) Être en course, aller ici et là, être toujours en déplacement. [++] Syn. : être sur la **trotte**. b) Courir la prétentaine, faire la noce. [++] Syn., voir : courir la **galipote**. c) Être en rut, surtout en parlant d'une vache.

GARROCHABLE adj. Que l'on peut *garrocher*, lancer. Cette balle n'est pas *garrochable* par cet enfant, elle est trop grosse. [+++]

GARROCHAGE n. m. Action de *garrocher*, de lancer. Hé!, les enfants, pas de *garrochage* de cailloux près de la maison! [+++]

GARROCHER v. tr., intr. et pron. **1.** Lancer. *Garrocher* des cailloux, des *balles de neige*. [+++] Syn. : **fronder, pitcher, rocher, tirer. 2.** En parlant d'un cheval, projeter de la boue, de la neige en trottant. Méfie-toi, c'est un cheval qui *garroche*. [+++] **3.** Se lancer, se précipiter, se jeter sur. Il *s'est garroché* sur son adversaire et l'a saisi à la gorge. [+++] Syn. : se **darder. 4.** Fig. *Se garrocher* : surtout en parlant des femmes, tout faire pour attirer l'attention des hommes.

GARROCHEUR, GARROCHEUX, EUSE n. **1.** Cheval qui en trottant projette de la boue, de la neige. **2.** Personne, enfant le plus souvent, qui a l'habitude de lancer des cailloux, des *balles de neige* ou divers objets qu'il a sous la main.

GARS n. m. **1.** Fam. en fr. Garçon. Le mari et la femme diront : nous avons deux *gars* et deux filles. **2.** *Gars de bois, gars de chantier* : travailleur forestier, bûcheron. [+++] Syn., voir : **voyageur** (sens 2). **3.** *Gars des vues.* Voir : **vue** (sens 3).

GAS, GAZ n. m. Voir : **gasoline**.

GASCON n. m. *Parler le gascon* : parler un langage difficile à comprendre.

GASOLINE n. f.; **GAS, GAZ** n. m. (angl. gas, gasoline) [Ø] **1.** Essence. Le prix du *gas* ne cesse de monter. Un moteur à *gasoline*. Anglicisme en perte de vitesse. **2.** Argot. *Peser sur le gas* : appuyer sur l'accélérateur, accélérer. [++] Syn. : peser sur la **suce**.

GASPARD n. Voir : **Jonas**.

GASPAREAU n. m. Faux hareng utilisé le plus souvent comme boëte, bouette ou appât.

GASPÉSIEN, ENNE n. et adj. Gentilé. Natif ou habitant de Gaspé ou de la Gaspésie; de Gaspé, de la Gaspésie.

GASPÉSIENNE n. f. Bateau de pêche propre à la Gaspésie.

GASPIL, GASPILLE n. m. [#]Gaspillage. Il se fait beaucoup de *gaspil* dans cette famille. [+++]

GASPILLARD, E, GASPILLEUX, EUSE n. et adj. [#]Gaspilleur, dépensier. Cette famille peut bien être pauvre, ils sont plus *gaspillards, gaspilleux* les uns que les autres. [+++]

246

GASPILLER v. tr. **1.** Gâter; rendre indocile, vicieux. *Gaspiller* un enfant, un cheval. **2.** Détériorer. *Gaspiller* des souliers neufs en marchant dans la boue.

GASPIN n. m. Chaussure de peau verte taillée dans le jarret d'un bœuf, d'un *caribou* ou d'un *orignal.* (acad.) Syn. : **caristeau.**

GÂTEAU n. m. **1.** *Gâteau d'habitant* : gâteau de fabrication domestique. Voir : **habitant. 2.** *Gâteau des anges* (angl. angel cake) [Ø] : variété de gâteau de Savoie.

GÂTER v. tr. et pron. **1.** Rendre indocile en parlant d'un cheval, d'un chien. **2.** *Gâter de l'eau* : euphémisme pour uriner. Excusez-moi une seconde, je vais aller *gâter de l'eau.* Syn., voir : **lâcher de l'eau. 3.** Se couvrir en parlant du temps. Syn., voir : se **chagriner.**

GATINOIS, E n. et adj. Gentilé. Natif ou habitant de Gatineau dans l'Outaouais; de Gatineau.

GATON n. m. Mar. **1.** Bâton passant dans les anneaux du brancard et de ceux du traîneau de façon à les coupler. **2.** Garrot servant à bander un câble, une chaîne. Syn. : **bindeur.**

GATONNER v. tr. Mar. Bander un câble, une chaîne, au moyen d'un garrot appelé *gaton. Gatonner* une charge de billes de bois pour les transporter à la scierie. Syn. : **binder, chaîner.**

GATTE n. f. Mar. Bourbier, terrain humide ou marécageux. Rester pris dans une *gatte* avec un camion. Dérivés : **engatter, dégatter.** (Charsalac) Syn., voir : **savane.**

GAU, GOT n. m. **1.** Estomac de la morue. Manger des *gaux* farcis de foie de morue. (E 9-132 et acad.) **2.** Fig. Gosier de l'être humain. (acad.) Syn., voir : **gavion**. **3.** Fig. Se *mouiller le gau*, se *rincer le gau* : boire à l'excès, s'enivrer. (E 9-132 et acad.) Syn., voir : **dalle** (sens 5). Dérivés : **agotter, engotter, dégotter**.

GAUDRIOLE n. f. Mélange d'avoine, de pois, de luzerne semés ensemble et qu'on donne en vert aux vaches laitières lorsque l'herbe des pâturages se fait plus rare. (E 38-87) Syn. : **gabourage**.

GAUFRERIE n. f. Établissement de restauration où l'on fabrique et vend des gaufres, à consommer sur place ou à emporter (ROLF).

GAULER v. tr., intr. et pron. **1.** Passer très vite, aller très vite. Oui, je l'ai vu, il *gaulait* vers le village. Syn. : **mécher, mener**, passer en **balle**, passer en **poudrerie**, **ramer**, passer en **ripousse**. **2.** Vulg. Masturber, se masturber. Ce jeune-là peut bien être maigre, il passe son temps à se *gauler*. Syn., voir : **crosser**. **3.** Frapper, battre, fustiger avec une *gaule*.

GAULETTE n. f.; **GAULON** n. m. Petite gaule, bâton rond et plutôt court. (Lanaudière).

GAUSSER v. tr. Railler, taquiner. Arrête donc de *gausser* ton frère!

GAUSSERIE n. f. Taquinerie.

GAVAGNER v. tr. **1.** Abîmer, bousiller. *Gavagner* ses vêtements neufs, ses outils de travail. Syn. : **savater**. **2.** Maltraiter. *Gavagner* un cheval. Syn., voir : **agoner**.

GAVION n. m. Vx en fr. Gosier de l'être humain. Une bouchée trop grosse peut bloquer le *gavion* et provoquer l'étouffement. Syn. : **gargoton, gau, gorgoton, passe-galette**.

247

GAZÉ, E adj. et n. **1.** Ivre. Après deux verres de whisky, il est *gazé*. [+++] Syn., voir : **chaud**. **2.** Argot. Drogué. Toutes les villes sont les rendez-vous des *gazés*. Syn., voir : **gelé**.

GAZER v. tr. (angl. to gas) [Ø] Faire le plein d'essence, faire le plein. Anglicisme en perte de vitesse.

GAZER (SE) v. pron. **1.** S'enivrer, d'où *se dégazer* après une beuverie. [+++] Syn., voir : **brosser**. **2.** Argot. Se droguer. [++]

GAZETTE n. f. Vx et rég. en fr. Journal, papier journal. Lire la *gazette* tous les jours, allumer le poêle avec de la *gazette*. [++]

GAZETTER v. tr. Publier dans les journaux, annoncer. Les délibérations du conseil de ville sont gazettées régulièrement. Le maire aime beaucoup être *gazetté*, qu'on parle de lui dans les journaux.

GAZOLINE n. f. Essence. Un moteur à *gazoline*. Anglicisme en perte de vitesse. Syn. : **gas, gaz**.

GAZON DE GLACE, GAZON n. m. Glace flottante, glaçon flottant. À la débâcle, la rivière charrie des *gazons*. [+]

GAZONNIÈRE n. f. Exploitation agricole spécialisée dans la culture du gazon qui, deux ans après l'ensemencement, peut être livré aux clients sur palettes, en plaques ou en rouleaux comme du tapis (ROLF).

GAZOU n. m. [#] Voir : **kazoo**.

GEAR n. f. (angl. gear) [Ø] Roue d'engrenage, engrenage. Anglicisme en perte de vitesse.

GEE! interj. (angl. gee) [Ø] Cri pour faire aller un cheval à droite seulement. (surt. O 28-101 et acad.) Syn. : **hue!**

GEIGNEUX, EUSE adj. et n. Geignard, plaignard.

GEINT n. m. Gémissement, plainte, lamentation.

GELASSER v. intr. et impers. Geler légèrement. Il fait froid la nuit, l'eau commence à *gelasser*; il a *gelassé* la nuit dernière. [+++] Syn. : **gelauder**, **gelotter**.

GÉLATINE n. f. Partie brune de la graisse de rôti. Syn., voir : **branlant**.

GELAUDER v. intr. et impers. (surt. acad.) Geler légèrement. Il va sûrement *gelauder* la nuit prochaine. Syn., voir : **gelasser**.

GELÉ, E adj. et n. **1.** Givrées en parlant des vitres. On ne voit rien dehors, les vitres sont *gelées*. **2.** Être gelé comme un crapaud, comme une crotte, comme un creton : avoir très froid, en parlant d'une personne qui a très froid. **3.** Argot. Drogué, abruti par la drogue. Dans la vieille ville, on rencontre des paquets de *gelés*. Syn. : **gazé**, **stone**.

GELÉE n. f. **1.** *Gelée noire* : gelée blanche qui se produit lorsque la récolte n'est pas toute rentrée : ce qui a été gelé devient foncé, voire noir. **2.** Au pl. Froid qui durera. Attendre aux *gelées* pour débusquer des billes de bois, dans un endroit marécageux.

GELER v. intr. et pron. **1.** Au jeu de la *tag gelée*, s'immobiliser pour devenir intouchable. [+++] **2.** En parlant du lièvre, s'immobiliser pour devenir invisible pour le chasseur, ses couleurs, brune ou blanche, se confondant avec le milieu ambiant. **3.** Rare en fr. *Geler blanc* : faire de la gelée blanche. [+++] **4.** *Geler comme un crapaud, geler comme une crotte, comme un rat* : avoir très froid. **5.** Argot. Se droguer. Il est beaucoup plus facile de *se geler* maintenant qu'il y a quelques années. [+++]

GELEUX, EUSE adj. Qui gèle facilement. Le glaïeul, c'est *geleux*.

GÉLIVÉ, E adj. [#] Fendu, fendillé sous l'effet du froid en parlant du bois, gélif. Un arbre *gélivé*.

GELOTTER v. intr. et impers. (O 25-117) Geler légèrement. [+++] Syn., voir : **gelasser**.

GEMME n. f. Poix, résine dont se servent les cordonniers pour *gemmer*, résiner leur ligneul.

GEMMER v. tr. Enduire de *gemme* ou résine un fil pour le rendre solide et imputrescible, résiner. Syn. : **rosiner**.

GENDARMERIE ROYALE n. f. Corps de police à cheval (d'où police montée) relevant du gouvernement d'Ottawa. Syn. : **police montée**.

GÊNE n. f. [#] Timidité. Il n'est pas venu, par *gêne*.

GÊNÉ, E adj. et n. [#] Timide, gauche. Il faut l'excuser, c'est un enfant *gêné*, c'est un *gêné*.

GENÈVE n. m. [#] Genévrier commun. (acad.) Syn., voir : **genièvre**.

GÉNIE n. m. Intelligence, usage de son intelligence, esprit, raison. D'une personne âgée qui est tombée en enfance, on dira qu'elle n'a plus tout son *génie*. [++]

GENIÈVRE n. m. [#] Genévrier commun. (Gaspésie; acad.) Syn. : **genève**, **sévigné**.

GÉNIGOINE, JARNIGOINE n. f. Intelligence, talent. Il faut en avoir de la *génigoine* pour réussir dans la mécanique.

GENOU n. m. **1.** Argot. Tête chauve. L'as-tu vu, avec son *genou*? Syn. : **naveau**. **2.** *Genou de Sœur* : espèce de rhumatisme ou d'arthrite fréquente chez les Sœurs parce qu'elles resteraient trop longtemps agenouillées.

GENOUILLÉ, E, GENOUILLU, E adj. Qui a des jarrets solides, des jarrets d'acier.

248

GENTILÉ n. m. Appellation des habitants d'un lieu, d'un pays, d'une région, d'une ville, d'un village ... C'est l'Office de la langue française qui a contribué à remettre en usage ce mot qui figurait déjà dans l'*Encyclopédie* de Diderot. Le Québec a son répertoire de *gentilés*. (ROLF)

GÉRANT, E n.*Gérant de banque* : directeur de banque, directrice de banque. [+++]

GÉRANT, E, GÉREUX, EUSE adj. et n. Se dit d'un enfant qui dans les jeux aime diriger, qui a de l'initiative, qui manifeste des qualités de chef. Syn. : **bosseux**, **ingéreux**.

GERCE n. f. **1.** Fissure de la peau des mains ou des lèvres occasionnée par le froid. Syn. : **craque**. **2.** Fente dans l'écorce ou le tronc d'un arbre due à un froid exceptionnel.

GÉRER v. tr. et intr. Commander, diriger en parlant des enfants qui dans un groupe manifestent des qualités de chef. Syn., voir : **bosser 2.**

GERGAUD, E adj. et n. **1.** Sans jugement, écervelé. Ce garçon, c'est un vrai *gergaud*. **2.** Déluré, coureur, surtout en parlant d'un homme mais se dit beaucoup plus souvent d'une femme.

GERMINE adj. f. [#] Germaine. Je te présente ma cousine *germine*.

GERMON n. m. Germe de pomme de terre. (acad.)

GERMONNER v. intr. Pousser des *germons*, des germes surtout en parlant des pommes de terre, germer.

GESTE n. m. Voir : **poser un geste.**

GESTER v. intr. Faire beaucoup de gestes, gesticuler en parlant. Il ne peut dire un mot sans *gester*. Syn. : **gibarrer**, **gibarter**.

249

GESTEUX, EUSE adj. et n. **1.** Personne qui gesticule, qui fait des gestes, des parades en parlant, gesticulateur. [++] Syn. : **gesticuleux**, **gibarreux**, **gibarteux**. **2.** Affecté, maniéré, cérémonieux. Un homme *gesteux*, une femme *gesteuse*. **3.** Ombrageux en parlant d'un cheval.

GESTICULEUX, EUSE adj. et n. Voir : **gesteux** (sens 1).

GET UP! interj. (angl. get up) [Ø] Cri pour faire partir un cheval. [++] Syn. : **marche!**

GIBAR, GIBARRE, GIBART n. m. **1.** Variété de dauphin des eaux froides, épaulard. **2.** Au pl. et fig. Gestes ridicules, exagérés; contorsions. Il ne peut parler sans faire toutes sortes de *gibars*. (acad.) Syn. : **escare**, **sparage**.

GIBARRER, GIBARTER v. intr. Faire des *gibars*, des gestes, des mouvements désordonnés ou exagérés. (acad.) Syn. : **gester**.

GIBARREUX, GIBARTEUX, EUSE n. et adj. Personne qui fait beaucoup de gestes en parlant, qui a l'habitude de *gibarrer*, de *gibarter*. (acad.) Syn., voir : **gesteux**.

GIBELOTTE n. f. **1.** Mets, plat peu réussi ou raté. [+++] **2.** Plat à base de poissons et de légumes souvent appelé *gibelotte des îles*. (Région du lac Saint-Pierre). Syn. : **gargote**, **gargousse**.

GIBOIRE, REGIBOIRE n. f. Perche enlevante avec collet utilisée par les chasseurs et les trappeurs, piège à levier. (E 28101) Syn. : **balancine**, **brimbale**, **ripousse**.

GIBOULETTE n. f. Gros flocons de neige humide comme il en tombe en mars. Le temps des *giboulettes* est arrivé! (acad.)

GIDDY adj. (angl. giddy) [Ø] Légèrement ivre. Syn., voir : **chaudaille**.

GIG n. f. (angl. gig) [Ø] Autrefois, voiture légère à deux roues et à un siège, tirée par un cheval. [+]

GIGIER n. m. [#] Gésier d'une volaille.

GIGNAC n. Voir : **Jonas**.

GIGNOLER v. intr. **1.** Pleurnicher, surtout en parlant d'un enfant. Syn., voir : **lyrer**. **2.** Branler. Quand une table *gignole*, il faut la consolider. Syn., voir : **écriancher**.

GIGOGNE n. f. Espèce de petit travois à mains servant l'hiver à transporter du bois de poêle, du hangar à bois à la maison. (Lanaudière)

GIGONDÉE n. f. Grand nombre, grande quantité. Une *gigondée* de personnes faisaient la queue au bureau de votation. [++] Syn., voir : **tralée**.

GIGUELLE n. f. (Gaspésie) Voir : **véloneige traditionnel**.

GIGUER v. intr. Vx en fr. Danser la gigue au son du violon. [+++]

GIGUEUR, GIGEUX, EUSE n. Danseur de gigue. Il y a quelques années on trouvait des *gigueux* partout à la campagne. [+++]

GIGUÈRE n. Voir : **érable à Giguère**.

GIMMICK, GAMIQUE n. f. (angl. gimmick) [Ø] **1.** Combine, affaire douteuse. [++] **2.** Fig. *Connaître la gimmick*, la *gamique* : connaître la musique. [++] **3.** *Être de la gamique* : être de connivence. [++]

GIN, GROS GIN n. m. Eau-de-vie de grains appelée genièvre. [+++]

GINGEMBRE SAUVAGE n. m. Asaret du Canada, plante très utilisée en médecine populaire. Syn. : **racine de rat musqué**.

GINGEOLER v. intr. **1.** Branler, se disjoindre en parlant d'un meuble. Syn., voir : **écriancher**. **2.** Fig. Être indécis, hésiter, ne pas arriver à prendre une décision. Syn., voir : **berlander**.

GINGER ALE n. m. (angl. ginger ale) [Ø] Voir : **soda au gingembre**.

GINGUER v. intr. Gambader, s'amuser, courir ici et là surtout en parlant des enfants.

GIOLE n. f. **1.** Maison peu confortable, masure. Syn. : **cambuse**, **cascouine**, **coqueron**, **shack**. **2.** *Tête de giole* : personne écervelée, tête légère qui oublie ce qu'on vient de lui dire.

GIOLER v. intr. Dire ou faire des choses qui relèvent de la bêtise, de la niaiserie. Syn. : **niaiser**.

GIOLEUX, EUSE adj. et n. Niais, benêt, nigaud; personne qui *giole*. Syn., voir : **épais**.

GIRAFE n. f. Grande échelle des pompiers. [+++]

GIROUETTE n. f. **1.** Jouet formé d'une hélice de papier ou de plastique fixée au bout d'un bâton et qu'agitent les enfants. **2.** Fig. Personne qui tourne la tête de côté et d'autre.

GIVELURE n. f. [#] Gélivure qui est une fente dans un tronc d'arbre due à un froid excessif.

GLACE n. f. **1.** *Aller aux glaces* : aller à la chasse aux phoques sur les glaces du Golfe. (E 7-142) **2.** *Fausse glace* : sur un lac, une rivière, une patinoire, glace dangereuse comportant des défauts (fissures, loupes...) **3.** Fig. *Mettre sur la glace* : en parlant d'un projet, le reporter à plus tard. Syn. : mettre au **frigidaire**, sur les **tablettes**, mettre dans la **glacière**, **tabletter** (sens 2). **4.** Plante d'intérieur que l'on suspend au plafond, à longues tiges pendantes et qui a besoin d'être souvent bassinée, pothos (Scindapsus aureus). **5.** *Faire de la glace* : autrefois, couper des blocs de glace sur les cours d'eau et les conserver dans d'immenses *glacières* pour être revendus aux particuliers au cours de l'été par les *draveurs* de glace. **6.** Voir : **briser la glace**

GLACÉ, E part. adj. *Vitre glacée* : carreau de verre d'une fenêtre recouvert de givre, frimassé.

GLACIÈRE n. f. **1.** Autrefois, à la campagne, cabanon isolé au bran de scie, qui abritait un trou plus ou moins profond, qu'on remplissait de glace l'hiver et qui servait ensuite à conserver les aliments pendant la saison chaude. **2.** Fig. *Mettre dans la glacière* : reporter un projet à plus tard. Voir : mettre sur la **glace** (sens 3).

GLAÇON n. m. Stalactite de glace qui pend des toits l'hiver. Syn. : **chandelle**.

GLADSTONE n. m. Voiture à quatre roues et à deux sièges, qui servait au transport des personnes à l'époque des chevaux. Marque de fabrique.

GLAGNE n. f. Vulg. Testicule de certains animaux (étalon, taureau, etc.). Syn., voir : **gosse**.

GLAI n. m. Iris versicolore. (acad.) Syn., voir : **clajeux**.

GLAISER v. tr. (angl. to glaze) [Ø] L'hiver, tremper un poisson plusieurs fois dans l'eau froide pour qu'il soit recouvert d'une couche de glace protectrice. (acad.)

GLANDE n. f. Vulg. Testicule de certains animaux (étalon, taureau, etc.) Syn., voir : **gosse**.

GLANE, GLAINE, GLÈNE n. f. **1.** Fig. Bois de flottage échoué. Quand le niveau de l'eau commence à baisser, on remettait la *glane* à l'eau. [++] Syn. : **sweep. 2.** Fig. *Faire la glane, glaine, glène* : a) Ramasser le bois de flottage échoué et le remettre à l'eau. b) Cueillir des fruits sauvages là où une première cueillette a déjà été faite. [+++]

251

GLANER, GLAINER, GLÈNER v. tr. **1.** Fig. Ramasser le bois de flottage échoué sur la grève ou dans les anses à la suite de la baisse des eaux et le remettre à l'eau. Syn. : **sweep. 2.** Fig. Cueillir des fruits sauvages là où une première cueillette a déjà été faite. [+++]

GLANURES, GLAINURES, GLÈNURES n. f. pl. Restes de foins que l'on ramassait après la fenaison. Syn., voir : **rapaillages**.

GLISSADE n. f. **1.** Glissoire horizontale ou en pente sur laquelle les enfants s'amusent à glisser l'hiver, à faire des glissades. [+++] **2.** Trace laissée sur la neige par la loutre ou le vison. Syn. : **glissée. 3.** Diarrhée souvent causée par le fait de manger de la viande de gibier insuffisamment faisandée. Syn., voir : **cliche**.

GLISSANTE n. f. Pâte versée à la cuiller dans un liquide (sirop, jus de viande) en ébullition. (O 54-165) Voir : **grand-père** (sens 1).

GLISSÉE n. f. Trace laissée sur la neige par la loutre ou le vison. Syn. : **glissade** (sens 2).

GLISSETTE n. f. **1.** Glissade. Il a fait une *glissette* sur la glace et il s'est fait mal à un genou. **2.** Fig. Fausse-couche. C'est la deuxième fois que sa femme fait une *glissette*. [+] Syn., voir : **perte**.

GLISSOIRE n. f. **1.** *Glissoire pour le flottage du bois* : dalle quelquefois gigantesque, pourvue d'un courant d'eau et servant au transport de billes de bois au-dessus d'une route ou d'une vallée, le long d'un rapide, à côté d'une chute ou d'un barrage. Syn. : **sluice**. **2.** *Glissoire à poissons, à saumons* : série de bassins étagés en escalier et permettant aux poissons de remonter un cours d'eau là où a été construit un barrage. Syn. : **dalle humide**, **passe migratoire**.

GLOBE n. m. [#] Ampoule électrique. Le *globe* de la cuisine était brûlé, on a dû le remplacer. Syn., voir : **pochette**.

GLOIRE n. f. **1.** *Partir pour la gloire* : s'enivrer. Syn., voir : **brosser**. **2.** Devenir enceinte. Syn., voir : partir pour la **famille**.

GLOIRE DU MATIN n. f. Grand liseron. [+++]

GLORIA n. m. Paquet de cinq cigarettes très populaire à Québec au début du XXe siècle. Syn. : **chômeur**.

GLORIEUX, EUSE adj. Vx en fr. Vaniteux, fier, orgueilleux. (acad.) Syn., voir : **frais**.

GLORIEUX n. m. pl. Voir : **Canadien** (club de hockey).

GLOUTON n. m. Voir : **grakia**.

GLUANT n. m. Nom vulgaire d'un poisson qui s'appelle bec-de-lièvre.

GNOCHON, ONNE n. et adj. Voir : **niochon**.

GNOLE, NIOLE n. f. **1.** Excroissance ligneuse qui se développe sur les arbres, loupe. Une *gnole*, c'est infendable. **2.** Taloche, tape. **3.** Contes, nouvelles imaginaires. As-tu fini de raconter des *gnoles*?

GO! Exclamation (angl. go!) [Ø] **1.** Dans une compétition sportive, signal de départ. S'adressant à des coureurs : attention! un, deux, trois, *go*! **2.** *Partir sur la go* (angl. on the go) [Ø] : s'amuser, prendre un verre.

GOBELET n. m. Voir : **grand gobelet**.

GOBE-MOUCHES n. m. Boîte-piège pour capturer les mouches. Syn., voir : **attrape à mouches**.

GOBER v. tr. (angl. to gob) [Ø] Autrefois, faire des entailles à une bille de bois à équarrir en utilisant une hache à deux tranchants, l'équarrissage devant se terminer en utilisant la *grand'hache* ou hache à équarrir. Syn. : **picosser**.

GOBERGE n. f. Poisson d'eau salée, merlan noir. (acad.)

GODE n. f.; **GODET** n. m. Pingouin commun, oiseau du Golfe.

GODÉ, E adj. À godets. Une jupe *godée*. [++]

GODENDART, GADENDART, GOLENDART n. m. Longue scie munie de deux poignées amovibles et servant à abattre les arbres et à tronçonner, passe-partout. Le *godendart* a été remplacé par la tronçonneuse mécanique appelée *scie à chaîne*, au début des années 40. [+++] Syn. : **truie**.

GO-DEVIL n. m. (angl. go-devil) [Ø] Avant-train du *bobsleigh* utilisé comme *travois* ou traîneau à débusquer les billes de bois. Syn., voir : **bob** (sens 2).

GODICHE n. f. Petite *gode* c'est-à-dire jeune pingouin.

GODILLER v. intr. Fig. Branler, être secoué. Le gros vent fait *godiller* les granges vides. (acad.)

GODIN, GODET n. m. **1.** Monture arquée en bois ou en tube métallique de la scie à bûches. **2.** *Scie à godin, scie à godet* : scie à bûches à cadre de bois ou à cadre tubulaire métallique. Syn., voir : **sciotte**.

GOÉLICHE n. m. Jeune goéland.

GOFRER v. tr. Faire des plis à une robe, à une jupe, goder.

GOGLU n. m. Oiseau de la famille des ictéridés, variété de passereau. [+++] Syn. : **ortolan de riz**.

GOGNON n. m. Serpilière servant à laver ou à éponger les planchers. (acad.) Syn. : **torchon**.

GOGO-BOY n. m. (angl. gogo-boy) [Ø] Jeune garçon qui, en tenue très légère, danse dans les bars, les cabarets ou les discothèques.

GOGO-GIRL n. f. (angl. gogo-girl) [Ø] Jeune fille qui, vêtue très légèrement, danse dans les bars, les cabarets ou les discothèques. Syn. : **danseuse à gogo**, **danseuse topless**, **topless**.

GOGUE n. f. Deuxième estomac des ruminants dont l'intérieur est tapissé de lamelles entrecroisées. (acad.)

GOINCHER v. intr. **1.** Essayer de mordre en parlant d'un cheval hargneux. **2.** Fig. Être de mauvaise humeur en parlant d'une personne.

GOINCHEUX, EUSE adj. **1.** Hargneux en parlant d'un cheval. **2.** Voir : **grinchoux**.

GOISELLIER n. m. [#] Groseillier à grappes.

GOLDENTHREAD n. m. (angl. goldenthread) [Ø] Coptide du Groenland. Syn., voir : **savoyane**.

GOLENDART n. m. Voir : **godendart**.

GOLFER v. intr. Jouer au golf. Il n'y a pas d'âge pour apprendre à *golfer*.

GOLUPIAT n. m. Gourmand. Les enfants, ne faites pas les *golupiats*! (acad.) Syn. : **safre**.

GOMMAGE n. m. (angl. to gum) [Ø] Action de *gommer* une scie, de l'aiguiser, aiguisage, affûtage.

GOMME n. f. **1.** Résine de conifères. *Gomme* de sapin, de pin, d'épicéa. [+++] Syn., voir : **encens**. **2.** *Gomme de sapin* : produit odoriférant appelé baume du Canada et constituant l'un des articles essentiels de la médecine populaire. [+++] **3.** *Gomme à mâcher*, *gomme* : appellation usuelle du chewing-gum. La *gomme* est interdite à l'école. [+++] **4.** *Gomme baloune* (angl. balloon) [Ø] : variété de chewing-gum offrant la possibilité de faire des bulles. [+++] **5.** *Aller à la gomme*. a) Aller en forêt récolter la *gomme* ou résine de certains conifères. b) Fig. *Va donc à la gomme!* Façon polie de dire : va chez le diable! **6.** Fig. *Haute gomme* : personne importante. Syn., voir : gros **casque**.

GOMMÉ, E adj. Gris, ivre. Chaque fois qu'il va au village, il en revient *gommé* bien dur. [++] Syn., voir : **chaud**.

GOMMER v. tr., intr. et pron. **1.** Récolter la *gomme* ou résine de certains conifères. (surt. Beauce) **2.** (Angl. to gum) [Ø] : aiguiser, affûter une scie. **3.** Fig. *Se gommer* : s'enivrer. [++] Contraire : se *dégommer*. Syn., voir : **dalle** (sens 5).

GOMMEUR, EUSE n. **1.** Personne qui récolte la *gomme* ou résine de certains conifères. (Beauce) Syn., voir : **piqueur de gomme**. 2 (Angl. gummer) [Ø] : ouvrier spécialisé dans le *gommage*, l'aiguisage, l'affûtage des scies.

GOMMEUSE n. f. (angl. gummer) [Ø] Machine à aiguiser les scies.

GOMMIÈRE n. f. Blessure à un conifère d'où coule de la *gomme* ou résine.

GONDOLE n. f. **1.** Variété de télésiège, de remonte-pente dans les stations de ski. **2.** Femme de mauvaise vie. Syn., voir : **guedoune**.

GONFLE adj. Rég. en fr. Enflé. Avoir les mains *gonfles*. (acad.)

GONFLE n. m. Rég. en fr. Gonflement du pis d'une vache annonçant que le vêlage est proche.

GONFLER v. intr. Monter en parlant d'un cours d'eau, suite à la pluie ou à la fonte des neiges. Au début du printemps, les cours d'eau *gonflent*.

GOOF, GOUFE n. f. (angl. goof) [Ø] Alcool de fabrication domestique. Syn., voir : **bagosse**.

GOOF BALL, GOOF n. f. (angl. goof ball) [Ø] Variété de barbituriques. Syn. : **peanut** (sens 3).

GOOF-BALLEUR n. (angl. goof baller) [Ø] Personne qui absorbe des *goof balls*.

GORDON n. m. Morceau de bois d'une longueur inférieure à celle des autres. En cordant du bois, mettre les *gordons* de côté.

GORDOUCHE n. f. Espèce de brimbale qu'on utilise pour sortir les blocs de glace d'une rivière.

GORDOUNE n. f. Tabac à pipe de mauvaise qualité. Syn., voir : **vérine**.

GORGE n. f. **1.** *Être en gorge, faire sa gorge* : se dit du blé, de l'avoine montant en épi. [+++] **2.** Voir : **grosse-gorge**.

GORGETTE n. f. **1.** Sous-gorge de la bride du cheval. [+++] Syn. : **gorgière**. **2.** Gorgère, bride qui attache un chapeau d'enfant, de femme. [++]

GORGIÈRE n. f. **1.** Sous-gorge de la bride du cheval. (acad.) Syn. : **gorgette** (sens 1). **2.** Partie grasse de chaque côté de la gorge d'un porc. (acad.)

GORGOTON, GARGOTON n. m. **1.** (sophage de certains animaux. [+++] Syn. : **herbière**. **2.** Gorge, gosier, pomme d'Adam. Avoir le *gargoton* saillant. [+++] Syn., voir : **gavion**. **3.** Fig. *Se mouiller, se rincer le gorgoton* : boire, s'enivrer. [++] Syn., voir : **dalle** (sens 7).

GORICHE n. m. Petit cochon, goret. Il est temps de sevrer ces petits *goriches*.

GORLÈZE n. f. (acad.) **1.** Voir : **guedoune** (sens 1). **2.** Voir : **toutoune** (sens 2).

GORLICHE n. f. Voir : **gourliche**.

GORLOT n. m. [#] Voir : **grelot**.

GORNAILLE n. f. [#] Voir : **gournable**.

GORNÉ, E part. adj. [#]; **GORNU, E** adj. [#] Riche en grains, grenu. De l'orge, de l'avoine, des épis de maïs bien *gornés*.

GORNOTTE n. f. [#] Voir : **grenotte**.

GORNOUILLES n. f. pl. [#] Voir : **grenouilles**.

GOROUÉE n. f. [#] Voir : **grouée**.

GORTONS n. m. pl. [#] Voir : **cretons**.

GOSSAGE n. m. **1.** Action de tailler, de *gosser* un morceau de bois à l'aide d'un canif. **2.** Fig. Le fait de courtiser une jeune fille, de flirter. Le *gossage* à 12 ans, c'est trop tôt!

GOSSE n. f. **1.** Vulg. Testicule de l'être humain et des animaux. [+++] Syn. : **amourette**, **balle**, **boule**, **chenolle**, **galache**, **glagne**, **glande**, **marbre**, **noix**, **parties**, **poire**. **2.** Fig. *Partir rien que sur une gosse* : partir rapidement, à toute allure. Syn., voir : **pinouche**. **3.** Argot des anciens pensionnats. *Gosses de nègre* : pruneaux. Une fois par semaine, on nous servait des *gosses de nègre* au déjeuner, façon sûre de prévenir la constipation. Syn., voir : avoir des **guts**. **4.** Fig. *Avoir des gosses* : être volontaire, énergique, avoir du caractère, des couilles. Syn. : avoir des **guts**.

GOSSER v. tr. **1.** Tailler un morceau de bois avec un canif ou un couteau; quelquefois, dégrossir à la hache. [+++] Syn. : **chacoter, doler** (sens 2). **2.** Fig. Courtiser une jeune

254

fille, flirter. François n'a que 12 ans et déjà il *gosse* la petite Martine. [+++] **3.** Faire. Mais, toi? Qu'est-ce que tu *gosses* ici?

GOSSEUR, GOSSEUX, EUSE n. et adj. **1.** Qui aime tailler un morceau de bois avec un canif. [+++] **2.** Fig. Qui aime flirter, en parlant des jeunes garçons ou des jeunes filles. [+++] **3.** Fig. Se dit de quelqu'un qui travaille mal, qui bousille son travail. Syn., voir : **broucheteur**.

GOSSURE n. f. Au pl. Éclats, petits copeaux, faits avec un canif, un couteau. Faire des *gossures* pour allumer le poêle. [+++] Syn., voir : **écopeau**.

GOT n. m. Voir : **gau**.

GOTON n. m. Jambier servant à maintenir écartées les jambes d'un animal de boucherie abattu à la ferme et pendu tête en bas. Syn., voir : **janvier**.

GOTTE n. f. *Avoir la gotte* : s'étouffer en mangeant, avaler de travers.

GOUAILLE n. f. Plaisanterie, taquinerie. Entendre la *gouaille.* (acad.)

GOUAILLER v. tr. Taquiner, plaisanter, se moquer de quelqu'un. (acad.)

GOUDRELLE, GOUDRILLE, GOUTTERELLE n. f. Autrefois, gouttière de bois ou de métal conduisant la sève de l'érable au contenant destiné à la recueillir. (O 25-116) Syn., voir : **chalumeau**.

GOUDRIER n. m. Cuir de très bonne qualité utilisé pour ressemeler les chaussures. [+++]

GOUDRIOLE n. f. Voir : **gaudriole**.

GOUDRON n. m. **[#]** Goulot. Bouteille à *goudron* étroit. [++] Syn., voir : **gouleron**.

GOUÈCHE n. f. Loc. adv. *À gouèche, à la gouèche* : en quantité, en abondance. Avoir du foin, des légumes, des fruits *à gouèche, à la gouèche.*

GOUFE n. m. (angl. goof) **[Ø]** Voir : **goof**.

GOUFFE, GOULFE adj. Mar. **1.** Se dit d'un bateau dont la quille n'est pas effilée, qui a une quille ballonnée. (acad.) **2.** Fig. Émoussé, non aiguisé. Un couteau dont la lame est *gouffe* doit être affûté. (acad.) Syn. : **mousse. 3.** Fig. Lourdaud en parlant d'un être humain. Syn. : **mousse.**

GOUFFRE n. Fig. Gros mangeur, grosse mangeuse, personne insatiable.

GOUGE n. f. **1.** Variété d'herminette à tranchant incurvé. Syn., voir : **herminette. 2.** Ciseau en métal à bout tranchant utilisé autrefois pour entailler les érables : c'est dans l'entaille faite par cette *gouge* en métal qu'on introduisait une *goudrelle*, une *goudrille*, une petite *gouge* ou une *coulisse*, lesquelles étaient en bois ou en fer-blanc. (Lanaudière) **3.** Gouttière de bois ou de métal conduisant la sève sucrée de l'érable au contenant destiné à la recueillir. Syn., voir : **chalumeau. 4.** Joug à épaules servant à transporter deux seaux, gorge. Syn., voir : **jouque** (sens 2).

GOUGOUNE n. f. **1.** Bas de feutre épais épousant la forme de la botte de caoutchouc qui le recouvrira. **2.** Botte de caoutchouc qui recouvre un bas de feutre épais. **3.** Chaussure de plage constituée d'une semelle de caoutchouc ou de plastique maintenue en place par un cordon passant entre le gros orteil et l'orteil voisin. Syn., voir : **sloune. 4.** Arg. scol. Au secondaire, jeune fille rangée dont le pendant mâle est le *piton*.

255

GOUGOUNE adj. et n. Argot. Un peu idiote, niaise en parlant d'une jeune fille. [++] Syn., voir : **épais**.

GOUINE n. f. **1.** Voir : **guedoune** (sens 1). **2.** Voir : **toutoune** (sens 2).

GOUJON n. m. Autrefois, dans les clôtures de perches, chevilles de bois réunissant deux piquets et sur lesquelles reposaient les perches. Syn. : **gornaille**, **gournable**, **gournaille**.

GOULE n. f. **1.** Rég. en fr. Terme général pour bouche, gueule. Pour une fois, taise donc ta *goule*! (acad.) **2.** *Goules noires* : camarine noire. (acad.) Syn. : **graines à corbigeaux**, **graines de corbigeaux**, **graines noires**. **3.** *Musique à goule* : harmonica. Syn., voir : **ruine-babines**.

GOULEILLANT, E adj. Fig. En parlant d'une femme, belle, appétissante, désirable.

GOULERON, GOULON n. m. [#] Goulot. Casser le *gouleron, le goulon* d'une bouteille. (surt. O 36-86) Syn. : **goudron**.

GOULFE adj. Voir : **gouffe**.

GOULFÉ, E adj. Ébréchée en parlant de la lame d'un couteau. (acad.)

GOULIAFRE, GOULIAT adj. Vx en fr. Glouton, goulu surtout en parlant des hommes. Syn., voir : **safre**.

GOULUPIAU n. m. Gourmand, glouton. (acad.) Syn., voir : **safre**.

GOUPILLE n. f. Esse d'essieu destinée à maintenir en place une roue de charrette, de tombereau ... [++]

GOURDE adj. Imbibé d'eau. Du bois *gourde*, ça ne flotte pas.

GOURDINER v. tr. Frapper, toucher, menacer avec un *gourdin*, un bâton, une *hart*. Quand on suit un troupeau de vaches, on *gourdine* les paresseuses qui traînent à l'arrière. Syn., voir : **agoner**.

GOURET n. m. De 1909 à la fin des années 50, on a tenté sans succès de remplacer le mot *hockey* (jeu, bâton) par gouret.

GOURGANE n. f. **1.** Rég. en fr. Fève des marais servant surtout à faire une soupe qui est une spécialité de la région de Charlevoix. Syn., voir : **orteil de prêtre**. **2.** Bajoue de porc fumée. (O 37-85)

GOURGOUSSER v. intr. Gargouiller. Il ne digère pas bien, ça lui *gourgousse* dans l'estomac.

GOURLICHE, GORLICHE n. f. Aux cartes, partie sans aucun point. Faire une *gorliche* ou faire *gorliche*.

GOURMER (SE) v. pron. **1.** Se rengorger, faire montre d'une satisfaction béate en apprenant une bonne nouvelle. **2.** Se débarrasser le fond de la gorge des mucosités d'un rhume, avant de prendre la parole.

GOURNABLE, GORNAILLE, GOURNAILLE n. f. Mar. Autrefois, dans les clôtures de perches, chevilles de bois réunissant deux piquets et sur lesquelles reposaient les perches. Syn., voir : **goujon**.

GOUSSET n. m. Lien d'angle reliant obliquement deux parties d'un assemblage (poutre et poteau). [++] Syn. : **braçage, brace, courbe, guette, lien**.

GOÛT n. m. **1.** *Avoir un petit goût ou un goût* : avoir un mauvais goût. Ce pâté a un *goût*, un *petit goût*. **2.** *Goût de tinette*. Voir : **tinette**.

GOÛTER v. tr. et intr. **1.** Rég. en fr. Avoir le goût de. Ces confitures *goûtent* le brûlé; goûte-les et tu te rendras compte. [+++] **2.** *Goûter bon, mauvais* : avoir bon goût, mauvais goût. Cet apéritif *goûte* bon, *goûte* mauvais. [+++]

GOUTTERELLE n. Voir : **goudrelle**.

G.P. n. m. (angl. *g*rand *b*ounce) [Ø] Sigle. Donner son *G.P.* à quelqu'un : mettre à pied, renvoyer, mettre à la porte.

GRABU n. m. Calme après une période d'énervement.

GRADEUR, GRÉDEUR n. m. (angl. grader) [Ø] Engin de terrassement automoteur muni d'une lame orientable et servant à profiler la surface du sol, d'une route, niveleuse.

GRADUATION n. f. (angl. graduation) [Ø] **1.** En milieu urbain, avant 1960, cérémonie de remise des diplômes aux jeunes filles qui terminaient leurs études après les quatre premières années des études secondaires de l'époque, appelé *cours classique*. Avant les années soixante, rares étaient les jeunes filles qui terminaient le cours secondaire de sept ou huit ans. **2.** *Bal de graduation* : bal qui soulignait l'entrée dans le monde des jeunes filles qui avaient terminé leur quatrième année d'études secondaires.

GRAFIGNE n. f. Égratignure, éraflure, griffure. Mon auto n'a pas une seule *grafigne*. [+++] Syn. : **grafignure**.

GRAFIGNER v. tr. Rég. en fr. Égratigner, érafler, griffer. Se faire *grafigner* par un chat, *grafigner* son auto. [+++]

GRAFIGNEUSE n. f. Appellation humoristique de la sage-femme d'autrefois. Syn., voir : **matrone**.

GRAFIGNURE n. f. Égratignure, éraflure, griffure. [+++] Syn. : **grafigne**.

257

GRAIN n. m. **1.** *Le grain* : les céréales (avoine, orge, blé...) sur pied ou coupées. Le *grain* est beau cette année, on va couper le *grain*, rentrer le *grain*, battre le *grain*. [+++] **2.** *Grain du bois* : fil du bois. [+++] **3.** *Grain de pluie* : goutte de pluie. [+++] **4.** Fig. *Grain de blé d'Inde* : nombril, en langage enfantin. Syn., voir : **nambouri**. **5.** Fig. *Avoir le grain fin, le grain serré* : être intimidé, embarrassé, dans ses petits souliers. **6.** Fig. *Serrer le grain à quelqu'un* : gronder, semoncer quelqu'un. **7.** *À gros grains* : a) médiocre, incompétent. Un tanneur *à gros grains*. b) Plus ou moins pratiquant en parlant d'un catholique.

GRAINAGE n. m. Au pl. *Aller aux grainages* : aller à la cueillette des fruits sauvages. (acad.) Syn. : **fruitages**, **graines**.

GRAINE n. f. **1.** Miette, petite quantité. Tiens, on va ramasser les *graines* de pain et les donner aux petits oiseaux. Des médicaments, il en reste une *graine*. [+++] Syn., voir : **brette**. **2.** *À la graine* : en petite quantité. Ceux dont les revenus sont modestes ont l'habitude de tout acheter *à la graine*. [+++] Syn., voir : **brette**. **3.** Pépin de pomme. **4.** Vulg. Organe de copulation de l'homme et des animaux. [+++] Syn., voir : **pine** (sens 5). **5.** *Graines à corbigeaux, de corbigeaux* : camarine noire. Syn., voir : **goules noires**. **6.** *Graines de perdrix*. a) Cornouiller du Canada. Syn. : **pain de perdrix**. b) Airelle vigne d'Ida. (O 34-91) Syn., voir : **berri**. **7.** *Graines noires* : camarine noire. (E 22-124) Syn., voir : **goules noires**. **8.** *Graines rouges* : airelle vigne d'Ida. (Côte-Nord et Îles de la Madeleine) Syn., voir : **berri**. **9.** *Aller aux graines* : aller à la cueillette des fruits sauvages. (acad.)

Syn. : aller aux **fruitages**, aux **grainages**. **10.** *Pas une graine* : pas du tout, rien. Des pommes, cette année je n'en ai *pas une graine*.

GRAINÉ, E adj. **1.** Bien fourni en grains en parlant des céréales, grenu. [+++] **2.** Voir : **gréementé**.

GRAINER v. tr. Semer du *mil* ou du trèfle en même temps qu'on sème de l'avoine, de l'orge ou du blé pour y récolter du *mil* ou du trèfle l'année suivante. Syn. : **miller**.

GRAISSAGES, GRAISSAILLES n. m. pl. Autrefois, déchets de corps gras entrant dans la fabrication du savon domestique. Syn., voir : **consommage**.

GRAISSER v. tr. et pron. **1.** [#] Recouvrir une tranche de pain de beurre, de confiture, de mélasse, etc. [+++] Syn. : **beurrer**. **2.** Fig. Donner des pots-de-vin pour obtenir des faveurs, graisser la patte à quelqu'un. **3.** Fig. Se couvrir en parlant du ciel. [++] Syn., voir : **se chagriner**. **4.** Fig. *Graisser ses bottes* : se préparer à partir.

GRAISSOUX, OUSE adj. Taché de graisse, graisseux. Avoir les doigts *graissoux*. [+++]

GRAKIA, GRAQUIA n. m. Bardane, plante et capitules. (O 36-91) Syn. : **amoureux**, **artichaut**, **artichou**, **glouton**, **grappe**, **gratteau**, **piquant**, **rapace**, **rhubarbe du diable**, **tabac du diable**, **teigne**, **toque**.

GRALER v. tr. Vx et dial. en fr. Griller, rôtir. Faire *graler* de l'orge ou du pain pour se faire du café.

GRAMMY n. m. (angl. Grammy award) [Ø] Appellation spécifique des oscars de l'industrie du disque. En 1984, le chanteur Michael Jackson a reçu huit *grammys*.

GRAMOPHONE, GRAPHOPHONE n. m. Vx en fr. Phonographe, tourne-disques.

GRAND, E adj. **1.** *Grand comme ma main, grand comme la main* : de petite surface (terrain, champ, pièce d'habitation). **2.** *Grand comme ma, grand comme la gueule* : de petit volume, de petite contenance (habitation, pièce d'habitation).

GRAND adv. *En grand* : très, beaucoup. Il fait froid *en grand*, c'est beau *en grand* il y a du monde *en grand*.

GRAND BROCHET n. m. Brochet.

GRAND'CHAMBRE n. f. Voir : **chambre** (sens 2).

GRAND-CHEVEUX n. f. Voir : **guedoune**.

GRANDE n. f. **1.** Troisième ou quatrième vitesse d'une automobile. Rouler sur la *grande*. [+++] **2.** *En grande* : en troisième ou quatrième vitesse. Monter une côte *en grande*. [+++] **3.** *En grande* (loc. adv.) : rapidement, à la course. Partir *en grande*. [+++] **4.** Fig. *Comme une grande* : très bien. Après tous ces tests, cette montre continue à marcher *comme une grande*. [+++]

GRANDE-CHAISE n. f. Constellation de la Grande-Ourse.

GRANDE-GUEULE n. f. **1.** Bavard, qui a la manie de tout dire. Ne t'y fie pas, c'est une *grande-gueule*. Syn. : **grande-langue 2.** Gueulard, personne qui a l'habitude de parler fort et avec assurance sur n'importe quel sujet.

GRANDE-LANGUE n. f. Voir : **grande-gueule** (sens 1).

GRANDEMENT adv. À l'aise, avec l'espace voulu. À deux, ils seront *grandement* dans cet appartement de quatre pièces. [+++]

GRANDET, ETTE adj. Vx et rég. en fr. Qui commence à devenir grand, grandelet. Son fils, maintenant *grandet*, aide beaucoup aux travaux de la ferme. [+++]

GRANDE-TASSE À EAU (E 38-84) n. f.; **GRAND-GOBELET** (O 36-86) n. m. Contenant de fer-blanc, à anse ou à queue, d'une contenance d'environ deux litres, et servant à transvaser des liquides. Syn. : **dippeur**, **gabotte**, **pinte à eau**, **tasse à eau**.

GRANDE-TERRE, GRAND-TERRE n. f. Voir : **grand-terre**.

GRAND-GRAND-MÈRE n. f.; **GRAND-GRAND-PÈRE** n. m. Bisaïeule, bisaïeul.

GRAND'HACHE n. f. **1.** Hache à taillant unique et large servant autrefois à l'équarrissage des billes de bois. **2.** Ouvrier qui utilisait la *grand'hache* à équarrir. La *grand'hache* suivait le *picosseux*. **3.** *Travailler de la grand'hache* : faire de l'équarrissage.

GRAND-JEUNE n. m. Être *grand-jeune* : avoir environ vingt ans. J'étais *grand-jeune* quand ce naufrage est arrivé. (acad.)

GRAND-MAISON n. f. À la campagne, jusqu'à une date récente, maison d'hiver confortable qu'on quittait pour les mois chauds et que l'on réintégrait au début de septembre.

GRAND-MALADE n. Malade dont les jours sont comptés. [+++]

GRANDS-MERS n. f. Grandes marées. Les gens qui habitent le long du Saint-Laurent en aval de Trois-Rivières connaissent bien les *grands-mers*.

GRAND-MODESTE n. Imbécile. Quand on vieillit, on devient, on *vire grand-modeste*. (acad.)

GRAND MONDE n. m. Grandes personnes, adultes. On dira à un enfant : va jouer dehors et laisse le *grand monde* tranquille. [+++]

GRANDE PERCHE n. f. Femme mince et très grande.

GRAND-PÈRE n. m. **1.** Au pl. et fig. Pâte versée à la cuiller dans un liquide (essentiellement du sirop ou de la cassonade) en ébullition. [+++] **2.** Voir : **horloge grand-père**.

GRAND-TERRE n. f. Le continent, pour les habitants des Îles-de-la-Madeleine, de l'Île du Prince-Édouard, du Cap-Breton, de Terre-Neuve et d'Anticosti. (acad.)

GRAND-VISITE n. f. Visiteurs rares ou importants.

GRANDEUR n. f. **1.** [#] Taille. La *grandeur* d'un veston, d'un vêtement. **2.** [#] Pointure. Chaussures de *grandeur* huit ou trente-deux. **3.** *Parler à la grandeur, en grandeur* : parler en employant des mots précis mais avec affectation. (acad.) Syn., voir : parler en **termes**. **4.** Format. La *grandeur* d'un livre, d'une photo. **5.** Encolure d'une chemise. **6.** Tour de tête d'une coiffure, d'un chapeau.

GRANITE n. m. (angl. granite) [Ø] Fer émaillé. Tasse, plat, casserole en *granite*. [++]

GRANOLA n. et adj. Personne qui suit un régime alimentaire à base de céréales et de légumes naturels, amateur de l'alimentation naturelle. Marque déposée.

GRAPPE n. f. **1.** Voir : **grakia**. **2.** Onglée. On risque d'avoir la *grappe* si on travaille à mains nues par temps froid. (acad.) Syn., voir : avoir la **bébite aux doigts**. **3.** Voir : **de grippe et de grappe**.

GRAPPIN n. m. **1.** Appareil constitué de deux gros crochets pointus, fixé à une chèvre et servant à essoucher. Syn., voir : **essoucheuse**. **2.** [#] Au pl. Crampons fixés aux chaussures et qui empêchent de glisser sur la glace.

259

GRAQUIA n. m. Voir : **grakia**.

GRAS, GRASSE adj. **1.** *Gras comme un voleur* : très gras, en parlant des hommes seulement. [++] **2.** *Grasse comme une loutre* : très grasse, en parlant des femmes seulement. [++] **3.** *Gras à plein cuir* : gras, à pleine peau, boule de suif en parlant d'un homme ou d'une femme. [+++] **4.** *Parler gras* : grasseyer. **5.** Voir : *quête grasse.* .

GRAS-CUIT adj. Peu cuit, insuffisamment cuit. Ce pain est raté, il est *gras-cuit*. [+++] Syn., voir : **alis**.

GRAS DE JAMBE n. m. **1.** Mollet, gras de la jambe. Avoir de l'eau jusqu'à la hauteur du *gras de jambe*. **2.** Fig. *Cela lui fait un beau gras de jambe* : cela lui fait une belle jambe!

GRAS-DUR adj. inv. **1.** Très gras en parlant d'une personne ou d'un animal. **2.** Fig. Se dit de quelqu'un qui est très bien payé, qui n'a pas de soucis financiers. Certains hauts fonctionnaires sont *gras-dur*.

GRASSET, ETTE adj. Vx en fr. Un peu gras. Cette femme est très jolie, mais elle est un tantinet *grassette*.

GRATIN, GRATIN DE CHAUDRON n. m. **1.** Ce qui reste attaché au fond d'une casserole, d'une poêle, d'un chaudron. **2.** Fig. Dernier-né d'une famille nombreuse. Syn., voir : **chienculot**.

GRATIGNER v. tr. Égratigner.

GRATIGNURE n. f. Égratignure.

GRATTE n. f. [#] **1.** À l'époque des chevaux, grattoir constitué d'une large planche à laquelle on avait fixé des limons et qui servait à gratter les chemins l'hiver; grattoir à neige. [+++] Syn. : **gratteux**, **scrapeur** (sens 3). **2.** À l'époque des chevaux, grattoir pour les chemins d'été, constitué d'un cadre de bois muni de lames d'acier qui râpaient et égalisaient la surface de gravier ou de terre. [+++] Syn. : **gratteux**, **scrapeur** (sens 3). **3.** Aujourd'hui, chasse-neige servant à déblayer les rues et les routes enneigées. **4.** Aujourd'hui niveleuse autotractée servant à profiler la surface d'une route de gravier. **5.** Binette, houe dont le fer fait un angle légèrement aigu avec le manche. (surt. O 25-117) **6.** *Gratte à ciment* : binette dont le fer est percé d'un trou de trois à quatre centimètres de diamètre et qui sert à remuer le ciment qu'on prépare. **7.** Fig. Verte semonce. Donner ou recevoir une *gratte*. (Lanaudière) Syn., voir : **call-down**.

GRATTEAU n. m. Voir : **grakia**.

GRATTELLE n. f. Vx en fr. Maladie de la peau qui provoque de vives démangeaisons, gale légère.

GRATTE-PIEDS n. m. Lame de métal fixée à l'extérieur de la maison, souvent sur l'une des marches de l'escalier menant à la *galerie* et sur laquelle on gratte ses chaussures avant d'entrer, grattoir, décrottoir. [+++]

GRATTER v. intr. **1.** Faire. Mais, qu'est-ce que tu *grattes* ici, ça fait une heure qu'on t'attend. **2.** Être avare, mesquin, lésiner. [+++] **3.** *Gratter une coquille d'œuf deux fois avant de la jeter* : être avare. Syn., voir : **avaricieux**.

GRATTERIE n. f. Appellation du jeu de loterie instantané consistant à gratter les cases du billet qu'on vient d'acheter pour savoir sur-le-champ si on a gagné ou pas. Syn. : **grattouille**.

GRATTEUX n. m. **1.** Voir : **gratte** (pour chemins d'été ou d'hiver) (sens 1 et 2). **2.** Voir : **gratterie**. **3.** *Gratteux de chemin* : autrefois, cantonnier chargé de l'entretien des chemins de terre ou de gravier.

GRATTEUX, EUSE adj. et n. Avare, mesquin, très près de ses sous. Il est *gratteux*, c'est un *gratteux*, qui peut tondre une *cent*. Syn., voir : **avaricieux**.

GRATTIN, E n. et adj. **1.** Avare, mesquin, très près de ses sous. (E 25-117) Syn., voir : **avaricieux**. **2.** Le dernier né dans une famille nombreuse d'autrefois.

GRATTOIR n. m. **1.** Pelle pouvant avoir jusqu'à 75 cm de largeur et servant à pousser la neige des entrées de garage, des patinoires à glace, pousse-neige. Syn. : **banneau** (sens 3). **2.** Voir : **gratte** (pour chemins d'été ou d'hiver) (sens 1 et 2).

GRATTOUILLE n. f. Voir : **gratterie**.

GRAVAIL n. m. Menu gravier que l'on trouve au bord du la mer.

GRAVAILLE n. f. (acad.) Voir : **gravelle**

GRAVAILLER (SE) v. pron. Se rouler dans le sable, le gravier, pour faire sa toilette, en parlant des oiseaux, des poules. (acad.) Syn., voir : **s'épivarder** (sens 1).

GRAVE n. f. **1.** (E 9-133) Voir : **gravelle**. **2.** Rivage, grève où se trouve du gravier et où les pêcheurs font sécher la morue. **3.** *Faire la grave* : avoir du bon temps, ne pas aller à la pêche à cause du mauvais temps.

GRAVE adj. Argot. *Être grave* : ne pas s'en faire, être prêt à toute éventualité.

GRAVELLE n. f. Vx en fr. Gravier. Les chemins de *gravelle* ont commencé à remplacer les chemins de terre au début du XXe siècle. [+++] Syn. : **gravaille**, **grave**, **gravois**, **grève**.

GRAVENSTEIN n. f. Variété de pommes à couteau.

GRAVIER, GRAVIÈRE n. Personne (homme ou femme) chargée de retourner la morue sur les vigneaux ou sur la *grave* au bord de la mer pour la faire sécher.

GRAVILLEUX, EUSE, GRAVOILLEUX, EUSE (O 36-85), **GRAVOUILLEUX, EUSE, GRAVOUTEUX, EUSE** (O 37-85) adj. Où le gravier ou *gravois* est en abondance. Une pièce de terre *gravilleuse, gravoilleuse, gravouteuse*.

GRAVOIS n. m. (O 36-85) Voir : **gravelle**.

GRAVOUILLER v. tr. et intr. Gratter. Les poules en liberté aiment *gravouiller* dans la terre. [+++]

GRAVY, GRÉVÉ n. m. (angl. gravy) [Ø] Sauce au jus de viande. Manger de la viande avec du *gravy*. Anglicisme en perte de vitesse.

GRÉBICHE, GRIBICHE n. f. **1.** Femme aigre, acariâtre, surtout en parlant d'une vieille fille. (Charsalac et Beauce) **2.** Lampion à l'huile.

GRÉBICHER v. intr. Rouspéter, manifester son mauvais caractère en parlant d'une femme. Philomène passe ses journées à *grébicher*.

GRÉDEUR n. m. (angl. grader) [Ø] Voir : **gradeur**.

GREDUCHE n. f. Jeune fille un tantinet prétentieuse et ridicule, donzelle. Syn. : **gudule**.

GRÉÉ, GRÉYÉ, E p. adj. Mar. *Être bien gréé*. a) Avoir tout le mobilier nécessaire. [+++] b) Posséder un bon matériel d'exploitation en parlant d'un cultivateur, un bon équipement, en parlant d'un entrepreneur. [+++] Syn. : **arrimé**. c) Vulg. En parlant d'une femme, avoir une poitrine avantageuse. d) Vulg. En parlant d'un homme, être armé d'un pénis imposant. Syn., voir : **amanché**, **gréementé**. e) *Être gréé* : par antiphrase, être atteint d'une maladie vénérienne. Syn., voir : **gréement**.

261

GRÉEMENT n. m. Mar. **1.** Équipement de chasse, de pêche, de ski. Syn. : **agrès**. **2.** Mobilier d'une maison. Syn., voir : **ménage** (sens 1). **3.** Instruments aratoires. [+++] Syn., voir : **roulant** (sens 1). **4.** Accessoires de l'*érablière*. **5.** Baluchon et son contenu d'un travailleur forestier. **6.** Équipement d'un entrepreneur en travaux publics. [+++] Syn. : **shebang** (sens 2). **7.** Fig. Un des conjoints dans un couple mal assorti. [+++] Syn., voir : **amanchure** (sens 2). **8.** Tout procédé ingénieux qui facilite le travail. Syn., voir : **patente** (sens 1). **9.** Vulg. Organe de copulation de l'homme et de certains animaux. [+++] Syn., voir : **pine** (sens 5).

GRÉEMENTÉ part. adj. Mar. Vulg. En parlant d'un homme, être pourvu d'un pénis imposant. Syn. : **amanché, arrimé, grainé, gréé**.

GRÉEMENTER v. tr. Mar. Imaginer, inventer, bricoler. Notre voisin s'est *gréementé* un appareil pour fendre le bois de chauffage. Syn. : **chef-d'œuvrer** (sens 1), **patenter** (sens 2).

GRÉER, GREYER v. tr. et pron. Mar. **1.** Préparer, habiller. *Gréer* les enfants pour partir. *Gréer* la table pour le repas. [+++] Syn. : **appareiller, parer**. **2.** S'habiller, préparer. *Greye-toi* et *greye* les enfants, on part dans dix minutes. [+++] Syn. : **appareiller, arrimer, trimer**. **3.** Acheter. Notre voisin *s'est greyé* d'un nouveau tracteur. [+++]

GRÉGOUSSE n. f. Jeune fille à l'âge d'être courtisée. Syn. : **blonde**.

GRÊLASSER v. impers. Grêler un peu. Heureusement qu'il n'a que *grêlassé* car toute la récolte eût été perdue.

262

GRELETTE, GUERLETTE n. f. Pomme de terre trop petite pour la consommation. (acad.) Syn., voir : **grelot** (sens 2).

GRELOT, GORLOT n. m. **1.** Motte de terre ou de neige gelée, morceau de glace dans les chemins. Du temps des chemins de terre, on passait l'automne sur les *grelots*. (entre 54-76 et 27-101) Syn., voir : **bourdignon**. **2.** Pomme de terre trop petite pour la consommation. [+++] Syn. : **grelette, querlette, jarnotte** (sens 2), **patate à cochons**. **3.** Au pl. Bande de grelots fixée au harnais des chevaux ou au brancard des voitures de promenade, l'hiver, grelottière. Syn. : **grelotterie**. **4.** Vulg. Testicule d'animal. Syn., voir : **gosse**. **5.** Fig. Bouche. *Se fermer le grelot* : se taire. Syn. : **boîte, trappe**.

GRELOTTERIE n. f. [#] Voir : **grelots** (sens 3).

GRELOTTEUX, EUSE adj. Qui grelotte, qui tremble de froid. Avec l'âge, on devient *grelotteux*.

GRÉMILLANT, E, GRÉMILLEUX, EUSE adj. Qui s'émiette facilement. Une brioche *grémillante*, un pain *grémillant, grémilleux*. Syn. : **égrémillant, égrémilleux**.

GRÉMILLE n. f. Miette de pain. Quand le pain est sec, il fait des *grémilles*. (O 34-86) Syn. : **graine** (sens 1).

GRÉMILLER v. tr. et pron. Réduire en miettes, en poudre, écraser, s'émietter. *Grémiller* du mortier, du pain. Syn., voir : **égrener**.

GRÉMILLON n. m. **1.** Grumeau dans une sauce. Syn., voir : **motton**. **2.** Voir : **grelot** (sens 1). **3.** Au pl. Crottes prises aux poils des fesses des vaches en hibernation.

GRÉMIR v. tr. et intr. **1.** Écraser, émietter. *Grémir* du mortier qu'on donnera aux pondeuses. Syn., voir : **égrener**. **2.** Fig.

Corriger, battre un enfant. Cet enfant m'exaspère tellement que je pourrais le *grémir*. **3.** Voir : **gricher, grésiller**.

GRENASSER v. imper. Pleuvoir légèrement, bruiner. Syn., voir : **mouillasser**.

GRENIER À FOIN, GRENIER n. m. Fenil. [+++] Syn., voir : **fani**.

GRENOTTE, GORNOTTE, GARNOTTE n. f. **1.** Gravier, petits cailloux. [++] **2.** Pierre concassée qui entre dans la fabrication des revêtements bitumineux des routes. [+++]

GRENOUILLES n. f. [#] Au pl. Oreillons, maladie des êtres humains et aussi de certains animaux dont les cochons. [++] Syn. : **auripiaux**.

GRENOUILLÈRE n. f. Rare en fr. Terrain bas, humide, marécageux. [++] Syn., voir : **savane**.

GRENU, GORNU, E adj. Nombreux, abondant. Les pommes de terre sont *grenues*, cette année, l'orge et le blé sont *grenus*.

GRÉSILLER v. intr. Grincer des dents. (acad.)

GRETONS, GORTONS n. m. pl. [#] Voir : **cretons**.

GRÈVE n. f. (Beauce) Voir : **gravelle**.

GRÉVIER n. m. Nom donné en Gaspésie à des oiseaux de rivage qui fréquentent les grèves.

GRÉVÉ n. m. (angl. gravy) [Ø] Voir : **gravy**.

GREYER v. tr. et pron. [#] Voir : **gréer**.

GRIBICHE n. f. Voir : **grébiche**.

GRIBOUILLE n. f. Désaccord, querelle, dispute, chicane, bisbille. Quand ces deux-là sont ensemble, ils sont toujours en *gribouille*. [+++]

GRICHÉ, E (O 30-100 et Acad.), **GRICHOUX, OUSE, GRICHU, E** adj. Ébouriffé, mêlé. Avoir les cheveux *grichés*. Syn. : **regriché**.

263

GRICHE-DENTS n. Voir : **grinchoux**.

GRICHEPETTE n. Diable, diablesse. Syn., voir : **jacapon**.

GRICHER v. intr. et pron. **1.** Grincer, crisser des dents. *Gricher des dents* dans son sommeil est souvent le signe qu'on a le ver solitaire ou des vers. Syn. : **grémir, grincher**. **2.** Crisser. Par temps très froid, la neige *griche* sous les pas. Syn., voir : **crâler**. **3.** Se couvrir en parlant du ciel. Syn., voir : se **chagriner**.

GRICHEUX, EUSE n. et adj. Voir : **grinchoux**.

GRICHIGNEBAGNE n. m. (angl. grishing-bang, grishing back) [Ø] Bourrelet qui faisait bouffer la jupe autour des hanches, vertugadin. (O 36-86) Syn. : **bustle**.

GRICHONNER v. intr. Bougonner, rechigner. [+] Syn., voir : **pétouner**.

GRICHOU n. **1.** Enfant colérique, revêche, hargneux. **2.** Le diable. Si tu n'es pas gentil le *grichou* va venir te chercher! Syn., voir : **jacapon**.

GRICHOUX, OUSE adj. et n. (surt. O 25117) **1.** Voir : **grinchoux**. **2.** Voir : **griché**.

GRICHU, E n. et adj. Voir : **grinché**.

GRIEF n. m. (angl. grievance) [Ø] Plainte officiellement formulée par un salarié, un groupe de salariés, le syndicat ou l'employeur, réclamation.

GRIFFER v. tr. Saisir rapidement avec les mains, empoigner. Syn., voir : **agrafer** (sens 1).

GRIGNAUDE n. f. **1.** Voir : **grelot** (sens 1), **bourdignon**. 2 Au pl. Voir : **grémillon** (sens 3), **griguenaude**.

GRIGNE n. f. **1.** Voir : **grignon** (sens 2). **2.** Voir : **grignon** (sens 3).

GRIGNON n. m. **1.** (entre 40-83 et 7-141) Voir : **grelot** (sens 1), **bourdignon**. **2.** [#] Quignon, gros morceau de pain. Syn. : **grigne**. (sens 2) **3.** Vx en fr. Pâte qui a débordé du moule à pain. Syn. : **grigne**. (sens 1) **4.** Fig. Personne de petite taille et laide.

GRIGUENAUDE n. f. [#] Voir : **grémillon** (sens 3), **grignaude** (sens 2).

GRIL n. m. **1.** Pièces de bois posées sur des fondations et sur lesquelles repose une construction. Syn. : **sill**. **2.** *Gril à mouches* : toile métallique, moustiquaire. Une porte de ou à *gril* pour empêcher mouches et moustiques d'entrer. Syn. : **grillage**, **net**, **passe**, **sas**, **screen**.

GRILLE n. f. [#] Calandre d'une automobile, d'un camion.

GRILLER v. intr. [#] **1.** Torréfier. *Griller* du café. **2.** Bronzer, brunir, hâler. S'exposer au soleil pour *griller*. [+++]

GRIMACHER (SE) v. pron. Se chicaner, se disputer. Ces deux-là passent leur temps à se *grimacher*. (acad.)

GRIMM n. m. *Évaporateur* installé dans une cabane à sucre. Marque de fabrique.

GRIMONER v. intr. Murmurer, gronder, rouspéter. Passer ses journées à *grimoner*. Syn. : **dégrimoner**.

GRIMPER v. tr. **1.** Monter, ranger dans un endroit élevé. *Grimper* les vieux meubles au grenier. **2.** *Grimper, monter dans les rideaux* : s'énerver, devenir fort agité, en parlant de quelqu'un. **3.** Se dit d'une vache en rut ou d'une taurelière qui monte sur une vache; d'un coq qui côche une poule ou d'un taureau qui couvre une vache en rut. Tiens, le coq *grimpe* une poule pendant que le taureau se prépare à *grimper* la taure blanche.

264

GRIMPIGNER v. intr. Monter à l'aide des pieds et des mains. Cet enfant *grimpigne* partout. Syn. : **grucher**.

GRIMPIGNEUX, EUSE adj. et n. Qui aime *grimpigner* surtout en parlant des enfants.

GRINCHER v. intr. [#] Voir : **gricher** (sens 1).

GRINCHONNER v. intr. Gronder, bougonner. Passer son temps à *grinchonner*.

GRINCHOUX, OUSE adj. et n. Grincheux, bourru, grognon. Syn. : **bougonneux**, **goincheux**, **griche-dents**, **gricheux**, **grichoux**, **grichu**, **grognard**, **grogneux**.

GRINGUER v. intr. S'ennuyer, trouver le temps long. *Gringuer* tout l'hiver parce qu'on n'a rien à faire.

GRIPPE n. f. **1.** Appareil constitué de deux gros crochets et servant à essoucher. Syn., voir : **essoucheuse**. **2.** Crochet muni d'une poignée et servant à déplacer les balles de foin. **3.** *Vivre de grippe et de grappe* : vivre de peine et de misère, péniblement.

GRIPPER v. tr. et pron. **1.** Vx en fr. Attraper, saisir rapidement et solidement, agripper. Syn., voir : **agrafer** (sens 1). **2.** Vx en fr. S'agripper. Quelqu'un en passe de se noyer *se grippe* à son sauveteur.

GRIPPET, ETTE n. **1.** Diable, diablesse en parlant aux enfants. Quand un enfant ne dort pas, le *grippette* vient le chercher. [+++] Syn., voir : **jacapon**. **2.** Enfant coléreux, petit diable, petite diablesse. [+++] **3.** Boule de mailles de fer fixée à un manche et servant à nettoyer les chaudrons. Les pommes de terre ayant attaché au fond du chaudron, il faut utiliser la *grippette*.

GRIPPON n. m. **1.** Voir : **grippe** (sens 1), **essoucheuse**. **2.** Appareil servant à épierrer.

GRISON n. m. Pierre des champs, moëllon.

GRISONNER (SE) v. pron. S'assombrir, s'obscursir en parlant du ciel. Syn., voir : se **chagriner**.

GROBER v. tr. (angl. to grub) [Ø] Voir : **grubber**.

GROBEUR n. m. (angl. grubber) [Ø] Voir : **grubbeur**.

GROCERY, GROCERIE n. f. (angl. grocery) [Ø] **1.** Épicerie, surtout épicerie de quartier. Aller à la *grocerie*, acheter du sel. Anglicisme en perte de vitesse. **2.** Ce qu'on achète dans une épicerie. Aller faire sa *grocery* heddomadaire, faire livrer sa *grocery*. Anglicisme en perte de vitesse. [++] Syn. : **épicerie**.

GROGNARD, E, GROGNEUX, EUSE adj. et n. Voir : **grinchoux**.

GRONDIN n. m. Nom vulgaire du *malachigan* (famille des Sciaenidés).

GROS, OSSE adj. et n. **1.** *Gros comme le poing* : se dit de quelqu'un qui est nettement en-dessous de la grosseur normale. Je n'ai pas confiance en lui pour faire ce travail pénible : il est *gros comme le poing*! **2.** *Gros gin.* Voir : **gin**. **3.** Avoir le gros nerf, être sur le *gros nerf* : être très nerveux, être un paquet de nerfs. Syn. : **branché sur le 220. 4.** Fig. *Gros sel* : neige de printemps, granuleuse qui recouvre les pentes de ski et qui est très appréciée par les mordus du ski alpin. **5.** *Gros sirop.* Voir : **sirop** (sens 2). **6.** Fig. Personne importante, qui a des moyens. Les *gros* de cette petite ville occupent tous les postes au conseil municipal. [+++] Syn., voir : **casque** (sens 5). **7.** Fig. *Faire le gros, son gros* : faire l'homme d'importance. **8.** Fig. *À gros-grain.* a) Qui fait mal son métier, qui est incompétent, en parlant d'un tanneur, d'un couvreur, d'un mécanicien, etc. b) Plus ou moins croyant ou pratiquant. Notre voisin est un catholique à gros grain. Syn. : **léger de croyance. 9.** Vx en fr. *Être grosse* : être enceinte Syn., voir : être en *famille*.

GROS adv. Beaucoup. Aimer bien *gros* s'occuper des enfants, parier *gros* qu'on arrivera à l'heure.

GROSEILLE n. m. [#] Ce mot est féminin en français.

GROSSE n. f. Bouteille de bière de 75 cl. Nous sommes allés à la brasserie, et chacun de nous a bu deux *grosses*.

GROSSE-GORGE n. f. [#] Goitre. Se faire opérer pour la *grosse-gorge*. [+++]

GROUÉE, GOROUÉE, GUEROUÉE n. f. **1.** Bande, troupe, ribambelle. Une *grouée* d'enfants. [+] Syn., voir : **tralée. 2.** Couvée de poussins.

GROUILLANT n. m. Partie brune de la graisse de rôti. Syn., voir : **branlant**.

GROUILLANT, E, GROUILLEUX, EUSE adj. Agité, remuant, qui ne peut rester en place surtout en parlant d'un enfant. [++] Syn., voir : **vertigo**.

GROUILLER v. intr. Vx et rég. en fr. Bouger, remuer. Cet enfant-là, une fois au lit, ne *grouille* pas de la nuit. [+++]

GRU n. m. Sous-produit du blé (*gru blanc, gru rouge*) destiné à la nourriture des animaux. [+++]

GRUAU n. m. Bouillie plus ou moins épaisse de flocons d'avoine servie le matin, au petit déjeuner, porridge. Tous ceux qui ont été pensionnaires pendant leurs études se souviennent encore du *gruau* épais et collant qu'on leur servait le matin. [+++] Syn. : **bargou**, **porridge**, **sagamité** (sens 2), **soupane**.

265

GRUBBER, GROBER v. tr. (angl. to grub) [Ø] **1.** Piocher en utilisant la pioche. **2.** Herser avec un *grubbeur* ou herse à disques. Syn., voir : **disquer**.

GRUBBEUR, GROBEUR n. m. (angl. grubber) [Ø] **1.** Pioche. **2.** Appellation générique : herse à disques, herse à dents, cultivateur... **3.** Sarcleur tiré par un cheval ou par un tracteur.

GRUBEC n. m. Variété de fromage, type gruyère, fabriqué au Québec.

GRUCHER (SE) v. pron. (acad.) **Voir : grimpigner**.

GRUE n. f. **1.** Grand héron bleu. **2.** Personne méchante toujours prête à nuire aux autres.

GUANICIEN, ENNE (n. et adj.) Gentilé. Habitant d'Aguanish localité de la basse Côte-Nord, près de Natashquan.

GUDULE n. f. Jeune fille un tantinet prétentieuse et ridicule, donzelle.

GUÉDÉ, E adj. (angl. giddy) [Ø] *Être guédé* : être de bonne humeur sous l'effet du vin.

GUEDI, GUÉDI, GUIDI n. m. (angl. chickadee) [Ø] Voir : **chickadee**.

GUEDILLE n. f. **1.** Roupie, morve. Avoir la *guedille* au nez. [+++] **2.** Pain à hot-dog fourré d'une salade aux œufs ou au poulet. [+++]

GUEDINE n. f. *Ne pas valoir une guedine* : ne rien valoir du tout. Syn. : **cenne**.

GUEDOUNE, GUIDOUNE n. f. **1.** Femme de mœurs légères, coureuse, débauchée. Les *guedounes* fréquentent les bars. [+++] Syn. : **bonne-à-rien**, **dondaine**, **estèque**, **forlaque**, **gorlèze**, **gouine**, **grandcheveux**, **jambreteuse**, **minoune**, **peau**, **pistoune**, **traîneuse**. **2.** Pénis, verge quand on s'adresse à un enfant. Cache ta *guedoune*! Syn., voir : **pine**. **3.** Argot. Débusqueuse mécanique utilisée en forêt. Syn., voir : **skiddeuse**. **4.** *Sentir la guedoune* : sentir mauvais.

GUEDOUNER, GUIDOUNER v. intr. Se conduire comme une *guedoune* comme une femme de mauvaise vie. Syn., voir : courir la **galipote**.

GUEGNON, GOGNON À PLACE n. m. Serpillière servant à laver les planchers. (acad.) Syn., voir : **linge à plancher**.

GUÉME (angl. game) [Ø] Dans les sports, partie. Assister à une *guéme* de hockey ou de tout sport d'équipe. Anglicisme en perte de vitesse.

GUENICHE n. f. [#] Génisse. (Charsalac)

GUENILLE n. f. **1.** Voir : **chiquer la guenille**. **2.** *Être de la guenille* : être de mauvaise qualité, en parlant d'un tissu, d'un vêtement. Syn., voir : **cull**. **3.** *Guenille brûlée* : jeu du cache-tampon.

GUENILLOUX, OUSE, GUENILLEUX, EUSE n. et adj. **1.** Autrefois, chiffonnier qui passait de porte en porte en criant : *des guenilles à vendre?* Syn., voir : **marchand de guenilles**. **2.** Personne mal habillée, portant des vêtements en lambeaux. [+++]

GUENIN n. m. Pénis, verge. Cache ton petit *guenin* disait-on à un petit garçon. Syn., voir : **pine** (sens 5).

GUÊPE À CHEVAL n. f. Taon qui s'attaque au cheval.

GUÈRE adv. Rég. en fr. *Pas guère* : pas beaucoup, pas très. La santé de notre voisin n'est *pas guère* brillante.

GUÉRIR v. intr. Fig. En parlant d'un sentier, d'un portage en forêt, se refermer, disparaître sous l'effet de la végétation.

GUERLETTE n. f. Voir : **grelette**.

GUERNSEY, GUERNESEY n. (angl. Guernsey) [Ø] **1.** Race de vache laitière. **2.** Chandail de pêcheur fait de laine venant de Guernesey.

GUEROUÉE n. f. [#] Voir : **grouée**.

GUERRE DES POTEAUX n. f. Voir : **poteau**.

GUETTE n. f. Lien d'angle reliant obliquement deux parties d'un assemblage en charpenterie. [++] Syn., voir : **gousset**.

GUETTER v. tr. Poser des *guettes*, des étais, des contrefiches, des liens d'angle à une grange, à une charpente.

GUEULASSER v. intr. Parler haut et fort, gueuler. Syn. : **dégueulasser**.

GUEULASSEUX, EUSE, GUEULEUX, EUSE n. et adj. Personne qui parle haut et fort; qui parle haut et fort, gueulard.

GUEULE n. f. **1.** Fig. *Avoir de la gueule, être fort en gueule* : avoir du succès comme vendeur, être convaincant. Un bon démarcheur doit *avoir de la gueule*. **2.** *Avoir une grande gueule* : être hâbleur, beau parleur. **3.** Fig. *Avoir la gueule fendue jusqu'aux oreilles* : se dit de quelqu'un qui rit facilement et de bon cœur. **4.** *Faire la grosse gueule* : faire la moue. **5.** *Gueule-de-chien* : gueule-de-loup installée au sommet d'une cheminée pour en faciliter le tirage. Syn., voir : **dos-de-cheval**. **6.** *Gueule-de-loup* : variété de queue-d'aronde utilisée en charpenterie et en menuiserie. (surt. O 34-91) Syn. : **tête-de-chat**. **7.** Embouchure d'une rivière, d'un cours d'eau en général. **8.** *Danser sur la gueule*. Voir : **bal-à-gueule**.

GUEULES NOIRES n. f. pl. Aronia noir. L'arbuste et le fruit portent la même dénomination. (O 25-117)

GUETTER LES OURS loc. verb. Voir : **ours**.

GUEUSE n. f. **1.** *Petite gueuse* : se dit d'une petite fille insupportable. **2.** *Courir la gueuse* : mener une vie légère, courir les femmes. (acad.) Syn., voir : courir la **galipote**.

GUIBES, ÉGUIBES n. f. pl. Entrailles de la morue et des autres poissons.

GUIBER, ÉGUIBER v. tr. Vider un poisson de ses entrailles.

GUIBOU n. m. **1.** [#] Voir : **hibou** (sens 1, 2, 3). **2.** Argot. Jukebox. Machine à musique dans laquelle on introduit une pièce de monnaie pour faire jouer un disque; cette machine exhibe un *hibou* stylisé souvent prononcé *guibou*.

GUIDE n. f. **1.** Au pl. Rênes du harnais servant à diriger le cheval. Syn. : **cordeaux**. **2.** Fig. *Tenir les guides* : porter la culotte en parlant de l'homme ou de la femme qui commande dans un ménage. Syn., voir : **mener**.

GUICHET, GUICHET À FUMIER n. m. Autrefois, dans les écuries et les étables, petite porte permettant de lancer à la pelle, sur le tas de fumier extérieur le fumier quotidien.

GUIDOUNE n. f. Voir : **guedoune**.

GUIDOUNER v. intr. Voir : **guedouner**.

GUIGNOLÉE n. f. Quête que l'on fait pendant la période des fêtes à l'intention des personnes et des familles dans le besoin; une bande de joyeux lurons passe de maison en maison en chantant : **La Guignolée, la guignoloche, mettez du lard dedans ma poche...+* [+++]

GUIGNOLEUX, EUSE n. Personne qui passe de porte en porte pour la quête de la *guignolée*, qui court la *guignolée*. [+++]

GUIMBARDE n. f. Brancard formé de deux perches parallèles et servant à transporter du foin à bras d'hommes. (acad.)

GUIMBARDÉE n. f. Quantité de foin transportée par une *guimbarde*. (acad.)

GUIME n. f. (angl. game) [Ø] Partie de cartes à l'argent. Les rentiers d'autrefois passaient des heures à jouer des petites *guimes*.

GUINDEAU n. m. Mar. **1.** Treuil d'un puits. Syn., voir : **dévidoir**. **2.** Treuil servant à ouvrir les vannes d'une écluse.

GUIPON n. m. Mar. Serpillière servant à laver les planchers. (O 37-85 et acad.) Syn., voir : **vadrouille**.

GUIPONNER v. tr. Mar. Laver les planchers en utilisant un *guipon*. (O 37-85 et acad.)

GUITE n. f. (acad.) Voir : **noune** (sens 2).

GUMBO n. m. (angl. gumbo) [Ø] Terre argileuse qui colle aux pieds et que l'on rencontre dans l'Ouest canadien, dans le nord de l'Ontario ainsi qu'en Abitibi et au Témiscamingue au Québec.

GUT n. m. (angl. gut) [Ø] Fig. et vulg. *Avoir des guts* : avoir du cran, du courage, avoir des couilles. Syn., voir : avoir des **gosses**.

GYPROC n. m. (angl. Gyproc) [Ø] Panneau de plâtre renforcé de chaque côté d'un papier et employé dans la construction. Marque de fabrique.

GYPSY n. (angl. gypsy) [Ø] **1.** Bohémien. [+++] **2.** Péjor. Femme couverte de bijoux de peu de valeur et d'un goût douteux. [+++]

HABILLÉ, E part. adj. D'une personne mal habillée on dit qu'elle est habillée comme *Cataud*, comme une *cataud*, comme *Catoche*, comme *Cendrillon*, comme la *chienne à Jacques*, comme une *laveuse*, comme *quatre chiens*, comme *Marie-quatre-poches*.

HABIT n. m. **1.** [#] Complet. S'acheter un *habit* pour marier sa fille. **2.** *Habit de bain* : maillot de bain, maillot. Syn. : **brayet**. **3.** *Habit de neige* (angl. snowsuit) [Ø], *habit d'hiver* : ensemble d'hiver pour jeunes enfants, esquimau. Syn. : **culotton, suit d'hiver**. **4.** *Habit de skidoo* : combinaison de *motoneigiste*. **5.** *Habit de travail* : vêtement de travail. [++]

HABITANT, E n. et adj. **1.** a) Cultivateur, paysan propriétaire, agriculteur par opposition à villageois. Mot en perte de vitesse. Syn. : **fermier**. b) *Un gros habitant* : un cultivateur riche. **2.** Fig. et péjor. Qui a des manières frustres, maladroites, rustres. Syn., voir : **épais**. **3.** *Parler habitant, parler en habitant* : parler comme les personnes peu instruites qui habitent la campagne. **4.** *D'habitant* : domestique, du pays, artisanal, fait ou fabriqué à la ferme. Cerises *d'habitant*, chemin *d'habitant*, flanelle *d'habitant*, gâteau *d'habitant*, pain *d'habitant*, saucisse *d'habitant*, savon *d'habitant*, sirop *d'habitant*, sleigh *d'habitant*, toile *d'habitant*, vin *d'habitant*.

HABS n. m. pl. Voir : **Canadien** (club de hockey).

HACHE n. f. **1.** *Hache à tabac* : hachette formée d'un fer très mince avec laquelle on coupe les pieds de tabac qu'on laisse faner avant de les *enlatter* pour ensuite les faire sécher dans les séchoirs à tabac. Il s'agit évidemment de tabac à pipe ou à cigare. **2.** *Hache américaine* : hache à deux tranchants, bipenne. [++] Syn. : **picosseuse**, hache à deux **taillants**. **3.** *Hache canadienne, hache à tête* : hache à un seul tranchant, par opposition à la *hache américaine* qui en a deux. [++] **4.** *Hache avec un pic, hache à pic* : hache à sape dont la tête est munie d'un pic. Syn. : **pulaski**. **5.** *Être à la hache.* a) Fig. Être réduit à la misère en parlant d'une personne, d'une famille. b) Fig. Être maigre, surtout en parlant d'un animal, surtout d'un cheval. **6.** Fig. Spécialité, point fort. Au collège, le grec, c'était sa *hache.* **7.** Fig. *Mettre la hache dans* quelque chose : mettre fin à quelque chose, réduire considérablement. *Mettre la hache* dans les dépenses d'un gouvernement, dans les dépenses de la santé. **8.** Fig. *Prendre le manche de hache* : attraper la diarrhée. Syn., voir : **cliche.**

HACHEUR, HACHEUX, PETIT HACHEUX n. m. Hachoir manuel servant à hacher le tabac à pipe. [+++] Syn. : **tranche à tabac, hachoir.**

HACHIS n. m. Hareng haché menu que les pêcheurs de morue répandent à la surface de l'eau pour attirer le maquereau.

HACHOT n. m. Petite hache ayant un seul tranchant et une tête.

HACMATAC, HACMÉTAQUE n. m. (amér.) Mélèze laricin, seul de nos conifères à perdre ses feuilles l'automne. Syn., voir : **épinette rouge.**

HADECQUE (angl. haddock) [Ø] Églefin (fumé ou non fumé). Syn. : **poisson de Saint-Pierre.**

HAGUIR v. tr. [#] Haïr. [+++]

HAGUISSABLE adj. [#] Haïssable, insupportable en parlant d'une personne [+++]

HAIE n. f. **1.** Fig. Andain de foin. [+] Syn., voir : **ondain. 2.** Fig. *Haie de roches* : clôture faite de pierres, de moellons entassés et disposés sur une ligne. Syn. : **clôture de pierres. 3.** Fig. *Haie de souches* : clôture faite en entassant des souches sur une ligne. Syn., voir : **clôture de souches.**

HAIM n. m. Vx en fr. Hameçon. (E 36-86) Syn. : **apçon, croc.**

HAIRAGE n. m. Voir : **harage.**

HALAGE n. m. Mar. **1.** Action de *haler* (sens 1). Débusquage des billes de bois depuis l'endroit où on les a coupées jusqu'à celui où on les empile. (E 38-84) Syn. : **bobage, chaînage, chiennage, chiennetage, skiddage, swampage, twitchage, yardage. 2.** Action de transporter du bois en traîneaux, de la forêt à la maison. (E 38-84) **3.** Tirage d'une cheminée. (E 37-85) Syn. : **hale.**

HALE n. m. Mar. **1.** Tirage. Cheminée qui a un bon *hale.* (E 37-85) Syn. : **halage, tire. 2.** *Bœuf de hale* : bœuf de trait d'autrefois.

HALER v. tr., intr. et pron. Mar. **1.** Traîner les billes de bois depuis l'endroit où on les a coupées jusqu'à celui où on les empile, débusquer. (E 38-84) Syn. : **bober, chaîner, chienner, chienneter, skider, swamper, twitcher, yarder. 2.** Puiser, tirer de l'eau d'un puits. (E 38-84) **3.** Tirer en parlant d'une cheminée. (E 38-85) **4.** Tirer en parlant d'un cheval ou d'un bœuf. (E 38-84) **5.** *Haler au renard* : tirer sur sa longe pour la casser et pour s'échapper en parlant d'un cheval. (E 38-84) Syn. : tirer au **renard. 6.** *Haler sur les guides* : tirer sur une guide pour que le cheval tourne à droite ou à gauche. **7.** Fig. *Se haler du lit* : se lever le matin pour entreprendre sa journée de travail. Après une soirée de libations, ce n'est pas facile de se *haler du lit.*

HALERIE n. f. Mar. Groupe de volontaires qui tirent les bateaux de pêche sur le rivage, sur le *plain.* (acad.)

HALEVAN n. m. (acad.) Bande de cuir ou de tissu qu'utilisent surtout les pêcheurs en eau salée pour se protéger les mains lorsqu'ils halent leurs lignes Syn., **manigau.**

HALIGONIEN, ENNE adj. et n. Gentilé. Habitant de la ville d'Halifax; d'Halifax en Nouvelle-Écosse.

HALITRE n. f. Voir : **alitre**.

HALITRÉ, E adj. Voir : **alitré**.

HALLIER n. m. Abri sous l'avant-toit d'une grange où l'on range les instruments aratoires, le fourrage des bêtes. (O 38, 39) Syn., voir : **appent**.

HALLOWEEN n. m. (angl. Halloween) Soir qui précède le 1er novembre, que fêtent les enfants en se costumant et en passant de porte en porte pour recevoir des friandises et que soulignent grands enfants et jeunes adultes en jouant des tours et en faisant peur aux gens. [+++]

HALLOWEENEUX, EUSE n. (angl. Halloween) Personne qui fête l'*Halloween* le soir qui précède le 1er novembre.

HALOTER v. tr. **1.** Haleter, respirer avec peine, être à bout de souffle. **2.** Secouer le van de manière à bien séparer le grain des bales.

HALTE n. f. **1.** *Halte côtière* : espace aménagé sur un promontoire en bordure du Saint-Laurent et du golfe afin de permettre aux visiteurs d'observer les oiseaux marins, les *bélugas*, les mouvements de l'eau. **2.** *Halte routière* : espace aménagé en bordure des routes et surtout des autoroutes afin de permettre aux automobilistes de prendre du repos sans gêner la circulation, aire de repos (ROLF). **3.** *Halte-garderie* : dans les centres commerciaux, garderie où les clients peuvent faire garder un enfant de bas âge pour un temps limité.

HALTER v. intr. Vx en fr. S'arrêter, faire une pause, une halte. Marcher pendant dix heures sans *halter*.

HAMBOURGEOIS n. m. Traduction ridicule du *hamburger*.

HANCHU, E adj. Litt. en fr. Pourvu de fortes hanches surtout en parlant des femmes.

HANDCAR n. m. (angl. handcar) [Ø] Wagonnet utilisé pour la surveillance et l'entretien des voies ferrées, draisine. Syn. : **pompeur**.

HANGAR n. m. H*angar à bois* : à la campagne, hangar dans lequel l'air peut circuler et où l'on range le bois de chauffage pour une année entière. [+++] Syn. : **shed à bois**.

HANGARAGE n. m. Remisage, mise sous abri d'une machine aratoire, d'une barque de pêche, action de *hangarer*.

HANGARER v. tr. Mettre une machine aratoire, une barque de pêche dans un hangar, sous abri. Avant 1945, on *hangarait* les autos pour l'hiver.

HAPÇON n. m. [#] Hameçon. (O 27-117)

HAQUER v. tr. Voir : **aquer**.

HARAGE, HAIRAGE n. m. Race, lignée d'animaux, surtout en parlant des vaches et des chevaux. Un cheval de course de bon *harage*.

HARDES n. f. pl. **1.** Vx en fr. Vêtements en général. Mot en perte de vitesse. [++] Syn. : **butin** (sens 2). **2.** *Hardes cirées* : vêtements imperméables des pêcheurs faits de tissu huilé. **3.** *Hardes d'enfant* : vêtements d'enfant. **4.** *Hardes de dessous* : sous-vêtements. Syn. : **butin de corps**. **5.** *Hardes faites* : confections, vêtements de confection par opposition aux vêtements faits sur mesure. **6.** *Armoire à hardes* : armoire à vêtements. **7.** Ensemble de ce qui appartient à une famille ou à une personne : vêtements, mais aussi assez souvent ameublement. Syn. : **butin**.

HARENG DE LAC n. m. Nom vulgaire du cisco de lac. Syn., voir : **poisson d'automne**.

HARICOT n. m. **1.** Tsuga du Canada. (acad.) Syn., voir : **pruche. 2.** Mélèze laricin. (acad.) Syn., voir : **épinette rouge**.

HARIDELLE n. f. Voir : **aridelle**.

HARIOTE, HARIETTE, HARRIETTE n. f. Petite *hart* utilisée comme lien ou comme fouet. (acad.) Syn. : **hart**.

HARLE n. m. Oiseau. Bec-scie.

HARNACHEMENT n. m. (angl. to harness) [Ø] Action de *harnacher* un cours d'eau, aménagement d'un cours d'eau, barrage.

HARNACHER v. tr. (angl. to harness) [Ø] Construire un barrage sur un cours d'eau en vue d'en exploiter la force hydraulique, aménager un cours d'eau. Syn. : **damer**.

HARNOIS n. m. Vx en fr. Harnais d'un cheval de trait ou de course. (acad.) Syn. : **attelage**.

HARRER, OUARER v. tr. **1.** Maltraiter, rudoyer, frapper avec une *hart*. *Harrer* un chien, un cheval. Syn., voir : **agoner. 2.** Attacher avec une *hart*. *Harrer* les piquets d'une clôture de perches, une barrière.

HARRIER n. m. Endroit où poussent des *harts*, des arbustes, des arbrisseaux (aunes, coudriers, noisetiers).

HARRIÈRE n. f. Petit câble ou hart tordue reliant deux à deux les bâtons d'un *suisse*, d'une *traîne* ou d'un *traîneau à bâtons*. Syn., voir : **amblet**.

HARRIETTE n. f. Petite *hart*.

HART, OUART n. f. **1.** Vx ou rég. en fr. Tout arbuste (noisetier, coudrier, aune, etc.) dont la grande flexibilité permet son utilisation comme lien. [+++] **2.** Vx et dial. en fr. Lien de bois flexible servant à attacher les barrières, à lier les gerbes. [+++] Syn. : **hariette, hariote, horiote, riorte, riote. 3.** Fouet fait d'une branche, d'un arbuste. [+++] Syn. : **fouaillon. 4.** *Hart de coudre* : noisetier, coudrier. [+++] **5.** *Hart rouge* : cornouiller stolonifère. La *hart rouge* pousse le long des fossés. L'écorce de la *hart rouge* est un substitut du tabac. [+++]

HARTINER, HARTIGNER v. tr. Rudoyer, maltraiter un animal, surtout en parlant d'un cheval, le battre avec une *hart* ou avec un fouet. Syn., voir : **agoner**.

HASARD n. m. s. Risque. *Courir des hasards* : courir des risques.

HAUBOURG n. m. Variété de tabac à pipe très fort qui se cultivait dans Lanaudière.

HAUSSE n. f. (angl. hose) [Ø] Partie supérieure d'une chaussure qui enveloppe le bas de la jambe, tige. [+++]

HAUSSER v. tr. [#] Augmenter, relever. *Hausser* les salaires, les prix, les taxes.

HAUT n. m. **1.** En milieu agricole, partie d'une terre la plus éloignée de la maison. [+++] **2.** Étage d'une maison, par opposition au *bas* ou rez-de-chaussée. Quand il n'y a pas d'ascenseur, les personnes âgées n'aiment pas habiter un *haut*. [+++] **3.** Voir : **plancher d'haut, plancher d'en haut, plancher du haut. 4.** *Le haut du jour* : fin de matinée, lorsque le soleil est déjà haut. (acad.) **5.** Au pl. : a) Vx ou rég. en fr. Région élevée, en altitude, en amont. Habiter dans les *Hauts*. [+++] b) Fig. Dans une circonscription électorale, régions éloignées du centre géographique (indépendamment de l'altitude). Le soir d'une élection, il faut attendre les résultats des *Hauts* pour savoir qui sera élu. [+++] c) *Travailler*

272

dans les Hauts : travailler comme bûcheron, loin de l'endroit que l'on habite.

HAUT, E adj. **1.** *À haute heure* : à heure tardive du matin, tard. Avoir l'habitude de se lever *à haute heure*. (acad.) **2.** Grand, de grande taille. Notre voisin c'est un homme *haut*, il mesure plus de deux mètres. (acad.)

HAUT-BORD, HAUT-CÔTÉ n. m. À la campagne, maison principale à laquelle est souvent accolé un appentis que l'on habite l'été et auquel on accède en descendant quelques marches. *Haut-côté* et *haut-bord* s'opposent donc à *bas-côté*. Syn., voir : **grand'maison**.

HAUT-MAL n. m. Épilepsie. Tomber du *haut-mal* c'est faire une crise d'épilepsie.

HAUTEUR n. f. H*auteur des terres* (angl. height of lands) [Ø] : ligne de partage des eaux.

HAVRABLE adj. Où il est possible de jeter l'ancre, de mouiller, de *havrer*.

HAVRER v. tr., intr. et pron. Mouiller, jeter l'ancre. Quand il y a risque de gros vents les pêcheurs cherchent un endroit protégé pour *havrer*, pour *se havrer*.

HAW! Exclam. (angl. haw) [Ø] Cri pour faire aller un cheval à gauche, dia!

HÉ? interj. interrogative S'emploie ici lorsque le sujet parlant vouvoie son interlocuteur, lui *porte respect* et l'invite à répéter ce qu'il vient de dire. On n'emploie jamais *hein?* lorsqu'on s'adresse à une personne qu'on vouvoie, mais *hé?*.

HEAD BLOCK n. m. (angl. head block) [Ø] Sommier placé sous le bout des longerons d'une pile de billes de bois de longueur afin de les soulever, facilitant ainsi le chargement des billes de bois sur les traîneaux.

273

HEADWORK n. m. (angl. headwork) [Ø] Treuil monté sur un radeau et servant à haler une estacade flottante.

HEATEUR n. m. (angl. heater) [Ø] Bouilloire d'appoint pour réchauffer la sève d'érable dans les *cabanes à sucre*.

HEIN? interj. interrogative S'emploie lorsque le sujet parlant tutoie son interlocuteur et l'invite à répéter ce qu'il vient de dire. Pour le vouvoiement, il emploiera *hé?*

HÉLICOPTÈRE n. m. Fig. Disamare de certains arbres que les enfants utilisent comme jouet. Syn., voir : **avion**.

HELLÉBORE n. m. Vérâtre vert, ellébore, de la famille des liliacées, poison violent qui intoxique les bestiaux. (Estrie et région de Québec) Syn. : **tabac du diable**.

HELPEUR n. m. (angl. helper) [Ø] Manœuvre, ouvrier non qualifié, surtout sur les chantiers de construction. [+++]

HERBAGES n. m. pl. Herbes, plantes ou racines médicinales. Autrefois surtout à la campagne, chaque famille gardait en réserve une bonne provision d'*herbages*. [+++] Syn., voir : **racinages**.

HERBE n. f. **1.** *Herbe à bernaches, herbe à bernettes* : zostère marine servant de nourriture aux *bernaches* ou outardes. (E 20-127) Syn., voir : **herbe à outardes. 2.** *Herbe à chats, herbe à chattes* : népète chataire, herbe aux chats. **3.** *Herbe à cheval* : armoracia à feuilles de patience. Syn., voir : **raifort. 4.** *Herbe à crapaud* : sarracénie pourpre. (O 37-85) Syn. : **herbe à cochons, herbe-crapaud, petits-cochons. 5.** *Herbe à dindes* : nom vulgaire de l'achillée millefeuille. [+++] Syn. : **herbe à dindons. 6.** *Herbe à dindons* : nom vulgaire de l'achillée millefeuille. (acad.) Syn. : **herbe à dindes**. 7. *Herbe à feu* : épilobe à feuilles étroites. Syn. : **bouquet rouge**. 8. *Herbe à liens* : spartine pectinée, plante jadis très employée pour lier les gerbes et pour les toits de chaume. 9. *Herbe à Moreau* : cicutaire maculée, poison. Syn., voir : **carotte à Moreau**. 10. *Herbe à outardes* : zostère marine dont se nourrissent les outardes. [++] Syn. : **herbe à bernaches, herbe à bernettes, herbe-outardes, mousse de mer**. 11. *Herbe à poux* : ambroisie trifide ou ambroisie à feuilles d'armoise qui toutes deux seraient la cause de la fièvre des foins. [+++] 12. *Herbe à puce, herbe à la puce* : sumac vénéneux ou grimpant, rhus radicant. [+++] 13. *Herbe à verrues, herbe aux verrues* : chélidoine majeure qui aurait la propriété de faire disparaître les verrues. Syn. : **éclaire**. 14. *Herbe-crapaud* : sarracénie pourpre. Syn., voir : **herbe à crapaud**. 15. *Herbe du diable* : pissenlit d'automne. (Léontodon automnale). Plante identifiée par Jacques Rousseau, botaniste. (acad.) 16. *Herbe grasse* : chénopode blanc. Syn., voir : **chou gras**. 17. *Herbe jaune* : coptide du Groenland. (acad.) Syn., voir : **savoyane**. 18. *Herbe-outardes* : zostère marine. Syn., voir : **herbe à outardes**. 19. *Herbe sainte*. a) Absinthe. b) Hiérochloé odorante. Syn. : **foin** d'odeur (sens 5b). 20. *Herbe Saint-Jacques* : millepertuis. 21. *Herbe Saint-Jean* : armoise vulgaire, herbe de Saint-Jean. [+++] 22. Fig. *Mettre à l'herbe* : éconduire, renvoyer, congédier un prétendant en parlant d'une jeune fille. Syn., voir : donner le **capot**.

HERBIÈRE n. f. (sophage de certains herbivores. [++] Syn. : **gorgoton**.

HÈRE adj. et n. 1. Malade, indisposé. Se sentir *hère*. (Beauce) 2. Paresseux. Être trop *hère* pour travailler. (Beauce et Rive-Sud) Syn. : **vache**. 3. Hargneux, colère, de mauvaise humeur. 4. Pauvre, mesquin.

HÉRISSON n. m. Fig. Goret plus petit que les autres de la même portée. (O 38-84) Syn., voir : **ragot**.

HERMINETTE n. f. Outil de charpentier, du genre pioche à tranchant presque plat contrairement au tranchant de la *tille*, et servant surtout à aplanir une pièce de bois, un plancher de bois, occasionnellement à creuser des auges si l'on n'a pas de *tille*. Syn. : **gouge, tille**.

HERMINETTER v. tr. Aplanir une pièce de bois en utilisant une *herminette*.

HÉRODE Voir : **vieux comme Hérode**.

HÉRON DE NUIT n. m. Bihoreau à couronne noire.

HERSE n. f. 1. *Herse à finir* : herse à dents servant à émotter avant d'ensemencer. [+++] 2. *Herse à ressorts* : herse à pointes courbes et souples, herse canadienne. (O 38-84) Syn. : **herse à springs**. 3. *Herse à roulettes* : herse à disques. (O 27-116) 4. *Herse à springs* (angl. spring) [Ø] : herse à pointes courbes et à ressorts, herse canadienne. (O 30-100) Voir : **herse à ressorts**. 5. *Herse d'abattis* : herse traînée, triangulaire et étroite. 6. *Herse ronde* : herse d'autrefois constituée d'une roue couchée munie de dents et qui tourne sur elle-même lorsqu'elle est traînée. 7. *Herse à damier* : herse traînée de forme rectangulaire. 8. Fig. *En herse* : en triangle. L'automne, les oiseaux volent *en herse* vers le sud. 9. Voir : **clôture en herse**.

HERSÉ, HERSIS n. m. Terrain qui a été hersé, prêt à l'ensemencement. (acad.)

HÊTRIÈRE n. f. Vx en fr. Endroit planté de hêtres, hêtraie. [++]

HEUR n. m. Vx en fr. Chance. Avoir l'*heur* de plaire à un nouveau patron.

HEURE n. f. **1.** Vx en fr. *À cette heure* : maintenant, présentement, à présent. *À cette heure*, l'avion doit être arrivé. Les graphies *à c't'heure* et *astheure* sont ridicules. [+++] **2.** *Heure avancée* (angl. advanced time) [Ø] : heure d'été. **3.** *Heures d'affaires* : heures d'ouverture (d'un bureau, d'un commerce). **4.** *Heure des travaillants* : heure d'affluence, heure de pointe pendant laquelle les transports en commun sont surchargés. **5.** *Aux petites heures* : très tôt le matin. Se lever *aux petites heures* pour ne pas rater son avion. **6.** *De bonne heure* : hâtive surtout en parlant de pommes de terre.

HIBOU, GUIBOU n. m. **1.** *Hibou à cornes, hibou à tête de chat* : grand-duc de Virginie. [+++] Syn., voir : **chat-huant**. **2.** *Hibou blanc* : harfang des neiges. **3.** Argot. Coussin sur lequel s'assoyait un travailleur en forêt conduisant une charge de bois. **4.** Argot. Jukebox. Machine à musique dans laquelle on introduit une pièce de monnaie pour faire jouer le disque de son choix; cette machine exhibe un hibou, un *guibou* stylisé.

HIER À SOIR adv. [#] **1.** Hier soir, hier au soir. **2.** *Ne pas être d'hier* : être ancien, vieux, d'une autre époque. Ce vieux rouet *n'est pas d'hier*. **3.** Fig. *Ne pas être né d'hier* : en avoir vu d'autres.

HIGNE n. m. Hennissement d'un cheval en colère. Syn. : **ouigne**.

HIGNER, HINER v. intr. Hennir en parlant d'un cheval en colère. Syn. : **ouigner**.

HILAIREMONTOIS, E n. et adj. Gentilé. Habitant de Mont-Saint-Hilaire, en Montérégie; de Mont-Saint-Hilaire.

HIRONDELLE DE CHEMINÉES n. f. Martinet des cheminées.

HIRONDELLE DE MER n. f. Sterne.

HISTOIRE n. f. **1.** Fig. *Histoire de ma grand-mère* : discours exagéré extravagant, invraisemblable tenu par un fabulateur. **2.** *Histoire de couchette* : histoire de coucherie, de sexe.

HISTOIREUX, EUSE n. et adj. Qui aimera conter des histoires, conteur d'histoires surtout grivoises. [+++]

HIT AND RUN n. m. (angl. hit and run) [Ø] Délit de fuite dont est coupable un automobiliste qui s'enfuit après avoir causé un accident.

HIVER n. m. **1.** *Hiver des corneilles* : tempête de neige tardive alors que les corneilles annonciatrices du printemps sont déjà de retour. [+++] **2.** *Hiver des Irlandais, tempête des Irlandais* : dernière grosse tempête de neige de l'hiver coïncidant avec la Saint-Patrice, le 17 mars. Voir : **Irlandais**. **3.** *Se mettre en hiver* : quitter ses vêtements d'été pour ses vêtements d'hiver, c'est le contraire de *se mettre en été*.

HIVÉRISER, HIVERNISER v. tr. (angl. to winterise) [Ø] Préparer pour l'hiver. *Hivériser* une auto avant l'arrivée du froid, *hivériser* un chalet d'été pour qu'il soit habitable l'hiver.

HIVERNANT, E adj. et n. **1.** *Truie hivernante* : truie que l'on garde l'hiver pour la mise bas au printemps. **2.** *Neige hivernante* : neige au sol qui ne disparaîtra qu'au printemps.

HIVERNEMENT n. m. Séjour des bêtes dans l'étable pendant l'hiver, hivernage. Ici, l'*hivernement* dure près de six mois.

HIVERNISER v. tr. (angl. to winterize) [Ø] Voir : **hivériser**.

HOBO n. m. (angl. hobo) [Ø] Vagabond, chemineau, clochard. Beaucoup de nos *hobos* vont passer l'hiver en Floride ou en Colombie canadienne. Syn., voir : **bum**.

HOCKÉISTE n. Joueur, euse de hockey, hockeyeur, euse.

HOCKEY n. m. **1.** *Bâton de hockey, hockey* : crosse aplatie dans sa partie courbe et avec laquelle les hockeyeurs jouent au hockey. [+++] Syn. : **gouret**. **2.** *Hockey à pied, hockey-bottines* : jeu de hockey qui se joue sur glace mais sans patins et où le palet ou *rondelle* peut être remplacé par une balle de caoutchouc. **3.** *Hockey cosom* : jeu apparenté au jeu de hockey sur glace mais qui se joue en gymnase avec une rondelle légère et des bâtons en plastique dont les palettes bleues ou rouges permettent de distinguer les équipes.

HOE n. f. (angl. hoe) [Ø] Voir : **horsehoe**.

HOLSTEIN n. f. Race de vache laitière.

HOMARDERIE n. f. Conserverie où l'on met du homard en conserve.

HOMEMADE n. et adj. (angl. homemade) [Ø] **1.** Cigarette roulée à la main, une roulée. Quand on est chômeur on ne fume que des *homemades*. Syn., voir : **rouleuse**. **2.** Fabriqué à la maison que ce soit des biscuits, des vêtements, etc. Porter un chandail *homemade*.

HOMME n. m. **1.** Mari. Une femme dira : mon *homme* est parti à la *sucrerie* pour la journée. **2.** *Faire son homme* : a) en parlant d'un enfant, essayer de prendre les manières, les attitudes d'un adulte. b) en parlant d'un adolescent, être fanfaron se croire important. **3.** *Homme aux boîtes* : lors du battage des céréales, homme préposé aux boîtes dans lesquelles tombe le grain. **4.** *Homme aux poches* : lors du battage des céréales, homme préposé aux *poches*, c'est-à-dire aux sacs dans lesquels tombe le grain. Syn. : **empocheur**. **5.** *Homme de bois, homme de chantier* : bûcheron qui travaillait dans les *chantiers* forestiers, travailleur forestier. [+++] Syn., voir : **voyageur** (sens 2). **6.** *Homme des sœurs* : homme à tout faire dans les couvents de religieuses. Syn. : **coq des sœurs**. **7.** *Homme du curé* : le bedeau **8.** *Homme engagé*. Voir : **engagé**. **9.** Péjor. *Homme aux hommes* : homosexuel, d'où *être aux hommes* : être homosexuel. Syn., voir : **fifi**. **10.** Rimette. Qu'est-ce que *l'homme* ? (question du catéchisme d'autrefois). L'homme est un petit bonhomme Qui mâche de la gomme Sur la rue de la Couronne. (Ville de Québec)

HOMO n. m. H*omo quebecensis* : type d'être humain du Québec façonné par le climat, la géographie, l'histoire politique et religieuse, le mode de vie traditionnel.

HON! interj. Interjection souvent employée par le locuteur pour marquer une pause un peu comme il emploie le mot *pis*.

HONNEUR n. m. *Perdre son honneur* : se disait autrefois d'une jeune fille qui devenait enceinte. Une jeune fille qui avait perdu son *honneur* ne pouvait pas se marier en blanc.

HONNEURS n. m. pl. *Être dans les honneurs* : être parrain ou marraine. [+++]

HOPSCOTCH n. m. (angl. hopscotch) [Ø] Jeu de la marelle. C'est au début du printemps que les fillettes jouaient au *hopscotch* dans les cours d'école. [+] Syn., voir : **carré**.

HORACE n. m. Trophée annuel (variété d'oscar) remis par le Club d'administration de Granby, en Estrie, aux entreprises les plus dynamiques de cette ville. Du prénom d'un ancien maire de Granby, Horace Boivin.

HORIOTE n. f. Hart, branche flexible qu'on utilise comme fouet ou comme attache. (acad.) Syn., voir : **hart**.

HORLOGE n. f. **1.** Vx en fr. Pendule. L'*horloge* de la cuisine s'est arrêtée, il faudrait la remonter. **2.** *Horloge grand-père* (angl. grandfather's clock) [Ø] : horloge de parquet d'une hauteur d'environ deux mètres, pendule à gaine, horloge à gaine. **3.** *Horloge grand'mère* : horloge de parquet d'une hauteur d'environ deux mètres.

HORMIS prép. **1.** Vx en fr. Excepté, hors, sauf. Rien ne l'intéresse cette femme *hormis* la musique. **2.** Litt. en fr. À moins que. Il viendra sûrement *hormis qu*'il soit alité.

HORSE, ORSE n. m. (angl. horse) [Ø] Étendoir sur lequel les pêcheurs de morue étendent leurs filets pour les faire sécher. Syn., voir : **piano**.

HORSEHOE, HOE n. m. (angl. horsehoe) [Ø] Machine aratoire. Variété de butoir constitué de deux versoirs ouverts à l'avant et qui se referment partiellement à sa partie arrière.

HORSEPOWER, OSPOR, OUASPOR, SPOR n. m. (angl. horsepower) [Ø] Trépigneuse à pavé incliné et roulant, actionnée par des chevaux ou des bœufs pour communiquer le mouvement à une batteuse ou à une scie circulaire. Le moteur à essence a fait disparaître le *horsepower*. Dès 1861, il y avait un *horsepower double* à Chicoutimi. [+++] Syn. : **piloteur, pilotis, roue penchée, trampeur**.

277

HORSE RADISH n. m. (angl. horseradish) [Ø] Armoracia à feuilles de patience. Le *horse radish* est un rubéfiant énergique comme la moutarde. Syn., voir : **raifort**.

HOSE n. f. (angl. hose) [Ø] **1.** Tuyau d'arrosage, boyau d'incendie. Sortir la *hose* pour laver l'auto. [+++] **2.** Tige d'une chaussure, d'une botte.

HOSTIE n. f. Argot. Sous-verre. Ah! j'ai oublié de sortir ma petite *hostie*!

HOT adj. inv. (angl. hot) [Ø] Argot des jeunes. Extraordinaire, inusité, délirant en parlant d'un événement, d'un fait, d'un sketch, etc.

HOT CHICKEN n. m. (angl. hot chicken) [Ø] Sandwich au poulet chaud. [+++]

HOT-DOG n. m. (angl. hot dog) Petit pain fourré d'une saucisse chaude. Parler de *chien-chaud* est aussi ridicule que de parler de *hambourgeois*.

HÔTESSE n. f. Femme chargée de placer les spectateurs dans une salle de spectacle; elle ne reçoit pas de pourboire puisqu'elle touche un salaire, ce qui la différencie de l'ouvreuse.

HOUIGNER, HOUINER v. intr. Voir : **ouigner**.

HOULE n. f. Mar. Fig. Amas de neige entassée par le vent, banc de neige, congère. Une *houle* de neige bloque notre sortie de garage. Syn., voir : **banc de neige**.

HOULER v. intr. Mar. Rare en fr. Être agité par la houle. Une embarcation légère *houle* beaucoup plus qu'un paquebot.

HOULEUX, EUSE adj. Mar. Fig. Accidenté , montueux, où il y a des monticules. Terrain, chemin *houleux*. (acad.) Syn., voir : **côteux**.

HOUPPÉE n. f. Mar. **1.** Banc de neige, congère. Le chemin est plein de *houppées*. (acad.) Syn., voir : **banc de neige**, **saquet**. **2.** *À la houppée* : rapidement. Quand la pluie est imminente, il faut couvrir les *vigneaux*, *à la houppée*. (acad.) **3.** Saccade imprimée à une voiture d'hiver par les *bancs de neige*. Syn., voir : **saquet**. **4.** Fig. Occasion favorable.

HOURLEAU n. m. Autrefois, appellation du travailleur qui, à l'époque de la *drave*, était chargé de remettre à l'eau les billes de bois échouées sur la grève.

HOVEL n. m. (angl. hovel) [Ø] Abri rudimentaire pour les chevaux en forêt ou à l'érablière.

HUART, HUART À COLLIER n. m. **1.** Plongeon arctique à collier, oiseau palmipède. Mot très fréquent dans la toponymie du Québec. [+++] Syn. : **cadrâche**, **cou-rouge**, **richepeaume**. **2.** Argot. Pièce de monnaie qui remplace le billet d'un dollar depuis 1988 et sur lequel figure un *huart*. Syn. : **piastre ronde**.

HUCHE n. f. Vx et rég. en fr. Pétrin dans lequel on pétrit le pain manuellement. [+++] Syn. : **maite**.

HUCHER v. tr. Vx en fr. Appeler à voix haute et à distance. *Huche* ton père qui travaille là-bas. (acad.)

HUDSONIEN, ENNE adj. Relatif à la Baie d'Hudson. La faune *hudsonienne*.

HUE! interj. Cri dont on se sert pour faire tourner un cheval à droite, mais jamais ici pour le faire avancer. Syn. : **gee!**.

HUILE n. f. **1.** [#] *Huile à, de chauffage* (angl. heating oil) [Ø] : mazout. **2.** [#] *Huile à, de fournaise* (angl. furnace oil) [Ø] : mazout. **3.** [#] *Huile à lampe* : pétrole lampant servant à alimenter une lampe à flamme. **4.** Fig. *Huile de bras* : énergie physique, huile de coude, huile de poignet. Il en a fallu de l'*huile de bras* pour épierrer cette terre. [+++] Syn. : **jus de bras**. **5.** [#] *Huile de castor* (angl. castor oil) [Ø] : huile de ricin. **6.** [#] *Huile de charbon* (angl. coal oil) [Ø] : huile minérale. **7.** *Huile électrique* (angl. electric oil) [Ø]. Marque déposée. Sorte de liniment considéré dans le peuple comme une véritable panacée. (Lanaudière) Syn. : **painkiller**. **8.** Voir : **bal à l'huile**.

HUILEUX n. m. Rognon de castor de texture spongieuse et dont l'odeur de musc est utilisée par les chasseurs pour attirer certains animaux à fourrure. Syn., voir : **tondreux**.

HUILIER n. m. **1.** Croupion d'une volaille. Syn., voir : **croupignon**. **2.** Burette munie d'un long bec quelquefois flexible et contenant l'huile à graisser les machines. Syn. : **biberette**, **biberon**.

HUIPTANTE, HUITANTE adj. num. Quatre-vingts. (acad.) Pubnico en Nouvelle-Écosse. Syn. : **octante**.

HULLOIS, E adj. et n. Gentilé. Habitant de la ville de Hull au Québec ; relatif à cette ville.

HUMÉCRIR v. tr. Humidifier, humecter, rendre *mucre*. *Humécrir* le linge avant de le repasser. Syn. : **mucrir**.

HUMEUR n. f. *En humeur* : en rut en parlant surtout d'une jument ou d'une vache. Syn. : **en chasse**.

HUPPÉ n. m. Jaseur des cèdres.

HURLE n. m. [#] Hurlement d'un chien. C'est désagréable de se faire réveiller la nuit par les *hurles* des chiens des voisins. [++]

HURLEAU n. m. **1.** Cri bien particulier que lance un bûcheron en cas de danger. **2.** Enfant qui crie pour rien.

278

HURON, ONNE n. et adj. Amérindien d'une nation autochtone du Québec comptant 1250 personnes dont les deux tiers habitent le Village-des-Hurons, près de la ville de Québec; relatif aux Amérindiens de cette nation.

HURONNES n. f. pl. Raquettes à neige ayant la forme d'une grosse goutte d'eau et qu'on utilise sur des pistes à raquettes ou dans des bois dégagés. Voir : **raquettes**.

HUSH-PUPPIES n. m. pl. (angl. Hush Puppies) [Ø] Souliers ou bottillons sport, en suède ou imitation de suède et à semelles de crêpe. Marque de fabrique.

HUSKY n. m. (angl. husky) [Ø] Chien de traîneau des Inuits que l'on attelle au traîneau appelé *cométique*.

HUSTING n. m. (angl. husting) [Ø] Estrade en plein air sur laquelle montaient les candidats lors des élections. Monter sur le ou les *hustings* pour haranguer la foule. Anglicisme disparu.

HYDRANT n. m. (angl. fire hydrant) [Ø] Bouche d'incendie. Tous les *hydrants* sont peints en rouge et doivent être dégagés après une tempête de neige. Anglicisme presque disparu. Syn. : **borne-fontaine**

HYDRO, HYDRO-QUÉBEC n. f. Société d'État créée en 1944, restructurée en 1963 et chargée d'assurer la production et la distribution de l'électricité sur le territoire du Québec.

HYDRODOLLAR n. m. Mot formé sur eurodollar. Au pl. Dollars américains provenant de la vente aux États-Unis des surplus d'électricité d'*Hydro-Québec*.

HYDRO-QUÉBÉCOIS, E n. et adj. Employé d'*Hydro-Québec*.

279

HYPOCRITE n. f. Carré de tissu brodé, empesé, attaché aux poteaux de la tête du lit et destiné à cacher les oreillers, à finir la toilette du lit. Syn. : **menteuse**, **toilette**, **trompeuse**

HYPOTHÈQUE n. f. Fig, *Être l'hypothèque de la famille* : arriéré mental, infirme qui toute sa vie était à la charge de ses parents.

I

I pron. pers. **1.** Il, ils. J'ai vu Paul, *i* part demain; ses fils, *i* partent aujourd'hui. **2.** [#] Elles. Autrefois, les vaches *i* vêlaient en avril. [++]

ICI adv. **1.** [#] Ci. Cette région-*ici* est très fertile : cette région-ci. **2.** Vx en fr. *Ici dedans* : à l'intérieur. C'est moins froid *ici dedans* qu'à l'extérieur.

ICITE, ITCITE adv. **1.** Rég. en fr. Ici. Que fais-tu *icite* ou *itcite* par un temps pareil? [+++] **2.** *Icite et là* : ici et là. Travailler à la journée *icite et là*.

IDÉE n. f. **1.** Dessin, intention. Avoir *idée* de vendre sa maison. **2.** Intelligence. Cet enfant a de l'*idée*, on devrait le faire instruire.

IENDE n. f. Rainure, partie femelle d'une planche bouvetée. (acad.)

-IÈRE Suffixe ancien mais très employé s'ajoutant à des noms de plantes et désignant le lieu des plantations : *atocatière, aunière, bleuetière, bouleaunière, bouletière* (boulaie, bouleraie), *cédrière, épinettière, fraisière, frênière, hêtrière, pinière, pruchière, pruchinière, prunière, prussière, quenouillière, tremblière.*

IGLEK n. m. (mot inuit) Lit de peaux.

IKRALUK n. m. (mot inuit) Poisson.

ILET n. m.; **ILETTE** n. f. Vx et rég. en fr. Petite île, îlot. Mot fréquent dans la toponymie du Québec.

ILUPAK n. m. (mot inuit) Sous-vêtement de fourrure qui se porte, le poil à même la peau.

IMBUVABLE adj. Non potable en parlant de l'eau.

IMITER v. tr. Peindre une porte, une colonne, une cloison en imitant le bois.

IMITEUR n. m. Peintre qui reproduit les âges, le grain, les veinures et les nœuds du bois. Les *imiteurs* ont eu leur âge d'or dans les trente premières années du XXe siècle.

IMMORTELLE, MORTELLE n. f. **1.** Antennaire du Canada. **2.** Antennaire pétaloïde. **3.** Antennaire néodioïde. **4.** Anaphale marguerite.

IMPASSABLE adj. Vx en fr. Non praticable, impraticable, en parlant d'un chemin. Après une grosse tempête de neige, beaucoup de routes sont *impassables*.

IMPORTÉ, E n. et adj. **1.** Fig. Immigrant. Depuis la dernière guerre, il nous est arrivé beaucoup d'importés. **2.** Personne qui n'est pas née là où elle habite. Un Trifluvien habitant Montréal est un *importé* pour les Montréalais. Syn., voir : **rapporté**.

IMPOSER v. tr. Empêcher. Qu'est-ce qui t'*impose* de faire cela? (Gaspésie)

IMPOSSIBLE adj. Ridicule, bizarre. Porter un chapeau *impossible*.

IMPÔT n. m. Abcès. Il a un gros *impôt* à l'endroit où il a été heurté. (E 27-116)

INCENDIAT n. m. Crime de l'incendiaire qui allume volontairement un incendie.

INCOMMODE adj. Vx en fr. Insupportable, désagréable, odieux, en parlant d'une personne, surtout d'un enfant. Syn., voir : **insécrable**.

INCOMPARABLE adv. Extrêmement, très, incomparablement. Le temps est beau *incomparable*.

INCONTRÔLABLE adj. *Circonstances incontrôlables* (angl. uncontrollable circumstances) [Ø] : circonstances contre lesquelles on ne peut rien, indépendantes de notre volonté.

INCUIT n. m. Dans la fabrication du charbon de bois se dit d'un morceau de bois incomplètement carbonisé, fumeron. Syn. : **corbeau** (sens 2).

INDÉCENCE n. f. *Grossière indécence* (angl. gross indecency) [Ø] : outrage à la pudeur, aux bonnes mœurs; violence, agression sexuelle. Être condamné à six mois de pénitencier pour *grossière indécence*.

INDIEN, ENNE n. et adj. **1.** Appellation encore fréquente des *Amérindiens*, les découvreurs du continent américain se croyant en Inde. Ce mot est très fréquent dans la toponymie du Québec et du Canada. Syn., voir : **amérindien**. **2.** Voir : **été des Indiens**. **3.** Voir : **lunettes indiennes**. **4.** Voir : **pain indien**.

INDIGO n. m. Bleu de lessive. Syn., voir : **bleu à laver**.

INDU, E adj. *Influence indue* (angl. undue influence) [Ø] : ingérence cléricale dans le domaine politique. L'*influence indue* était assez fréquente au Québec dans le dernier quart du XIXe siècle.

INFÂME adj. et n. Espiègle, dissipé, insupportable surtout en parlant d'un enfant. [++] Syn., voir : **insécrable**.

INFÂMERIE n. f. Espièglerie faite par les enfants : vider le bas du frigidaire, sortir les casseroles, etc.

INGÉNIEUR, E n. (angl. engineer) [Ø] Mécanicien, machiniste qui conduit une machine.

INGÉREUX, EUSE adj. **1.** Qui a de l'initiative, qui manifeste des qualités de chef, en parlant d'un enfant. Syn., voir : **gérant** (sens 2). **2.** Qui se mêle des choses qui ne le regarde pas, en parlant d'un adulte.

INGOT n. m. Cornet d'écorce de bouleau rempli de sucre d'érable. (Charlevoix) Syn., voir : **meule de sucre**.

INNOCENT, E n. et adj. **1.** Imbécile, demeuré, idiot. Certains intellectuels prennent les gens de la campagne pour des *innocents*. Bande d'*innocents*! Syn., voir : **épais**. **2.** À la blague, souhaiter bonne fête à quelqu'un le jour de l'anniversaire du Massacre des Innocents le 29 décembre.

INNU, E n. et adj. Appellation de plus en plus fréquente des *Montagnais* et des *Nascapis*, nations autochtones, du nord-est du Québec.

INQUIÉTEUX, EUSE adj. et n. Inquiet. Cette femme est toujours *inquiéteuse* quand son mari rentre chez lui avec un peu de retard, c'est une *inquiéteuse*. [+++]

INSÉCRABLE adj. et n. Insupportable, espiègle en parlant d'un enfant. Mon petit *insécrable*, qu'est-ce que tu as encore fait? Syn. : **crapaud** (sens 2), **crasse** (sens 2), **crasseux** (sens 2), **incommode**, **infâme**, **malcommode**, **sorcier**.

INSERVIABLE adj. Dont on ne peut plus se servir. Cette hache est ébréchée, elle est *inserviable*.

INSORTABLE adj. Où il est impossible de sortir à cause du mauvais temps. Hier a été une journée *insortable*.

INTER n. m. Billet de loterie qui se situe entre le *mini* et le *super*. As-tu ton *inter* cette semaine?

INTERBOLISER v. tr. Interloquer, troubler, déranger. Cette affreuse nouvelle l'a *interbolisé*.

INTER-CAISSES n. m. Réseau automatique qui relie entre elles les succursales des *caisses Desjardins*, ce qui permet de faire des dépôts ou des retraits dans n'importe quelle succursale.

INTERCOM n. m. (angl. intercom) [Ø] Système qui permet aux habitants d'un immeuble de communiquer avec le portier ou avec celui qui se présente à l'entrée, interphone, parlophone.

INTERMODAL, E adj. *Gare intermodale* : gare qui est à la fois gare ferroviaire de chemin de fer et gare routière.

INTUABLE adj. Très difficile à tuer; qui a la vie dure. Un serpent, c'est quasi *intuable*. Cet homme, bâti comme il est, est *intuable*.

INUIT, E n. et adj. **1.** Membre d'une nation autochtone du Canada comptant au Québec 5658 personnes habitant 14 villages, tous situés au nord du 55º parallèle et au bord de la mer sur le territoire appelé Nunavik. Cette appellation remplace depuis peu *Esquimau*. **2.** Comme nom propre un *Inuit*, des *Inuits*. **3.** Comme nom commun et adjectif *inuit* suit les règles générales du français; l'art *inuit*, des vêtements *inuits*, une coutume *inuite*, des danses *inuites*.

INUK n. pr. Membre du groupe ethnique des *Inuits*.

INUKTITUT n. m. Langue des *Inuits*.

INUKTITUTISME n. m. Mot emprunté à l'*inuktitut* ou langue des *Inuits*. Le mot *cométique* est un *inuktitutisme*.

INVENTIONNEUX, EUSE adj. et n. Ingénieux, inventif, fertile en inventions, imaginatif. Syn., voir : **estéqueux**.

INVITANT, E, INVITEUX, EUSE adj. Qui invite volontiers. Dans cette famille, on aime bien être invité mais on n'est pas *inviteux*. [++]

IRE n. f. *Faire ire* : provoquer le dégoût. (acad.) Variante : faire zire.

IRKRELRET n. m. (mot inuit) Appellation méprisante, insultante des Indiens du Canada par les *Inuits*.

IRLANDAIS n. m. *Tempête des Irlandais* : dernière grosse tempête de neige de l'hiver, coïncidant avec la Saint-Patrice, le 17 mars. Syn. : **bordée des Irlandais**, **hiver des Irlandais**.

IROQUOIEN, ENNE adj. et n. **1.** Langue parlée par les *Iroquois*. **2.** Relatif aux *Iroquois*. Langue de la famille linguistique *iroquoienne*.

IROQUOIS, E n. et adj. **1.** Grande famille amérindienne qui occupait le sud du Saint-Laurent et du lac Ontario à l'ouest du Richelieu, ennemie des Hurons et des Français; de cette famille amérindienne. Ce mot est fréquent dans la toponymie du Québec. *Mohawk* a remplacé cette appellation. **2.** *Écrire en iroquois, parler l'iroquois* : écrire, parler une langue incompréhensible.

IRRÉGULARITÉ n. f. (angl. irregularity) [Ø] Constipation. Acheter des pilules contre l'*irrégularité*. Anglicisme en perte de vitesse.

IRRITANT n. m. Ce qui ne plaît pas, ce qui irrite dans une loi, dans un climat social, dans une situation socio-économique. La Charte de la langue française comporterait des *irritants* pour les anglophones du Québec.

ISSE (angl. yeast) [Ø] Voir : **yeast**.

ISTERLET, ISTORLET n. m. Voir : **esterlet**.

-ITE Suffixe fréquent dans les appellations de maladies modernes, non inflammatoires mais sérieuses. Voir : **cléricalite, conférencite, déménagite, écœurite, épinettite, joualite, questionnite, séparatite, siphonite, transistorite**.

ITEM n. m. (angl. item) [Ø] Poste d'un budget, article d'un programme ou d'un ordre du jour, point ou sujet de discussion.

ITOU, TOU adv. Vx et fam. en fr. Aussi, également. Lui *itou* il fait une longue promenade tous les matins. Moi *tou* j'aimerais bien avoir des vacances payées par le patron!

IVA Sigle. *I*nterruption *v*olontaire d'*a*gonie.

IVALOK n. m. (mot inuit) Fil à coudre provenant du nerf situé de chaque côté de l'échine du caribou et qu'utilisent les couturières inuites.

283

IVAMA Sigle. *I*nterruption *v*olontaire d'*a*gonie *m*édicalement *a*ssistée.

IVG Sigle. *I*nterruption *v*olontaire de *g*rossesse.

IVITAROK n. m. (mot inuit) Saumon mâle à peau rouge.

IVRESSOMÈTRE n. m. Alcootest permettant de mesurer le degré d'alcool dans l'air expiré par le conducteur d'un véhicule automobile impliqué dans un accident de la route. Syn. : **balloune** (sens 4).

JABOT n. m. Argot. Poitrine féminine plantureuse. Syn.,
voir : **magasin**.

JABOTER v. intr. Vx en fr. Commérer, bavarder, papoter.
Syn., voir : **mémérer**.

JACAPON n. m. Le diable. Syn. : **charlot**, **grichou** (sens
2), **grichepette**, **gripette**, **sorcier**.

JACASSE n. et adj. **1.** Vx en fr. Femme qui jacasse,
commère. Syn., voir : **placoteux**. **2.** *Avoir de la jacasse* : être
bavard, avoir la langue bien pendue. [+++]

JACASSER v. intr. Gazouiller, piailler. Les oiseaux *jacassent*.
Syn., voir : **piaquer**.

JACK n. m. (angl. jack) [Ø] **1.** Appareil de levage
permettant de soulever des fardeaux en général, une
voiture automobile en particulier, cric (prononcé KRIK).
2. Traîneau d'érablière hippomobile pour le transport de
la sève d'érable. (E 127,126) Syn., voir : **bacagnole** (sens
2). **3.** Valet dans un jeu de cartes. Anglicisme en perte de
vitesse. **4.** Homme de très grande taille. [+++] Syn., voir :
fanal (sens 2). **5.** *Passer, se passer un jack* : masturber, se
masturber. Syn., voir : **crosser**.

JACKER v. tr. et intr. (angl. to jack) [Ø] **1.** Soulever un
fardeau, une automobile, à l'aide d'un *jack*, d'un cric.
2. Avoir une érection, bander. Syn., voir : **percher**.

JACKET n. m. (angl. jacket) [Ø] Veston d'un complet,
d'un costume. Syn., voir : **coat**.

JACKPOT n. m. (angl. jackpot) [Ø] **1.** Gros lot. Gagner le
jackpot. **2.** Fig. Arbres coupés qui, au lieu de tomber sur le
sol, restent encroués aux arbres encore debout.

JACOBIN n. m. Variété de pain. (entre 47-77 et 26-116)

JACQUELINE n. f. Pot de chambre d'autrefois, d'une
bonne contenance avec couvercle et anse. Syn., voir :
catherine (sens 2).

JACULOT, E n. m. Autrefois, le dernier-né d'une famille
nombreuse. (acad.) Syn., voir : **chienculot**.

JALOUSERIE n. f. [#] **1.** Défaut de quelqu'un qui est jaloux,
jalousie. Exciter la *jalouserie* des voisins. **2.** Jalousie, persienne
d'une fenêtre. Fermer les *jalouseries* avant la nuit. [+++]

JALOUX, OUSE adj. **1.** *Jaloux comme un pigeon, jalouse comme une chatte* : très jaloux, en parlant d'une personne, jaloux comme un tigre, comme une tigresse. **2.** *Boutonner en jaloux* : fermer un vêtement en ne faisant pas coïncider chaque bouton avec la boutonnière qui lui est destinée, boutonner de travers.

JAM n. f. (angl. jam) [Ø] **1.** Amoncellement de billes de bois de flottage formant barrage sur un cours d'eau, embâcle. Quand l'amoncellement se fait au centre d'un cours d'eau, c'est une *center-jam* et sur un côté une *side-jam*. [+++] Syn., voir : **digue** (sens 2). **2.** Embâcle de glaces sur un cours d'eau. Syn., voir : **digue** (sens 3). **3.** Confiture en gelée. Étendre de la *jam* sur une rôtie.

JAMAÏQUE n. m. Alcool, rhum provenant de la Jamaïque. Acheter une bouteille de *Jamaïque*, du *jamaïque*.

JAMAIS adv. *Jamais dans cent ans; jamais, au grand jamais* : façon fréquente de renforcer le mot jamais.

JAMBE n. f. **1.** *En jambe* : jambe nue, sans bas. En période de canicule beaucoup de femmes passent leur journée *en jambe*. **2.** Fig. *Se casser la jambe* : devenir enceinte en parlant d'une jeune fille. Syn., voir : se faire **attraper**. **3.** Fig. *S'être cassé une jambe* : avoir accouché. C'est ce qu'on disait aux enfants dont la maman gardait le lit après un accouchement. Syn., voir : **acheter**. **4.** *Jambe de botte* : tige de botte. **5.** *Jambe de lait* : phlébite assez fréquente autrefois chez les accouchées. **6.** Fig. Fam. ou rég. en fr. *Jambe de bois* : autrefois, prothèse en bois d'un amputé, le porteur de cette prothèse portant le surnom de *Jambe de bois*. **7.** *Jambe de liège* : prothèse en liège d'un amputé, le porteur ayant le surnom de *jambe de liège*. **8.** Fig. Avoir *six pouces de jambes puis le trou de cul tout de suite* : adulte de très petite taille.

285

JAMBETTE n. f. **1.** Vx en fr. Croc-en-jambe. Donner une *jambette* à quelqu'un. [+++] Syn. : **barrer les jambes**. **2.** *Tirer à la jambette* : dans un jeu de force où deux joueurs sont couchés sur le dos, côte à côte et tête-bêche, s'accrocher par une jambe et essayer de renverser l'adversaire. **3.** Voir : **clôture à jambette**.

JAMBONNER v. tr. Fumer. Faire *jambonner* une cuisse de porc pour en faire du jambon.

JAMBONNIER n. m. Personne qui exploite un fumoir où l'on fume de la viande de porc.

JAMBONNIÈRE n. f. Local dans lequel on fume la viande de porc pour en faire du jambon, fumoir. Syn., voir : **boucanière**.

JAMBRETEUX, EUSE n. et adj. Coureur, coureuse, dévergondé, e. (acad.) Syn., voir : **guedoune**.

JAMBU, E adj. Qui a des jambes longues et solides. Dans cette famille, tous les hommes sont *jambus*.

JAMER v. intr. et pron. (angl. to jam) [Ø] **1.** Former un embâcle, se former en embâcle sur un cours d'eau, en parlant des glaces ou du bois flotté. [+++] Syn. : **diguer**. **2.** Bloquer, gripper, cesser de fonctionner. Le moteur de l'auto a fait un bruit anormal puis *a jamé*.

JANVIER n. m. [#] Jambier ou bâton servant à maintenir écartées les jambes postérieures d'une bête abattue et pendue. [++] Syn. : **bacul**, **goton**.

JAPPAILLER v. tr. Japper sans arrêt.

JAPPARD, E adj. Jappeur. Un chien *jappard*.

JAQUETTE n. f. (angl. jacket) [Ø] **1.** Robe de nuit. Il y a belle lurette que le pyjama a supplanté la *jaquette* chez les hommes. Anglicisme en perte de vitesse. **2.** *Jaquette d'hôpital* : chemise de malade qui se ferme et s'attache dans le dos.

JARDINAGE n. m. **1.** *Faire son jardinage* : faire son jardin, s'occuper de l'entretien du jardin. [+++] **2.** Vx en fr. Légumes, produits du jardin. Vendre des *jardinages* au marché. [++]

JARDINER v. intr. Fig. En parlant d'un adolescent, peloter les jeunes filles.

JARDINEUX adj. et n. Fig. Se dit d'un adolescent, entreprenant qui aime peloter les jeunes filles. Syn., voir : **poignasseux**.

JARGEAU n. m. Vesce jargeau. Le *jargeau* pousse dans le foin. [+++]

JARGONNAGE n. m. Baragouinage.

JARGONNER v. intr. Baragouiner, parler sans être compris.

JARGONNEUX, EUSE adj et n. Personne qui parle d'une manière inintelligible, qui prononce mal.

JARLOTTER v. tr. Mar. Faire une rainure appelée *jarlot* dans l'étambot, l'étrave et la quille des anciennes barques de pêche pour y clouer le bordé. (acad.)

JARNIGOINE, GÉNIGOINE n. f. **1.** Habileté, talent. Il a de la jarnigoine, de la *génigoine* celui-là ! [+++] **2.** Intelligence, jugement. Ne pas avoir assez de *jarnigoine*, de *génigoine* pour conduire sa besogne tout seul. [+++]

JARNOTTE n. f. **1.** Médéole de Virginie. Syn. : **concombre sauvage**. **2.** Pomme de terre trop petite pour la consommation. L'été a été très sec, il y a beaucoup de *jarnottes* dans les pommes de terre. Syn., voir : **grelot**.

JARRE n. f. **1.** Petit contenant de verre ou de grès dans lequel on conserve le beurre, les confitures. **2.** *Jarre à beans* : pot de grès, de terre, avec couvercle et oreilles dans lequel on fait cuire au four les *beans* ou haricots au lard.

JARRET n. m. Blason populaire. *Jarret-noir* : habitant de la Beauce. Cette appellation remonte à l'époque où les Beaucerons qui se rendaient à Québec devaient traverser à pied des terrains marécageux pour se rendre à Lévis pour y prendre un *traversier*.

JARRETIÈRE n. f. Fixe-chaussette, jarretelle constituée d'un ruban caoutchouté qui enserre le haut du mollet et qui est muni d'une bande verticale terminée par une pince qui retient la chaussette.

JARS n. Fig. Vaniteux, fanfaron, homme qui fait son important. Faire son *jars*, faire le *jars*. [+++] Syn., voir : **frais**.

JASANT, E n. et adj. Qui aime parler, causer, *jaser*, causant, parlant.

JASE, JASETTE n. f. **1.** Faconde, loquacité. Jacqueline a la *jase* de sa mère, elle a de la *jase*, de la *jasette*. [+++] **2.** Causerie, entretien familier. Avoir, faire une *jase*, piquer une *jase*, une *jasette* avec un ami qu'on n'a pas vu depuis longtemps. [+++]

JASER v. intr. et pron. Vx en fr. Parler, causer entre amis. Pierre a rencontré Paul à l'aéroport : ils ont *jasé* beaucoup; ils se sont *jasés* près d'une heure. [+++]

JASEUR, JASEUX, EUSE adj. et n. Vx en fr. Causant, parlant, qui aime *jaser*. [+++]

286

JASPINER v. intr. Pop. en fr. Parler beaucoup, bavarder. (O 27-117)

JASPINEUX, EUSE adj. et n. Pop. en fr. Bavard, personne qui parle sans arrêt. (O 27-117)

JAUNE n. et adj. **1.** Essence ordinaire par opposition à *rouge*. Faire le plein avec du *jaune* (gas, gaz) ou de la *jaune* (gasoline). Appellation en voie de disparition. **2.** (Angl. yellow) [Ø] : se dit d'un journal à sensation, qui donne dans le sensationnalisme, qui pratique le *jaunisme*. Un journal *jaune*. **3.** Crédule, inexpérimenté. Lui, il n'a pas fini d'être *jaune*! **4.** *Mois jaune* : mois de juillet au cours duquel la *bouette* pour la morue se fait plus rare. Syn. : **faillette**. **5.** Incompétent, qui connaît mal son métier. Ne l'engage pas, c'est un ouvrier *jaune*. **6.** Voir : **mal jaune**. **7.** Fig. *Une tête à deux jaunes* : une tête très grosse (allusion à un œuf qui a deux jaunes).

JAUNEZIR v. intr. Devenir jaune, jaunir. (acad.)

JAUNIR v. intr. Rancir en parlant du lard salé qui effectivement jaunit.

JAUNISME n. m. (angl. yellow) [Ø] Journalisme à sensation. Pour augmenter le tirage de leur journal, ils font du *jaunisme*.

JAVELEUSE [+++] n. f.; **JAVELIER** n. m.; **JAVELIÈRE** n. f. Autrefois, faux à râteau, à râtelier, faux armée. Syn., voir : **cradle**, **râtelier**.

JAVELLE n. f. **1.** Fig. Dans les champs, amas de neige déposée par le vent et dont la forme fait penser aux javelles de céréales. Syn., voir : **banc de neige**. **2.** Petite pile de morues.

287

JEAN-FILLETTE n. m. Péjor. Garçon qui a des goûts de petite fille. [++] Syn., voir : **catiche**.

JEAN-LÉVÊQUE n. m. *Faire son petit Jean-Lévêque* : faire l'important.

JEANNE D'ARC n. f. Membre d'un « cercle Jeanne d'Arc » fondé aux États-Unis en 1911 et regroupant des abstèmes féminines; chaque membre porte un bouton attestant son appartenance à ce cercle; s'il lui arrive de manquer à sa promesse de ne plus boire de boissons alcooliques, on dit qu'elle *a cassé* ou *mangé son bouton*. Voir : **bouton**.

JEAN NARRACHE n. m. Assisté social. Il s'agit du pseudonyme d'Émile Coderre, poète montréalais qui, comme Jehan Rictus, a voulu être le poète des démunis, des B.S.

JEANNOIS, E n. et adj. Gentilé. Natif ou habitant du Lac-Saint-Jean; du Lac-Saint-Jean.

JELLO n. m. (angl. Jell-O) [Ø] Dessert constitué d'une espèce de gélatine ou gelée sucrée à différentes saveurs et couleurs. Marque déposée. Syn. : **branlant** (sens 2).

JERSEY n. Race de vache laitière.

JETAGE n. m. Rare en fr. Action de jeter, de se débarrasser de quelque chose.

JETÉE n. f. **1.** Pile de billes de bois à flotter entassées sur les berges d'un cours d'eau ou sur un lac l'hiver en attendant le dégel; endroit où se trouve cette pile de bois. [++] Syn. : **landing**, **lindenne**. **2.** *Jetée déboulante* : empilement important de billes de bois à flotter installé sur une côte à pic d'un cours d'eau pour en faciliter la mise à l'eau au moment opportun. **3.** Voie d'évitement qui, dans certains chemins d'hiver, permettait à une voiture de croiser ou de doubler une autre voiture. (O 30-100) Syn., voir : **rencontre** (sens 1).

JETER v. tr. et pron. **1.** *Se jeter à côté* : l'hiver, conduire sa voiture à lisses dans la *jetée* ou voie d'évitement pour permettre à une autre voiture de passer. **2.** Fig. *Jeter à terre* : affaiblir. La grippe de cette année *jette à terre* les plus forts.

JETEUX DE SORTS n. m. Sorcier dont on redoutait les maléfices.

JETON n. m. **1.** Rejet qui pousse sur une souche; drageon de tabac, de tomate, rejeton. Syn., voir : **repousse**. **2.** Rondelle de métal portant un numéro et qu'on remet à la personne qui laisse son manteau au vestiaire.

JEU D'EAU n. m. [#] Planchette inclinée posée horizontalement sur le haut d'un lambris de planches verticales côté pignons des bâtiments de ferme, ce qui empêche les infiltrations d'eau. (surt. O 27-116)

JEUDI n. m. *Semaine des trois jeudis* : semaine des quatre jeudis, jamais.

JEUNESSE n. f. **1.** Jeunes gens de quinze à vingt ans. À la campagne ou dans les petites villes, souvent les *jeunesses* n'ont pas d'endroit où se rencontrer. [+++] **2.** Par antiphrase, homme adulte d'une santé et d'une force remarquables. Cet octogénaire, c'est encore une vraie *jeunesse*.

JEUNESSER v. intr. S'amuser, mener la vie joyeuse et insouciante des jeunes gens. Le vieux Jacob nous parle encore du temps où il *jeunessait* avec les filles de la Beauce.

JIB n. m. (angl. jib) [Ø] Voile triangulaire placée à l'avant d'une embarcation, foc.

JIGGUER v. tr. (angl. to jig) [Ø] Pêcher, attraper le poisson en utilisant un *jiggueur*, un faux, une dandinette, une turlutte. Syn. : **bober** (sens 3).

JIGGUEUR n. m. (angl. jigger) [Ø] Faux poisson ou poisson de plomb garni d'hameçons que le pêcheur utilise pour la pêche à la morue, dandinette, turlutte. Le *jiggueur* permet d'attraper un poisson par n'importe quelle partie du corps. Syn. : **bob** (sens 1), **crocheton**, **tarlutte**, **tourloute**.

JIGUEDI n. m. (angl. chickadee) [Ø] Voir : **chickadee** (sens 2).

JIM n. Le petit *Jim* est arrivé : se dit d'une femme qui a ses règles. (acad.)

JIM-ROBERT n. m. Alcool de fabrication domestique. (pass. O 36-86) Syn., voir : **bagosse**.

JOB n. f. (angl. job) [Ø] **1.** Emploi, travail, tâche. Quand on a une *job* permanente, on la garde! [+++] **2.** *Faire une job* : euphémisme pour faire ses besoins. Syn., voir : **tas**. **3.** *Faire la job* : castrer un jeune mâle (goret, veau, poulain). On *fait la job* à tous les gorets mâles quand ils ont quatre semaines. **4.** *Travailler à la job* : travailler à forfait. **5.** *Faire la job, se faire la job* : masturber, se masturber. Syn., voir : **crosser**.

JOBBAGE n. m. Action d'entreprendre un travail à forfait, de *jobber*.

JOBBER v. tr. (angl. to job) [Ø] **1.** Entreprendre un travail à forfait. [+++] **2.** Bâcler, bousiller, mal faire son travail. [++] Syn., voir : **broucheter**.

JOBETTE n. f.; **JOBINE, JOBINETTE** n. f (angl. job) [Ø] Emploi précaire, petit boulot, menu travail de courte durée que l'on fait pour arrondir ses fins de mois ou parce que l'on ne trouve pas de travail permanent. [+++]

JOBBEUR n. m. (angl. jobber) [Ø] Celui qui entreprend un travail à forfait, entrepreneur à forfait, entrepreneur forestier. [+++]

JOBINEUR, JOBINEUX, EUSE n. (angl. job, plus ine) [Ø] Personne qui gagne sa vie ou qui arrondit ses fins de mois en faisant des *jobines*, des *jobinettes*, des petits boulots.

JOBOUR n. m. Variété de tabac à pipe, cultivé autrefois au Québec.

JOE-BLOE, JOE-BLOW, JOS.-BLEAU n. (angl. Joe Blow) [Ø] Monsieur Untel, n'importe qui, monsieur Tout-le-Monde. La disparition de cette plante ne changera rien dans la vie de *Joe-Bloe*. Syn. : **Baptiste-Beaufouette**.

JOHANNAIS, E n. et adj. Gentilé. Natif ou habitant de Saint-Jean sur Richelieu, en Montérégie; de Saint-Jean sur Richelieu.

JOINT n. m. (angl. joint) [Ø] Argot. Cigarette de marihuana.

JOINTER v. tr. Couvrir les joints entre les bardeaux d'un toit pour en assurer l'étanchéité.

JOKE n. f. (angl. joke) [Ø] Histoire drôle, plaisanterie, farce, blague. Les commis-voyageurs se déplacent avec un arsenal de *jokes*. [++]

JOLI, E adj. Négativement en parlant d'un coucher de soleil qui annonce du mauvais temps. Le soleil couchant n'était *pas joli* hier soir, c'est du mauvais temps pour demain.

JOLIETTAIN, E n. et adj. Gentilé. Natif ou habitant de Joliette, dans Lanaudière; de Joliette.

JOLIMENT adv. **1.** Fam. en fr. Beaucoup, très. Il est *joliment* grand ton fils aîné! [+++] **2.** Passablement. Il y avait *joliment* de monde aux obsèques du maire. [++]

JONAS n. Nom du personnage qu'on aperçoit dans la lune et qui est condamné à scier du bois sans arrêt pour avoir travaillé le dimanche. Ce personnage porte aussi les noms suivants : *Chouinard, Gaspard, Gignac, Junior*.

JONATHAN n. m. Sobriquet que l'on donnait autrefois aux Américains.

JONC n. m. Alliance, le plus souvent en or, que portent les hommes mariés, depuis la fin de la Deuxième Guerre mondiale.

JONGLARD, E adj. Rêveur, pensif, songeur. Syn. : **jongleur**.

JONGLER v. intr. Songer, rêver. Depuis la mort de sa femme, il passe son temps à *jongler*. [+++]

JONGLEUR n. m. Potence de cheminée.

JONGLEUR, JONGLEUX, EUSE adj. et n. Qui fait l'action de *jongler*, de songer, de rêver; songeur, rêveur. Paul doit avoir des ennuis, il est *jongleux* depuis quelque temps. Syn. : **jonglard**.

JONQUIÉROIS, E n. et adj. Gentilé. Natif ou habitant de Jonquière, au Saguenay; de Jonquière.

JOS n. m. Sein. [+++]

JOS-CONNAISSANT, PETIT-JOS-CONNAISSANT, TI-JOS-CONNAISSANT n. m. Appellation ironique donnée à quelqu'un qui prétend tout savoir.

JOS. LOUIS n. f. Petit gâteau avec garniture crémeuse et enrobage de chocolat vendu sous plastique. Entre 1923 et 1985, on a fabriqué plus de dix milliards de *Jos. Louis* à Sainte-Marie-de-Beauce. [+++]

JOTTE n. f. Grosse joue. As-tu vu les *jottes* de ce bébé? (surt. Charsalac) Syn. : **bajotte**, **bajoue**.

289

JOTTÉ, E, JOTTU, E adj. Qui a de grosses joues, joufflu. Un gros homme *jotté comme un matou* ou comme un écureuil. [++].

JOUAL n. m. **1.** Prononciation populaire du mot cheval. [+] **2.** Fig. Mot devenu très populaire dans les années 60 pour désigner le langage populaire des ouvriers francophones du Québec, soit pour stigmatiser leur façon de parler, soit pour rendre les Québécois conscients de leur état d'infériorité économique. Certains Québécois, même instruits, semblent incapables de raconter une histoire drôle autrement qu'en *joual*. **3.** Fig. *Passer du joual au cheval* : passer du *joual*, langue pauvre et méprisable à un français plus correct, d'un niveau supérieur.

JOUAL, E adj. Populaire, modeste. Cette femme a beau avoir des moyens, son manque de goût trahit son origine *jouale*.

JOUALERIE n. f. Vulgarité de langage. La *joualerie* sévit dans certaines émissions de télévision.

JOUALIN, E adj. Qui relève du *joual*. Des mots *joualins*, des expressions *joualines*.

JOUALISANT, E n. et adj. Personne qui parle le *joual*, qui écrit en *joual* (donc au son) et qui serait prête à sacrifier le français sur l'autel du *joual*. Les *joualisants* instruits sont les plus indécrottables.

JOUALISER v. intr. et pron. Parler *joual*, devenir *joual*. La jeunesse *s'est joualisée* dans le passé; aujourd'hui elle *joualise* moins, elle se *déjoualise* petit à petit.

JOUALISME n. m. Mot propre au *joual*.

JOUALITE n. f. Maladie contagieuse mais curable qui amène certaines personnes à utiliser le *joual* à toutes les sauces. La *joualite* a déjà fait des victimes dans le clergé, on a publié la Bible en *joual*.

JOUASSE adj. Qui aime s'amuser, jouer en parlant d'un enfant ou d'un animal domestique (chat, chien). (acad.)

JOUC, JOUQUE n. m. **1.** Joug pour atteler les bœufs. [+++] **2.** Gorge qui se place sur les épaules pour transporter deux seaux d'eau à la fois. [+++] Syn. : **courge** (sens 3), **gouge** (sens 4).

JOUC, JOUCHOIR, JOUQUOIR n. m. [#] Juchoir, perchoir pour les poules. [+++] Syn. : **juquoir**.

JOUCLER v. tr. Accoupler les bœufs de travail.

JOUE n. f. **1.** Côté oblique du guéret. **2.** Avoir les joues comme un *suisse* ou plus rarement comme un écureuil : avoir des bajoues.

JOUER v. tr. et intr. **1.** Ils *jousent* : ils jouent. [#] **2.** Fig. *Jouer dans les cheveux* de quelqu'un : jouer un sale tour à quelqu'un, rouler quelqu'un. Syn., voir : **cocu**. **3.** *Jouer fesse, jouer fefesse, jouer fessier* : au poker, jouer très serré de crainte de perdre de l'argent.

JOUEUR n. m. **1.** Fig. *Joueur de violon* : don Juan qui fait la cour aux femmes. Syn. : **chanteur de pomme**, **effaré**. **2.** Fig. *Joueur de piano* : se dit des intellectuels en général, de ceux qui n'ont pas les deux pieds sur terre, qui sont très forts dans les grands principes, mais nuls au point de vue pratique. Syn. : **pelleteur de nuages**.

JOUJOUTHÈQUE n. f. Établissement de prêt de jouets, ludothèque.

JOUQUÉE n. f. Charge de deux seaux transportée au joug. Syn. : **courgée**, **seillée**.

JOUQUELER, JOUQUER (SE) v. pron. Se jucher. Les poules vont se *jouqueler* ou *se jouquer* pour la nuit. [+++]

JOUR n. m. *Le jour des tours* : Le Jour des Morts.

JOURNALEUX n. m. Piètre journaliste.

JOURNALIER, ÈRE adj. Vx en fr. D'humeur changeante. La vie avec lui n'est pas facile, il est tellement *journalier*! [+++]

JOURNAUX n. m. pl. Les douze jours après Noël qui, dans la croyance populaire, préfigurent le temps qu'il fera au cours de chacun des douze mois de la nouvelle année. Avoir confiance dans les *journaux*. (E 28-101) Syn. : **ajets** (sens 1).

JOURNÉE n. f. **1.** *Aller en journée* : travailler à la journée, être journalier. **2.** *À la journée longue* : à longueur de journée.

JOURS GRAS n. m. pl. Voir : **bordée des jours gras**, **tempête des jours gras**.

JOYAL, E adj. Jovial, heureux de vivre, bon vivant. Notre voisin est toujours *joyal*.

JOYEUX, EUSE adj. Légèrement ivre. Syn., voir : **chaudaille**.

JUBÉ n. m. [#] Galerie arrière ou latérale d'une église. L'orgue est placé dans le *jubé* arrière des églises. Aucune église d'ici n'a de *jubé*, mais presque toutes ont des galeries. [+++]

JUBILAIRE n. Toute personne que l'on fête et qui n'a pas nécessairement accompli 50 années d'activité, de fonction ou d'exercice, héros.

291

JUIF, JUIVE n. et adj. **1.** Vx et péj. en fr. Avare, pingre, mesquin. [+++] Syn., voir : **avaricieux**. **2.** *Riche comme un juif* : très riche. **3.** En parlant du bois, mal séché, encore rempli de sève, gélif. **4.** *Clou de juif* : attache en acier, dont la partie qui pénètre dans le bois est ondulée.

JUILLE n. f. [#] **1.** Cheville. [++] **2.** Fig. *Un trou, une juille* : dans une discussion, répondre du tac au tac.

JUJUBE n. m. Pâte de fruit gélatinée de couleur et de goût variables. [+++]

JUKE BOX n. m. (angl. Juke box) [Ø] Phono mécanique à sous, installé dans des bars et dans des restaurants populaires.

JUMPER v. tr. et intr. (angl. to jump) [Ø] **1.** S'enfuir, disparaître. Après deux semaines au pensionnat, il a *jumpé*. Syn. : **se pousser**. **2.** Quitter son emploi. Je ne suis pas surpris que Paul ait *jumpé*, c'est un instable. [+++] **3.** *Jumper le train, le freight* : voyager dans, sur ou sous un train de marchandises comme passager clandestin. Les clochards de l'Est du Canada *jumpent le train* pour aller passer quelques mois sur la côte du Pacifique. **4.** Fig. *Jumper* ou *sauter le manche à balai* : devenir enceinte, en parlant d'une jeune fille. Syn., voir : **attraper**.

JUMPEUR, JUMPEUX n. m. (angl. jumper) [Ø] **1.** Traîneau d'érablière pour le transport de la sève d'érable. (O 38-84) Syn. : **bacagnole** (sens 1 et 2). **2.** Traîneau rudimentaire servant au transport des provisions en forêt. [+] **3.** Voir : **véloneige traditionnel**. **4.** Homme qui quitte son emploi avant la fin de son engagement, de son contrat. [+] **5.** Autrefois, collégien pensionnaire qui retournait dans sa famille, auprès de sa *mouman*. Syn. : **skippeux**.

JUMPEUX, EUSE adj. (angl. jumper) [Ø] Instable, qui a la bougeotte, qui change souvent d'emploi. Syn., voir : **bagosseux**.

JUNIOR n. Voir : **Jonas**.

JUPE n. f. Fig. *Porter la jupe* : en parlant du mari dans un ménage, jouer le second rôle. C'est le contraire de *porter la culotte*.

JUQUER (SE) v. pron. Se jucher en parlant des poules. [+]

JUQUOIR n. m. Juchoir, perchoir pour les poules. [+] Syn., voir : **jouchoir**.

JUSQU'À DATE conj. Jusqu'à maintenant.

JUS DE BRAS n. m. Fig. Énergie physique, huile de coude, huile de poignet. Il en a fallu du *jus de bras* pour épierrer cette terre! Syn. : **huile de bras**.

JUSTESSE n. f. *De justesse* : de peu. On peut réussir de justesse mais on rate de peu, jamais *de justesse*.

JUTEL n. m. Mélange de lait écrémé et de jus de fruits. Marque de fabrique. Le *Jutel* semble concurrencer très sérieusement les boissons gazeuses.

JUTRAS n. m. Marque de fabrique d'*évaporateur*. Voir : **évaporateur**.

JVAL, JVAUX n. m. Cheval, chevaux. [+]

KAKAWI, KAKAOUITE n. m. (amér.) Voir : **cacaoui**.

KAKIGOUACHE n. m. (amér.) Grand duc de Virginie.

KANGOUROU n. m. Pull-over de ouatine pour enfants avec capuchon et grande poche ventrale pour les mains.

KANNUCK n. m. Voir : **cannuck**.

KAOSHISH n. m. (amér.) Bande faite de trois épaisseurs de feuilles de bouleau cousues que les portageurs mettent sur leur front et sur laquelle ils attachent les courroies servant à porter les fardeaux.

KARMAT n. m. (mot inuit) Maison d'habitation rectangulaire dont les murs sont faits de pierres, de terre ou de blocs de glace et recouverte de peaux de caribous ou de phoques.

KATIKIOU n. m. (amér.) Tsuga du Canada.

KAYAKABLE adj. Où l'on peut pratiquer le sport du kayak, en parlant d'un cours d'eau, d'un lac.

KAYAKISME n. m. Sport du kayak.

KAYAKISTE n. Personne qui pratique le sport du kayak.

KAZOO n. m. (angl. kazoo) [Ø] Variété de mirliton constitué d'un tube muni d'une membrane de papier qui vibre quand on souffle dans le tube, ce qui produit un bourdonnement sourd.

KÉNOGAMIEN, ENNE n. et adj. Gentilé. Natif ou habitant de Kénogami, au Saguenay; de Kénogami.

KÉPI n. m. [#] Autrefois, casquette d'uniforme de collégiens et de petits séminaristes.

KÉTAINE adj. et n. Voir : **quétaine**.

KÉTAINER v. intr. Voir : **quétainer**.

KÉTAINERIE n. f. Voir : **quétainerie**.

KETCHUP adj. inv. Argot. Bien, réussi, à point, tout à fait juste. La réponse du premier ministre à la question du chef de l'opposition était *ketchup*. Syn. : **diguidou**, **tiguidou**.

KHAMASAN n. m. Vent d'est violent de l'Ouest canadien qui soulève des tourbillons de neige.

KIÂTRE n. m. Lit. J'ai sommeil, je vais me mettre au *kiâtre*, je vais me *kiâtrer*. (acad.)

KIÂTRER v. pron. Se mettre au lit, se coucher. Tiens, il est temps que j'aille me *kiâtrer*. (acad.)

KIAUDE n. f. Voir : **quiaude**.

KICKER v. intr. (angl. to kick) [Ø] Hésiter, regimber, protester, ruer dans les brancards. [+++]

KICKEUX, EUSE n. et adj. (angl. to kick) [Ø] Personne qui hésite, qui regimbe, qui rue dans les brancards, qui fait l'action de *kicker*.

KID n. m. (angl. kid) [Ø] Peau de chevreau. Porter des gants de *kid*. Anglicisme en perte de vitesse. [++]

KILDI, KILDIR n. m. (angl. killdeer) [Ø] Oiseau. Pluvier kildir.

KILIOU n. m. (amér.) Voir : **quiliou**.

KILIUTAK n. m. (mot inuit) Petit couteau en os souvent utilisé comme grattoir pour les peaux.

KINIKINIK n. m. (amér.) Écorce de saule qui se fume seule ou avec du tabac. Les trappeurs fumaient souvent du *kinikinik* comme substitut du tabac. Syn. : **bois roulé**.

KINKAJOU n. m. (amér.) Voir : **carcajou** (animal).

KISS n. m. (angl. kiss) [Ø] Bonbon à la mélasse ou au sucre, enveloppé d'une papillote. Anglicisme presque disparu. Syn. : **klondyke**.

KISS! exclamation. Cri pour exciter un chien contre un autre chien ou contre un prédateur. Kiss!, kiss!

KISSER v. tr. (angl. to kiss) [Ø] Exciter un chien contre quelqu'un ou contre un autre chien. [+++] Syn., voir : **choukser**.

KIT n. m. (angl. kit) [Ø] Trousse d'outils ou ensemble de tous les éléments que l'acheteur montera et assemblera lui-même.

KIWANIEN, ENNE n. et adj. Membre du club Kiwanis; relatif au club Kiwanis.

KLEENEX n. m. Mouchoir en papier qui se vend en boîtes de cent, deux cents mouchoirs. Marque déposée. [+++]

KLONDIKE, KLONDYKE n. m. **1.** Bonbon à la mélasse enveloppé d'une papillote. [+++] Syn. : **kiss. 2.** Fig. Se dit d'un emploi, d'une occupation, d'un commerce qui rapporte gros. La construction des barrages sur la Grande Rivière a été un vrai *klondike* pour beaucoup de travailleurs. [++]

KOANA! n. m. (mot inuit) Merci!

KODIAK n. f. Solides bottines de travail souvent portées par les jeunes gens (cégépiens, étudiants) comme chaussures usuelles d'hiver. Marque de fabrique.

KOKOMESH n. m. (amér.) Variété de truite de lac du Labrador.

KOTEX n. m. Serviette hygiénique. Marque de fabrique.

KRABLUNAIN (mot inuit) Appellation des blancs.

KRAFT n. m. Marque de fabrique dont on se sert souvent pour désigner divers fromages.

KRAMOLIK n. m. (mot inuit) Traîne inuite.

KRARLIK n. m. (mot inuit) Pantalon de fourrure dont les poils sont à l'extérieur.

KRI v. tr. [#] Voir : **queri**.

KRILATUGAK n. f. (mot inuit) Baleine blanche.

KRIMMEUR, CRÉMEUR n. m. (angl. krimmer) [Ø] **1.** Fourrure de mouton de Perse. Un manteau de *krimmeur*. **2.** Toque de fourrure de mouton de Perse. Il fait froid, mets ton *krimmeur*, ton *crémeur*. (E 30-99) Syn., voir : **casque** de poil (sens 2).

KULITAK n. f. Veste de fourrure dont les poils sont à l'extérieur.

KUTDELEQ n. m. (mot inuit) Lampe constituée d'un vase plat en forme de croissant, taillé dans un bloc de stéatite (pierre à savon) de 80 cm sur 35, par 4 de profondeur, dans laquelle on place une mèche qui trempe dans de l'huile et qui éclaire et réchauffe l'igloo.

KUTEX n. m. Vernis à ongles. Marque déposée.

KUWIASURVIK n. m. (mot inuit) Le ciel, lieu de bonheur après la mort.

L

LÀ interj. Là!, là!. Voilà ce que l'on dit pour calmer une vache lorsqu'on commence à la traire.

LABOUR n. m. **1.** *Labour Richard* : façon de labourer qui consiste à faire des planches larges et arrondies. L'abbé Maurice Proulx, cinéaste, a fait un film sur le *labour Richard* en 1938. **2.** Fig. *Avoir fait des labours d'automne* : se dit d'une jeune fille enceinte. Syn., voir : se faire **attraper**.

LABRADOR n. m. Fig. *Passer un Labrador, se faire passer un Labrador* : rouler, berner, tromper quelqu'un, se faire rouler. Allusion au jugement du Conseil privé de Londres qui, en 1927, attribua à Terre-Neuve un territoire que le Québec considérait comme sien. [++] Syn., voir : **passer un Québec**.

LABRADORIEN, ENNE n. et adj. Gentilé. Natif ou habitant du Labrador; du Labrador. Un spécialiste de la flore *labradorienne*.

LAC-À-L'ÉPAULE n. m. Réunion à huis clos d'un parti politique où se prennent des décisions importantes. Le premier *lac-à-l'Épaule* eut lieu en 1962 au lac du même nom. Le cabinet Lesage y décida de faire une élection sur la nationalisation de ce qui à l'époque ne faisait pas encore partie d'*Hydro-Québec*. [++]

LACET DE BOTTINE n. m. Argot. *Passer au lacet de bottine* : en milieu carcéral, étrangler (souvent avec un lacet de bottine ou de soulier) un codétenu qui serait un dénonciateur.

LACHE n. f. (angl. lash) [Ø] Ficelle, mèche d'un fouet. (acad.)

LÂCHE adj. **1.** Fig. et litt. en fr Paresseux, fainéant. Paul peut bien être pauvre, il est trop *lâche* pour travailler. **2.** Vx en fr. *Avoir le corps lâche* : avoir la diarrhée. Syn., voir : **cliche**.

LÂCHER v. tr., intr. et pron. **1.** *Lâcher de* : cesser de. *Lâcher* de tenir maison, ne pas *lâcher* de parler. [+++] Syn., voir : **casser maison**. **2.** Fig. *Lâcher son fou* : se défouler bruyamment, faire le fou, s'amuser follement. [+++]

3. *Lâcher de l'eau* : euphémisme pour uriner. [++] Syn. : **changer d'eau, changer son poisson d'eau, tomber de l'eau. 4.** *Se lâcher* : faire des vents nauséabonds. [++] Syn., voir : **fiouser. 5.** *Lâcher aller* : jeter, remettre à l'eau. *Lâcher aller* des vieilles chaussures, des poissons trop petits. **6.** Expres. fig. *Lâcher la queue du chat ou de la chatte* : être parrain ou marraine pour la première fois.

LACHET n. m. [#] Voir : **achet.**

LACHINOIS, E n. et adj. Gentilé. Natif ou habitant de Lachine, près de Montréal; de Lachine.

LACHUTOIS, E n. et adj. Gentilé. Natif ou habitant de Lachute, dans les Laurentides; de Lachute.

LACOMBE n. pr. Voir : **loi Lacombe.**

LACON n. m. Petit lac, étang. La glace *cale* plus tôt sur les *lacons* que sur les lacs de grande étendue.

LACORDAIRE n. m. Membre d'un « cercle Lacordaire » fondé en 1911, à Fall River aux États-Unis, et regroupant des abstèmes masculins; chaque membre porte un bouton attestant son appartenance à ce cercle; s'il lui arrive de manquer à sa promesse de ne plus boire, on dit qu'il *a cassé* ou *mangé son bouton*. Voir : **bouton** (sens 2).

LACROSSE n. f. (angl. lacross) [Ø] Voir : **crosse** (sens 1 et 2).

LADINO n. m. Variété de trèfle cultivé comme fourrage pour les vaches laitières.

LAG n. f. (angl. lag) [Ø] Plaque métallique articulée et nervurée pour accroître l'adhérence des chenilles d'un tracteur, tuile. Dérivés : **délaguer, relaguer.**

LAGUER v. tr. (angl. to lag) [Ø] Poser, remplacer les *lags*, c'est-à-dire les tuiles d'une chenille de tracteur.

LAICHE n. m. [#] Èche, esche, *aiche* devenant *laiche* avec agglutination de l'article : appât, lombric ou ver de terre utilisé comme appât. (acad.) Syn., voir : **achet.**

LAID, LAIDE, LAITE adj. [#] **1.** De quelqu'un de très laid, on dit volontiers : *laid comme les sept péchés capitaux, comme un coing, comme un cul, comme une chenille à poil, comme un péché mortel, comme un pet, comme un pichou* (sens 2)*, comme une suce* (tétine). **2.** *Faire laid, faire laite* : faire mauvais temps. Il a *fait laid* ou *laite* toute la semaine. [++]

LAIDIR v. tr. et intr. Enlaidir. Plus il vieillit, plus il *laidit*. Cette cicatrice au visage le *laidit* beaucoup. (acad.)

LAINE n. f. **1.** *Laine d'acier* (angl. steel wool) [Ø] : paille de fer. Passer un parquet à la *laine d'acier*. [+++] **2.** *Laine minérale* : isolant **3.** *Laine du pays* : laine provenant de moutons élevés à la ferme par opposition à celle que l'on peut acheter. **4.** Fig. *Pure laine* : de vieille souche, bien acculturé, authentique. Longtemps, les Québécois francophones se sont dits *Canadiens pure laine* et aujourd'hui ils se disent *Québécois pure laine*. [+++] **5.** Fig. *Mains de laine* : mains molles qui laissent tout tomber. [++] Syn. : **main** (sens 8).

LAIT n. m. **1.** *Lait veriou* : premier lait d'une vache qui vient de vêler, colostrum. Le *lait veriou* est souvent utilisé pour faire une espèce de flan. (acad.) **2.** *Lait condensé* (condensed milk) [Ø] : lait concentré. [++] **3.** *Lait de beurre* (angl. butter milk) : babeurre qui reste dans la baratte quand le beurre est pris. [+++] **4.** Voir : **jambe de lait.**

LAITERIE n. f. Fig. Poitrine féminine plantureuse. As-tu vu la *laiterie* branlante? Syn., voir : **magasin**.

LAIZE n. f. Mar. **1.** Bande plus ou moins large de tissu, largeur, lé. Une *laize* de tapis, de catalogne. [+++] **2.** Apport de varech, de goémon laissé par la mer descendante.

LALAIT n. m. [#] Lait, en langage enfantin.

LAMBINAGE n. m.; **LAMBINERIE** n. f. Rare en fr. Action de lambiner. On annonce de la pluie, pas de *lambinage* si on veut finir de rentrer le foin!

LAMBINE, AMBINE n. f. (Beauce) Voir : **amblet**.

LAMBINEUX, EUSE n. et adj. Lambin, qui travaille avec lenteur et mollesse. [+++]

LAMBLE n. m. [#] Amble. Un cheval qui va l'*amble*.

LAMBOURBE, LAMBOURNE n. f. [#] Lambourde.

LAMBOURI n. m. Nombril. Se promener le *lambouri* à l'air en parlant d'un enfant. (acad.) Syn., voir : **nambouri**.

LAMBRER, RAMBRER v. intr. [#] Ambler, aller l'amble. [+++]

LAMBREUR, EUSE; RAMBREUR, EUSE n. et adj. [#] Ambleur, qui va l'amble en parlant d'un cheval de course. [+++]

LAMBRIS, RAMBRIS n. m. Revêtement extérieur d'un pan de bâtiment. Un *lambris* de planche. Syn., voir : **rentourage**.

LAMBRISSAGE, RAMBRISSAGE n. m. Revêtement extérieur d'un mur, d'un pan de bâtiment; action de *lambrisser* ou *rambrisser*. Syn., voir : **rentourage**.

LAMBRISSER, RAMBRISSER v. tr. **1.** Revêtir de planches la partie extérieure d'un mur, d'un pan d'une construction. Syn. : **rentourer**. **2.** a) En parlant d'un puits circulaire, le maçonner. b) En parlant d'un puits carré, lui faire des parois en bois. D'où *lambrisser* un puits en bois (*épinette* ou *cèdre*), en pierres ou en *roches*.

LAME n. f. **1.** Fig. et mar. *Lame de neige* : dans les champs ou sur une route, amas de neige entassée par le vent et dont l'aspect fait penser aux lames de la mer qui se seraient figées. [++] Syn., voir : **banc de neige**. **2.** Lisse du métier à tisser.

LAMEUX, EUSE; LAMU, E adj. Mar. Fig. Se dit d'un endroit où la neige déposée par le vent donne l'impression d'une surface d'eau *houleuse* qui se serait figée. Une route *lameuse*, une plaine *lameuse*. [++]

LAMPE n. f. **1.** *Lampe à gas, à gasoline* (angl. gasoline) [Ø], *lampe à manteau* : lampe à manchons fonctionnant à l'essence sous pression. [+++] **2.** *Lampe de plancher* (angl. floor lamp) [Ø] : lampadaire. **3.** *Lampe Aladin* : lampe à manchons fonctionnant à l'huile. Marque de fabrique. **4.** *Lampe Rhéo* : variété de lampe à huile. Marque de fabrique. **5.** Ampoule électrique. Acheter une *lampe* de 100 watts. Syn., voir : **pochette** (sens 2).

LAMPRAIE n. f. [#] Lamproie.

LAMPRON n. m. [#] Nom vulgaire de la grande lamproie marine.

LANCE n. f. **1.** [#] Aiguillon, dard d'une abeille, d'une guêpe; langue d'une couleuvre. [+] Syn. : **lancette. 2.** Fer pointu que l'on met au bout d'une latte pour *lancer, enfiler, latter, enlatter* les pieds de tabac à pipe en vue du séchage. **3.** Au plur. Aurore boréale. Tiens, il y a des *lances* dans le ciel ce soir, c'est un spectacle à voir! (acad.) Syn., voir : **marionnettes**.

298

LANCÉ, E part. adj. Un peu gris, légèrement ivre.

LANCEMENT n. m. Élancement, douleur intermittente que l'on ressent.

LANCER v. tr. et intr. **1.** Ouvrir un abcès en utilisant une lancette. Le médecin a *lancé* son abcès. **2.** Rég. en fr. Élancer en parlant de douleurs. Ça me *lance* dans le doigt, c'est insupportable. **3.** Voir : **enlatter** (du tabac).

LANCETTE n. f. [#] **1.** Aiguillon, dard d'une abeille, d'une guêpe. [++] **2.** Langue d'une couleuvre. [++] Syn. : **lance** (sens 1).

LANCEUR, LANCEUX, EUSE n. Voir : **enlatteur** (de tabac).

LANCHET n. m. [#] Voir : **anchet**.

LANDAINE, LANDENNE, LINDENNE n. f. (angl. landing) [Ø] **1.** Pile de billes de bois à flotter entassées sur les berges d'un cours d'eau ou sur un lac l'hiver en attendant le dégel. [++] Syn. : **jetée** (sens 1). **2.** Débarcadère où peut accoster une petite embarcation.

LANDIER n. m. Au pl. Chenets d'une cheminée. (acad.)

LANGUE n. f. **1.** *Langue, langue de fer* : chausse-pied de métal servant à faciliter l'entrée du pied dans la chaussure. [++] Syn., voir : **cuiller à chaussures**. **2.** *Langue-de-chat* : spatule à curer les plats formée d'un manche terminé par un caoutchouc aplati. **3.** *Langue de chaussures* : languette ou soufflet d'une bottine ou d'un soulier. **4.** Loc. *Ne pas avoir la langue dans sa poche* : avoir la langue bien pendue, ne pas être timide.

LANGUEUR n. f. *Être en langueur* : s'endormir, commencer à dormir. (acad.)

LANGUI, E adj. Mal levé. Le pain *langui* est du pain qui a mis trop de temps à cuire, le four n'étant pas assez chaud. [+++] Syn. : **massé**, **massif**.

LANTENNE n. f. [#] Antenne. Installer une *lantenne* de télévision sur un toit. [++]

LAPEL n. m. (angl. lapel) [Ø] Revers d'un veston.

LAPIN n. m. **1.** Nom courant du lièvre. (acad.) **2.** *Mère-lapin* : lapine [+++] **3.** *En criant lapin* : en peu de temps, rapidement. Faire une course *en criant lapin*. Syn. : en criant **ciseau**. **4.** Fig. *Chaud comme un lapin* : très porté sur la chose en parlant d'un homme. [+++]

LAPINE n. f. Fig. Femme sensuelle, très portée sur la chose. [+++]

LAQUAICHE, LAQUÈCHE (amér.) Poisson d'eau douce de la famille des Hiodontidés et qui comprend la *laquaiche argentée* et la *laquaiche aux yeux d'or*, cette dernière étant renommée pour la finesse de sa chair. [++]

LAQUET n. m. [#] **1.** Hoquet. Avoir le *laquet*. **2.** Voir : **locket**.

LARD n. m. **1.** Rég. en fr. Porc, cochon vivant. Élever des *lards*, tuer un *lard*. (E 27-116) Syn., voir : **porc frais**. **2.** Viande de porc non salée. Faire cuire un rôti de *lard*. (E 28-100) **3.** Voir : **mangeur de lard**. **4.** Voir : **fèves au lard**.

LARDON n. m. Fig. Mot piquant, pointe.

LARGE n. m. Mar. **1.** Fig. *Au large* : loin de la maison mais sur la terre ferme. Réparer la clôture *au large*, près du *trait-carré*. Les vaches ont leur pacage *au large*. **2.** *Envoyer, jeter au large* : jeter dans la mer, dans le golfe Saint-Laurent ou dans le Saint-Laurent tout ce dont on veut se débarrasser. Syn. : jeter à l'**eau** (sens 12).

299

LARGE adj. (angl. large) [Ø] En parlant de la taille d'un vêtement, grande taille.

LARGUER v. tr. et intr. Mar. **1.** Faire tomber involontairement. Je n'ai pas fait attention : j'ai *largué* la plante verte. (E 25115) Syn. : **échapper**. **2.** Laisser s'échapper involontairement. *Larguer* son cheval. **3.** Laisser aller, laisser partir. *Larguer* un camarade qui passe son temps à tout critiquer. **4.** Cesser. *Larguer* de parler pour ne rien dire. **5.** Se défaire. Les coutures de ma chemise *larguent*. **6.** Pousser. *Larguer* un cri en voyant un accident d'automobile.

LARMETTE n. f. Petite quantité, goutte, peu. Oui, je prendrais bien une *larmette* de café, une *larmette* de whisky. Syn., voir : **bite**.

LASTIQUE n. m. [#] Élastique. Bretelles en *lastique*. Passe-moi un *lastique* pour attacher cette botte de carottes.

LATTÉE n. f. Latte d'environ quatre *pieds* de longueur sur laquelle sont enfilés six ou sept pieds de tabac à pipe ou à cigares et que l'on pend dans les séchoirs à tabac. (Lanaudière)

LATTER v. tr. Voir : **enlatter**.

LATTEUR, LATTEUX, EUSE n. Voir : **enlatteur**.

LAURENTIANA n. Tout document imprimé au Québec, ou à l'extérieur du Québec mais relatif au Québec; tout document de langue française imprimé au Canada; tout document imprimé à l'extérieur du Québec mais relatif au Canada d'expression française.

LAURENTIEN, ENNE adj. et n. **1.** Relatif aux montagnes appelées Laurentides ou relatif au bassin du Saint-Laurent. **2.** Gentilé. Natif ou habitant de la région des Laurentides ou du bassin du Saint-Laurent.

LAURIER n. m. Kalmia à feuilles étroites. (acad.) Syn. : **crevard, crevard de brebis, crevard de moutons**.

LAUZONNAIS, E n. et adj. Gentilé. Habitant de la ville de Lauzon; relatif à Lauzon.

LAVABO n. m. Vx en fr. Table de toilette d'autrefois comportant un emplacement pour cuvette, pot à eau et porte-savon. (O 26, 27 et acad.) Syn. : **lave-mains, lavier**.

LAVAGE n. m. Blanchissage, lessive. Beaucoup de femmes font leur *lavage* le lundi.

LAVAL-19 n. m. Variété de blé de printemps adapté aux conditions climatiques du Québec en particulier.

LAVALLOIS, E n. et adj. **1.** Gentilé. Habitant de Laval (île Jésus), près de Montréal; relatif à la ville de Laval. **2.** Gentilé. Étudiant de l'Université Laval de Québec, fondée en 1852; relatif à l'Université Laval.

LAVE-AUTO n. m. Établissement où se fait le lavage automatique des automobiles. Un *lave-auto* vient d'ouvrir ses portes. [+++]

LAVE-MAINS n. m. Autrefois, meuble de toilette comportant un emplacement pour cuvette, pot à eau et porte-savon. [+++] Syn., voir : **lavabo**.

LAVER v. tr. **1.** Faire la lessive. Surtout à la campagne, on a l'habitude de *laver* le lundi. **2.** Fig. Au jeu de cartes, faire perdre tout son argent à quelqu'un.

LAVERIE n. f. **1.** Lavage du linge. Le jour de *laverie*, c'est le lundi. (acad.) **2.** Linge et vêtements qu'on a lavés. Mettre la *laverie* sur la corde à linge. (acad.)

LAVETTE n. f. **1.** Fig. Individu sans caractère qui change d'idée comme il change de chemise. Cet homme-là? une *lavette*! Syn., voir : **vire-capot. 2.** *Être en lavette, se mettre en lavette* : être trempé, être en eau, être en nage; se mettre en nage.

LAVEUSE n. f. **1.** Planche à laver à surface ondulée d'autrefois. [+++] Syn. : **frottoir, lavoir. 2.** Machine à laver le linge. Dès la fin du XIXe siècle, les *laveuses* se retrouvent dans les campagnes au Québec. [+++] Syn. : **moulin à laver** (sens 8). **3.** Fig. Chemin de gravier raboteux, dont la surface est ondulée. La route est mauvaise, il y a de la *laveuse*. [++] Syn. : **planche à laver**.

LAVIER n. m. **[#] 1.** [++] Voir : **lavabo. 2.** Évier. Acheter un *lavier* blanc émaillé. (surt. O 34-91) Syn. : **sink.**

LAVOIR n. m. Voir : **laveuse** (sens 1).

LÈCHEFRITE n. f. **1.** Moule à pain. (O 30-100) Syn., voir : **tôle à pain. 2.** *Lèchefrite à cendre* : boîte à cendre placée sous le feu du poêle à bois, cendrier. Syn., voir : **cendrière. 3.** Grande bouilloire pour la sève d'érable à la *cabane à sucre.*

LÉCHER, LICHER v. tr. et pr. **1.** *Lécher ou licher la micouenne, la mouvette, la palette* : déguster la *tire* d'érable en utilisant une spatule de bois. **2.** Fig. *Se lécher* ou *licher la patte* : se passer de quelque chose. [+++]

LECTURE n. f. (angl. lecture) [Ø] Conférence, causerie. Faire une *lecture* devant un auditoire choisi. Au XIXe siècle, les Québécois étaient friands de *lectures*. Anglicisme disparu.

LECTURER v. tr. (angl. to lecture) [Ø] Faire une conférence, une lecture. Anglicisme disparu.

LECTUREUR (angl. lecturer) [Ø] Conférencier. Au XIXe siècle, Étienne Parent a été un *lectureur* renommé. Anglicisme disparu.

LÉGEARTE adj. f. **[#]** Légère. De la terre *légearte*, une voiture *légearte*. [+]

LÉGER, ÈRE DE CROYANCE n. et adj. **1.** *Léger de croyance* : catholique plus ou moins croyant ou pratiquant. (acad.) Syn. : **catholique à gros grains. 2.** Personne crédule, naïve qui gobe tout.

LEMOYNITE n. f. Nom d'un nouveau silicate de zirconium et de sodium, minéral découvert au mont Saint-Hilaire en 1969 et baptisé *lemoynite* en mémoire de Charles Lemoyne héros de la Nouvelle-France.

LENT, E adj. De quelqu'un qui est particulièrement lent, on dit qu'il est *lent comme l'ombre du midi, lent comme la mort.*

LENTINE n. f. **[#]** Lentille, vesce jargeau. (O 28-101) Syn. : **varveau.**

LES CEUX pr. [Ø] *Les ceux* qui viendront voter : ceux qui viendront voter.

LESSI n. m. **1.** Lessive obtenue lors de la fabrication du savon domestique et qui, dans le chaudron, se trouve entre le savon formant la partie supérieure et la potasse déposée au fond du chaudron. La lessive peut aussi être obtenue à partir de la cendre de *bois franc*. (O 22-124 et acad.) **2.** Essieu. Le *lessi* du tombereau s'est cassé. (acad.)

LESSIVER v. tr. Faire bouillir dans de la lessive. Autrefois on *lessivait* le maïs et on en mettait un peu de maïs *lessivé* dans la traditionnelle soupe aux pois des gens de la campagne.

LÉTOUSSE n. f. Voir : **litousse.**

LETTRAGE n. m. Action de *lettrer*, le résultat de cette action.

LETTRER v. tr. Peindre des lettres sur les enseignes, les panneaux, les camions, etc.

LETTREUR, EUSE n. Graphiste spécialisé dans l'écriture sur les enseignes, les panneaux, les camions.

LEUR pron. *Leur* aider. Vx en fr. Les aider. Voir : **aider.**

LEVAGE n. m. Action de *lever*, de dresser les pièces prétaillées d'une charpente. Le *levage* d'une grange. [+++]

LÈVE-CUL n. **1.** Maubèche branle-queue. Syn. : **branle-cul, branle-queue, tape-cul. 2.** Cheval rueur. Méfie-toi de ce cheval, c'est un *lève-cul*. **3.** Larve de *maringouin*, que l'on retrouve dans des eaux stagnantes. Syn. : **culbuton.**

LEVÉE n. f. **1.** [#] Lever. La *levée* du soleil était belle ce matin. [+] **2.** Remblai de terre, talus de chaque côté d'un fossé. Syn. : **relève, relevée, slope. 3.** *Levée de fonds* : campagne de souscription, collecte de fonds. **4.** Fig. *Levée du corps* : le fait de se lever le matin. Quand on s'est couché à trois heures du matin, la *levée du corps* est pénible.

LEVER v. tr. et pron. **1.** *Lever une grange* : dresser la charpente d'une grange, dont les pièces sont déjà prétaillées, occasion autrefois d'une *corvée*. **2.** *Lever un chemin* : tracer un chemin, y passer le premier après une chute de neige. Syn., voir : **battre. 3.** *Lever un fossé* : nettoyer un fossé en enlevant la terre qui s'est éboulée au fond. **4.** *Lever une prairie* : labourer une pièce de terre qu'on a laissée au repos pendant quelques années. **5.** Fig. *Se lever le gros bout le premier* : se lever de mauvaise humeur, se lever du pied gauche. **6.** Argot. *Lever les pattes, lever les pieds* : mourir. Syn., voir : **défuntiser** (sens 2)

LÈVE-VITE n. m. Levain. Quand le *lève-vite* n'est pas bon, le pain ne lève pas. Syn. : **galette à cuire, yeast.**

LEVIER D'ÉTOFFE n. m. Ancêtre du *canthook* et du *cantdog*, le *levier d'étoffe* était une gaule de bois franc de 2 m 50 de longueur, apointie à l'une de ses extrémités et servant à rouler ou à soulever des grumes.

LÉVIER, LAVIER n. m. [#] Évier. S'acheter un nouveau *lévier*, un nouveau *lavier*. [++] Syn. : **sink.**

LÉVISIEN, ENNE n. et adj. Gentilé. Habitant de Lévis (ville ou comté); relatif à Lévis. [+++]

LI p. pass. [#] Lu. Il a *li* tout son livre.

LIAISON n. f. *Liaison de beau temps, de mauvais temps* : plusieurs jour de suite de beau temps ou de mauvais temps. (acad.) Syn. : **neuvaine.**

LIARD n. m. **1.** Rég. en fr. Nom usuel du peuplier à feuilles deltoïdes. (O 22-124) **2.** Peuplier baumier. (Nord du Québec)

LIBARBE, LUBARBE n. f. [#] Rhubarbe. Aimer la tarte à la *libarbe*, à la *lubarbe*.

LIBÈCHE, LIBICHE, RIBÈCHE n. f. Lanière, bande étroite, émincé, tranche mince. Une *libèche* de tissu, de papier, de viande, de terre. [+++]

LIBÉRA n. m. **1.** *Libéra des anges* : libéra particulier que l'on chantait lors de l'enterrement d'un enfant. **2.** Fig. *Chanter un libéra* : considérer comme perdu. La montre qu'il a perdue en forêt, il peut lui *chanter un libéra*, il ne la retrouvera jamais!

LIBÉRAL, ALE, AUX n. et adj. **1.** *Parti libéral* : parti politique ayant une aile fédérale à Ottawa, le *PLC* et une aile provinciale dans chacune des provinces canadiennes, dont le *PLQ* au Québec. Syn. : **rouge**. **2.** Membre du *Parti libéral*. Syn. : **rouge**.

LIBRE-SERVICE n. m. Établissement (magasin, restaurant, poste d'essence) où le client se sert lui-même. Mot plus employé ici qu'en France où l'on préfère *self* ou *self-service*. Au pluriel, libres-services. [+++]

LICE n. f. Voir : **yeast**.

LICENCE n. f. (angl. licence) [Ø] **1.** Permis de conduire un véhicule automobile. Anglicisme presque disparu. **2.** Plaque d'immatriculation d'un véhicule automobile, plaque. *Licence* au sens de plaque d'immatriculation est presque disparu. **3.** Permis de vente d'alcool. Épicerie qui a une *licence*.

LICENCIÉ, E adj. et n. (angl. licenced) [Ø] Titulaire d'un permis de vente de bière et de vin appelé *licence*. Un restaurateur, un épicier ainsi que leur restaurant ou leur épicerie doivent être *licenciés*.

LICHE-CUL n. et adj. [#] Personne qui flatte bassement, lèche-cul, lèche-bottes. Ce professeur est toujours entouré de *liche-culs*. Syn. : **licheux de cul**.

LICHE-CURÉ n. et adj. Personne surtout de sexe féminin qui, il n'y a pas si longtemps, était au septième ciel quand elle était en présence d'un prêtre. Syn. : **licheux de curé**.

LICHE-LA-PIASTRE n. Fig. Personne avare. Syn., voir : **avaricieux**.

LICHER v. tr. [#] **1.** Lécher, passer la langue sur quelque chose. Il est malpoli de *licher* son couteau à table. [+++] **2.** Expression. fig. *On liche toujours son veau* : on est toujours content de ce qu'on a fait.

LICHEUX, EUSE n. et adj. **1.** Voir : **liche-cul**. **2.** Voir : **liche-curé**.

LIEN n. m. **1.** Regain, herbe qui repousse dans une prairie après la fauchaison. Mettre les vaches dans le *lien*. [++] Syn. : **repousse**, **repoussis**, deuxième **pousse**. **2.** Fig. *Avoir du lien aux genoux* : avoir épousé une fille riche. (Beauce) **3.** Contre-fiche servant à solidifier une charpente. [+++] Syn., voir : **gousset**.

LIEUE n. f. Ancienne mesure de distance équivalant à trois *milles* terrestres, soit 4,8279 km. Tous les explorateurs français aux XVIe, XVIIe et XVIIIe siècles utilisaient la *lieue*; la profondeur ainsi que la largeur des seigneuries étaient mesurées en *lieues*. Ce mot n'est plus en usage à la fin du XXe siècle.

LIEUX n. m. pl. Vx ou rég. Toilettes, lieux d'aisances. Demander où sont les *lieux*. Syn., voir : **bécosses**.

LIFT n. m. (angl. lift) [Ø] Transport gratuit, occasion. Trouver un *lift* pour se rendre à Vancouver. [++] Syn., voir : **pouce** (sens 5).

LIGHTEUR n. m. (angl. lighter) [Ø] Briquet à essence ou à gaz. [+++] Syn., voir : **feuseu**.

LIGNE n. f. **1.** Mesure de longueur, seizième partie du *pouce*, soit 1mm 587. **2.** *Ligne à linge, ligne à butin* : corde à linge. (acad.) Syn., voir : **corde à butin 3.** *Ligne blazée, blézée* (angl. to blaze) [Ø] Voir : **ligne plaquée. 4.** *Ligne Borden* : frontière économique de la politique énergétique du gouvernement fédéral en vertu de laquelle, à partir de 1961, les puits de pétrole de l'Ouest canadien devaient alimenter le marché à l'ouest de la rivière des Outaouais,

303

l'Est (le Québec et les Maritimes) devant importer son pétrole de l'extérieur. **5.** *Ligne plaquée* : en forêt, séparation marquée par des blanchis, des *plaques* sur les arbres. [+++] Syn. : **ligne blazée. 6.** *Grande ligne* : chemin séparant deux *comtés* ou deux *rangs* d'une certaine importance. **7.** (Angl. line) [Ø] : domaine d'activité. Être vendeur d'autos c'est une *ligne* payante. **8.** Voir : **fossé de ligne** (sens 2). *9. Ligne de produits* : gamme de produits. *10. Au bout de la ligne* : enfin, à la fin.

LIGNÉ, E adj. Réglé. Acheter du papier *ligné.*

LIGNES n. f. pl. (angl. boundary lines) [Ø] Frontière entre le Canada et les États-Unis. Les travailleurs frontaliers traversent les *lignes* deux fois par jour. [+++]

LIGNETTE n. f. Filet auquel sont attachés des crins avec nœuds coulants pour prendre les *oiseaux blancs*, les plectrophanes des neiges le printemps. [+++]

LIGNEU n. m. **[#]** Ligneul. Le *ligneu* dont se servent les cordonniers est enduit de poix. [+++]

LIGUE DU SACRÉ-CŒUR Association paroissiale pieuse pour hommes seulement et qui avait une dévotion particulière au Sacré-Cœur.

LIMANDE n. f. **1.** Autrefois, perche horizontale à laquelle on attachait les chevaux attelés près de l'église ou dans les cours des *magasins généraux*. **2.** Support des troncs d'arbres servant au pavage d'un chemin en terrain marécageux. (Charsalac)

LIMARE, LIMARD n. f. Oiseau. Petite nyctale.

LIMBES n. m. pl. Fig. *Sortir des limbes* : revenir à la réalité, au temps présent, revenir sur terre. *Sors des limbes*, on n'est pas au temps de Mathusalem!

304

LIMER v. intr. Pleurnicher, en parlant d'un enfant. (surt. Beauce) Syn., voir : **lyrer.**

LIMEUR, LIMEUX, EUSE adj. et n. Pleurnicheur en parlant d'un enfant. Syn., voir : **lyreux.**

LIMITE À BOIS, LIMITE n. f. (angl. timber limit) [Ø] Autrefois, concession forestière, étendue de forêt concédée à une compagnie forestière à des fins d'exploitation.

LIMON n. m. Végétation mousseuse qui semble en suspension dans l'eau, surtout dans les eaux quasi stagnantes.

LIMONAGE n. m. **1.** Action de *limoner* (sens 1), de pleurnicher en parlant d'un enfant. (surt. Beauce) **2.** Action de *limoner* (sens 2), d'hésiter, de tergiverser en parlant d'un adulte, hésitation, tergiversation, perte de temps. [+++] Syn., voir : **berlandage.**

LIMONER v. intr. **1.** Pleurnicher, en parlant d'un enfant. (surt. Beauce) Syn., voir : **lyrer. 2.** Fig. Hésiter, tergiverser, en parlant des adultes. [+++] Syn., voir : **berlander.**

LIMONEUX, EUSE adj. et n. **1.** Enfant pleurnicheur, bouder. (surt. Beauce) Syn., voir : **lyreux. 2.** Personne qui hésite, qui tergiverse, qui n'arrive plus à prendre une décision. [+++] Syn., voir : **berlandeux.**

LINDENNE n. f. Voir : **landing.**

LINGARD, E adj. et n. De taille élevée et mince, grand et maigre. Un grand *lingard.* Syn., voir : **fanal** (sens 2).

LINGE n. m. **1.** Vêtements en général : paletots, complets. *Linge* du dimanche, de semaine. **2.** *Linge à plancher* : serpillière servant à laver les planchers. Syn. : **gognon, guegnon à place, torchon à plancher. 3.** *Linge à vaisselle* : torchon à vaisselle

servant à essuyer la vaisselle. **4.** *Linge à verres* : essuie-verres.
5. Voir : **corde à linge**.

LINGERIE n. f. Vx et fr. Linge, vêtement. *Lingerie* de bébé,
lingerie de semaine, *lingerie* de travail.

LINGONE n. m. (Charsalac) Petite baie de la famille des
bleuets.

LINGUE n. f. *Poisson*. Nom vulgaire de la merluche
blanche.

LIPPE, NIPPE n. f. *Faire la lippe*, faire *la nippe* : pleurnicher,
surtout en parlant d'un enfant. [+++] Syn., voir : **lyrer**.

LIPPER, NIPPER v. intr. Pleurnicher. Un enfant qui *lippe*
pour un rien, qui fait la *lippe*, la *nippe*. [++] Syn., voir : **lyrer**.

LIPPEUX, NIPPEUX, EUSE adj. et n. Pleurnicheur en
parlant surtout d'un enfant. Syn., voir : **lyreux**.

LIQUEUR, LIQUEUR DOUCE, LIQUEUR GAZEUSE n.
f. (angl. liquor, soft liquor) [Ø] Boisson gazeuse, limonade,
sodas. C'est dans les épiceries que nous achetons nos
liqueurs. [+++]

LIS n. m. **1.** *Lis d'eau* : nymphéa tubéreux; nymphéa
odorant. (surt. O 27-116) Syn., voir : **nénuphar blanc**. **2.** *Lis
sauvage* : lis tigré.

LISABLE adj. Lisible. Son écriture n'est pas *lisable*.

LISON n. m.; **LISONNE** n. f. Rayure sur la robe d'un
animal. Vache à *lisons* ou à *lisonnes*. (acad.)

LISONNÉ, E adj. À pelage rayé. Une vache *lisonnée* (acad.)
Syn. : **barré**.

LISSE n. f. **1.** Mar. Entretoise ou pièce de bois horizontale
qui, dans une charpente, maintient un écartement fixe
entre deux poteaux. Syn., voir : **filière** (sens 1). **2.** Lame
de fer ou d'acier fixée sous les patins d'un traîneau. [+++]
Syn. : **ferrure** (sens 1). **3.** Trace laissée sur la neige par les
patins des traîneaux. [+++] Syn., voir : **reile. 4.** Cep de la
charrue. **5.** Perche horizontale de clôture de perches, d'où
clôture de lisses. (acad.) Syn., voir : **boulin. 6.** Voir : **yeast**.

LISSER v. tr. Garnir d'une *lisse*, c'est-à-dire d'une lame de
fer ou d'acier, les patins d'un traîneau. [+++] Syn. : **ferrer**
(sens 2).

LISSI n. m. [#] Voir : **lessi**.

LISTE n. f. (angl. list) [Ø] **1.** *Liste* des vins : carte des vins
au restaurant. **2.** *Liste* des prix : prix courant d'une
marchandise.

LIT n. m. **1.** Cerne ou cercle de croissance d'un arbre.
Compter les *lits* d'un arbre qu'on vient d'abattre. **2.** *Lit
d'arrêt* : dans les descentes abruptes, voie d'évitement
terminée par une sorte de bassin rempli de petits cailloux
vers lequel le conducteur d'un véhicule automobile en folie
le dirigera pour l'y enliser; arrêt de détresse. **3.** *Lit carriole* :
lit rappelant par sa forme la *carriole*, traîneau du Québec.
4. *Lit double* (angl. double bed) [Ø] : grand lit, lit à deux
places. **5.** *Lit simple* (angl. single bed) [Ø] : lit à une place,
pour une personne.

LITER v. tr. **1.** Faire la litière des animaux dans l'étable,
l'écurie, la porcherie. [+++] Syn. : **bedder, litiérer. 2.** Faire
un lit de branches là où tombera un arbre qu'on abat afin
de l'empêcher de se briser [++] Syn. : **bedder**.

LITIÉRER v. tr. Faire la litière des animaux dans l'étable,
l'écurie, la porcherie. [++] Syn., voir : **liter**.

LITOUSSE n. f. (angl. light-house) [Ø] Phare. Les *litousses*
ont évité bien des naufrages. Anglicisme presque disparu.

305

LITTÉRATURE n. f. (angl. literature) [Ø] Dépliants, brochures, documentation. Au bureau du tourisme, vous pourrez trouver de la *littérature* sur la Gaspésie. Syn. : **pamphlet**.

LITTORINE n. f. Bigorneau.

LIVRE n. f. Unité de poids valant seize *onces* soit 453 g, le kilo valant 2,205 *livres*.

LIVRET n. m. Pochette. Un *livret* d'allumettes. Syn., voir : **peigne** d'allumettes.

LNI n. f. Sigle. *L*igue *n*ationale d'*i*mprovisation. Sorte de *commedia dell'arte* créée en 1977 et mettant en compétition, sur le modèle du jeu de hockey, des équipes d'improvisateurs.

LOADEUR n. m. (angl. loader) [Ø] **1.** Machine agricole servant à monter dans la fourragère le foin déjà en andain ou en balles, chargeur. **2.** Mécanisme fixé à un camion et servant à son chargement (billes de bois, palettes diverses, etc.), chargeur.

LOAFAGE n. m. (angl. loaf) [Ø] (Saguenay) Période de repos de quelques jours entre deux ou trois jours de travail, pour les employés d'usine travaillant *sur les chiffres*. Jean est en *loafage*, il a travaillé de nuit toute la fin de semaine.

LOAFER, LOFER v. intr. (angl. to loaf) [Ø] Flâner, ne pas travailler alors qu'on devrait le faire. Anglicisme en perte de vitesse. [++]

LOAFEUR, EUSE, LOFEUR, EUSE n. (angl. loafer) [Ø] Flâneur, paresseux. Les *loafeurs* n'ont pas leur place ici! Anglicisme en perte de vitesse. [++]

LOBBY n. m. (angl. lobby) [Ø] Groupement, association qui exerce une pression sur les pouvoirs publics pour faire triompher ses intérêts.

LOBBYISTE n. Personne faisant partie d'un *lobby*.

LOBER v. intr. Somnoler, s'assoupir, dormir debout. (Région de Québec) Syn., voir : **cailler**.

LOBO n. f. Variété de pommes à couteau.

LOCALISER v. tr. (angl. to localise) [#] Trouver, découvrir, repérer. On a fini par *localiser* les débris de l'avion qui s'était écrasé.

LOCATION n. f. Situation, emplacement, lieu où se trouve un immeuble.

LOCHE n. f. **1.** Têtard de la grenouille. (O 34-91) Syn., voir : **queue-de-poêlon**. **2.** Nom vulgaire de la lotte commune (O 34-91) Syn. : **queue d'anguille**. **3.** Voir : **poulamon**.

LOCKER n. m. (angl. locker) [Ø] Consigne automatique dans une gare, consigne. Anglicisme qui a la vie dure.

LOCKET, LAQUET, LOQUET n. m. (angl. locket) [#] Médaillon de forme ronde ou ovale enfermant un portrait, une photo ou des cheveux et qui se porte suspendu au cou.

LOCK-JAW n. m. (angl. lock-jaw) [#] Tétanos. Maladie du cheval dont les mâchoires se barrent. Anglicisme en perte de vitesse.

LOCK-OUT n. m. inv. (angl. lockout) [Ø] Fermeture d'une usine par l'employeur en vue de forcer les ouvriers à accepter certaines conditions de travail. Décréter un *lock-out*.

LOCK-OUTÉ, E n. m. (angl. lockout) [Ø] Travailleur victime d'un *lock-out*.

LOCRE, LOQUE n. m. [#] Ocre. Acheter du *locre*, de l'ocre pour ocrer les portes d'une grange. [+++]

LOCRER, LOQUER v. tr. [#] Ocrer, recouvrir d'ocre. *Locrer, loquer* une grange. [+++]

LOG n. f. (angl. log) [Ø] **1.** Bille de bois d'une certaine longueur, grume. [++] Syn. : **billot**. **2.** Grume, bille de bois servant au pavage d'un chemin en *corduroy*, en terrain marécageux. **3.** *Cabane en logs* : cabane en bois rond. [++]

LOGE n. f. **1.** *Loge à moutons* : bergerie. (acad.) Syn. : **tet à brebis**. **2.** *Loge à cochons* : porcherie. (acad.) Syn., voir : **engrais**.

LOGEABLE adj. Qui fournit de l'espace. Ce camion est plus *logeable* que l'autre.

LOGEMENT n. m. Espace. Il y a beaucoup de *logement* dans les anciennes maisons.

LOGER v. tr. **1.** Contenir. Cette salle peut *loger* deux mille personnes. **2.** Construire. Paul veut *loger* sa maison et sa grange avant de se marier. (E 124, 125 et acad.) **3.** *Loger une plainte* (angl. to lodge a complaint) [Ø] : porter, déposer une plainte.

LOG HOUSE n. m. (angl. log house) [Ø] Maison de bois rond, dont les murs sont constitués de billes de bois, de grumes empilées les unes sur les autres. Les *camps* d'été, les *chalets* d'été sont souvent de bois rond.

LOI LACOMBE n. f. Loi du gouvernement du Québec votée au début de la crise de 1929, vulgairement appelée *loi Lacombe*, du nom du député du comté de Deux-Montagnes qui avait présenté le projet de loi à l'Assemblée législative. Cette loi permettait à quelqu'un couvert de dettes de les rembourser à tempérament, sans risques de faire saisir ses biens par les créanciers. Par exemple : les créanciers étaient obligés d'accepter qu'une somme de 500 $ leur soit remboursée à raison de 10 $ par mois pendant 50 mois.

307

LOIN adv. **1.** *Avoir loin* : avoir un long chemin à parcourir, une longue distance. *Avoir loin* de chez soi au village. **2.** *Combien loin* : quelle distance? *Combien loin* y a-t-il d'ici au village?

LOLLY n. m. (angl. lolly) [Ø] Cristaux ou fragments de glace en suspension dans l'eau ou flottant à sa surface. (Gaspésie) Syn., voir : **frasil**.

LOMBRIL n. m. [#] Nombril. Se promener le *lombril* à l'air. [++] Syn., voir : **nambouri**.

LOMPE n. f. Nom vulgaire de la grosse poule de mer.

LONG, LONGUE adj. *À la journée longue, à la semaine longue, à l'année longue* : à longueur de journée, de semaine, d'année. [+++]

LONGE n. f. Branche flexible qu'on utilise comme fouet.

LONGIS adj. inv. Se dit d'une personne lente, d'un lambin. Ce qu'il est *longis* cet enfant! (acad.)

LONGITUDE n. f. Personne très lente. Ah! quelle *longitude* que cet homme! (acad.)

LONGUE DISTANCE n. m. (angl. long distance) [Ø] **1.** Appel téléphonique interurbain, un interurbain. Faire un *longue distance*. **2.** Déménagement *longue distance* : déménagement interurbain.

LONGUE-POINTE, SAINT-JEAN-DE-DIEU n. pr. **1.** Hôpital psychiatrique créé à Montréal en 1843 et qui est devenu l'hôpital Hippolyte-Lafontaine en 1976. **2.** *Un évadé de Longue-Pointe* : un fou qui devrait être interné.

LOOSE, LOUSSE n. et adj. (angl. loose) [#] **1.** Jeu, défaut de serrage. Serrer un écrou qui a du *loose*. [+++] Syn. : **slack**. **2.** Mou. Bander un câble qui est trop *loose*. [+++] Syn. : **slack**. **3.** Ample, flottant. Porter des vêtements trop *lousses*. **4.** En vrac. Autrefois on engrangeait le foin *loose* et non en balles. [+++] **5.** En liberté, non attaché. Laisser un cheval *loose* dans un parc de l'écurie. [+++] **6.** Avoir le corps *lousse* : avoir la diarrhée. Syn., voir : **cliche**. **7.** Fig. Prodigue, qui dépense son argent sans compter.

LOOSE, LOUSSE adv. [#] *Tricoter lousse* : tricoter non serré. [+++]

LOQUE n. m. Voir : **locre**.

LOQUÉ, E adj. Voir : **lucky**.

LOQUER v. tr. Voir : **locrer**.

LOQUER v. intr. (angl. to luck) [Ø] Voir : **lucker**.

LOQUET n. m. (angl. locket) [Ø] Voir : **locket**.

LOQUETTE n. f. *Loquette d'Amérique* : anguille de roche.

LORETTAIN, E n. et adj. Gentilé. Natif ou habitant de Loretteville, près de Québec; de Loretteville.

LOT n. m. **1.** Troupeau, bande, foule. Notre voisin a un *lot* de cent vaches et un *lot* de deux cent cochons. Un *lot* de voteurs se sont présentés au bureau de vote.. Syn. : **stock**. **2.** (Angl. lot) [Ø] a) Terrain boisé concédé à un particulier qui devait le défricher et le mettre en culture. Après 1763, on a concédé des *lots* à défricher dans les *townships* ou *cantons*, en dehors des anciennes seigneuries. b) *Lot à bois*, *lot boisé* : terrain boisé non destiné au défrichement appartenant à un cultivateur qui l'exploite pour son bois de chauffage, pour son bois de service ce qui lui procure un revenu d'appoint Syn. : **boisé**, **boisé de ferme**. c) *Lot de surplus*. Voir : **surplus**. d) *Lot de cimetière* : concession de sépulture. Posséder un *lot de cimetière*.

LOTO n. f. Loterie, loto (n. m.). Acheter un billet de *loto*. Gagner le gros lot à la *loto*.

LOTTE n. f. (NOLF) Baudroie. Syn. : **crapaud de mer**.

LOUCHAGE n. m. Le fait de loucher, d'être atteint de strabisme.

LOUIS n. m. Ancienne pièce de monnaie valant quatre *dollars* et ayant encore cours au Canada au début du XXe siècle.

LOUISE n. pr. **1.** Variété de mouche artificielle pour la pêche au lancer. Marque déposée. **2.** Mot péjoratif qui en 1982 a concurrencé le mot *Yvette* dans le domaine du sexisme.

LOUISEVILLIEN, ENNE, LOUISEVILLOIS, E n. et adj. Gentilé. Natif ou habitant de Louiseville, en Mauricie; de Louiseville.

LOUP n. m. **1.** Blason populaire. Habitant de Baie Saint-Paul. (Charlevoix) **2.** *Noir comme chez le loup* : obscurité totale. Voir : **noir comme**.

LOUPE n. f. Excroissance, bosse sur la tête ou dans le cou d'une personne.

LOUPÉE n. f. *Avoir bonne loupée* : avoir bon appétit, en parlant d'une personne ou d'un animal qui mange avidement.

LOUPERIVOIS, E n. et adj. Gentilé. Natif ou habitant de Rivière-du-Loup, dans le Bas-Saint-Laurent; de Rivière-du-Loup.

LOUP-GAROU n. m. **1.** Selon les légendes, être malfaisant qui erre la nuit sous l'apparence d'un loup. [+++] **2.** *Courir le loup-garou* : courir la prétentaine. Syn., voir : **galipote**.

LOUP- MARIN n. m. **1.** Phoque. C'est à la fin de l'hiver et au début du printemps que la chasse au *loup-marin* est permise. Le mot *phoque* est fréquent dans la toponymie du Québec. (E 22-124) Syn. : **seal**. **2.** *Loup-marin d'esprit* : phoque dont l'odorat serait particulièrement développé. **3.** *Loup-marin, loup de mer* : poisson, loup de l'Atlantique (Anarhichas lupus).

LOUSSE n. et adj. (angl. loose) [Ø] Voir : **loose**.

LOUTRE n. f. *Grasse comme une loutre* : ayant de l'embonpoint en parlant d'une femme seulement. Pour un homme on dit *gras comme un voleur*.

LOYALISTE adj. et n. Américain qui, au moment de la Révolution américaine a décidé de rester fidèle au roi d'Angleterre et est venu s'établir au Canada, en Estrie et en Ontario.

LOYER n. m. **1.** [#] Logement loué. Laisser son *loyer*, se chercher un *loyer* plus grand. [+++] **2.** *Être à loyer* : être locataire. [+++]

LUBARBE, LIBARBE n. f. [#] Rhubarbe.

LUCIENNES n. f. pl. Toilettes publiques à Québec (du prénom féminisé du maire qui les popularisa, Lucien Borne). Mot dont la création a été inspiré par les *camiliennes* de Montréal.

LUCK n. f. (angl. luck) [Ø] Chance, veine, heureux hasard. Anglicisme en perte de vitesse.

LUCKER, LOQUER v. intr. (angl. to luck) [Ø] Avoir de la chance, de la veine, être chanceux. Anglicisme en perte de vitesse. Syn. : **chancer**.

LUCKY, LOQUÉ adj. (angl. lucky) [Ø] Chanceux, à qui la chance sourit, veinard. Anglicisme en perte de vitesse. Syn. : **bossu**.

LUETTE n. f. Fig. *Se mouiller, se rincer la luette* : prendre un verre, boire à l'excès, s'enivrer. [+++] Syn., voir : **dalle** (sens 7).

LULU n. f. Chacune des deux mèches de cheveux attachées par un ruban, de chaque côté de la tête d'une petite fille. Comme tu es mignonne avec tes *lulus*!

LUMBERJACK n. m. (angl. lumberjack) [Ø] Travailleur forestier, bûcheron. [++] Syn. voir : **voyageur**, (sens 2).

LUMELLE, ALUMELLE n. f. Vx en fr. Lame de couteau, de canif. [+++]

LUMIÈRE n. f. **1.** [#] Ampoule électrique. Remplacer une *lumière* brûlée. [++] Syn., voir : **pochette** (sens 2). **2.** (Angl. traffic light) [Ø]. Feu de circulation. Installer une *lumière* à un croisement; brûler une *lumière* rouge coûte maintenant très cher. [+++] **3.** Fig. *Perdre lumière* : perdre son sang-froid dans une discussion. **4.** Phare d'une automobile. Ne jamais rouler de nuit avec une seule *lumière*. [++] **5.** Fig. *Allumer ses lumières* : devenir attentif, se réveiller, prêter attention. **6.** Électricité. Le dernier compte de *lumière* est élevé, on voit que c'est l'hiver. [++]

LUNCH n. m. (angl. lunch) [Ø] **1.** Repas léger, casse-croûte. Quand on va à un banquet, on n'apporte pas son *lunch*. [+++] Syn. : **manger**. **2.** Argot. Épouse. Quand un homme va à un banquet, il n'apporte pas son *lunch*. **3.** Voir : **boîte à lunch**.

LUNE n. f. **1.** Marque blanche sur le front de bêtes à cornes. Syn., voir : **cœur**. **2.** *Bois de lune, bûche de lune* : bois volé la nuit. **3.** *Avoir ses lunes, être dans ses lunes* : avoir ses règles, être menstruée. Syn. : avoir ses **affaires**, être dans ses **fleurs**, le **cardinal** est arrivé, être **malade**, **Tit Burce** est arrivé. **4.** *Lune profitante* : lune dans le croissant de laquelle on doit tuer les animaux de boucherie si l'on veut que leur viande soit profitable. **5.** Fig. *Avoir fait un pet à la lune* : se dit d'une jeune fille devenue enceinte. Syn., voir : se faire **attraper**.

LUNE-DE-MIEL n. f. (angl. honeymoon) Friandise faite d'une pâte sucrée au miel, recouverte de chocolat et ayant la forme d'une grosse pièce de monnaie ou d'une lune.

LUNETTE n. f. **1.** Autrefois, dans une clôture de perches, planche percée de deux trous et qui coiffait deux piquets jumeaux pour les empêcher de s'écarter l'un de l'autre. (O 40-79) **2.** *Lunettes à béquilles* : autrefois, lunettes équipées de supports pour tenir les paupières relevées chez les personnes qui souffraient de myopathie oculaire. [+] **3.** *Lunettes boucanées* : lunettes fumées. [++] **4.** *Lunettes indiennes* : lunettes qui étaient constituées d'une planchette percée d'une étroite fente afin de se protéger les yeux contre la réfraction des rayons du soleil sur la neige et de prévenir le *mal de neige*.

LUTTER v. tr. et pron. Heurter, se heurter. En avançant sans regarder, il a *lutté* un arbre, il s'est *lutté* contre un arbre. (O 35-85) Syn., voir : **frapper** (sens 2).

LUXURE n. f. Voir : **créature** (sens 2).

LYRE n. f. **1.** Rengaine, rabâchage. Chaque fois qu'il ouvre la bouche, on entend toujours la même *lyre*. **2.** Lubie, impulsion subite, caprice, fantaisie. Quelle *lyre* lui a pris de vendre sa maison? Syn., voir : **embardée**.

LYRER v. intr. **1.** Pleurnicher longtemps, surtout en parlant d'un enfant. (surt. O 25-117) Syn. : **chignasser**, **chigner**, **chignoler**, **gignoler**, **limer**, **limoner**, faire la **lippe**, **lipper**, faire la **nippe**, **nipper**, faire le **pote**, **poter**, **rechigner**, **renicher**, **siroter**. **2.** En parlant d'un adulte, rabâcher toujours la même chose, répéter sans cesse les mêmes plaintes.

LYREUX, EUSE n. et adj. **1.** Pleurnicheur, boudeur en parlant d'un enfant. (surt. O 25-117) Syn. : **chigneur**, **limeur**, **limoneur**, **lippeux**, **siroteux**. **2.** En parlant d'un adulte, rabâcheur qui se plaint sans arrêt.

M'A, M'AS, MA (première pers. du sing. du verbe aller au présent de l'indicatif) **[#]** Je vais, je m'en vais. *M'a* aller chercher du lait à l'épicerie. [+++] *M'a* te dire ce que je pense. Je vais te dire ce que je pense.

MACA, MACAQUE n. m. (amér.) *Cassot* d'écorce de bouleau.

MACABLE adj. Lourd, pesant. Le chariot à foin d'autrefois était *macable*.

MACAQUIN n. m. Blason populaire. Surnom des habitants de Natashquan.

MACCHOU n. m. (amér.) Mélange de maïs et de graisse.

MACHAROA n. m. (amér.) Aigle.

MACHÉ, E adj. (angl. mashed) **[Ø] 1.** En purée. Pommes de terre *machées*. **2.** Abîmé en parlant de fruits : pêches, poires, prunes, cerises...

MACHECOUÈCHE, MACHEKOUÈCHE, MARCHOUÈCHE n. m. (amér.) Raton laveur. Porter un manteau de *machecouèche*. (acad.) Syn., voir : **chat sauvage**.

MACHECOUI, MASCOUI n. m. (amér.) Écorce de bouleau servant à l'isolation des toits, des murs, en plus de servir à la construction des canots d'écorce et à la fabrication de contenants. (acad.) Syn. : **bergamau**.

MACHECOUITER, MASCOUITER v. tr. (amér.) Couvrir un toit, isoler un mur avec du *machecoui*. (acad.)

MACHEMALO n. m. (angl. marshmallow) **[Ø]** Pâte de guimauve. Acheter des petits cochons en *machemalo*. [+++]

MACHICOTÉ n. m. (amér.) Voir : **maskicoté**.

MACHIGOUEN n. m. (amér.) Persil.

MACHINE n. f. **1.** Automobile, auto, voiture. As-tu vu la belle *machine* qu'il s'est achetée? Faire un tour de *machine*. Accident de *machines*. Mot en perte de vitesse. (Lanaudière) Syn. : **bazou** (sens 2), **char** (sens 3). **2.** *Machine à boules* : billard électrique. Les jeunes désœuvrés passent des heures devant les *machines à boules*. **3.** Objet, outil qu'on ne nomme pas (machin, truc, bidule). Passe-moi donc la *machine* (marteau, clef...). Syn. : **affaire**. **4.** Personne qu'on ne nomme pas, dont on a oublié le nom ou qu'on ne veut pas nommer. Tiens j'ai parlé de *Machine*, à madame *Machine* hier. Syn. : **Chose**, **Untel**. **5.** *Machine-shop* n. f. (angl. machine-shop) [Ø] : atelier d'usinage de construction mécanique. Anglicisme en perte de vitesse.

MÂCHOIRES DE VIE, DE SURVIE n. f. pl. (angl. life jaw) Instrument tenant à la fois des pinces coupantes, de la presse et du vérin d'écartement, utilisé pour dégager les accidentés de la route restés emprisonnés dans la ferraille des voitures accidentées. Mâchoires ou pinces de désincarcération.

MÂCHOUILLER v. tr. **1.** Fam. en fr. Mâchonner, mâchiller. *Mâchouiller* son crayon. **2.** Parler d'une façon indistincte. Je n'ai pas compris ce qu'il a dit, il *machouille* ses mots.

MÂCHOUILLEUX, EUSE adj. et n. Rare en fr. Mâchonneur, qui a l'habitude de mâchonner une cigarette, un cigare, une brindille.

MACKINAW, MAKINA n. m. (amér.) **1.** Tissu de laine à carreaux que l'on fabriquait autrefois à Mackinaw, Michigan(États-Unis) servant à la confection d'une veste-chemise portant le même nom et où s'opposent le rouge et le noir. Fabriquer du *mackinaw*. [++] **2.** Veste-chemise de bûcheron ou de chasseur confectionnée dans un tissu de laine à carreaux qui porte le même nom et où s'opposent le rouge et le noir. Porter un *mackinaw* pour aller à la chasse. [++] **3.** Paletot court et croisé fait de drap épais appelé *mackinaw*. [++]

MAÇONNE, MAÇOUNE n. f. Maçonnerie. Faire les fondations d'une maison en *maçonne* et non en béton. [+++] Syn., voir : **solage**.

MAÇONNER v. tr. Faire les parois d'un puits en bois. *Maçonner* un puits de bois (le plus souvent de thuya), le puits étant alors carré au lieu d'être rond. Syn. : **boiser**.

MACOUCHAME n. m. (amér.) Voir : **mokouchan**.

MADAME n. f. *Jouer à la madame, jouer de la madame* : jouer à la poupée (jeu de petites filles). Syn. : **jouer à la maman**.

MADAWASKAIEN, ENNE n. et adj. Gentilé. Habitant du Madawaska au nord-ouest du Nouveau-Brunswick; du Madawaska.

MADELEINEAU, MADELINEAU n. m. Nom vulgaire du saumon mâle âgé de moins de cinq ans.

MADELINIEN, ENNE, MADELINOT, E n. et adj. Gentilé. Natif ou habitant des Îles-de-la-Madeleine; des Îles-de-la-Madeleine. La forme féminine *madelinote* rimant avec *idiote* est loin d'être prisée par la gent féminine des Îles.

MADELON n. f. Aspirine de marque Madelon. Prendre une *madelon* quand on a mal à la tête.

MADOUESSE n. m. (amér.) Porc-épic. (acad.)

MAE WEST n. f. et m. Variété de pâtisserie au chocolat vendue sous plastique en portion individuelle. Du nom d'une actrice américaine célèbre vers 1940. [+++]

MAFFLÉ, E adj. Mafflu, joufflu, qui a de grosses joues.

MAGANÉ, E adj. **1.** Fatigué, exténué, affaibli. Il est rentré de l'hôpital très *magané* par sa maladie. [+++] Syn., voir : **resté**. **2.** Abîmé, détérioré en parlant d'un meuble, d'un siège, d'un fauteuil.

MAGANER v. tr. et pron. **1.** Fatiguer, affaiblir. Cette opération a bien *magané* son père. [+++] **2.** Abîmer, détériorer, endommager. Les enfants ont *magané* les fauteuils. [+++] **3.** Maltraiter, malmener, rudoyer. Un vrai charretier ne *magane* jamais son cheval. [+++] Syn., voir : **agoner. 4.** Se fatiguer, s'affaiblir.

MAGASIN n. m. **1.** *Magasin général* (angl. general store) [Ø] : autrefois, à la campagne, magasin où l'on pouvait trouver tout ce qui répondait aux besoins courants. [+++] **2.** *Magasin à rayons* (angl. department store) [Ø] : grand magasin. **3.** *Magasin de fer* : quincaillerie. Mot presque disparu. **4.** *Magasin de quinze-cents.* Mot presque disparu. Voir : **quinze-cents. 5.** Hangar où les pêcheurs conservaient la morue. **6.** Fig. Poitrine féminine plantureuse. Syn. : **corniche, devanture, estomac, jabot, laiterie, paire de clochettes, tétonnière. 7.** *De magasin.* a) Manufacturé, qui s'achète dans un magasin, chez un marchand. Balai *de magasin*, chaussures de magasin. b) Artificiel. Avoir des *dents de magasin* c'est avoir un ou deux dentiers. Syn., voir : **palais**

MAGASINAGE n. m. **1.** Action de *magasiner*, de faire des courses, des emplettes. Faire son *magasinage*, du *magasinage*. **2.** Fig. Le fait de flirter, de faire l'amour en changeant souvent de partenaire.

MAGASINER v. intr. **1.** Faire des courses, courir les magasins pour se renseigner avant d'acheter. *Magasiner* plusieurs heures sans acheter. [+++] **2.** Fig. Faire l'amour. On dit que les jeunes d'aujourd'hui *magasinent* beaucoup mais *achètent* peu. Syn., voir : **peau** (sens 5).

MAGASINEUX, EUSE n. et adj. **1.** Personne qui aime *magasiner*, courir les magasins. [+++] **2.** Fig. Personne qui fait l'amour en changeant souvent de partenaire. [++]

MAGASOUNE n. m. (acad.) Voir : **mocassin.**

MAGNYMONTOIS, E n. et adj. Gentilé. Natif ou habitant de Montmagny, près de Québec; de Montmagny.

MAGONNE n. f. (amér.) **1.** Cristaux ou fragments de glace en suspension dans l'eau salée ou flottant à sa surface. (E 7141) Syn., voir : **frasil. 2.** Neige détrempée, souvent mêlée de sable et de sel, qui recouvre les trottoirs et les chaussées, névasse. (E 7-141) Syn., voir : **slush. 3.** Boue détrempée, gluante. (E 7-141) Syn., voir : **pigras. 4.** Varech et goémon utilisés comme engrais et que l'on ramasse en se servant d'une *pêchemagonne.* (acad.)

MAGOUA n. Blason populaire. Habitant de Petit Village (La Mission) de Yamachiche près de Louiseville.

MAHOGANY n. m. (amér.) Acajou. Une table en *mahogany.* Mot presque disparu.

MAI n. m. **1.** Mât planté devant une maison, sur une place publique, et au sommet duquel on hisse un drapeau. **2.** Petit sapin qu'on cloue au faîte d'une nouvelle construction. [+++] Syn. : **bouquet** (sens 2).

MAIGRAILLES, MAIGRASSES n. f. pl. Parties maigres du porc qu'on ne salait pas, maigre de porc. [++]

MAIGRASSE adj. Très maigre en parlant d'une jeune fille ou d'une femme.

MAIGRE adj. et n. **1.** *Maigre d'eau, mince d'eau* : de peu de profondeur. À cet endroit, la mer est *maigre d'eau.* (acad.) Syn., voir : **eau** (sens 18). **2.** D'une personne très maigre, on dira qu'elle est maigre comme un *bardeau*, un *casseau*, un *charcois*, un *chicot*, un *coing*, un *clou*, un *épissoir*, un *esquelette* (squelette), un *foin*, un *hareng boucané*, un *manche* *à balai*, un *pic*, un *piquoir*, etc. **3.** Fig. *Le maigre des fesses lui tremble* : trembler de peur. Chaque fois qu'il croise son patron *le maigre des fesses lui tremble*. [++]

MAIGRECHIFFE, MAIGRECHINE, MAIGRICHIN, MAIGRICHINE, MAIGRELIN (acad.) n. et adj. Maigrelet, un peu maigre, d'apparence débile, maigrichon. [+++]

MAIGRETÉ n. f. [#] Maigreur. Il était d'une *maigreté* inimaginable lorsqu'il est mort.

MAIGRICHOUX n. m. Enfant maigre, homme malingre.

MAIGROUX, OUSE; MAIGRU, E n. et adj. [#] **1.** Maigre. Enfant *maigroux*, fillette *maigrue*. **2.** Sobriquet donné à quelqu'un qui est maigre. Tiens, j'ai appris que *Maigroux, Maigru* allait se marier!

MAILLÉ n. m. Jeune esturgeon noir de moins de cinq kilos capturé en eau douce. (O 22-124) Syn. : **escargot**.

MAILLER (SE) v. pron. Fig. Rester accrochées l'une à l'autre par les pare-chocs, en parlant d'autos qui se sont heurtées légèrement. (Gaspésie)

MAILLET n. m. **1.** Macreuse à bec jaune. Le *maillet* est un oiseau migrateur. **2.** Individu bête, stupide, maladroit. Espèce de *maillet*! **3.** Au pl. Les jeunes garçons de 10 à 15 ans.

MAILLOCHE n. f. **1.** Fig. Tête dure en parlant d'une personne têtue. **2.** Fig. Mâchoire inférieure proéminente d'une personne. L'as-tu vu avec sa *mailloche*! **3.** Fig. Pénis imposant. Syn., voir : **pine** (sens 5)

MAIN n. f. **1.** Gros pinceau ou brosse à blanchir au lait de chaux, queue de morue. Syn. : **blanchissoir**. **2.** *À main*: a) Docile surtout en parlant d'un cheval. [+++] b) À portée de la main, commode. C'est *à main* d'avoir un centre commercial près de chez soi. **3.** Fig. *Avoir les mains pleines de pouces* : être maladroit, manquer d'habileté pour prendre ou attraper quelque chose. [+++] Syn. : **mains de beurre**, **mains de laine**. **4.** *Main chaude* : jeu de garçon où deux joueurs frappent à main ouverte et à tour de rôle la main de l'adversaire tendue vers lui. Le gagnant qui a le plus d'endurance. [+++] **5.** *Main de beurre* : mains qui laissent tout échapper. Syn., voir : **mains pleines de pouces**. **6.** *Main de charrue* : plaque de fer percée de plusieurs trous et accrochée horizontalement à la *tête de chas* de la charrue pour permettre de régler la largeur du labour. **7.** *Main de fer* : gros crochet fermé par un ressort auquel on accroche le seau à puiser de l'eau. **8.** *Main de tabac* : manoque, petite botte de feuilles de tabac que peut tenir une main et qu'une feuille de tabac réunit par leurs pétioles. [+++] Syn. : **andouille**, **menoque**, **menotte**, **quenouillon**. **9.** Fig. *Mains de laine* : mains molles qui laissent tout échapper, tout tomber. [+++] Syn., voir : **mains pleines de pouces**. **10.** *Envoyer la main* : saluer de la main. **11.** *Mains blanches*. Voir : **maladie des mains blanches**. **12.** *Porter quelqu'un sur la main* : avoir des égards pour quelqu'un. *Porter* ses grands-parents, ses enfants *sur la main*. (Lanaudière) **13.** *En mains* : en magasin, en stock. Un marchand dit souvent : nous avons *en mains* tout ce dont vous avez besoin. **14.** La *Main* (angl. main street) [Ø] : la rue Saint-Laurent à Montréal.

MAINETTE n. f. Se dit d'un homme qui aide beaucoup sa femme pour le travail d'intérieur, le travail de maison.

MAINTÉE n. f. Ce que le creux d'une main peut contenir. Une *maintée* de sucre, de sel.

MAINTIEN n. m. Manche du fléau d'autrefois servant à battre les céréales. [+++]

MAIRESSE n. f. **1.** La femme du maire, il y a un certain nombre d'années. **2.** Aujourd'hui, la personne, en l'occurrence la femme qui occupe la fonction de maire d'une municipalité ou d'une ville.

MAISON n. f. **1.** *Grande maison, grand'maison* : à la campagne, maison que l'on habite l'hiver, par opposition à *cuisine d'été, cuisinette,* ou *fournil,* habités l'été. **2.** *Maison funéraire.* Voir : **funérarium. 3.** *Maison mortuaire.* Voir : **funérarium. 4.** *De maison* : de fabrication domestique surtout en parlant du vin de cerises, de pissenlit, etc. Offrir un verre de vin *de maison* à un ami. **5.** *Maison appartement* : immeuble à appartements. **6.** *Casser maison, fermer maison, lâcher maison, lâcher de tenir maison* : cesser de tenir maison.

MAIS QUE loc. conj. Vx en fr. Quand, lorsque, dès que. *Mais que* tu viennes en ville, fais-moi signe. [+++] La graphie *mé que* est stupide.

MAITE, METTE n. f. Rég. en fr. Pétrin, maie. Les *maites* sont de plus en plus recherchées par les marchands d'antiquités. (acad.) Syn. : **huche.**

MAÎTRE DE CÉRÉMONIE n. m. Animateur d'un music-hall, d'un spectacle, d'une soirée.

MAÎTRESSE n. f. Dans les chansons folkloriques, amoureuse, bien-aimée, préférée en tout bien tout honneur.

MAKE'EM n. f. (angl. make'em) [Ø] Argot. Cigarette roulée à la main, roulée. Acheter du tabac à *Make'em.* [++] Syn., voir : **rouleuse.**

MAKINA n. m. Voir : **mackinaw.**

MAKUSHAM n. m. Voir : **mokouchan.**

315

MAL n. m. **1.** Vx en fr. *Le haut mal* : l'épilepsie. [+++] **2.** *Tomber d'un mal, tomber dans les mals, tomber du haut mal* : avoir une crise d'épilepsie. [++] **3.** *Mal à main.* Voir : **désamain. 4.** Argot. *Mal à la tomate, mal de bloc, mal de cornes, mal aux cheveux* : mal de tête, gueule de bois au lendemain d'une soirée de libations. **5.** *Mal jaune* : maladie d'une vache laitière qui se manifeste par de l'enflure, des yeux jaunes et qui provoque la cessation de la lactation. Remède : écorce de frêne gras. (Beauce) **6.** Au pl. *Mals de tête* [#] : maux de tête. De temps à autre, il a des *mals de tête*! **7.** *Mal de neige* : inflammation des yeux due aux rayons du soleil sur la neige et qui provoque des douleurs atroces. Pour prévenir le *mal de neige*, il fallait porter des *lunettes indiennes.* **8.** *Mal de raquettes* : douleurs extrêmement vives que peuvent ressentir les *raquetteurs* aux hanches, aux jarrets et aux cous-de-pied. **9.** *Avoir mal aux dents.* a) Fig. Être en chaleur en parlant d'une chatte. b) Fig. En parlant d'une jeune fille, avoir envie de faire l'amour.

MALACHIGAN n. m. (amér.) Poisson d'eau douce à dos élevé en bosse (d'où son appellation de gros-bossu) et qu'il ne faut pas confondre avec l'*achigan* qui porte le nom de grondin en français.

MALADE adj. **1.** *Être malade* : a) Euphémisme pour avoir ses règles, être menstruée. [+++] Syn., voir : être dans ses *lunes.* b) Euphémisme pour accoucher. [+++] **2.** Fig. *La lune est malade, le soleil est malade* : il y a un halo autour de la lune, elle est cernée, les contours du soleil couchant sont indécis : c'est un signe de mauvais temps imminent. **3.** *Être malade pour* : avoir envie de. Son fils *est malade pour* aller travailler en ville.

4. *Être malade de mer* : avoir le mal de mer. (acad.) **5.** *Mettre malade* : rendre malade. Manger des cerises vertes, ça *met malade*. (acad.) **6.** *Prendre malade* : tomber malade. (acad.)

MALADIE n. f. **1.** Euphémisme pour accouchement. La *maladie* de la voisine s'est très bien passée. [+++] **2.** *Maladie crachante* : la tuberculose. **3.** *Maladie des bûcherons, des doigts blancs, des mains blanches* : maladie affectant les bûcherons qui utilisent la tronçonneuse mécanique ou *scie à chaîne* mais qui, connue sous le nom de « syndrome de Raynaud », affecte tout ouvrier qui travaille avec des outils vibrants. **4.** *Maladie du caisson* : maladie propre aux ouvriers qui travaillent sous l'eau dans les caissons où l'air est comprimé et qui se manifeste par des malaises et des évanouissements lorsque la décompression est trop rapide. **5.** *Maladie du fermier*. Voir : **poumon du fermier**. **6.** *Maladie du bois* : besoin irrésistible des Amérindiens et des trappeurs d'aller vivre en forêt. **7.** *Maladies honteuses* : gonorrhée et syphilis. Il n'y a pas tellement longtemps, c'est du haut de la chaire qu'on entendait parler des *maladies honteuses*. **8.** *Maladie de la Baie Saint-Paul, maladie des Éboulements* : la syphilis (apparue à ces deux endroits dès la fin du XVIIIe siècle).

MALAGACHE n. m. Sel non raffiné, gros sel. Marque de commerce.

MALAPPRIS, E n. et adj. Vx en fr. Mal élevé, sans éducation.

MALARD n. m. Variété de canards sauvages que l'on rencontre dans les îles de Sorel et dans le bas du Saint-Laurent.

MALANCŒUREUX, EUSE adj. Qui éprouve facilement des maux de cœur.

MALAVENANT, E adj. et n. Désagréable dans ses manières, hargneux, peu serviable. Un enfant *malavenant*.

MALAVENTURE n. f. Vx en fr. Incident désagréable, mésaventure.

MALCOMMODE n. et adj. **1.** Tapageur, dissipé, agité, diable, en parlant d'un enfant. [+++] Syn., voir : **insécrable**. **2.** Rare en fr. Acariâtre, difficile à vivre, d'humeur maussade, qui manque de patience en parlant d'un adulte. **3.** Vx en fr. En parlant d'une chose, incommode. Un logement *malcommode*.

MALCONTENT, E adj. et n. Vx, litt. ou rég. en fr. Mécontent, grincheux. Ils sont *malcontents* que leur fils soit allé travailler en ville. Syn., voir : **marabout**.

MÂLE adj. et n. Homme particulièrement porté sur la chose, grand amateur de femmes. Barthélemy, il est *mâle*, c'est tout un *mâle*! Syn. : **étalon**.

MALÉCITE n. et adj. Amérindien d'une tribu établie le long de la rivière Saint-Jean (Nouveau-Brunswick et Maine); relatif à ces Amérindiens.

MALEMUTE n. m. (mot inuit) Race de chien de traîneau utilisée par les Inuits.

MALENDURANT, E adj. Vx en fr. Grincheux, impatient, bourru, hargneux, peu patient. [+++] Syn., voir : **marabout**.

MALENGOULÉ, E (acad.); **MALENGUEULÉ, E** adj. et n. Qui dit des paroles grossières, des jurons; malappris, malembouché. Syn. : **malparlant**.

MAL-EN-TRAIN adj. Souffrant, indisposé. Il ne sort pas, il est *mal-en-train* depuis hier. [+++]

MALFAIT, E n. et adj. Fig. Personne qui s'inquiète inutilement, qui entrevoit toujours le pire.

MALGRÉ QUE loc. conj. Discuté en fr. Bien que, quoique, même si. *Malgré qu'*il ait plu beaucoup, les rivières n'ont pas débordé.

MALHEUR n. m. *Être de malheur* : être dommage. *C'est de malheur* que notre fille habite si loin! Syn. : être de **valeur**.

MALICE n. f. Vx en fr. Méchanceté, propension à faire du mal. Cet enfant n'a pas de *malice* pour un sou.

MALICIEUX, EUSE adj. Vx en fr. Méchant, mauvais. Ne t'approche pas de cette maison, il y a là un chien *malicieux*. Syn., voir : **malin** (sens 1).

MALIN, E (en français, le féminin est **MALIGNE**) adj. **1.** Vx en fr. Méchant, vicieux. Attention à ce chien, il est *malin*. [+++] Syn. : **chétif**, **malicieux**. **2.** Rétif en parlant d'un cheval. [+++] **3.** Vx en fr. Irascible, coléreux en parlant d'une personne. Ne taquine pas grand-père, il est *malin*. [+++]

MALLE n. f. (angl. mail) **[#] 1.** Poste, bureau de poste. Aller à la *malle* pour acheter des timbres. **2.** Lettres, courrier. Dépouiller sa *malle*. **3.** Facteur. La *malle* passe toujours à neuf heures et demie.

MALLER v. tr. (angl. to mail) **[#]** Poster, mettre à la poste, expédier. *Maller* une lettre, un colis.

MALOUINES n. f. pl. Voir : **bottes malouines**.

MALPARLANT, E adj. et n. Se dit d'une personne malembouchée, qui dit des paroles grossières ou qui emploie des jurons, des *sacres*. (acad.) Syn., voir : **malengoulé**.

MALPATIENT, E adj. Impatient, qui n'a pas de patience. Depuis sa maladie, il est toujours *malpatient*.

MALPÈQUE n. f. Variété d'huîtres provenant des huîtrières ou des bancs d'huîtres de Malpèque (Île-du-Prince-Édouard).

MAL-POGNÉ, E n. et adj. Mal pris, dans de mauvais draps.

MALPOLI, E adj. Fam. en fr. Impoli, grossier, sans manières, mal élevé.

MALVAT n. m. Homme ou enfant insupportable, garnement.

MAMAN n. f. *Jouer à la maman, jouer de la maman* : jouer à la poupée (jeu de petites filles). Syn. : **jouer à la madame**.

MAME n. f. Madame. J'ai vu *mame* Dion au magasin, elle causait avec *mame* Hamel. [+++]

MAMMEQUAI n. m. Terrain bas et humide, marécage. (acad.) Syn., voir : **savane**.

MANCHE n. m. **1.** Tuyau de pipe. Remplacer le *manche* d'une pipe. **2.** Fig. *Branler dans le manche* : être hésitant. Il n'est pas sûr qu'Untel vote pour nous, il *branle dans le manche*. [+++] **3.** Fig. *Ne pas être un manche d'alêne* : être très compétent. **4.** *Manche de ligne* : canne à pêche. Aller se couper un *manche de ligne* dans l'érablière. (O 27-116) Syn. : **bringue**. **5.** *Manche de plume* : autrefois, porte-plume.

MANCHÉE n. f. Organe de la femme, vulve. (acad.) Syn., voir : **noune**.

MANCHETTE n. f. Manche mise sur celles du veston ou de la chemise pour les protéger, garde-manche, fausse-manche. Autrefois, tous les élèves pensionnaires portaient des *manchettes* dans les salles d'études et dans les salles de classe. [+++]

MANCHON n. m. **1.** Mancheron. Les *manchons* d'une charrue, une charrue à *manchons*. [+++] **2.** Cylindre, corps d'une pompe à eau, à piston.

MANCHOT, OTTE adj. **1.** Fig. et négativement. *Pas manchot* : très compétent, très habile. Celui-là, il n'est pas *manchot* pour jouer des tours. **2.** Voir : **castor manchot**. **3.** Voir : **clôture manchotte**.

MANGE-CANADIEN, MANGE-CANAYEN n. À l'époque où *Canadien* était synonyme de *Canadien français*, appellation péjorative donnée à ceux des *Canadiens français* qui abandonnaient langue et quelquefois religion et qui, pour se donner bonne conscience, critiquaient les *Canadiens* qui conservaient leur langue et leur religion. [+++] Syn. : **mange-Québécois**.

MANGE-CHRÉTIEN n. m. **1.** Patron très dur pour ses ouvriers, exploiteur. **2.** Individu qui surcharge, usurier.

MANGE-CURÉ n. Fam. Personne qui passe son temps à critiquer tout ce que font les prêtres. C'est du haut de la chaire que les curés fustigeaient les *mange-curés*.

MANGE-FLEURS n. m. Colibri à gorge rubis, oiseau-mouche.

MANGE-MARINGOUINS n. m. Engoulevent commun. (surt. O 27-116) Syn., voir : **chie-maringouins**.

MANGE-MERDE n. m. Pétrel cul-blanc, pétrel des tempêtes.

MANGE-QUÉBÉCOIS n. Appellation péjorative que le *Québécois* francophone donne à ses compatriotes francophones qui critiquent sans arrêt les efforts faits au Québec dans les domaines linguistique, social ou économique. Cette appellation a pris la relève de *mange-Canadien* depuis le début des années 60. [+++] Syn. : **mange-Canadien**.

MANGER n. m. **1.** Vx en fr. Nourriture, repas. Apporter son *manger* à son travail. [+++] Syn. : **lunch**. **2.** Fig. Au jeu de dames ou d'échecs, prendre une dame, un pion.

MANGER v. tr. **1.** a) Recevoir, attraper. *Manger* un coup de poing en pleine figure, une volée ; en *manger* toute une ! b) Subir un échec, subir un affront. **2.** Fig. *Manger de l'avoine, faire manger de l'avoine*. Voir : **avoine**. **3.** Fig. *Manger de la misère*. Voir : **misère**. **4.** Fig. *Manger des bêtises*. Voir : **bêtise**. **5.** Fig. *Manger le mastic* : en parlant d'un jeune garçon, regarder longuement par la fenêtre dans l'espoir de voir passer des jeunes filles. Syn., voir : **châssis** (sens 4). **6.** Fig. *Manger son bouton*. Voir : **Jeanne d'Arc** ou **Lacordaire**. **7.** Fig. *Manger une gratte* : recevoir une verte semonce, une verte réprimande. Syn., voir : **call-down**. **8.** Fig. *Manger une ronde* : a) Se faire rosser, recevoir une volée de coups. Syn., voir : **champoune**. b) Recevoir une réprimande, une semonce. Syn., voir : **call-down**. **9.** Fig. *Manger mer et monde* : être insatiable, avoir une faim de loup. Les adolescents en période de croissance *mangeraient mer et monde*. **10.** *Manger de la vache enragée*. Voir : **vache enragée**.

MANGEUR, EUX, EUSE n. **1.** Fig. *Mangeur de balle, de ballon, de rondelle* : dans les sports d'équipe, joueur qui ne fait pas de passe à ses coéquipiers. **2.** Fig. *Mangeur de balustre, de balustrade* : bigot, tartuffe, individu qui feint la piété. [+++] Syn. : **rongeur de balustre**. **3.** *Mangeur-d'abeilles* : moucherolle de la Caroline. **4.** *Mangeur-de-cerises* : jaseur des cèdres. **5.** *Mangeur-de-gadelles* : troglodyte familier. **6.** *Mangeur-de-maringouins* : engoulevent d'Amérique. Syn., voir : **chie-maringouins**. **7.** *Mangeur-de-mélasse* : sobriquet que les gens de Gascons donnent aux habitants de Saint-Godefroy en Gaspésie. **8.** Vulg. *Mangeux de banane, mangeux de batte, mangeux de bite* : homosexuel. Syn, voir : **fifi**.

MANIÈRE n. f. Litt. en fr. *Une manière de* : une sorte de. *Une manière de* couteau, de penture, de sas.

MANIÉREUX, EUSE n. et adj. Maniéré, qui manque de simplicité, de naturel. Une femme *maniéreuse*.

MANIGANCEUX, EUSE n. et adj. Qui fait des manigances, des combines, combinard.

MANIGAU, MANIGOT n. m. Bande de cuir ou de tissu qu'utilisent surtout les pêcheurs en eau salée pour se protéger les mains lorsqu'ils halent leurs lignes. (E 9-13) Syn. : **halevan**.

MANIQUE n. f. Mélange de farine, d'eau et de soda que l'on servait aux bûcherons dans les chantiers forestiers du XIXe siècle et dans la première moitié du XXe. Syn., voir : **bassane**.

MANITOBAIN, E n. et adj. Gentilé. Habitant ou natif du Manitoba; du Manitoba.

MANITOU n. m. (amér.) **1.** Divinité des Amérindiens, qui avaient de bons *manitous* et de mauvais *manitous*. Mot très fréquent dans la toponymie du Québec. **2.** Fig. Personnage important. Les *manitous* de la finance sont nombreux à New York. **3.** Fig. *Sous-manitou* : personne qui n'a qu'un rôle effacé à l'ombre d'un *manitou*.

MANIVOLLE n. f. Poussière de farine dans les meuneries.

MANNE n. f. Papillon de nuit, éphémère. La nuit, les *mannes* s'écrasent contre les phares et les pare-brises des autos. (O 27-101)

319

MANQUABLE adj. Certain. C'est *manquable* qu'il viendra puisqu'il l'a promis.

MANQUABLE, MANQUABLEMENT adv. Certainement, évidemment. *Manquable, manquablement* qu'il va venir nous voir.

MANQUE adv. *Ben manque, pas manque* : beaucoup. Des *bleuets*, il y en a *ben manque* cette année. (Charsalac)

MANQUÉ, E adj. **1.** Fatigué, exténué, rendu au bout. Tous les soirs, il revient chez lui *manqué*. (E 127, 126) Syn., voir : **resté. 2.** Tari, en parlant d'un puits. (E 127, 126) Syn., voir : **séché**.

MANQUER v. tr. (angl. to miss) [Ø] **1.** Faire cruellement défaut. Lorsqu'il est en voyage, il *manque* sa femme et ses enfants : sa femme et ses enfants lui font cruellement défaut, lui manquent. **2.** *Il lui manque un bardeau* : il a l'esprit dérangé, il a la tête fêlée. Syn., voir : **écarté** (sens 2) **3.** Fig. *Manquer le bateau, la marée* : rester célibataire en parlant d'une femme ou d'un homme; rater une occasion. [+++]

MANTEAU n. m. **1.** Petit sac de tissu incombustible qui entourait la flamme de certaines lampes d'autrefois et en augmentait l'éclat, manchon à incandescence. Syn. : **pochette. 2.** *Manteau de chat* : manteau de fourrure de raton laveur, ou de lynx roux. Voir : **chat, chat sauvage**.

MANUCHE n. f. Petite main d'enfant, menotte.

MAP n. f. (angl. map) [Ø] Fig. *Mettre sur la map* : faire connaître, rendre célèbre une personne. Ce chanteur, c'est sa dernière chanson qui l'a *mis sur la map*. Syn. : mettre sur la **carte**.

MAQUERELLAGE n. m. Action de pêcher le maquereau à la ligne flottante, de *maquereller*. (Côte-Nord et nord de la Gaspésie)

MAQUERELLER v. tr. Faire la pêche du maquereau à la *ligne flottante*. (Côte-Nord et nord de la Gaspésie)

MARABOUT adj. et n. Mécontent, de mauvaise humeur, grincheux, boudeur, irritable. Un homme *marabout*, une femme *marabout*. [+++] Syn. : **malcontent, malendurant**.

MARACHE n. f. [#] Maraîche, variété de requin qui fréquente le golfe Saint-Laurent et les côtes de l'Atlantique. (E 7-141)

MARANDER (SE) v. pron. **1.** Se pavaner, marcher avec affectation en se tortillant le derrière, pour se faire remarquer. (Beauce) **2.** En parlant d'un cheval, avoir l'encolure rouée, arrondie. (Beauce)

MARÂTRE, MARÂTE adj. et n. Se dit d'un homme brutal qui maltraite les animaux, plus particulièrement les chevaux et qui maltraite aussi ses enfants et sa femme. (E 28-101)

MARÂTRER, MARÂTER v. tr. Maltraiter un être humain, rudoyer un animal. *Marâtrer* un cheval. (E 28-101) Syn., voir : **agoner**.

MARBRE, MARBE n. m. (angl. marble) [Ø] **1.** Bille à jouer. Le printemps, les enfants jouent aux *marbres*. [+++] Syn. : **marle**. **2.** Péjor. Testicule (chez l'homme et les animaux). Syn., voir : **gosse**.

MARBRÉ, E adj. À robe tachetée, pommelée. Une vache *marbrée*, un cheval *marbré*. Syn., voir : **caille** (sens 1).

MARC n. m. (prononcé fautivement mor) Lie, particules solides qui se déposent au fond d'un liquide au repos, dépôt. On trouve souvent du *marc* au fond d'une bouteille de sirop. (O 28-100) Syn., voir : **râche**.

320

MARCASSIN n. m. Goret plus petit que les autres de la même portée. [++] Syn., voir : **ragot**.

MARCHABLE adj. Praticable, où l'on peut marcher facilement. Une route très enneigée n'est pas *marchable*.

MARCHAGE n. m. Promenade, marche, déplacement. Pas de *marchage* inutile aujourd'hui, il fait trop froid. [+++]

MARCHAILLER v. intr. **1.** Aller à pied ici et là, sans but précis, errer. **2.** Marcher un peu. Après son accident, il n'a pas pu marcher pendant un mois, mais maintenant il *marchaille*.

MARCHAND n. m. **1.** *Marchand de fer* : quincaillier. Mot en perte de vitesse. **2.** *Marchand de guenilles* : chiffonnier qui autrefois passait de porte en porte en criant : Des guenilles à vendre, des guenilles à vendre? [++] Syn. : **acheteur de guenilles, ramasseur de guenilles, guenilloux** (sens 1). **2.** *Marchand de tabac* : personne qui exploite un magasin de tabac, une *tabagie*. Syn. : **tabagiste**. **3.** *Marchand général* (angl. general merchant) [Ø] : À la campagne, jusqu'au milieu du XXᵉ siècle, personne qui exploitait un *magasin général*. [+++]

MARCHANDER v. intr. Fig. Être indécis, incertain en parlant du temps. Quel temps, fera-t-il aujourd'hui? - Ça *marchande*! Syn. : **plaider** (sens 2).

MARCHANT, E adj. Favorable à la marche, où il n'est pas fatigant de marcher. Un sentier bien *marchant*; une route mal *marchante* parce qu'elle est enneigée.

MARCHE n. f. *Prendre une marche* (angl. to take a walk) [Ø] : faire une marche, une promenade, un tour, se promener. [#]

MARCHE! interj. Cri pour faire partir un cheval. Syn. : **get up!**

MARCHÉ, ÊTRE EN ... DE loc. Être sur le point de, à la veille de. Être *en marché de* vendre son appartement.

MARCHE-DONC, MARCHEDON n. m. Chaussure sans semelle faite de cuir ou de peau non tannée à la façon amérindienne, espèce de mocassins. (Charsalac) Syn., voir : **souliers de bœuf**.

MARCHEMENT n. m. **1.** Démarches, déplacements. Ce qu'on doit en faire des *marchements* quand on est victime d'un accident! **2.** Pas, déplacements inutiles. Dans ce garage, les mécaniciens passent une partie de leur temps en *marchements*, tout a été conçu à l'envers du bon sens.

MARCHEPIED n. m. Pédale du rouet. Syn., voir : **pédalier**.

MARCHER n. m. Vx en fr. Manière de marcher, démarche. Notre voisin a un *marcher* de vieillard.

MARCHER v. tr. et intr. **1.** Parcourir, explorer à pied pour bien voir. Le géographe Raoul Blanchard *a marché* le Québec dans la décennie qui a précédé la guerre de 1939-1945. **2.** *Marcher sur* : aller sur, approcher de. *Marcher sur* les vingt ans, sur ses vingt ans. **3.** Faire. Tous les jours, il *marche* cinq kilomètres pour aller à son bureau. **4.** Faire l'amour. Tu sais cette fille-là, elle *marche*! **5.** *Marche-t-en chez toi!* : va-t-en chez toi! crie-t-on à un chien étranger. **6.** *Marcher au catéchisme*. Voir : **catéchisme**.

MARCHETHON n. m. Compétition dont le vainqueur est celui qui marchera le plus vite ou le plus longtemps.

MARCHETTE n. f. **1.** Bielle de la faucheuse à foin mécanique qui communique un mouvement de va et viens à la faux. (E 26115) Syn., voir : **tournebroche**. **2.** Pédale, marche du métier à tisser, du rouet. [+++] Syn., voir : **pédalier**. **3.** Appareil roulant qui soutient les enfants qui apprennent à marcher, trotteur. Syn., voir : **trotteuse**. **4.** Support de métal permettant à des personnes âgées ou convalescentes de marcher sans risque de tomber, déambulatoire.

MARCHEUSE n. f. **1.** Sage-femme. Syn., voir : **matrone**. **2.** Appareil roulant qui soutient les enfants qui apprennent à marcher, trotteur. Syn., voir : **trotteuse**.

MARCHOUÈCHE n. m. (amér.) Voir : **machecouèche**.

MARCOU n. m. **1.** Matou, chat mâle, chat entier. (O 27-116) **2.** Fig. Homme très porté sur la chose. [+++] Syn. : **matou**.

MARDE n. f. [#] **1.** Merde. Certains linguistes soutiennent que la *marde* sent plus mauvais que la merde. Même remarque pour froid et *frette*. **2.** Injure! *Gros plein de marde!* : espèce d'incompétent! **3.** *Pourri en marde* : complètement pourri, surtout en parlant du bois.

MARDI-GRAS n. m. **1.** Fig. Personne masquée, déguisée, qui fête le mardi gras. [+++] **2.** Personne mal attifée. Il est habillé comme un vrai *mardi-gras*.

MARÉCHAL n. m. Médecin vétérinaire, vétérinaire. La jument serait morte si le *maréchal* n'avait pas pu venir la soigner. [+++] Syn. : **soigneur**.

MARÉE n. f. Mar. **1.** *Bois de marée* : bois d'épave échoué sur le rivage. Syn., voir : **bois d'échouerie**. **2.** Fig. *La marée est haute* : remarque faite à la cantonade à l'endroit de quelqu'un qui porte un pantalon trop court. [++] Syn. : **talons hauts**, **eau dans la cave**, **eau est haute**. **3.** Fig. *Manquer la marée* : demeurer vieille fille ou vieux garçon, rester sur le carreau; rater une belle occasion. [+++] Syn. : manquer le **bateau**, manquer le **train**. **4.** Fig. Grand nombre de personnes. Il y avait une *marée* de monde à cette assemblée politique. [+++] Syn., voir : **tralée**. **5.** *Être comme la marée* : se dit d'une personne toujours ponctuelle.

MARET n. m. (diminutif de *marc*) Lie, particules solides qui se déposent au fond d'un liquide au repos, dépôt, marc. Il y a du *maret* au fond de cette bouteille de sirop. Syn., voir : **râche**.

MAREYER v. intr. (Mar.) Monter en parlant de la mer, de la marée. Ça *mareye* jusqu'à ce hangar en période d'équinoxe.

MARGAU, MARGAULT n. m. **1.** Fou de bassan. Les *margaults* sont nombreux à l'île Bonaventure. (E 18-132) **2.** *Manger comme un margau* : en parlant d'une personne, manger goulûment et ne mastiquant pas.

MARGE n. f. *Jouer, spéculer sur marge* : à la bourse, acheter des titres sur lesquels on ne versait qu'une partie du coût d'achat.

MARGELLE n. f. Muret construit devant un soupirail et délimitant un enfoncement qui descend au-dessous du niveau du sol.

MARGOT n. f. **1.** Ronce petit-mûrier contenant la vitamine C, antiscorbutique. (acad.) Syn., voir : **chicouté**. **2.** Variété de colimaçon (acad.)

MARGOUILLÈRE n. f.; **MARGOUILLIS** n. m. Terrain bas et humide, marécage, bourbier. Syn., voir : **savane**.

MARGOULETTE n. f. **1.** Lèvre inférieure du cheval. **2.** Gosier, pomme d'Adam. Il lui a serré la *margoulette*, j'ai cru qu'il l'étoufferait. **3.** Vx en fr. Bouche. Toi, ferme ta *margoulette*.

MARGUERITE n. f. **1.** Espèce de panier de métal monté sur pieds, qui s'ouvre comme une fleur et qui est destiné à soutenir les légumes dans une casserole et à permettre une cuisson à la vapeur. **2.** *Marguerite rouge* : épervière orangée. Syn. : **bouquet rouge** (sens 6).

MARI n. f. Abréviation usuelle du mot marihuana.

MARIAGE n. m. *Mariage d'oiseaux* : volée, bande d'oiseaux. Syn. : **noce**, **voilier**, **volier**.

MARIE-CACA n. f. **1.** Fillette qui ne range rien, qui vit dans le désordre. **2.** Jeune fille malpropre.

MARIE-CATAU (E 30-100); **MARIE-QUATRE-POCHES** [+++]; **MARIE-SALOPE, MARIE-TORCHON** n. f. Femme mal habillée et peu soigneuse de sa personne. Syn., voir : **catau**.

MARIER v. tr. et pron. **1.** Rég. en fr. Épouser, se marier à. Mon père *a marié* maman il y a trente ans. [+++] **2.** *Se marier obligé, pressé* : se marier parce que la future mariée est déjà enceinte.

MARIEUX, EUSE adj. *Ne pas être marieux* : ne pas être attiré par le mariage. Dans cette famille, les enfants ne sont pas *marieux*.

MARIGOT n. m. **1.** Rég. en fr. Le long d'un cours d'eau, endroit bas sujet aux inondations et où pousse de l'*herbe à liens*, ou spartine pectinée. Ce régionalisme des régions tropicales vit aussi au Québec, région non tropicale. **2.** *Courir le marigot* : autrefois, chez les pêcheurs de morue, ne pas pêcher, aller se cacher dans un anse, à l'abri des regards et du vent.

MARINADES, MARINAGES n. f. pl. Conserves végétales au vinaigre (cornichons, oignons, bettes, betteraves, etc.). [+++] Syn. : **amarinades**.

MARINE n. f. Maladie de pêcheur en eau salée. Enflure aux mains produite par l'eau salée en contact avec une plaie. [++]

MARINGOUIN n. m. (amér.) Insecte piqueur (Culuidés), moustique des pays chauds, et aussi des pays froids dont le Canada, qui se reproduit dans les eaux stagnantes. Mot fréquent dans la toponymie du Québec. [+++] Voir : **mangeur-de-maringouins**, **chie-maringouins**.

MARIONNETTES n. f. pl. Aurore boréale. Les *marionnettes* sont visibles la nuit. (E 34-91) Syn. : **clairons**, **lances**, **signaux**, **sinaux**, **tirants**.

MARLE n. m. (angl. marble) [Ø] **1.** Bille à jouer. Jouer aux *marles*. Syn. : **marbre**. **2.** Voir : **merlot**.

MARLEAU n. m. Bonbon à la menthe rond et strié de différentes couleurs. (Lanaudière) Syn. : **picochine**.

MARLO n. m. Alcool de fabrication domestique. Syn., voir : **bagosse**.

MARLOT n. m. Vaurien, personne en qui on ne peut pas avoir confiance. Méfie-toi de ce gars-là, c'est un drôle de *marlot*.

MARLOUNE n. f. **1.** Jeune fille d'un embonpoint remarquable. Syn., voir : **toutoune** (sens 1). **2.** Variété de mocassins.

MARMETTE n. f. Oiseau. Le guillemot ordinaire.

MARMITE n. f. *Faire marmite* : en forêt, préparer son repas.

MARMOTTE n. f. *Croquer marmotte* : être seul, s'ennuyer.

323

MARNOUCHE, MORNOUCHE n. f. Levier servant à soulever les rondelles de la cuisinière. Syn., voir : **clef de poêle**.

MAROTTE n. f. Gros nœud dans le tronc d'un arbre. (acad.)

MARQUE n. f. *Faire sa marque* : faire son chemin, laisser sa trace, son souvenir suite à une vie réussie. [+++]

MARQUER v. tr. À la campagne et dans les quartiers populaires des villes, entrer, inscrire au compte d'un client. En principe, les clients qui font *marquer* règlent leur compte à la fin de chaque mois. [+++]

MARQUETTE n. f. Voiture d'hiver à patins ajourés, à deux sièges et munie d'une caisse à deux *pieds* du sol. (Lanaudière)

MARQUEUR n. m. Sorte de râteau tiré par un cheval et servant à indiquer sur le terrain où doivent être semés ou plantés maïs, tabac, etc..

MARRAINE DE BOIS n. f. Contrairement à la marraine, la *marraine de bois* n'a pas de filleul au sens propre mais un «filleul» qu'elle choisit parmi ses neveux et nièces et vis-à-vis duquel elle se comporte comme une marraine véritable : cadeaux d'anniversaire, de Noël, etc. (Québec)

MARS n. m. Voir : **mois des moutons**.

MARSOUIN n. m. **1.** Blason populaire. Habitant de l'Île-aux-Coudres, dans Charlevoix. **2.** Personne qui manque de sérieux, dont il faut se méfier.

MARTAGON, MATAGON n. m. Lis tigré. (surtout Charsalac)

MARTOCHER v. intr. Marteler, frapper avec un marteau. Avoir le bras engourdi pour avoir *martoché* toute la journée.

MARTRIÈRE n. f. Piège conçu pour capturer les martres.

MARTYRE adv. Très, beaucoup. C'est beau *martyre* dans cette région; la terre est riche *martyre*!

MARUCHE n. f. Petite mare. (acad.)

MARVOUILLAS n. m Ornière, bourbier. Syn., voir : **savane**.

MASCOT, MASCOU, MASCABINA, MASCOBINE, MASCOUABINA, MASKA, MASKO, MASKOUI n. m. (amér.) Sorbier d'Amérique; fruit du sorbier, corme. (E 25-117) Voir : **cormier**.

MASCOUI n. m. (amér.) Voir : **machecoui**.

MASKEG n. m. (amér.) Voir : **muskeg**.

MASKICOTÉ, MASCHICOTÉ, MATCHICOTÉ n. m. (amér.) Jupe, jupon que portent les amérindiennes.

MASKIMOW n. m. (mot inuit) Sac de peau servant à transporter la nourriture chez les *Inuits*.

MASKINONGÉ, MASQUINONGÉ n. m. (amér.) Poisson d'eau douce de la famille du brochet, qui peut atteindre jusqu'à deux mètres. Mot fréquent dans la toponymie du Québec. [+++]

MASKO, MASKOUABINA n. m. (amér.) Voir : **mascot**.

MASKOUTAIN, E n. et adj. Gentilé. Natif ou habitant de Saint-Hyacinthe, en Montérégie; de Saint-Hyacinthe. (D'après l'ancien nom de cette ville : Maska).

MASKWA n. m. (amér.) Ours.

MASONITE n. f. Matériau de construction vendu en panneau ou en planche, à base de fibres de bois mou ou dur liées par des résines. Marque de fabrique.

MASQUABINA n. m. Voir : **mascot**.

MASSE n. f. Fam. en fr. *En masse :* a) Beaucoup, très. Il y a des cerises *en masse* cette année. On a dansé *en masse* samedi dernier. b) Suffisamment, autant qu'il faut. De la nourriture, on en a *en masse* pour trente personnes.

MASSÉ, E, MASSIF, IVE adj. Compact, mal levé. Ce pain est difficile à digérer, il est trop *massé*, (O 27-116), trop *massif* [++] Syn., voir : **langui**.

MASSER v. tr. Enfoncer à coups de masse. *Masser* un pieu de clôture, un *piquet à mains*. [+++]

MASSETTE n. f. Typha à feuilles étroites ou à feuilles larges. [+] Syn., voir : **quenouille**.

MÂT n. m. (Mar.) **1.** Fig. *À mât cordes* : sans lait ni sucre en parlant d'un café qu'on boit pur. (Un bateau sans voilure est *à mât cordes*). (acad.) **2.** Fig. *Être à mât cordes* : être dans la misère, dans la gêne. (acad.)

MATACHÉ, MATACHIÉ, E adj. (amér.) À robe tachetée. Une vache *matachée*. (acad.) Syn., voir : **caille**.

MATACHIAS n. m. (amér.) Broderies, rassades dont les Amérindiens ornent leurs habits.

MATACHIER, MATACHER v. tr. et pron. (amér.) Peindre des tissus, se peindre la figure, le corps, en parlant des Amérindiens.

MATAGON n. m. Voir : **martagon**.

MATAK n. m. (mot inuit) Lard de baleine.

MATANAIS, E n. et adj. Gentilé. Natif ou habitant de Matane, en Gaspésie; de Matane.

MATANTE n. f. Tante, en langage enfantin. Ma *matante* Hélène est venue hier.

MATAOUIN n. m. **1.** Personne peu intelligente, bizarre, de caractères difficile avec laquelle il est difficile de vivre. **2.** Argot. Boisson de contrebande (acad.)

MATAPÉDIEN, ENNE n. et adj. Gentilé. Natif ou habitant de la vallée de la Matapédia, en Gaspésie; de la Matapédia. Les Matapédiens ont obtenu la gestion des rivières à saumons Matapédia et Patapédia en 1993.

MATCHER v. tr. et pron. (angl. to match) [Ø] **1.** Assortir. Savoir *matcher* les couleurs. [++] **2.** Se rencontrer en parlant d'un garçon et d'une fille et sortir ensemble. Anglicisme en perte de vitesse.

MATCHICOTÉ n. m. Voir : **maskicoté**.

MATELAS n. m. **1.** Typha à feuilles étroites ou à feuilles larges. (Beauce et acad.) Syn., voir : **quenouille**. **2.** Argot. Personne crédule. Me prends-tu pour un *matelas*? Va raconter ça à d'autres! Syn. : **valise**.

MATELOT n. m. **1.** Autrefois, espèce de chemise portée par les écoliers, fermée à la taille par un élastique et cachant les bretelles. Syn. : **middy**. **2.** Branche cassée qui est restée accrochée aux arbres, risquant ainsi de tomber sur quelqu'un, (bûcherons, chasseurs, promeneurs). [+++] Syn. : **faiseur de veuves**. **3.** Voir : **biscuit matelot**.

MÂTER v. tr. et pron. Mar. **1.** Dresser. *Mâter* une échelle contre un mur. [+++] Syn. : **apiquer**. **2.** Se cabrer. Le cheval *s'est mâté* et a désarçonné son cavalier. [+++] **3.** Fig. Se fâcher, s'emporter. Chaque fois qu'on parle de politique avec lui, il *se mâte*. [+++] Syn. : s'**apiquer**.

MÂTEREAU, MONTEREAU n. m. Mar. **1.** Appareil de levage, palan servant à monter les matériaux de construction. **2.** Treuil constitué d'une bille de bois horizontale posée sur les solives d'une grange et que l'on fait tourner pour soulever et pendre l'animal de boucherie abattu. **3.** Treuil d'un puits. Syn., voir : **dévidoir** (sens 1).

MATÉRIEL n. m. (angl. material) [Ø] Tissu. Cette robe est jolie mais elle est d'un *matériel* de mauvaise qualité. Syn. : **stuff**.

MATIÉRER v. intr. Laisser écouler du pus, de la matière, produire du pus, suppurer. Une plaie qui continue à *matiérer*. Syn. : **postumer**.

MATIÉREUX, EUSE adj. Qui produit de la matière, du pus. Un clou, un furoncle *matiéreux*.

MATIN n. m. **1.** *À matin* : ce matin. Tu trouveras tous les détails de cet accident dans le journal d'*à matin*. [+++] **2.** *À petit matin* : de bon matin. Demain, il faudra partir *à petit matin* si nous voulons arriver à Gaspé avant la nuit.

MATIN adj. inv. [#] Matinal. Tiens, tu es *matin* comme d'habitude. [++] Syn. : **matineux**.

MATINÉE n. f. Vx en fr. Déshabillé féminin du matin.

MATINEUX, EUSE adj. et n. Vx en fr. Qui a l'habitude de se lever tôt, matinal. [++] Syn. : **matin** (adj.)

MATOU n. m. Pop. en fr. Homme très porté sur la chose. [+++] Syn. : **marcou** (sens 2).

MATRAQUE n. f. *Le samedi de la matraque* : expression qui rappelle que, le 12 octobre 1964, la reine d'Angleterre a été froidement reçue à Québec et que les agents de police ont utilisé gaiement la matraque contre les manifestants opposés à sa venue, depuis lors, elle n'a pas remis les pieds au Québec.

MATRONE n. f. **1.** Vx en fr. Sage-femme. [++] Syn. : **bonne-femme**, **capuche**, **casque de fer**, **chasse-femme**, **chassepinte**, **grafigneuse**, **marcheuse**, **merlue**, **pelle-à-feu**, **scie de travers**, **scie ronde**, **soigneuse**. **2.** Femme qui porte l'enfant

325

présenté au baptême. [+++] Syn. : **baboche**, **porteuse**.
3. Dans les prisons de femmes, surveillante.

MATROUILLER v. tr. Mâcher. *Mâtrouiller* de la gomme à mâcher. (acad.)

MAU DE TÊTE n. m. s. [#] Mal de tête. Il s'est levé avec un gros *mau de tête*.

MAUDIRE v. tr. Lancer. Il *lui maudit* un caillou par la tête et il l'a *maudit* en bas de la galerie.

MAUDISSANT, E adj. Fâchant, vexant. C'est *maudissant* de voir toujours les mêmes qui travaillent et les autres qui ne font rien.

MAUDIT adv. [#] 1. Très. On a eu un *maudit* beau sermon. 2. *En maudit*: a) Beaucoup, très. Il y avait du monde *en maudit* dans l'église; il fait froid *en maudit*. b) En colère. Il était *en maudit* contre tout le monde.

MAUDITEMENT adv. Très, beaucoup. Il est *mauditement* fou de quitter femme et enfants. Il fait *mauditement* chaud dans cette pièce.

MAURICE-RICHARD n. m. Centre sportif dans l'est de Montréal. La rénovation de *Maurice-Richard* est terminée.

MAURICIANA n. m. pl. Documents relatifs à la Mauricie, région dont la ville principale est Trois-Rivières.

MAURICIEN, ENNE n. et adj. Gentilé. Natif ou habitant de la Mauricie; de la Mauricie.

MAUTADIT adv. Euphémisme de *maudit*. [++]

MAUVAIS n. m. 1. *Le mauvais* : le démon, le diable. 2. Pus. Il faut presser la bosse pour faire sortir le *mauvais*. Syn. : **méchant**.

MAUVAISETÉ n. f. Méchanceté. Faire quelque chose par *mauvaiseté*. Ne pas avoir deux sous de *mauvaiseté*.

MAUVE n. f. Goéland à bec cerclé. Mot fréquent dans la toponymie du Québec. [+++]

MAXI n. f. Billet de maxi loto. As-tu ta *maxi*?

MAY WEST n. f. Petite pâtisserie sous plastique encore très populaire en cette fin de siècle, du nom d'une actrice américaine célèbre vers 1940.

MCINTOSH n. f. Variété de pommes à couteau qui se conserve très bien. [+++]

MEAN adj. (angl. mean) [Ø] Mesquin, très près de ses sous. Anglicisme presque disparu.

MÉCHANT n. m. 1. Mauvais temps. On va avoir du *méchant*, le vent est mauvais. 2. Pus. Il faut presser la bosse pour faire sortir le *méchant*. [+++] Syn. : **mauvais**.

MÉCHANT, E adj. 1. *Méchant chemin* : chemin en mauvais état, boueux, impraticable. [+++] 2. *Méchant goût* : goût mauvais, désagréable. [+++] 3. *Méchant numéro* : mauvais numéro (de téléphone). [+++] 4. *Méchant temps* : mauvais temps. Hier nous avons eu du *méchant temps*. [+++] Syn. : **vilain** temps. 5. *Faire méchant* : faire mauvais temps. [+++] Syn. : faire **vilain**. 6. *Méchante viande* : viande mauvaise, immangeable.

MÈCHE, MÉCHÉE n. f. 1. *Une mèche*, une *méchée* : longtemps. Ça fait *une mèche* qu'on l'attend. [+++] Syn. : **bite**, **bout**, **pipe**, **pipée**. 2. *À une mèche, à une méchée* : loin, à une grande distance. Sept-Îles, c'est *à une mèche*, à une *méchée* de Québec. [+++] Syn. : **bite**, **bout**, **pipe**, **pipée**.

MÉCHER v. intr. Aller très vite, aller bon train. Quand il y a une urgence, je te dis que les ambulances *mèchent*. Syn., voir : **gauler**.

MÉCHILLON n. m. Petite mèche des anciennes lampes à huile. (acad.)

MÉCHINOIS, E n. et adj. Gentilé. Natif ou habitant des Méchins, en Gaspésie; des Méchins.

MÉDÉ n. m. (angl. middy) [Ø] Voir : **middy**.

MÉDECINE n. f. Vx et rég. en fr. Médicament, remède. Il ne part jamais sans apporter ses *médecines*.

MÉDIUM adj. (angl. medium) **1.** En parlant d'un vêtement, taille moyenne. **2.** Au restaurant, à point en parlant d'un bifteck.

MÉGAILLÈRE, MIGAILLÈRE n. f. Ouverture d'une jupe. (acad.)

MEILLEUR n. m. *Au meilleur de sa connaissance* (angl. to the best of one's knowledge) [Ø] : du mieux que l'on peut. *Avoir le meilleur* : dans les sports, vaincre, l'emporter sur son adversaire.

MÉLAMINE n. f. Matériau nouveau à base de particules de bois recouvertes d'une matière plastique. Armoires de cuisine, bibliothèque en *mélamine*.

MÉLANGE adj. *Biscuits, bonbons mélanges* : biscuits assortis, bonbons assortis.

MÉLANGER v. tr. Battre. Louis, c'est à toi de *mélanger* les cartes! [+++]

MÊLANT, E adj. **1.** Compliqué, confondant, où l'on se perd facilement. Circuler en ville en auto, c'est *mêlant* à cause des sens uniques. La vieille ville de Québec est *mêlante*. **2.** *C'est pas mêlant* : c'est clair, c'est facile, c'est certain.

MÉLASSE n. f. Fig. *Être dans la mélasse* : être dans une situation inconfortable, en parlant d'un parti politique, d'un individu. [++]

MELBA n. f. Variété de pommes à couteau.

MÊLÉ, E p. et adj. Fig. *Être mêlé, être mêlé dans ses papiers* : se tromper, être embrouillé, confus, être perdu dans ses idées. [+++]

MEMBRE n. m. Mar. **1.** Patin d'un traîneau. Réparer l'un des deux *membres* d'un traîneau, d'un *suisse*, d'une *carriole*. [+++] Syn., voir : **runneur. 2.** (Angl. member) [Ø] Député. Le décès d'un *membre* de l'Assemblée nationale nécessitera une élection partielle pour élire un nouveau *membre*. Anglicisme en perte de vitesse.

MEMBRER v. tr. Mar. Poser des patins, des *membres* à un traîneau. *Membrer un suisse, une carriole*.

MÊME adj. et adv. **1.** *De même* : de cette façon, ainsi, alors. *De même*, tu restes avec nous! **2.** *De même* : semblable, pareil, tel. Qui pourrait croire une histoire *de même*?

MÊMEMENT adv. Vx en fr. De même, pareillement, aussi. L'un des sept commandements de l'Église s'énonçait ainsi : Vendredi chair ne mangeras, ni le samedi *mêmement*!

MÉMÉRAGE n. m. Action de *mémérer*, de bavarder, de faire des racontars, du commérage. Syn., voir : **placotage**.

MÉMÉRE n. et adj. **1.** Pop. en fr. Grand-mère, grand-maman. Mot en perte de vitesse. **2.** Commère, bavard, en parlant d'une femme ou d'un homme. [+++] Syn., voir : **placoteux**.

MÉMÉRER v. intr. Commérer, bavarder, cancaner, faire des racontars. Les personnes désœuvrées occupent souvent une partie de leur temps à *mémérer*. [+++] Syn. : **cacasser** (sens 3), **jaboter**, **placoter** (sens 3).

327

MÉNAGE n. m. **1.** Vx en fr. Meubles nécessaires à la vie domestique. Vendre son *ménage* pour en acheter du neuf. [+++] Syn. : **butin** (sens 1), **gréement** (sens 2). **2.** Vx en fr. Famille. Il y a trois *ménages* dans cette petite maison. **3.** *Faire le ménage* : s'occuper des animaux de la ferme, traire les vaches, les soigner, etc.. (Charsalac) Syn. : **train. 4.** *Grand ménage* : a) Grand nettoyage de la maison qui à la campagne, revient tous les printemps. [+++] b) Fig. Autrefois, confession générale à la fin d'une *retraite* paroissiale.

MÉNAGER, ÈRE adj. et n. Vx en fr. Économe, qui économise. Il peut bien être riche, il est *ménager*, il ne dépense jamais un sou. [+++]

MÉNAGÈRE n. f. Servante de curé. Tiens, le curé qui part en ballade avec sa *ménagère*! Syn. : **engagère**, **fille engagère**.

MENASSE n. f. [#] Mélasse. Des biscuits à la *menasse*, de la *tire à la menasse*.

MÉNÉ n. m. (angl. minnow) [Ø] **1.** Nom vulgaire des cyprins utilisés comme appât pour la pêche. [+++] Syn., voir : **blanchaille. 2.** *Méné de vase* : nom vulgaire de l'umbre de vase.

MENER v. tr. et intr. **1.** Travailler vite, être rapide. Ce couvreur, je te le conseille, il ne lambine pas, il *mène*. [+++] Syn., voir : **gauler. 2.** Conduire un cheval. Autrefois, à la campagne, toutes les femmes savaient *mener* un cheval, elles savaient *mener*. [++] **3.** Conduire une automobile, un camion. [++] Syn., voir : **chauffer. 4.** *Mener la malle* : à la campagne, ramasser et distribuer le courrier dans tous les *rangs* d'une paroisse. [++] **5.** *Mener, amener une vache, une jument, une truie* : les conduire au taureau, à l'étalon, au verrat lorsqu'elles sont en rut. [+++] Syn. : faire **servir. 6.** Fig. Porter la culotte, assumer le rôle de l'homme dans un couple. Dans ce ménage, c'est la femme qui *mène*. [+++] Syn. : tenir les **guides**, tenir les **cordeaux. 7.** *Mener du train, mener le diable* : faire du bruit, faire du tapage. **8.** Fig. *Ne pas en mener large.* a) Ne pas être en bonne santé. b) Être peu intelligent.

MENETTE n. f. **1.** Péjor. Petit garçon qui aime jouer à la poupée. (E 28-101) Syn., voir : **catiche. 2.** Péjor. Homme qui a des manières efféminées. [+] Syn., voir : **fifi. 3.** Main d'enfant, menotte, petite main. [++] Syn., voir : **menouche.**

MENEUR n. m. *Meneur de malle* : à la campagne, facteur qui ramasse et distribue le courrier dans les *rangs*. Syn. : **postillon.**

MENICHE, MENOCHE n. f. Main d'enfant, menotte. Syn., voir : **menouche, menette** (sens 3).

MENIQUE n. m. Individu ivrogne, sans éducation.

MENOIRES n. f. pl. **1.** Brancard formé de deux prolonges entre lesquelles est attelé un cheval. (E 36-86) Syn. : **travail. 2.** *Menoires croches* : brancard décentrable d'une voiture d'hiver. (E 27-116) Syn. : **travail croche. 3.** *Menoires traînantes* : brancard fait de deux fortes prolonges souvent ferrées, recourbées et réunies par une traverse ou sommier qui porte le pied de la grume à débusquer, ou qui sert à transporter des provisions en forêt. (E 36-86) Syn., voir : **bacagnole. 4.** Loc. fig. *Ruer dans les menoires* : ruer dans les brancards, protester, regimber. (E 27-116) Syn. : ruer dans le **bacul** (sens 6).

MENOTTE n. f. **1.** Mitaine, demi-gant c'est-à-dire gant qui laisse à découvert les deux dernières phalanges des doigts et que portaient les campagnardes pour le travail au grand air, au soleil. [+++] **2.** *Menotte, menoque de tabac* : paquet de tabac en feuilles que peut tenir une main et qui a comme attache une feuille de tabac, manoque. [++] Syn., voir : **main de tabac**.

MENOUCHE n. f. Main d'enfant, menotte. [++] Syn. : **menette**, **meniche**, **menoche**.

MENTERIE n. f. **1.** Vx et rég. en fr. Mensonge. Le menteur est celui qui conte des *menteries*. [+++] **2.** Fig. Boule de papier sur laquelle on commence une pelote de laine.

MENTEUR, EUSE adj. Voir : **arracheur de dents**.

MENTEUSE n. f. **1.** Carré de tissu brodé, empesé, attaché aux poteaux de la tête du lit d'autrefois et destiné à cacher les oreillers. [++] Syn. : **cache-oreiller**, **hypocrite**, **toilette**, **trompeuse**. **2.** Pâtisserie formée d'une pâte enveloppant complètement le fruit ou la confiture qu'elle contient. [+]

MENUTÉ n. f. Bonbon, friandise. Les grands-parents aiment donner des *menutées* à leurs petits-enfants. (Lanaudière) Syn. : **candy**.

MÉPRIS DE COUR (angl. contempt of court) Outrage au tribunal.

MÈQUE loc. conj. Voir : **mais que**.

MER n. f. **1.** Appellation usuelle du Saint-Laurent par les riverains, là où se fait sentir la marée, c'est-à-dire en aval de Trois-Rivières. Syn. : **fleuve**. **2.** *Grands-mers* : les plus hautes marées coïncidant avec les équinoxes de printemps et d'automne. **3.** Grosses vagues, mer agitée. Pour la traversée du Golfe Saint-Laurent et de l'Atlantique, nous avons eu beaucoup de *mer*. **4.** Fig. *Manger mer et monde* : avoir une faim de loup, avoir la fringale.

329

MERCURE n. m. Récompense accordée à la suite des *Mercuriades*.

MERCURIADES n. f. pl. Grand concours créé en 1981 par la Chambre de commerce du Québec et destiné à souligner le succès d'une entreprise dans le monde des affaires en lui décernant le *mercure* de l'année. Il existe aussi des *mercures* sectoriels.

MERDE, MARDE [#] n. f. *Penser que sa merde ne pue pas* : être prétentieux. Syn., voir : se **prendre pour un autre**.

MÈRE-CANARD n. f. [#] Cane, femelle du canard.

MÈRE-COCHON, MÈRE-COCHONNE n. f. [#] Voir : **cochonne**.

MÈRE-DINDE n. f. [#] Femelle du dindon, dinde.

MÈRE-LAPINE n. f. [#] Femelle du lapin, lapine.

MÈRE-LIÈVRE n. f. [#] Femelle du lièvre, hase.

MÈRE-MOUTON, MÈRE-MOUTONNE n. f. Femelle du bélier, brebis. [++] Syn. : **moutonne**.

MÈRE-ORIGNAL n. f. [#] *Orignal* femelle, élan du Canada femelle. [+++] Syn. : **vache-orignal**.

MÈRE-OURSE n. f. [#] Femelle de l'ours, ourse.

MÈRE-TRUIE n. f. [#] Voir : **cochonne**.

MÈRES n. f. pl. Placenta d'une vache qui vient de vêler. (acad.) Syn., voir : **suite**.

MERISE n. f. Fruit du cerisier de Pennsylvanie, appelé ici *petit merisier*. [+++]

MERISIER n. m. **1.** Bouleau des Alléghanys, bouleau jaune. [+++] **2.** *Merisier rouge* : bouleau flexible. [+++] **3.** *Petit merisier* : cerisier de Pennsylvanie.

MERISIÈRE n. f. Peuplement de *merisiers* ou bouleaux des Alléghanys.

MÉRITER (SE) v. pron. [#] Mériter. *Se mériter* une récompense, un prix (langue de la radio et de la télévision).

MERLAISE, MERLÈCHE, MERLÈSE n. f. Femelle du merle, merlette. (acad.) Syn., voir : **merluche** (sens 1).

MERLAN n. m. [#] (NOLF) Merluche; merlu argenté.

MERLE, MERLE-CHAT n. m. Moqueur-chat, grive de la Caroline qui imite à la perfection le miaulement du chat.

MERLOT, MARLOT, MARLE n. m. Fig. Vaurien. Celui-là, c'est un beau *merlot*, méfie-toi de lui!

MERLUCHE n. f. **1.** *Oiseau.* Femelle du merle, merlette. Syn. : **merlèche**. **2.** (NOLF) *Poisson.* Merlu argenté.

MERLUCHON n. m. **1.** Merluche-écureuil, merluche blanche. (NOLF). **2.** Merlan.

MERLUE n. f. Sage-femme qui œuvrait autrefois à la campagne. (Gaspésie) Syn., voir : **matrone**.

MERRY-GO-ROUND n. m. (angl. merry-go-round) [Ø] **1.** Manège de foire. **2.** Fig. En forêt, piste tracée autour d'une étendue d'arbres à abattre et qu'on utilisera pour le débusquage, virée. Syn., voir : **revirée**.

MESK n. m. (amér.) Ours noir.

MESSE n. f. **1.** *De messe* : du dimanche. Pour aller aux noces, il a mis ses habits *de messe*. [+++] Syn., voir : **dimanche** (sens 5). **2.** Fig. *Finir par une basse messe, virer en basse messe.* a) Finir par un mariage. Paul et Hélène sortent souvent ensemble, je crois que ça va *finir par une basse messe.* b) Tourner en queue de poisson. **3.** Fig. *Il y a du monde à la messe* : façon amusante, ironique, de dire qu'il y a affluence de personnes (à une assemblée politique, à une partie de hockey, à l'inauguration d'un centre commercial, etc.) [+++] **4.** *Messe blanche* : autrefois, en l'absence d'un prêtre, réunion de personnes qui priaient dans une chapelle ou dans une maison particulière le dimanche. **5.** *Le perron de la messe* : le perron de l'église. [++]

MESSIE n. m. Fig. *Attendre le Messie* : être enceinte, attendre un enfant. [+++] Syn., voir : être en **famille**.

MESSIEURS n. m. pl. Appellation des *sportmen* ou *sports* anglophones qui allaient faire la pêche au saumon dans les rivières *clubées* de la Côte-Nord, avant le *déclubage* en 1978.

MESUREMENT n. m. (angl. mesurement) [Ø] Action de mesurer du bois dans un chantier forestier ou dans une scierie, mesurage. Syn. : **collage**.

MÉTHODE n. f. Troisième année d'études de l'ancien *cours classique* ou cours secondaire d'une durée de huit ans. Quelques rares collèges de la région de Montréal offraient un cours de sept ans, sans la *méthode.*

MÉTIS, ISSE; MÉTIF, IVE n. et adj. Descendant de mariages d'hommes blancs francophones avec les indigènes de l'Ouest du Canada. Syn. : **Bois-brûlés, Sang-mêlés**.

MÉTIVER v. tr. Moissonner à la faucille ou à la faux; faire la moisson. (acad.)

MÉTIVES n. f. pl. Moisson, temps de la moisson. Les *métives* sont enfin finies. (acad.)

MÉTIVEUR, EUSE n. Homme ou femme qui coupait le grain à la faucille, moissonneur, moissonneuse. (acad.)

MÉTIVIER, ÈRE n. Moissonneuse qui fait les *métives*. (acad.)

METS-TA-MAIN, METTAMAIN n. m. Péjor. Sobriquet donné aux Frères enseignants. Syn., voir : **corbeau** (sens 3).

METTE n. f. Voir : **maite**.

METTE GERMAIN, E loc. adj. Voir : **remué de germain**.

METTRE v. tr. et pron. **1.** Péjor. Posséder sexuellement, faire l'amour. *Mettre* la première venue. *Se mettre* avec la première venue. Syn., voir : **peau** (sens 5). **2.** Fig. *Mettre ça dans sa pipe* : dans une discussion, encaisser, en prendre pour son rhume et se faire dire : *mets ça dans ta pipe!* **3.** *Mettre dedans* : mettre en prison, emprisonner; Rosaire, on l'a *mis dedans* pour six mois.

MEUBLIER n. m. Artisan qui fabrique des meubles. [+]

MEULE DE SUCRE n. f. Pain de sucre d'érable ayant la forme d'un cône, d'une meule de foin. Syn. : **gargouche**, **ingot**, **pignoche**, **pinoche**.

MEUNIER NOIR n. m. Nom vulgaire du catostome noir. Syn., voir : **carpe à cochon**.

MEURLING n. m. Ancien refuge de nuit pour les *robineux* ou clochards à Montréal.

MÉZAN n. m. Canadien de langue française qui n'est plus catholique ou qui est plus ou moins croyant. [+] Syn., voir : **Chiniquy**.

MIALE, MIAULE n. m. [#] Miaulement du chat. [+++]

MIALER v. intr. Miauler en parlant d'un chat. [+++]

MI-CARÊME n. Personne masquée, déguisée, qui passe de porte en porte pour fêter la mi-carême. [+++]

MICHEL n. m. Voir : **saint-Michel**.

MICHIGOUEN n. m. (amér.) Variété de persil indigène.

331

MICHTAN n. m. (amér.) Érable à sucre.

MICMAC, MICMAQUE n. et adj. **1.** Amérindien d'une nation autochtone du Québec comptant 2 650 personnes dont 80 % habitent trois villages de la Gaspésie; relatif aux Amérindiens de cette nation. **2.** Appellation péjorative du parler populaire des Franco-Américains de la Nouvelle-Angleterre. **3.** Mélange confus et désordonné, méli-mélo. Dans le grenier de la maison, on ne trouve rien, c'est un vrai *micmac*. Dérivé : **démicmaquer**. **4.** Fig. Langue qu'on ne comprend pas. Parler le *micmac*. Syn. : **canaoua**, **canaouiche**.

MICOUENNE n. f. (amér.) **1.** Louche en bois utilisée surtout à la *cabane à sucre* comme écumoire ou pour mouler le sucre d'érable. (O 25-117) Syn. : **braoule**, **gargouche**, **mouvette**, **palette** (sens 1). **2.** *Licher, lécher la micouenne* : déguster la *tire* d'érable en utilisant une spatule en bois appelée *micouenne*. **3.** Petite quantité. Acheter une *micouenne* de poivre, acheter à la *micouenne*. Syn., voir : **brette**.

MICOUENNÉE n. f. (amér.) Contenu d'une *micouenne* ou louche. Une *micouennée* de soupe. (O 25-117)

MIDDLING n. m. (angl. middling) [Ø] Mélange de sous-produits du blé destiné à la nourriture des animaux.

MIDDY, MÉDÉ n. m. (angl. middy) [Ø] **1.** Vêtement de jeu, genre chemise, fermé à la taille par un cordon et porté autrefois par les petits garçons pour aller à l'école. Syn. : **matelot** (sens 1) **2.** Vêtement féminin sans col avec ou sans manches qui ressemble à un tablier.

MIDI n. m. *Petit midi* : un peu avant midi. Si on veut arriver avant l'obscurité il faudra partir à *petit midi*.

MIE n. f. Fig. Terre très meuble, prête à être ensemencée. Il faut herser plusieurs fois pour finalement avoir de la *mie* et pouvoir semer.

MIETTE n. f. Très petite quantité d'un solide ou d'un liquide (lait, sucre). Syn., voir : **brette**.

MIETTON n. m. (O 36-86) Voir : **trempette**.

MIGAILLÈRE n. f. Voir : **mégaillère**.

MIGNONNETTE n. f. Réséda odorant. [+++]

MIKADO n. m. Voiture hippomobile élégante, à quatre roues et à deux sièges.

MIKUADJI n. m. (amér.) Carpe rouge.

MIL n. m. Vx en fr. Nom vulgaire de la fléole ou phléole des prés, graminée souvent cultivée avec le trèfle rouge. [+++]

MILIEU n. m. **1.** Clôture ou fossé qui sépare une terre sur la longueur en deux parties égales. Syn. : **refente**. **2.** *Milieu de barge*, *milieu de canot*, *milieu* : rameur placé au milieu d'une embarcation par opposition au *devant* (commandant) et à l'*arrière* (aide du commandant).

MILL, MILLIN n. m. (angl. mill) [Ø] La millième partie du dollar canadien. Il arrive encore aux conseillers municipaux de n'augmenter les taxes que de quelques *mills* ou *millins*.

MILLAGE n. m. (angl. mileage) **1.** Nombre de *milles* terrestres parcourus, nombre de *milles* indiqués par l'odomètre d'un véhicule automobile. [+++] **2.** Fig. *Avoir du millage* : se dit de quelqu'un, homme ou femme, qui a beaucoup couru, qui a fait la vie, qui a nocé. [+++]

MILLE n. m. (angl. mile) **1.** a) Mesure de longueur, de distance valant 5 280 *pieds*, soit 1 609 m. Le *mille* en usage au Québec depuis 1763 a fortement concurrencé la *lieue et* est maintenant remplacé par le kilomètre. b) Mesure de surface valant 2589 m^2 ou 258,9 ha. **2.** Fig. *Être au dernier mille, à son dernier mille*: a) Être à la fin de sa vie, à la veille de mourir, au bout de son rouleau. b) Être à la fin d'un travail, être à la veille de terminer ce qu'on a entrepris. **3.** Mille carré : mesure de surface équivalant à 258 ha. **4.** *Mille Carré* n. pr. (angl. Golden Square) [Ø]. À Montréal, quartier où résident des anglophones aisés.

MILLER, ÉMILLER, EMMILLER v. tr. Semer du *mil*, fléole ou phléole des prés. Syn. : **grainer**.

MILLET DES OISEAUX Sétaire italienne.

MILLEUSE n. f. Semoir manuel à *mil*, fléole ou phléole des prés. [+++]

MILLIAIRE adj. *Bornes milliaires* : à tous les *milles*.

MILLIN n. m. (angl. mill) [Ø] Voir : **mill**.

MINCE adj. *Mince d'eau* : eau peu profonde. Aimer pêcher où il y a *mince d'eau*. Syn., voir : **petite eau**.

MINE n. m. Minet, petit chat, minou, chaton. Notre chatte a eu trois beaux *mines*. [++]

MINE n. f. **1.** Mine de plomb dont on se sert pour polir les poêles, les fourneaux et leur refaire une beauté. [+++] **2.** Chatte. Je n'ai jamais vu une aussi belle *mine*. [+++] **3.** Fig. *Ne plus avoir de mine dans le crayon* : ne plus pouvoir éjaculer faute de sperme. On dit que manger des œufs ça met de la *mine* dans le crayon.

MINER v. tr. et intr. **1.** Polir avec de la mine de plomb un poêle, un fourneau, une cuisinière. [+++] **2.** Provoquer l'éboulement des rives d'un cours d'eau, des rivages de la mer en parlant des crues et des vagues. [+++] **3.** Annoncer, en parlant du temps. Les nuages sont bas, le vent est mauvais, ça *mine* mal pour la journée. **4.** Avoir bonne ou mauvaise mine. Lui, il *mine* bien mais sa femme ne *mine* pas bien.

MINI n. f. Billet de mini loto. As-tu ta *mini* cette semaine? [+++]

MINI-BAS n. m. [#] Chausson.

MINISTRABLE adj. Député qui a les qualités, l'étoffe pour être nommé ministre.

MINISTRE n. m. Fouet pour bœufs ou chevaux.

MINNOW n. m. (angl. minnow) [Ø] Voir : **mené**.

MINOT n. m. Mesure de capacité pour les grains, les matières sèches, valant 34 *livres*, soit 15,4 kg. [+++]

MINOTER v. intr. Rendre abondamment, être abondant. Les pommes de terre, l'avoine, l'orge *minotent* cette année. [+++]

MINOU n. m. **1.** *Minou, petit minou* : saule discolore et saule de Bebb, dont les bourgeons éclatent fin mars; les bourgeons eux-mêmes. [+++] **2.** Chenille. Le pommier est plein de *minous*. (Beauce) **3.** Chat adulte ou petit chat. [+++] **4.** Argot. Sexe féminin, vulve. Syn., voir : **noune**. **5.** Au pl. Rouleaux de poussières qui se forment sous les lits quand on a oublié, ou négligé, de passer le balai ou l'aspirateur, moutons, chatons. [+++] Syn. : **nounours**. **6.** Au pl. Chardon des champs.

MINOUCHAGE n. m. Caresse, flatterie. [++]

MINOUCHE n. f. Caresse avec la main. On dira à un petit enfant, viens me faire une *minouche*. [+++]

333

MINOUCHER v. tr. et pron. **1.** Caresser, prodiguer des caresses. *Minoucher* un enfant, un chat. [+++] **2.** Se passer la main sur la figure. Lorsqu'il a à répondre à une question difficile, le premier ministre *se minouche* la joue gauche pendant plusieurs secondes avant d'ouvrir la bouche. [+++] **3.** Se caresser le sexe, se masturber. Syn., voir : se **crosser**. **4.** Fig. Flatter quelqu'un pour obtenir une faveur. [+++]

MINOUNE n. f. **1.** Chatte, femelle du chat. [+++] **2.** Partie brune de la graisse de rôti. (Lanaudière) Syn., voir : **branlant**. **3.** Argot. Vieille auto tout juste bonne pour la casse. S'il y avait moins de *minounes* sur les routes, il y aurait moins d'accidents. [+++] Syn., voir : **bazou**. **4.** *Minoune de la mer* : cargo vétuste qui risque de sombrer et de polluer l'environnement marin. **5.** Par antiphrase, auto haut de gamme, super, dernier cri. Ça doit coûter très cher cette *minoune*! **6.** Femme de mauvaise vie, prostituée. Syn., voir : **guedoune**. **7.** Argot. Sexe féminin, vulve. Syn., voir : **noune**.

MINOUTER v. tr. Caresser. Les enfants adorent *minouter* un petit chien ou un chat. (acad.)

MINUIT n. f. **1.** La messe de minuit à Noël. Être trop malade pour aller à la *minuit*. **2.** Au pl. et au m. *Les minuits* : minuit. Il est parti vers *les minuits*, vers *minuit*.

MINUTES n. f. pl. (angl. minute) [Ø] Le procès verbal d'une assemblée.

MIQUELON n. m. **1.** Alcool de contrebande ayant transité par les îles françaises de Saint-Pierre et Miquelon. Boire du *miquelon*. **2.** Alcool de fabrication domestique. Syn., voir : **bagosse**.

MIRER (SE) v. pron. Vx ou litt. en fr. Se regarder dans un miroir. À quelqu'un qui *se mire* souvent on dira pour taquiner : dis, te trouves-tu plus beau (ou plus belle) qu'hier quand tu te *mires*?

MISE n. f. **1.** Lanière d'un fouet. [+++] **2.** Petit poisson dont les harengs sont friands.

MISÈRE n. f. **1.** Vx en fr. *Avoir de la misère*: avoir de la difficulté. *Avoir de la misère* à finir un travail, à marcher. [+++] **2.** *Manger de la misère*: être dans le malheur, dans la gêne, dans des difficultés extrêmes. [+++] **3.** *Faire de la misère à quelqu'un*: faire des misères, des ennuis à quelqu'un.

MISÉRER v. intr. Vivre dans la misère, vivre pauvrement. J'*misérions* dans ce temps-là. (acad.)

MISOTTE n. f. Herbe qui pousse dans les marais inondés par la mer et qui est un excellent fourrage, pâturin des marais. (acad.)

MISSISSIPI n. m. Jeu qui se joue sur une longue table rectangulaire avec des rondelles de bois. Le *mississipi* est encore populaire.

MISTRA n. m. Garniture de tarte à base de mélasse, de farine et de raisins secs. D'où tarte au *mistra*. Syn., voir : **ferlouche**.

MITAINE n. f. **1.** Vx et rég. en fr. Moufle couvrant entièrement la main, sans séparation pour les doigts sauf pour le pouce. Existent des *mitaines* de laine, d'étoffe et de cuir. Mettre des *mitaines* pour travailler au froid. *Mitaine* est dans Furetière en 1701. [+++] Syn. : **mitasse** (sens 1). **2.** Sports. Au hockey, gant que porte le gardien de but à la main gauche pour attraper la *rondelle* au vol. [+++] **3.** *Aller comme une mitaine* : convenir, aller comme un gant. Habillé en père Noël, ça lui *allait comme une mitaine*. [+++] **4.** Fig. *Mettre des mitaines* : mettre des gants, agir, parler avec précaution. Mettre des *mitaines* pour parler à une personne susceptible. Au contraire on *ne met pas des mitaines* quand on veut dire son fait à quelqu'un. **5.** Fig. *Ôter ses mitaines* : se hâter, se dépêcher. **6.** Argot. *À la mitaine* : à la main, manuellement. Faire du beurre *à la mitaine*. [++] **7.** Fig. Se dit de quelqu'un qui change facilement d'idée, dont les convictions ne sont pas solides. Il y a eu beaucoup de *mitaines* lors de la dernière élection. [+++] Syn., voir : **vire-capot**. **8.** Temple protestant (angl. *meeting* house) [Ø]. [+++]

MITAN n. m. Vx et rég. Milieu. Le *mitan* d'un chemin, de la journée, de la nuit, de la cuisine, du lit comme dit la chanson. (surt. acad.)

MITASSE n. f. (amér.) **1.** Moufles que l'on met pour se protéger les mains contre le froid. Syn. : **mitaine** (sens 1). **2.** Jambières de toile, de laine ou de cuir souvent ornées de rassades.

MITOCHER v. tr. Gâter un enfant. Un enfant qui a été trop *mitoché* trouvera que la vie est dure. Syn. : **pourrir**.

MITON n. m. **1.** Chausson de laine tricotée que porte un bébé avant ses premiers pas. Syn., voir : **patte**. **2.** Pantoufles pour adultes. [++] **3.** Au pl. Pain émietté, tranche de pain dans du lait, trempette de lait. Syn., voir : **trempette** (sens 1). **4.** Moufle pour se protéger les mains contre le froid. Syn. : **mitaine**.

MITONNER v. intr. **1.** Mettre des morceaux ou des miettes de pain dans la soupe. **2.** Séparer les balles du grain lors des battages. **3.** Fig. Se dépêcher. Si tu ne *mitonnes* pas plus, tu vas être en retard à la messe, tu vas rater ton avion!

MIUF n. f. Sigle. *Mousse isolante d'urée-formol* utilisée pour l'isolation des maisons de 1980 à 1984 et qui dégageait des vapeurs très nocives. *La miuf* a obligé des centaines de familles à abandonner leur maison.

MOCASSIN n. m. (amér.) Chaussure en peau d'orignal, de chevreuil, ou mieux de caribou non tannée, qui se porte encore aujourd'hui pour faire de la raquette sur la neige. Mot très fréquent dans la toponymie du Québec. [+++] Syn. : **pichou** (sens 2).

MOCASSIN-SLEIGH, MOCASSIN n. f. Variété de traîneau dont les lisses sont plus étroites que les patins. Voir : **bobsleigh**.

MOCAUQUE, MOKOK n. m. (amér.) **1.** Terrain bas, humide, marécageux. (acad.) Syn., voir : **savane**. **2.** Partie de forêt incendiée, brûlis où poussent des *mocauques* ou airelles canneberges. (acad.) Syn. : **brûlé, désert**. **3.** Airelle canneberge qui pousse dans les *mocauques*. (acad.) Syn. : **atoca**.

MODÈLE n. m. (angl. model home, model apartment) [Ø] Maison témoin, appartement témoin à visiter. *Maison modèle, appartement modèle* : maison témoin, appartement témoin à visiter.

MODISTE n. f. [#] **1.** Couturière. Madame X gagnait sa vie comme *modiste*. [++] **2.** *Modiste de chapeaux* : modiste. [++]

MOGUE n. f. (angl. mug) [Ø] Voir : **mug**.

MOHAWK n. et adj. Amérindien, appelé autrefois *Iroquois*, membre d'une nation autochtone du Québec comptant 10 500 personnes dont plus de 90 % habitent trois villages de la région de Montréal; relatif aux Amérindiens de cette nation. On dit : une *Mohawk*, des projets *mohawks*, des écoles *mohawks*.

MOI pr. pers. (angl. I for one) [Ø] *Moi pour un* : pour moi, quant à moi. *Moi pour un*, je n'irai pas à l'assemblée.

MOINDREMENT adv. *Le moindrement* : un tant soit peu, quelque peu. S'il avait travaillé *le moindrement*, il aurait réussi. [+++]

MOINE n. m. **1.** Toupie en bois plein, de fabrication domestique. Le *moine* était un jouet de printemps. [+++] **2.** Machine servant à creuser une tranchée où seront enfouis des tuyaux de drainage. **3.** Vulg. Organe de copulation chez l'homme et les animaux. Syn., voir : **pine** (sens 5). **4.** Fig. *Se poigner le moine, le moineau* : ne pas travailler, n'avoir rien ou presque rien à faire. [+++] Syn., voir : **bretter**. **5.** *Moine électrique* : perceuse portative.

MOINEAU n. m. **1.** Sorte de petite auge fixé à un bâton qui se place sur l'épaule et qui, dans les chantiers de construction, sert à transporter des briques, du mortier; oiseau (de maçon). **2.** Fig. *Se poigner le moineau* : ne pas travailler, n'avoir rien ou presque rien à faire [+++] Syn., voir : **bretter**.

MOIS n. m. **1.** *Le mois jaune* : pour les pêcheurs de morue, le mois de juillet au cours duquel la *bouette* servant d'appât se fait rare. Syn. : mois de la **faillette**. **2.** *Le mois de Marie* : le mois de mai. **3.** *Le mois des petits moutons* : mars, mois au cours duquel naissaient les moutons. **4.** *Le mois des veaux* : avril, mois au cours duquel naissaient les veaux, au cours duquel les vaches *ameillaient*, mois de *l'ameillage*.

MOKOK n. m. (amér.) Voir : **mocauque**.

335

MOKTOK n. m. (mot inuit) Chair de baleine.

MOKOUCHAN, MACOUCHAME, MAKUSHAM n. m. (amér.) **1.** Chez les *Montagnais*, fête rituelle, festin à l'ours accompagné de danses. **2.** Danse montagnaise accompagnant le festin à l'ours. **3.** Chez les *hommes de bois* et les trappeurs, mélange de toutes les viandes disponibles pour en faire une sorte de ragoût. Syn. : **nourriture de bois**.

MOLEMUTE n. m. (amér.) Chien de traîneau des *Inuits*.

MOLIÈRE n. f. Endroit humide, fondrière, bourbier. Le camion s'est embourbé dans une *molière*. (E 36-86) Syn., voir : **savane**.

MOLINETTE n. m. Voir : **moulinette**.

MOLLASSE n. f. Terrain humide, marécageux, fondrière. (acad.) Syn., voir : **savane**.

MOLLE n. f. (angl. Molson) [Ø] Argot. Bière québécoise fabriquée par la compagnie Molson. Le nom du fabricant s'abrégeant, on boit de la *molle*, on commande une grosse ou une petite *molle*.

MOLLETTE n. f. *Mollette du genou* : rotule. Syn. : **boulette**, **palette**.

MOLSON, MOSSEUL n. (angl. muscle) [Ø] Biceps. Les haltérophiles ont de grosses ou de gros molsons. [++]

MONDE n. m. **1.** *Grand monde* : grandes personnes, adultes. On habitue les enfants à ne pas déranger le *grand monde*. [+++] **2.** *Pas en monde* : beaucoup, très. Untel boit *pas en monde*, il est intelligent *pas en monde*. **3.** *Comme du monde* : convenablement, comme il faut. Boire, se conduire, manger, travailler, recevoir *comme du monde*. **4.** *Vieux monde* : personnes âgées. Dans ce village, il n'y a que du *vieux monde*. **5.** *Dans le monde!* Locution exclamative exprimant la surprise. *Dans le monde!* mais qu'est-ce que tu me dis là?

MONIAC n. m. Voir : **moyac**.

MONNAIE n. f. Fig. *Prendre toute sa petite monnaie* : devoir utiliser toutes ses forces, toute son énergie. Ça va lui *prendre toute sa petite monnaie* pour transporter cette armoire, pour réussir ses études. Syn., voir : prendre tout son **change**.

MONONCLE n. m. Oncle, en langage enfantin. Mon *mononcle* est venu hier.

MONSIEUR n. m. **1.** Homme franc, loyal, honnête, bien élevé. Untel, c'est un *monsieur*. [+++] **2.** Rég. en fr. Porc qu'on engraisse et qu'on tue pour les besoins domestiques. Notre *monsieur* est presque à point pour l'abattage. [++] **3.** Mâle, taureau ou verrat. Conduire une vache ou une truie au *monsieur*. [+] Syn., voir : **banal**. **4.** *En monsieur* : facilement, très bien. Il a ouvert un garage au village et il gagne sa vie *en monsieur*. [+++] **5.** Exclamation. *Monsieur!* Hé *monsieur!* Que c'est beau ici!

MONTAGNAIS, E n. et adj. Amérindien d'une nation autochtone du Québec comptant plus de 8 000 personnes dont plus de 90 % habitent neuf villages : un près de Schefferville, un près de Roberval et sept sur la Côte-Nord à l'est de Tadoussac; relatif aux Amérindiens de cette nation.

MONTAGNAISES n. f. pl. Raquettes à neige de forme ovale, utilisées dans les endroits boisés et sur la neige épaisse.

MONTAGNARD, E n. et adj. **1.** Péjor. Personne qui habitait dans les Laurentides, partie nord de Lanaudière. **2.** Péjor. Qui est pauvre, mal habillé, peu instruit. Oui il a l'air *montagnard* ce gars-là!

MONTAGNE-VERTE n. f. Variété de pomme de terre hâtive.

MONTAIN, MONTAN n. f. **1.** Petite montagne. (acad.) **2.** Gros amas de neige. (acad.)

MONTANT n. m. **1.** Fût de la raquette à neige. Syn., voir : **monture. 2.** Vx en fr. Flux de la marée. Le *montant* de la marée s'oppose au *baissant*. [+++] **3.** Croissant. Le *montant* de la lune. [+++] **4.** Partie d'une route qui monte. Avant d'arriver au village, il y a un *montant* d'un kilomètre. **5.** *En montant* : plus de, et plus. Cela devrait coûter dix dollars *en montant*. [+++] **6.** Somme d'argent. Cette réception a dû coûter tout un *montant*. [+++]

MONTE-AU CIEL n. f. Renouée orientale.

MONTÉE n. f. **1.** À la campagne, chemin public faisant communiquer deux *rangs*. (O 36-85) Syn. : **route. 2.** Chemin privé qui va du chemin public à la maison et même jusqu'au bout de la terre.

MONTER v. tr., intr. et pron. **1.** *Monter au bois, monter aux chantiers* : aller travailler en forêt comme bûcheron. **2.** Fig. *Monter dans les rideaux* : s'énerver, se fâcher, devenir fort agité. Syn. : **grimper dans les rideaux. 3.** Fig. *Monter sur le dos* : régenter. Surtout, ne te laisse pas *monter sur le dos* par cet imbécile. **4.** Acheter les meubles, les vêtements, les instruments, l'équipement dont on a besoin. *Se monter* en outils pour bricoler. **5.** Remonter en parlant d'un réveil, d'une montre, d'une horloge.

MONTEREAU n. m. [#] Voir : **mâtereau.**

MONTÉRÉGIANITE n. f. Nom d'un minéral découvert au mont Belœil, l'un des monts *montérégiens* de la région de Montréal.

MONTÉRÉGIEN, ENNE adj. Relatif aux huit monts de la plaine de Montréal : Royal, Saint-Bruno, Belœil, Rougemont, Yamaska, Shefford, Brome et Saint-Grégoire.

MONTRANT-CUL, MONTRANT-FESSES n. m. **1.** Enfant qui se pavane les fesses à l'air. **2.** Adulte qui fréquente un lieu public dans une tenue immodeste.

MONTRÉALAIS, E n. et adj. Gentilé. Habitant de Montréal; de Montréal. Cette appellation a supplanté *montréaliste* au milieu du XIXe siècle.

MONTRÉALISTE n. et adj. Gentilé. Appellation des habitants de Montréal jusqu'au milieu du XIXe siècle.

MONTRER v. tr. **1.** *Montrer jeune, vieux, malade* : paraître, sembler jeune, vieux, malade. (acad.) **2.** Enseigner. *Montrer* la danse, la musique, le dessin à des enfants ou à des adolescents.

MONTURE n. f. Fût de la raquette à neige. Syn. : **frame, montant, tour, tourage.**

MOONSHINE n. m. (angl. moonshine) [Ø] Alcool de fabrication domestique. (O 25-117 et acad.) Syn., voir : **bagosse.**

MOP n. f. (angl. mop) [Ø] **1.** Balai à franges courtes pour enlever la poussière. [+++] **2.** Balai à franges longues pour laver le plancher. [+++] Syn., voir : **vadrouille. 3.** Houppe à poudrer, houpette. [++] **4.** Fig. Personne sans caractère [++]

MOPE n. f. (angl. mope) [Ø] *Avoir la mope* : être de mauvaise humeur, être contrarié, bouder. [+++]

MOPÉ, E adj. (angl. to mope) [Ø] De mauvaise humeur, maussade.

MOPER v. tr. (angl. to mop) [Ø] **1.** Laver à la *mop*, c'est-à-dire au balai à franges longues. [+++] **2.** Enlever la poussière à la *mop*, c'est-à-dire au balai à franges courtes.

MORCEAU n. m. **1.** Argot de la pègre. Arme (couteau, pistolet, fusil). **2.** *Morceau des dames* : croupion d'une volaille, morceau particulièrement délicat que l'on offre aux dames. Syn., voir : **troufignon**. **3.** *Morceau du voisin* : morceau de viande que l'on donne à ses voisins lorsqu'on *fait boucherie* à la campagne. [++]

MORDÉE n. f. [#] **1.** Morsure, lésion faite avec les dents. Le chien lui a pris une *mordée* au mollet. [+++] **2.** Bouchée. Louis a pris une *mordée* dans la pomme.

MORDEUR n. m. (angl. murder) [Ø] *Crier mordeur* : dans des jeux, dans les batailles entre garçons, demander grâce à son adversaire en disant d'une voix forte *mordeur* ! Syn. : **quartier**.

MORDEUX, EUSE adj. et n. Se dit surtout d'un cheval qui a la mauvaise habitude de mordre les autres chevaux ou son maître.

MORDEUX ROUGE, MORDEUX GRIS n. m. Roselin pourpré ; le mâle a un plumage rouge, la femelle, un plumage tacheté de gris.

MORDURE n. f. [#] Morsure. Notre voisin a une vilaine *mordure* au mollet. [+++]

MORFILER v. tr. Aiguiser, affûter, affiler. *Morfiler* une faux. (Beauce) Syn., voir : **enfiler**.

MORFONDRE v. tr. et pron. Épuiser, ruiner la santé en dépassant la limite raisonnable. Ce cheval ne vaut plus rien, on l'a *morfondu* dans les chantiers forestiers. Paul *s'est morfondu* dans sa jeunesse.

338

MORFONDU, E p. adj. Épuisé, à bout de force, brûlé. Quand il est rentré de sa journée de travail, il était *morfondu*. Syn., voir : **resté**.

MORFONDURE n. f. Épuisement physique dû à un excès de travail. Celui qui a eu la *monfondure* une fois a perdu la moitié de sa capacité.

MORNE n. m. Montagne isolée de forme arrondie aux Antilles, à la Réunion, à Saint-Pierre-et-Miquelon et aussi au Québec. Mot présent dans la toponymie du Québec, en Gaspésie et en Beauce.

MORNOUCHE n. f. Voir : **marnouche**.

MORON n. m. Voir : **mouron**.

MORPION n. m. Enfant de sept à douze ans. Une bande de *morpions*.

MORPIONNER (SE) v. pron. Fig. Se couvrir en parlant du ciel. Le temps *se morpionne*, on va avoir de la pluie. [+++] Syn., voir : **chagriner**.

MORT n. f. **1.** Personne extrêmement lente. Robert ? la *mort* incarnée ! **2.** Fig. *Corps-mort* : en forêt, arbre tombé qui pourrit sur place. **3.** Fig. *Tête de mort* : bille de bois submergée mais dont une extrémité est à fleur d'eau. **4.** *À mort* (loc. adv.). Très, beaucoup. Travailler *à mort*. Cet enfant est beau *à mort*.

MORT, E adj. *Temps mort* : temps lourd qui précède la pluie.

MORTAGER v. tr. (angl. to mortgage) [Ø] Hypothéquer. Mortager sa maison pour payer ses impôts. (acad.)

MORTALITÉ n. f. Décès. Il y a eu bien des *mortalités* causées par la grippe espagnole.

MORTEL adv. [#] Très, beaucoup. On a eu une *mortel* belle journée pour le pique-nique.

MORTELLE n. f. [#] Voir : **immortelle**.

MORT-IVRE adj. inv. Ivre-mort. On l'a retrouvé *mort-ivre* dans le fossé. (acad.)

MORTOISE n. f. [#] Mortaise. [+++]

MORTOISER v. tr. [#] Mortaiser, faire une mortaise. *Mortoiser* une pièce de bois. [+++]

MORUE n. f. **1.** *Morue barbue* : merluche. **2.** *Morue de gaffe* : grosse morue qu'on ne peut manipuler qu'à l'aide d'une gaffe. **3.** *Morue verte* : morue salée mais non séchée. **4.** Fig. *Tirer la morue par la queue* : tirer le diable par la queue, être pauvre. (Gaspésie) **5.** Voir : *queue de morue*.

MORVAILLE n. f. Les enfants. Il est temps de coucher la *morvaille*. [++]

MORVAILLON n. m. Morveux, gamin. Terme de mépris.

MORVIAT n. m. [#] Gros crachat, morveau. [+++]

MOSUS (angl. Moses, Moïse en français) Juron anodin. *Mosus* qu'il a plu et venté ces derniers jours!

MOSSEUL n. m. (angl. muscle) [Ø] Biceps. Les haltérophiles ont d'énormes *mosseuls*.

MOTELIER, ÈRE n. et adj. **1.** Personne qui tient un motel. Les *moteliers* du Québec ont tenu leur congrès à Montréal. [+++] **2.** Relatif aux motels. L'industrie *motelière* est très prospère en Amérique du Nord.

MOTONEIGE n. f. Véhicule à une ou deux places avec skis à l'avant et chenille à l'arrière. Les *motoneiges* sont de plus en plus populaires avec les pistes qui sillonnent maintenant tout le Québec. [+++] Syn. : **skidoo** (marque déposée).

MOTONEIGISTE n. Personne qui pratique la *motoneige*. Un club de *motoneigistes*. [+++]

339

MOTTANT, E adj. Se dit d'une neige molle qui se met facilement en boule, en motte. De la neige *mottante*. Syn., voir : **pelotant**.

MOTTE n. f. **1.** Boule de neige. Les enfants aiment lancer des *mottes* de neige. Syn., voir : **balle** (sens 1). **2.** Sexe des femmes ou des hommes. Les vêtements serrés comme les jeans laissent paraître la *motte* des jeunes d'aujourd'hui.

MOTTELON n. m. Grumeau dans une sauce. (acad.) Syn., voir : **motton** (sens 1).

MOTTER v. tr., intr. et pron. **1.** Lancer des *mottes*, c'est-à-dire des boules de neige. Les enfants aiment *motter* les autobus lorsque la neige est molle. (Région de Québec) Syn. : **peloter**. **2.** Se mettre facilement en boules, en *mottes*, en parlant de la neige molle ou de la terre humide. Il fait très doux, la neige *motte*. Syn. : **peloter**.

MOTTON n. m. **1.** Boule de neige durcie par le froid. Lancer des *mottons* de neige à quelqu'un est toujours dangereux. Syn., voir : **balle**. **2.** Vx et rég. en fr. Grumeau dans une sauce, dans une bouillie. [+++] Syn. : **bosse**, **grémillon**, **mottelon**, **tapon**. **3.** Fig. *Faire le motton, avoir le motton* : gagner beaucoup d'argent, être riche. Pendant les cinq ans qu'il a travaillé à La Grande, il *faisait le motton*; aujourd'hui, il *a le motton*. Syn. : **argenté, bacon, bidoux, caché, collé, foin, palette, piastre**, avoir de **quoi, steak**. **4.** Fig. *Avoir le motton* : avoir la gorge serrée, être au bord des larmes. À l'enterrement de son fils, son père *avait le motton*.

MOTTONNEUX, EUSE adj. Se dit d'un terrain dont la surface est inégale, raboteuse.

MOU, MOLLE adj. **1.** *Bois mou* : bois tendre par opposition à *bois franc*. **2.** Qui se met facilement en boule en parlant de la neige. [+++] Syn., voir : **pelotant** (sens 1).

MOUCASSE n. m. Enfant de 9 à 10 ans.

MOUCHE n. f. **1.** *Mouche à cheval, mouche à chevreuil* : taon qui s'attaque au cheval et au chevreuil et dont les larves se développent en eaux stagnantes. [+++] **2.** *Mouche à feu* : luciole, ver luisant, lampyre. [+++] **3.** *Mouche à merde, à marde* : a) Mouche qui se nourrit d'excréments. [+++] b) Fig. Personne importune qui en suit une autre à la trace. [+++] Syn., voir : **tache. 4.** Rég. en fr. *Mouche à miel* : abeille. [+++] **5.** *Mouche à patates* : doryphore qui dévore les fanes de pomme de terre. [+++] Syn., voir : **bébite à patates. 6.** *Mouche à vers* : grosse mouche verdâtre qui se pose sur la viande et les ordures. **7.** *Mouche noire* : minuscule insecte piqueur noir qui peuple les régions septentrionales de l'Amérique du Nord, qui se développe dans les eaux courantes et dont les piqûres incommodent les pêcheurs et les chasseurs. [+++] **8.** *Mouche, mouche de moutarde, de gingembre, mouche noire* : sinapisme à base d'un mélange de farine et de moutarde ou de farine et de gingembre; variété d'emplâtre utilisé comme révulsif, vésicatoire. [+++] **9.** *Fin, fine comme une mouche* : d'une grande gentillesse en parlant de quelqu'un. **10.** Fig. *Mettre les mouches* à quelqu'un : faire fâcher quelqu'un.

MOUCHETTES n. f. pl. Serre-nez servant à serrer le nez d'un cheval pour le rendre docile lorsqu'on le ferre. (E 30-100) Syn. : **casse-gueule, tord-babine, tord-gueule, tourniquet, twister.**

MOUCHIÈRE n. f. Boîte-piège pour capturer les mouches. Syn., voir : **attrape à mouches.**

MOUCHOIR n. m. *Jouer au mouchoir* : jouer à cache-tampon. [+++]

MOUCHOLOGUE n. m. Spécialiste des mouches artificielles utilisées pour la pêche.

MOUCLE n. f. Voir : **mouque.**

MOUDRE v. tr. Ce verbe se conjugue moulu et non *moudu* au participe passé, et moulait et non *moudait* à l'imparfait.

MOUDURE, MOUDURE DE SCIE n. f. Sciure de bois, bran de scie. Syn., voir : **moulée de scie.**

MOUILLANT, E adj. *Neige mouillante* : neige qui tombe lorsque le thermomètre est à zéro et qui imprègne tout en douceur.

MOUILLASSAGE n. m. Action de *mouillasser*, de pleuvoir légèrement et par intermittence. [+++] Syn., voir : **mouillasserie.**

MOUILLASSER v. impers. Tomber lentement en parlant d'une pluie fine, pleuvoir légèrement et par intermittence. [+++] Syn. : **brumasser, grenasser, plutasser, rosiner.**

MOUILLASSERIE n. f. Action de pleuvoir légèrement et par intermittence. Syn : **brumassage, brume, mouillassage.**

MOUILLASSEUX, EUSE adj. Pluvieux. Un temps *mouillasseux*, une semaine *mouillasseuse*. Syn. : *mouilleux* (sens 1).

MOUILLER v. impers. **1.** Rég. en fr. Pleuvoir. Il va *mouiller*, les poules rentrent au poulailler. Rimette : *mouille, mouille paradis*, tout le monde est à l'abri. Mot en perte de vitesse. Syn. : **pluter. 2.** *Mouiller à siaux* : pleuvoir beaucoup. [+++] **3.** *Mouiller à boire debout* : pleuvoir beaucoup. [+++] **4.** Fig. *Mouiller ça* : prendre un verre pour fêter quelque chose. [+++]

5. Fig. *Se mouiller le canadien, le dalot, le gau, le gorgoton, la luette, les pieds* : boire, prendre un verre, s'enivrer. [+++] Syn., voir : se mouiller la **dalle** (sens 7). **6.** Fig. *En mouiller* : y en avoir un grand nombre. Des chômeurs prêts à travailler, *il en mouille*. [+++] **7.** Fig. *Il mouille dans son fani* : il a l'esprit dérangé. Syn., voir : **écarté**.

MOUILLEUX, EUSE adj. **1.** Pluvieux. Avoir un été, un temps *mouilleux*, une année *mouilleuse*. [+++] Syn. : *mouillasseux*. **2.** Humide, boueux en parlant d'un terrain. [+++] Syn. : **pisseux**. **3.** Qui absorbe l'eau en parlant du cuir. Pour faire des raquettes à neige et des mocassins on préfère la peau du caribou à celle de l'orignal parce qu'elle n'est pas *mouilleuse*.

MOULAC n. f. Variété de truite mouchetée créée à Coaticook en Estrie au début de la décennie de 1940, truite *mouchetée de lac*. En anglais : splake, *sp*eckled, *lake*.

MOULANGE n. f. **1.** Meule à moudre. Ribler une *moulange*. [+++] **2.** Meunerie. Profiter du mauvais temps pour aller à la *moulange*. [+++] **3.** *Moulange à marteaux* : cylindres d'acier tenant lieu de meules à moudre et produisant une mouture haute.

MOULE n. m. **1.** Forme en bois qui sert à tendre les peaux d'animaux à fourrure non fendues (vison, loutre, etc.) pour les faire sécher appelé aussi *moule à peaux*. **2.** Fig. *Moule à plomb* : visage marqué de variole ou de petite vérole.

MOULÉ, E adj. *Lettres moulées* : majuscules, caractères d'imprimerie.

MOULÉE n. f. **1.** Grain moulu destiné à l'alimentation des animaux. [+++] **2.** [#] *Moulée, moulée de scie* : sciure de bois, bran de scie. [++] Syn. : **bran de scie, brin de scie, moudure de scie, moulure de scie, sawdust, son de scie**. **3.** [#] *Moulée de vers* : poussière de bois laissée par les vers dans du bois vermoulu.

341

MOULIN n. m. **1.** *Moulin à battre* : batteuse servant à l'égrenage des céréales. [+++] **2.** *Moulin à beurre* : baratte de bois montée sur pieds et munie en son intérieur d'un jeu de quatre ailettes mues par une manivelle ou baril fermé culbutant sur lui-même par l'effet d'un bras ou d'une pédale. [+++] **3.** *Moulin à carde* : carderie. [++] **4.** *Moulin à coudre* : machine à coudre. [+++] **5.** *Moulin à farine* : meunerie. [+++] **6.** *Moulin à faucher, moulin à foin* : faucheuse mécanique, faucheuse. [+++] **7.** *Moulin à gazon* : tondeuse. **8.** *Moulin à laver* : machine à laver. Les machines à laver antérieures à l'arrivée de l'électricité étaient mues par un bras ou une roue et l'essoreuse par une manivelle. [+++] Syn. : **laveuse** (sens 2). **9.** Vx en fr. *Moulin à papier* : papeterie. Les premiers *moulins à papier* du Québec remontent à la fin du XIXe siècle. [+++] **10.** Vx en fr. *Moulin à scie* : scierie. [+++] **11.** *Moulin à semer* : semoir manuel. **12.** *Moulin à vent* : éolienne, formée d'une roue métallique à pales, montée sur un pylône et servant à élever l'eau. [+++] Syn. : **roue à vent**. **13.** *Moulin à viande* : hache-viande. [+++]

MOULINANT, E adj. **1.** En parlant de la terre sèche, qui se fendille et s'émiette facilement. **2.** Plein de neige molle en parlant d'un chemin.

MOULINET n. m.; **MOULINETTE, MOLINETTE** n. f. Pièces de bois disposées en échiquier pour les faire sécher au grand air. Syn., voir : **cage**.

MOULINETTE n. f. Filet à seiner le poisson avec lequel on inscrit au large un demi-cercle et que l'on ferme en le ramenant à la côte.

MOULINEUX, EUSE adj. **1.** Qui se met facilement en boule, en parlant de la neige fondante. (O 27-116) Syn., voir : **pelotant** (sens 1). **2.** Se dit des chemins d'hiver lorsque la neige molle colle aux patins des traîneaux. Syn., voir : **boulant** (sens 2).

MOULURE n. f. *Moulure de scie* : sciure de bois, bran de scie. Syn., voir : **moulée de scie**.

MOUMOUNE adj. et n. **1.** Péjor. Homme homosexuel. Lui, il est *moumoune*, c'est une *moumoune*. Syn., voir : **fifi** (sens 4). **2.** Naïf, niais, imbécile, balourd, pas fûté. Syn., voir : **épais**.

MOUNIAC n. f. (amér.) Voir : **moyac**.

MOUNICHON n. m. Petit poteau monté sur une croix et sur lequel on pose le sabot du cheval dont on veut tailler la corne ou finir le ferrage. (acad.) Syn., voir : **pied-de-fer**.

MOUQUE, MOUCLE n. f. **1.** *Mollusque*. Moule. **2.** Fig. Organe de la femme, vulve. (acad.) Syn., voir : **noune**.

MOURANT, E adj. **1.** Très ennuyeux, très ennuyant. **2.** Très drôle, qui fait rire, comique, hilarant. Lui, il a toujours des histoires *mourantes* à raconter; il est *mourant* quand il imite le Premier Ministre. Syn., voir : **tripant**.

MOURON, MORON n. m. **1.** Triton, espèce de petit lézard. **2.** *Mouron des oiseaux* : stellaire moyenne.

MOUSSAILLON n. m. Enfant de quatre ou cinq ans. Syn. : **mousse**, **mox**, **petit mousse**.

MOUSSE n. f. **1.** *Mousse de mer* : zostère marine, qui a déjà fait l'objet d'un commerce intéressant. Syn., voir : **herbe à outardes**. **2.** *Mousse-de-roche, oreilles de roche* : polypode de Virginie, plante très connue en médecine populaire. (O 30-100) Syn. : **tripe-de-roche**.

MOUSSE n. m. **1.** Jeunes garçons de cinq à quinze ans. Hé les *mousses*, un peu moins de bruit! [++] Syn., voir : **moussaillon**. **2.** Mauve musquée dont l'infusion est utilisée comme calmant en médecine populaire.

MOUSSE adj. Vx en fr. Qui n'est plus tranchant, émoussé. Une lame *mousse* doit être affûtée, aiguisée. Syn. : **gouffe**.

MOUSSELINE n. f. *Être comme une mousseline* : être d'une maigreur excessive, être décharné en parlant de quelqu'un. (acad.)

MOUSSER v. tr. **1.** Boucher avec de la mousse les interstices d'une construction en bois rond, calfeutrer avec de la mousse. D'où le verbe *démousser*. **2.** Fig. Faire valoir, faire de la publicité pour un produit, pour la candidature d'une personne en période pré-électorale.

MOUSTACHÉ, E adj. À robe tachetée, *mouchetée*. Une vache *moustachée*. [++] Syn., voir : **caille**.

MOUSTIQUAIRE n. f. Châssis garni de gaze, de mousseline ou de toile métallique, placé aux fenêtres et aux portes pour empêcher mouches et moustiques d'entrer. À la fin de l'été, on enlève les *moustiquaires* pour les remplacer par des fenêtres ou des portes doubles.

MOUTARDE, MOUTARDE D'ÉTÉ n. f. Moutarde sauvage, mauvaise herbe qui pousse dans les champs de céréales.

MOUTE n. m. Jeune mouton.

MOUTE, MOUTE, MOUTE! exclamation. Cri pour appeler les moutons.

MOUTON n. m. **1.** *Moutons blancs* : vagues à crête blanche. **2.** *Mouton noir.* a) Du pl. Nuages noirs qui annoncent la pluie et l'orage. Syn., voir : **tapons noirs**. b) Fig. Brebis galeuse dans une famille. Le cadet de cette famille, c'est le *mouton noir*. [+++] **3.** *Mettre en mouton* : faire une pile d'une dizaine de morues sur les vigneaux pour la nuit ou pour la durée du mauvais temps. **4.** *Mouton de garde* : bélier. **5.** *Le mois des moutons* : le mois de mars. [++]

MOUTONNE n. f. **1.** Femelle du bélier, brebis. [+++] Syn. : **mère-mouton**, **mère-moutonne**. **2.** Argot. Dans les chantiers forestiers, trou, fosse à déchets, dépotoir.

MOUTONNER v. intr. et pron. **1.** Agneler. La brebis a *moutonné* ce matin. Syn. : **aléner**. **2.** Fig. Se couvrir de petits nuages en parlant du ciel. [++]

MOUTURE n. f. Rare en fr. Part du meunier en nature (environ dix pour cent) comme prix de son travail. Il n'avait pas d'argent, il a dit au meunier de prendre la *mouture*. [+++]

MOUVABLE adj. Qui peut être remué, déplacé, *mouvé*. Cette grosse pierre n'est pas *mouvable*.

MOUVANT, E adj. Qui remue, bouge sans arrêt. Le nez d'un lapin, c'est *mouvant*.

MOUVÉE n. f. Troupeau, banc, bande. Repérer une *mouvée* de marsouins ou de harengs au radar. (E 19128) Syn., voir : **ramée**.

MOUVER v. tr., intr. et pron. **1.** Mouvoir, déplacer, transporter d'un lieu à un autre. *Mouver* une grange pour élargir une route. [+++] **2.** Déménager, changer de logement (angl. to move) [Ø]. En ville autrefois, on *mouvait* le premier mai. [+++] **3.** Se hâter. *Mouve-toi* si tu veux attraper ton autobus. [+++] **4.** Fig. *Mouver ses gaiters* : se hâter, se dépêcher.

MOUVETTE n. f. **1.** Vx en fr. Palette de bois percée d'un trou appelé *œil* et dont on se sert lorsqu'on surveille la cuisson du sirop ou du sucre d'érable ou lorsqu'on fabrique le savon domestique. (surt. E 34-91) **2.** Palette de bois à usages multiples : brasser le sirop, le sucre d'érable, le savon, la pâtée des cochons. (E 7-141) **3.** *Lécher la mouvette.* Voir : **lécher**.

MOX n. m. Garçonnet de quatre ou cinq ans. Syn., voir : **moussaillon**.

MOYAC, MONIAC, MOUNIAC n. (amér.) Eider commun dont le duvet entre dans la fabrication des édredons. (E 19-128)

MOYEN n. m. *Avoir le moyen, être en moyen* : être riche, avoir des moyens, de l'argent.

MOYEN, ENNE adj. Très fort, très grand. Il passe un *moyen* courant d'air entre les deux hautes tours du campus de l'Université Laval..

MOYENNANT QUE loc. conj. Vx en fr. À condition que, pourvu que. J'irai le rencontrer *moyennant que* tu sois présent.

MOZZARELLA n. m. Variété de fromage cuit à pâte molle et élastique, introduit ici par les immigrants italiens.

MRC n. f. Sigle. *M*unicipalité *r*égionale de *c*omté. Territoire regroupant des municipalités et des territoires non organisés administré par un *préfet de comté* assisté des maires des municipalités.

343

MSA Sigle. *M*ouvement *S*ouveraineté-*A*ssociation fondé en 1967 et devenu le PQ l'année suivante.

MTS Sigle. *M*aladie *s*exuellement *t*ransmise (en France, MST) dont le sigle d'ici est MTS : *m*aladie *t*ransmise *s*exuellement.

MUCRE adj. et n. **1.** Humide, froid et humide. Temps *mucre*, linge *mucre*. **2.** Sentir le *mucre* : sentir le moisi, le renfermé.

MUCRETÉ n. f. Humidité, moiteur. La *mucreté* de cet atelier est insupportable.

MUCRIR v. intr. Devenir *mucre*, humide. Quand on n'aère pas une maison inhabitée, tout finit par *mucrir* à l'intérieur. Syn. : **humécrir**.

MUE n. f. *Mue à cochons* : petite porcherie. (acad.) Syn., voir : **engrais**.

MUÉ DE GERMAIN loc. adj. Voir : **remué de germain**.

MUG, MOGUE n. f. (angl. mug) [Ø] **1.** Tasse à barbe. (acad. et Abitibi-Témiscamingue) Syn. : **bol** (sens 6), **pot à barbe**. **2.** Tasse en terre, moque. (O 38 et acad.)

MUKLUK n. f. (mot inuit) Botte *esquimaude* fabriquée avec de la peau de phoque, d'orignal ou de caribou.

MUKTOK n. m. (mot inuit) Peau de béluga d'un pouce d'épais délicieuse après légère cuisson.

MULE n. f. [#] Meule. Une *mule* de foin. (E 37-85) Syn. : **barge**, **mulon**.

MULERON, MURLON n. m. Veillote de foin, tas provisoire de foin. (acad.)

MULON n. m. Rég. en fr. Meule. Un *mulon* de foin. Quand on manquait d'espace dans les granges, on faisait des *mulons*. (O 30-100) Syn., voir : **mule**.

MULOTTER v. intr. Travailler très lentement, tourner en rond.

MULOTTEUX, EUSE adj. et n. Lent au travail. Charles travaille bien mais il est *mulotteux*, c'est un *mulotteux*.

MUNIE n. f. (amér.) Poisson du Lac Saint-Jean. La *munie* aurait la queue et la couleur de l'anguille, la forme du crapaud de mer et la tête de la morue.

MUR n. m. **1.** *Tapis mur à mur* (angl. wall to wall carpet) [Ø] : moquette qui couvre entièrement un parquet. **2.** Fig. *Mur à mur* : très, beaucoup. Lui, il est fédéraliste et antiféministe *mur à mur*.

MUR DE ROCHES n. m. [#] Voir : **clôture de roches**.

MURAILLE n. f. Falaise à pic, montagne coupée à pic, verticalement.

MÛRE, MÛRE NOIRE n. f. **1.** Ronce occidentale. **2.** *Mûre blanche* : ronce petit-mûrier. Syn., voir : **chicouté**. **3.** Voir : **noir comme une mûre**.

MÛRETTE n. f. Petite *mûre*, fruit de la ronce occidentale et de la ronce alléghanienne appelées ici *mûriers*.

MÛRIER n. m. **1.** Ronce occidentale. [+++] **2.** Ronce alléghanienne. [+++]

MURLON n. m. Voir : **muleron**.

MUSCLE n. m. (angl. muscle) [Ø] Voir : **molson**.

MUSEAU n. m. **1.** Muselière qu'on met à un chien, pour l'empêcher de mordre. **2.** Argot. Masque que portent les travailleurs pour se protéger contre la poussière.

MUSIQUE À BOUCHE n. f. [+++]; **MUSIQUE À GOULE** n. f. (acad.) Harmonica. Syn. : **brise-babines, brise-gueule**, **ruine-babines** (sens 1).

MUSKEG n. m. (amér.) **1.** Terrain humide, marécageux. Mot fréquent dans la toponymie du Québec. Syn., voir : **savane**. **2.** Tracteur de débusquage, à chenilles. Marque de fabrication. Syn., voir : **skiddeuse**.

MUSK-OX n. m. (angl. musk-ox) [Ø] Bœuf musqué dont la peau, comme celle du bison, servait de couverture de voyage.

MUSSE n. m. Petit veau de moins de six mois. (acad.)

MYE n. f. (NOLF) Palourde américaine, équivalent français de *clam*.

345

N

NAGANE, NUGANE n. f. (amér.) Porte-bébé dans lequel les Amérindiennes transportent leur nourrisson comme dans un sac à dos. Syn., voir : **porte-papoose**.

NAGEOTHON n. m. Compétition de natation, marathon de natation.

NAISSANCE n. f. Organe de la femme, vulve. Syn., voir : **noune**.

NAMBOURI n. m. Nombril. Cacher son *nambouri*. (acad.) Syn. : **ambouri, bourrique, grain de blé d'Inde, lambouri, lombril, pansicot**.

NANANE, NÉNANE n. m. **1.** Langage enfantin. Bonbon, friandise, sucrerie, nanan. [+++] Syn. : **candy. 2.** Voir : **rose nanane. 3.** *Être en enfant de nanane* : être en colère.

NANUK n. m. (mot inuit) Ours. En entendant le mot *nanuk*, les chiens de traîneaux dressent les oreilles.

NAPÉ n. m. (amér.) Homme. Un adolescent a hâte de se faire appeler *napé*.

NAPHTA n. m. (angl. naphta) [Ø] Naphte.

NAPKIN n. f. (angl. napkin) [Ø] Serviette de table en tissu ou en papier. Anglicisme presque disparu.

NAPPE n. f. Toile roulante horizontale de la moissonneuse-lieuse d'autrefois. Syn. : **table, tablier**.

NARCODOLLAR n. m. Au pl. Dollars, sommes fabuleuses provenant du marché noir des narcotiques, de la drogue. Mot formé sur le modèle d'eurodollar.

NAS n. m. Sigle. Numéro d'assurance sociale.

NASKAPI, E n. et adj. Amérindien d'une nation autochtone du Québec comptant plus de 400 personnes et habitant un village près de Schefferville; relatif aux Amérindiens de cette nation.

NASONNER v. intr. Nasiller, parler du nez.

NATCHIESH n. m. (mot inuit) Longue sacoche en peau de jambes de renne servant à transporter des morceaux de viande de phoque.

NATHEK n. m. (mot inuit) Phoque. Le *nathek* fournit la graisse indispensable pour les Inuits ainsi que l'huile servant à alimenter la lampe de pierre sans laquelle l'*igloo* serait une glacière.

NATIF, IVE adj. Dial. et pop. en fr. *Né-natif de* : natif de, originaire de. Il est *né-natif de* Montréal.

NATIONALEUX, EUSE n. et adj. Péjor. Nationaliste idéaliste dont les idées sont nettement dépassées et qui rêve encore d'*agriculturisme*, de *bon-ententisme*, etc. Un discours *nationaleux*.

NATUREL n. m. *Avoir du naturel* : avoir le sens de la famille, profiter de toutes les occasions pour visiter et recevoir les membres dispersés de la famille.

NATUREL adv. De naissance. Paulette en a de la chance, elle frise *naturel*.

NATUREL, ELLE adj. Bon pour la santé. Faire une promenade en forêt, c'est *naturel*.

NAULET n. m. Dial. en fr. Pâtisserie de forme humaine offerte par la marraine à ses filleuls ou filleules à Noël. (acad.) Syn. : **cousin**.

NAVEAU n. m. **1.** Navet. Semer des *naveaux*. [+++] **2.** Fig. Tête chauve. Avoir une rangée de *naveaux* devant soi au cinéma. Syn. : **genou**. **3.** Argot des anciens collèges et pensionnats de garçons. Nouvel élève, bleu. Syn. : **vert**. **4.** Nigaud, benêt, non déluré. Ce *naveau*-là ne se demande ce qu'il pourra bien faire dans la vie. Syn., voir : **épais**.

NAVETTE n. f. [#] **1.** Morceau de linge ou pinceau de fil fixé à un manche et servant à laver la vaisselle, lavette. (E 38-84) **2.** Chou-rave.

NAVIGABLE adj. Mar. Fig. Carrossable, praticable en parlant d'un chemin d'été ou d'hiver. [++] Syn., voir : **passable**.

NAVIGUER v. intr. Mar. Fig. *Avoir déjà navigué* : ne pas être naïf, ne pas être né de la dernière pluie. Syn., voir : **Champ de Mars**.

NAVRER v. tr. Vx en fr. Couper le souffle, faire suffoquer, faire haleter. Nous ne marchions pas vite, mais un fort vent de face nous *navrait*. (E 20-127)

NÉASSE n. m. Voir : **neuillasse**.

NECKER v. tr. et pron. (angl. to neck) [Ø] Vulg. Peloter, se peloter, se bécoter, faire du *necking*.

NECKING n. m. (angl. necking) [Ø] Vulg. Pelotage. L'automobile a beaucoup favorisé le développement du *necking*. Syn. : **parking**, **poignassage**.

NECKYOKE n. m. (angl. neckyoke) [Ø] Porte-timon accroché aux colliers de deux chevaux attelés côte à côte et qui porte le timon des voitures d'été ou d'hiver. [+++] Syn. : **courge**.

NÉGOCE n. m. Vx en fr. Affaires, occupation, commerce.

NÈGRE n. m. **1.** *Nègre blanc* : appellation péjorative que certains anglophones du Canada donnent à leurs compatriotes francophones. Syn., voir : **Cannuck**. **2.** Voir : **gosse de nègre**. **3.** Voir : **plan de nègre**.

NEICHE n. f. Allège d'une fenêtre. [+] Syn. : **tablette**.

NEIGE n. f. **1.** *Neige à bonhomme* : neige molle avec laquelle il est facile de faire un bonhomme de neige. [+++] **2.** *Neige de sucre* : neige fondante qui, le printemps, favorise la montée de la sève des érables. [+++] **3.** *Neige criante ou criarde* : neige qui, par temps froid et sec, crisse, qui *crie* sous les pas. **4.** *Neige pelotante* : neige humide qui se met facilement en *pelote*, en boule. **5.** *Ne pas revoir la neige* : en automne, en parlant d'un malade dont les jours sont comptés, on dit qu'il *ne reverra pas la neige*. Syn., voir : **décompter. 6.** Au pl. a) *Les neiges* : la saison des neiges, l'hiver. b) *Les grosses neiges* : chutes importantes de neige.

NEIGEAILLER [++]; **NEIGASSER** [+++] v. impers. Neiger légèrement, neigeoter. Hier il a *neigeaillé, neigassé* toute la journée. [++]

NEIGER v. impers. **1.** *Neiger en torchons* : neiger par temps humide en très gros flocons. **2.** Fig. *Avoir déjà vu neiger* : avoir de l'expérience, en avoir vu d'autres, ne pas être né d'hier.

NEIGÈRE, NEIGIÈRE n. f. Petite construction à proximité d'un quai au bord de la mer, à murs isolés, que l'on remplit de neige bien tassée l'hiver et qui l'été, sert de glacière pour le poisson. (Gaspésie)

NEIGEUX, EUSE adj. Litt. en fr. Temps, jour, mois, année pendant lesquels il neige beaucoup. Un temps, un mois, un hiver *neigeux*, une journée *neigeuse*. [+++]

NEILLASSE n. m. Voir : **neuillasse.**

NEILLÈRE adj. Voir : **anneuillère.**

NEMROD n. m. Vx en fr. Chasseur qui pratique la chasse au fusil. Vocabulaire des journalistes qui revient tous les automnes.

NÉNANE n. m. Voir : **nanane.**

NÉ-NATIF, IVE adj. Pop. en fr. Originaire. Notre maire est *né-natif* de la Beauce.

NÉNESSE n. et adj. Imbécile, niais. Il ou elle est pas mal *nénesse*! Syn., voir : **épais.**

NÉNUPHAR BLANC n. m. **1.** Nymphéa odorant, lys d'eau. **2.** *Nymphéa tubéreux* : lys d'eau. *Nénuphar jaune* : grand nénuphar jaune. *Nénuphar à fleurs panachées. Grand nénuphar jaune*. Pied de cheval.

NÉO n. et adj. Voir : **néo-canadien, néo-québécois.**

NÉO-BRUNSWICKOIS, E n. et adj. Gentilé. Habitant du Nouveau-Brunswick; du Nouveau-Brunswick.

NÉO-CANADIEN, ENNE n. et adj. Gentilé. Habitant du Canada arrivé comme immigrant depuis 1945. Syn. : **néo.**

NÉO-ÉCOSSAIS, E n. et adj. Gentilé. Habitant de la Nouvelle-Écosse; de la Nouvelle-Écosse.

NÉON n. m. Tube fluorescent. Remplacer un *néon*. [+++]

NÉO-QUÉBÉCOIS, E n. et adj. **1.** Gentilé. Habitant du Québec arrivé comme immigrant depuis 1945. **2.** Gentilé. Habitant du Nouveau-Québec. Syn. : **néo.**

NERF n. m. **1.** *Avoir les nerfs* : être très nerveux. [+++] **2.** Exclam. *Les nerfs!* : du calme! calmez-vous! [+++] **3.** *Avoir le gros nerf, être sur le gros nerf* : être très nerveux. **4.** *Paquet de nerfs, de narfs* : personne extrêmement nerveuse. **5.** *Poigner, prendre les nerfs* : s'énerver, perdre son sang froid.

NET n. m. (angl. net) [#] **1.** Filet de pêche. Un *net* à saumons. Syn. : **rets. 2.** Résille, filet à cheveux. Les femmes qui font la cuisine portent des *nets*. [+++] Syn. : **seine. 3.** Gaze, mousseline ou toile métallique montée sur des châssis placés aux fenêtres et aux portes pour empêcher les mouches ou les moustiques de pénétrer à l'intérieur, moustiquaire. [+++] Syn., voir : **gril à mouches.**

NETTER v. tr. (angl. to net) [#] Capturer des poissons en utilisant un *net*, un filet de pêche.

NETTOYEUR, E n. **1.** Établissement où l'on fait l'entretien des vêtements, teinturerie. [+++] **2.** Commerçant chez qui on apporte le linge ou les vêtements à nettoyer, teinturier. On fait nettoyer les vêtements d'hiver chez le *nettoyeur* avant de les ranger. [+++]

NEUILLASSE, NÉASSE, NEILLASSE n. m. Veau, génisse de un à deux ans. (acad.)

NEUILLÈRE adj. Voir : **anneuillère**.

NEUTRE n. m. (angl. neutral) [#] *Au neutre* : débrayé, non embrayé. Mettre une auto *au neutre* pour faire réchauffer le moteur. Anglicisme en perte de vitesse. Syn. : **déclutcher**.

NEUVAINE n. f. **1.** Fig. Période. Avoir une *neuvaine* de mauvais temps au moment des grandes marées. Syn. : **liaison**. **2.** Dans la tradition religieuse d'ici, on connaissait les neuvaines au *Sacré-Cœur*, aux *croix de chemin*, à *sainte Anne*, à *saint Joseph*, etc.

NÉVASSE n. f. Rég. en fr. Neige détrempée. L'hiver les piétons risquent de se faire éclabousser par la *névasse*. Syn., voir : **slush**.

NEWFIE n. et adj. (angl. Newfoundlander) **1.** Habitant de Terre-Neuve, Newfoundland en anglais. **2.** Niais, imbécile, lourdaud. Ne fais pas ton *newfie*. Syn., voir : **épais**. **3.** Personne à charge de l'État. Pour les économistes, on ne naît pas *newfie*, on le devient; à preuve le sous-développement économique des provinces maritimes autres que Terre-Neuve, les quartiers défavorisés de Montréal, etc.

NEZ n. m. **1.** *Parler dans le nez à quelqu'un, se faire parler dans le nez* : dire ses quatre vérités à quelqu'un, se faire dire ses quatre vérités. [+++] **2.** *Nez de butor* : nez long et pointu. Avoir un *nez de butor*. Syn. : **épissoir**. **3.** *Nez du Saint-Père* : croupion de volaille, morceau particulièrement délicat que l'on offre aux dames. Syn., voir : **troufignon**.

NIAISAGE n. m. Perte de temps, lambinage. Avec ce contremaître, quand on travaille, pas de *niaisage*, on travaille.

NIAISE n. f. *Prendre une niaise* : éprouver une déception, être attrapé.

NIAISER v. tr. et intr. **1.** Travailler sans résultat visible, perdre son temps, hésiter. [+++] Syn., voir : **bretter**. **2.** Attendre pendant une période de temps anormalement longue. J'avais rendez-vous chez le médecin et on m'a fait *niaiser* pendant trois heures dans la salle d'attente. [+++] **3.** Agacer, ennuyer, importuner, taquiner. Arrête donc de *niaiser* ton cousin. [+++] Syn., voir : **attiner**. **4.** Dire ou faire des choses qui relèvent de la bêtise, de la niaiserie. Syn. : **gioler**.

NIAISEUX, EUSE n. et adj. **1.** Imbécile, benêt, sot. Il est trop *niaiseux* pour comprendre qu'il ne doit pas se présenter aux élections. [+++] Syn., voir : **épais**. **2.** Qui perd son temps à des riens. Syn., voir : **bretteux**. **3.** Qui dit ou fait des choses qui relèvent de la bêtise, de la niaiserie. Syn. : **gioleux**.

NIC, NIQUE n. m. [#] Nid. Un *nic* d'oiseau, de guêpes. [+++]

NICHET, NICHETTE n. Fig. Le dernier-né d'une famille nombreuse d'autrefois. [++] Syn., voir : **chienculot**.

NICHETÉE n. f. [#] **1.** Nichée. Une *nichetée* de mésanges, d'hirondelles. Syn. : **nigée**. **2.** Fig. Jeunes enfants d'une

349

même famille. Ma belle-sœur est venue passer une journée ici avec sa *nichetée*.

NICHOIR n. m. [#] Nichet, œuf de pierre qu'on met dans le nid des poules. [++]

NICHOUET, ETTE n. Fig. Autrefois, le dernier-né d'une famille nombreuse. [++] Syn., voir : **chienculot**.

NIGÉE n. f. **1.** Voir : **nichetée** (sens 1). **2.** Portée de cochons, de chats, de chiens. (acad.)

NIGER v. pron. Se nicher. Les hirondelles se *nigent* ici tous les ans. (acad.)

NIGOG n. m.; **NIGOGUE** n. f. (amér.) Variété de harpon ou foène utilisé pour la capture des anguilles ou de gros poissons en général, constitué d'un manche muni d'une pointe de fer et garni de deux mâchoires flexibles qui retiennent le poisson qui a été piqué. (E 35-86) Syn. : **fouine**.

NIGOGUER v. tr. (amér.) Capturer l'anguille ou le gros poisson à l'aide d'un *nigog*. (E 35-86)

NIGOGUEUR, NIGOGEUX, EUSE n. (amér.) Pêcheur qui capture anguilles ou poissons à l'aide d'un *nigog*. (E 35-86)

NIGOSSAGE n. m. Menus travaux que l'on fait chez soi par mauvais temps.

NIGOSSER v. intr. Faire de menus travaux quand on ne peut travailler à l'extérieur, s'occuper à de menus travaux. Syn., voir : **bretter**.

NIGOSSEUX, EUSE adj. et n. Personne qui fait de menus travaux en attendant que le mauvais temps cesse.

NIJAGAN n. m. (amér.) Bordigue installée au bord de la mer pour capturer le poisson. (acad.) Syn., voir : **bourne**.

NIOCHON, GNOCHON, ONNE n. et adj. **1.** Autrefois, le dernier-né d'une famille nombreuse. [++] Syn., voir : **chienculot. 2.** Nigaud, niais. Celui-là, il est trop *niochon* pour se marier. Syn., voir : **épais**.

NIOLE, GNOLE n. f. **1.** Excroissance ligneuse qui se développe sur les arbres, loupe. Syn., voir : **nouasse. 2.** Taloche, tape. **3.** Chose peu importante, blague. Ne te tracasse donc pas avec ces choses-là, ce sont des *nioles*, des *gnoles*!

NIP n. m. Sigle. Numéro d'*i*dentification *p*ersonnel. Il faut avoir son *nip* pour utiliser le guichet automatique des caisses populaires ou des banques.

NIPPAILLONS n. m. pl. Vêtements vieux, usés, souvent déchirés, vieilles *nippes*. (acad.)

NIPPE 1 n. f. Carré de tissu avec lequel, les travailleurs au grand air l'hiver, s'enveloppent les pieds avant d'enfiler leurs chaussures. (Beauce et Lanaudière) Dérivés : **nippaillon, nippon, renipper**.

NIPPE 2, LIPPE n. f. **1.** *Faire la nippe* ou la *lippe, pendre la nippe* ou la *lippe* : pleurnicher, en parlant d'un enfant. (surt. O 36-91) Syn., voir : **lyrer. 2.** Petit verre de whisky. Prendre une *nippe* avant de sortir de chez-soi.

NIPPER, LIPPER v. intr. Pleurnicher, surtout en parlant d'un enfant. (surt. O 36-91) Syn., voir : **lyrer**.

NIPPON, ONNE n. Personne mal habillée. Mon petit *nippon*, va t'habiller mieux que ça!

NIQUE n. m. [#] Nid. Un *nique* d'oiseaux, de guêpes.

NIQUER v. tr. (angl. to nick) [Ø] Anglaiser, c'est-à-dire couper les muscles abaisseurs de la queue d'un cheval pour la maintenir relevée. Syn. : **dénerfer, dénerver**.

NIV n. m. Sigle. Numéro d'*i*dentification des *v*éhicules automobiles gravé à l'acide dans les pare-brise et les vitres. Le *NIV* est une excellente façon de prévenir le vol des voitures.

NIVEAUTER v. tr. [#] Mettre de niveau, rendre horizontal, niveler.

NIVELASSAGE n. m. Action de *nivelasser*, de faire de menues besognes, de perdre son temps. (Lanaudière) Syn., voir : **brettage**.

NIVELASSER v. intr. Faire de menues besognes; perdre son temps. (Lanaudière) Syn., voir : **bretter**.

NOCE n. f. **1.** Fig. *Noce d'oiseaux* : volée, bande d'oiseaux. Syn., voir : **mariage**. **2.** Fig. *Être aux noces* : être heureux, bien traité, bien reçu, bien nourri.

NOCER v. intr. Boire, s'enivrer. Beaucoup de personnes ne peuvent s'empêcher de *nocer* en fin de semaine.

NŒUD n. m. Fig. *Frapper un nœud* : se heurter à une difficulté, à un obstacle, avoir une déception, subir un échec. [+++] Syn. : passer dans le **beurre**, prendre une **bine**, prendre une **capiche**, prendre une **carpiche**, prendre une **chire**, manger une **claque**, prendre une **culbute**, attraper une paire de **culottes**, prendre une **débarque**, **foirer**, être **fourré**, faire **patate**, se lécher la **patte**, faire **poche**.

NOIR n. m. *Noir à chaussures, à souliers* : cirage noir servant à cirer les chaussures. Syn. : **nugget**.

NOIR, E adj. **1.** *Froid noir* : très grand froid, froid à pierre fendre. **2.** Comparaisons : *noir comme une corneille, comme une mûre, comme du jais; faire noir comme chez le loup, comme su' le loup, comme chez le diable, comme dans le derrière d'un bœuf, comme dans le trou d'une jument.*

351

NOIRCEUR n. f. **1.** Vx et rég. en fr. Obscurité. En novembre, la *noirceur* arrive tôt. [+++] Syn. : **noirté**. **2.** Fig. *Être tenu dans la noirceur* : être tenu dans l'ignorance. Le public a été tenu dans la *noirceur* au sujet des dangers de la transfusion sanguine.

NOIRTÉ n. f. Obscurité. En novembre, la *noirté* prend de bonne heure. (acad.) Syn. : **noirceur**.

NOISELIER n. m. [#] Noisetier, coudrier dont les tiges très flexibles peuvent servir de liens. (acad.) Syn. : **noisette** (sens 1).

NOISETTE n. f. [#] **1.** Noisetier. Aller couper des *noisettes* pour faire des liens. [+] Syn. : **noiselier**. **2.** Fig. Couille. En tombant sur un chicot, André s'est fait mal aux *noisettes*. Syn., voir : **gosse**.

NOIX n. f. **1.** Vulg. Testicule de l'homme et de certains animaux. [++] Syn., voir : **gosse**. **2.** (Angl. nut) [Ø] Écrou. Serrer la *noix* d'un boulon. [++] Syn., voir : **écro**.

NOLISER v. tr. Mar. Affréter. *Noliser* un avion pour un groupe de pèlerins.

NOM n. m. **1.** Sobriquet, surnom familier, inoffensif et souvent moqueur. Dans cette famille, tous les enfants ont des *noms*. [+++] **2.** Au pl. Injures, insultes. Nos deux voisins se sont dit des *noms* publiquement, et ça s'est terminé par un procès. [+++] **3.** *Crier des noms, donner des noms à quelqu'un* : lancer des injures, des insultes à quelqu'un. Syn. : **appeler des noms**.

NOMBRE n. m. *Avoir son nombre* : avoir le nombre d'enfants que nos mères ou nos grand-mères devaient avoir selon la volonté du Bon Dieu, disaient les curés d'autrefois qui veillaient au grain.

NOMBRER v. intr. Être inutile en parlant d'une personne, ne pas fournir le travail qu'on attend d'elle. Un patron dira : « Un employé qui est là seulement pour *nombrer*, je le renvoie. »

NOMBRIL n. m. **1.** *Nombril-de-sœur* : pâtisserie appelée pet-de-nonne en français. Syn. : **pet-de-religieuse**, **pet-de-sœur**, **trou-de-sœur**. **2.** Fig. *Ne pas avoir le nombril sec, avoir encore le nombril vert* : être jeunot, manquer d'expérience. Syn. : avoir encore la **couche** aux fesses (sens 1), ne pas être encore **décapé**.

NOMINATION n. f (angl. to nominate) Mise en nominature.

NONANTE adj. num. Vx et rég. Quatre-vingt-dix. Monsieur D'entremont aura *nonante* ans demain. (acad.) Adjectif numéral couramment employé en Belgique et en Suisse.

NONNE n. f. Oiseau au plumage noir et blanc, pinson niverolle.

NONO, NONOTE n. et adj. Niais, imbécile, stupide qui n'est pas fûté. [+++] Syn., voir : **épais**.

NORANDIEN, ENNE n. et adj. Gentilé. Natif ou habitant de Noranda, en Abitibi; de Noranda.

NORD n. m. Fig. *Perdre le nord* : devenir fou, déraisonner. [++] Syn., voir : perdre la **carte**.

NORD-CÔTIER, ÈRE n. et adj. Gentilé. Habitant de la Côte-Nord (du Saint-Laurent), qui s'étend de Tadoussac à Blanc-Sablon; de la Côte-Nord. La population *Nord-Côtière* est peu nombreuse et très dispersée. Les *Nord-Côtiers* sont souvent isolés.

NORDET n. m. Rég. en fr. Nord-est, vent du nord-est. Le *nordet* s'est levé vers cinq heures. [+++]

NORDICITÉ n. f. État vraiment nordique, perçu ou non, d'un lieu, d'un objet, d'un caractère ou d'une population. (Définition de L.-E. Hamelin, géographe)

NORDIQUE n. **1.** Au pl., club de hockey de la ville de Québec vendu en 1995. Syn. : **Fleurdelysé**. **2.** Personne qui habite, qui vit dans le Nord qu'il s'agisse d'un indigène ou d'un blanc.

NOROIS, NOROÎT n. m. Nord-ouest, vent du nord-ouest. Appellations courantes chez les campagnards et chez les pêcheurs.

NOROLLE, NOUROLLE n. f. Espèce de galette, de brioche faite avec de la farine de froment. (O 36-86)

NORTUREAU n. m. Voir : **nourritureau**.

NOTCH n. f. (angl. notch) [Ø] **1.** Entaille de direction faite à un arbre qu'on veut abattre. [++] Syn. : **coche**. **2.** Entaille faite à une pièce de bois qu'on veut marier, enter à une autre pièce. [+++]

NOTCHER v. tr. (angl. to notch) [Ø] **1.** Faire une entaille de direction à un arbre à abattre. [++] **2.** Faire des entailles à deux pièces de bois qu'on veut marier, qu'on veut enter. [+++]

NOTE n. f. Plain-chant. Étudier la *note*, savoir la *note* : savoir le plain-chant, pouvoir faire partie du chœur de chant, savoir lire la musique. (acad.)

NOTICE n. f. (angl. notice) [Ø] Avis de congédiement, de mise à pied que reçoit un travailleur. [+++] Syn. : **bleu** (sens 2).

NOUASSE, NUASSE n. f. **1.** Excroissance ligneuse qui se développe sur les arbres, loupe. Une *nouasse*, c'est infendable. [+++] Syn. : **cabochon** (sens 2), **niole** (sens 1), **verrue. 2.** Testicules d'un taureau. (acad.)

NOUASSÉ, E; NOUASSEUX, EUSE adj. Se dit du bois qui a des *nouasses* ou loupes. Une bûche *nouassée* ou *nouasseuse.* [+++] Syn. : **noucleux, noukeux.**

NOUC, NOUCLE n. m. **1.** Nœud dans le bois. Un madrier plein de *noucs.* (acad.) **2.** Nœud d'une ficelle, d'un câble. (acad.)

NOUCHE n. f. Organe de la femme, vulve. (acad.) Syn., voir : **noune.**

NOUCLE n. m. Voir : **nouc.**

NOUCLER v. tr. Nouer, faire un *noucle*, un nœud. *Noucler* les lacets de ses souliers. (acad.) Syn. : **amarrer.**

NOUCLEUX, EUSE, NOUKEUX, EUSE adj. Qui a des *noucs* ou *noucles* c'est-à-dire des nœuds. Un madrier *noucleux* ou *noukeux.* (acad.)

NOUES n. f. pl. **[#]** Noves de la morue (vessie natatoire et enveloppe des intestins).

NOUNE n. f. **1.** Argot. Figure, visage. Recevoir une claque, une boule de neige sur la *noune.* **2.** Argot. Organe de la femme, vulve. Syn. : **beigne, bull's eye, chat, chatte, craque, fente, guite, manchée, minou, minoune, mouque, naissance, nouche, pelote, platine, rigouèche.** 3. Au pl. Banalités, propos oiseux et sans intérêt. Arrête donc tes *nounes*! Syn. : **nounouneries.**

NOUNE, NOUNOUNE adj. et n. **1.** Niais, naïf, peu intelligent. Elle ou il est *noune, nounoune* ça passe l'imagination; une *noune* avec un *nono*, ça fait la paire! Syn., voir : **épais. 2.** Banal, sans intérêt. Ce sont des expériences *nounounes* que certains professeurs font faire à leurs étudiants dans les laboratoires. **3.** Argot. *Nounoune des Sœurs* : dans les anciens pensionnats de jeunes filles, élève qui faisait l'objet d'amitiés particulières, chouchoute. Syn. : **chatte** (sens 2).

NOUNER v. tr. Fredonner un air. *Nouner* tout en travaillant.

NOUNOUNERIE n. f. Au pl. Ce que fait ou dit un *noune* ou une *nounoune*, banalités, fadaises. Syn. : **noune** (sens 3).

NOUNOURS, NOUNOUSSES n. m. pl. Rouleaux de poussière qui se forment surtout sous les lits quand on a oublié ou négligé de passer le balai ou l'aspirateur, moutons, chatons. [++] Syn. : **minou** (sens 4).

NOUROLLE n. f. Voir : **norolle.**

NOURRITUREAU, NORTUREAU n. m. Petit cochon de l'année destiné à la boucherie.

NOURRITURE n. f. *Nourriture de bois* : Nourriture consistant en un mélange des viandes de gibier disponibles entrant dans la préparation du *mokoucham* des Montagnais qui vivent en forêt.

NOUVEAU n. m.; **NOUVEAUTÉ** n. f. *Avoir du nouveau* : se dit de quelqu'un ou d'un couple où il y a un nouveau-né. Les Gagnon ont eu du *nouveau*, une belle petite fille.

NOUVEAU-QUÉBEC n. pr. Région administrative du nord du Québec d'une superficie de près 900,000 km^2 et qui compte près de 20,000 habitants.

NOXZÉMA n. m. Crème adoucissante pour la peau. Un pot de *Noxzéma.* Marque de commerce.

NOYER n. m. **1.** *Noyer amer* : caryer cordiforme. **2.** *Noyer tendre* : carier oval.

353

NOYER v. intr. Inonder, être inondé. Ces terrains bas *noyent* tous les printemps.

NOYEUX, EUSE adj. Qui inonde facilement. Les îles du Saint-Laurent à l'embouchure du Richelieu étaient *noyeuses* avant qu'on utilise les brise-glace pour maintenir le chenal du Saint-Laurent ouvert.

NU, E adj. Non peint, non recouvert de peinture en parlant du bois (planche, madrier, quart-de-rond, plinthe, etc.)

NUAGE n. m. (angl. cloud) [#] Cache-nez en laine tricotée très lâchement. Mettre un *nuage* à un enfant qui va jouer dehors l'hiver. [+++] Dérivé : **dénuager**. Syn., voir : **crémone**.

NUASSE n. f. Voir : **nouasse**.

NU-BAS adv. Sans chaussures. On ne va pas dans la neige *nu-bas*. Passer la soirée *nu-bas*. [+++]

NUÉE n. f. Litt. en fr. Nuage. Tiens, une *nuée* va nous cacher le soleil. [+++]

NU-FESSES adv. Les fesses à l'air. Les jeunes enfants adorent se balader *nu-fesses*. [+++]

NUGANE n. m. (amér.) Voir : **nagane**.

NUGGET n. m. Cirage à chaussures. Acheter du *Nugget* noir ou brun. Marque de commerce. Syn., voir : **brun à chaussures**, **noir à chaussures**, **poli à chaussures**.

NUISANCE n. f. Vx en fr. Chose nuisible, incommodité, embarras. Des écuries en plein centre-ville, c'est une *nuisance*.

NUISANTS n. m. pl. Envies qui se détachent de la peau autour des ongles. Syn., voir : **envieux**.

NUNATAK n. m. (amér.) Rocher à fleur de terre (Beauce et Lanaudière).

354

NUIT n. f. **1.** Fig. *Nuit des longs couteaux* : a) Nuit du 4 novembre 1981 au cours de laquelle le premier ministre du Canada et neuf premiers ministres provinciaux ont décidé le rapatriement de la constitution canadienne en l'absence du Québec. b) Réunion politique à huis clos qui dure toute une nuit et où on lave le linge sale en famille. **2.** Fig. *Passer la nuit sur la corde à linge* : passer la nuit à s'amuser, à boire. [+++]

NULIAYOK n. f. (mot inuit) **1.** Déesse de la mer. **2.** Morceau de viande que l'on jette sur la neige pour remercier Nuliayok, déesse de la mer.

NU-PATTES adj. et adv. Nu-pieds en parlant des enfants. Autrefois, à la campagne, les enfants passaient l'été *nu-pattes*. [+++]

NUT n. f. (angl. nut) [Ø] Écrou. Serrer la *nut* d'un boulon. Anglicisme qui a la vie dure. Syn., voir : **écro**.

NUVITE n. m. Exhibitionniste de sexe masculin qui se met tout nu dans la rue, dans un parc, et qui décampe à toute vitesse, le plus souvent sans se faire attraper par les agents de police. Mot diffusé par les journalistes d'ici comme équivalent de « striker ».

NUVITISME n. m. Maladie masculine contemporaine identifiée dans les années 1970 chez certains jeunes qui, pour réagir contre le formalisme de la société, se mettaient en tenue d'Adam dans un endroit public pour ensuite décamper à toute vitesse.

OA n. Sigle. *O*utremangeur *a*nonyme. **1.** Groupement de mangeurs insatiables dont le but est d'aider, d'encourager et de soutenir moralement toute personne aux prises avec le besoin impulsif de manger et qui veut s'en sortir. **2.** Membre du groupement OA. De quoi peuvent bien parler une *OA* et un *OA* qui se rencontrent?

OBÉIR v. intr. **1.** Plier en parlant d'une planche ou d'un madrier. **2.** *Obéir au cordeau* : se dit d'un cheval attelé qui obéit, qui se laisse conduire par les mouvements que le conducteur imprime aux *cordeaux*, c'est-à-dire aux rênes.

OBJECTER (S') v. pron. S'opposer. Au conseil de ville, personne ne s'est *objecté* à la création d'une piste cyclable.

OBLIGÉ, E adj. **1.** *Se marier obligé* : se marier parce que la jeune fille est enceinte. Claudine n'a pas pu se marier en blanc parce qu'elle s'est mariée *obligée* et que ça paraissait! **2.** *Un mariage obligé* : mariage qui se fait alors que la mariée est déjà enceinte.

OBSTINATION, OSTINATION n. f. Querelle, dispute. Ils ont des *obstinations* chaque fois qu'ils se rencontrent. [++]

OBSTINER, OSTINER v. tr. et pron. Contredire, se contredire, discuter avec acharnement. Il ne rate jamais une occasion d'*obstiner* son beau-frère. [+++]

OBSTINEUR, OBSTINEUX, EUSE, OSTINEUX, EUSE n. et adj. Qui se plaît à contredire son interlocuteur, qui cherche à le provoquer. Certains hommes politiques se font un malin plaisir à être *obstineux* avec les journalistes lors de conférences de presse. [+++]

OCCASION n. f. **1.** Transport gratuit. Trouver une *occasion* pour se rendre à Gaspé. Syn., voir : **pouce** (sens 5). **2.** Vx en fr. *D'occasion* : en solde, en parlant d'objets neufs. [++] **3.** *Par occasion* : à l'occasion, quand l'occasion se présente, le cas échéant. La plupart des trappeurs d'aujourd'hui le sont *par occasion*.

OCCUPANT, E adj. Inquiétant. Paul est parti, ce n'est pas *occupant*, on peut s'en passer.

OCCUPATION n. f. Inquiétude. Il a beaucoup d'*occupation* et se réveille souvent la nuit.

OCÉANIQUE n. m. Gros navire qui traverse les océans par opposition aux bateaux des Grands Lacs.

OCTANTE, HUIPTANTE adj. num. Quatre-vingt. (acad.) Couramment employé en Belgique et en Suisse. Voir : **nonante**.

ODEUR n. f. [#] **1.** Parfum. Acheter une bouteille d'*odeur*. **2.** Voir : **foin d'odeur**. **3.** Voir : **savon d'odeur**.

ŒIL n. m. **1.** *Œil à vis, œillet à vis* : anneau ouvert ou fermé avec une queue à vis, piton à vis (ouvert ou fermé). Fixer un *œil à vis* au plafond pour y accrocher une plante d'intérieur. **2.** *Œil-de-bouc* : halo autour de la lune ou du soleil qui annonce du mauvais temps. **3.** Fig. *Tomber dans l'œil* (de quelqu'un) : plaire, taper dans l'œil. La première fois qu'il a vu Mireille, elle lui est *tombée dans l'œil*.

ŒILLET À VIS n. m. Voir : **œil à vis**.

ŒUF DE DINDE n. m. *Avoir le visage comme un œuf de dinde* : avoir des taches de rousseur sur le visage. Syn., voir : **rouille**.

ŒUFFIER n. m. Coquetier dans lequel on sert un œuf à la coque. (acad.)

OFFICE n. m. (angl. office) [#] **1.** Bureau, réception. Se présenter à *l'office* en arrivant à l'hôtel, ou au *motel*. **2.** Étude d'un notaire. Anglicisme en perte de vitesse. **3.** Cabinet d'un avocat. Anglicisme en perte de vitesse.

OFFICIER RAPPORTEUR n. m. (angl. returning officer) [Ø] Directeur du scrutin dans une circonscription électorale.

OIGNON n. m. **1.** *Oignon doux* : érythrone d'Amérique. Syn. : **ail doux**. **2.** *Oignon sauvage.* a) Ail civette, ciboulette. b) Ariséma rouge foncé. Syn. : **petit pêcheur**. **3.** Fig. *Ne pas se moucher avec des pelures d'oignon* : se donner des airs, se croire supérieur aux autres, être prétentieux. Syn., voir : se **prendre** pour un autre. **4.** Être habillé *comme un oignon* : très chaudement. [++]

OISE n. f. Oie femelle.

OISEAU n. m. **1.** *Être aux oiseaux, aux petits oiseaux* : être aux anges, content, heureux, satisfait. [+++] **2.** *Oiseau-à-mouches* : oiseau-mouche ou colibri à gorge rubis. **3.** *Oiseau blanc* : plectrophane des neiges, bruant des neiges. [+++] Syn. : **bénéri, bonéri, oiseau de neige. 4.** *Oiseau bleu* : merle bleu à poitrine rouge. **5.** *Oiseau-chat* : moqueur-chat qui imite à la perfection le miaulement du chat. **6.** *Oiseau de misère* : mergule nain. **7.** *Oiseau de neige* : plectrophane des neiges, bruant. [+++] Syn., voir : **oiseau blanc. 8.** *Oiseau jaune* : chardonneret jaune; paruline jaune. **9.** *Oiseau moqueur* : moqueur polyglotte. **10.** *Oiseau-mouche* : colibri à gorge rubis. **11.** *Bordée des oiseaux.* Voir : **bordée** (sens 5).

OJIBWÉS n. f. pl. (amér.) Raquettes à neige longues et étroites, à l'avant pointu et relevé, utilisées en terrain découvert et appelées communément *raquettes-skis* car elles glissent comme des skis. Syn. : **raquettes-skis**.

OKA n. m. Variété de fromage fabriqué par les Trappistes d'Oka. Marque de fabrique.

OKI, OQUI n. m. (amér.) Divinité des amérindiens.

OLAIS, OLA n. m. Mécoupure du mot dialectal *naulet, naulais*, un *naulet* devenant *aulet, olais*. Il s'agit d'une pâtisserie de forme humaine offerte par la marraine à son filleul, au jour de l'An. Voir : **naulet**.

OLD CHUM n. m. (angl. Old Chum) Tabac à cigarettes vendu en petits paquets. Marque de fabrique.

OLD DUTCH n. m. (angl. Old Dutch) Sorte d'abrasif en poudre pour éviers, baignoires et cuvette de toilette. Marque de fabrique.

OLÉODUC n. m. Pipe-line. (OLF)

OMBLE n. m. **1.** *Omble de l'Arctique* : omble chevalier. **2.** *Omble gris* : nom vulgaire du *touladi*.

OMBUDSMAN n. m. Protecteur du citoyen. Médiateur.

ONCE n. f. Unité de poids valant la seizième partie d'une *livre*, soit 28,349 g.

ONCLE n. m. *Aller voir mon oncle* : aller faire ses besoins. Syn., voir : faire son **tas**.

ONDAIN n. m. [#] Andain. Mettre le foin en *ondains* avec une andaineuse. [+++] Syn. : **haie**, **ouigneau**, **ranche**, **rang**, **rante**.

ONDAKI n. m. (amér.) Forme plurielle d'*oqui*, d'*oki*.

ONDATRA, ONONDATRA n. m. (amér.) Rat musqué.

ONGLE n. f. Onglée. Avoir l'*ongle* aux doigts parce qu'on travaille mains nues par temps très froid. Syn., voir : **bébite aux doigts**.

ONGUENT n. m. Rimette. Donnes-en, mets-en, c'est pas de l'*onguent*.

ONTARIEN, ENNE n. et adj. Gentilé. Habitant de l'Ontario; de l'Ontario.

ONTAROIS, E n. et adj. Gentilé. Francophone habitant la province de l'Ontario; de l'Ontario et francophone. Ce néologisme créé peu avant 1980 est destiné à remplacer le traditionnel *franco-ontarien* dont les jeunes ne semblent plus vouloir. Syn. : **Franco-Ontarois**.

357

OOKPIK n. f. (mot inuit) Poupée recouverte de peau de phoque. Les *ookpiks* sont apparues dans les boutiques d'artisanat au début des années soixante.

OPEN adj. inv. (angl. open) [Ø] Déluré, en parlant d'une jeune fille ou d'un jeune garçon.

OPÉRATION n. f. *Opération générale, grande opération, grosse opération* : ablation de l'utérus, hystérectomie. Avant la popularisation des contraceptifs, beaucoup de Québécoises subissaient la *grande opération*, façon radicale de ne plus avoir d'enfants.

OPÉRER v. tr. **1.** Castrer un animal. Faire *opérer* une chienne, une chatte. Syn., voir : **affranchir**. **2.** *Opérer* un commerce (angl. to operate) [Ø].Tenir un commerce.

OQUI, OKI n. m. (amér.) Une divinité amérindienne.

ORAGAN n. m. Voir : **aragan**.

ORATEUR n. m. Président de la Chambre des Communes à Ottawa ou de l'Assemblée nationale à Québec. Traduction de speaker.

ORATOIRE n. pr. Appellation usuelle de l'oratoire Saint-Joseph construit sur le mont Royal à Montréal et qui est un centre de pèlerinage très connu.

ORD, E adj. Vx en fr. Sale, malpropre. C'est *ord* dans cette maison-là!, la cuisine est *orde*. (Beauce)

ORDER v. tr. (angl. to order) [Ø] Commander. À la taverne, *order* une *grosse*.

ORDILLEUX n. m. Orgelet, compère-loriot. [+++] Syn. : **orgueilleux**.

ORDILLEUX, EUSE adj. et n. [#] Orgueilleux, vaniteux. Les Dubois, c'est une famille *ordilleuse*, une famille d'*ordilleux*.

ORDINAIRE n. m. *Faire l'ordinaire*: faire la cuisine, préparer les mets qui composent les repas habituels. La tante Irène, c'est quelqu'un qui sait *faire l'ordinaire*. [+++]

ORDRE n. m. **1.** *Ordre de Jacques-Cartier*. Société secrète fondée en 1926 par des fonctionnaires fédéraux francophones pour promouvoir leur avancement dans la bureaucratie d'Ottawa; elle s'étendit rapidement à toutes les communautés francophones de l'Amérique du Nord. Assurée de l'appui du clergé, cette société se voulait efficace pour la promotion des intérêts canadiens-français et a été surnommée «La Patente» par ses détracteurs. Cette société cessa d'exister en 1965. Syn. : **Patente**. **2.** *En ordre* (angl. in order) [Ø] a) Ni maigre ni trop gras, en parlant d'une personne, d'un animal. Un cheval de travail doit être *en ordre*. Syn. : **corsé**. b) En bon état de fonctionnement. Un moteur, un ascenseur *en ordre*. **3.** (Angl. order) [Ø] Commande. Donner à un marchand un *ordre* d'achat pour le début de mars.

OREILLE n. f. **1.** [#] Rabat d'une coiffure (casquette, chapska) protégeant les oreilles contre le froid, oreillette. Une casquette à *oreilles*. [+++] **2.** Fig. *Avoir la gueule fendue jusqu'aux oreilles*: rire facilement et de bon cœur. **3.** Fig. *Avoir les oreilles dans le crin*: être de mauvaise humeur en parlant d'une personne. Un cheval qui a les *oreilles dans le crin* se prépare à ruer. **4.** Fig. *Avoir les oreilles molles*: être paresseux. **5.** a) *Oreille de charrue*: versoir d'une charrue. b) Fig. *Oreille-de-charrue*: dans les cours d'eau rapides, lame d'eau qui se fait à la rencontre d'un obstacle dissimulé ou non sous l'eau. Les *oreilles-de-charrue* d'un rapide. Syn. : **aile-de-charrue**. **6.** Fig. *Oreilles-de-Christ*: a) Grillades de lard salé ou tranches de *bacon* rôties. [+++] Syn. : **oreilles-de-lard**. b) Pommes de terre cuites, puis tranchées et rôties dans la graisse. **7.** *Oreilles de cochons*: sarracénie pourpre. **8.** *Oreilles-de-lard*. Voir : **oreilles-de-Christ** (sens 6a). **9.** *Oreilles de casquettes*: cache-oreilles. **10.** *Jouer par oreille*: jouer d'un instrument de musique (violon, accordéon, guitare...) sans avoir appris le solfège; jouer d'oreille, jouer à l'oreille.

OREILLÉE n. f. Tranche de labour renversée par l'*oreille* ou versoir de la charrue.

OREILLER n. m. Coussin de voiture, de sofa.

ORFRAIE n. f. Aigle pêcheur.

ORGANEAU n. m. Mar. Anneau en général (du harnais, du bœuf, de la trappe de la cave, etc.). (E 20-127)

ORGANISER v. tr. Fig. *Organiser quelqu'un*: mettre quelqu'un en état de ne pas nuire, lui tendre un piège, le compromettre, le rouler.

ORGUEIL n. m. **1.** *Pousser, monter, venir en orgueil*: en parlant d'une plante, des herbacées surtout, pousser trop haut, avoir les feuilles trop abondantes, au détriment des fruits. Des plants de tomates qui *poussent en orgueil*. [+++] **2.** Cale, point d'appui d'un levier. Mettre un *orgueil* sous un levier. Syn. : **bloc**.

ORGUEILLEUX, ORDILLEUX n. m. Vx en fr. Orgelet, compère-loriot. [+++] Syn. : **bibe**.

ORGUEILLEUX, EUSE adj. Voir : **pape**.

ORIGNAL, AUX, ORIGNAC n. m. **1.** Élan du Canada, élan. La chasse à l'*orignal* est sévèrement contrôlée. [+++] **2.** Voir : **carotte d'orignal**. **3.** Voir : **pied-d'orignal**. Le mot *orignal* est très fréquent dans la toponymie du Québec.

ORIORTE, ORIOTE n. f. [#] Voir : **horiote**.

ORIPIAUX n. m. pl. [#] Voir : **auripiaux**.

ORLÉROSE n. f. (angl. early rose) Voir : **early rose**.

ORLEVÉE n. f. [#] Voir : **relevée** (sens 2).

ORME n. m. **1.** *Orme blanc* : orme d'Amérique. [+++]
2. *Orme gras* : orme rouge.

ORMIÈRE n. f. Endroit où poussent les ormes, ormaie.
[+++] Syn., voir : **bouillée**.

ORNIÈRE n. f. Trace laissée sur la neige par les patins
d'un traîneau. [+++] Syn., voir : **reile**.

ORPHELINS DE DUPLESSIS; ENFANTS DE DUPLESSIS
n. m. pl. Anciens pensionnaires des orphelinats et des
institutions psychiatriques tenus par des communautés
religieuses qui, entre 1930 et 1970, auraient subi de mauvais
traitements dans ces institutions et qui déjà, en 1993,
essayaient de présenter à la Couronne un recours collectif
contre lesdites institutions.

ORSE n. m. (angl. horse) [Ø] Voir : **horse**.

ORTEIL DE PRÊTRE n. m. Appellation ironique de la
fève des marais. Faire de la soupe aux *orteils de prêtre*. [++]
Syn. : **gourgane**.

ORTOLAN n. m. **1.** Alouette cornue. **2.** *Ortolan de riz* :
oiseau de la famille des Ictéridés. [+++]

OS n. m. **1.** Cliquette constituée de deux os. Jouer des *os*.
2. *Os mignon, os de la queue* : coccyx. (O 25-117) **3.** *Être aux
os* : être très maigre en parlant d'un être humain ou d'un
animal. [++]

OSEILLE n. f. Rumex petite-oseille. (E 40-84) Syn. : **surette**,
vignette.

359

OSPOR n. m. (angl. horsepower) [Ø] Voir : **horsepower**.

OSSAILLES n. f. pl. [#] Os auxquels il reste un peu de
viande et dont on se sert pour faire des soupes, os à soupe.

OSSAPAN n. m. (amér.) Écureuil volant, polatouche.

OSTINATION n. f. [#] Voir : **obstination**.

OSTINER v. tr. et pron. [#] Voir : **obstiner**.

OSTINEUR; OSTINEUX, EUSE n. et adj. [#] Voir :
obstineur.

OTEM n. m. (amér.) Génie de certaines tribus amérindiennes.

ÔTER v. tr. et pron. **1.** *Ôter* la table : desservir. [+++] **2.** *S'ôter
de* : cesser de. Depuis le début des années soixante,
beaucoup de religieux et de religieuses ont défroqué, se
sont *ôtés d'*être frères, pères, prêtres séculiers et religieuses.
[++]

OTTAWA n. pr. Loc. fig. *Passer un Ottawa à quelqu'un, se
faire passer un Ottawa* : rouler, berner, tromper quelqu'un,
se faire rouler, berner, tromper. Syn., voir : **passer un
Québec**.

OTTONIBI n. m. (amér.) Poisson du Grand Lac des
Esclaves.

OUABANO n. m. (amér.) Tombereau rudimentaire utilisé
autrefois dans l'Ouest ainsi qu'au Témiscamingue.

OUAC n. m. et interj. Cri de surprise, de douleur. Crier
ouac, lâcher un *ouac*. [+++]

OUACHE n. f. (amér.) **1.** Abri du castor, de la marmotte
ou du rat musqué pour l'hiver; conduit donnant accès à
cet abri. [++] **2.** Gîte de l'ours pour l'hiver : arbre creux,
chablis, caverne. [+++] Syn. : **cabane**. **3.** Abri de chasseur
en branches, en roseaux ou en neige. Le chasseur de
bernaches attend dans sa *ouache*. [+++] Syn., voir : **cache**.

4. Fig. Maison, chez-soi. L'hiver, quand il fait très froid, on ne sort de sa *ouache* que par nécessité. [++]

OUACHER (SE) v. pron. (amér.) **1.** Entrer dans sa *ouache* ou gîte pour l'hiver, en parlant d'un animal sauvage, entrer en état d'hibernation. [+++] Syn. : **cabaner** (sens 2). **2.** En parlant du chasseur, se cacher dans un abri de chasse appelé *ouache*. [+++] **3.** Fig. Rentrer chez soi pour la nuit. [+++]

OUAGUINE n. f. (angl. wagon) [Ø] Voir : **wagon**.

OUAIS! Exclam. *Ah Ouais!* Interjection exclamative indiquant la surprise. [+++]

OUANANICHE, WANANICHE n. f. (amér.) Variété de saumon d'eau douce du nord du Québec et de l'Ontario ainsi que du Saguenay. Mot fréquent dans la toponymie du Québec (OLF).

OUAOUARON, WAWARON n. m. (amér.) Grenouille géante dont le coassement ressemble au beuglement du taureau. Mot fréquent dans la toponymie du Québec. [+++]

OUAPATOU, OUAPATO n. m. (amér.) Variété de tubercule comestible qui s'apparente à la pomme de terre.

OUAPITI n. m. (amér.) Voir : **wapiti**.

OUAPON n. m. (amér.) Voir : **wampum**.

OUAPOUILLANE n. f. (amér.) Couverture de laine de couleur blanche dans laquelle s'enveloppent les femmes âgées amérindiennes pour se protéger contre le froid.

OUAPUSH n. m. (amér.) Lièvre d'Amérique. (Lac–Saint-Jean)

OUAQUER v. intr. Pousser un *ouac*, un cri qui résonne lorsqu'on est victime d'un léger accident comme s'écraser un doigt, un orteil, etc.

OUARER v. tr. Frapper avec une *ouart* ou *hart*. (Lanaudière) Syn., voir : **agoner**.

OUART n. f. (Lanaudière) Voir : **hart**.

OUASPAR n. m. (angl. horsepower) [Ø] Voir : **horsepower**.

OUATAP n. f. (amér.) Voir : **watap**.

OUÈSE n. f. Gilet de laine tricoté à la main et comportant un col roulé. (Beauce)

OUEST n. Cheval ou jument sauvage originaire de l'Ouest du Canada. (O 18-132) Syn., voir : **bronco**.

OUÊTRER (SE) v. pron. Voir : **se voitrer**.

OUESTRIEN, ENNE n. et adj. Gentilé. Habitant de l'Ouest du Canada; propre à l'Ouest du Canada. Les livres publiés à Saint-Boniface (Manitoba) ont un cachet *ouestrien*.

OUICHE n. f. (amér.) Voir : **ouache** (sens 1).

OUÏES n. f. pl. Fig. *Serrer les ouïes à quelqu'un* : lui frotter les oreilles, le battre. [+++]

OUIGNE, HIGNE, HOUIGNE n. m. Hennissement d'un cheval en colère accompagnant une ruade. Faire un *ouigne* ou faire *ouigne*.

OUIKOUÉ n. m. (amér.) Vessie de loup-marin dans laquelle les indigènes conservaient de l'huile.

OUIGNEAU n. m. Andain de foin (acad.) Syn., voir : **ondain**.

OUIGNER, HIGNER, HOUIGNER v. intr. Hennir, faire un *ouigne* accompagné d'une ruade en parlant d'un cheval en colère. [+++]

OUILLANT, E adj. Mar. Se dit de tout aliment, surtout sucré, qui procure vite la satiété. La *tire* d'érable est *ouillante*. (Lanaudière) Syn. : **toquant**.

OUILLÉ, E adj. Mar. **1.** Fig. Gavé. Les enfants ne voulaient plus de votre tarte, ils étaient *ouillés*. (Lanaudière) Syn. : **toqué**. **2.** Fig. Être fatigué, en avoir assez, être *ouillé* d'entendre certains politiciens rabâcher des âneries.

OUILLER v. tr., intr. et pron. Mar. **1.** Fig. Repaître, rassasier. *Ouiller* des enfants avec de la *tire* d'érable. Pour le vigneron, ouiller un tonneau c'est le remplir jusqu'à l'œil, jusqu'à la bonde. (Lanaudière) Syn. : **toquer**. **2.** En parlant d'un animal, vache, cheval, manger au point d'en avoir le ventre ballonné. Syn. : **soûler**.

OUIPETTE n. m. Voir : **Whippet**.

OUISE n. f. (angl. waste) [Ø] Chiffons, bourre de coton. Anglicisme en perte de vitesse.

OUISSER v. intr. Aller ici et là, aller se promener ici et là, ne jamais rester en place. (Lanaudière)

OUITOUCHE n. f. (amér.) Poisson argenté de la famille des Cyprinidés et dont raffole la *ouananiche*. Mot fréquent dans la toponymie du Québec. (Charsalac)

OUMIAK n. m. (mot inuit) Voir : **umiak**.

OURAGAN, OURAGANE n. m. (amér.) Voir : **aragan**.

OURS n. m. **1.** Autrefois, dans les chantiers forestiers ou de construction, contenant d'une capacité de quatre à cinq seaux utilisé comme pot de chambre collectif. Syn., voir : **catherine** (sens 2). **2.** *Être d'une paresse d'ours, en hiver* : être d'une paresse peu commune, surtout en parlant d'un homme. **3.** *Jeu de l'ours* : jeu du chat. (Charsalac) Syn. : **tag**. **4.** Fig. *Avoir mangé de l'ours.* (Lanaudière) a) Se dit d'une femme enceinte et dont la grossesse est visible. Syn., voir : être en **famille**. b) Être de mauvaise humeur. **5.** Fig. *Guetter les ours* : à l'époque où l'accouchement avait lieu à domicile, se disait du médecin qui attendait le moment propice pour aider la parturiente à mettre son enfant au monde. (Lanaudière) **6.** *Travailler comme un ours* : travailler très fort. Syn. : **mercenaire**.

OURSON, ONNE n. et adj. Fig. Personne insociable, qui fuit la société, ours, ourse.

OURSONNE n. f. Femelle de l'ours, ourse. Syn. : **mère-ours**.

OUTAOUAIS, E n. et adj. (amér.) Amérindien d'une tribu qui fut la première à entrer en contact avec les Français au début du XVIIe siècle; relatif à la tribu des Outaouais.

OUTARDE n. f. Bernache du Canada. [+++]

OUTIKO n. m. (amér.) Monstre fabuleux, sorte de dieu apparenté au *wendigo*.

OUTILS n. m. pl. Couverts. N'oublie pas de bien mettre les *outils* : couteaux, fourchettes et cuillers.

OUVERRE v. tr. [#] Ouvrir. Ne pas réussir à *ouverre* la porte.

OUVERT adj. (angl. open) Réceptif, à l'écoute de, accessible. Le député est *ouvert* aux doléances de ses électeurs.

OUVRIER n. m. **1.** À la campagne. Menuisier-charpentier exécutant des travaux de construction. C'est un *ouvrier* d'expérience qui a construit cette maison. [++] **2.** En ville. *Ouvrier de bord* : débardeur.

OUVRIR v. tr. *Ouvrir un chemin* : l'hiver, après une chute de neige, fouler la neige, la battre, la rouler pour rendre un chemin praticable. [+++] Syn., voir : **battre**.

OVERALL n. m. (angl. overall) [Ø] **1.** Denim, tissu de denim. Culotte d'*overall*. [+++] Syn. : **bagosse** (sens 1). **2.** Au pl.

361

Salopette, vêtement de travail que portent les hommes. [+++]
Syn. : **bagosse** (sens 2).

OVERALER v. tr. (angl. to overhaul) [Ø] **1.** Réparer,
remettre en état de fonctionner le moteur d'un véhicule
automobile. [+++] **2.** Fig. Se faire remettre sur pied dans
un hôpital, subir une opération. [++]

OVERSHOES n. m. pl. (angl. overshoes) [Ø] Chaussures
montantes en caoutchouc portées par-dessus les chaussures
de ville pour les protéger de la pluie, de la boue ou de la
neige. [+] Syn., voir : **pardessus**.

OVERTIME n. m. (angl. overtime) [Ø] Temps de travail
supplémentaire, heures supplémentaires. Faire de l'*overtime*
pour arrondir ses fins de mois. Syn. : **surtemps** (sens 1).

P n. m. *Faire, mettre un P sur quelque chose* : y renoncer. Ma fille, à l'avenir tu peux *mettre un P* sur les sorties!

PABLUM n. m. Variété de nourriture pour bébé vendue sous forme de céréales. Marque déposée.

PACAGER v. intr. Fig. Fréquenter quotidiennement. Quand Jules, fils unique, était jeune, il *pacageait* chez nous qui étions de son âge. [+++]

PACKSACK n. m. (angl. packsack) [Ø] **1.** Autrefois, sac à dos en cuir ou en toile solide propre à contenir les objets indispensables des bûcherons. Syn., voir : **paqueton**. **2.** Sac à dos des collégiens et des étudiants à l'université de toutes les facultés à l'exception de ceux qui sont en droit, ces derniers tenant mordicus à leur *attaché case*.

PAD n. m. (angl. pad) [Ø] **1.** Épaulettes ou pièces rembourrées cousues à l'intérieur d'un vêtement, pour rehausser ou élargir les épaules. **2.** Jambières que portent les joueurs de hockey ou de d'autres sports. **3.** Bloc-notes, bloc à feuilles détachables. (Anglicisme en perte de vitesse)

PAGE n. m. Voir : **bouquetière**.

PAGEANT n. m. (angl. pageant) [Ø] **1.** Spectacle en plein air, défilé avec des centaines de figurants organisé à l'occasion d'un anniversaire important. Lors du tricentenaire de la fondation des Trois-Rivières, on avait organisé un *pageant* dont on parle encore en Mauricie. **2.** Spectacle de culture physique de fin d'année donné par les écoliers et auquel sont conviés parents et amis.

PAGÉE n. f. Section d'une clôture entre deux pieux ou deux paires de pieux consécutifs. Défaire ou réparer une *pagée* de clôture. [+++]

PAGETTE n. f. **1.** Braguette de pantalon d'homme. (O 36-86) Syn. : **fly**, **pattelette**, **souricière**. **2.** (Angl. Pagette, marque déposée) [Ø]. Télé-récepteur que porte une personne (médecin, ouvrier dépanneur, ...) qui doit entrer en communication avec son patron ou son bureau dès que l'appareil fait bip, bip.

PAGODE, PAGOTE n. f. (angl. pagoda) [Ø] **1.** Crispin ou manchette cousu à des gants ou à des moufles pour protéger le poignet. Des moufles, des mitaines à *pagodes*. 2 **2.** Repli d'un pantalon, revers. Syn. : **cuff**.

PAIEMENT DE SŒUR n. m. Remercier par une promesse de prières ce qui est habituellement payé en espèces.

PAILLASSE n. f. **1.** Fig. Ventre rebondi, bedaine, bedon en parlant des hommes seulement. [++] Syn. : **bedaine de bière**, **bedaine de curé**, **bedou**, **paillasson**, **panse**, **pansicot**. **2.** Fig. Personne crédule, qui gobe tout. Syn. : **valise**.

PAILLAISSON n. m. [++] Syn., voir : **paillasse** (sens 1).

PAILLE n. f. **1.** Fig. *Avoir le cul sur la paille* : être très pauvre, être ruiné, ne rien posséder. **2.** Diarrhée. Attraper, avoir la *paille*. (acad.) Syn., voir : **cliche**.

PAILLE-EN-QUEUE n. m. Canard pilet.

PAIN n. m. **1.** *Quand on est né pour un petit pain, on n'est pas né pour un gros* : dicton désabusé qui signifie que le pauvre ne peut s'enrichir, qu'il restera toujours pauvre. [+++] **2.** *Pain à fesses, à deux fesses, à quatre fesses.* Voir : **fesse de pain**. **3.** *Pain béni.* Voir : **ambitionner sur le pain béni**. **4.** *Pain d'habitant* : autrefois, pain de fabrication domestique. [+++] Syn. : **pain de famille**, **pain de femme**, **pain de maison**, **pain de pays**, **pain du pays**. **5.** *Pain de blé entier* (angl. whole wheat bread) : pain complet. **6.** *Pain de cimetière* : dans les camps forestiers d'autrefois, pain cuit sur la braise et dans le sable chaud. Syn., voir : **banic**. **7.** *Pain de corneilles.* a) Fruit du sorbier d'Amérique. b) Fruit du cornouiller du Canada. Syn., voir : **pain de perdrix**. **8.** *Pain de famille* : pain de fabrication domestique. Syn., voir : **pain d'habitant**. **9.** *Pain de femme* : pain de fabrication domestique. Syn., voir : **pain d'habitant**. **10.** *Pain de fesse.* Voir : **fesse de pain**. **11.** *Pain de maison* : pain de ménage, de fabrication domestique. Syn., voir : **pain d'habitant**. **12.** *Pain de moineau* : crottin de cheval. Syn. : **pommes de cheval**, **pommes de route**. **13.** *Pain de pays, pain du pays* : pain de fabrication domestique. Syn., voir : **pain d'habitant**. **14.** *Pain de perdrix* : cornouiller du Canada; fruits de ce cornouiller. Syn. : **graines de perdrix**, **pain de corneilles** (sens b), **pain d'oiseaux**. **15.** *Pain-de-sucre.* a) Appellation de monts ayant la forme d'un cône. Ce mot est présent dans la toponymie du Québec. b) Énorme cône de glace qui se forme tous les hivers au pied des chutes. Le *pain de sucre* de la chute Montmorency, près de Québec, est une attraction touristique. *Pain-de-sucre* apparaît une quinzaine de fois dans la toponymie du Québec. [+++] **16.** *Pain de Sainte-Geneviève* : pain béni dans l'église Notre-Dame-des-Victoires à Québec le 3 janvier de chaque année et qui aurait le pouvoir de protéger contre la disette et contre le manque d'argent. **17.** *Pain d'oiseaux.* a) Oxalide dressée. Syn. : **surette**. b) Cornouiller du Canada, fruit de ce cornouiller. Syn., voir : **pain de perdrix**. **18.** *Pain doré* : tranche de pain sec trempée dans un mélange d'œufs et de lait battus et sucrés puis rôtie dans la poêle à feu vif, pain perdu. Syn. : **toast dorée**, **tranche dorée**. **19.** *Pain en fesses, pain en deux fesses.* Voir : **fesse de pain**. **20** *Pain français* : par opposition au pain d'ici, pain à la française genre baguette, flûte. **21** *Pain-cigare, pain en cigare* : petit pain à hors-d'œuvre ayant à peu près la forme et la longueur d'un cigare. **22** *Pain-fesses.* Voir : **fesse de pain**. **23.** *Pain indien* : pâte à pain cuite dans une poêle ou enroulée autour d'un bâton par les voyageurs en forêt ainsi que par les bûcherons des chantiers forestiers d'autrefois. Cette méthode est d'origine amérindienne. Syn., voir : **banic. 24.** Fig. *Pain-de-suif* : lambin, lourdaud, propre à rien. **25.** Fig. *Perdre un pain de sa fournée* : avoir une déception. [+++]

PAINKILLER n. m. (angl. Painkiller) [Ø] Liniment-panacée utilisé pour les êtres humains et pour les animaux. Marque de fabrique remontant au milieu du XIXe siècle. [++] Syn. : **huile électrique**.

PAIR (de vache) n. m. Voir : **per**.

PAIRE n. f. **1.** *Une paire de pantalons*, de *culottes*, de *chaussures* : un pantalon, une culotte, des chaussures. **2.** Fig. *Paire de clochettes* : poitrine féminine plantureuse. Syn., voir : **magasin. 3.** Argot étudiant. *Paire de culottes* : une heure libre entre deux heures de cours. **4.** Fig. *Paire de fesses*. Voir : **fesse de pain**.

PALAIS n. m. Dentier pour la mâchoire supérieure. [+++] Syn. : dents **achetées**, dents de **magasin**, **râtelier** (sens 4).

PALANDER, PALANTER v. tr. [#] **1.** Hisser ou descendre avec un palan, palanquer. *Palanter* un porc abattu pour ensuite le débiter. (E 36-86) **2.** Remorquer, enlever. *Palanter* une voiture accidentée ou en panne. (E 36-86)

PALÂTRE n. m. Rondelle en fer du poêle à bois. Syn., voir : **rimeur**.

PALERON n. m. *Paleron de l'épaule* : omoplate (du corps humain). Syn. : **palette** (sens 3).

PALETTE n. f. **1.** Cuiller en bois utilisée pour la cuisine, pour la cuisson du sirop d'érable, pour la fabrication du savon domestique. [+++] Syn., voir : **micouenne** (sens 1). **2.** *Lécher la palette* : déguster la *tire* d'érable en utilisant une *palette*, une spatule en bois. Voir : lécher la **micouenne**, la **mouvette. 3.** Tablette. Acheter une *palette* de tabac à chiquer. Syn. : **plug. 4.** Autrefois, ailette de l'agitateur de la baratte à beurre à manivelle. **5.** Au pl. Gros flocons de neige qui tombent par temps doux. Le printemps, la neige tombe souvent en *palettes*. Syn., voir : **peau-de-lièvre. 6.** Cosse, enveloppe de haricots. Manger des haricots en *palettes*. [+++] Syn. : **pèque. 7.** Visière d'une casquette. [+++] Syn. : **pèque. 8.** Clenche ou levier de loquet que l'on soulève en appuyant sur le poucier. **9.** *Palette à chaussures* : chausse-pied servant à faciliter l'entrée du pied dans la chaussure. Syn., voir : **cuiller à chaussures. 10.** *Palette à mouches* : tapette à mouches. [++] **11.** *Palette de l'estomac* : sternum. **12.** *Palette du genou* : rotule. [+++] Syn. : **boulette, mollette. 13.** *Palette de chocolat* : tablette. [++] Syn. : **barre. 14.** Bière de fabrication domestique. Boire de la *palette*. (Charsalac) **15.** Rame d'une embarcation. **16.** Fig. *Avoir la palette, faire la palette* : avoir des sous, être riche, avoir du liquide sur soi, de la galette; gagner beaucoup d'argent, faire la galette. [+++] Syn., voir : **motton** (sens 2). **17.** Fig. Omoplate. *Palette* de l'épaule des êtres humains. [+++] Syn. : **paleron, palon**.

PALETTER v. intr. Ramer. Pour devenir bon rameur, il faut commencer jeune à *paletter*. Syn. : **nager**.

PALLIER v. intr. [#] *Pallier à un danger* : pallier un danger.

PALON n. m. Omoplate de l'épaule. Syn. : **palette** (sens 3)

PALOT, OTTE adj. Lourd, gauche, maladroit, pataud, qui manque de souplesse et d'agilité. Il a vieilli et est devenu *palot*, sa femme est *palotte*. [++] Syn., voir : **paourd**.

365

PALOURD, E n. et adj. Voir : **paourd**.

PALOURDE n. f. **1.** Mye. **2.** *Palourde de mer* : quahog (n. m.) nordique.

PÂMANT, E adj. Beau, gentil, amusant, drôle. Ne manque pas ce film, il est *pâmant*.

PÂMER (SE) v. pron. Vx en fr. Perdre connaissance, suffoquer, défaillir. [++] Syn., voir : avoir une **faillette**.

PÂMOISON n. f. Fig. *Tomber en pâmoison* pour une jeune fille : tomber follement amoureux.

PAMPHLET n. m. (angl. pamphlet) [Ø] Imprimé publicitaire, documentaire, prospectus, dépliant, brochure, plaquette. Le Québec distribue des *pamphlets* sur les sports d'hiver pour attirer les touristes. En français, un pamphlet est un écrit satirique et violent contre les pouvoirs établis. [+++] Syn. : **littérature**.

PAN n. f. (angl. pan) [Ø] **1.** Grande bouilloire installée dans une *cabane à sucre* et servant à l'évaporation de la sève d'érable. [+] **2.** Boîte à cendre placée sous le feu du poêle à bois, cendrier. [+] Syn., voir : **cendrière**.

PANACHE, PANAGE n. m. [#] Bois des cervidés (caribou, chevreuil, orignal, renne...). [++]

PANADE n. f. Croûtons imbibés de lait sucré que l'on donne à sucer aux bébés.

PANER v. tr. Voir : **pawner**.

PANETRÉ n. Voir : **pantry**.

PANIER n. m. **1.** *Panier, panier à foin* : plate-forme rectangulaire de la fourragère d'une certaine région, munie de quatre côtés à claire-voie évasés et utilisée pour le transport du foin en vrac. Syn., voir : **rack à foin**. **2.** Fig. *Passer le panier* : faire la quête, à l'église. Syn., voir : **assiette** (sens 3). **3.** Fig. *Panier percé* : personne qui ne peut garder un secret, rapporteur, mouchard, surtout à l'école. [++] Syn., voir : **porte-panier**.

PANIÉRÉE n. f. Contenu d'un panier. Une *paniérée* d'œufs, de tomates.

PANIS, E n. (amér.) Esclave d'origine amérindienne. Au XVIIIe siècle, nos ancêtres ont été propriétaires de plusieurs centaines de *panis* et de *panises*. En Amérique du Nord, les *panis* ont longtemps joué le rôle des noirs.

PANNE n. f. **1.** Vx en fr. Graisse dont la peau du cochon est garnie et que l'on fait fondre pour obtenir le saindoux. [+++] Syn. : **coiffe**. **2.** Voir : **pan**.

PANNEAU n. m. **1.** Section d'une herse traînée. Herse à deux ou trois *panneaux*. Syn. : **volet**. **2.** Pont de culotte, de pantalon. Autrefois, les hommes portaient des culottes à *panneau*. (E 28101) Syn., voir : **bavaloise**. **3.** Abattant d'une table qui possède un ou deux abattants. **4.** Rallonge d'une table à rallonges.

PANSE n. f. **1.** *Avoir la panse par-dessus le dos* : se dit d'un animal qui a trop mangé, qui est *soûl*. **2.** Gros ventre, bedon. As-tu vu la *panse* du gros Léon? Syn., voir : **paillasse**. **3.** Fig. *Panse-de-bœuf, panse de vache* (E 22-124). Autrefois, fondrière dans les routes lors du dégel de la terre à la fin du printemps. (entre 37-85 et 22-123) Syn., voir : **ventre-de-bœuf**.

PANSICOT, PANSICOTTE n. m. **1.** Petite panse du veau, qui sert à faire de la présure. (pass. O 34-91) **2.** Nombril. On dira à un enfant : cache ton *pansicot*, tu vas t'enrhumer! Syn., voir : **nambouri**. **3.** Bedon. Le *pansicot* t'arrondit! **4.** Ventre rebondi, bedon. As-tu remarqué le *pansicot* d'Hector?

PANTALON n. m. Aujourd'hui, ce mot s'emploie au singulier, à moins qu'il s'agisse bien de deux pantalons ou plus. On enfile son pantalon.

PANTOUTE loc. adv. [#] Voir : **pas en tout**.

PANTRY n. (angl. pantry) [Ø] Ensemble des comptoirs et des armoires fixes dans les cuisines modernes. C'est dans le ou la *pantry* que l'on rangeait les verres, les tasses, les assiettes et les plats. Anglicisme en perte de vitesse.

PAOUA, PAWA, POW-WOW n. m. (amér.) **1.** Fête chez les Amérindiens. [+++] **2.** Chez les non Amérindiens, donc chez les Blancs, soirée où l'on s'amuse bruyamment, où l'on danse et où l'on boit. [+++]

PAOURD, E, PALOURD, E adj. Lourd, gauche, pataud, qui se déplace difficilement. En vieillissant on devient souvent *paourd, palourd*. (Lanaudière) Syn. : **palotte, platrame**.

PAPARMANE n. f. (angl. peppermint) [Ø] Voir : **peppermint**.

PAPATTE n. f. Terme affectueux. Pied d'enfant. Donne-moi ta petite *papatte*! Syn. : **pattoche, pattouche, petot**.

PAPE n. m. **1.** Personnage important (maire, marguillier, député ...). Pourquoi aller lui serrer la main? Ce n'est pas le *pape*! [++] **2.** *Orgueilleux comme un pape* : se dit de quelqu'un qui est très orgueilleux. [++] **3.** *Rare comme de la merde de pape* : se dit d'une chose très rare. [+++] **4.** *Sérieux comme un pape* : se dit de quelqu'un qui, dans une situation cocasse, garde son sérieux. [+++] **5.** *Soûl comme un pape* : très ivre. [++] **6.** *Se prendre pour le pape* : avoir une très haute opinion de soi. [++]

PAPIER n. m. **1.** *Papier à mouches* : papier tue-mouches spiralé enduit de colle. [+++] Syn., voir : **collant à mouches**. **2.** *Papier de poison* : papier-poison à détremper dans de l'eau sucrée pour attirer et empoisonner les mouches. **3.** *Papier de toilette* (angl. toilet paper) : papier hygiénique. [#] **4.** *Papier sablé* (angl. sand-paper) : papier de verre. [#] **5.** *Papier brun* (angl. brown paper) : papier d'emballage. [#] **6.** *Papier-brique* : variété de bardeau d'asphalte imitant la brique dont on se sert pour recouvrir les murs extérieurs des maisons. [+++] **7.** *Papier pelure* : papier oignon. **8.** *En passer un papier* (employé au présent et à la première personne) : assurer. Je t'en *passe un papier* qu'il va se faire attraper! [+++]

PAPILLONS D'AMOUR n. m. pl. Par antiphrase, morpions. Avez-vous un remède pour les *papillons d'amour*? Oui, de l'onguent gris!

PAPINEAU n. pr. *Ne pas être, ne pas avoir la tête à Papineau* : ne pas être futé, être d'une intelligence très moyenne. [+++]

PAPINOIS, E n. et adj. Gentilé. Natif ou habitant de Papineauville, dans l'Outaouais; de Papineauville.

PAPOIS, PAPOUA n. m. (amér.) Tabac à pipe de mauvaise qualité ou substitut de tabac. Syn., voir : **vérine**.

PAPOOSE n. m. (amér.) **1.** Bébé amérindien. **2.** Voir : **porte-papoose**.

PAPOTEUX, EUSE adj. et n. Rare en fr. Qui parle beaucoup, qui papote, qui est bavard mais qui ne dit que des choses insignifiantes. [+++]

PÂQUES n. f. pl. **1.** *Eau de Pâques* : eau courante que l'on puise le matin de Pâques, avant le lever du soleil, et à laquelle la foi populaire prête des vertus bénéfiques. [+++]

367

2. Fig. *Faire des Pâques de renard* : faire ses Pâques après le temps fixé par la loi ecclésiastique d'autrefois. [+++] **3.** Fig. *Fêter Pâques avant Carême, fêter Pâques avant le jour de l'An, faire Pâques avant Rameaux* : devenir enceinte en parlant d'une jeune fille, prendre une avance sur le mariage. [+++] Syn., voir : se faire **attraper**.

PAQUET n. m. **1** Colis. L'expédition d'un *paquet* par la poste coûte maintenant les yeux de la tête. **2.** Botte. Un *paquet* de persil. **3.** Jeu. Acheter un nouveau *paquet* de cartes. **4.** Fig. *Porter un, son paquet; des, ses paquets* : dénoncer à un supérieur, jouer le rôle de *porte-paquet*, de rapporteur. **5.** Fig. *Paquet de nerfs* : se dit d'une personne extrêmement nerveuse.

PAQUETAGE n. m. (angl. to pack) [Ø] **1.** Garniture d'un piston, d'une valve, d'un joint. [+++] **2.** Truquage. Le *paquetage* des assemblées politiques chargées d'élire les représentants qui, eux, éliront un chef de parti est assez fréquent. [+++] **3.** Ivresse, soûlerie.

PAQUETÉ, E adj. (angl. packed) [Ø] **1.** Bondé, rempli. Le train était *paqueté*, j'ai dû voyager debout. [+++] **2.** Ivre. À la fin de la soirée, il était *paqueté*. [+++] Syn., voir : **chaud**. **3.** Truquée, arrangée en parlant d'une assemblée politique où l'on doit choisir un candidat.

PAQUETER 1 v. tr. **1.** Vx en fr. Empaqueter, envelopper, emballer. *Paqueter* la vaisselle pour un déménagement. [+++] **2.** Fig. *Paqueter ses petits* : ramasser ses outils à la fin de sa journée, se préparer à partir en voyage, faire sa valise.

PAQUETER 2 v. tr. et pron. (angl. to pack) [Ø] **1.** Boucher un trou, une fente. [+++] **2.** Remplir, combler. *Paqueter* une valise. [+++] **3.** Se mettre en boule, se coller ensemble, devenir compact. La terre glaise *se paquete* facilement. [+++] **4.** *Se paqueter, se paqueter la fraise* : s'enivrer, se soûler. [+++] Syn., voir : se rincer la **dalle**. **5.** *Paqueter une assemblée, une élection* : truquer, arranger. [+++]

PAQUETON n. m. Paquet, balluchon, balle contenant vêtements et effets à emporter pour un séjour de quelques mois hors de chez soi. Les bûcherons partaient pour l'hiver, leur *paqueton* sur le dos. Syn. : **packsack**, **poche**, **pocheton**.

PAR prép. **1.** Sur. Une table qui mesure 2 m *par* 90 cm. [+++] **2.** *Par endroits, par places* : à certains endroits, ici et là. **3.** *Par rapport que* : parce que. Voir : **rapport que**. **4.** *Par après*. Voir : **après**. **5.** *Par ici* : ici. Les gens de *par ici* sont des *vive-la-joie*. [+++] **6.** *Par sur, par sus* : par-dessus. Sauter *par sus* une flaque d'eau. **7.** *Par sous, par sour* : sous. Rouler *par sous* la table. **8.** *Par exprès* : à dessein, exprès. Faire tomber quelqu'un sur de la glace *par exprès*.

PARADE n. f. [#] Défilé. La *parade* de la Saint-Jean-Baptiste, du carnaval, de la mode d'hiver. [+++]

PARADIS n. m. Jeu de petites filles, marelle. [+++] Syn., voir : **carré**.

PARAISSANT (Être) Visible, qui se voit. Une femme qui a trois mois de grossesse, c'est *paraissant*.

PARAPEL n. m. Trottoir le long d'une route.

PARATINE n. f. Cache-nez en laine tricotée. Syn., voir : **crémone**.

PARC n. m. Terrain clôturé et servant de pâturage, de pacage. Ce mot se prononce en français PARK, jamais POR.

PARC-AUTO n. m. (ROLF) Stationnement, parc de stationnement.

PARDESSUS n. m. pl. Chaussures montantes et imperméables, portées par-dessus les chaussures de ville pour les protéger de la pluie, de la boue ou de la neige. [+++] Syn., voir : **couvre-chaussures**.

PARÉ n. m. **1.** Stalle pour vaches ou chevaux, dans l'étable ou l'écurie. (Beauce) Syn., voir : **entredeux**. **2.** Cloison entre deux stalles dans l'écurie ou l'étable. (Beauce) Syn., voir : **entredeux**.

PARÉ, E adj. Mar. Prêt. Il était *paré* à partir quand on est venu le chercher. [+++]

PAREIL adv. **1.** [#] Quand même, tout de même. Cette auto n'est pas parfaite mais j'en suis satisfait *pareil*. [+++] **2.** Pop. en fr. Également, pareillement. Alterner les pneus d'une auto pour qu'il s'usent *pareil*. [+++]

PAREIL, EILLE adj. [#] *Pareil comme* : pareil à, tout comme. Ta chemise est *pareille comme* la mienne, pareille à la mienne. [+++]

PARENTAGE n. m. Vx en fr. Lien de parenté entre deux conjoints. Il n'a pas été facile de découvrir le *parentage* qu'il y a entre les nouveaux mariés.

PARER (SE) v. pron. **1.** Se préparer. *Pare-toi* à partir. Syn., voir : se **gréer**. **2.** Se mettre au beau en parlant du temps. Syn., voir : s'**abeaudir**.

PARESSEUSE n. f. Jetée ou bande d'étoffe qu'on étend sur un meuble, un canapé en guise d'ornement.

PARFAIT n. m. Vx en fr. *Au parfait* (loc. adv.) : d'une manière parfaite, parfaitement, très bien. Cette femme reprise et repasse *au parfait*. [++]

PARKA n. m. (amér.) Veste de sport avec ou sans capuchon, imperméable, plus ou moins épaisse et fermée à l'avant par une glissière. [+++]

369

PARKING n. m. (angl. parking) [Ø] **1.** Stationnement, parc de stationnement, *parc-auto*. **2.** Fig. *Faire du parking* : peloter, se peloter dans une automobile en stationnement dans un endroit isolé. Syn., voir : **necking**.

PARLABLE adj. À qui on peut parler. Lui, quand il a pris un verre, il n'est pas *parlable*.

PARLAGE n. m. Le fait de parler au lieu de faire. Ce n'est pas le *parlage* qui compte, c'est le *faisage*. Syn. : **parle-parle-jase-jase**.

PARLANT, E adj. Fam. en fr. Se dit de quelqu'un qui parle facilement, qui aime parler, qui est causant. Jacques n'est pas *parlant* comme son père, il semble un peu timide. [+++]

PARLE-PARLE-JASE-JASE n. m. Le fait de parler au lieu de faire. Ce n'est pas le *parle-parle-jase-jase* qui va faire avancer notre travail. Syn. : **parlage**.

PARLER v. tr. et intr. **1.** *Parler franc* : parler en articulant bien. (Lanaudière) **2.** *Parler gascon* : parler un français difficilement compréhensible. **3.** *Parler à travers son chapeau* (angl. to talk through one's hat) [Ø] : parler à l'étourdi, sans connaissance de cause. [+++] **4.** *Aller parler à un sauvage* : aller faire ses besoins dans la nature comme il se doit. Syn. : faire son **tas**. **5.** *Parler en tu à quelqu'un* : tutoyer quelqu'un. **6.** *Parler en vous à quelqu'un* : vouvoyer quelqu'un. **7.** *Parler en termes* : parler correctement mais d'une façon affectée. Voir : **terme** (sens 1) **8.** *Parler dans la face* (en s'adressant à quelqu'un) : lui dire ses quatre vérités.

PAR LES PETITS loc. adv. Voir : **petit**.

PARLETTE, PARLOTTE n. f. Jasette, caquet, bagout. Paul, lui, il en a de la *parlette*. [+++]

PARLEUX, EUSE adj et n. Bavard, qui aime parler, causer. Rimette : grand *parleux*, petit *faiseux*.

PARLURE n. f. Vx ou litt. en fr. Manière de parler, langage. Pour des Québécois, certains Français ont une drôle de *parlure*.

PAROISSE n. f. Municipalité rurale administrée par un conseil municipal et dont les limites lors de sa création coïncidaient avec celles de la paroisse religieuse.

PAROLE n. f. *Avoir la parole en bouche* : avoir de la faconde, parler avec facilité. [+++]

PAROLI n. m. Cancan, commérage. Quand des *communes* se sont installées dans certaines paroisses rurales, cela a fait beaucoup de *paroli*. Syn., voir : **placotage**.

PARQUER v. tr. (angl. to park) [Ø] Garer, stationner. *Parquer* son auto dans la rue, dans un parc-auto.

PART n. f. *Part de Dieu* : quête dominicale. La *part de Dieu* de dimanche dernier a rapporté quarante dollars. Néologisme créé au début des années 1950.

PART loc. prép. *À part de* : à part, excepté. *À part de* Jean, toute la famille était au mariage.

PARTANCE n. f. **1.** Vx en fr. Départ, le fait de partir. Quand on a des jeunes enfants, la *partance* pour une promenade est quelquefois épique. [+++] **2.** *Partance d'une maison* : empattement, fondations d'une maison. Syn. : **footing**.

PARTANT conj. Vx en fr. Donc, par conséquent, c'est pourquoi. Il fait très froid, *partant* il faut s'habiller très chaudement.

PARTENARIAT n. m. Participation des employés à la propriété (par des actions) et aux bénéfices des compagnies pour lesquelles ils travaillent.

PARTI, E part. adj. *Être parti* : être ivre ou en voie de le devenir. Lui, un ou deux verres d'alcool et il est *parti*.

PARTICULIER, ÈRE adj. (angl. particular) [Ø] Minutieux, soigneux, propre. Il a bien réparé sa *galerie* : il est tellement *particulier* dans tout ce qu'il fait! [+++]

PARTIE n. f. **1.** *Partie de cabane*. Voir : **cabane**. **2.** *Partie de sucre*. Voir : **sucre**. **3.** *Partie de tire*. Voir : **tire**. **4.** Au pl. Testicules, chez l'homme et chez les animaux. Syn., voir : **gosse**. **5.** *Parties honteuses* : organes masculins ou féminins qu'on ne devrait montrer à personne d'après les curés d'autrefois.

PARTIR v. tr. **1.** Fonder, lancer, mettre en marche, démarrer (angl. to start) [Ø]. *Partir* un journal, une entreprise, une auto. **2.** *Partir pour la famille, partir pour* : devenir enceinte. Notre voisine est encore *partie pour la famille*. [+++] Syn., voir : **famille**. **3.** *Partir sur une brosse, sur la brosse* : s'enivrer, se saouler. [+++] Syn., voir : **brosser**. **4.** *Partir en peur* : s'affoler, s'énerver, prendre peur.

PARTISANNERIE n. f. Rare en fr. Attitude de celui qui, à cause de ses opinions préconçues, vote toujours pour le même parti politique; esprit de parti, préjugés de partisan. [+++]

PARTITION n. f. (angl. partition) [Ø] Mur de refend, cloison dans une maison.

PARTY n. m. (angl. party) **1.** Réception, fête, soirée, danse où certains invités se livrent à des excès dans le boire. Les *partys* de classe sont fréquents chez les étudiants du secondaire, du collégial et de l'université. **2.** *Party de bureau* : du 15 au 31 décembre, soirée des employés des gouvernements, des villes, des compagnies où l'on fête la fin de l'année en buvant et en s'amusant jusqu'à des heures tardives. [+++] **3.** Voir : **casseux de party**.

PAS adv. [#] Sans. Il est resté avec le gros orteil *pas* d'ongle.

PAS EN TOUT, PANTOUTE loc. adv. [#] Pas du tout. De l'argent, il ne lui en a pas prêté *pantoute*. [+++]

PAS-FIN, PAS-FINE n. et adj. Personne peu intelligente. N'écoute pas ce qu'il te dit, c'est un *pas-fin*, il n'est *pas fin*.

PAS MAL loc. adv. Passablement, très, beaucoup. Tu es *pas mal* gentille de bien t'occuper de ta vieille mère. [+++]

PAS-GRAND-CHOSE n. Personne de peu de valeur. [++]

PAS-MARIEUX, EUSE adj. et n. Personne qui ne semble pas particulièrement attiré par le mariage.

PASPÉYA n. et adj. Gentilé. Natif ou habitant de Paspébiac, en Gaspésie ; de Paspébiac.

PASSABLE adj. Praticable, carrossable. Chemin *passable*. [+++] Syn. : **allable**, **navigable**, **passant**, **rouable**, **roulant**, **routant**.

PASSABLEMENT adv. En assez grand nombre. Il y avait *passablement* de monde à l'enterrement.

PASSANT, E adj. Praticable, carrossable. Le chemin est *passant* depuis qu'il a été réparé. Syn., voir : **passable**.

PASSE n. f. **1.** Vx en fr. Permis de circulation gratuite en chemin de fer, laissez-passer. Untel a une *passe* qui lui permet de voyager d'un bout à l'autre du Canada. [+++] **2.** Grand entonnoir muni de toile métallique servant à couler le lait. Syn. : **couloir** (sens 2). **3.** Gaze, mousseline ou toile métallique que l'on fixe à une porte ou à une fenêtre pour empêcher les mouches et les moustiques d'entrer, moustiquaire. Une porte de ou en *passe*. Syn., voir : **gril à mouches**. **4.** *Passe à saumons*. Voir : **passe migratoire**. **5.** *Passe migratoire* : série de bassins étagés en escalier et permettant aux poissons de remonter un cours d'eau là où a été construit un barrage. Syn. : **échelle à saumons**, **escalier à poissons**, **glissoire à saumons**, **passe à saumons**. **6.** Plantation d'arbres ou d'arbustes de la même espèce. Il y a une *passe* d'épinettes à l'autre bout de l'érablière. Syn., voir : **bouillée**. **7.** Fig. *Faire la passe* : réussir un bon coup dans un marché, à la bourse, en changeant d'emploi, etc. [+++]

371

PASSE-CARREAU n. m. Petite planche à repasser très étroite dont on se sert pour repasser les manches, jeannette. Il y a des *passe-carreaux* dans toutes nos familles. [+++]

PASSÉ DÛ loc. adj. (angl. past due) [Ø] Échu, en retard, en souffrance (en parlant d'un compte, d'un billet). [+++]

PASSÉE n. f. Espace de temps de courte durée. Charles est de mauvaise humeur mais n'y fais pas attention, ce n'est qu'une *passée*. [++]

PASSE-GALETTE n. m. Fig. Gosier de l'être humain. [+] Syn., voir : **gavion**

PASSE-GALON n. m. Passe-lacet, aiguille à passer.

PASSE-PARTOUT n. m. [#] Scie à guichet utilisée pour le découpage. [+++]

PASSE-PIERRE n. f. Salicorne herbacée comestible cueillie au bord de l'eau salée, dans les marais et dont on faisait bonne provision pour l'hiver.

PASSE-QUEUE n. m. Culeron du harnais de cheval. Syn., voir : **porte-queue**.

PASSE-ROSE n. f. Rég. en fr. Rose trémière. [+++]

PASSER v. tr. et intr. et pron. **1.** Tanner. *Passer* une peau d'orignal. [+++] Syn. : **repasser**. **2.** *Passer à l'eau*. Voir : **eau**. **3.** *Passer au feu*. Voir : **feu**. **4.** *Passer les beignes* à quelqu'un. Voir : **beigne 2**. **5.** *Passer un Labrador* à quelqu'un : rouler, berner, tromper quelqu'un. Voir : **passer un Québec**. **6.** *Passer un papier*. Voir : **papier**. **7.** *Passer un Québec* à quelqu'un : rouler, berner, tromper quelqu'un. [+++] Syn. : **passer une épinette**, **un Ottawa**, **un Labrador**, **un sapin**. **8.** *Passer un sapin* à quelqu'un. Voir : **passer un Québec**. **9.** *Passer une épinette*. Voir : **passer un Québec**. **10.** *Passer tout droit*. a) Se réveiller après l'heure prévue. [+++] b) Dépasser par inadvertance son point de destination. [+++] **11.** *Passer une loi* (angl. to pass a law) [Ø] : voter une loi. **12.** *Passer, se passer un poignet* : marturber, se masturber. [+++] Syn., voir : **crosser**. **13.** *Passer des remarques* (angl. to pass, remark) [Ø] : faire des remarques.

PASSOIRE n. f. Grand entonnoir dont on se servait pour remplir de paille l'enveloppe d'une paillasse.

PASSURES n. f. pl. Criblures, grains de rebut, vannures. Syn., voir : **agrains**.

PATARAFE n. f. **1.** Affront, injure, remarque désobligeante. Elle lui a lancé une *patarafe* en public. [++] Syn. : **blé d'Inde** (sens 8). **2.** Balafre, cicatrice au visage.

PATATE 1, PÉTAQUE, PÉTATE n. f. **1.** Pomme de terre. [+++] **2.** *Patate à cochons* : pomme de terre trop petite pour la consommation. Syn., voir : **grelot**. **3.** *Patate sucrée* (angl. sweet potato) : patate douce. **4.** *Patates en riz, patates rizées* : pommes de terre cuites passées dans une presse percée à multiples petits trous, ce qui donne l'apparence de spaghettis torsadés ou de riz. **5.** *Patates chips* (angl. potato chips) [Ø]. [+++] Voir : **croustilles**. **6.** *Patates en chapelet* : apios d'Amérique. Syn. : **pénac**. **7.** Fig. *Patate chaude* (angl. hot potato) [Ø] : problème épineux, question épineuse. Les sables bitumineux de l'Alberta ont été une *patate chaude* pour le gouvernement fédéral. [+++]

PATATE 2, PÉTAQUE, PÉTATE n. f. **1.** Toute machine qui fonctionne mal, qui est détraquée, patraque. [++] Syn. : **bachat**. **2.** Grosse montre de poche d'autrefois. Sortir sa *patate* pour voir l'heure. [+++] **3.** Argot. Cœur. Monter les escaliers, à la course, c'est dur pour la *patate*. [+++] **4.** Fig. *Faire patate* : se heurter à une difficulté, à un obstacle, subir un échec, échouer. Lui, il ne réussira pas dans son entreprise, il va faire *patate*. [+++] Syn., voir : frapper un **nœud**. **5.** Fig. *Être dans les patates* : être dans l'erreur, se tromper, divaguer. [+++] Syn., voir : **coche** (sens 4). **6.** Fig. *Ne pas lâcher la patate* : ne pas se décourager, tenir bon. *Ne lâche pas la patate*, lance-t-on à un joggeur qui approche de la ligne d'arrivée. [++]

PATATIA n. m. Alcool de fabrication domestique. Syn., voir : **bagosse**.

PATAUGEUSE n. f. Piscine peu profonde pour tout-petits. Syn. : **barboteuse**.

PÂTE n. f. **1.** *Pâte à dents* (angl. tooth paste) [Ø] : pâte dentifrice, dentifrice (n. m.) [+++] **2.** Fig. *Pâte à crêpes* : terrain boueux, imbibé d'eau. On ne peut pas commencer les semailles, la terre est de la *pâte à crêpes*.

PÂTÉ CHINOIS n. m. Sorte de pâté dans lequel entrent des pommes de terre, du maïs et de la viande hachée. [+++]

PATELETTE n. f. Voir : **pattelette**.

PÂTE-MOLLE n. f. Fig. Personne sans énergie, paresseuse. Cet homme, c'est une *pâte-molle*. [+++] Syn. : **flanc-mou**.

PATENT, PATENTE adj. (angl. patented) [Ø] **1.** *Cuir patent, cuir à patente, cuir en patente* : cuir verni. **2.** Breveté. Des remèdes *patents, patentes*.

PATENTE n. f. **1.** (Angl. patent) [Ø]. Brevet d'invention. Prendre une *patente* sur un moteur qui fonctionne à l'eau! [+++] **2.** Invention, procédé nouveau et ingénieux pour faciliter le travail. [+++] Syn. : **estèque** (sens 1), **gréement** (sens 8). **3.** Arrangement bizarre, difficile à comprendre. **4.** *La Patente.* Voir : **Ordre de Jacques-Cartier**.

PATENTÉ, E adj. (angl. patented) [Ø] **1.** *Remède patenté* : remède breveté. [+++] **2.** Terre *patentée* : terre pour laquelle le cultivateur possède les titres de propriété, par opposition à terre *non patentée*, faisant partie des *terres de la Couronne*. [+++]

PATENTER v. tr. **1.** (Angl. to patent) [Ø]. Breveter, protéger par un brevet. Faire *patenter* un nouveau four à micro-ondes. **2.** Inventer, bricoler. Il ne sait quoi *patenter* pour faciliter son travail. [+++] Syn, voir : **gréementer**. **3.** (Angl. to patent) [Ø]. *Faire patenter une terre* : faire les démarches pour obtenir les titres de propriété.

PATENTEUR, PATENTEUX, EUSE n. et adj. Inventif, débrouillard. [+++] Syn., voir : **estéqueux**.

PATIN n. m. **1.** Fig. *Être vite sur ses patins* : être expéditif, être rapide à faire un travail, à prendre une décision, le contraire étant *ne pas être vite* ou *être lent sur ses patins*. [+++] Syn. : ne pas avoir les deux pieds dans la même **bottine**. **2.** Fig. *Accrocher ses patins* : cesser de jouer au hockey ou cesser toute autre activité, prendre sa retraite.

PATINAGE n. m. Fig. *Faire du patinage, du patinage de fantaisie* : répondre à côté de la question, tourner autour du pot, louvoyer. Les politiciens sont champions dans le *patinage de fantaisie*. [+++] Syn. : **enfirouapette**.

PATINER v. intr. Fig. *Savoir patiner, patiner* : être habile dans une discussion en ne disant que ce que l'on veut bien dire, savoir louvoyer surtout en parlant de politiciens. [+++] Syn. : savoir **nager**.

PATINEUR n. m. Araignée d'eau qui se déplace sur la surface de l'eau comme un patineur sur la glace, hydromètre. (Lanaudière) Syn. : **culteux**, petit **castor**.

PATINEUR, EUSE adj. et n. Fig. Se dit surtout d'un politicien qui répond à côté de la question, qui tourne autour du pot, qui sait *patiner*. [++] Syn. : **nageur**.

PATIO n. m. Coin de jardin aménagé avec table et chaises de jardin. [+++]

PÂTIR v. intr. Vx en fr. Éprouver des douleurs physiques. Il souffrait d'un cancer qui l'a fait *pâtir* pendant près de deux ans. [+++]

PÂTIRA n. Vx en fr. Souffre-douleur de son entourage. [++]

PÂTISSERIE FRANÇAISE n. f. Variété de pâtisserie fine faite à la française, par opposition à la pâtisserie indigène ou traditionnelle. [++]

PATLIACHE n. m. Appellation usuelle des missionnaires catholiques chez les Amérindiens de l'Est du Canada.

PATOIS n. m. **1.** Mot qu'on ne comprend pas et qui est senti comme appartenant à une autre région. «Foufounes», c'est un *patois* que personne ne connaît ici; ça viendrait du Lac-Saint-Jean! **2.** Mot, expression qui reviennent souvent dans le discours comme *t'sé*, *pis*, *t'sé*.

PATRON n. m. Jeune femme ni trop mince ni trop forte mais désirable. As-tu vu le beau *patron* qui nous a souri quand nous sommes entrés? Syn., voir : **pop-eye**.

PATRONAGE n. m. (angl. patronage) [Ø] Favoritisme politique, népotisme, faveurs politiques. [+++]

PATRONEUX, EUSE n. et adj. (angl. patronage) [Ø] Personne qui pratique le *patronage*, le favoritisme politique, le népotisme. [+++]

PATTE n. f. **1.** [#] Pied. Les *pattes* d'une chaise, d'une table. **2.** Vx en fr. *Verre à patte* : verre à pied. [+++] **3.** Chausson de bébé, de laine tricotée, le plus souvent coulissé à la cheville. [+++] Syn. : **chaussette**, **miton**, **patton**, **pichou**. **4.** *Pattes-d'oie* : pinces à grumes dont se servent les bûcherons pour soulever et transporter une bille de bois. Syn., voir : **chienne**. **5.** *Pattes d'ours* : raquettes à neige de forme ronde, utilisées dans les régions boisées par les trappeurs. Quand on les utilise dans les érablières pour le ramassage de la sève d'érable, le laçage fait place à un fond de bois. [++] Syn. : **pieds-d'ours**, **chausson**s. **6.** *Pattes de mouches* : écriture peu lisible. **7.** Grosse main. **8.** *Patte-de-cheval* : nénuphar à fleurs panachées. **9.** *Patte-de-lièvre* : patte de lièvre recouverte de sa fourrure utilisée en guise de plumeau pour épousseter. **10.** Fig. *Patte de cochon*, *patte* : mauvais tour, sale tour. Il s'est fait jouer une de ces *pattes* dont il se souviendra longtemps. [+++] Syn., voir : **cocu** (sens 2). **11.** Fig. *Avoir du poil aux pattes* : avoir de la vigueur, avoir beaucoup de courage. [+++] **12.** Fig. *Partir rien que sur une patte* : partir après n'avoir bu qu'un seul verre d'alcool. Voyons tu ne vas pas partir rien que sur une *patte*, tu vas prendre un autre verre! [++] **13.** Fig. *Lever les pattes.* a) Mourir. Quand le père *a levé les pattes*, la chicane a pris entre ses enfants. [+++] Syn., voir : **défuntiser**. b) Partir, rentrer chez soi. Quand Léo vient nous voir, il n'arrive plus à *lever les pattes*. **14.** Fig. *Se lécher la patte* : ne pas obtenir le succès escompté, avoir une déception, subir un échec. Syn., voir : frapper un **nœud**. **15.** Fig. *Se mettre à quatre pattes* : s'humilier, être à plat ventre devant quelqu'un.

374

PATTÉ, E adj. Pattu, qui a des plumes aux pattes. Une poule *pattée*.

PATTELETTE, PATELETTE n. f. Braguette de pantalon d'homme. (O 38-84) Syn., voir : **pagette**.

PATTON n. m. Chausson de laine que porte un bébé avant ses premiers pas. Syn., voir : **patte** (sens 3).

PATTOCHE, PATTOUCHE, PATTOUNE n. f. Voir : **papatte**.

PATURON n. m. Voir : **pinturon**.

PAUL JONES n. m. (angl. Paul Jones) Ronde alternée de valses où les danseurs, lorsque la musique s'arrête, doivent changer de partenaire, ce qui a comme résultat que personne n'est laissé sur le carreau, pas même les habituelles laissées pour compte dont la spécialité est de faire tapisserie. [++]

PAUMELLE, POMELLE n. f. Patin d'un traîneau. (acad.) Syn., voir : **runneur**.

PAUVRE adj. De quelqu'un qui est très pauvre, on dit qu'il est pauvre comme *Job*, comme *du sel*, comme *la gale*, comme *la terre*, comme *un rat d'église*, qu'il est *raide pauvre*.

PAUVRE-HOMME n. m. Fig. Appellation du bernard-l'ermite, crustacé qui se loge dans une coquille vide pour se protéger. (Côte-Nord)

PAVAGE n. m. Asphalte recouvrant la chaussée. Refaire le *pavage* d'une rue.

PAVÉ n. m. Autrefois, plancher de l'étable, de l'écurie ou de l'aire de la grange, fait de madriers, mais aujourd'hui en ciment. (E 30-100) Syn. : **pontage**.

PAVÉ, E p. adj. Fig. Couvert. Le ciel était *pavé* d'étoiles hier soir. (E 30-100) Syn. : **ponté**.

PAVER v. tr. **1.** Faire un plancher en bois (aujourd'hui en ciment), à l'étable, à l'écurie, à l'aire de la grange. (E 30-100) Syn. : **ponter** (sens 2). **2.** Asphalter, recouvrir d'asphalte. *Paver* une rue.

PAVURE n. f. **1.** Autrefois, recouvrement en bois d'un plancher d'étable, d'écurie ou de l'aire d'une grange. Faire la *pavure* en madriers. (E 30-100) **2.** Surface d'un chemin faite de billes de bois tassées les unes aux autres en terrain marécageux.

PAWA n. m. (amér.) Voir : **paoua**.

PAWNER, PANER v. tr. (angl. to pawn) [Ø] Mettre en gage. *Pawner* des bijoux. Anglicisme en perte de vitesse. [+]

PAWNSHOP n. f. (angl. pawnshop) [Ø] Établissement de prêt sur gage et où l'on peut se procurer à bon compte les choses les plus hétéroclites. Le mot et la chose sont en perte de vitesse.

375

PAYANT, E adj. **1.** À péage. Les autoroutes *payantes* n'existent plus au Québec depuis 1985. **2.** *Téléphone payant* : téléphone public. **3.** Lucratif, qui génère de gros profits. La vente de la drogue est *payante*.

PAYER v. tr. **1.** *Payer une visite* (angl. to pay a visit) [Ø] : faire une visite, rendre une visite à quelqu'un. Anglicisme disparu ou presque. **2.** *Payer la traite* (angl. to pay the treat) [Ø] : payer un verre, une consommation, une tournée.

PAYEUR, EUSE n. m. *Payeur de taxes* (angl. taxpayer) [Ø] : contribuable. Les *payeurs de taxes* étaient nombreux à la réunion du conseil municipal.

PAYEUX, EUSE adj. et n. Qui paye bien ses employés. Ce patron-là n'est pas *payeux*.

PAYS n. m. **1.** *Vieux pays* : pays d'Europe pour des Nord-américains. Aller en vacances dans les *vieux pays*. [+++] Syn. : l'autre **bord**, l'autre **côté**. **2.** *Du pays* : domestique, indigène, fait ou fabriqué au pays, par opposition à tout ce qui vient de l'étranger ou qui est fabriqué industriellement. Les mots suivants peuvent être suivis de ce complément : *châle, chandelle, culotte, étoffe, laine, pain, savon, serin, sirop, sucre, tabac, toile*.

PCC, PCQ Sigles. Voir : **conservateur** (sens 1).

PEANUT, PINOTTE n. f. (angl. peanut) [Ø] **1.** Arachide, cacahuète. Du beurre de *peanut* : beurre d'arachide ou de cacahuète; manger des *peanuts* : manger des *cacahuètes*. L'arachide est une plante qui produit des cacahuètes. [+++] **2.** Drogue. Hallucinogène sous forme de pilule, de comprimé. Syn. : **goof ball**. **3.** Fig. Rien, poussière, bagatelle. Se chicaner, travailler pour des *peanuts*, pour une *pinotte*. [+++] Syn., voir : **pet**. **4.** Fig. *Partir sur une peanut, rien que sur une peanut* : partir rapidement, à toute allure. [+++] Syn., voir : **pinouche**.

PEA SOUP, PISSOU n. (angl. pea soup) [Ø] Sobriquet péjoratif donné par les Canadiens anglais aux Canadiens francophones, autrefois grands amateurs de soupe aux pois, de *pea soup*. Syn., voir : **Cannuck**.

PEAU n. f. **1.** *Peau de carriole* : toute fourrure dont on se servait l'hiver comme couverture de voyage. (E 34-91) Syn. : *robe de carriole*. **2.** [#] Pellicule. Avoir des *peaux* dans les cheveux. **3.** Fig. *Ne pas savoir quoi faire de sa peau* : être désœuvré, n'avoir absolument rien à faire. **4.** Fig. *Avoir une peau sur l'œil* : avoir sommeil, sentir le besoin de dormir. Syn., voir : **cailler**. **5.** Péj. Femme de mauvaise vie, légère. Syn., voir : **guidoune**. **6.** Fig. *Prendre sa peau, aller à la peau* : faire l'amour. Syn. : **fesses**, **fourrer**, **magasiner** (sens 2), **mettre**, **pinardelle**, **poussière**, **taper**. **7.** Fig. *Avoir la peau courte* : être à court de moyens, être dans la gêne. **8.** Fig. *Par la peau des dents* : difficilement, de justesse. C'est *par la peau des dents* que notre équipe a battu l'équipe adverse. **9.** Fig. et pl. *Peaux-de-lièvre* : gros flocons de neige qui tombent par temps doux. (Charsalac) Syn. : **palettes**, **placards**, **tapons**, **torchons**. **10.** Argot. *Peau de crocodile* : expression utilisée par les organisateurs d'élections pour désigner les fonds électoraux d'un parti politique à la fin du XIXe siècle et ou début du XXe siècle.

PEAVY, PIVÉ n. m. (angl. peavy) [Ø] **1.** Levier à mains muni d'un crochet pointu et mobile, utilisé par les bûcherons et les *draveurs* pour tourner et déplacer les billes de bois, sapi. Le mot *sapi* ne figure pas dans les grands dictionnaires français; c'est un régionalisme de la région de Grenoble (Isère). Syn., voir : **cant-hook**. **2.** Voir : **gaffe de drave**.

PÉCAN, PÉCANT n. m. [#] Graphies fautives de pékan, martre du Canada. Le mot *pékan* est très fréquent dans la toponymie du Québec.

PÉCAUD n. m. Vieux cheval, haridelle. Syn., voir : **piton**.

PÊCHE n. f. **1.** Bordigue ou enceinte en clayonnages installée là où se fait sentir la marée et qui sert à capturer le poisson. Il y a encore des *pêches* à anguilles dans la région de Québec. Syn., voir : **bourne** (sens 1). **2.** Espace où il est permis d'établir une bordigue. Hériter d'une *pêche*, acheter, louer une *pêche*. Syn. : **tenture** (sens 2). **3.** *Pêche blanche* : pêche pratiquée l'hiver sous la glace.

PÉCHÉ n. m. **1.** *Péché mouillé* : l'intempérance. **2.** *Péché poilu* : la luxure. **3.** *Péché sec* : le blasphème. **4.** *Péché solitaire* : euphémisme pour auto-masturbation. Syn., voir : **se crosser**. **5.** *Laid comme un péché mortel* : se dit de quelqu'un qui est très laid. [+++] **6.** Fig. *C'est un péché* d'avoir vendu la terre paternelle : c'est dommage, c'est regrettable. **7.** Loc. adv. *En petit péché* : très bien. Les affaires ici, ça marche *en petit péché*!

PÊCHE-CACHOT n. f. Variété de verveux constitué d'un panier et dont l'usage est prohibé. (Beauce)

PÊCHE-COQUES n. m. Espèce de croc à trois dents ou bêche qu'on utilise pour sortir les coques du sable. (acad.)

PÊCHE-MAGONNE n. f. Espèce de fourche à quatre fourchons utilisée pour ramasser la *magonne* (varech et goémon) qui servira d'engrais. (acad.)

PÊCHE-MARTIN n. m. Martin-pêcheur, oiseau à plumage éclatant qui vit le long des cours d'eau et qui se nourrit de poissons. Syn. : **pêcheur**.

PÊCHER v. tr. **1.** Servir. *Pêcher* la soupe pendant qu'elle est chaude. **2.** Fig. Puiser. *Pêcher* de l'eau d'un puits. (acad.) Syn., voir : **haler** (sens 2).

PÊCHEUR n. m. Martin-pêcheur. Syn. : **pêche-martin**.

PÉDALE n. f. *Conduire la pédale au plancher* : conduire une auto très vite, le pied sur l'accélérateur. [+++]

PÉDALIER n. m. Pédale du rouet. Syn. : **marchepied**, **marchette**

PEDDLER v. tr. (angl. to peddle) [Ø] **1.** Faire du colportage, faire du porte à porte pour vendre. (Mot en perte de vitesse.) **2.** Passer de porte en porte pour vendre un produit de la ferme. À la campagne un cultivateur qui avait des pommiers *peddlait* ses surplus de pommes.

PEDDLEUR n. m. (angl. peddler) [Ø] Colporteur, marchand ambulant. C'est au XIXe siècle que les *peddleurs* ont succédé aux *coureurs de côtes* d'avant 1763. (Mot en perte de vitesse.)

PÉDÉGÈRE n. f. Forme féminine peu élégante de PDG, fréquente dans les journaux.

PEEWEE n. m. (angl. peewee) **1.** Joueur de hockey de onze ou douze ans. Les *peewees* ont leur tournoi annuel international à Québec depuis 1960. **2.** *Hockey-peewee* : hockey pour jeunes garçons de onze et douze ans.

PEGGY n. m. Jeu de garçons où les joueurs assis en cercle entourent le frappeur qui, placé au centre du cercle, doit frapper un bâtonnet ou peggy avec son bâton. Le frappeur est éliminé s'il rate son coup, si un joueur attrape le bâtonnet au vol ou si un joueur lance le bâtonnet sur le bâton posé sur le sol.

PÉGOGIE n. f. Nymphéa tubéreux, nymphéa odorant. (acad.) Syn., voir : **nénuphar blanc**.

PÉGREUX, EUSE n. et adj. Membre de la pègre, relatif à la pègre.

PÉGRILLON n. [#] Membre de la petite pègre, amateur dans la pègre, pégriot.

PEIGNE, PEIGNE FIN, PEIGNE DE CORNE adj. et n. [#] Pingre, avare, mesquin. [+++] Syn., voir : **avaricieux**.

PEIGNE n. m. *Peigne d'allumettes* : carnet d'allumettes, pochette d'allu-mettes. Syn. : **allumettes en peigne**, **carton d'allumettes**, **livret d'allumettes**.

PEIGNERIE n. f. Pingrerie, avarice.

PEIGNURE n. f. [#] Coiffure, façon dont les cheveux d'une personne sont arrangés. Cette femme a de beaux cheveux, mais elle a une drôle de *peignure*.

PEINE n. f. **1.** *Pour la peine* : moyennement, passablement. À cette assemblée, il y avait du monde *pour la peine*. **2.** Vx en fr. *Être en peine* : être inquiet, avoir du souci.

PEINTRE, PEINTURON n. m. Peintre en bâtiment. Toute maison dont les murs extérieurs sont en bois doit être repeinte tous les cinq ou six ans par des *peintres*. Autrefois, dans beaucoup de paroisses agricoles il y avait un *peintre* qui réussissait à vivre de son métier.

PEINTURE n. f. **1.** *En peinture* : parfaitement ressemblant. Cet enfant, c'est son père *en peinture*. Syn., voir : **recopié**.

2. *Peinture du pauvre* : appellation ironique de la chaux utilisée autrefois pour chauler les granges et même les maisons.

PEINTURER v. tr. [#] **1.** Recouvrir de peinture, peindre, exercer le métier de *peintre*. Il faut *peinturer* les maisons de bois tous les cinq ou six ans. [+++] **2.** Passer à l'eau forte. *Peinturer* le châssis d'un lit pour tuer les punaises.

PÉKAN n. m. (amér.) Martre du Canada dont la fourrure est très appréciée. Les graphies anciennes *pécan, pécant* sont à éviter.

PELÉ, E; PLÉ, E adj. et n. **1.** Dépourvu d'arbres. Un terrain *pelé* ou *plé*, une pointe de terre *pelée* ou *plée*. **2.** Endroit dépourvu d'arbres. Ce mot se rencontre dans la toponymie du Québec, des Maritimes et du sud-ouest de l'Ontario.

PÉLEILLER v. tr. Déplacer de la neige, du sable, de la terre en utilisant une pelle, pelleter. (acad.)

PÉLÉQUISTE n. et adj. Membre du PLQ (Parti libéral du Québec), relatif au PLQ.

PELINE n. f. À la campagne, clôture d'ornementation près des habitations.

PELLE n. f. **1.** Levier sur lequel se pose le pouce pour soulever la clenche d'un loquet de porte, poucier. Syn. : **pouce**. **2.** *Pelle à bourrier* : pelle à poussière. (acad.) Syn., voir : **porte-poussière**. **3.** *Pelle à neige* : pelle généralement en bois ne servant qu'à pelleter de la neige. **4.** *Pelle ronde* : bêche en forme de cuiller et dont le manche se termine par une poignée. **5.** *Pelle à cheval, pelle à manchons* : ravale munie de deux mancherons, tirée par des chevaux et servant à creuser la terre, à égaliser, à faire ce que fait le bulldozer aujourd'hui. **6.** Vx en fr. *Donner la pelle* : éconduire, en parlant d'une jeune fille qui renvoie un prétendant. Syn., voir : donner le **capot**. **7.** Vx en fr. *Recevoir la pelle, attraper la pelle* : être éconduit, en parlant du jeune homme éconduit par une jeune fille. Syn., voir : manger sa **portion**. **8.** Fig. Pelle-à-feu : sage-femme. [+++] Syn., voir : **matronne**. **9.** Fig. *À la pelle, à pleine pelle* : beaucoup, en grande quantité. Gagner de l'argent *à pleine pelle*, créer des emplois *à la pelle*. **10.** Fig. *Chier sur la pelle* : autrefois à la campagne, par temps très froid, les hommes se rendaient à l'étable ou à l'écurie pour faire leurs besoins sur une pelle puis lançaient les excréments sur le tas de fumier.

PELLETAGE n. m. Action de *pelleter*.

PELLÉE (acad.); **PELLETÉE** n. f. **1.** Contenu d'une pelle. Une pelletée de neige, de fumier, de terre. [+++] **2.** Fig. *À la pelletée, à pelletée* : beaucoup. Il neige *à la pelletée*, il y avait du monde *à pelletée*.

PELLETER v. intr. **1.** Fig. *Pelleter des nuages* : s'adonner à de hautes spéculations qui ne débouchent pas au niveau pratique. **2.** Fig. *Pelleter sa neige dans la cour du voisin* : a) En parlant des gouvernements, transférer des compétences législatives à un gouvernement inférieur sans les accompagner de revenus supplémentaires suffisants. b) Se débarrasser de ses déchets, de ses matières polluantes en les expédiant dans les localités ou régions voisines, voire dans un autre pays ou sur un autre continent.

PELLETEUR, PELLETEUX, EUSE n. m. **1.** *Pelleteux à rigoles* : espèce de charrue pourvue de mancherons et servant à rigoler (creuser ou entretenir les rigoles) et dont les deux ailes latérales nivellent obliquement les deux côtés

378

de la rigole. Syn., voir : **rigoleuse**. **2.** Personne qui déneige à la pelle. [+++] Syn. : **pelleur**. **3.** Fig. *Pelleteux de nuages* : se dit des intellectuels en général, de ceux qui n'ont pas les deux pieds sur terre, qui sont très forts dans les grands principes, mais nuls au point de vue pratique. Syn. : **joueur de piano**.

PELLETON n. m. Louche en bois qu'on utilise à la *sucrerie* pour mouler le sucre d'érable. Syn., voir : **trempoir**.

PELLEUR, EUSE n. Personne qui déneige à la pelle. Un *pelleur* de neige. (acad.) Syn. : **pelleteur**.

PELLEYER v. tr. Pelleter. *Pelleyer* de la neige. (acad.)

PELOTANT, E adj. Qui se met facilement en boule, en *pelote* en parlant de la neige. [+++] Syn.: **boulant** (sens 1), **boulinant** (sens 2), **collant** (sens 1), **mou**, **moulineux** (sens 1), **peloteux**.

PELOTE n. f. **1.** Balle à jouer. Lancer, frapper, attraper une *pelote*, jouer à la *pilote*. [++] Syn. : **boule**. **2.** Vx en fr. Boule de neige. Les enfants aiment lancer des *pelotes* de neige. [+++] Syn., voir : **balle** (sens 1). **3.** Vulg. Sexe féminin, vulve. « Elle se lave la *plotte* tous les jours avec de l'eau de Cologne... ». Extrait d'une lettre d'un Québécois à un autre Québécois exilé aux États-Unis, lettre datée du 31 août 1839. (surt. O 25-117) Syn., voir : **noune**. **4.** Vulg. Jeune fille, femme avec un sens le plus souvent péjoratif. [+++]

PELOTER v. tr. et intr. **1.** Lancer, se lancer des *pelotes*, c'est-à-dire des boules de neige. Hé les enfants, arrêtez de vous *peloter*! (Région de Montréal) Syn. : **motter**. **2.** Se mettre en *pelote*, en boule en parlant de la neige par temps doux. (Région de Montréal) Syn. : se **motter**.

PELOTEUX, EUSE adj. Qui se met facilement en *pelote*, c'est-à-dire en boule, en parlant de la neige. La neige est *peloteuse*, faisons un bonhomme de neige. [+++] Syn., voir : **pelotant**.

PELU, PLU n. m. Peau de castor, qui pendant longtemps a servi de monnaie entre les Amérindiens et les Blancs. Syn., voir : **castipitagan**.

PELURE n. f. **1.** Écorce. Faire brûler des *pelures* d'arbres. **2.** Épluchures d'épis de maïs. **3.** Argot. Jeune fille courtisée sérieusement. Louis ne sort jamais sans sa *pelure*.

PELURER v. tr. **1.** Rég. en fr. Éplucher. *Pelurer* des pommes de terre. Syn. : **plumer**. **2.** Écorcer. *Pelurer* un bouleau.

PEMBINA n. m. (amér.) Voir : **pimbina**.

PEMMICAN, PÉMICAN n. m. (amér.) **1.** Viande de bison séchée et mise en poudre qui, mêlée à de la graisse, constituait la base de la nourriture des *voyageurs* aux XVIIIe et XIXe siècles. Syn. : **toro**. **2.** Au XXe siècle, viande d'orignal séchée servant de nourriture aux bûcherons et surtout aux *draveurs*. Syn. : **toro**.

PEN n. m. Abréviation de pénitencier.

PÉNAC n. Apios d'Amérique, plante légumineuse et comestible. Syn. : **patate en chapelet**.

PENDANT n. m. Flanc, versant. Le *pendant* d'une colline, d'un coteau, d'une montagne. Syn. : **dépendant**, **dépent**, **dépente**, **pent**.

PEND'OREILLES n. m. pl. [#] Pendants d'oreilles.

PENDRILLER v. tr. et intr. **1.** Suspendre. *Pendriller* la tête en bas un cochon qu'on vient de tuer. (acad.) **2.** Accrocher des vêtements. (acad.) **3.** Dépasser. Une jupe *pendrille* quand elle dépasse le manteau. (acad.)

379

PENDRILLOCHE, PENDRILOQUE n. f. [#] **1.** Pendeloque, tout brillant d'un goût douteux que portent certaines femmes. **2.** Tissu, fil qui dépasse le bas d'un vêtement : jupe, robe, manteau, etc.

PÉNÉPISTE n. et adj. Membre du PNP, Parti national populaire.

PENETANG n. f. Chaussure, du genre mocassin faite de cuir souple, lacée et sans semelles. Marque de fabrique.

PÉNILLE n. f. **1.** Charpie provenant de tissus qu'on défait pour la filer de nouveau. (O 37-85) Syn., voir : **échiffe**. (Voir le dérivé **dépéniller**). **2.** *Être de la pénille* : être de mauvaise qualité, en parlant d'un tissu. (O 37-85) Syn., voir : **cull** (sens 2). **3.** *Ne pas être de la pénille* : être de très bonne qualité, en parlant d'un vêtement. (O 37-85)

PENSEZ-Y-BIEN n. m. Chose importante qu'on ne doit pas faire sans d'abord réfléchir très sérieusement. Vendre sa maison pour acheter une copropriété; se marier avec une femme de vingt ans quand on en a soixante, c'est un *pensez-y-bien*. [+++]

PENSION n. f. **1.** *Pension de vieillesse* : appellation populaire des prestations de la Sécurité de la vieillesse, que reçoivent tous les citoyens âgés de 65 ans, qu'ils soient riches ou pauvres. [+++] **2.** *Grosse pension* : prestations de la Sécurité de la vieillesse auxquelles s'ajoute un Supplément de revenu garanti pour les personnes de 65 ans et plus à très faible revenu. [++]

PENSIONNER v. tr. et intr. **1.** Avoir en pension. Cette femme *pensionne* des touristes l'été, et des étudiants au cours de l'année scolaire. [+++] Syn. : **chambrer** (sens 2). **2.** Loger, être en pension. Depuis que Luc travaille à Montréal, il *pensionne* chez sa tante. [+++] Syn. : **chambrer** (sens 1).

PENT n. m. Flanc, versant. Le *pent* d'une colline. Syn., voir : **défaut**.

PENTE n. f. Autrefois, pente latérale dans les chemins d'hiver.

PENTEUX, EUSE adj. Où il y a beaucoup de pentes latérales, en parlant des chemins d'hiver d'autrefois.

PEP n. m. (angl. pep.) [Ø] Entrain, enthousiasme, énergie. C'est encourageant de voir tous ces jeunes étudiants pleins de *pep* devant la vie. Dérivés : **peppé**, **pepper**, **repepper**. [+++]

PÉPÈRE n. m. Rég. en fr. Grand-père, grand-papa. Très fréquente avant 1950, cette appellation est presque disparue.

PEPÈTE n. f. Verge d'enfant. Cache ta *pepète*, tu vas attraper le rhume! Syn., voir : **pine** (sens 5).

PÉPINE n. f. Chargeuse-pelleteuse ou engin automoteur comportant à l'avant un équipement de chargeuse et à l'arrière un équipement de pelle rétrocaveuse. [+++]

PÉPIQUE n. m. Voir : **pipique**.

PÉPISSE n. m. [#] Voir : **pipisse**.

PEPPÉ, E adj. (angl. pep) [Ø] Dynamique, plein d'allant. Il est revenu très *peppé* de cette réunion politique. [+++]

PEPPER v. tr. et pron. (angl. to pep) [Ø] Donner de l'entrain, de l'allant, du dynamisme. Une aussi bonne nouvelle, ça *peppe* son homme! [+++]

PEPPERMINT, PAPARMANE n. f. (angl. peppermint) [Ø] Menthe à épis, menthe du Canada. (surt. O 34-91)

PEPSI n. **1.** Appellation péjorative que les anglophones du Canada donnent à leurs compatriotes francophones. Cette appellation remonte à la Crise de 1929. Les anglophones buvaient du *coca-cola* (bouteille de 8 *onces*) et les francophones du *pepsi-cola* (bouteille de 12 *onces*) parce que meilleur marché. Syn., voir : **Cannuck**. **2.** Personne sans envergure, peu intelligente.

PEPSIPHOBIE n. f. Maladie peut-être incurable de certains anglophones du Canada qui semblent développer une phobie à l'endroit des *Pepsis*.

PÈQUE n. m. Visière d'une casquette. (entre 91 et 117, aussi acad.) Syn. : **palette**.

PÉQUICISER v. tr. Rendre péquiste. *Péquiciser* la fête nationale des Québécois : en faire une fête *péquiste*, partisane.

PÉQUIOU n. m. [#] Prononciation anglaise de P.Q. (Parti québécois) utilisée par certains francophones adversaires de ce parti quand ils veulent s'en moquer.

PÉQUISTE n. et adj. Membre ou partisan du *Parti québécois*. Les *péquistes* ont battu les *libéraux* aux élections de 1976, de 1981 et de 1994.

PÉQUOT n. m. Vieux cheval, haridelle, rosse. Syn., voir : **piton**.

PER, PAIR n. m. **1.** Pis. Cette vache-ci a un gros *per*. (E 36-86) Syn. : **remeuil**. **2.** Fig. *Faire son per* : se décider, cesser d'être hésitant. (E 36-86) Syn., voir : faire son **pis**.

PERCÉEN, ENNE n. et adj. Gentilé. Natif ou habitant de Percé, en Gaspésie; de Percé.

PERCHAGE n. m. Le fait de faire se déplacer une embarcation en utilisant une perche. Syn. : **polage**.

PERCHAUDE n. f. (NOLF) Poisson d'eau douce, perche canadienne. Mot fréquent dans la toponymie du Québec. [+++]

PERCHE 1. n. f. **1.** Ancienne mesure de longueur valant 16,5 *pieds*, soit 5,029 m. **2.** Flèche permettant d'éloigner ou de rapprocher les deux trains du chariot à foin, de la fourragère et du bobsleigh. **3.** *Perche de ligne* : canne à pêche. **4.** *À pleine perche.* a) En grande quantité. Cette année, il y a du foin *à pleine perche.* b) *Profondément.* Labourer *à pleine perche.*

PERCHE 2. n. f. **1.** *Perche blanche* : nom vulgaire du petit bar ou baret. **2.** *Perche de mer* : sébaste (n. m.). **3.** *Perche-truite* : nom vulgaire de l'omisco, poisson de la famille des Percopsidés.

PERCHER v. tr. et intr. **1.** Assujettir le voyage de foin d'une charrette ou d'une fourragère à l'aide d'un câble ou d'une perche dont le gros bout passe sous le barreau supérieur de la ridelle avant et dont le petit bout est attaché au barreau inférieur de la ridelle arrière. [+++] **2.** Faire avancer une embarcation au moyen d'une perche. Syn. : **poler**. **3.** Fig. Avoir une érection, bander. Ne plus pouvoir *percher* serait le signe avant-coureur d'une mort prochaine. Syn. : **faire la belle**, **jacker**.

PERCHOT n. m. Dans le grenier d'une maison à toit pointu, *entrait* reliant deux chevrons se faisant face et sur lesquels on range du bois, les doubles fenêtres, etc.

PERDRE v. tr. **1.** Vx en fr. *Perdre la carte* : déraisonner, tenir des propos incohérents devenir fou. [+++] Syn., voir : **carte**. **2.** *Perdre lumière* : perdre son sang-froid dans une discussion. [++] **3.** Fig. *Perdre un pain de sa fournée* : avoir une déception.

PERDRIX n. f. **1.** *Perdrix blanche* : lagopède des saules. **2.** *Perdrix de bois francs, perdrix grise* : gélinotte huppée dont la chair est excellente. [+++] Syn. : **boularière. 3.** *Perdrix de sapinière, des savanes, perdrix bleue* : tétras des savanes dont la chair n'est pas comestible. *Perdrix* (oiseau) est très fréquent dans la toponymie du Québec. [+++] Syn. : **sapinière. 4.** Argot des bûcherons. Tronçonneuse mécanique et portative. Aujourd'hui les bûcherons abattent les arbres à la *perdrix*. (Lanaudière) Syn. : **chainsaw**, **scie à chaîne. 5.** Voir : **pain de perdrix.**

PÈRE n. m. **1.** Tout prêtre, séculier ou régulier. (acad.) **2.** *Son père* : nom dont se sert une femme en s'adressant à son mari ou en parlant de lui. Les enfants se servent aussi de cette appellation. [+] **3.** Un client à qui le vendeur demande combien d'objets il veut acheter (paquets de cigarettes, ampoules...) se verra répondre, comme au confessionnal d'autrefois, mais avec un sourire : une fois, deux fois, trois fois, *mon Père*!

PERFORMANCE n. f. (angl. performance) [Ø] **1.** Le rendement. La *performance* des actions à la bourse. **2.** La marche d'une entreprise.

PERGÉLISOL n. m. Sol et partie du sous-sol des régions arctiques ou polaires gelés en permanence.

PÉRIBONKOIS, E n. et adj. Gentilé. Natif ou habitant de Péribonka au Lac-Saint-Jean; de Péribonka.

PERLASSE, PERLACHE n. f. (angl. pearl ash) [Ø] Potasse pure fabriquée à partir de cendre de bois. Autrefois, on se servait d'un peu de *perlasse* comme succédané du soda à pâte.

PERLASSERIE n. f. (angl. pearl ash) [Ø] Établissement où l'on fabriquait de la *perlasse* à partir de cendre de bois, potasserie.

PERLAT n. m. Voir : **prélart.**

PERLE n. f. Prunelle (de l'œil). Syn. : **pois.**

PERRON n. m. **1.** À la campagne, souvent synonyme de *galerie*. Quand je suis arrivé chez mon parrain, toute la famille *se berçait* sur le *perron*. [+++] **2.** *Le perron de la messe* : le perron de l'église. [+]

PERROQUET, PERROQUET DE MER n. m. Macareux arctique.

PERSIL n. m. **1.** *Persil d'eau* : ruppie maritime. **2.** *Persil de mer* : livêche écossaise. **3.** *Persil sauvage* : anthrisque des bois.

PERSONNE n. f. **1.** *Personne de sexe* : une femme. Il faut une *personne de sexe* pour travailler dans une garderie. **2.** *Personne-ressource* n. f. (angl. resource person). Personne compétente dans un domaine particulier et à laquelle on fait appel lors d'un colloque, d'une table ronde, pour toute question relevant de ce domaine (ROLF). **3.** *Grande personne* : personne adulte, d'âge respectable.

PERSONNEL, ELLE adj. Intime en parlant d'un ami ou d'une amie. Rose, c'est mon amie *personnelle* à qui je raconte tout.

PERTE n. f. *Faire une perte* : faire une fausse-couche. [+++] Syn. : faire un **abroc**, **débouler** (sens 2), faire un **faux-pas**, une **glissette** (sens 2), **revirer** (sens 2).

PESANT n. m. **1.** *Avoir le pesant* : faire un cauchemar. [+++] Syn. : avoir le **cagou. 2.** Sommeil. Je sens venir le *pesant*, je monte me coucher!

PESANT, E adj. **1.** Mal levé, insuffisamment cuit. Pain *pesant*. Syn., voir : **alis**. **2.** Lourd, en parlant du temps. Un temps *pesant* précède la pluie. [+++] **3.** Fig. Important, influent, qui a du poids. Le nouveau ministre de l'Éducation est beaucoup plus *pesant* qu'on pense.

PESAT n. m. Tige séchée de pois ou de fèves dont on se servait pour frotter les planchers et bouchonner les chevaux, ou qu'on utilisait comme litière pour les animaux. [+++]

PESÉE n. f. **1.** Plomb utilisé pour la pêche à la ligne, ou pour le lestage d'un filet. Syn. : **cale**. **2.** Contrepoids d'une porte extérieure qui fait que cette porte se ferme d'elle-même. Dans le Vieux-Québec, beaucoup de portes donnant directement sur le trottoir sont maintenues fermées grâce à des *pesées*. **3.** Poids au bout d'une courroie que l'on attachait à la bride du cheval pour l'empêcher de s'échapper. Les boulangers et les bouchers utilisaient une *pesée de cheval*.

PESER v. intr. **1.** Appuyer. *Peser* sur le bouton d'entrée de la porte pour qu'on vienne ouvrir. [+++] **2.** Argot. *Peser sur le gas* ou *gaz* : appuyer sur l'accélérateur, accélérer. [+++] Syn. : **peser sur la suce**. **3.** Argot. *Peser sur la suce* : appuyer sur l'accélérateur, accélérer. [+++] Syn. : **peser sur le gas**.

PESSIÈRE n. f. Futaie d'épinettes ou d'épicéas.

PESTE n. f. *Une peste* : beaucoup. Du foin, il y en a *une peste* cette année.

PET n. m. **1.** Derrière, fesses. Cet enfant semble adorer se promener le *pet* à l'air. [++] **2.** Fig. Chose facile à faire, bagatelle. Pour une femme d'aujourd'hui, changer un pneu, c'est un *pet*. Syn. : **peanut, pinotte**. **3.** Fig. Autrefois, le dernier-né d'une famille nombreuse. Syn., voir : **chienculot**. **4.** Fig. *Faire un pet à la lune* : faire l'amour, en parlant d'une jeune fille.

PÉTAGE n. m. **1.** Fig. *Pétage de bretelles* : le fait d'être content de soi, d'être fier de soi d'une façon trop manifeste. **2.** Fig. *Pétage de broue* : vantardise. Arrête donc ton *pétage de broue*!

PÉTAQUE n. f. [#] Voir : **patate 1** et **patate 2**.

PÉTARD n. m. **1.** Nom vulgaire de la silène cucubale ou enflée dont on fait éclater le calice. Syn. : **péteux**. **2.** Jeune femme aguichante et belle. C'est un beau *pétard*. [++] Syn., voir : **pop-eye**. **3.** *Finir, virer, revirer en pétard mouillé* : échouer, tourner à rien, tourner en queue de poisson. [+++] Syn. : faire *patate*. **4.** *Être en beau pétard* : être furieux, être en colère. Syn., voir : être en **sacre**.

PÉTASSER v. tr. et intr. Craqueler, fendiller, fissurer, gercer, irriter. La glace du lac est *pétassée*, le froid fait *pétasser* les mains. [+++] Syn., voir : **craquer**.

PÉTASSURE n. f. Fente, fissure, fêlure, gerçure. Il peut y avoir une *pétassure* dans un mur, dans de la glace, dans une pièce de métal. [+++] Syn., voir : **craque**.

PÉTATE n. f. [#] Voir : **patate 1** et **patate 2**.

PET-DE-RELIGIEUSE, PET-DE-SŒUR n. m. Pâtisserie appelée pet-de-nonne. [++] Syn. voir : **nombril-de-sœur**.

PÉTER v. tr. et pron. **1.** Claquer. Faire *péter* un fouet. **2.** Fig. *Péter plus haut que le trou, que son cul* : péter plus haut que le cul, se vanter, vivre au-dessus de ses moyens, se croire supérieur aux autres. [+++] **3.** Fig. *Péter de la broue, faire de la broue* : se vanter, s'écouter parler, faire de l'esbroufe. [+++] Syn. : **brouter**. **4.** Fig. *Se péter les bretelles* : être content de soi, manifester une fierté excessive. Avec un déficit de vingt milliards, le ministre des Finances n'avait pas à *se péter les bretelles*. **5.** Fig. et vulg. *Péter la cerise* : dépuceler, perdre sa virginité. Celle-là, ça fait longtemps qu'elle s'est fait *péter la cerise*.

PÉTEUSE n. f. *Allumette péteuse* : qui fait beaucoup de bruit lorsqu'elle s'allume.

PÉTEUTERIE n. f. Attitude snob; rassemblement de snobs. Il y a de la *péteuterie* chez ces jeunes-là; il y avait de la *péteuterie* au vernissage.

PÉTEUX, EUSE adj. et n. *Péteux de broue*, *péteux* : pédant, prétentieux, poseur, rempli de soi-même. [+++] Syn., voir : **frais**.

PÉTEUX n. m. **1.** Nom vulgaire de la silène cucubale ou enflée. Syn. : **pétard** (sens 1). **2.** Vulg. Derrière, fesses. Cet enfant adore se promener le *péteux* à l'air. Syn. : **foufounes**.

PÉTILLER v. intr. Fendiller, fêter, crevasser. Vernis fendillé, assiette fêlée, terre crevassée.

PETI-PETA adv. Peu à peu, pas à pas, petit à petit. Réussir *peti-peta* à faire son travail. Syn. : par les **petits**.

PETIT n. m. **1.** *Par les petits* : petit à petit, peu à peu, graduellement. La maison, on la meuble *par les petits*. (acad.) Syn. : **peti-peta**. **2.** *Paqueter ses petits*, *faire ses petits* : ramasser ses outils à la fin de la journée; se préparer à partir en voyage, faire sa valise. [+++]

PETIT BALAI n. m. Vergette utilisée pour épousseter les vêtements. [++]

PETIT BLANC, P'TIT BLANC n. m. (O 34-91) Whisky blanc qui pendant longtemps a été l'alcool préféré des Québécois, surtout dans la région de Montréal.

PETIT BLEU n. m. *Oiseau*. Junco ardoisé.

PETIT BONHOMME Jeune encornet servant d'appât aux pêcheurs de morue.

PETIT BONHOMME, PETIT BONHOMME DE MISÈRE n. m. Oiseau : mergule nain.

PETIT BRAS n. m. Pénis en s'adressant à un enfant. Cache ton *petit bras*, c'est laid.

PETIT-CALUMET n. m. Monotrope uniflore.

PETIT CANADA n. pr. Quartier de nombreuses villes de la Nouvelle-Angleterre habité par des Canadiens de langue française qui recréaient un peu les paroisses qu'ils avaient quittées avec église, école, sœurs enseignantes, etc. On a appelé aussi *Petit Canada* les quartiers très pauvres de certains villages du Québec, par exemple à Trois-Pistoles.

PETIT COCHON n. m. **1.** Goret en pâte de guimauve recouverte de chocolat. Autrefois, les marraines donnaient souvent des *petits cochons* à leur filleul. [+++] **2.** Au pl. Sarracénie pourpre. (E 37-85) Syn., voir : **herbe à crapaud.**

PETIT CÔTÉ n. m. À la campagne, allonge au corps principal d'une maison et utilisée surtout l'été. Syn., voir : **cuisine d'été**.

PETIT ÉTÉ n. m. Été de la Saint-Martin. (Gaspésie) Syn. : **été des Indiens**, **été des Sauvages**.

PETIT LAIT n. m. Premier lait d'une vache qui vient de mettre bas.

PETITE n. f. **1.** Bouteille de bière de petit format. [+++] **2.** *En petite* : lentement, en première vitesse. Monter une côte abrupte *en petite*. [+++] **3.** *Petite eau* : eau peu profonde. C'est une rivière à *petite eau*.

PETITE-LOCHE n. f. Voir : **poulamon**.

PETITEMENT adv. À l'étroit. Cette famille de cinq enfants est *petitement* dans son appartement qui n'a que deux chambres à coucher.

PETITE MORUE n. f. Voir : **poulamon**.

PETITE-NATION n. f. Tribu amérindienne de la famille *algique* qui occupait la région de Montebello dans l'Outaouais.

PETITE SANTÉ n. f. Personne maladive. Tu sais, sa femme c'est une *petite-santé*.

PETITESSE n. f. *De petitesse* : dans le jeune âge, dans l'enfance, j'ai appris à pêcher *de petitesse*. (Gaspésie)

PETITE-VALISE n. f. Enfant de parents divorcés ou séparés qui, la semaine de classe terminée, va passer la *fin de semaine* chez son père ou chez sa mère, emportant dans une petite valise les effets dont il aura besoin. C'est un peu triste de voir les *petites-valises* dans les salles d'attente des gares routières.

PETIT-HUPPÉ n. m. Jaseur des cèdres.

PETIT-MANGE-FLEUR n. m. Colibri à gorge rubis.

PETIT MERISIER n. m. Cerisier de Pennsylvanie dont le fruit est appelé *merise*.

PETIT-NOIR n. m. Macreuse à bec jaune. (Gaspésie) Syn. : **maillet**.

PETIT PÊCHE-MARTIN n. m. Martin-pêcheur.

PETIT-POÊLON n. m. Fig. Têtard de la grenouille ainsi appelé à cause de sa ressemblance avec un poêlon. Syn., voir : **queue-de-poêlon**.

PETIT PRÊCHEUR n. m. Ariséma rouge foncé. Syn. : **oignon sauvage**.

PETIT SIROP n. m. Sève d'érable déjà un peu épaissie mais pas encore devenue sirop. Syn., voir : **réduit**.

PETITS, PAR LES PETITS (loc. adv.) Voir : **petit** n. m.

PÉTONNER v. intr. Voir : **pétouner**.

PETOT n. m. Pied d'enfant, petit pied, peton. Syn., voir : **papatte**.

PÉTOUANE n. f. Aster à grandes feuilles.

PÉTOUNER, PETONNER, PEUTONNER v. intr. Murmurer, maugréer, bougonner, rouspéter. Ce vieux-là, il *pétoune* sans arrêt. (acad.) Syn. : **grichonner**, **piailler**.

PET-SHOP n. m. (angl. pet shop) [Ø] Voir : **animalerie** (ROLF).

PÉTUCHE n. f. **1.** Chiquenaude, pichenette. Syn. : **pichenotte** (sens 1). **2.** Jeu consistant à projeter, sur une table, de petites rondelles de bois à l'aide de *pétuches* ou chiquenaudes. Syn. : **pichenotte** (sens 2).

PÉTUN n. m. (amér.) Tabac. [+]

PÉTUNER v. intr. (amér.) Vx en fr. Fumer la pipe. Il a passé sa vie à *pétuner*. [+]

PEUE n. f. Dent du *ros* ou peigne du métier à tisser.

PEUR n. f. **1.** Histoire à faire peur, blague invraisemblable. Il ne faut pas conter, raconter des *peurs* à des enfants. [+++] Syn., voir : **chouenne**. **2.** *Avoir des peurs* : avoir peur. **3.** *Partir en peur.* a) Prendre peur, prendre le mors aux dents en parlant d'un cheval qui s'échappe. b) S'énerver, s'en faire inutilement en parlant des personnes. [+++] **4.** *Peur blanche, peur noire, peur mortelle* : peur bleue. [++]

PEURÉSIE n. f. [#] Pleurésie.

PEUREUX, PEUREUX À CORNEILLES, PEUREUX DE CORNEILLES n. m. Épouvantail destiné à éloigner les corneilles mais aussi les oiseaux en général, d'une pièce de terre qu'on vient de semer, ou des arbres fruitiers. [+++]

PEUT-ON! exclam. Exclamation d'une personne qui entend ou qui voit quelque chose d'insolite, d'incroyable.

PEUTONNER v. tr. Voir : **pétouner**.

PHARMACIE n. f. Établissement où les produits pharmaceutiques occupent un espace restreint et où l'on peut trouver de tout : aliments, produits d'entretien, sacs de plastique, etc.

PHYSIQUE adj. et adv. [#] Dur, durement. Les *Canadiens* (club de hockey) ont un jeu plus *physique*, jouent plus *physique* que les *Nordiques* (club de hockey).

PI, PIS adv. Puis, et.

PIACASSER, PLACASSER v. intr. **1.** Parler beaucoup, bavarder, parler comme une pie. Syn. : **piasser**. **2.** Gazouiller, piailler. Les oiseaux *piacassent*. Syn., voir : **piaquer**.

PIAILLER v. intr. Bougonner, rechigner, se plaindre sans arrêt. Syn., voir : **pétouner**.

PIANO n. m. **1.** Voir : **joueur de piano**. **2.** Fig. Sorte d'étendoir mobile supportant des fils de fer horizontaux et auxquels les pêcheurs de morue accrochent, par les hameçons, leurs lignes dormantes pour les faire sécher. Syn. : **éparoir**, **horse**, **prie-Dieu**.

PIANO-BOX n. m. **1.** Autrefois, voiture hippomobile à quatre roues, à un siège, de type boghei. (O 27-116) **2.** Autrefois, voiture d'hiver basse, du genre *traîne* (sens 1). (O 27-116)

PIAQUER v. intr. **1.** Gazouiller, piailler. Les oiseaux *piaquent*. Syn. : **cacasser**, **gargousser**, **jacasser**, **piacasser**, **placasser**, **turluter**. **2.** Faire entendre un bruit désagréable en mastiquant des aliments solides. Arrête donc de *piaquer*, les voisins vont t'entendre!

PIASSER v. intr. Parler beaucoup, bavarder. Syn. : **piacasser**.

PIASTRE, PIASSE n. f. [#] **1.** Appellation populaire et en perte de vitesse du *dollar* canadien. [+++] Syn., voir : **dollar**. **2.** *Faire la piastre* : gagner beaucoup d'argent. [+++] Syn., voir : **motton** (sens 2). **3.** *Mot à, de quarante piastres* : mot savant, grand mot. Tu nous fatigues avec tes *mots à quarante piastres*! [+++] **4.** *Avoir les yeux grands comme des piastres* : écarquiller les yeux en apprenant une nouvelle surprenante, (les piastres d'autrefois étaient rondes comme notre *huart*). [+++] Syn. : **cinquante cents** (sens 2). **5.** *Piastre ronde* : appellation du nouveau dollar en métal qui depuis 1988 remplace l'ancien billet de un dollar. [+++] Syn. : **huart**. **6.** *Baise-la-piastre* n. et adj. Avare, individu mesquin, près de ses sous. Syn., voir : **avaricieux**.

PIAULE n. f. Voir : **piole**.

PIC (À) loc. adj. **1.** Escarpé, abrupt. Ce côté-ci de la montagne est trop *à pic* pour y monter à pied. [+++] **2.** À forte pente. Une toiture *à pic*. **3.** Fig. Hautain, susceptible, irascible. [+++] **4.** Fig. Irritable, qui se met facilement en colère. [+++]

PIC-À-BOIS, PIC-DE-BOIS n. m. [#] Voir : **pique-bois**.

PICAILLON n. m. Vieux cheval maigre, haridelle. Syn., voir : **piton**.

PICAOUAC n. m. (Estrie) Voir : **véloneige traditionnel**.

PICASSE n. f. **1.** Ancre rudimentaire faite d'une pierre retenue dans un cadre de bois et servant à ancrer des filets de pêche. (E 9-132) **2.** Vieux cheval, maigre, haridelle. Syn., voir : **piton**.

PICASSOU n. m. Têtard de grenouille. *Picassou* deviendra grenouille. Syn., voir : **queue-de-poêlon**.

PICHENOLLE, PICHENOQUE, PICHENOTTE n. f. **1.** Chiquenaude, pichenette. Donner une *pichenotte* sur le nez de sa petite sœur. [+++] Syn. : **petuche** (sens 1). **2.** Jeu consistant à projeter, sur une table, de petites rondelles de bois à l'aide de *pichenottes* ou chiquenaudes. Jouer à la *pichenotte*. Syn. : **petuche** (sens 2).

PICHOU n. m. (amér.) **1.** Nom vulgaire du lynx du Canada. **2.** Mocassin. On chausse des *pichous* pour faire de la raquette. (E 27-116) **3.** Chausson de bébé de laine tricotée. Syn., voir : **patte**. **4.** Chausson, chausson de chalet ou chaussette de grosse laine renforcée d'une semelle rapportée, gros chausson d'étoffe. **5.** Chaussure de plage en caoutchouc constituée d'une semelle maintenue en place par un cordon passant entre le gros orteil et l'orteil voisin. Syn., voir : **sloune**. **6.** *Laid comme un pichou* : très laid. Personne très laide, difforme. Allusion non au *pichou*, lynx mais au *pichou* (sens 2) mocassin dont l'empeigne plissée n'est pas belle à voir. **7.** *Malin comme un pichou* : méchant comme un lynx. **8.** Terme d'affection que les adultes emploient en parlant à un petit enfant et dont *pichoune* est la forme féminine. Mon beau petit *pichou*, ma belle *pichoune*!

PICHOU-DE-LA-VIERGE n. m. Cypripède acaule, aussi appelé sabot de la vierge.

PICHOUILLE, PICHOUNE n. f. **1.** Garniture de tarte à base de mélasse, de farine et de raisins secs. Servir une tarte *à la pichoune*. [++] Syn., voir : **ferlouche**. **2.** Terme affectif. Forme féminine de *pichou* (sens 8).

PICKAROON n. m. (angl. pickaroon) [Ø] Voir : **gaffe de drave**.

PICKMAN n. m. (angl. pickman) [Ø] Bielle de la faucheuse à foin qui communique un mouvement de va et vient à la faux. Syn., voir : **tournebroche**.

PICKPOLE n. f. (angl. pickpole) [Ø] Voir : **gaffe de drave**.

PICKRELL, PIQUERELLE n. f. (angl. pickrell) [Ø] Traîneau d'enfant. Anglicisme à peu près disparu.

PICK UP n. m. (angl. pick up) [Ø] **1.** Tourne-disque. Anglicisme presque disparu. **2.** Camionnette comportant une cabine pour le conducteur et une caisse ouverte pour ce qu'on transporte.

PICOCHER v. tr. et intr. **1.** Picoter, becqueter, donner des coups de bec. Les oiseaux ont *picoché* les pommes, les poules picochent dans le sable. Syn. : **picosser** (sens 1). **2.** Fig. Taquiner, faire des allusions piquantes, lancer des piques. Syn., voir : **attiner**.

PICOCHEUX, EUSE adj. et n. Fig. Qui taquine par des allusions piquantes, des pointes, des piques. Syn., voir : **attineux**.

PICOCHINE n. f. Bonbon rond à la menthe, strié de différentes couleurs. (Lanaudière) Syn. : **marleau**.

PICONOU n. f. (amér.) Variété de carpes de l'Ouest.

PICOSSER v. tr. **1.** Picoter. Les oiseaux ont *picossé* les pommes. Syn. : **picocher** (sens 1). **2.** Faire des entailles à une bille de bois à équarrir en utilisant une *picosseuse*, hache à deux tranchants, pour en faciliter l'équarrissage qui sera fait à l'aide d'une *hache à équarrir* à tranchant unique et large. Syn. : **piquer**. **3.** Fig. Taquiner quelqu'un. Syn., voir : **attiner**.

387

PICOSSEUSE n. f. Hache à deux tranchants, hache bipenne dont on se servait pour préparer une bille de bois à équarrir, la *hache à équarrir* à tranchant unique et large devant être utilisée pour faire l'équarrissage. Syn. : hache à deux **taillants**.

PICOSSEUX n. m. Ouvrier qui entamait une bille de bois à équarrir en utilisant une hache à deux tranchants (appelée *picosseuse*) pour en faciliter l'équarrissage. Syn. : **piqueux**.

PICOSSEUX, EUSE adj. et n. Fig. Taquin, qui aime taquiner. Syn., voir : **attineux**.

PICOT n. m. **1.** Maladie de la peau qui provoque de vives démangeaisons. **2.** Pois ou points sur un tissu. Mouchoir rouge avec *picots* blancs.

PICOTE n. f. **1.** Vx en fr. *Grosse picote* : variole. **2.** *Petite picote, picote volante* : varicelle. **3.** *Picote noire* : variole hémorragique.

PICOTÉ, E adj. **1.** Marqué de petite vérole, de variole. Un visage *picoté* comme un moule à plomb. [+++] **2.** Tacheté. Une vache *picotée*. [+] Syn., voir : **caille**.

PICOUILLE, PIGOUILLE n. f. Vieux cheval, haridelle. (O 27-116) Syn., voir : **piton**.

PICOUNE n. f. Espèce de sauce faite de farine et d'eau dans laquelle on avait fait dessaler du lard salé et que l'on servait aux bûcherons le matin. (Saguenay). Syn. : **poche** (sens 16).

PICUITE n. f. [#] *Pituite.* Brûlements d'estomac.

PIE n. f. Nom du geai bleu et du geai gris. [+++]

PIÈCE n. f. **1.** *Pièce sur pièce* : procédé de construction consistant à monter un mur à l'aide de billes de bois équarries se chevauchant les unes les autres. [+++] **2.** Une *pièce* de brebis, deux *pièces* de bêtes à cornes : une brebis, deux bêtes à cornes. (acad.)

PIED n. m. **1.** Mesure de longueur valant douze *pouces*, soit 30,48 cm. **2.** *Pied-de-fer* : appui constitué d'un croisillon supportant un poteau, sur lequel le forgeron met le sabot du cheval lors du ferrage. Syn. : **mounichon, trépied**. **3.** *En pieds de bas, à pied de bas* : en chaussettes. Aussitôt qu'il rentre de son travail, il enlève ses chaussures; il passe ensuite la soirée *en pieds de bas*. **4.** *Pied-de-bœuf* : pied-bot. Syn. : **pied-de-cheval, pied-de-veau. 5.** *Pied-de-cheval.* a) Pied-bot. [+] Syn., voir : **pied-de-bœuf.** b) Nénuphar à fleurs panachées; grand nénuphar jaune. [+] Syn. : **pied-d'orignal. 6.** *Pied-de-roi* : règle pliante graduée en *pieds, pouces* et *lignes,* mesurant deux ou trois *pieds* et que les menuisiers et les charpentiers gardent dans une pochette étroite cousue sur la jambe droite de leur salopette de travail. [+++] **7.** *Pied-de-veau* : pied-bot. Syn., voir : **pied-de-bœuf. 8.** *Pied-de-vent* : rayon de soleil qui filtre à travers les nuages ou petits nuages allongés apparaissant surtout au coucher du soleil et qui annonce du vent. (O 36-86) **9.** *Pied-d'orignal* : nénuphar à fleurs panachées. Syn. : **pied-de-cheval** (sens 5b). **10.** *Pieds-d'ours.* Voir : **pattes-d'ours. 11.** *Pied du courant* : le port de Montréal, aménagé en aval des rapides de Lachine. Syn. : **bord de l'eau. 12.** *Pied-plat* : appellation moqueuse des *draveurs* qui n'allaient pas sur les billes flottantes mais qui faisaient la *sweep,* le ramassage des billes restées sur le rivage d'un cours d'eau. **13.** *Chemin de pied* : sentier. **14.** Fig. *Avoir les pieds ronds* : être ivre, dans un état d'ébriété avancée. [++] Syn. : **plein**

comme un œuf, rond comme un œuf. 15. Fig. *Avoir les deux pieds dans la même bottine.* [+++] Voir : **bottine. 16.** Fig. Avoir les quatre pieds blancs : se tirer d'une affaire la conscience tranquille. **17.** Fig. *Se mouiller les pieds* : boire à l'excès, s'enivrer. [+++] Syn., voir : se mouiller la **dalle**.

PIÈGE À OURS n. m. **1.** Fig. Traquenard, piège. Un autre médecin a été victime d'un *piège à ours* : il a délivré un certificat médical à un faux assisté social envoyé par la police. [++] **2.** (Angl. Bear trap) [Ø]. Variété de vanne à contrôle automatique installée à la décharge d'un lac.

PIÉGEAGE n. m. Action de piéger les animaux à fourrure.

PIÉNA adj. Se dit d'une femme casse-pieds, et par surcroît non attirante.

PIERRE n. f. **1.** *Pierre de hêtre, pierre en chêne bleu* : plaquette de hêtre ou de chêne qui a longtemps séjourné dans l'eau et qui est utilisée comme pierre à rasoir. **2.** *Pierre à yeux* : grain de sable de mer, conservé dans le vinaigre et qui sert à enlever une poussière de l'œil. **3.** *Tomber en pierre* : frapper sans mettre le feu, mais tout briser en parlant de la foudre, du *tonnerre*. [+++] **4.** *Pierre à moulange* : pierre meulière.

PIERROT ET JACQUOT n. pr. Pierre, Jean, Jacques; n'importe qui. Ne pas se fier à *Pierrot et Jacquot*.

PIERROTÉ, E adj. *Puits pierroté* : puits rond à parois maçonnées, par opposition au *puits carré* à parois de bois. (O 27-116)

PIÉTER (SE) v. pron. **1.** Fig. en fr. Faire un effort pour réussir, se surpasser. Si tu veux finir à temps, tu dois *te piéter*. Syn. : se **planter. 2.** Fig. Se mettre beau, sur son trente et un, s'habiller avec recherche. Syn., voir : se **pimper**.

PIÉTONNER v. tr. et intr. **1.** Piétiner, fouler aux pieds. Ce sont les enfants qui ont *piétonné* la neige dans la cour de l'école. [++] Syn., voir : **piloter. 2.** Fig. Travailler avec une lenteur désespérante.

PIÉTONNEUX, EUSE n. et adj. **1.** Qui fait l'action de *piétonner*, de piétiner. **2.** Fig. Personne qui travaille très lentement.

PIÉTONNIER, ÈRE n. Piéton. Les *piétonniers* aiment déambuler dans les rues piétonnes. [+]

PIEU n. m. **1.** Perche horizontale de la clôture de perches. (E 25-117) Syn., voir : **boulin. 2.** *Pieu à coulisse* : dans les anciennes constructions, pieu rainuré destiné à recevoir des madriers horizontaux. Syn. : **poteau à coulisse. 3.** Argot. Allumette de bois.

PIF n. m. Sifflet. Les enfants aiment fabriquer des *pifs*. (acad.) Syn. : **sublet**.

PIGEON, ONNE adj. et n. Jaloux. Depuis qu'il est marié, il est *pigeon*! Et elle, une vraie *pigeonne*!

PIGEON n. m. **1.** *Pigeon de mer* : guillemot noir. **2.** *Pigeon voyageur* : tourterelle triste.

PIGER v. tr. [#] **1.** Tirer, puiser. Aller *piger* de l'eau au puits. Syn., voir : **haler. 2.** Tirer une carte au hasard, piocher. Bon, maintenant, c'est à ton tour de *piger*. [+++]

PIGNOCHE, PINOCHE n. f. **1.** *Pignoche de sucre d'érable* : pain de sucre d'érable en forme de meule de foin, de cône. Syn., voir : **meule de sucre. 2.** Chiquenaude.

PIGOU n. m. **1.** Tisonnier. (acad.) Syn. : **crosse, four-gaillon, pokeur. 2.** Petit poinçon dont se servent les pêcheurs pour écarter les torons de la ligne de fond pour y

389

attacher les échampeaux. Syn. : **épissoir**. **3.** Espèce d'ancre à une patte. (acad.)

PIGOUILLE n. f. Voir : **picouille**.

PIGOUILLER v. tr. **1.** Tisonner à l'aide d'un *pigou*. *Pigouiller le feu pour l'aviver*. (acad.) Syn. : **achaler**, **attisonner**, **brasser**, **fourgailler**. **2.** Fig. Chatouiller. *Aimer se faire pigouiller dans le cou*. (acad.) **3.** Fig. Taquiner. *Arrête de pigouiller ta petite sœur!* (acad.) Syn., voir : **attiner**.

PIGOUNE n. f. Mets de pêcheurs côtiers à base de poissons, de pommes de terre, d'oignons et de lard salé. Syn., voir : **binegingo**.

PIGRAS n. m. **1.** Boue détrempée, gluante. (E 30-100) Syn. : **bouette**, **magonne**, **vase**. **2.** Traces laissées sur le plancher. (E 30-100) **3.** Saleté, malpropreté en général.

PIGRASSAGE n. m. Action de *pigrasser*. (E 30-100) Syn. : **pilasse**.

PIGRASSER v. tr. et intr. **1.** Patauger dans la boue, le *pigras*. (E 30-100) Syn. : **flacoter**, **flacosser**, **placosser**, **placoter**. **2.** Salir. *Pigrasser le plancher avec des chaussures pleines de boue*. (E 30-100) Syn. : **piloter** (sens 2). **3.** Fig. Faire de menues besognes, perdre son temps. (E 30-100) Syn., voir : **bretter**. **4.** Fig. Jouer avec la nourriture qui est dans son assiette, en parlant d'un enfant. (E 30-100)

PIGRASSEUX, EUSE n. Personne qui fait l'action de *pigrasser*. (E 30-100)

PIGRASSEUX, EUSE adj. Boueux. *Chemin pigrasseux*. (E 30-100) Syn. : **bouetteux**, **vaseux**.

PIJOUNE, PIGEOUNE n. f. **1.** Tisane faite à partir d'herbes ou de racines médicinales et employée en médecine populaire et en médecine vétérinaire. (acad.) **2.** Boisson chaude à base d'alcool, grog qu'on absorbe quand on est grippé ou quand on arrive du froid. (acad.) Syn., voir : **ponce**.

PIJOUNER, PIGEOUNER v. tr. Soigner les humains ou les animaux avec de la *pijoune*. (acad.)

PILAGE n. m. Action d'empiler, empilement. *Passer sa journée à faire le pilage de madriers*.

PILASSAGE n. m. **1.** Action de piétiner, de fouler aux pieds de *pilasser*. **2.** Le fait de perdre son temps, de travailler sans résultat visible.

PILASSE n. f. Trace de pas, empreinte laissée sur un parquet. (E 22-124) Syn. : **pigrassage**.

PILASSER v. tr. et intr. **1.** Piétiner, fouler aux pieds. *La terre est pilassée près de la maison*. (E 22-124) Syn., voir : **piloter**. **2.** Fig. Perdre son temps, travailler sans résultat visible. Syn., voir : **bretter**.

PILÉ, E p. adj. En purée, réduit en purée. *Pommes de terre pilées* : purée de pommes de terre.

PILER v. tr. et intr. **1.** [#] Empiler, mettre en pile. *Piler des planches au grand air pour les faire sécher*. **2.** Marcher sur, mettre le pied sur. *Piler sur la robe de la mariée*. [+++] **3.** Fig. Économiser, amasser de l'argent. *Le contraire de piler est dépiler*. [++] Syn. : **piloter**. **4.** Fig. *Piler sur la queue de la chatte* : être parrain ou marraine pour la première fois.

PILLER v. tr. Couper les plus beaux arbres et laisser les autres.

PILOT n. m. **1.** Tas de terre, de fumier, de foin, de neige, etc. (acad.) **2.** Petite pile de bois. (acad.) **3.** Pile de linge. (Charsalac) **4.** *Aller faire son pilot* : faire ses besoins. (acad.) Syn., voir : faire son **tas**.

PILOTAGE n. m. Action de piétiner, de *piloter*. Pas de *pilotage* sur mon plancher que je viens de laver!

PILOTE n. m. (angl. pilot lamp) [Ø] Veilleuse, lampe témoin.

PILOTER v. tr. et intr. **1.** Piétiner, fouler aux pieds. *Piloter* la neige pour établir un sentier. [+++] Syn. : **pilasser**, **piétonner**. **2.** Salir un plancher qui vient d'être lavé et y laisser des traces. [+++] Syn. : **pigrasser** (sens 4). **3.** Fig. Perdre son temps, travailler sans résultat visible. [++] Syn., voir : **bretter**. **4.** Fig. Augmenter. Quelques dollars de côté chaque jour, ça finit par *piloter*. (acad.) Syn. : **piler**.

PILOTEUR, PILOTEUX, PILOTIS n. m. Autrefois, trépigneuse actionnée par des bœufs ou des chevaux que l'on faisait marcher sur un pavé incliné et roulant. (E 20-127) Syn., voir : **horse-power**.

PILOTIS, APILOTIS n. m. Amoncellement de glaces lors de la débâcle ou de neige lors d'une *poudrerie*. Mot de la famille de *pilot* tas. (acad.)

PILULE, PILUNE, PINUNE n. f. **1.** *Pilules rouges* : autrefois pilules de couleur rouge destinées aux femmes pâles et déprimées. [+++] **2.** Fig. *Prendre sa pilule* : supporter un déplaisir, un affront, sans protester, avaler la pilule.

PIMBINA, PEMBINA (amér.) Viorne comestible et viorne trilobée dont le fruit, appelé également *pimbina*, sert à faire de la gelée. Mot très fréquent dans la toponymie du Québec. [+++]

PIMER v. tr. (angl. to pimp) [Ø] Entretenir, soutenir; se faire entretenir.

PIMP, PIME n. m. (angl. pimp) [Ø] Homme qui vit de la prostitution, entremetteur, souteneur.

391

PIMPER (SE) v. pron. Se toiletter, se mettre beau, élégant. Syn. : **se fiérer**, se mettre sur son **trente-six**, **quarante et un**, **quarante-cinq**, **quarante-six**, se **piéter** (sens 2).

PIN n. m. **1.** *Pin à corneilles* : pin dont la tête a été cassée par le vent et où les corneilles font volontiers leurs nids. **2.** *Pin blanc* : pin strobus ou de Weymouth. **3.** *Pin gris* : pin de Banks, pin divariqué. [++] Syn. : **cyprès**. **4.** *Pin jaune* : pin de Banks. **5.** *Pin rouge* : pin résineux. *Pin rouge* est très fréquent dans la toponymie du Québec.

PINAGE n. m. Fig. Action de *piner*, de lancer des pointes ironiques à quelqu'un.

PINANT, E adj. Fâchant, frustrant. C'est *pinant* de toujours se faire damer le pion. [+++] Syn., voir : **bougrant**.

PINARDELLE n. f. Vulg. Acte conjugal. Faire la *pinardelle*. Syn., voir : **peau** (sens 5).

PINCE n. f. **1.** *Pinces à broche* : pinces universelles, utilisées pour sectionner la *broche* ou fil de fer. [+++] **2.** *Pinces-grippe* (angl. grip) [Ø] : pinces-étau à blocage et verrouillage automatiques. **3.** *Pinces d'un canot* : les deux extrémités effilées d'un *canot* d'écorce.

PINCETTE n. f. *Bec à la pincette, en pincette* : baiser que l'on donne à un enfant tout en lui pinçant les deux joues. [+++]

PINE n. f. **1.** (Angl. pin) [Ø]. Esse empêchant une roue de sortir de l'essieu. (O 25-117) **2.** (Angl. pin) [Ø]. Cheville de bois des anciennes clôtures. [+++] **3.** (Angl. pin) [Ø]. Dent de herse en fer ou en bois. [+++] **4.** (Angl. pin) [Ø]. Cheville du joug à bœuf d'autrefois. **5.** Vulg. Organe de copulation de l'homme ainsi que de certains animaux. Syn. : **affaire**, **bisoune** (sens 2), **bitte**, **bringueballe** (sens 2),

carotte (sens 5), **graine** (sens 3), **gréement, guenin, pinouche** (sens 2), **pissette** (sens 2), **pitoune** (sens 7), **pissou** (sens 2), **queue** (sens 2), **souris. 6.** Atteloire pénétrant dans les trous du brancard. Atteler à la *pine* et non aux traits. Syn., voir : **feton. 7.** Vieux cheval, haridelle. Syn., voir : **piton. 8.** Petite barque de pêche utilisée par les pêcheurs côtiers du Golfe. **9.** *Pine de drave* : longue et forte chaloupe à fond plat utilisée pour la *drave* et dont la proue est relevée pour mieux sauter les rapides. Syn. : **alligator, barge de drave, boat de drave, bonne, chienne, pointeur, têteux. 10.** *À la pine* : au plus vite, le plus rapidement possible. Se rendre sur un lieu d'accident *à la pine*. Syn., voir : **pinouche. 11.** Fig. Pointe, moquerie, taquinerie. Arrête donc de lui lancer des *pines*. [+++] Syn., voir : **flagosse.**

PINER v. tr. **1.** Fam. en fr. Coïter, faire l'amour. [+++] Syn., voir : **peau** (sens 5). **2.** (Angl. to pin) [Ø]. Accrocher une remorque derrière un tracteur, une automobile. **3.** Fig. Décocher des pointes ironiques à l'endroit de quelqu'un. *Piner* quelqu'un qu'on n'aime pas. [+++] Syn., voir : **flagosser.**

PINERAIE n. f. Rare en fr. Bois, plantation de pins, pinède. Syn. : **pinière.**

PINEREAU n. m. Fig. Dans les chantiers forestiers, pièce occupée par le cuisinier et sa femme, les bûcherons eux, étant seuls. (Charsalac)

PINERIE n. f. *Être habillé à la pinerie* : être mal habillé, mal fagoté.

PINGOUIN ORDINAIRE, PINGOUIN n. m. Oiseau de mer de la famille des Alcidés, gode (n. m.).

PINIÈRE n. f. **1.** Rare en fr. Terrain où poussent des pins, pinède. [+++] Syn. : **pineraie. 2.** Fig. Travail dur et harassant. Défricher, c'est une vraie *pinière*. Syn., voir : **tuasse.**

PINNE n. f. *Poisson*. Nom vulgaire du dard-perche ou fouine.

PINOCHE, PIGNOCHE n. f. **1.** Pain de sucre d'érable en forme de meule de foin, de cône. Syn., voir : **meule de sucre. 2.** Poignée fixée à une bouée de pêcheur et qui en facilite la récupération.

PINOTTE n. f. (angl. peanut) [Ø] Voir : **peanut.**

PINOUCHE n. f. **1.** Petite *pine* ou cheville de fer ou de bois. **2.** Vulg. Organe de copulation de l'homme et de plusieurs animaux. Syn., voir : **pine** (sens 5). **3.** *Partir rien que sur une pinouche* : partir rapidement, à toute allure. Syn. : **coup de fusil, fripe, gosse, patte, peanut, pine, runneur.**

PINTE n. f. **1.** *Pinte anglaise* : contenant valant un quart du *gallon* anglais ou impérial, soit deux *chopines*, ou 1,136 L. [+++] Syn. : **quart** (mot anglais prononcé à l'anglaise). **2.** *Pinte américaine* : contenant valant un quart du *gallon américain*, soit 0,931 L. **3.** *Pinte à eau*. Voir : **grande tasse à eau.**

PINTURON, PATURON n. m. Gros champignon qui pousse sur le tronc d'un arbre vieillissant mais encore debout. (E 30-100)

PINUNE n. f. [#] Pilule.

PIOCHE n. f. **1.** Binette d'autrefois servant à désherber. **2.** Fig. *Tête de pioche* : individu têtu, qui n'en fait qu'à sa tête. [+++]

PIOCHÉ n. m. Essart non encore labouré.

PIOCHER v. intr. **1.** Vx en fr. Travailler, étudier avec ardeur. Il va réussir ses examens s'il continue *à piocher*. **2.** Piaffer en parlant d'un cheval qui indique par son piaffage qu'il veut s'en aller.

PIOCHON n. m. **1.** Épi de maïs mal formé, resté petit. [++] Syn. : **bougon** (sens 2), **épiochon**. **2.** Fig. Vieux cheval, haridelle. (O 25-117) Syn., voir : **piton**. **3.** Fig. Individu propre à rien, vaurien. Syn., voir : **tramp**.

PIOLE, PIAULE n. f. **1.** Grande quantité. Prendre une *piole* de morues. (E 9-132) **2.** Moment, heure, époque favorable pour la capture des poissons. (E 9-132) **3.** Fig. *Avoir sa piole* : être ivre. (E 9-132) Syn., voir : être **chaud**.

PIOUI, PIWI n. m. (amér.) Duvet des plumes d'oiseaux utilisé pour les oreillers. (acad.)

PIPE n. f. **1.** Ancienne mesure de distance des coureurs de bois (4 à 6 km) encore en usage. De tel endroit à tel autre endroit, il y a cinq *pipes* : on s'arrêtera cinq fois, le temps de fumer une pipe et de se reposer. Syn. : **pipée** (sens 2). **2.** Très longue distance. De Québec à Blanc-Sablon, il y a une *pipe*! [+++] Syn., voir : **mèche**. **3.** *Pipe croche* : pipe dont le tuyau n'est pas droit. Syn. : **calabash**. **4.** *Mets ça dans ta pipe!* À la fin d'une discussion, c'est ce que se fait dire celui qui est à court d'arguments, qui n'a plus rien à répondre. **5.** Fig. *Casser sa pipe* : manquer son coup, subir un échec. Il a essayé de traverser le lac à la nage, mais il a *cassé sa pipe*. [+++] **6.** Fig. *Tirer la pipe à quelqu'un* : agacer, taquiner quelqu'un. Syn., voir : **attiner**. **7.** (Angl. pipe) [Ø] a) Lance d'un boyau d'incendie. b) Tuyau servant de conduit pour l'eau ou le gaz. [++]

PIPÉ, E adj. Piqué par les vers, vermoulu. Du bois *pipé*.

PIPÉE n. f. **1.** Rare en fr. Contenu d'une pipe. Fumer une *pipée* de tabac canadien, de parfum d'Italie, de Quesnel. [+++] **2.** *Attendre une pipée* : attendre longtemps. Syn., voir : **mèche** (sens 1). **3.** Longue distance. L'Abitibi c'est à une *pipée* de Montréal. Syn., voir : **mèche**.

PIPER v. tr. Commander un cheval en produisant avec les lèvres un bruit semblable à celui qu'on fait en aspirant un liquide.

PIPERIE n. f. *Magasin général* d'autrefois à la campagne, où se réunissaient les retraités, les vieux, pour parler du temps passé tout en fumant une bonne pipe.

PIPETTE n. f. *Être en pipette* : être fâché contre quelqu'un. (acad.)

PIPEUX, EUSE n. Fumeur de pipe inconditionnel. Depuis longtemps, les *pipeux* ne peuvent pas fumer dans les avions.

PIPIQUE, PÉPIQUE n. m. Chardon. (O 27-116) Syn. : **piquant**, **piqueux**.

PIPISSE, PÉPISSE n. m. [#] Pipi. As-tu fait ton beau petit *pipisse?*

PIQUANT n. m. **1.** Bardane, plante et capitules. Syn., voir : **grakia**. **2.** Chardon. Syn., voir : **pipique**.

PIQUE n. **1.** Bâton muni d'une pointe de fer pour piquer les bœufs, aiguillon. Syn. : **piquoir**. **2.** Donner plus de *pique* en labourant : donner plus d'entrure à la charrue, labourer plus profondément. [+++] **3.** Fig. *Prendre du pique* : affirmer son caractère, sa personnalité, en parlant d'une jeune personne. **4.** Vx en fr. Brouille, chicane, prise de bec. Avoir une *pique* avec quelqu'un.

393

PIQUÉ n. m. Alèze piquée, protège-matelas que l'on emploie dans les lits d'enfants. [+++]

PIQUE-BOIS, PIC-À-BOIS, PIQUE-DE-BOIS n. m. Appellations populaires des sept espèces de pic communes au Québec. [+++] Syn., voir : **pivert**.

PIQUER v. tr. et intr. **1.** Entailler, entamer les grumes à équarrir en utilisant une bipenne, *hache à deux tranchants* appelée *picosseuse*, pour en faciliter l'équarrissage. Syn. : **picosser**. **2.** Ouvrir avec un couteau pointu le ventre de la morue à saler ou à faire sécher. **3.** Donner plus d'entrure, plus de *pique* à la charrue en labourant. **4.** *Piquer au plus court.* a) Prendre le chemin le plus court. b) En finir au plus tôt, en venir au fait. **5.** *Piquer une jase.* Voir : **jase**. **6.** *Piquer une jasette.* Voir : **jasette**. **7.** Fig. Vx en fr. Blesser, irriter quelqu'un par ses propos. Syn., voir : **piner**. **8.** Fig. *Piquer quelqu'un dans le gras, dans le maigre* : le blesser à vif par ses propos. Syn., voir : **plagosser**.

PIQUERELLE n. f. (angl. pickrell) [Ø] Voir : **pickrell**.

PIQUERIE n. f. Endroit où certains habitués de la drogue se réunissent pour des séances de piquage à la seringue.

PIQUERON n. m. **1.** Élévation, colline. Il y a un *piqueron* là-bas. Syn., voir : **button**. **2.** Butte de neige entre les deux ornières d'un *chemin double.* (Lac–Saint-Jean) Syn. : **relais** (sens 2).

PIQUET n. m. **1.** Pieu dont l'un des bouts est pointu et fiché en terre. **2.** Poteau fixé aux bouts des sommiers du *bobsleigh.* Syn., voir : **épée**. **3.** *Piquet à mains* : piquet d'une clôture temporaire pour lequel on ne creuse pas, un trou fait à la pince suffit, et que l'on enfonce à la masse. **4.** Fig. *Planter le piquet* : jeu de garçons consistant à se tenir sur la tête, les pieds en l'air. **5.** Fig. *Planter des piquets* : somnoler assis dans un fauteuil, en faisant avec la tête des mouvements de haut en bas et de bas en haut. Syn. : **cogner des clous** (sens 3).

PIQUETAGE n. m. Surveillance exercée par un piquet de grève pour empêcher les briseurs de grève de pénétrer dans les locaux de travail, action de *piqueter.* [+++]

PIQUETER v. intr. Faire du *piquetage*, participer à un piquet de grève. [+++]

PIQUETEUR, EUSE n. Piquet de grève, gréviste qui fait le piquet. [+++]

PIQUEUR n. m. **1.** Pêcheur dont la fonction est de *piquer* la morue, de l'éviscérer. **2.** *Piqueur de gomme* : personne qui récolte la *gomme* ou résine de certains conifères. Syn. : **gommeur**, **ramasseur de gomme**.

PIQUEUR, PIQUEUX n. m. **1.** Chardon vulgaire. [++] Syn., voir : **pipique**. **2.** Ouvrier qui entame une bille de bois à équarrir en utilisant une bipenne, *hache à deux tranchants* pour en faciliter l'équarrissage qui se fera à la *grand'hache.* Syn. : **picosseux**.

PIQUIOU n. m. [#] Prononciation volontairement anglaise de *PQ*, sigle du *Parti québécois.* Voir : **québécois** (sens 4).

PIQUOIR n. m. **1.** Bâton muni d'une pointe de fer pour piquer les bœufs, aiguillon d'autrefois. (E 22-124) Syn., voir : **pique**. **2.** Espèce de gaffe servant à déplacer la morue.

PIRE adj. **1.** Mauvais. Ce gâteau n'est pas *pire*. **2.** *Pire que pire* : très mauvais. Le temps est *pire que pire*. [+++] **3.** *Pas pire, pas trop pire* : assez bien, pas mal. Il a été très malade, mais maintenant il va *pas pire*. [+++] **4.** Pis. Les affaires vont de mal en *pire*. [#] **5.** *Pire-aller* : pis-aller. Le mettre en pension, ce serait un *pire-aller*. [#] **6.** *Tant pire* : tant pis.

PIROCHE, PIROUCHE n. f. **1.** Oie femelle. (Charsalac) Syn. : **pironne**, **piroune**. **2.** Canard femelle, cane.

PIRON n. m. **1.** Oison, petit de l'oie. (Charsalac et acad.) **2.** Jeune canard.

PIRONNE, PIROUNE n. f. Oie femelle. (acad.) Syn. : **piroche**, **pirouche**.

PIROUCHE n. f. Voir : **piroche**.

PIROUETTE n. f. Voir : **véloneige traditionnel**.

PIROUYS n. m. Gibier à plumes appelé aussi chevalier. (Bas Saint-Laurent)

PIS n. m. **1.** Fig. *Faire son pis* : se décider, cesser d'être hésitant. (O 34-91) Syn. : **ameiller**, **ameuiller**, faire son **per**, faire son **remeuil**. **2.** Fig. *Pis de vache* : en menuiserie, planche horizontale placée sous le plateau d'une table et représentant des groupes de quatre demi-cercles faisant penser à un pis de vache avec ses quatre trayons.

PIS adv. Puis. Certains locuteurs ont la mauvaise habitude de parsemer leur discours de *pis... pis... pis.*

PISCINIER n. m. Entrepreneur spécialisé dans l'installation et la maintenance de piscines creusées ou hors terre.

PISIKIOU n. m. (amér.) Bison.

PISQUE n. m. Clangula ou Bucéphale d'Amérique, canard caille.

PISSAT n. m. Urine des humains.

PISSE-AU-LIT n. Voir : **pissenlit**.

PISSENLIT n. Vx en fr. Enfant qui mouille son lit. [+++] Syn. : **pisse-au-lit**, **pissoux**.

395

PISSER v. intr. **1.** Couler en parlant de la sueur. J'ai chaud, l'eau me *pisse* dans le dos. [+++] **2.** Fig. *Pisser dans ses culottes* : avoir très peur. [+++]

PISSETTE n. f. **1.** Atteloire pénétrant dans les trous du brancard. Atteler à la *pissette*. Syn., voir : **feton**. **2.** Vulg. Organe de copulation chez l'homme et chez certains animaux. Syn., voir : **pine** (sens 5). **3.** Argot. *Pissette de Bloke* : saucisse qui revenait souvent au menu des soldats canadiens en Angleterre avant le débarquement du 6 juin 1944.

PISSEU, PISSOU n. m. Sizerin flammé.

PISSEUSE n. f. Blason populaire. Sobriquet donné aux Religieuses. [+++] Syn. : **Capine**, **Corneille**, **Cornette**.

PISSEUX, EUSE adj. **1.** Humide, qui sèche mal, en parlant d'un terrain. Syn. : **mouilleux**, **pissoux**. **2.** Poltron, froussard, peureux. Lui, il est *pisseux*, c'est un *pisseux*. Syn. : **pissoux** (sens 2)

PISSOU n. m. **1.** Vulg. Organe de copulation chez l'homme et certains animaux. Syn., voir : **pine** (sens 5). **2.** *Pissou, pisseux, petit pisseux* : sizerin flammé. (Région de Québec) **3.** Voir : **pea-soup**.

PISSOUX, OUSE adj. et n. **1.** Enfant qui mouille son lit. [+++] Syn., voir : **pissenlit**. **2.** Lâche, poltron, peureux. [+++] Syn. : **pisseux** (sens 2). **3.** Humide, qui sèche mal en parlant d'un terrain Syn., voir : **pisseux** (sens 1).

PISTE n. f. **1.** *Prendre la piste à pataud* : fuir, rentrer chez soi par le chemin le plus court après une défaite suite à une querelle entre jeunes garçons. **2.** *Faire la piste du chat* : essayer de réunir le bout de ses cinq doigts pour savoir si on a les doigts gelés, si on a l'onglée.

PISTOLOIS, E n. et adj. Gentilé. Natif ou habitant de Trois-Pistoles, dans le Bas-Saint-Laurent; de Trois-Pistoles.

PISTOLET n. m. *Être en pistolet* : être irrité, fâché, de mauvaise humeur.

PISTRINE n. f. Alcool de fabrication domestique, de mauvaise qualité. [++] Syn., voir : **bagosse**.

PISTROUNE n. f. Femme légère, coureuse, prostituée. (acad.) Syn., voir : **guidoune**.

PIT n. m. (angl. pit) [Ø] **1.** *Pit de sable* : sablière, carrière de sable, banc de sable. [+++] **2.** *Pit de gravier, de gravelle, de gravois* : carrière ou banc de gravier, gravière. [+++] **3.** Puits de mine.

PITBULL n. m. (angl. pitbull) Tout chien d'attaque ou de combat.

PITCHER v. tr. (angl. to pitch) [Ø] Lancer n'importe quoi, un caillou, une balle. Anglicisme en perte de vitesse. [++] Syn. : **garrocher**.

PITE n. m. Voir : **pitou** (sens 1).

PITHOOK n. m. Voir : **pitouque**.

PITMAN n. m. (angl. pitman) [Ø] Bielle de la faucheuse mécanique qui communique le mouvement à la faux. (O 38-84) Syn., voir : **tournebroche**.

PITON n. m. **1.** Bon, jeton, monnaie de carte qu'on pouvait échanger contre leur valeur en argent ou en marchandise. Les entrepreneurs forestiers ainsi que les acheteurs de morue ont longtemps fait usage de *pitons*. **2.** [#] Patte. Chaudron à *pitons*, à trois *pitons*. **3.** Bouton d'une sonnette, d'un commutateur, touche d'une calculatrice. [+++] **4.** Vieux cheval, haridelle. [+++] Syn. : **cheval de quêteux, pécaud, péquot, picasse, picouille, pigouille, piochon, pourrillon**. **5.** Arg. scol. Jeune garçon rangé, aux études secondaires. Son pendant féminin est *gougoune*. **6.** Fig. *Avoir l'esprit de piton* : avoir l'esprit de contradiction (allusion au commutateur électrique à bascule). **7.** Fig. *Être sur le piton* : être de bonne humeur, en pleine forme physique. [+++]

PITONNAGE n. m. En parlant du téléspectateur, l'action de *pitonner*, de changer fréquemment de chaîne à l'aide de sa télécommande, de faire du *saute-boutons* (suggéré par Radio-Canada), du *saut de chaîne* ou du *saut*. Syn. : **saut, saut de chaîne, saute-boutons, zappage**.

PITONNER v. tr. et intr. **1.** Faire des opérations mathématiques avec une calculatrice. Si les jeunes ne savent plus le calcul mental, ils savent *pitonner*. **2.** Mettre sur ordinateur à partir d'une console. Les opérateurs de clavier *pitonnent* un texte en un rien de temps. [+++] **3.** Changer de canal à la télévision. On peut *pitonner* par télécommande si un programme ne plaît pas. [+++] Syn. : **zapper**.

PITONNEUR, PITONNEUX, EUSE n. Personne qui fait l'action de *pitonner*. Syn. : **zappeux**.

PITOU, PITE n. m. **1.** Terme affectif utilisé quand on s'adresse à un enfant, à un ami chéri, voire à son mari. Une fiancée dira à son fiancé : «Viens que je t'embrasse, mon *pite* ou mon *pitou*». Un homme dira : «Viens ma *pitoune* chérie!» **2.** Chien de petite taille. As-tu vu la belle femme avec son *pitou* en laisse?

PITOUNE n. f. **1.** Femme grosse, bien en chair. J'ai vu Untel avec sa *pitoune*. Syn., voir : **toutoune**. **2.** Femme facile, aux mœurs légères. Syn., voir : **guedoune**. **3.** Terme affectif à l'endroit d'une petite fille ou d'une jeune fille. Viens que je t'embrasse, ma belle *pitoune*! [+++] **4.** Alcool de fabrication domestique. Syn., voir : **bagosse**. **5.** *Pitoune de quatre pieds*, *pitoune* : bille de bois de quatre *pieds* de longueur destinée à la fabrication du papier. Les camions chargés de *pitounes* évitent le centre-ville. [+++] Syn. : **quatre-pieds**. **6.** *Faire le coup de la pitoune* : en parlant du *maskinongé* qui est ferré, cesser momentanément de se débattre puis donner un coup sec qui risque de casser le fil de la ligne. **7.** Argot. Crêpe de farine de sarrasin. (Beauce) Syn., voir : **galette**. **8.** Organe de copulation de l'homme et des animaux. Syn., voir : **pine** (sens 5).

PITOUNER v. intr. Parler beaucoup, à tort et à travers. Syn. : arrête donc de *pitouner*, tu gaspilles ta salive. [++]

PITOUQUE, PITHOOK n. m. (mot inuit) **1.** Anneau de cordage attaché au *cométique* et auquel sont fixés chacun des brins des chiens attelés. **2.** *Chien de pitouque* : chien attelé le plus près du *pitouque* par opposition au *lideur*.

PITOUX, OUSE adj. Misérable, digne de pitié, triste, piteux. Cet enfant a toujours un air *pitoux* depuis le divorce de ses parents.

PIVÉ n. m. (angl. peavy) [Ø] Voir : **peavy**.

PIVELÉ, E adj. **1.** Qui a des taches de rousseur, moucheté, tacheté. Une figure *pivelée* comme un œuf de dinde. [+++] Syn., voir : **rouillé**. **2.** À robe tachetée. Une vache *pivelée*. [+] Syn., voir : **caille**.

PIVELOTÉ, E adj. À robe légèrement tachetée. Une vache *pivelotée*. Syn., voir : **caille**.

PIVERT n. m. Pic doré. [++] Syn. : **pique-bois**, **poule de bois**.

PIWI n. m. (amér.) Voir : **pioui**.

PLACARD n. m. **1.** Pâté, tache d'encre, flaque d'eau. Être obligé de récrire une lettre parce qu'on a fait un *placard*. Syn., voir : **barbot**. **2.** Au pl. Gros flocons de neige qui tombent par temps doux. Le printemps, la neige tombe souvent en *placards* ou par *placards*. Syn., voir : **peaux-de-lièvre**.

PLACARDER v. tr. Installer un placard, affiche très visible sur la porte d'une demeure pour signaler que quelqu'un dans cette maison souffrait d'une maladie contagieuse.

PLACASSER, PIACASSER v. intr. **1.** Gazouiller, piailler. Les oiseaux *placassent*. Syn., voir : **piaquer**. **2.** Parler à tort et à travers, bavarder. Syn. : **bavasser** (sens 2).

PLACE n. f. **1.** Plancher de la cuisine surtout à la campagne. Balayer, laver la *place*. [+++] **2.** (Angl. place) [Ø]. Construction urbaine comportant au moins une tour imposante à laquelle s'ajoutent des éléments coordonnés, l'ensemble s'appelant en français un complexe. *Place* Ville-Marie, à Montréal, et *Place* Québec, à Québec, sont des complexes. **3.** Lieu, endroit. À quelle *place* êtes-vous né? [+++]

PLACIER, ÈRE n. m. Personne qui, dans une salle de spectacle, dans les bars, conduit les gens à la place qu'ils occuperont, placeur.

PLACOSSER v. intr. Patauger dans la boue, barboter dans l'eau. Syn., voir : **pigrasser**.

PLACOTAGE n. m. **1.** Potinage, commérage. Quand ces deux femmes-là se rencontrent, elles en font du *placotage*! [+++] Syn. : **cacassage**, **cacassement**, **mémérage**, **placoting**.

397

2. Pataugeage dans la boue, barbotage dans l'eau. [+++]

PLACOTER v. tr. et intr. **1.** Dire, raconter, bavarder. Qu'est-ce qu'il t'a *placoté*? [+++] **2.** Parler d'abondance, causer sans arrêt. **3.** Potiner, commérer. Cette personne passe son temps à *placoter*. [+++] Syn., voir : **mémérer. 4.** Faire. Qu'est-ce que tu *placotes* là tout seul? **5.** Patauger dans la boue, barboter dans l'eau, surtout en parlant des enfants. Que je ne te voie pas aller *placoter* dans l'eau! [+++] Syn., voir : **pigrasser**.

PLACOTEUX, EUSE n. et adj. Personne qui fait l'action de *placoter* de commérer, de potiner. [+++] Syn. : **cacasseux, jacasse, mémère**.

PLACOTING n. m. Potinage, commérage. Syn., voir : **placotage**.

PLACRER v. tr. Flatter, flagorner. *Placrer* une cliente.

PLACREUR, EUSE n. et adj. Celui qui fait des louanges exagérées, qui flatte, qui flagorne.

PLAGOUILLE, PLOGUEIL n. m. (amér.) Crapaud de mer. (acad.)

PLAIDER v. tr. et intr. **1.** (Angl. to plead guilty, to plead non guilty) [Ø] *Plaider* coupable, non coupable : avouer sa culpabilité, nier sa culpabilité. **3.** Être incertain en parlant du temps. Aujourd'hui, le temps *plaide*. **4.** Syn. : **marchander**.

PLAIE n. f. Plaie d'Égypte, personne importune, insupportable. Celle-là, je ne veux plus la voir, c'est une *plaie*.

PLAIGNARD, E adj. et n. Qui se plaint continuellement, geignard. Syn. : **plaigneux**.

PLAIGNEUX, EUSE adj. et n. Geignard, personne qui ne cesse de se plaindre. Syn. : **plaignard**.

PLAIN n. m. Partie plate du rivage de la mer que la marée normale n'atteint pas. Tirer une embarcation sur le *plain* pour la nuit. La graphie *plein* est à rejeter. (E 9-133)

PLAINE n. f. Terrain plat, uni, tourbière où poussent des arbustes, des ronces dont des *chicoutés*. (acad.)

PLAINE, PLÈNE n. f. [#] **1.** a) Rég. en fr. Nom générique de certaines espèces d'érables, plane. [+++] b) *Plaine bâtarde* : érable à épis. c) *Plaine blanche* : érable argenté. d) *Plaine rouge* : érable rouge. **2.** Instrument tranchant à deux poignées servant à dresser, à planer une pièce de bois, plane.

PLAINT n. m. [#] Plainte, lamentation. Entendre les *plaints* d'un blessé.

PLAIRIE n. f. [#] Prairie. (O 27-116)

PLAISANT, E adj. **1.** Vx en fr. Qui plaît, qui est amusant en parlant d'une personne. **2.** Agréable en parlant d'un endroit.

PLAISE n. f. [#] Plie. Autrefois, les pêcheurs de morue rejetaient à la mer les *plaises* qu'ils capturaient. [+++]

PLAISIR n. m. (angl. It was a *pleasure*) [Ø] *Au plaisir! plaisir!* : façon on ne peut plus ridicule pour l'interviewé de remercier l'intervieweur alors qu'il serait si simple de dire : je vous en prie! Syn., voir : **bienvenue**.

PLAN n. m. **1.** Projet, idée farfelue. Lui, il est toujours plein de *plans* et ça n'aboutit jamais. **2.** *Plan de nègre* : idée farfelue, projet irréalisable. **3.** (Angl. plan) [Ø] *Plan d'assurance, de pension* : régime d'assurance, de pension.

PLANCHE n. f. **1.** *Planche à glace* : planche à voile spécialement conçue pour aller sur la glace. Syn. : **véliglace**. **2.** *Planche à neige* : planche à voile spécialement conçue pour aller sur la neige dure. Syn. : **véliluge**. **3.** Autrefois, voiture hippomobile à quatre roues, le plus souvent à un seul siège fixé sur des planches minces et flexibles posées directement sur les essieux. Syn., voir : **barouche**. **4.** Fig. *Planche à laver* : chemin de gravier raboteux dont la surface est ondulée. Rouler sur de la *planche à laver* est très dur pour les amortisseurs. [+++] Syn. : **laveuse** (sens 3). **5.** Argot. *À la planche.* a) À vitesse maximale. Conduire une auto *à la planche.* b) À fond de train, sans perdre un instant. Travailler *à la planche* en vue d'un examen. c) Très bien. Les affaires marchent *à la planche.* **6.** Fig. Large rayure d'une couverture de lit de fabrication artisanale, d'où *couverture à planches.* **7.** Fig. *Être sur les planches* : autrefois, être exposé en parlant d'un mort qu'on couchait sur des planches placées sur des tréteaux et qui était recouvert d'un drap blanc à l'exception du haut du corps, c'est-à-dire à partir de ses mains croisées sur la poitrine tenant un chapelet noir.

PLANCHE adj. Uni, égal, plat. Dans la plaine de Montréal les terres sont *planches.* [+++] Syn. : **plange**.

PLANCHER n. m. **1.** *Plancher d'haut, plancher du haut, plancher d'en haut* : plafond du rez-de-chaussée qui sert de plancher à l'étage par opposition au plancher du rez-de-chaussée appelé *plancher de bas, plancher d'en bas, plancher du bas.* [+++] **2.** *Plancher de bas, plancher d'en bas, plancher du bas* : plancher du rez-de-chaussée, par opposition à *plancher d'haut, plancher du haut, plancher d'en haut* qui désignent le plafond de l'étage. [+++] **3.** Étage (angl. floor) [Ø]. Vous trouverez le bureau de cet avocat au deuxième *plancher.* Anglicisme en perte de vitesse. **4.** *Avoir, prendre le plancher* (angl. to have, to take the floor) [Ø] : avoir, prendre la parole. Chaque fois qu'Untel assiste à une réunion, il *prend le plancher* et les autres ne peuvent placer un mot.

PLANCHER v. tr. Recouvrir de planches un mur, un plafond, un plancher, planchéier. [+++]

PLANCHISTE n. Sportif qui l'hiver, pratique la *planche à glace* ou la *planche à neige*, et l'été, la planche à voile.

PLANEUR n. m. Machine à planer le bois, planeuse. [+++]

PLANGE adj. [#] Plat, uni. Un terrain *plange.* (acad.) Syn. : **planche**.

PLANT n. m. **1.** [#] Appeau, souvent constitué d'une feuille de papier blanc, ou d'un sac de plastique blanc, pour attirer les oies. Les chasseurs d'oies piquent des *plants* dans les champs. Syn. : **appelant. 2.** Usine (angl. plant) [Ø]. Travailler à un *plant* de munitions.

PLANTE n. f. Chute à la renverse. Il a fait une *plante* dans une vitrine. Syn., voir : **fouille**.

PLANTER v. tr., intr. et pron. **1.** *Planter le chêne, le piquet, le poireau* : jeu consistant à se tenir sur la tête, les pieds en l'air. **2.** *Planter chêne* : tomber la tête la première. Syn., voir : **fouille. 3.** Fig. *Planter des clous, des piquets* : somnoler assis dans un fauteuil en faisant avec la tête des mouvements de haut en bas et de bas en haut. Syn. : **cogner des clous. 4.** *Se planter* : faire effort pour réussir, se surpasser. Syn. : se **piéter. 5.** Fig. Tomber en panne en parlant d'un ordinateur. Si le programme est mal fait, l'ordinateur *plante.*

PLANTEUR, PLANTEUR DE TABAC n. m. Cultivateur spécialisé dans la culture industrielle du tabac à pipe, à cigares ou à cigarettes. La région de Lanaudière compte un grand nombre de *planteurs*.

PLANTEUSE, PLANTEUSE DE TABAC n. f. Machine agricole servant à repiquer les plants de tabac à intervalles réguliers et comprenant rayonneur, distributeur d'eau automatique et butteur. (Lanaudière)

PLAQUAGE n. m. Action de *plaquer* un arbre, de faire une *plaque*, un blanchis à un arbre.

PLAQUE n. f. **1.** Blanchis fait à tout arbre à abattre ou à des arbres de part et d'autre d'une ligne qui sépare deux propriétés en forêt. (E 46-79) Syn. : **blaze**. **2.** Rondelle amovible des poêles à bois. Syn. : **rond**.

PLAQUÉ n. m. En forêt, sentier de chaque côté duquel on a fait des *plaques* ou blanchis tenant lieu de *balises*.

PLAQUÉ, PLAQUIER n. m.; **PLAQUIÈRE, PLATIÈRE** n. f. Voir : **platier**.

PLAQUEBIÈRE n. f. Ronce petit-mûrier. Rubus chamæ-morus. (acad.) Syn., voir : **chicouté**.

PLAQUER v. tr. **1.** Faire une *plaque*, un blanchis à des arbres. (E 46-79) Syn. : **blazer**. **2.** En forêt, marquer son chemin, une ligne de séparation entre deux propriétés, un arbre à abattre, au moyen de blanchis, de *plaques*.

PLAQUEUR n. m. Ouvrier chargé de *plaquer* les arbres à abattre ou les arbres indiquant une séparation en forêt.

PLASTEUR n. m. (angl. plaster) [Ø] Diachylon, sparadrap. Anglicisme en perte de vitesse.

PLASTICINE n. f. Pâte à modeler avec laquelle les enfants s'amusent beaucoup.

PLASTRAGE n. m. (angl. plaster) [Ø] Crépi. Un mur en *plastrage*.

PLASTRER v. tr. (angl. to plaster) [Ø] Plâtrer, enduire de plâtre.

PLAT, E adj. (au masculin le T final ne doit pas être prononcé) **1.** Mal levé. Pain *plat*, pâtisserie *plate*. Syn., voir : **alis**. **2.** *Farce plate* : plaisanterie déplacée, de mauvais goût, bête, idiote. [+++] **3.** Qui n'a pas de poitrine ou si peu, en parlant d'une femme. Odile, elle est *plate* comme une planche, comme une galette. **4.** Fig. Ennuyant, triste, monotone, en parlant d'une personne, souvent d'un professeur, d'un spectacle, d'un film. [+++]

PLAT n. m. **1.** *Plat à mains, plat aux mains, plat des mains* : bassine placée dans l'évier de la cuisine et dans laquelle on se lavait les mains. (surt. 85 à 123) Syn., voir : **bassin à mains, bassin aux mains, bassin des mains**. **2.** *Plat à cendre* : boîte à cendre placée sous le feu du poêle à bois, cendrier. Syn., voir : **cendrière**. **3.** *Plat à vaisselle* : bassine dans laquelle on lavait la vaisselle, bassine à vaisselle. **4.** Terrain bas le long d'une rivière et qui est inondé tous les printemps lors de la fonte des neiges. Un *plat* est toujours très fertile. (Lanaudière)

PLAT-CUL (À) *S'asseoir à plat-cul* : le cul sur le fond du canot ce qui assure la stabilité du canot.

PLATEFORME n. f. Voir : **escabeau**.

PLATIER, PLAQUÉ, PLAQUIER n. m. Banc de sable découvert à marée basse et inondé à marée haute. (acad.)

PLATIN n. m. **1.** Vx en fr. Terrain plat et bas, cultivé, facilement inondé et situé de chaque côté d'un cours d'eau, baissière. Syn. : **bas-fond**. **2.** Personne spécialisée dans les *farces plates*. **3.** Farce de mauvais goût. Quand on aura des visiteurs, tu garderas tes *platins* pour toi!

PLATINE n. f. **1.** Registre réglant le tirage du tuyau de poêle. Syn. : **clef** (d'un tuyau de poêle). **2.** Organe de la femme, vulve. (acad.) Syn., voir : **noune**. **3.** Tablette de tabac pressé à chiquer.

PLATRAME adj. Gauche, inhabile dans ses mouvements. En vieillissant, il est de plus en plus *platrame*. Syn., voir : **paourd**.

PLÂTRER v. tr. Flatter, chercher à amadouer quelqu'un.

PLC Sigle. Voir : **libéral** (sens 2).

PLÉ, E adj. et n. Voir : **pelé**.

PLÉE n. f. **1.** Endroit pelé, sans arbres, dénudé souvent suite à un incendie de forêt, brûlis. Syn. : **pelé**. **2.** (Angl. plea) [Ø]. Dispute, chicane. Il y a eu toute une *plée* entre eux deux. Syn. : **chacote**.

PLEIN adv. **1.** *À plein* : très, beaucoup. Il fait froid *à plein*. **2.** *À plein ventre* [#] : tomber à plat ventre. **3.** *En plein*. a) Beaucoup. Des chômeurs qui veulent travailler, il y en a *en plein*. b) Justement, exactement. C'est *en plein* la vie qu'il me faut.

PLEIN, E adj. **1.** Fam. en fr. *Ivre, soûl, plein comme un œuf, comme un siau* : en état d'ébriété avancée, ivre. [+++] Syn., voir : **chaud**. **2.** *À pleines clôtures* : en abondance en parlant du foin et des céréales. Cette année, il y a du foin à *pleines clôtures*. **3.** *À pleins siaux* : à seaux, à verse. Il pleut *à pleins siaux*. **4.** *À plein temps* : beaucoup, en parlant de la neige tombant drue au point de rendre la visibilité presque nulle. Il a neigé *à plein temps* deux jours d'affilée. **5.** *À pleine tête* : à tue-tête. Crier *à pleine tête*.

PLÈNE n. f. Voir : **plaine**.

PLEUMA n. m. [#] Voir : **pluma**.

PLEUMER v. tr. [#] Voir : **plumer**.

PLEUR n. m. Fig. Goutte de résine transparente qui suinte sur l'écorce des conifères.

PLEURABLE adj. Triste à pleurer. C'est *pleurable* de voir de jeunes enfants dont les parents divorcent.

PLEURAGE n. m. Pleurs, le fait de pleurer. Des *pleurages* à ton âge, tu devrais avoir honte! Syn., voir : **braillade**.

PLEURER v. intr. **1.** Fig. Suinter, en parlant d'un mur humide. **2.** Fig. Suinter de la résine, en parlant d'un conifère blessé.

PLEUREUSE n. f. Voile noir porté autrefois par les veuves.

PLEUREUX, EUSE adj. et n. **1.** Se dit d'un enfant qui pleure pour des riens, à tout propos. **2.** Fig. Humide, qui suinte en parlant d'un terrain bas ou des murs d'une habitation.

PLI n. m. Fig. *Ne pas faire un pli* (à quelqu'un) : être égal, laisser indifférent. Ça *ne* lui *fait pas un pli, un pli sur la poche, un pli sur la différence* de perdre cet argent, il est très riche.

PLIE n. f. [#] Pluie. La *plie* a cessé vers cinq heures. (Beauce)

PLION n. m. **1.** Hart servant d'attache dans les toits de chaume d'autrefois. **2.** Partie de l'ancien joug à bœufs : morceau de bois plié en U qui passe sous le cou du bœuf et qui maintient le joug sur la bosse du bœuf.

401

PLISSÉ, PLISSONNÉ, E adj. Ridé. Avoir le visage *plissé* ou *plissonné*.

PLOGUE n. f. (angl. plug) [Ø] Voir : **plug**.

PLOGUEIL, PLAGOUILLE n. m. (amér.) Crapaud de mer. (acad.)

PLOGUER v. tr. (angl. to plug) [Ø] Voir : **pluguer**.

PLOMB n. m. **1.** Mine de graphite des crayons. **2.** Fig. *Moule à plomb* : figure d'une personne qui avait été victime de la variole.

PLOMBER v. intr. Être ardent, brûlant, en parlant du soleil d'été, le midi. Mets-toi à l'ombre, le soleil *plombe*. [+++]

PLOMBEUR, PLOMBEUR DE DENTS n. m. Appellation ancienne des dentistes.

PLOMBURES n. f. pl. **1.** Membrane muqueuse à l'intérieur des intestins des animaux de boucherie, du porc surtout. **2.** Fig. et au pl. Restes de glaces sur les *battures* après la débâcle du printemps. (Charlevoix)

PLOMEUL n. m. Fil à plomb. (acad.)

PLONGE n. f. **1.** Plongeon. Apprendre la *plonge* sous l'œil d'un moniteur. **2.** *Prendre une plonge* : a) Tomber accidentellement dans l'eau. [+++] b) Faire un faux pas, tomber sur le sol, sur la glace. Syn., voir : **fouille**. c) Faire un plongeon. d) Fig. Subir un revers de fortune.

PLORINE n. f. **1.** Crépinette, saucisse plate en coiffe. (E 37-85) **2.** Argot. Femme d'un certain âge. Il n'y a que les *plorines* pour aller écouter les conférences de cet individu. [++]

PLOUTASSER v. impers. [#] Voir : **plutasser**.

PLOUTER v. imper [#] Voir : **pluter**.

PLQ Sigle. *P*arti *l*ibéral du *Q*uébec. Voir : **libéral** (sens 2).

PLU n. m. Voir : **pelu**.

PLUG, PLOGUE n. f. (angl. plug) [Ø] **1.** Prise de courant. [++] **2.** Tablette. Acheter une *plug* de tabac à chiquer. [++] Syn. : **palette**. **3.** Crêpe de farine de sarrasin. (E 20-127) Syn., voir : **galette de sarrasin**. **4.** Sobriquet des habitants du Madawaska, grands mangeurs de *plugs* de sarrasin. **5.** Tampon, bouchon. **6.** Annonce publicitaire agressive que subissent les téléspectateurs d'un film, d'un programme, matraquage. **7.** Femme d'un embonpoint remarquable, d'un embonpoint qui ne passe pas inaperçu. Syn., voir : **toutoune**. **8.** Argot étudiant. Jeune fille trop sérieuse, pas à la mode. **9.** Fig. Lourdaud, maladroit. [++]

PLUGUER, PLOGUER v. tr. (angl. to plug) [Ø] **1.** Brancher un appareil électrique. Pour se faire des rôties, il ne faut pas oublier de *ploguer* le grille-pain. Anglicisme en perte de vitesse. **2.** Boucher un trou à l'aide d'un tampon, tamponner.

PLUMA, PLEUMA n. m. **1.** Plumeau servant à épousseter. [+++] Syn. : **époussette**. **2.** Fig. *Se faire aller les plumas* : gesticuler beaucoup en parlant.

PLUME n. f. Argot. Jeune fille courtisée. J'ai vu Charles avec sa *plume* au cinéma. Mot en perte de vitesse.

PLUME-FONTAINE n. f. (angl. fountain pen) [Ø] Porte-plume à réservoir d'encre, stylo. Mot presque disparu.

PLUMER, PLEUMER v. tr. et intr. [#] **1.** Rég. en fr. Éplucher, peler. *Plumer* des pommes de terre, une pomme. (acad.) Syn. : **pelurer**. **2.** Écorcer. *Plumer* un bouleau pour en utiliser l'écorce. [+++] **3.** Écorcher, dépiauter. *Plumer* un bœuf, une loutre. [+++] **4.** Peler, desquamer. Toute la figure lui *pleume*. [+++] **5.** Fig. Faire une coupe de bois à blanc, couper tous les arbres. *Plumer* une montagne. **6.** Fig. *Se faire plumer* : aux cartes, se faire laver.

PLUMES n. f. Appellation des cigarettes de contrebande. Les *cigarettes à plumes*. Voir : **cigarettes.**

PLUMES DES CHAMPS n. f. pl. Feuilles de maïs utilisées autrefois à la campagne pour garnir l'enveloppe d'une paillasse.

PLUS adv. *Plus que* : plus. *Plus que* tu étudies; *plus que* tu t'instruis.

PLUS TÔT loc. adv. Auparavant. *Plus tôt*, on avait pris un bon repas suivi d'un long repos avant de recommencer à discuter.

PLUTASSER, PLOUTASSER v. impers. Pleuvoir légèrement. Syn., voir : **mouillasser.**

PLUTER, PLOUTER v. impers. [#] Pleuvoir. Il va *pluter*. Syn. : **mouiller.**

PLYWOOD n. m. (angl. plywood) [Ø] Contre-plaqué. Anglicisme en perte de vitesse.

POACHER v. intr. (angl. to poach) [Ø] Braconner. [+] Syn. : **carponner.**

POACHEUR, POACHEUX, EUSE n. (angl. poacher) Chasseur ou pêcheur qui *poache*, qui braconne; braconnier. [+] Syn. : **carponneur.**

POCHARD D'EAU n. m. Mare d'eau apparaissant sur la glace lors d'un dégel éventuel l'hiver, mais surtout lors du dégel printanier.

POCHE n. f. **1.** Vx en fr. Sac. Une *poche* de blé, d'avoine, de carottes, de sucre, de sel. [+++] **2.** *Course en poche* : course en sac où les concurrents s'efforcent d'avancer en sautant, les jambes enfermées dans un sac. [++] **3.** Vulg. Bourse, scrotum, enveloppe des testicules de l'homme et des animaux. [+++] Syn. : **sacoche** (sens 2). **4.** *Poche menteuse* : fausse poche d'un vêtement. [+++] **5.** Au jeu de billard, blouse. [+++] **6.** *À la poche.* a) *Être à la poche* : être ruiné, sur la paille, réduit à la mendicité (autrefois, les *quêteux* parcouraient les campagnes une *poche* sur le dos). [+++] b) Beaucoup. Gagner de l'argent *à la poche*. Il y a des pommes *à la poche* cette année. [+++] Syn. : à la **pochetée.** **7.** Jute. Essuie-mains de *poche*. **8.** *Poche de sucre* : tissu de coton provenant d'un sac de coton ayant contenu du sucre. Ce tissu très résistant était passé à la javelle, blanchi et réutilisé pour faire des draps, des taies d'oreiller, des torchons. **9.** *Au plus fort la poche* : dicton signifiant que les puissants l'emportent toujours sur les faibles. [+++] **10.** Tout ce qui est de mauvaise qualité (tissu, vêtements, outil). Je n'achète pas ça, c'est de la *poche*. [+++] Syn., voir : **cull. 11.** *Poche de sœur* : poche de bonne dimension que les religieuses portent sous leur longue robe. Syn., **besace, besace de sœur. 12.** *Sauce à la poche* : espèce de sauce faite de farine et d'eau dans laquelle on avait fait dessaler du lard et que l'on servait aux bûcherons le matin. (Saguenay) **13.** *Être poche* : être incompétent. **14.** Fig. *Avoir quelqu'un dans sa poche* : être capable de lui faire faire ce qu'on veut, avoir quelqu'un à sa merci. **15.** Fig. *Faire poche* : se heurter à une difficulté, avoir une déception, subir un échec. Syn., voir : frapper un **nœud.**

POCHE adj. et n. **1.** Paresseux, fainéant. Syn., voir : **flanc-mou. 2.** Fatigué, lourd. Se sentir *poche*.

403

POCHÉE n. f. Vx ou rég. Contenu d'une *poche*, d'un sac; sac. Une *pochée* d'avoine, de sucre. Syn. : **pochetée**.

POCHE-MOLLE n. f. Fig. Personne sans énergie, paresseuse. Untel, mais c'est une *poche-molle*, ne l'engage pas. Syn., voir : **flanc-mou**.

POCHER v. tr. (angl. to poach) [Ø] **1.** Argot étudiant. Rater. C'est la première fois qu'il *poche* un examen. Syn., voir : **flopper**. **2.** Argot des bûcherons d'autrefois. Porter son sac, son balluchon, sa *poche*. Passer sa vie à *pocher*. Syn., voir : **paqueton**.

POCHEREAU n. m. Personne riche et importante. À l'enterrement du Premier Ministre, tous les *pochereaux* se sont montrés. [+++] Syn., voir : **casque** (sens 5).

POCHETÉE n. f. **1.** Contenu d'une *poche*, d'un sac; sac. Une *pochetée* d'avoine. Syn. : **pochée**. **2.** *Pochetée de, à pochetée, à la pochetée* : beaucoup. Il neige *à pochetée*, il y a des pommes *à la pochetée*, il y a une *pochetée de* monde. Syn. : à la **poche**.

POCHETON n. m. **1.** Poche, balluchon, sac, balle contenant vêtements et effets pour un séjour de quelques mois hors de chez soi. Les *quêteux* faisaient leur tournée un *pocheton* sur le dos; les bûcherons montaient aux *chantiers* avec leur *pocheton*. Syn., voir : **paqueton**. **2.** Homme poltron, paresseux, qui travaille mal.

POCHETTE n. f. **1.** Petit sac de tissu incombustible entourant la flamme de certaines lampes d'autrefois et qui en augmentait l'éclat. Syn. : **manteau**. **2.** Ampoule électrique. (Lanaudière) Syn. : **bulb**, **globe**, **lumière**.

POÊLE n. m. **1.** Appareil de chauffage au bois, occasionnellement au charbon, utilisé comme cuisinière et également pour chauffer un logement, une maison. Dès le début du XVIIe siècle, on fabriquait des *poêles* aux Forges de Trois-Rivières. [+++] **2.** *Poêle à un pont, poêle à un corps* : poêle à bois, de forme rectangulaire, à un seul étage constituant le foyer. **3.** *Poêle à deux ponts, poêle à deux corps* : poêle à bois, de forme rectangulaire, à deux étages et comprenant un foyer et un four. **4.** *Poêle à trois ponts, poêle à trois corps* : poêle à bois, de forme rectangulaire, à trois étages comprenant un foyer et deux fours superposés. **5.** *Poêle à fourneau* : poêle-fourneau, cuisinière. [++] **6.** *Poêle à gaz* : fourneau à gaz, cuisinière à gaz. [++] **7.** *Poêle combiné* : poêle-cuisinière dont le foyer est au charbon ou au bois et dont un ou deux ronds sont au gaz ou à l'électricité. [++] **8.** *Poêle électrique* : cuisinière électrique. [+++]

POÊLON n. m. **1.** Petite poêle à manche court. **2.** Fig. *Queue de poêlon, queue de poêlonne* : têtard de la grenouille (E 36-86) Syn., voir : **queue**.

POÊLONNE n. f. **1.** Poêle à frire généralement plus épaisse et plus grande que la poêle ordinaire. **2.** *La Poêlonne* : la Grande Ourse. **3.** Fig. *Queue de poêlonne* : têtard de la grenouille. (E 36-86) Syn., voir : **queue**.

POFFER v. intr. Se vanter. Ne le crois pas, il passe son temps à *poffer*!

POFFEUR, EUSE adj. et n. (angl. puffer) [Ø] Vantard, fanfaron. Anglicisme en perte de vitesse.

POGNASSER v. tr. et pron. Voir : **poignasser**.

POGNÉ, E n. et adj. Voir : **poigné**.

POGNER v. tr., intr. et pron. Voir : **poigner**.

POIGNANT-CUL n. m. Homosexuel. Syn., voir : **fifi**.

404

POIGNASSAGE n. m. Action de *poignasser*, de se livrer à des attouchements, à des familiarités que répudient les bonnes mœurs, pelotage. Syn., voir : **necking** (sens 2).

POIGNASSER, POGNASSER v. tr. et pron. **1.** Saisir, manier maladroitement, sans précaution. **2.** Se livrer à des familiarités, à des attouchements que répudient les bonnes mœurs, peloter. Syn., voir : **taponner** (sens 3).

POIGNASSERIES n. f. pl. Familiarités déplacées, pelotage.

POIGNASSEUX, POGNASSEUX, EUSE adj. et n. Qui se livre à des familiarités, à des attouchements inconvenants, peloteur. Syn. : **jardineux**, **pogneux**, **poigneux**, **taponneux**, **tripoteux**.

POIGNÉ, POGNÉ, E p. adj. et n. Fig. Personne complexée, aux prises avec des problèmes psychologiques; qui est complexé. Syn. : **coincé**, **constipé**.

POIGNÉE n. f. Levier pour soulever les rondelles du *poêle* à bois. Syn., voir : **clef de poêle**.

POIGNER, POGNER v. tr., intr et pron. **1.** Empoigner, saisir, prendre, attraper, décrocher. *Poigner* une balle. *Poigner* son adversaire au collet. *Poigner* du poisson. *Poigner* la grippe. *Poigner* un emploi. *Poigner* froid, du froid. [+++] **2.** Se prendre, se cramponner. Il *s'est poigné* au canot pour ne pas se noyer. [+++] **3.** Naître, débuter. La chicane *a poigné* dans le ménage et ils se sont séparés. [+++] **4.** Avoir du succès auprès des femmes en parlant d'un homme, avoir du succès auprès des hommes en parlant d'une femme. Je te dis que la Lise, *a pogne!* [+++] **5.** Fig. *Se faire poigner.* a) Devenir enceinte involontairement en parlant d'une jeune fille. [+++] Syn., voir : se faire **attraper**. b) Se faire arrêter par la police à la suite d'un vol, d'une infraction au code de la route, etc. **6.** Fig. *Se poigner le cul* : ne pas travailler, n'avoir rien à faire, tuer le temps. *Se poigner le beigne*, ne pas travailler, ne rien faire. [+++] Syn., voir : **bretter**. **7.** Fig. *Poigner les nerfs*, *prendre les nerfs* : s'énerver, se fâcher noir, sortir de ses gonds. [+++] **8.** Fig. Être un peu trop entreprenant, aimer palper. Méfie-toi de lui, il aime ça *poigner* les femmes! Syn., voir : **taponner**.

POIGNET n. m. **1.** Vulg. *Passer* ou *se passer un poignet* : masturber, se masturber. Syn., voir : **crosser. 2.** Vulg. *Poignet-cassé* : homosexuel. Syn., voir : **fifi. 3.** Voir : **tirer au poignet, du poignet**.

POGNEUX, POIGNEUX, EUSE n. et adj. **1.** *Pogneux de poules* : homme dont le travail consiste à attraper, la nuit, les poules que l'on met en cage pour les conduire à l'abattoir. (Lanaudière) Syn. : **cageux de poules. 2.** Péjor. *Poigneux de cul* : homosexuel. Syn., voir : **fifi. 3.** Voir : **poignasseux**.

POIL n. m. **1.** Fourrure. Un capot de *poil*, un manteau de *poil*, une couverture de *poil*. [+++] **2.** *Robe de poil* : toute fourrure dont on se servait l'hiver comme couverture de voyage. Syn., voir : **robe de carriole. 3.** *Pousser comme du poil* : en parlant d'une plante, pousser très serré et abondamment. Le chiendent, ça *pousse comme du poil*. **4.** Fig. *Avoir du poil aux pattes* : avoir de la vigueur, du courage. [+++] **5.** Fig. *Avoir du poil jusqu'après les dents* : être effronté. [+++] **6.** Fig. *Donner du poil, mettre du poil* : faire un effort supplémentaire. Tu vas le soulever ce fardeau, *donne du poil!* [++]

POILER v. intr. Décamper, partir vite.

POILEUX, EUSE adj. Vx en fr. Poilu. Cet homme est très *poileux* : il a une véritable toison sur l'estomac et sur le dos.

POILOUX, OUSE adj. Poilu. (acad.)

POILUSE adj. f. [#] Forme féminine de poilu, poilue. Avoir les jambes *poiluses*. (acad.)

POINT n. m. [#] Pointure. Le *point* de mes souliers, c'est trente deux.

POINT DE VUE n. m. (angl. point of view) [Ø] Façon de voir, de penser, opinion, idée. La génération actuelle n'a pas connu la guerre, elle ne peut pas avoir le même *point de vue* que nous!

POINT adv. Rég. en fr. Négation habituellement précédée de *ne*. Je ne l'ai *point* vu depuis deux jours.

POINTAGE n. m. Dans les sports, score. La partie de hockey s'est terminée par un *pointage* de 7 à 5.

POINTE n. f. **1.** Soc de charrue. **2.** Vx en fr. Trait d'esprit mordant à l'endroit de quelqu'un qui ne nous plaît pas. Syn., voir : **flagosse**.

POINTER v. tr. Fig. Décocher des *pointes* ironiques à quelqu'un. Untel s'est fait *pointer* toute la soirée. Syn., voir : **flagosser**.

POINTEUR n. m. **1.** Dans les sports, joueur qui fait, qui marque des buts, marqueur. En français le pointeur enregistre les points, les buts des joueurs. Syn. : **compteur**. **2.** Chaloupe de *drave* utilisée pour le ramassage des billes de bois échouées. Syn., voir : **pine de drave**.

POINTEUX, EUSE adj. et n. Taquin, moqueur, qui aime décocher des pointes à quelqu'un.

POINTU n. m. Nom vulgaire du grand corégone ainsi dénommé par les pêcheurs des lacs Témiscouata et Matapédia. Syn. : **corégone de lac**, **poisson blanc**.

POINTU, E adj. Vx en fr. Susceptible, qui prend facilement la mouche. [++]

POINTUSE adj. f. [#] Pointue. Une aiguille très *pointuse*. (acad.)

POINTUCHON n. m. Motte de terre gelée. (acad.)

POIRE n. f. **1.** *Petite poire* : fruit de quelques variétés d'amélanchier (sanguin, stolonifère, glabre). **2.** *Poire sauvage* : fruit de l'amélanchier. **3.** Fig. et vulg. Testicule. Syn., voir : **gosse**.

POIRIER n. m. Nom de quelques variétés d'amélanchier. [++]

POIROT n. Super-robot utilisé par la Sûreté du Québec, commandé à distance et capable de diriger un fusil, désamorcer une bombe et même dialoguer avec un bandit embusqué. Pour ouvrir un paquet suspect, on fait venir *Poirot*.

POIS n. m. Prunelle de l'œil. Syn. : **perle**.

POISON n. m. (souvent employé au féminin dans la langue populaire) **1.** *Poison de brebis, poison de moutons* : kalmia à feuilles étroites. **2.** *Poison en feuille* : papier-poison à détremper avec eau et sucre pour attirer et empoisonner les mouches.

POISON, ONNE adj. Non potable. On ne doit pas boire de l'eau croupissante parce que c'est de l'eau *poisonne*.

POISSON n. m. **1.** *Poisson à couette* : nom vulgaire de la couette. **2.** *Poisson armé* : nom vulgaire du lépisostée osseux du nord. **3.** *Poisson blanc* : nom vulgaire du corégone. Mot très fréquent dans la toponymie du Québec.

Syn., voir : **pointu. 4.** *Poisson-castor* : nom vulgaire de l'amie. **5.** *Poisson-chat* : loup tacheté. **6.** *Poisson d'automne* : nom vulgaire du cisco de lac, famille des Salmonidés. Syn. : **ciscaouet, ciscaouette, hareng de lac, poisson d'automne. 7.** *Poisson-de-Noël.* Voir : **poulamon. 8.** *Poisson de Saint-Pierre* : nom vulgaire de l'églefin. Syn. : **hadecque. 9.** *Poisson des chenaux, poisson de Noël, poisson des Trois-Rivières* : noms vulgaires du *poulamon* qui doit ces noms au fait qu'il remontait autrefois le Saint-Maurice par les trois chenaux ou trois rivières de son embouchure. Aujourd'hui ce poisson remonte plutôt les rivières Sainte-Anne et Batiscan pour aller frayer. [+++] Syn., voir : **poulamon. 10.** *Poisson-pêcheur* : nom vulgaire de la baudroie d'Amérique. **11.** Argot en fr. *Changer son poisson d'eau.* Euphémisme pour uriner. [+++] Syn., voir : **lâcher de l'eau. 12.** Fig. Poire, dupe, gogo (angl. fish) [Ø]. Ta voiture est finie mais tu vas sûrement trouver un *poisson* pour l'acheter.

POIVRINE n. f. Vent plus discret que parfumé, vesse. Syn., voir : **fiouse**.

POKEUR n. m. (angl. poker) [Ø] Tisonnier. (acad.) Syn., voir : **pigou**.

POLAGE n. m. Action de *poler*, de déplacer, de manœuvrer une embarcation à l'aide d'une perche, d'une gaffe appelée *pole.* Syn. : **perchage**.

POLE n. f. (angl. pole) [Ø] **1.** Perche, canne, bâton, gaffe. [+++] **2.** Timon d'une voiture d'été ou d'hiver tirée par deux chevaux attelés côte à côte. [++] Syn., voir : **aiguille. 3.** Tringle à rideaux. [+++] **4.** *Prendre la pole* (angl. to take the pole position) [Ø] : dans les courses attelées ou les courses automobiles, prendre la tête de la course. [+++] **5.** Voir : **gaffe de drave**.

POLER v. tr. (angl. to pole) [Ø] Manœuvrer, faire avancer une embarcation à l'aide d'une *pole*, perche, gaffe. Syn. : **percher**.

POLE-STRAP n. f. (angl. pole strap) [Ø] Courroie ou chaîne fixée aux deux côtés du collier d'un cheval et supportant l'une des extrémités du porte-timon dans les attelages doubles. [+++]

POLI n. m. **1.** *Poli à chaussures* : cirage dont on se sert pour rendre les chaussures brillantes. Syn., voir : **nugget. 2.** *Poli à ongles* (angl. nail polish) [Ø] : vernis à ongles.

POLICE n. f. **1.** [#] Agent de police, policier. Beaucoup de jeunes garçons rêvent de devenir *polices*. Syn. : **policeman. 2.** Solides bretelles que portent les travailleurs. Marque de fabrique. Syn. : **bricole**.

POLICEMAN n. m. (angl. policeman) [Ø] Agent de police, policier. Anglicisme en perte de vitesse.

POLICE MONTÉE n. f. (angl. mounted police) [Ø] **1.** *Gendarmerie royale du Canada* qui pendant longtemps était à cheval. **2.** Agent de la *Police Montée*.

POLITAINE n. f. Grand nombre, beaucoup. Il y a une *politaine* d'enfants dans cette famille. [++] Syn., voir : **tralée**.

POLITESSE n. f. *Oncle, tante par politesse* : appellations par les enfants d'amis très intimes de leurs parents.

POLITICIEN n. m. [#] Homme qui fait carrière dans la politique. Le mot *politicien* est péjoratif en français.

POLL n. m. (angl. poll) [Ø] Bureau de vote. Les *polls* ouvrent à neuf heures et ferment à vingt heures. Anglicisme en perte de vitesse.

407

POLOQUE n. f. **1.** Argot. Cigarette roulée à la main. Fumer des *poloques*. Syn., voir : **rouleuse**. **2.** Péjor. Immigré polonais ou tout immigré dont on ignore l'origine exacte.

POLYVALENTE, ÉCOLE POLYVALENTE n. f. École secondaire régionale offrant différentes options : générale, technique, professionnelle, etc.

POMELLE n. f. Voir : **paumelle**.

POMME n. f. **1.** *Pomme de pré* : airelle-canneberge à gros fruit. (acad.) **2.** *Pommes de terre*. a) Gaulthérie couchée. (acad.) Syn. : **thé des bois**. b) Airelle vigne d'Ida. (E 22-124) Syn., voir : **berri**. **3.** *Pomme-pourrie* : engoulevent bois-pourri. **4.** Au pl. *Pommes-de-cheval, pommes-de-route* : crottin de cheval. [+++] Syn. : **pain de moineau. 5.** Voir : **chanter la pomme. 6.** Voir : **chanteur de pomme**.

POMMETTE n. f. Fruit du *pommettier* ou aubépine ponctuée servant à faire de la compote, de la gelée. [+++]

POMMETTIER n. m. **1.** *Pommettier blanc* : aubépine ponctuée, arbre fruitier produisant des *pommettes*. [+++] **2.** *Pommetier rouge* : aubépine écarlate.

POMPE n. f. [#] Au pl. Service des incendies; pompiers. Autrefois, il n'y avait pas de *pompes* dans les villages.

POMPER v. tr. **1.** Fig. Taquiner fortement quelqu'un pour avoir le plaisir de le voir se mettre en colère. [++] **2.** Fig. Essayer de tirer les vers du nez de son interlocuteur.

POMPEUR, POMPEUX n. m. **1.** Draisine utilisée par les ouvriers chargés de l'entretien de la voie ferrée. Syn. : **handcar. 2.** Homme chargé de l'entretien de la voie ferrée et qui se déplace en *pompeur*, en draisine. **3.** Fig. Frère ou père d'une communauté religieuse qui, avec un zèle remarquable, parcourait les paroisses dans le but de rencontrer les jeunes garçons de 12 à 15 ans et de les attirer vers la vie religieuse. Certains prédicateurs de *retraite de vocation* se voyaient aussi décerner cette appellation. Syn. : **recruteur**.

POMPIER n. m. **1.** *Se coucher en pompier* : se coucher tout habillé. (O 36-85) Syn. : se coucher tout **rond. 2.** Argot. Dollar canadien. Syn., voir : **douille**.

POMPON n. m. **1.** Espèce de houppe attachée sous le cou d'un cheval harnaché pour chasser les mouches. **2.** Fig. Nom donné à quelqu'un dont on ne veut pas se rappeler le nom.

PONCE, PONCHE, PONGE n. f. (angl. punch) [Ø] Boisson chaude à base d'alcool, grog qu'on absorbe quand on est grippé ou quand on arrive du froid. [+++] Syn. : **coup chaud, pijoune, sangris**.

PONCER v. tr. et pron. (angl. to punch) [Ø] Servir une *ponce*, un grog à quelqu'un, prendre un grog. [+++]

PONCHEUX, EUSE adj. S'applique à un pain bien levé, ressemblant à une éponge.

PONDIÈRE, PONNOIRE (E 2-116) n. f. Orifice de ponte d'une poule.

PONER v. tr. (angl. to pawn) Mettre en gage pour un prêt sur gage. *Poner* sa montre, une bague.

PONNER v. tr. [#] Pondre. Les poules d'aujourd'hui *ponnent* même l'hiver. (surt. E 30-100)

PONNEUSE n. et adj. [#] Pondeuse, poule pondeuse. (surt. E 30-100)

PONQUE n. f. (angl. punk) [Ø] Voir : **punk**.

PONT n. m. Mar. **1.** Fig. *Être sur le pont* : être au travail. Paul, qui est secrétaire, doit *être sur le pont* à neuf heures, cinq jours par semaine. **2.** Fig. *Être de bonne heure sur le pont* : être matinal. **3.** *Pont de grange, pont de fanil* : plan incliné par où les fourragères chargées entrent dans le fenil de la grange. [++] Syn. : **gangway**. **4.** *Pont de glace* : chemin balisé sur la glace qui recouvre un lac ou un cours d'eau et sur lequel on peut passer sans danger. [+++] **5.** *Pont payant* : pont à péage.

PONTAGE n. m. Mar. **1.** Plancher en bois (aujourd'hui en ciment) de l'étable, de l'écurie, de l'aire de la grange. (O 25-117) Syn. : **pavé**. **2.** Tablier en bois (aujourd'hui en béton armé) d'un pont. [+++] **3.** En terrain marécageux, pavage d'un chemin à l'aide de billes de bois, de rondins, de fascines. (O 25117) Syn. : **corduroy**. **4.** Prothèse dentaire prenant appui sur des dents solides et appelée bridge en France. [+++]

PONTÉ, E p. adj. et n. **1.** En chirurgie, personne à qui on a fait un pontage en réunissant, par greffage, deux veines ou deux artères. **2.** Fig. Couvert, où il y a abondance. Ciel *ponté* d'étoiles, endroit *ponté* d'arbres, jardin *ponté* de fraises. (O 25-117) Syn. : **cousu**, **fourni**, **pavé**.

PONTER v. tr. Mar. **1.** Rare en fr. Construire un pont pour franchir un cours d'eau, un fossé. *Ponter* un ruisseau. **2.** Autrefois, faire un plancher en bois à l'étable, à l'écurie, à l'aire de la grange; aujourd'hui, faire un plancher en ciment. (O 25-117) Syn. : **paver**. **3.** Bachonner un chemin en terrain marécageux à l'aide de rondins, de billes de bois. (O 25117)

PONT-ROUGEOIS, E n. et adj. Gentilé. Natif ou habitant de Pont-Rouge, dans Portneuf; de Pont-Rouge.

POOL n. m. (angl. pool) [Ø] **1.** Billard. Jouer au *pool*. [+++] **2.** *Salle de pool* : salle de billard. Il y a des *salles de pool*, même dans les paroisses perdues. [+++] Syn. : **poolroom**.

POOLROOM n. m. (angl. poolroom) [Ø] Salle de billard. [++] Syn. : salle de **pool**.

POP CORN n. m. (angl. pop corn) [Ø] Maïs soufflé, éclaté. [++] Syn. : **blé d'Inde puffé**.

POP-EYE, POPAILLE n. f. (angl. pop-eye) [Ø] Jeune fille aguichante et belle. [++] Syn. : **patron**, **pétard**.

POPSICLE n. m. (angl. Popsicle) [Ø] Variété de sucette glacée et colorée au bout d'un bâton. Marque de commerce.

POQUE n. f. **1.** Marque laissée par un coup, un heurt. Avoir une *poque* sur le front, faire une *poque* à une table, à la carrosserie d'une auto. [+++] **2.** Voir : **puck**.

POQUÉ, E adj. **1.** Bosselé. La poubelle de fer-blanc est déjà toute *poquée*. [+++] **2.** Marqué de coups, meurtri. Table, pomme *poquée*. [+++] **3.** Fig. Fatigué parce qu'on a trop travaillé ou mal dormi. Syn., voir : **resté**. **4.** Argot. Fatigué, abattu après une nuit de libations.

POQUER v. tr. **1.** Bosseler. En se garant, il a *poqué* une aile de sa voiture. **2.** Recevoir un coup, marquer de coups. *Poquer* un meuble lors d'un déménagement, *poquer* sa voiture, *poquer* un œil à quelqu'un lors d'une dispute. [+++]

POR n. m. (prononciation régionale et fautive de *parc*) (entre 38-84 et 20-127) [#] **1.** Terrain clôturé servant de pâturage pour les animaux de la ferme, parc. Syn., voir : **clos** (sens 3). **2.** Terrain clôturé où les porcs sont en liberté, souvent appelé *por à cochons*. **3.** Parc dans l'écurie où le cheval n'est pas attaché. Syn., voir : **clos** (sens 4). **4.** Dans une porcherie, parc où une dizaine de petits cochons sont en liberté. **5.** Compartiment du grenier ou de la cave où l'on emmagasine les grains, les légumes. Le *por* au blé (au grenier), le *por* aux pommes de terre (à la cave).

PORAGE n. m. Action de *porer* de faire des compartiments des *pors* dans une barque de pêche.

PORER v. tr. Dans une barque de pêche, faire des compartiments, des *pors* c'est-à-dire des *parcs à poissons*.

PORC n. m. **1.** *Porc frais.* a) Jeune porc que l'on engraisse pour le vendre ou pour l'abattre à la ferme. Vendre un *porc frais*, tuer un *porc frais*. Syn. : **engrais**, **lard**. b) Viande de porc, par opposition au lard salé. Recevoir des invités avec un rôti de *porc frais*. **2.** *Porc à bacon.* Voir : **bacon** (sens 1).

PORCHE n. m. Bâtiment adossé à une grange et servant de hangar, de remise. Syn., voir : **appent**.

PORRIDGE n. m. (angl. porridge) [Ø] Ce mot anglais est presque totalement inconnu au Québec mais usuel dans les hôtels parisiens. Syn., voir : **gruau**.

PORNURE n. f. [#] Voir : **prenure**.

PORTAGE n. m. **1.** À l'époque où l'on voyageait par voie d'eau le *portage* était un sentier permettant d'éviter un obstacle (chute, rapide) ou de réunir deux lacs, deux rivières. **2.** Plus tard, sentier en forêt servant de voie de ravitaillement pour les chantiers forestiers et où pouvaient se hasarder des voitures à lisses rudimentaires mais solides, du genre *travois* et *bacagnole*. Syn. : **tote-road**, **towpath**. **3.** Action de porter sur son dos une embarcation, des approvisionnements, des marchandises d'un cours d'eau à un autre, d'un lac à un autre, du pied d'une chute au sommet de cette chute ou inversement. **4.** *Chemin du portage, portage* : raccourci suivant sensiblement la piste d'un ancien portage et traversant un territoire peu ou pas habité. Le mot *portage* est très fréquent dans la toponymie du Québec.

PORTAGEAGE n. m. Action de *portager*, de transporter des fardeaux à dos d'hommes, portage.

PORTAGER v. intr. Faire du *portage* (sens 3) à dos d'homme. Syn. : **toter**.

PORTAGEUR n. m. Homme qui fait du *portage* (sens 3), qui fait l'action de *portager*.

PORTANT part. prés. Loc. *L'un portant l'autre* : en moyenne. Du sirop d'érable, on en fait, *l'un portant l'autre*, deux cents *gallons* par année.

PORTE n. f. **1.** *Porte à mouches* : porte munie d'une toile métallique ou de gaze pour empêcher mouches et moustiques d'entrer, moustiquaire. [+++] Syn. : **porte de passe**, **porte de screen**. **2.** *Porte à roulettes* : porte de grange ou de hangar suspendue à un rail par des roulettes ou roues à gorge permettant ainsi d'ouvrir et de fermer cette porte sans effort. **3.** *Porte battante* : dans les anciennes porcheries, porte suspendue permettant aux cochons d'aller dehors et de réintégrer la porcherie. **4.** *Porte d'arche* : porte de grande dimension à deux battants, séparant la grande cuisine et la *salle* et que l'on ouvrait dans les grandes occasions : repas du *Jour de l'an*, noces, etc. **5.** *Porte de dehors* : toute porte par laquelle on peut entrer dans une maison ou en sortir. **6.** *Porte d'église.* Voir : **chaise de barbier**. **7.** *Porte d'hiver.* Voir : **contre-porte**. **8.** *Porte de cave* : trappe donnant accès à la cave d'une demeure. **9.** *Porte de passe.* Voir : **porte à mouches**. **10.** *Porte de screen.* Voir : **porte à mouches**. **11.** *Porte des fournisseurs* : porte de service. La *porte des fournisseurs* est habituellement à l'arrière d'un immeuble, d'une habitation. **12.** *Porte double.* Voir : **contre-porte**. **13.** *Porte-cercueil* : goéland à manteau noir. **14.** Fig. *Porte de grange* : grandes oreilles. As-tu vu leur neveu avec ses *portes de grange?* **15.** Fig. *Avoir la porte de grange ouverte* : avoir oublié de fermer sa braguette. Syn., voir : **foin** (sens 10).

PORTÉ, E part. adj. Être *porté* pour quelqu'un : avoir des préférences pour lui, lui être dévoué.

PORTE-ACCORDÉON n. f. Porte pliante séparant souvent la cuisine de la salle à manger.

PORTE-BOTTINES n. f. Râtelier de la moissonneuse-lieuse d'autrefois. Syn., voir : **porte-gerbes**.

PORTE-BOURRIER, PORTE-BOULIER n. m. Pelle à poussière. Syn., voir : **porte-poussière**.

PORTE-CERCUEIL n. m. Goéland à manteau noir, grand dénicheur d'oiseaux de mer.

PORTE-FAIX n. m. Porte-brancard, courroie de la sellette du harnais soutenant le brancard. [+++] Syn. : **porte-menoires**, **porte-travail**.

PORTE-GERBES n. m. Autrefois, râtelier de la moissonneuse-lieuse sur lequel tombait la gerbe qui venait d'être attachée. [++] Syn. : **porte-bottines**, **porte-javelles**.

PORTE-JAVELLES n. m. Voir : **porte-gerbes**.

PORTE-MANTEAU n. m. Placard où l'on range les vêtements mis sur des cintres.

411

PORTE-MENOIRES n. m. Porte-brancard, courroie de la sellette du harnais soutenant les *menoires*, le brancard. (E 36-86) Syn., voir : **porte-faix**.

PORTE-ORDURES n. m. Pelle à poussière. [+++] Syn., voir : **porte-poussière**.

PORTE-PANIER n. m. Fig. Rapporteur, mouchard, à l'école surtout. [+++] Syn. : **déclareur**, **panier-percé**, **porte-paquet**, **porteur de paquets**.

PORTE-PAPOOSE n. m. (amér.) Porte-bébé ressemblant à un sac à dos et permettant de transporter un bébé sur le dos ou sur la poitrine, à la façon des Amérindiens. Syn. : **cazagot**, **nagane**.

PORTE-PAQUET n. m. Fig. Rapporteur, mouchard à l'école surtout. [++] Syn., voir : **porte-panier**.

PORTE-PATIO n. f. Porte-fenêtre donnant accès à un *patio*.

PORTE-POUSSIÈRE n. f. Pelle à poussière. (O 25-117) Syn. : **dustpan**, **pelle à bourrier**, **porte-bourrier**, **porte-ordures**, **ramasse-poussière**.

PORTE-QUEUE n. f. Culeron du harnais qui passe sous la queue du cheval. [+++] Syn. : **fourre-queue**, **passe-queue**.

PORTE-TRAVAIL n. m. (O 27-116) Porte-brancard, courroie de la sellette du harnais soutenant le *travail*, le brancard. Syn., voir : **porte-faix**.

PORTER v. tr. et intr. **1.** [#] Conduire. *Porter* son auto au garage pour une révision. [+++] **2.** [#] *Porter l'alcool* : supporter. Les femmes *portent* moins l'*alcool* que les hommes. **3.** Vx en fr. *Porter la parole* : prendre la parole, parler au nom d'un groupe. [+++] **4.** *Porter les paniers, ses paniers* : moucharder surtout chez les écoliers. [+++]

5. *Porter respect à quelqu'un* : vouvoyer quelqu'un. Autrefois tous les enfants portaient respect à leurs parents et aux adultes. **6.** Fig. *Ne pas porter à terre* : être on ne peut plus content.

PORTEUR n. **1.** Lors d'un enterrement, hommes, au nombre de six, dont le métier est de porter le cercueil. **2.** *Porteur d'eau* : appellation péjorative donnée autrefois aux francophones d'ici, travailleurs sans spécialité, hommes à tout faire. Syn. : **scieur de bois**. **3.** Fig. *Porteur, euse de paquets* : rapporteur, euse qui dénonce quelqu'un en rapportant ce qu'il a dit ou ce qu'il a fait. Syn., voir : **porte-panier**. **4.** *Porteur de journaux* : jeune garçon (et de plus en plus jeune fille) qui fait la livraison à domicile du journal des abonnés. Syn. : **camelot**.

PORTEUSE n. f. Femme qui porte l'enfant présenté au baptême. Syn., voir : **matrone** (sens 2).

PORTIÈRE n. f. **1.** Vx en fr. Matrice d'une femelle (vache, brebis, truie). **2.** *Montrer la portière* : se dit surtout d'une vache qui commence à vêler et dont la matrice ou *portière* est déjà visible. Syn., voir : **dévelouter**.

PORTILLON n. m. Porte d'étable à claire-voie. Syn. : **cléon**.

PORTION n. f. **1.** Picotin ou ration d'avoine. Donner sa *portion* à un cheval. [+++] **2.** Fig. *Manger sa portion* : être supplanté par ses rivaux auprès d'une jeune fille. Syn. : **avoine**, **biscuit**, **pelle**. **3.** Fig. *Donner sa portion à* : renvoyer, congédier, en parlant d'une jeune fille qui congédie un prétendant. Syn., voir : donner le **capot**.

PORTIQUE n. m. **1.** Bâtiment adossé à une grange et servant de hangar, de remise. Syn., voir : **appent**. **2.** Dans une habitation, entrée, vestibule où l'on enlève ses *claques* ou ses *pardessus* et souvent où l'on peut laisser parapluies, manteaux et paletots. [++]

PORTIQUOT n. m. Petite porte dans une grande porte de grange. (acad.)

PORTNEUVIEN, ENNE n. et adj. Gentilé. Natif ou habitant de Portneuf; de Portneuf.

PORTRAIT n. m. **1.** Photo. Le mot *portrait* est en perte de vitesse. **2.** *Être le portrait de quelqu'un* : ressembler à quelqu'un.

PORTUGAISE n. f. Pièce de monnaie valant huit dollars et qui était encore connue au début du XXe siècle.

PORTUNA n. m. Trousse de médecin. (Gaspésie)

POSCARTE n. f. (angl. post-card) [Ø] Carte postale. Anglicisme presque disparu.

POSER v. tr. **1.** [#] Photographier. À la dernière réunion de famille, un photographe est venu nous *poser*. **2.** Rég. en fr. *Poser un geste* : avoir une réaction, réagir, faire quelque chose qui a une certaine portée. À la suite de ce grave accident, le syndicat va sûrement *poser un geste*.

POSITIF, IVE adj. (angl. positive) [Ø] Sûr, certain. Je suis *positif* que je l'ai vu partir ce matin même.

POSITION n. f. Poste, emploi. Il y a deux *positions* à combler d'ici quelques mois.

POSSÉDER (SE) v. pron. *Ne plus, ne pas se posséder* : être en violente colère, être hors de soi.

POSSIBLEMENT adv. Rare en fr. Peut-être, vraisemblablement.

POSTE-OFFICE n. f. (angl. post office) [Ø] Bureau de poste. Anglicisme presque complètement disparu.

POSTILLON n. m. À la campagne, facteur qui distribuait et ramassait le courrier dans tous les *rangs* d'une paroisse, chaque habitation ayant sa boîte aux lettres en bordure de la route. [+++] Syn. : **meneur de malle**.

POSTUM n. m. Variété de boisson qui se prend chaude. Marque déposée.

POSTUME, APOSTUME n. f. Pus. Il y avait de la *postume* sous le bandage. [++]

POSTUMER v. intr. Suppurer, produire de la *postume*, c'est-à-dire du pus. Sa blessure *postume* encore. [++] Syn. : **matiérer**.

POT 1 n. m. **1.** Contenant équivalant à un *demi-gallon*, ou deux *pintes*, soit 2,272 L. [+++] **2.** Trou rond et profond au bas d'une cascade et dans lequel se repose le saumon dans sa montaison. Syn. : **chaudière**. **3.** *Pot à barbe* : tasse à barbe. Syn., voir : **mug**. **4.** *Pot à brai* : trou dans la vase, fondrière dans un chemin.

POT 2 n. m. (angl. pot) [Ø] **1.** Cagnote, poule au jeu de cartes. Allons, chacun un dollar dans le *pot*. **2.** Nom familier de la marihuana. Fumer du *pot*.

POTASSE n. f. Lors de la fabrication du savon de ménage, espèce de gelée brune et consistante qui se dépose au fond du chaudron, sous le savon et qu'on utilise pour les gros travaux de ménage.

POTASSERIE n. f. Établissement où l'on fabriquait de la potasse à partir de cendres de bois.

POTASSIER n. m. Fabricant de potasse à partir de cendre de bois.

POTE n. m. *Faire son pote* : pleurnicher surtout en parlant d'un enfant. (O 36-91) Syn., voir : **lyrer**.

413

POTEAU n. m. **1.** *Poteau à coulisse* : dans les anciennes constructions, poteau rainuré destiné à recevoir des madriers horizontaux. Syn. : **pieu à coulisse**. **2.** Pieu fiché en terre et haubané au début d'une clôture de fil de fer barbelé ou à carreaux. **3.** Poteau fixe aux bouts des sommiers du *bobsleigh* ou de la fourragère. Syn., voir : **épée**. **4.** Argot. À l'occasion d'une élection, candidat qui n'a aucune chance d'être élu mais qu'un parti politique a intérêt à voir se présenter et à qui on promet une récompense. **5.** *Guerre des poteaux* : guerre des affiches en période électorale, les candidats cherchant à placer leurs affiches sur les poteaux où l'électeur aura le plus de chances de les remarquer.

POTEAUTHON n. m. Concours d'endurance dont le vainqueur est celui qui reste le plus longtemps au sommet d'un poteau.

POTÈCHE n. f. Bande de tissu dont les soldats entourent leurs mollets en période hivernale.

POTÉE n. f. Fam. et vx en fr. Bande, troupe, ribambelle. Il y a une *potée* d'enfants dans cette famille. Syn., voir : **tralée**.

POTER v. intr. **1.** Pleurnicher, faire son *pote*. (O 36-91) Syn., voir : **lyrer**. **2.** Fumer de la mari, du canabis, du *pot*.

POUCE n. m. **1.** Mesure de longueur. Douzième partie du *pied* soit 2,54 cm. **2.** Levier sur lequel se pose le pouce pour soulever la clenche d'un loquet, poucier. Syn. : **pelle**. **3.** *Avoir mal au pouce* : avoir oublié de boutonner sa braguette. *As-tu mal au pouce*? dit-on à quelqu'un dont la braguette n'est pas boutonnée. **4.** Fig. *Avoir les mains pleines de pouces* : être gauche, ne pas réussir à attraper ce qu'on nous passe. [+++] **5.** Fig. *Faire du pouce, voyager sur le pouce* : faire de l'auto-stop, voyager en auto-stop. [+++] Syn. : **poucer. 6.** Fig. *Donner un pouce* : prendre quelqu'un en auto-stop. [+++] Syn. : **lift, occasion. 7.** Fig. et vx en fr. *S'en mordre les pouces* : regretter amèrement une décision. S'en mordre les doigts.

POUCER v. intr. Voyager sur le *pouce*, c'est-à-dire en auto-stop. [+++] Syn. : **pouce** (sens 4).

POUCEUR, EUSE n. m. Auto-stoppeur, qui *fait du pouce*, qui *pouce*. [+++]

POUCH n. f. (angl. pouch) [Ø] Blague à tabac du fumeur de pipe. (Gaspésie) Syn., voir : **bordine**.

POUCIER n. m. Voir : **poussier**.

POUDRAILLER v. imper. Tourbillonner dans le vent, en parlant de la neige, *poudrer* légèrement. Il *poudraille* depuis ce matin. (acad.) Syn., voir : **poudrer** (sens 1).

POUDRASSER v. impers. Tourbillonner un peu sous l'effet du vent, en parlant de la neige, *poudrer* légèrement. Il *poudrasse* souvent dans cette vallée. Syn., voir : **poudrer** (sens 1).

POUDRE, POURDE n. f. Rég. en fr. Poutre, grosse pièce de bois de construction. [++]

POUDRE À PÂTE n. f. (angl. baking powder) [Ø] Levure chimique en poudre servant à faire lever la pâte, levure.

POUDRÉE n. f. Femme légère, de mauvaise vie, coureuse. Syn., voir : **guidoune**.

POUDRER v. impers. et pron. **1.** Voler, tourbillonner dans le vent, en parlant de la neige, de l'eau. La neige commence à *poudrer*. L'eau *poudrait* sur le lac. [+++] Syn. : **poudrailler, poudrasser. 2.** Se rouler dans le sable pour faire sa toilette, en parlant des oiseaux, des poules. Syn., voir : **s'épivarder** (sens 1).

POUDRERIE n. f. **1.** Neige sèche et fine déjà au sol et que le vent soulève en tourbillons. Si le vent s'élève, il va y avoir de la *poudrerie*. [+++] **2.** Tourmente de neige; neige qui tombe accompagnée de vents. Avec le vent qu'il fait, s'il commence à neiger, ce sera une grosse *poudrerie*. [+++] **3.** *Passer en poudrerie* : passer à toute vitesse, à toute allure. Syn., voir : **gauler**.

POUDRETTE n. f. Houppette servant aux femmes pour se poudrer. [++]

POUDREUX, EUSE adj. Où la *poudrerie* se fait davantage sentir en parlant d'un endroit ou d'une période de temps. Un endroit sans arbres est beaucoup plus *poudreux* qu'un endroit couvert d'arbres; une semaine *poudreuse*.

POUDRIN n. m. **1.** *Poudrerie* légère. (acad.) **2.** Poussière d'eau sur la crête des vagues par vent violent. (acad.)

POUÈCHE adj. Capricieuse en parlant des femmes, jamais des hommes. Ce qu'elle est *pouèche* cette femme!

POUÈNE n. *En pouène* : en rut en parlant d'une vache. (acad.)

POUILLEUX n. m. Jeune castor, castor de l'année.

POUINE n. m. Bruit, tapage. Hé les enfants! Pas trop de *pouine*, on ne s'entend plus ici! (acad.) Syn., voir : **cabas**.

POULAMON n. m. (amér.) Poisson qui ressemble à la morue mais qui est un gade nain (Microgadus) et que l'on capture tous les hivers à travers la glace sur le Saint-Laurent (NOLF). Syn. : **loche, petite loche, petite morue, poisson-de-Noël, poisson des chenaux, poisson des Trois-Rivières**.

POULE D'EAU n. f. **1.** *Poisson.* Lompe, n. f. Syn. : **poule de mer**. **2.** *Oiseau.* Grèbe à bec bigarré.

POULE DE BOIS, POULE DES BOIS n. f. Appellations du pic doré. [+++] Syn., voir : **pivert**.

POULE DE MER n. f. *Poisson.* Lompe, n. f. Syn. : **poule d'eau**.

POULE GRASSE n. f. Plante. Chénopode blanc. (E 27-116) Syn., voir : **chou gras**.

POULET n. m. *Partir comme un poulet* : mourir tout doucement sans que les personnes présentes s'en rendent compte. [+++]

POULETTE n. f. **1.** *Poulette blanche* : anserine blanche. **2.** Plante. *Poulette grasse* : chénopode blanc. (E 27-116) Syn., voir : **chou gras**. **3.** Fig. Jeune fille. Sais-tu que sa femme n'est plus une *poulette*! Syn. : **viande fraîche**.

POULIN n. m. Fig. Jeune homme célibataire. Un homme âgé parlant de sa jeunesse dit souvent : quand j'étais *poulin*, je faisais ceci, cela...

POULINE n. f. Vx en fr. Pouliche, jument non encore adulte. [++]

POULICHON n. m. Jeune poulain de moins d'un an. [++]

POUMON n. m. *Poumon du fermier* : maladie affectant les agriculteurs, les *fermiers* dont les poumons sont exposés aux poussières et aux bactéries qui se dégagent du foin et de certains champignons.

POUMONIQUE adj. et n. Phtisique, pulmonique. Donat est *poumonique*, c'est le deuxième *poumonique* dans sa famille.

POUPOUNE n. f. **1.** Femme jeune en général. On voit qu'il fait beau, les *poupounes* se montrent. **2.** Niaise, imbécile, balourde, pas futée en parlant d'une femme. Cette Luce, elle est *poupoune*! Syn., voir : **épais**. **3.** Terme affectif pour une petite fille. Viens que je t'embrasse ma belle *poupoune*!

POUR prép. *Pour pas que* loc. prép. Pop en fr. Pour ne pas, afin que... ne pas. Il a quitté le pays *pour pas que* la police le prenne. [++]

POURCIE, POURSI n. f. Marsouin commun du Golfe Saint-Laurent. La *pourcie* est comestible.

POURGINÉE n. f. Bande, troupe, ribambelle. Une *pourginée* d'enfants. (acad.) Syn., voir : **tralée**.

POURPARLER n. m. Bruit, potin, commérage. [++]

POURRI, E p. adj. **1.** Fam. en fr. *Pourri de* : rempli de. Cet enfant est *pourri de* talent. [+++] **2.** Désagrégée en parlant de la neige ou de la glace. **3.** Très gâté, en parlant d'un enfant.

POURRILLON n. m. **1.** Tronc d'arbre renversé ou abattu et qui pourrit sur place en forêt. Syn. : **corps-mort**. **2.** Vieux cheval, rosse, haridelle. Syn., voir : **piton**.

POURRIR v. tr. et intr. **1.** Fig. Fondre, se désagréger en parlant de la glace. Le lac est dangereux, la glace a commencé à *pourrir*. [+++] **2.** Fig. Rester longtemps en place, ne pas se décider à partir. J'ai cru que Louis *pourrirait* ici, il ne partait plus. **3.** Fig. Gâter, faire les quatre volontés d'un enfant. Syn. : **mitocher**.

POURRITE adj. f. [#] Pourrie. Une pomme *pourrite*, une planche *pourrite*.

POURSUI, E p. passé [#] Poursuivi. Le chasseur a *poursui* le chevreuil qu'il avait blessé et a fini par le rejoindre.

POUR UN, POUR UNE (angl. for one) [Ø] De mon côté, de son côté, quant à moi, à lui, à elle. Le maire, *pour un*, n'a pas accepté ma suggestion; moi *pour un*, je savais de quoi je parlais.

POURVOIRIE n. f. Entreprise qui, contre rémunération, offre l'hébergement, les services et l'équipement pour la pratique, à des fins récréatives, des activités de chasse, de pêche ou de piégeage.

POURVOYEUR, EUSE n. Personne qui, dans les camps de chasse et de pêche ou *pourvoiries*, fournit, contre rétribution, aux chasseurs et aux pêcheurs ce dont ils ont besoin pendant la durée de leur séjour : abri, cuisine, chaloupes, guides; propriétaire d'une *pourvoirie*.

POUSSAILLER v. tr. et pron. Pousser, se pousser, bousculer, se bousculer. Arrête donc de le *poussailler*. [+++]

POUSSE n. f. Regain après la fauchaison, repousse. Syn., voir : **lien**.

POUSSER v. intr. et pron. **1.** S'enfuir, disparaître, déserter. Après deux jours au pensionnat, il s'est *poussé*. Syn. : **jumper** (sens 1). **2.** Se donner de l'importance, se faire valoir, chercher à plaire au sexe opposé. **3.** Dire, raconter. *Pousser* une bonne blague, une histoire drôle. **4.** Féconde, fertile, qui rend bien, en parlant d'une terre. **5.** Fig. Exagérer. Hé l'ami, *pousse* mais ne *pousse* pas trop!

POUSSEUX, EUSE adj. **1.** Fertile, qui produit beaucoup. Une terre *pousseuse*. Syn. : **fourrageux, rendeux. 2.** Qui pousse bien en parlant d'une plante. Cette nouvelle variété d'avoine est *pousseuse*. Syn. : **rendeux. 3.** Fig. Qui se donne de l'importance, qui cherche à plaire au sexe opposé. **4.** *Pousseux de crayon*. Terme péjoratif, en parlant des fonctionnaires du gouvernement.

POUSSIER, POUCIER n. m. Gros bout de la hart qui servait à lier une gerbe de blé ou d'avoine. Ce gros bout n'était pas tordu et était passé sous la partie tordue de la hart ce qui empêchait la ligature de se défaire.

POUSSIÈRE n. f. *Aller à la poussière* : aller aux femmes. Syn., voir : **peau** (sens 5).

POUSSIN n. m. Sizerin flammé.

POUSSINIÈRE n. f. Les Pléiades, groupe de six étoiles dans la constellation du Taureau.

POUTINE 1. n. f. (angl. pudding) [Ø] **1.** Terme générique s'appliquant à une grande variété de desserts. [+++] **2.** Pommes de terre frites recouvertes de fromage en grains et arrosées de sauce à *hot chicken*. [+++] **3.** *Poutine râpée* : plat fait de boulettes de pommes de terre râpées farcies de viande. (acad.) **4.** Fig. Femme grosse. On a rarement vu une *poutine* comme celle-là. Syn., voir : **toutoune**.

POUTINE 2. n. f. (angl. poteen) [Ø] Alcool de fabrication domestique. (O 36-85) Syn., voir : **bagosse**.

POUVOIR, POUVOIR D'EAU n. m. (angl. water power) [Ø] **1.** Courant électrique, électricité. Couper le *pouvoir* lorsqu'il y a un orage. Anglicisme disparu. **2.** Chute, cascade. À partir de 1867, le Québec a vendu des *pouvoirs d'eau* à des compagnies ou à des particuliers qui utilisaient la force hydraulique pour faire fonctionner des meuneries, des scieries... Anglicisme presque disparu. **3.** Barrage hydroélectrique. Construire un *pouvoir d'eau* sur une rivière, un cours d'eau. Anglicisme rare aujourd'hui.

POW-WOW n. m. Voir : **paoua**.

PQ n. m. Sigle. *Parti* québécois. Voir : **québécois** (sens 4).

PRAILLE n. f. (angl. pry) [Ø] Voir : **pry**.

PRAILLER v. tr. (angl. to pry) [Ø] Voir : **pryer**.

PRAIRIE, PLAIRIE n. f. *Prairie de castor* : terrain bas près d'un cours d'eau ou d'un lac et où poussent de la rouche, des joncs et qu'aiment fréquenter les castors. (E 38, 39)

PRATIQUE n. f. **1.** Vx en fr. Client, clientèle. Cet épicier a plusieurs grosses *pratiques*. Soigner la *pratique* du quartier. [+++] **2.** (Angl. practice) [Ø]. Exercice, entraînement à un jeu. Il y a une *pratique* du club de hockey ce soir. **3.** (Angl. practice) [Ø]. Répétition. La chorale fait des *pratiques* trois fois par semaine.

PRATIQUEMENT adv. (angl. practically) [Ø] Presque. Son livre est *pratiquement* terminé.

PRÉALABLE n. m. (NOLF) Mot français devant remplacer l'anglicisme *prérequis*.

PRÉCAUTION n. f. *De précaution* : prévoyant, précaution-neux. Quand on part en voyage, il faut être *de précaution* pour ne rien oublier.

PRÊCHE n. f. [#] **1.** Sermon prononcé par un prêtre catholique, prêche (n. m. en fr.) **2.** Réprimande. Il s'est fait faire toute une *prêche* pour avoir travaillé le dimanche.

PRÊCHER v. tr. **1.** *Se faire prêcher* : autrefois, se faire faire des remontrances du haut de la chaire, par le curé. **2.** *Prêcher de* : insister pour, prier de. Je n'ai pas eu besoin de le *prêcher de* rester à dîner, il a accepté tout-de-suite. (acad.)

PRÊCHEUR n. m. Plante. *Petit prêcheur* : ariséma rouge foncé. Syn. : **oignon sauvage**.

PRÉE n. f. Vx ou litt. en fr. Pré situé au bord d'un cours d'eau et souvent gardé comme prairie permanente. (acad.)

PRÉFET DE COMTÉ n. m. Maire que l'ensemble des maires d'un *comté* ou d'une circonscription électorale élisent pour présider le *conseil de comté*.

PRÉLAT, PRÉLART n. m. Mar. **1.** Linoléum recouvrant le plancher de certaines pièces de la maison, surtout celui de la cuisine et celui de la salle de bain. [+++] **2.** Voir : **couteau à prélart**.

PRÊLE DES TOURNEURS n. f. Prêle d'hiver.

PREMIER, EN adv. Voir : **empremier**.

PREMIÈRE CLASSE n. f. *De première classe* : très bien. Nous sommes allés passer deux jours chez notre oncle qui nous a reçus *de première classe*.

PRENDRE v. tr. et pron. **1.** *Prendre en élève*. Voir : **élève**. **2.** *Prendre le clos*. Voir : **clos** (sens 5). **3.** *Prendre le champ*. Voir : **clos** (sens 5). **4.** *Prendre le fossé*. Voir : **clos** (sens 5). **5.** *Prendre les nerfs*. Voir : **poigner les nerfs**. **6.** *Prendre sur soi* : se calmer. Ne te fâche pas, *prends sur toi*. **7.** *Prendre tout son petit change*. Voir : **change**. **8.** *Prendre toute sa petite monnaie*. Voir : **monnaie**. **9.** *Prendre une bouchée*. Voir : **bouchée**. **10.** *Prendre une fouille*. Voir : **fouille**. **11.** *Se prendre pour un autre* : être prétentieux, avoir une idée trop flatteuse de soi. Syn. : **fumer**, croire que sa **merde** ne pue pas, se **croire**, se **prétendre**. **12.** *Se prendre* : s'enliser dans la neige, rester pris. Regarde bien où tu passes car tu risques de *te prendre*. Syn., voir : s'**embourber**. **13.** *Se faire prendre* : devenir enceinte en parlant d'une jeune fille. Syn., voir : se faire **attraper**. **14.** Fig. *Prendre son trou* : reprendre sa place, se taire. Il a essayé de discuter mais très vite il a dû *prendre son trou*. [+++]

PRENURE, PORNURE n. f. [#] Présure obtenue en faisant macérer l'estomac des jeunes bovins et qui sert à faire cailler le lait.

PRÉREQUIS n. m. (angl. prerequisite) [Ø] Cours qui doit en précéder un autre dans le programme d'études d'un étudiant, préalable.

PRESBYTÈRE n. m. Fig. Maison très grande. Ce n'est pas une maison que ce médecin a achetée, c'est un *presbytère!* Syn., voir : **arche**.

PRÉSENTEMENT adv. Vx et rég. en fr. Actuellement. *Présentement,* il y a beaucoup de chômeurs.

PRESQUEMENT adv. Presque. Louis est *presquement* aussi grand que son père.

PRESSE n. f. Vx en fr. Urgence, besoin pressant. Prends ton temps, il n'y a pas de *presse,* nous ne sommes pas à la *presse.*

PRESSER v. tr. *Presser* un pantalon : repasser un pantalon.

PRESTO n. m. Cocotte minute, autocuiseur sous pression. Marque de fabrique.

PRESTONE n. m. Antigel que l'on met dans les radiateurs des voitures. Marque de fabrique.

PRÉSUMÉMENT adv. Probablement.

PRÉTENDRE (SE) v. pron. Avoir de la prétention, de l'estime trop grande pour soi. Depuis qu'il s'est acheté une auto, il se *prétend.* Syn., voir : se **prendre** pour un autre.

PRÉTENDU, E n. Rég. en fr. Promis, fiancé. J'ai vu Jacqueline avec son *prétendu.* Syn., voir : **cavalier**.

PRÉTEXTE n. m. *Sous un faux prétexte* (angl. under false pretences) [Ø] : sous le prétexte de, sous le faux motif de.

PRÊTILLON n. m. Servant de messe portant soutane et surplis. (acad.)

PRÉVENANT, E adj. [#] Prévoyant. Paul pense à l'avenir, il est *prévenant.*

PRIE-DIEU n. m. Fig. Voir : **piano**.

PRIER v. intr. *Prier au corps, prier le bon Dieu au corps* : rendre un dernier hommage à un défunt en allant faire une courte prière au salon mortuaire et offrir ses condoléances à la famille.

PRIÈRE n. f. **1.** *Ne pas avoir pour des prières* : devoir payer cher. Une Cadillac, on n'a pas ça pour des *prières!* **2.** *Connaître comme ses prières* : connaître par cœur, très bien connaître. Ce chasseur, il connaît les terrains de chasse comme ses *prières.*

PRIEUX, EUSE adj. et n. Dévot, pieux. On dit souvent que les femmes sont plus *prieuses* que les hommes. Syn. : **dévotieux**.

PRIME adj. **1.** Qui prend feu facilement. De la tondre bien sèche, c'est *prime.* [+++] **2.** Affilé, aiguisé. Une hache *prime,* un rasoir droit *prime.* [+++] **3.** En parlant d'une personne, qui s'emporte facilement, soupe au lait. [+++] **4.** Vif, fougueux, à propos d'un cheval. On ne laisse pas des enfants conduire un cheval aussi *prime.* [+++]

PRINCE-ALBERT n. m. Habit de cérémonie, redingote qui se portait encore beaucoup au début du XXe siècle. Syn., voir : **arrache-broquette**.

PRINCE-ÉDOUARDIEN, ENNE n. et adj. Gentilé. Habitant de l'Île-du-Prince-Édouard; de l'Île-du-Prince-Édouard.

418

PRINCIPAL, E adj. (angl. principal) [Ø] *Rue principale* dans un village à la campagne : grand'rue.

PRIS, E adj. **1.** Grand, gros et fort surtout en parlant d'un enfant ou d'un adolescent. Syn. : **résolu**. **2.** *Pris par surprise* (angl. taken by surprise) [Ø] : surpris, pris à l'improviste au dépourvu.

PRIVÉ, E adj. (angl. private) [Ø] Particulier. Avoir un secrétaire *privé*, donner des cours *privés*.

PRIVÉMENT adv. Litt. en fr. En privé, en particulier. Tenir à rencontrer son médecin *privément*.

PRIVÉS n. m. pl. Vx en fr. Les toilettes, les lieux d'aisances. Demander où sont les *privés*. Syn., voir : **chiardes**.

PRIX n. m. Vx en fr. *Au prix de* : en comparaison de, auprès de. Cet été, on a eu du beau temps *au prix de* l'été passé.

PROCHAINE n. f. *Prochaine!* Façon un tantinet ridicule de remercier l'intervieweur par l'interviewé alors qu'il serait si simple de dire; je vous en prie, de rien, il n'y a pas de quoi! Syn., voir : **bienvenue**.

PROFESSIONNEL, ELLE adj. et n. De profession libérale, homme ou femme.

PROFITANT, E adj. En parlant de la lune, *profiter* (sens 2), être dans son croissant. La lune est *profitante*.

PROFITER v. intr. **1.** Vx et rég. en fr. Grandir, grossir, se développer physiquement (en parlant d'un enfant, d'un animal, d'une plante). Un bébé au sein *profite* plus qu'au biberon. [+++] **2.** Croître, être dans son croissant en parlant de la lune.

PROGRAMME n. m. Émission de radio, de télévision. Les personnes désœuvrées ont leurs *programmes* qu'elles écoutent ou regardent religieusement.

PROGRESSIF adj. Se dit d'un cocktail ou d'un repas où les invités se rendent successivement chez plusieurs amis, ici pour un premier apéritif ou plat, là pour un deuxième apéritif ou plat et ainsi de suite.

PRO-MAIRE n. m. (angl. pro-mayor) [Ø] Maire suppléant. Notre maire étant en Floride, c'est le *pro-maire* qui le remplace.

PROMENEUR n. m. Étalon qui parcourait les campagnes pour servir les juments en rut. (acad.)

PROMETTRE v. tr. *Promettre un chien de sa chienne*. Voir : **chien** (sens 14).

PROMISSOIRE adj. Voir : **billet promissoire**.

PROPRE adj. **1.** Qu'on ne porte pas en semaine mais dans les grandes occasions, et toujours le dimanche. Habits, souliers, gants *propres*. [+++] Syn., voir : du **dimanche**. **2.** Cousin *propre*, cousine *propre*, *propre* cousin, *propre* cousine : cousin germain, cousine germaine. [+++]

PROPREMENT adv. Sans ménagement, vertement. Il s'est fait clore le bec *proprement*.

PROTECTEUR DU CITOYEN n. m. Au Québec, depuis 1969, personne chargée de défendre les droits des citoyens face au pouvoir public; on dit quelquefois *ombudsman*. Médiateur.

PROTONOTAIRE n. m. Fonctionnaire provincial chargé de l'enregistrement des actes dans un bureau d'enregistrement régional. Il y a un *protonotoire* dans chaque chef-lieu de comté.

PROUE n. f. Mar. Timon de chaque côté duquel sont attelés deux chevaux. (Beauce) Syn., voir : **tongue**.

419

PROUTE n. f. Vent nauséabond et non discret, pet. Le fait de manger des *fèves au lard*, des haricots au lard, serait à l'origine des *proutes*.

PROUTER v. intr. Faire des vents nauséabonds, péter.

PROUTEUX, EUSE adj et n. Personne qui fait des *proutes*, des pets, des vents nauséabonds .

PROVINCE n. f. Le mot *province* devant Québec devrait être supprimé parce que inutile depuis que nous disons le Québec, comme nous disons l'Ontario, le Manitoba et même l'Île-du-Prince-Édouard sans nous croire obligés de les faire précéder de province.

PROVINCIAL n. m. Le gouvernement de la province de Québec, ou mieux du Québec, par opposition au gouvernement fédéral du Canada. Le *provincial* et le *fédéral* s'opposent souvent.

PRUCHE n. f. Tsuga du Canada. Mot très fréquent dans la toponymie du Québec. [+++] Syn. : **haricot**, **violon**.

PRUCHÉ, E; PRUCHEUX, EUSE adj. Qui a poussé croche, plus ou moins tordu, non droit. Un arbre *pruché*.

PRUCHIÈRE, PRUCHINIÈRE n. f. [+++] Terrain où poussent des *pruches* ou tsugas.

PRUNEAU n. m. [#] Prune. Acheter des *pruneaux* bien mûrs. (rég. de Québec)

PRUNIER DE L'ISLET n. m. Prunier domestique.

PRUNIER SAUVAGE n. m. Prunier noir.

PRUNIÈRE n. f. Plantation de pruniers, prunelaie.

PRUSSE n. m. [#] **1.** Épicéa. (acad.) Syn. : **épinette**. **2.** *Prusse blanc* : épicéa glauque. (acad.) **3.** *Prusse noir* : épicéa marial. (acad.)

420

PRUSSIÈRE n. f. Terrain où poussent des *prusses* ou épicéas. (acad.) Syn. : **épinettière**.

PRY, PRAILLE (angl. pry) [Ø] Levier. Utiliser une *pry* pour soulever un fardeau. [++] Syn., voir : **rance**.

PRYER, PRAILLER v. tr. (angl. to pry) [Ø] Soulever à l'aide d'une *pry*, d'un levier. [++] Syn. : **rancer**.

PU, PUS adv. [#] *Ne plus*. J'peux *pu* le voir celui-là! J'en peux *pu*. Je ne peux plus le voir celui-là; je n'en peux plus. [+++]

PUANTERIE n. f. Puanteur, odeur infecte. Quelle *puanterie* que ces chats morts en décomposition!

PUCK n. (angl. puck) [Ø] Voir : **rondelle** (de hockey).

PUDDING n. f. (angl. pudding) [Ø] **1.** Voir : **poutine 1.** (sens a). **2.** *Pudding-chômeur* : entremets composé d'une pâte à gâteau qu'on dépose sur un sirop fait de cassonade, d'eau et de beurre et qu'on fait cuire au four. Recette inventée pendant la crise de 1929.

PUFFER v. intr. Se vanter, se donner des airs, être bouffi d'orgueil.

PUFFEUR, POFFEUR, EUSE adj. et n. (angl. puffer) [Ø] Vaniteux, rempli de soi-même. Syn., voir : **frais**.

PUISE, PUISETTE n. f. [#] Épuisette utilisée pour sortir de l'eau le poisson ferré. (O 27-116) Syn. : **salebarde**, **vésigot**.

PUISSANT, E adj. Grand et gros en parlant d'un adulte. (acad.)

PUITS n. m. **1.** *Puits à canon* : puits rond maçonné par opposition au *puits carré*. **2.** *Puits carré* : puits carré comme son nom l'indique à parois de bois (sapin blanc, *cèdre* ou *pruche*), Syn. : puits **boisé** (sens 1).

PULASKI n. f. Variété de hache utilisée pour combattre les incendies de forêt et dont la tête est munie d'un pic. Syn. : **hache** (sens 3).

PULPE n. f. (angl. pulp) [Ø] Pâte à papier. Usine où se prépare la *pulpe*.

PULPERIE n. f. Usine où l'on transforme du bois en *pulpe* ou pâte à papier.

PUNAISE DE PRESBYTÈRE, DE SACRISTIE n. f. Vieilles filles scrupuleuses, dévotes qui gravitaient autour des prêtres de paroisse.

PUNCH n. m. (angl. punch) [Ø] **1.** Bâtiment adossé à une grange et servant de hangar, de remise. (surt. Beauce) Syn., voir : **appent**. **2.** Personne grosse et courte. **3.** Chasse-clou, poinçon, emporte-pièce, horloge de pointage.

PUNG n. m. (angl. pung) [Ø] Autrefois, voiture d'hiver de promenade, haute sur patins et tirée par un cheval de course.

PUNK, PONQUE n. m. **1.** (Angl. punk) [Ø]. Amadou, bois pourri. Syn. : **tondre**. **2.** (Angl. punk) [Ø]. Adolescent qui rejette les valeurs de la société et qui manifeste son rejet en se rasant les cheveux, en se les teignant ou en se les coiffant d'une façon extravagante.

PURE LAINE loc. adj. Authentique, de souche. Jusque vers 1960, les francophones du Québec, premiers blancs habitant la vallée du Saint-Laurent se sont considérés comme *Canadiens pure laine* mais depuis, ils se disent *Québécois pure laine*.

PURÉSIE n. f. [#] Pleurésie.

PURET n. m.; **PURETTE** n. f.; **PURON** n. m. Bouton, pustule, petit furoncle. Avoir la figure couverte de *purons*, de *purets*. (acad.)

PURGE n. f. Purgation. Autrefois, à la campagne il était coutume de prendre une *purge* tous les automnes.

PURONNÉ, E adj. Boutonneux, couvert de *purons*. Un visage *puronné*. (acad.) Syn. : **boutonnu**.

PUS adv. [#] Dans une phrase négative, ne plus. J'en peux *pus* de voir cet homme à la télé, il me tombe sur les nerfs!

PUSHER n. m. (angl. pusher) [Ø] Vendeur, revendeur de drogue.

PUSH UP n. m. (angl. push up) [Ø] **1.** Exercice de gymnastique. Couché sur le sol face contre terre, corps rigide et mains sur le sol près des épaules, redresser le corps et plier les bras plusieurs fois, pompe. Faire des *push up*. Faire des pompes. **2.** *Avoir du push up* : de l'élan, du battant, vouloir réussir.

PUSTRON n. m. Au pl. Très petits poissons qui réussissent à pénétrer dans les cages à homards.

PUTAIN n. f. Vache taurelière, toujours en chaleur. [+]

PUTTY n. f. (angl. putty) [Ø] Mastic servant à mastiquer les vitres aux fenêtres. (acad.)

PUTTEYER v. tr. (angl. to putty) [Ø] Fixer les vitres aux fenêtres en utilisant de la *putty*, boucher un trou avec de la *putty*. (acad.)

PVA n. m. Sigle. *P*arcours à *v*itesse *a*ccélérée, en parlant d'un autobus. La grande agglomération de Québec est desservie par certains autobus *PVA* qu'on aurait très bien pu appeler autobus express.

PYRAMIDE n. f. [#] Vente pyramidale. Plusieurs personnes ont été condamnées à de fortes amendes pour avoir participé à une *pyramide*.

QARMAT n. m. (mot inuit) Maison rectangulaire des Inuits.

Q-TIPS n. m. Marque déposée Bâtonnet dont l'une des extrémités se termine par une petite boule de ouate servant à se nettoyer le cornet de l'oreille. Cure-oreilles.

QUADRUPLEX n. m. Habitation comportant quatre logements ou appartements.

QUAHAUG n. f. (amér.) Variété de mollusque de la côte atlantique (acad.)

QUALIFICATIONS n. f. pl. (angl. qualifications) [Ø] Compétence, formation d'un candidat pour un poste.

QUAND C'EST QUE (loc. conj. et adv.) **1.** Lorsque, quand. Je te raconterai mon voyage *quand c'est que* tu voudras. **2.** Quand. *Quand c'est que* tu pars? : quand pars-tu?

QUAND ET loc. prép. Vx et rég. en fr. En même temps que. Il est arrivé au magasin *quand et* moi. [+++]

QUAND MÊME QUE loc. conj. Même si : lors même. *Quand même que* le malade voudrait marcher, il ne le peut pas.

QUAND QUE loc. prép. [#] Quand. *Quand que* tu seras majeur, tu pourras voter. Quand tu seras majeur, tu pourras voter.

QUANTIÈME n. m. Litt. en fr. Le combien du mois, le jour du mois (du premier au trente et un). Quel est le *quantième* aujourd'hui? [+++]

QUAQUICHE n. f. Dent de lait, quenotte, en langage enfantin. Syn., voir : **crique**.

QUARANTE adj. num. **1.** Se mettre sur son *quarante et un*, *quarante-cinq*, *quarante-six* : revêtir ses plus beaux habits, s'habiller chic, se mettre sur son trente et un. Syn. : **quarante**, **trente-six**. **2.** *Vieux comme l'an quarante* : très vieux. Voir : **vieux**. **3.** *S'en ficher comme de l'an quarante* : s'en moquer absolument. [+++]

QUARANTE-ONCES n. m. Bouteille d'alcool de quarante *onces*, soit 1,139 L. Mot masculin parce que *flacon* est sous-entendu. [+++]

QUART 1. n. m. **1.** Variété de tonneau en bois ou en métal utilisé comme contenant de liquides (eau, mélasse, etc.) ou de solides (biscuits, clous, pommes, etc.). **2.** *Quart à lard* : saloir d'autrefois dans lequel on conservait le lard salé. [++] **3.** *Quart à eau, quart à mélasse, quart à vinaigre* : tonneau à différents usages. **4.** *Moins quart* : moins un quart, moins le quart. Il est trois heures *moins quart.* [#]

QUART 2. n. f. (angl. quart) [Ø] Contenant valant le quart d'un *gallon* impérial, soit 1,136 L. [+] Syn. : **pinte** (sens 1).

QUARTEL n. m. Quartier de bois de chauffage. Pour la nuit, on met un gros *quartel* d'érable dans le poêle.

QUARTELLE, CARTELLE n. f. Partie de la grange où l'on tassait le foin en vrac, ainsi que les gerbes de céréales. (O 36-86) Syn., voir : **tasserie**.

QUARTERON n. m. Vx en fr. Unité de poids valant quatre *onces* ou le quart d'une *livre* soit 113 gr. [+++]

QUARTIER! Grâce!, arrêt!, trève! Crie que lance l'un des deux combattants écoliers qui se voit vaincu. (acad.) Syn. : **mordeur**.

QUASI, QUASIMENT adv. Vx et rég. en fr. Presque, pour ainsi dire. Il a beaucoup vieilli, il ne peut *quasiment* plus marcher. [+++]

QUATRE-CHEMINS n. m. inv. Carrefour, endroit où se croisent deux voies. Syn. : **croisée, croix**.

QUATRE adj. num. Fig. *Se fendre en quatre* : se mettre en quatre, se donner beaucoup de mal. [++]

QUATRE-ÉPAULES n. m. inv. Bouteille de forme carrée servant de contenant pour le *gin* ou genièvre. Mot masculin parce que *flacon* est sous-entendu. [++]

QUATRE-ŒILLETS n. m. inv. Chaussures d'enfants ou d'adultes en caoutchouc et ayant quatre œillets. [++]

QUATRE-OREILLES n. m. inv. Bonnet d'hiver à quatre rabats que porte la Gendarmerie royale du Canada.

QUATRE-PAR-QUATRE n. m. inv. (angl. four by four) [Ø] Véhicule automobile avec traction sur les quatre roues, quatre-sur-quatre, quatre-quatre.

QUATRE-PIEDS n. m. Bille de bois de quatre *pieds* de longueur, soit 1 m 22, destinée à la fabrication du papier. [+++] Syn. : **pitoune**.

QUATRE-POTEAUX n. m. Variété de boghei familial d'autrefois à quatre roues, tiré par deux chevaux et muni d'un toit rigide supporté par quatre poteaux. (E 24-123)

QUATRE-ROUES n. m. inv. **1.** Voiture de ferme hippomobile à quatre roues, chariot, fourragère. Un *quatre-roues* à foin. (entre 38-84 et 22-124) Syn. : **truck** (sens 1), **panier, wagon** (sens 2). **2.** Voiture hippomobile à quatre roues pour le transport des personnes ou des marchandises. (E 22-124) Syn. : **wagon** (sens 1). **3.** Voiture-jouet à quatre roues pour enfants. Syn. : **express, wagon** (sens 3). **4.** Véhicule automobile tout terrain monté par une seule personne et dont les roues basses et larges permettent de circuler en forêt et de monter des pentes abruptes. [+++] Syn. : **VTT**.

QUATRE-SAISONS n. f. inv. **1.** Cornouiller du Canada qui produit de petites baies rouges et fades. Syn., voir : **quatre-temps**. **2.** Hortensia.

QUATRE-SEPT n. m. inv. Jeu de cartes où les quatre sept dans une même main ont priorité et permettent de gagner la partie, soit 31 points. [++]

QUATRE-TEMPS n. m. inv. Cornouiller du Canada. Fruit du cornouiller. [+++] Syn. : **quatre-saisons**, **rougets**.

QUE pr. rel. [#] Dont. Ce *que* le conférencier va vous parler est important. L'emploi de *que* au lieu de *dont* est une faute très fréquente et grave.

QUE adv. [#] Où. Un endroit *qu*'on se doit d'arrêter. Faute très fréquente.

QUÉBEC n. m. Voir : **passer un Québec**.

QUEBECENSIA n. m. pl. Documents, manuscrits, publications concernant l'histoire globale du Québec. Pluriel normal de *quebecensis*.

QUEBECENSIS adj. Voir : **homo quebecensis**.

QUÉBÉCIEN, ENNE n. et adj. Se dit du français propre aux francophones du Québec. Mot très peu employé. Syn., voir : **franco-canadien** (sens 2).

QUÉBÉCISANT, E n. et adj. Personne qui fait l'action de *québéciser*.

QUÉBÉCISATION n. f. Action de *québéciser*; résultat de cette action.

QUÉBÉCISER, QUEBÉCOISER v. tr. Souligner, marquer l'identité ou la spécificité de ce qui est propre au Québec, par opposition à ce qui est canadien. *Québéciser* le titre d'une revue.

QUÉBÉCISME n. m. Fait de langue propre à la langue française du Québec. Mot de création récente qui concurrence le mot canadianisme. Syn. : **canadianisme**.

QUÉBÉCITÉ, QUÉBÉCITUDE n. f. Ensemble des caractères, des manières de penser, de sentir propres aux habitants du Québec.

424

QUÉBÉCOIS, E n. et adj. **1.** Gentilé. Habitant ou natif de la ville de Québec; de la ville de Québec. **2.** Gentilé. Habitant ou natif du Québec; du Québec. Les Montréalais se disent *Québécois* tout comme les Gaspésiens. L'extension de sens de ce gentilé remonte aux années soixante. **3.** Se dit du français propre aux francophones du Québec. Syn., voir : **franco-canadien** (sens 2). **4.** *Parti québécois* : parti politique du Québec prônant l'indépendance du Québec. Il eut le pouvoir de 1976 à 1985 et le détient depuis 1994. **5.** *Bloc Québécois*. Voir : **bloc**. **6.** Voir : **mange-Québécois**.

QUÉBÉCOISERIE n. f. Mot, expression figurée, attitude, comportement sentis comme étant propres aux Québécois. Mot employé péjorativement, la plupart du temps.

QUEDETTE n. f. Cône de conifères. (Charsalac) Syn., voir : **cocotte**.

QUEDUC n. m. [#] Voir : **aqueduc**.

QUELQUE CHOSE n. m. Boisson à base d'alcool que l'on offre à un visiteur, à un ami de passage. Vous prendrez bien un petit *quelque-chose*. [+++] Syn. : **santé**.

QUÉMANDEUR, QUÉMARDEUX, EUSE n. et adj. Litt. en fr. Personne qui quémande, qui sollicite avec insistance de l'argent, des services, de l'aide.

QUENELLES n. f. pl. Jambes longues et maigres. As-tu vu les *quenelles* qu'elle a ? Syn., voir : **cannes de quêteux**.

QUENOCHE n. f. **1.** Sein, mamelle de la femme. Syn. : **amusards**, **djo**, **quetoche**, **quetouche**, **tette**. **2.** Petits seins en croissance chez une jeune fille. **3.** Tétée. Bébé prend sa *quenoche* aux quatre heures. Syn. : **quetouche**.

QUENOQUE n. f. **1.** Dent d'enfant, petite dent. **2.** Œil d'enfant. Ferme tes *quenoques* et fais dodo.

QUENŒIL n. m. Œil, en s'adressant aux enfants. Ferme tes *quenœils* et tu vas dormir. [+++]

QUENOSSE n. f. **1.** Testicules de certains animaux. Des *quenosses* de taureau, de verrat... **2.** Seins d'une jeune fille à l'âge de la puberté.

QUENOTTE n. f. Fam. en fr. Dent de lait. [++] Syn., voir : **crique**.

QUENOUILLE n. f. **1.** Typha à feuilles étroites ou à feuilles larges. Mot très fréquent dans la toponymie du Québec. [+++] Syn. : **massette, matelas**. **2.** Ornement au bout de chacun des piliers d'un berceau d'enfant, d'un *ber*. Les *bers* à *quenouilles* sont très recherchés par les antiquaires. **3.** Au pl. Fig. Jambes longues et maigres. Syn., voir : **cannes de quêteux**.

QUENOUILLIÈRE n. f. Endroit où poussent des *quenouilles* ou typhas à feuilles étroites ou larges.

QUENOUILLON n. m. Manoque de tabac saisinée avec de la ligne. On conserve les *quenouillons* de tabac dans la cave pour qu'ils restent souples, pour qu'ils ne sèchent pas. (acad.) Syn., voir : **main de tabac**.

QUERI, KRI v. tr. Litt. et dial. en fr. Quérir. Aller *queri* (kri) de l'eau au puits. [+++]

QUESNEL n. m. Variété de tabac à pipe cultivé au Québec.

QUE C'EST QUE [#] Qu'est-ce que. *Que c'est que tu dis?* Qu'est-ce que tu dis?

QUESTION n. f. *C'est pas une question* : c'est évident, il n'y a pas de doute.

QUESTIONNITE n. f. Maladie curable de quelqu'un qui passe son temps à questionner, à poser des questions. Au Parlement, les membres de l'opposition semblent atteints de la *questionnite*. Voir : **-ite**.

425

QUÉTAINE, KÉTAINE adj. et n. (La graphie *ké* est à proscrire, le mot étant de la famille de quête, quêter, quêteux et non dérivé de *Keating* comme certains l'ont prétendu.) **1.** De mauvais goût, démodé, artificiel, clinquant. Porter une robe *quétaine*. [+++] Syn., voir : faire **dur**. **2.** En parlant de quelqu'un, grossier, balourd, béotien, sans manières. [+++] Syn., voir : **épais**. **3.** *Faire quétaine* : être ridicule et méprisable. *Parler joual, ça fait quétaine* pour un premier ministre! Syn. : faire **dur**.

QUÉTAINER v. tr. *Se faire quétainer :* être l'objet de raillerie, faire rire de soi.

QUÉTAINERIE n. f. Tout ce qui est de mauvais goût, qui est démodé, artificiel, clinquant, kitsch.

QUÉTAINISME n. m. Vulgarité, mauvais goût. La télévision privée donne trop souvent dans le *quétainisme*.

QUÊTE n. f. **1.** *Passer la quête* : faire la quête à l'église. Syn., voir : **assiette** (sens 3). **2.** *Quête grasse, quête silencieuse* : à l'église, quête extraordinaire où les billets de banque devaient remplacer les traditionnelles pièces de monnaie, surtout les *cennes noires*. **3.** *Quête pour les âmes* : quête spéciale pour les âmes, du purgatoire, bien sûr!

QUÊTER v. tr. Mendier. Autrefois, les pauvres parcouraient les campagnes et *quêtaient* toute l'année.

QUÊTEU n. m. Morceau de bois ou de fer servant à bloquer la clenche de la porte d'une maison, à la campagne.

QUÊTEUX, EUSE n. et adj. **1.** Mendiant. Les lois sociales de l'après-guerre ont fait disparaître les *quêteux* qui parcouraient les campagnes une *poche* sur le dos. [+++]

2. *Avoir des épaules de quêteux* : avoir des épaules avalées, tombantes comme les *quêteux* d'autrefois qui se déplaçaient une *poche* sur le dos. **3.** *Quêteux monté à cheval, quêteux à cheval* : personne qui vit au-dessus de ses moyens. [+++] **4.** Fig. Sacrer en quêteux : sacrer, jurer tout bas. **5.** Voir : **cannes de quêteux. 6.** Voir : **cheval de quêteux.**

QUETOUCHE, QUETOCHE n. f. **1.** Vulg. Sein, mamelle de la femme. (O 36-91) Syn., voir : **quenoche** (sens 1). **2.** Tétée. Bébé prend sa *quetouche* aux quatre heures. (O 36-91) Syn. : **quenoche** (sens 2).

QUÉTU n. m. Voir : **qui-es-tu.**

QUEUE n. f. **1.** Levier servant à soulever les rondelles du *poêle*, de la cuisinière. Syn., voir : **clef de poêle. 2.** *Queue d'anguille* : nom vulgaire de la lotte commune. Syn. : **loche.** **3.** Fig. *Queue-d'égoïne* : habit de cérémonie, queue-de-morue. Syn., voir : **arrache-broquette. 4.** a) Fig. *Queue-de-cheval* : prêle des champs. [++] Syn. : **queue-de-renard.** b) Aurore boréale. Syn., voir : **marionnettes. 5.** *Queue d'écureuil* : (angl. squirrel-tail grass) [Ø] Orge agréable. Syn. : **finette. 6.** Fig. Vx en fr. *Queue-de-morue* : habit de cérémonie. Syn., voir : **arrache-broquette. 7.** *Finir en queue de morue* : finir en queue de poisson. **8.** Fig. *Queue-de-perdrix.* a) Variété d'assemblage de charpente ou de menuiserie. b) Variété de hache à tranchant large et convexe. c) En parlant d'une terre de cultivateur : terre ayant la forme d'une pointe de tarte au lieu d'être rectangulaire. Les terres en *queue de perdrix* sont dues à la présence d'une montagne ou d'un cours d'eau. **9.** Fig. *Queue-de-poêlon, queue-de-poêlonne, queue de poêle* : têtard de la grenouille. (E 36-86) Syn. : **barbote, loche, petit-poêlon, picassou, virecul. 10.** Fig. *Queue-de-renard.* [+++] a) Prêle des champs. Syn. : **queue-de-cheval.** b) Assemblage de charpente plus rudimentaire que l'assemblage en queue d'aronde. c) Goupillon pour asperger les fidèles d'eau bénite. **11.** Fig. *Queue-de-veau. Être comme une queue de veau* : être très occupé, très affairé, ne pas tenir en place. Syn. : **vertigo. 12.** Fig. *Queue du chat.* Fig. Lâcher la queue du **chat** : être parrain ou marraine pour la première fois. **13.** Fig. *Queue-rouge* : paruline flamboyante. **14.** Fig. *Queues-de-castor* : raquettes à neige de forme oblongue pour pays découverts, lacs, pistes. **15.** Fig. *Queue d'hirondelles* : raquettes à neige effilées et relevées à l'avant pour la marche rapide en pays plat. **16.** *Queuq'chose, un petit queuq'chose* n. m. : cadeau, récompense. **17.** Fig. *Queues-de-morue* : raquettes à neige de forme ovale, utilisées par les trappeurs et les travailleurs en forêt. **18.** Fig. *Queues-de-vaches* : nuages noirs, échevelés qui annoncent la pluie. **19.** *En queue de chemise* : en chemise, en pan de chemise. La maison était en feu, il a sauté par la fenêtre *en queue de chemise.* **20.** Fane de carotte, de betterave, de radis, de pommes de terre. **21.** Fig. *Tenir la queue de sa classe* : au niveau primaire, être le dernier de sa classe. **22.** *Queue fine.* Sobriquet que les braconniers du lac Saint-Pierre donnent aux chasseurs huppés de cette région.

QUIAUDE, KIAUDE, TIAUDE n. f. Mets de pêcheurs de morue constitué des éléments suivants : morue en petites morceaux, lard, ciboulette, farine, pommes de terre. Syn., voir : **binegingo.**

QUI-ES-TU, QUÉTU n. m. Mésange à tête noire. Appellation donnée d'après son chant. [+++] Syn. :

chickadee, tétu.

QUILLE n. f. *Jeu de quilles* : bowling. [+++]

QUILIOU, KILIOU n. m (amér.) Le grand aigle royal.

QUILLEUR, EUSE n. *Joueur de quilles* : joueur de bowling. [+++]

QUINCAJOU n. m. (amér.) Voir : **carcajou**.

QUINTAL n. m. Poids utilisé dans le commerce du poisson, équivalant officiellement à cent *livres* mais plutôt à cent douze *livres* pour la morue séchée, façon d'exploiter les pêcheurs.

QUINTEAU n. m. Moyette de quatre à six gerbes de céréales. (O 36-85 et E 22-124) Syn. : **cabane, dizeau, stook**.

QUINZE-CENNES n. m. Magasin, bazar où l'on vendait toutes sortes d'objets d'utilité courante et à prix populaires. Cette appellation autrefois très fréquente devient de plus en plus rare. Syn. : **cinq-dix-quinze, magasin de quinze-cents**.

QUIODE n. f. Voir : **quiaude**.

QUIOQUE n. m. **1.** Variété de petit oiseau comestible. **2.** Jeune pousse de framboisier. (Charsalac)

QUIOUNE n. f. Voir : *toune, tioune*.

QUITOUCHE n. f. (amér.) Femme de mœurs douteuses, prostituée. Syn., voir : **guidoune**.

QUITTER v. tr. [#] **1.** Laisser. *Quitter* sécher le linge sur la corde à linge. (acad.) **2.** *Quitter à part* : mettre à part, séparer. Quand on arrache les patates, on *quitte à part* les petites. (acad.)

QUOI pr. Fam. en fr. *Avoir de quoi* : avoir des moyens, être riche. Syn., voir : avoir le **motton** (sens 3).

QUOTA n. m. (angl. quota) Fig. *Avoir son quota* : en avoir assez, en avoir ras le bol, en avoir plein les bottes.

QUTDELEG n. m. (mot inuit) Lampe propre aux Inuits pour éclairer leur *igloo*.

427

R

RABADOU n. m. (amér.) Variété de ragoût à base de viande de bison séchée, mise en poudre et mêlée de graisse.

RABASKA n. m. (amér.) Canot d'écorce d'une dizaine de mètres de longueur et de 125 cm de largeur que l'on fabriquait autrefois à Trois-Rivières. Syn. : **canot de maître**.

RABÂTE, RABÂTÉE n. f. **1.** Correction, volée de coups, raclée. Donner une *rabâte* à quelqu'un. Syn., voir : **champoune**. **2.** Verte réprimande.

RABÂTER v. tr. [#] Rabâcher, répéter continuellement. *Rabâter* toujours la même chose. [+++] Syn. : **raguenasser, renoter**.

RABÂTEUR, RABÂTEUX, EUSE n. Rabâcheur, personne qui répète toujours la même chose. Syn. : **raguenasseur, renoteur**.

RABATTANT n. m. Produit que l'on mettait dans la nourriture et qui était destiné à calmer les ardeurs sexuelles des collégiens, des travailleurs en forêt et des jeunes militaires.

RABETTE n. f. Vulg. *En rabette* : en chaleur, en rut, surtout en parlant des chiennes, des chattes et des vaches. (O 27 116) Syn. : en **ravaud**.

RABIOLE n. f. Rég. en fr. Navet blanc. [+++]

RABOTU, E adj. [#] Raboteux, inégal, en parlant d'un terrain, d'un chemin. Syn., voir : **cahoteux**.

RABOUDINAGE n. m. **1.** Action de *raboudiner*, de mal faire, de bâcler son travail. [+++] Syn., voir : **brouchetage**. **2.** Récit incompréhensible. Je n'ai rien compris de son *raboudinage*.

RABOUDINER v. tr. et pron. **1.** Faire un travail à la diable, bâcler ce qu'on a à faire. Il t'avait demandé de raccommoder son gilet, pas de le *raboudiner*. Syn., voir : **broucheter**. **2.** Fig. Bafouiller, dire quelque chose de manière incompréhensible. Tu n'as pas réussi à comprendre ce qu'il *raboudinait*? **3.** Fig. Se ratatiner, se recroqueviller, se tasser. En vieillissant, notre voisin se *raboudine*.

RABOUDINEUX, EUSE n. Personne qui travaille à la diable, dont le travail est mal fait. Syn., voir : **broucheteux**.

RABOUR n. m. [#] Labour. (O 36-86)

RABOURER v. tr. [#] Labourer. (O 36-86)

RABOUTEUX n. m. Voir : **rebouteux**.

RABRIER v. tr. [#] Voir : **abrier**.

RAC, RAQUE adj. Ras. Un minot d'avoine bien *rac*, se couper les ongles trop *racs*. (acad.)

RACCORDER v. tr. et pron. [#] **1.** Vx en fr. Accorder (un instrument de musique). **2.** Réconcilier, raccommoder deux personnes, les remettre d'accord; se réconcilier.

RACCORDEUR n. m. [#] Accordeur d'instruments de musique.

RACCOSTER v. intr. Arriver à la côte, au rivage. Cette année, le hareng *raccoste* un peu plus tard que d'habitude.

RACCROC n. m. **1.** Vx en fr. Au jeu (billard, golf, etc.) coup heureux dû au hasard. C'est un *raccroc* qu'il ait réussi à blouser une bille aussi difficile; il a réussi *par raccroc*. **2.** Aile de la bordigue qui fait coude et empêche le poisson de reprendre le large. **3.** Détour, déviation d'un chemin.

RACCROCHER v. intr. Fig. Retourner aux études, en parlant des *décrocheurs*.

RACCROCHEUR, EUSE n. Fig. Appellation du *décrocheur* qui retourne aux études, qui *raccroche*. Depuis quelques années on crée des classes spéciales pour des *raccrocheurs*.

RACCULOIRE n. Avaloire du harnais de cheval. [++] Syn., voir : **acculoire**.

RACE n. f. *De race* : amérindien. Épouser une femme ou un homme *de race*. Syn., voir : **amérindien**.

RÂCHE n. f. Vx en fr. Lie, particules solides qui se déposent au fond d'un liquide au repos, dépôt. Il y a de la *râche* au fond de cette bouteille de sirop. (E 34-91) Syn. : **drâche**, **marc**, **maret**.

RÂCHEUX, EUSE; RÂCHU, E adj. Sédimenteux, ayant un goût de lie, de *râche*. Sirop *râcheux* ou *râchu*. (E 34-91)

RACHEVER v. tr. Achever, finir. On va *rachever* ce travail d'ici deux jours. [++]

RACINAGES n. m. pl. Racines ou herbes médicinales utilisées en médecine populaire. (surt. O 25-117) Syn. : **herbages**, **racines**.

RACINE n. f. **1.** *Racine jaune* : coptide du Groenland, plante très connue en médecine populaire. (acad.) Syn., voir : **savoyane**. **2.** *Racine de rat musqué* : asaret du Canada, plante très utilisée en médecine populaire. Syn. : **gingembre sauvage**. **3.** *Instruit jusqu'au bout des ongles, jusque dans la racine des ongles* : très instruit. **4.** Au pl. Voir : **racinages**. **5.** *Racine d'orme* : substitut du tabac qui, bien sec, peut être fumé comme un cigare.

RACINETTE, SODA RACINETTE n. m. Boisson gazéifiée jadis à base d'arômes de sassafras et aujourd'hui à base d'épices (NOLF). Mots remplaçant *root beer*.

RACK À FOIN n. m. (angl. rack) [Ø] Panier évasé, amovible et à claire-voie ou plate-forme amovible du chariot à foin, de la fourragère. [+++] Syn. : **brancard**, **chartil**, **panier**.

RACKET n. m. (angl. racket) [Ø] Combine, moyen astucieux, souvent illégal ou déloyal pour amasser de l'argent rapidement. Le *racket* des cigarettes, de l'alcool...

429

RÂCLAGE n. m. [#] Râtelage, action de râteler à l'aide d'un râteau manuel, d'un râteau à cheval.

RÂCLER v. tr. [#] Râteler à l'aide d'un râteau manuel ou à cheval. *Râcler* du foin. [+++]

RÂCLEUSE n. f. [#] Machine aratoire servant à râteler le foin, râteleuse.

RÂCLURES n. f. pl. [#] Râtelures, glanures de foin qui restent dans les champs après le ramassage . [+++]

RACOIN n. m. [#] Recoin. Ne pas oublier les *racoins* quand on passe l'aspirateur.

RACOTILLER, RACOQUILLER v. tr. intr. et pron. [#] 1. Recoquiller, recroqueviller. Les feuilles des arbres racotillent en séchant. 2. Se recoquiller, se recroqueviller en parlant des feuilles, d'un tissu. 3. Fig. Se pelotonner sur soi-même. Un enfant timide se *racoquille* seul dans un coin.

RACOUNE n. m. (angl. raccoon) [Ø] Raton laveur. Syn., voir : **chat sauvage**.

RACULER v. tr. [#] Reculer, faire marche arrière. *Raculer* une auto.

RADET n. m. Goret plus petit que les autres de la même portée, avorton. (Entre 34-91 et 46-79 ainsi que : Abitibi et Nord ontarien). Syn., voir : **ragot**.

RADIO n. m. Appareil, poste de radio, poste. S'acheter un *radio* à ondes courtes. [+++]

RADIOROMAN n. m. Feuilleton radiophonique qui a été supplanté par les *téléromans* à l'avènement de la télévision dans les années cinquante.

RADIOTHON n. m. Émission de radio pouvant durer plusieurs heures consécutives, avec participation gratuite de vedettes du monde du spectacle, ayant pour objet de recueillir des fonds dans un but spécifique comme par exemple la lutte contre le cancer. Le *téléthon* a remplacé le *radiothon*.

RADIS n. f. [#] Radis, nom masculin en français.

RADOUABLE adj. Mar. Qu'on peut réparer, *radouer* (barge, chaussures, moteur etc.)

RADOUAGE n. m. Mar. Action de *radouer*, de *radouber* une auto, une maison, etc., de faire un *radoub*.

RADOUB n. m. Mar. Réparation à une auto, à une maison, etc. Il a eu pour 500 $ de *radoubs* à son auto.

RADOUBER, RADOUER v. tr. Mar. Réparer quoi que ce soit (chaussures, moteur, harnais, toit, etc.). [+++] Syn. : **radouer**.

RAFALER v. intr. Mar. Souffler en rafales, en parlant du vent en général et plus particulièrement du vent qui s'engouffre par intermittence dans une cheminée.

RAFLE n. f. Loterie sous forme de tirage au profit des églises paroissiales, des œuvres de bienfaisance. Les *rafles* d'autrefois furent remplacées par les *bingos*.

RAFLER v. tr. Mettre des objets en loterie au profit d'une église ou d'une œuvre de bienfaisance. *Rafler* une bicyclette.

RAFT n. m. (angl. raft) 1. Radeau de billes de bois liées ensemble pour le flottage, et devant faire partie d'un train de bois, brelle. Syn., voir : **cage** (sens 1). 2. Petit radeau de grumes ou de bois équarri. Syn. : **crib**.

RAFTER v. tr. (angl. to raft) 1. Mettre en radeau, faire un radeau. Assembler des billes de bois sur l'eau en radeau pour les déplacer au fil du courant ou pour les haler.

2. Entourer du bois de flottage d'une estacade flottante ou pour le déplacer ou pour éviter que les billes de bois ne partent à la dérive. Syn. : **boomer**.

RAFTING n. m. (angl. rafting) Nouveau sport consistant à faire la descente de rapides en canot pneumatique.

RAFTSMAN n. m. (angl. raftsman) Homme qui conduisait les trains de bois sur l'eau, flotteur. Syn., voir : **draveur**.

RAGONER v. tr. Voir : **agoner**.

RAGORNER v. tr. Couper à la petite faux le foin ou les céréales qui poussent autour d'un arbre et que n'ont pu couper la faucheuse ou la lieuse. (acad.)

RAGORNURES n. f. pl. Foin ou céréales récupérés du fait de *ragorner*.

RAGOT, RAGOTON n. m. Goret plus petit que les autres de la même portée, avorton. (E 37-85) Syn. : **hérisson**, **marcassin**, **radet**, **ratintin**.

RAGOT, E adj. et n. Vx et fam. en fr. Petit, court et gros, en parlant d'un homme ou d'une femme. [++] Syn. : **basset**.

RAGOTON n. m. Voir : **ragot** n. m.

RAGOUILLER v. intr. et pron. **1.** Barboter dans l'eau. Les enfants adorent *ragouiller* dans l'eau. (acad.) **2.** Se gargariser. Se *ragouiller* avec de l'eau salée. (acad.)

RAGOÛT DE PATTES, DE PATTES DE LARD n. m. Ragoût de pattes de porc. [++]

RAGRANDIR v. tr. [#] Agrandir. *Ragrandir* une maison, une grange, un hangar.

RAGUENASSER v. intr. Radoter, rabâcher toujours les mêmes choses. (acad.) Syn., voir : **rabâter**.

RAGUENASSEUX, EUSE n. Rabâcheur, personne qui répète toujours la même chose. (acad.) Syn., voir : **rabâteur**.

RAIDE n. m. Force, énergie. Il lui a fallu tout son *raide* pour porter ce sac, il en a eu tout son *raide*. [+++] Syn., voir : prendre tout son **change**.

RAIDE adv. Très, beaucoup. Il est *raide* maigre, *raide* pauvre; il est pauvre *raide*, maigre *raide*. Il est tombé *raide* mort.

RAIDEMENT adv. Beaucoup, très. Ce travail est *raidement* difficile.

RAIDEUR n. f. *D'une raideur* : rapidement. En entendant un cri d'enfant, il est parti *d'une raideur* en direction de la maison. Syn., voir : **gauler**.

RAIE n. f. **1.** Sillon ou terre retournée par le versoir de la charrue. [+++] **2.** Dérayure séparant deux planches de terre et servant à l'écoulement des eaux de surface. **3.** Rayon ou rai d'une roue de charrette, de tombereau, de bicyclette. **4.** Versoir d'une charrue. Charrue à une *raie*, à deux *raies*, à trois *raies*. [+++]

RAIFORT n. m. Armoracia à feuilles de patience qui pousse à l'état sauvage et que l'on utilise comme condiment. [++] Syn. : **herbe à cheval**, **horseradish**, **rave à cheval**.

RAILLE n. f. Voir : **ralle**.

RAIN-DE-VENT n. m. **1.** Coup de vent, saute de vent. (acad.) Syn. : **rumb-de-vent**. **2.** Direction. Marcher pendant deux heures dans le même *rain-de-vent*.

RAINE-BOTTE n. (angl. ring-bone) [Ø] Tumeur au paturon du cheval, forme.

RAINETTES n. f. pl. Couvre-chaussures en caoutchouc pour dames. (Mot en perte de vitesse)

431

RAING n. m. Voir : **rin** de pêche.

RAINIÈRE, RAINURE n. f. Ornière, trace laissée par les roues sur le sol, ou par les patins d'un traîneau sur la neige. Syn., voir : **reile**.

RAISER v. tr. Rayer. Je me demande avec quoi on a pu *raiser* le pare-brise de cette automobile.

RAISIN n. m. **1.** Argot. Chique de tabac. Les hommes qui travaillent dans la poussière mâchent leur *raisin* sans arrêt. **2.** *Raisin de couleuvre* : smilax herbacé. **3.** *Raisin de brebis* : crottes de mouton (acad.)

RAISON n. f. *Comme de raison* : il va sans dire, il va de soi. *Comme de raison*, tu es encore en retard! [+++]

RAISONNABLE adj. De moyenne grosseur, de grosseur *raisonnable*. Un cochon *raisonnable*.

RAJEUNESIR v. intr. Rajeunir. (acad.)

RAKEUR, RÉKEUR n. m. (angl. raker) [Ø] Dent dégorgeante de certaines scies dont le *godendart*. [+]

RALLE, RAILLE n. f. Branche maîtresse d'un arbre, grosse branche. [+++]

RALLONGE n. f. **1.** Bâtiment adossé à une grange et servant de hangar, de remise. [+++] Syn., voir : **appent**. **2.** Annexe à une maison.

RALLU, E adj. Se dit d'un arbre qui a quelques très grosses branches, des *ralles*. [++]

RAMAGE n. m. **1.** Vx en fr. Façon de parler. Notre voisin a un drôle de *ramage*. **2.** Au pl. Dessins produits par le givre sur les carreaux des fenêtres l'hiver et qui représentent des ramifications, des arbres, etc. Syn. : **boisé** adj.

RAMAGÉ, E adj. Vitres ou carreaux des fenêtres sur lesquels le givre a reproduit des ramifications rappelant une forêt, des *ramages*. Syn. : **boisé** adj. (sens 2).

RAMANCHER v. tr. **1.** Rebouter, réduire une fracture, exercer le métier de *ramancheur*. [+++] **2.** Fig. Dire, raconter, inventer. Il m'a *ramanché* toute une histoire pour me dire pourquoi il avait fait ça. [++] **3.** Réparer, remettre en état, remmancher. *Ramancher* une chaise. [+++] Syn. : **amancher**.

RAMANCHEUR, RAMANCHEUX, EUSE n. Guérisseur qui remet les luxations, réduit les fractures, etc. [+++] Syn. : **rebouteux**.

RAMANCHURE n. f. Réduction d'une fracture, d'une luxure.

RAMANDER v. Demander, redemander avec insistance en parlant d'un enfant. (acad.)

RAMASSE n. f. **1.** *Faire la ramasse* : dans une érablière, passer d'un érable à un autre pour recueillir la sève sucrée amassée dans les *chaudières*. [+] Syn., voir : faire la **tournée**. **2.** Récolte. La *ramasse* des pommes de terre. **3.** Ramassage. Organiser la *ramasse* des écoliers. **4.** Correction, volée de coups. Donner une *ramasse* à quelqu'un. Syn., voir : **champoune**.

RAMASSE-POUSSIÈRE n. m. Rég. en fr. Pelle à poussière. Syn., voir : **porte-poussière**.

RAMASSEUR, EUSE n. **1.** *Ramasseur de gomme* : personne qui récolte la *gomme* ou résine de certains conifères. Syn., voir : **piqueur de gomme**. **2.** *Ramasseur de guenilles* : chiffonnier qui autrefois passait de porte en porte en criant : des guénilles à vendre?, des guénilles à vendre? Syn., voir : **marchand de guenilles**.

RAMASSURES n. f. pl. Balayures. Syn., voir : **baliures**.

RAMBLEUR, EUSE, LAMBREUR, EUSE adj. et n. [#] Cheval ambleur, un ambleur; jument ambleuse, une ambleuse.

RAMBRIS n. m. [#] Voir : **lambris**.

RAMBRISSAGE n. m. [#] Voir : **lambrissage**.

RAMBRISSER v. tr. [#] Voir : **lambrisser**.

RAMÉE n. f. **1.** Banc de poissons, volée d'outardes, de canards, d'oiseaux. Repérer les *ramées* de poissons au radar. (E 19-128) Syn. : **bouillée**, **mouvée**, **school**, **volier**. **2.** Groupe de deux ou trois poissons tirés ensemble de l'eau après avoir mordu ensemble aux hameçons de la même ligne. **3.** Fig. Grand nombre en parlant des personnes. Avoir une *ramée* d'enfants d'une même famille, d'oncles, de tantes, de cousins et de cousines. Syn., voir : **tralée**.

RAMENELLE n. f. Voir : **ravenelle**.

RAMENER v. intr. [+++] Vêler, mettre bas en parlant d'une vache qui n'en est pas à son premier veau. Autrefois, les vaches *ramenaient* en avril, ce mois étant couramment appelé le *mois des veaux*. Syn. : **renouveler**.

RAMEQUIN n. m. Bonbon fait à partir de la mélasse. (acad.) Syn. : **tire** (sens 6).

RAMER v. intr. **1.** Fig. Marcher très vite en balançant les bras. Paul se dirige vers le village, il semble pressé, il *rame*. Syn., voir : **gauler**. **2.** Fig. Travailler d'arrache-pied, peiner. **3.** Fig. *Ne pas être celui qui rame* : ne pas être le patron, être un employé. (acad.)

RAMOLLIR v. intr. S'adoucir en parlant du temps. Le temps a *ramolli*.

433

RAMONER v. tr. Corriger un enfant en utilisant une petite *hart*, lui donner la fessée. Syn. : **agoner**, **flauber**, **fouailler**, **rapailler**, **sourlinguer**, **tapocher**

RAMONEUR, RAMONEUR DE CHEMINÉES, RAMONO n. m. Martinet ramoneur, martinet des cheminées. [+++]

RANCE n. f. Mar. **1.** Barre de bois, barre de fer, pince servant à soulever des fardeaux, levier. [++] Syn. : **bonhomme** (sens 4), **pry**. **2.** Longeron placé sous une pile de billes de bois. [++] Syn. : **skid** (sens 1).

RANCER v. tr. Mar. Soulever un fardeau à l'aide d'une *rance*, d'un levier. Syn. : **pryer**.

RANCHE n. f. **1.** Andain de foin. (acad.) Syn., voir : **ondain**. **2.** Ridelle à claire-voie placée de chaque côté de la charrette à foin et qui empêche le foin de gêner les roues. (acad.)

RANCUNEUX, EUSE n. et adj. Vx, litt., rég. en fr. Rancunier, porté à la rancune.

RANG n. m. **1.** Type de peuplement rural constitué par un alignement d'exploitations qui ont la forme de bandes parallèles disposées perpendiculairement à un même chemin qui les dessert et en bordure duquel sont construites les maisons et les granges des exploitations agricoles. Si elles sont construites sur un seul côté, c'est un *rang simple*, si elles le sont sur les deux côtés, c'est un *rang double*. [+++] **2.** Ensemble des gens vivant dans un *rang*. Le *rang* au complet assistait aux funérailles. [+++] **3.** *Venir des rangs, du fond des rangs* : dans la bouche des villageois, être mal dégrossi, avoir des manières frustes. [+++] Syn., voir : **épais**. **4.** *École de rang* : par opposition à l'école du village, école fréquentée par les enfants d'un *rang* jusque vers 1960. **5.** Andain de foin. Mettre le foin en *rangs* avant de le ramasser. Syn., voir : **ondain**. **6.** *Rang du bord de l'eau* : *rang* qui longe les deux rives du Saint-Laurent, d'un cours d'eau, par opposition à d'autres *rangs* qui sont le deuxième, le troisième *rang*... **7.** *Rang de marée* : traînée de débris marins (varech, bois, épaves) que la marée montante amène au rivage et qui laisse un rang continu de débris sur la plage quand l'eau se retire. **8.** *Tirer un rang* (angl. to pull one's *rank* on) [Ø] : se croire supérieur aux autres.

RANGE n. f. Voie latérale qui dans les chemins d'hiver, permettait à une voiture de croiser ou de doubler une autre voiture. Syn., voir : **rencontre**.

RANGE-FOIN n. m. Planchette fixée au bout de la faux de la faucheuse mécanique et qui, en rangeant le foin coupé, libère la voie au patin de la faux pour le tour suivant. [+++] Syn. : **garde-foin**.

RANGIEN n. Néologisme dérivé de *rang* créé en 1984 par le géographe Louis-Edmond Hamelin. Se dit d'un habitat en *rangs*, d'un habitat aligné. Résidant permanent ou temporaire d'un *rang*.

RANGIQUE adj. Néologisme dérivé de *rang* (sens 1) créé en 1984 par le géographe Louis-Edmond Hamelin. Se dit d'un habitat en *rangs*, d'un habitat aligné.

RANTE, RANQUE n. f. Andain de foin. (acad.) Syn., voir : **ondain**.

RAP n. m. (abréviation de rapport) [#] Argot de la jeunesse. *Avoir rap, ne pas avoir rap* : avoir rapport, ne pas avoir rapport.

RAPACE n. m. Bardane plante ou capitules. (Beauce) Syn., voir : **grakia**.

434

RAPAILLAGES n. m. pl. **1.** Glanures, restes de foin, râtelures. (O 37-85) Syn. : **glanures**. **2.** Fig. Restes de la table. Syn. : **restants**.

RAPAILLER v. tr. **1.** Ramasser, rassembler, ranger des objets éparpillés. *Rapailler* ses outils quand le travail est fini. **2.** Fig. Donner une correction à un enfant. Syn., voir : **ramoner**.

RAPAILLEUX, EUSE n. Personne qui ramasse tout ce qu'elle trouve, même des choses inutiles.

RÂPE n. f. Fig. Colonne vertébrale de l'être humain. Syn. : **râteau** (sens 5).

RAPIDEUX, EUSE adj. Qui a beaucoup de rapides. La rivière Chaudière est *rapideuse*.

RAPIDON n. m. Petit rapide dans un cours d'eau. [+]

RAPIÉTER v. tr. Voir : **rentrayer**.

RAPILOTER v. tr. Voir : **apiloter**.

RAPLISSER v. intr. [#] Rapetisser en parlant d'un tissu.

RAPLOMBER v. tr. et pron. **1.** Remettre d'aplomb, caler. *Raplomber* un meuble en le calant. **2.** Fig. Retrouver son équilibre physique ou moral. Il *s'est raplombé* au cours de la croisière qu'il a faite.

RAPPORT n. m. **1.** Gaz d'estomac. Avoir des *rapports* d'oignons. **2.** Au pl. Débris rejetés sur le rivage par la mer montante. **3.** *Rapport d'impôt* : déclaration des revenus, déclaration fiscale. **4.** Pop. en fr. *Rapport à* : à cause de. Ne pas pouvoir marcher *rapport à* ses rhumatismes. **5.** *Par rapport que, rapport que* : parce que. [+++]

RAPPORTÉ, E n. et adj. À la campagne, étranger, nouveau venu dans une localité, non natif. Untel ne peut pas être maire, c'est un *rapporté*. [+++] Syn. : **étrange**, **importé** (sens 2).

RAPPORTE-PET n. Mouchard à l'école.

RAPPORTER v. intr. et pron. **1.** Mettre bas, surtout en parlant des vaches et des truies. La truie est à la veille de *rapporter*. Syn., voir : **amener**. **2.** Se présenter (angl. to report oneself) [Ø]. Depuis sa sortie de prison il doit *se rapporter* au poste de police toutes les semaines.

RAPPORTO n. m. Paruline flamboyante.

RAQUER v. intr. (angl. to. wreck) [Ø] **1.** Faire naufrage. Son bateau a *raqué* pendant la tempête, a été victime d'un *wreck*. **2.** Fig. *Être raqué* : être fatigué, avoir des courbatures.

RAQUETTE, RAQUETTE À NEIGE n. f. **1.** Sport d'hiver consistant à se déplacer sur la neige, raquettes aux pieds. La *raquette* est redevenue populaire au début des années cinquante. [+++] **2.** Variétés de raquettes à neige : *alaskas, bouts-ronds, chaussons, huronnes, montagnaises, morues, ojibwés, pattes-d'ours, pieds-d'ours, queues-de-castor, queues-de-morue, queues-de-perdrix, raquettes-skis, raquettes de cabane, snowmobiles.* Le mot raquette est très fréquent dans la toponymie du Québec. **3.** *Raquettes-skis*. Voir : **ojibwés**. **4.** *Raquettes de cabane* : variété de raquettes à neige formées d'un cadre. **5.** Fig. *Avec des raquettes* : façon de marquer le superlatif. Se mettre les pieds dans les plats et *avec des raquettes* par-dessus le marché. [++] **6.** Fig. Mains grosses et larges. [+++] **7.** Fig. Pieds anormalement grands [+++] **8.** Voir : **mal de raquettes**.

RAQUETTER v. intr. Se déplacer sur la neige en raquettes, pratiquer le sport de la raquette.

RAQUETTEUR, EUSE n. Personne qui pratique le sport de la *raquette* à neige.

RARE adv. **1.** Très. Il est grand *rare* pour son âge. **2.** *Un peu rare* : beaucoup. L'été, on a de l'ouvrage *un peu rare*.

RAS, E adj. Fig. À court d'argent, démuni, sans le sou. Lui, il est *ras* depuis qu'il est au monde! [+++] Syn. : **cassé**.

RAS-CUL n. m. Voir : **véloneige traditionnel**.

RASÉ, RASIS n. m. **1.** Partie de forêt où l'on a fait une coupe à blanc. Aller aux *bleuets* dans les *rasés*, dans les *rasis*. **2.** Endroit où l'on a abattu tous les arbres dans l'intention de défricher, de construire une route ou une ligne de transmission.

RASE-BOL n. m. Coupe de cheveux à la militaire.

RASE-CUL, RASE-TROU n. m. Veston trop court, qui descend juste au bas des reins.

RASER, RASER DE v. intr. **1.** Venir près de, faillir. Il a *rasé* se faire tuer, de se faire tuer. [+++] **2.** Être près de. Son âge ? – Il *rase* soixante ans!

RASE-TROU n. m. **1.** Rase-pet pour homme. [+++] **2.** Mini-jupe pour adolescentes bien tournées. [+] Syn. : **rase-touffe**.

RASIS n. m. Voir : **rasé**.

RASOIR n. m. Fig. *Pisser des lames de rasoir* : souffrir de blennorragie.

RASSIRE v. tr. et pron. Rég. en fr. Asseoir de nouveau, rasseoir.

RAT n. m. **1.** Argot du monde syndical. Ouvrier qui refuse de prendre part à une grève, briseur de grève, jaune. Syn. : **scab**. **2.** *Rat d'eau* : ondatra. Syn. : **rat musqué**. **3.** *Rat d'église*. Être pauvre comme rat d'église : être très pauvre. [+++] Voir : **pauvre comme**. **4.** *Rat musqué* : nom vulgaire de l'ondatra. Mot très fréquent dans la toponymie du Québec. [+++] Syn. : **rat d'eau**. **5.** Fig. Avare. Syn., voir : **avaricieux**.

RATATOUILLE n. f. **1.** Fig. Vaurien, canaille, crapule. Méfie-toi de lui, c'est une *ratatouille*. Syn., voir : **tramp**. **2.** Fig. Camelote, marchandise de mauvaise qualité. Syn., voir : **cull**.

RATE f. *Se mouiller la rate* : s'enivrer. Syn., voir : se mouiller la **dalle**.

RÂTEAU n. m. **1.** Abat-grain de la moissonneuse-lieuse. Syn., voir : **râtelier. 2.** *Grand râteau, râteau à cheval* : machine aratoire hippomobile servant à râteler le foin et à le mettre en andains. [+++] Syn. : **râteleuse. 3.** *Râteau de côté, râteau de travers* : andaineuse. **4.** *Râteau-fileur, râteau-fileuse* : andaineuse. **5.** Fig. *Râteau, râteau de l'échine* : colonne vertébrale de l'être humain. Syn. : **râpe**.

RÂTELEUSE n. f. Machine hippomobile servant à râteler le foin et à le mettre en andains. Syn. : **grand râteau, râteau à cheval**.

RÂTELIER n. m. **1.** Abat-grain de la moissonneuse-lieuse d'autrefois. Syn. : **dévidoir, râteau. 2.** Faux à râteaux, faux armée d'autrefois. Syn., voir : **javelier. 3.** Porte d'étable à claire-voie dans sa partie supérieure. Syn. : **clayon. 4.** Fig. Dents artificielles, dentier. (surt. Charsalac) Syn., voir : **palais**.

RATELLE n. f. (angl. rat-tail) [Ø] Mèche à mine.

RATINTIN n. m. Goret plus petit que les autres de la même portée. Syn., voir : **ragot**.

RATOUR n. m. Ruse, subterfuge, tour. Cet homme-là, il est plein de *ratours*. [+++] Syn. : **détour**.

RATOUREUR, RATOUREUX, EUSE adj. et n. **1.** Rusé en affaires, en parlant d'un adulte. C'est un vieux *ratoureur*, il est *ratoureux*, tu ne peux imaginer! [+++] Syn. : **détoureur** (sens 1), **trigaudeux, velimeux. 2.** Espiègle, joueur de tours, en parlant d'un enfant. [+++] Syn. : **détoureur** (sens 2), **toureur, velimeux**.

RAVAGE n. m. **1.** Lieu de rassemblement hivernal d'un groupe plus ou moins important de *chevreuils* ou d'*orignaux* où ils trouvent nourriture et abri contre les intempéries. [+++] **2.** Erre, piste, traces du passage d'animaux de forte taille (*orignal, chevreuil,...*) signalées par des bris d'arbustes ou de branches, ainsi que par des piétinements. [+++] Syn. : **battue**.

RAVAGÉ, E adj. Coin de forêt où il y a de nombreuses traces du passage ou de séjours d'animaux de forte taille (orignaux, chevreuils, etc.)

RAVAGNARD n. m. Individu toujours mécontent, qui grogne sans arrêt.

RAVALEMENTS n. m. pl. Espace souvent clos, situé entre le toit et le haut des murs d'une maison et qui sert de lieu de rangement. [+++] Syn. : **coqueron** (sens 1).

RAVAUD n. m. **1.** Bruit, tapage. Faire du *ravaud*, faire le *ravaud* en parlant d'une personne ou d'un animal domestique. (O 28101) Syn., voir : **cabas. 2.** *En ravaud* : en rut, en chaleur en parlant surtout des chattes et des vaches. Syn. : **en rabette**.

RAVAUDAGE n. m. **1.** Action de faire du bruit, du tapage, du *ravaud*. **2.** Action de courir la prétentaine. **3.** Menu travail que l'on fait par mauvais temps à la campagne.

RAVAUDER v. intr. **1.** Faire du bruit, du tapage, du *ravaud*. Il n'a pas dormi car on l'a entendu *ravauder* toute la nuit. (surt. O 25-117) Syn., voir : **cabasser. 2.** Courir la prétentaine, être en quête d'aventures galantes, vaga-bonder. [++] Syn., voir : courir la **galipote**.

RAVAUDEUX, EUSE adj. et n. Qui *ravaude*, qui fait du bruit; qui court la prétentaine.

RAVE n. f. **1.** Ponte des œufs par la femelle des poissons; fécondation de ces œufs par le mâle, frai. (E 9133) **2.** *Rave à cheval* (angl. horse radish) [Ø] : armorica à feuilles de patience qui pousse à l'état sauvage et que l'on utilise comme condiment, raifort. Syn., voir : **raifort**.

RAVELINE n. f. [#] Petit ravin, ravine. On entend couler l'eau au fond de la *raveline*.

RAVENELLE n. f. Variété de radis sauvage (Raphanus raphanistrum). (acad.) Syn. : **ramenelle**.

RAVER v. intr. Frayer, en parlant de la femelle du poisson qui dépose ses œufs et du mâle qui les féconde. (E 9133)

RAVESTAN, RAVESTON n. m. **1.** Refrain d'une chanson. (acad.) **2.** Comptine. (acad.)

RAVIGOTON n. m. **1.** Chanson légère chantée sur un air vif et endiablé. **2.** Verre d'alcool que l'on boit pour se ravigoter. [+++]

RAVISÉ, E n. Dernier-né d'une famille et qui a un écart d'âge considérable avec l'enfant qui le précède. (Rég. de Québec)

RAYON n. m. (angl. rayon) [Ø] Voir : **magasin à rayons**.

RÉA, RIA n. m. Mar. Roulette, galet. Des *réas* de chariot de fourche à foin, de portes suspendues, de lits.

RÉA, RÉAQ n. m. Sigles. *R*égime d'*é*pargne-*a*ctions du *Q*uébec permettant des réductions d'impôts sur le revenu aux contribuables qui achètent des actions de certaines compagnies ayant leur siège social au Québec.

437

REACH n. m. (angl. reach) [Ø] Flèche permettant d'éloigner ou de rapprocher les deux trains du chariot à foin, de la fourragère, du bobsleigh. Syn. : **perche**.

RÉACTIONNAIRE n. et adj. Révolutionnaire, de gauche. En français réactionnaire se dit des antiprogressistes, des gens de l'extrême droite.

REBARRER v. tr. Fermer à clef de nouveau. N'oublie pas de *rebarrer* la porte.

REBICHER, REBICHETER (SE) v. pron. Se rebiffer, se rébéquer, regimber. Se *rebicher* au début mais finir par obéir. [++]

REBOUTEUX, EUSE, RABOUTEUX, EUSE n. Fam. en fr. Surtout dans les campagnes, personne qui a le don entre autres, de réduire les fractures et de remettre les luxations. (O 22-124) Syn. : **ramancheux**.

RECEVANT, E adj. Accueillant, hospitalier. Ces gens-là sont très *recevants*. [+++]

RÉCHAPPER v. tr. *Réchapper sa vie* : réussir à gagner sa vie, se tirer d'affaire. C'est en diversifiant ses cultures que ce cultivateur réussit à *réchapper sa vie*. Syn. : s'**arracher** (sens 2).

RECHARGE n. f. Ruisseau qui alimente un lac, par opposition à la *décharge* qui en évacue le trop plein. Syn. : **charge**.

RÉCHAUFFÉ, E adj. Fig. Légèrement ivre, chaud. Syn., voir : **chaudaille**.

RECHERCHISTE n. Personne qui fait des recherches pour une autre personne en vue de la réalisation d'une émission de radio, de télévision ou d'un documentaire sur un sujet précis, documentaliste.

RECHIGNER v. intr. Voir : **chigner**.

RECHIGNEUX, EUSE, RECHIGNOUX, OUSE adj. et n. Pleurnicheur, boudeur surtout en parlant des enfants. Syn., voir : **lyreux**.

RECIPER v. tr. Couper un morceau de bois, une planche, un madrier de la longueur voulue. [++]

RECIPURES n. f. pl. Rognures, découpures, chutes des pièces de bois taillées en longueur désirée.

RÉCOLLET n. m. **1.** Oiseau. Jaseur des cèdres. **2.** Gueule-de-loup installée au sommet d'une cheminée pour en faciliter le tirage. Syn., voir : **dos-de-cheval**.

RÉCOLTE, RÉCORTE n. f. Récolte des céréales (avoine, orge, blé, ...), jamais du foin. La fenaison étant finie, les foins étant finis depuis plusieurs semaines, la *récolte* ou *récorte* commence, la moisson commence. Souvent employé au pluriel : les *récoltes* sont finies.

RECOMPTAGE n. m. Suite à une élection, lorsque les deux candidats ont presque le même nombre de votes, vérification des bulletins de vote sous l'œil d'un juge.

RECONDITIONNER v. tr. (angl. to recondition) [Ø] Remettre en état, réusiner un moteur, le démarreur d'une auto, etc.

RÉCONFORTANT n. m. Verre d'alcool. Prendre un *réconfortant* après un long voyage en auto. [+++]

RECOPIÉ, E adj. Parfaitement ressemblant, tout craché. Cet enfant, c'est son père tout *recopié*. Syn. : **chié, copié**, en **peinture**.

RECORD n. m. (angl. record) [Ø] Disque de gramophone. Collectionner les *records* des années trente. Anglicisme presque disparu.

438

RECOUVRIR v. tr. Recouvrer. Son séjour à l'hôpital lui a permis de *recouvrir* la santé.

RECRUTEUR n. m. Frère ou père d'une communauté religieuse qui, avant 1960, parcourait les paroisses dans le but de rencontrer les jeunes garçons de 12 à 15 ans et de les attirer vers la vie religieuse. Syn. : **pompeur**.

RECULOIRE n. f. Avaloire du harnais permettant au cheval de freiner ou de faire reculer le véhicule auquel il est attelé. Syn., voir : **acculoire**.

RECULONS n. m. pl. Au pl. Envies qui se détachent de la peau autour des ongles. [+++] Syn., voir : **envieux**.

RECULONS (DE) loc. adv. À reculons. Sortir *de reculons*.

RÉDA n. m. Autrefois, le dernier-né d'une famille nombreuses. Syn., voir : **chienculot**.

RED ENSIGN n. m. (angl. Red Ensign) [Ø] Ancien drapeau du Canada comportant un *Union Jack* sur fond rouge et qui, en 1965, fut remplacé par l'*unifolié* actuel.

REDLIGHT n. pr. m. (angl. redlight) [Ø] Quartier réservé de Montréal et des grandes villes en général.

RED NECK n. pr. Sobriquet donné par les *Québécois* aux anglophones unilingues et obstinés des provinces de l'Ouest (Manitoba, Saskatchewan et Alberta) ainsi qu'aux anglophones du Québec adeptes inconditionnels du bilinguisme intégral et du libre choix de la langue d'enseignement pour tout le Québec. Syn., voir : **tête carrée**.

REDOUBLE n. m. [#] Double. Payer une auto usagée le *redouble* de sa valeur.

REDOUTER v. tr. Soupçonner, ne pas avoir confiance en quelqu'un. [+++]

REDOUTEUX, EUSE adj. et n. Vx en fr. Craintif, méfiant. Plus il vieillit, plus il est *redouteux*. [+++]

REDRESSIR v. tr. Redresser, remettre droit. *Redressir* un clou qu'on réutilisera, *redressir* une clôture..

RÉDUIT n. m. Sève d'érable réduite, épaissie par l'évaporation et en voie de devenir du sirop. [+++] Syn. : **bouillon**, **brassin**, **petit sirop**.

REEL n. m. (angl. reel) **1.** Air de violon d'origine écossaise et d'un rythme très vif, devenu traditionnel chez les francophones du Canada. Demander à un *violoneux* de jouer le « *reel* du pendu ». [+++] **2.** *Reel à bouche, reel à gueule* : autrefois à la campagne, en l'absence d'un instrument de musique, ensemble de bruits et de sons effectués par la bouche, rythmés par des battements de pieds et permettant de danser. **3.** Danse à quatre ou à huit danseurs exécutée sur l'air d'un *reel*. [+++] **4.** Moulinet d'une canne de pêche.

REER n. m. Sigle. *R*égime *e*nregistré d'*é*pargne *r*etraite permettant des crédits d'impôts sur le revenu, tant au *fédéral* qu'au *provincial*.

REFENTE n. f. **[#]** *De refente* : de refend, en parlant d'une clôture, d'un fossé qui sépare une terre sur sa longueur, d'un mur à l'intérieur d'un bâtiment, d'une maison. Syn. : **milieu**.

RÉFÉRENCE n. f. (angl. reference) [Ø] Lettre de *référence* : lettre de recommandation.

RÉFORME n. f. *École de réforme* : autrefois, maison d'éducation accueillant des adolescents difficiles, *maison de correction*.

REFOULE n. m. Reflux des marées : le mascaret.

439

REFOULER v. intr. et pron. **1.** Rétrécir en parlant d'une étoffe. Cette chemise est de mauvaise qualité, elle a beaucoup *refoulé* au premier lavage. [+++] **2.** Se tasser en parlant d'une personne âgée. [+++] **3.** Se donner une entorse, une foulure. Il s'est *refoulé* le pied.

REFOULIS n. m. Reflux des glaces sous l'effet de la marée montante.

REFRISER v. intr. Jaillir, éclabousser, être projeté. L'eau *refrisait* sur les piétons; le sang *refrisait* sur ses vêtements.

REGAGNANT, E adj. Être regagnant : y gagner. Oui, accepte ce marché, tu es *regagnant*.

RÉGALADE n. f. Forme de corruption électorale consistant à offrir à boire ou à manger à des électeurs pour les inciter à voter pour tel candidat ou éventuellement à s'abstenir de voter.

REGARDABLE adj. Être très laid en parlant surtout d'une personne. Notre nouveau voisin n'est pas *regardable*.

REGARDANT, E adj. Exigeant, tâtillon. Ce patron-là, il paye bien mais il est *regardant*. [+++]

REGARDER v. intr. (angl. at look) Paraître, annoncer. La mariée *regardait* bien. Va-t-il faire beau demain? – Le soleil couchant *regardait* mal.

REGIBOIRE n. f. **1.** Perche enlevante avec collet utilisée par les trappeurs et les chasseurs, piège à levier. (E 27-116) Syn., voir : **giboire**. **2.** Cigogne ou perche à bascule chargée d'un contrepoids et servant à puiser de l'eau d'un puits. (E 27-116) Syn. : **brimbale**, **bringueballe**. **3.** Fig. *Être en régiboire* : être en colère. Syn., voir : être en **sacre**.

RÉGIONALE n. f. École d'enseignement secondaire desservant toute une région, école régionale.

REGIS n. m. Rejet, pousse qui naît sur une souche. Syn., voir : **repousse**.

RÈGLE n. f. **1.** Férule qui a la forme d'une règle. Autrefois, à l'école, on risquait de recevoir des coups de *règle*. **2.** Lame de bois, graduée en *pouces*, en *lignes* et servant d'instrument de mesure.

RÈGNE n. m. **1.** Vie. Passer son *règne* avec la misère sur le dos. **2.** Fig. *Faire son règne* : faire son temps. Ses souliers ont *fait leur règne*, il faut les jeter. **3.** Habitudes courantes, mode. Tutoyer n'importe qui, c'est le *règne* d'aujourd'hui.

REGRICHÉ, E adj. En désordre, ébouriffé, non peignés en parlant des cheveux.

REGRICHER v. tr. et intr. **1.** Faire regricher les cheveux : les faire se redresser. **2.** Rechigner. Celui-là il passe sa vie à *regricher* et il mourra en *regrichant*.

REGUINE n. f. Voir : **rigging**.

REILAGE n. m. Voir : **reile**.

REILE n. f. **1.** Rayure faite sur un corps moins dur par un corps plus dur. **2.** Trace laissée par les roues sur le sol ou trace laissée par les patins d'un traîneau sur la neige. (O 116, 115) Syn. : **lisse**, **ornière**, **rainière**, **rainure**, **reillage**, **riage**, **riganière**, **roulière**, **track**.

REILER v. tr. **1.** Rayer, faire une rayure sur une surface de bois. *Reiler* le plateau d'une table de pin. **2.** Faire des traces sur le sol ou sur la neige en parlant d'une voiture.

REIN n. m. *Rein de vent* : rumb de vent.

REINQUIER n. m. [#] Région lombaire, reins, reintier. Avoir mal au *reinquier*. [+++] Syn. : **rognon** (sens 1).

REINCHE n. m. Voir : **ringe**.

REJET n. m. Argot des jeunes. *Faire rejet* : être laid, à part, dégoûtant, écœurant.

REJETER v. intr. Vomir pour avoir trop bu. Syn. : **remettre**, **renvoyer**, **restituer**.

RÉKEUR n. m. (angl. raker) [Ø] Voir : **raker**.

RELAIS n. m. **1.** Entassements de neige laissés de chaque côté de la route par le chasse-neige. (Charsalac) Syn., voir : **remparts** (sens 2). **2.** Autrefois, butte de neige entre les deux ornières d'un *chemin double*. Syn. : **piqueron** (sens 2). **3.** *De relais* : de rechange, de surplus, disponible. Un manche de hache *de relais*. (O 34-91) Syn. : **spare**.

RELATIONNISTE n. Spécialiste des relations publiques dans une société commerciale.

RELENT, E adj. et n. Humide, humidité. Ce tabac à pipe est trop *relent*! Il y a du *relent* dans la cave, la cave est *relente*. (acad.)

RELENTIR v. intr. Devenir relent, humide en parlant d'un endroit, d'une cave, d'une maison mal aérée. (acad.)

RELEVAILLES n. f. pl. Vx et rég. en fr. Après un accouchement, le fait de relever de couches.

RELÈVE, RELEVÉE n. f. [#] Voir : **levée** (d'un fossé).

RELEVÉE n. f. **1.** Voir : **levée** (d'un fossé). **2.** Vx en fr. Après-midi. Cela est arrivé au milieu de la *relevée*, vers trois heures ou plutôt vers quinze heures. (E 28-100) Syn. : **après-dîner**.

RELEVER v. tr. et pron. **1.** Aider une accouchée pendant une certaine période de temps. Cette femme va *relever* les femmes du voisinage pendant leurs *relevailles*. **2.** *Se relever* : se remettre d'un accouchement de façon à pouvoir reprendre sa besogne. **3.** Fig. Se remettre au beau, en parlant du temps. Syn., voir : s'**abeaudir**.

440

RELISH n. f. (angl. relish) [Ø] Sorte de condiment à base de concombre, de vinaigre et de piment. Un hot-dog avec *relish*.

REMARQUE n. f. *Passer des remarques* (angl. to pass remarks) [Ø] : faire des remarques, des observations désobligeantes.

REMBOURREUR n. m. **1.** Tapissier qui capitonne, rembourre, recouvre meubles et sièges. [+++] **2.** Taxidermiste, empailleur d'animaux.

REMBRIS n. m. [#] Lambris.

REMBRISSER v. tr. [#] Lambrisser, couvrir d'un lambris.

REMEMBRER v. tr. Mettre de nouveaux *membres*, de nouveaux patins à un traîneau.

REMETTE GERMAIN loc. adj. Voir : **remué de germain**.

REMETTRE v. tr. et pron. **1.** Vomir pour avoir trop bu. Syn., voir : **rejeter**. **2.** *Se remettre de* : se souvenir de. C'est curieux, je ne me *remets* pas de son visage.

REMEUIL n. m. **1.** Pis. La Brune a un gros *remeuil*, elle est à la veille de vêler. (acad.) Syn. : **per**. **2.** Fig. *Faire son remeuil* : se décider, cesser d'être hésitant. (acad.) Syn., voir : faire son **pis**.

REMEUILLER, REMEILLER v. intr. Vêler, mettre bas, amouiller. La Blanche est à la veille de *remeuiller*. (acad.) Syn., voir : **amener**.

REMMANCHER v. tr. Voir : **ramancher**.

REMOUQUE n. f. *À la remouque* : à contre-cœur. Étudier, faire un travail *à la remouque*.

REMPARTS n. m. pl. **1.** Glaces côtières des cours d'eau, des lacs. Les *remparts* de la rivière sont pris. (Charsalac) Syn. : **bordages** (sens 1). **2.** Entassements de neige laissés de chaque côté d'une route par le chasse-neige. On dirait une tranchée, tellement les *remparts* de la route sont hauts. [+++] Syn. : **bordages**, **relais** (sens 1).

REMPÂTER v. tr. Appâter de nouveau, garnir un hameçon d'un nouvel *empât*, d'un nouvel appât.

REMPIÉCER, REMPIÉCETER v. tr. [#] Rapiécer, rapiéceter, raccommoder un vêtement.

REMPIÉTER v. tr. Refaire le pied d'un bas qui est usé. Syn., voir : **rentrayer**.

REMPIRE n. m. [#] Aggravation, complication d'une maladie. Elle semblait aller mieux, mais elle a eu un *rempire* hier.

REMPIRER, REMPIRONNER v. intr. [#] Empirer, aller en empirant. Depuis son entrée à l'hôpital, il a *rempiré*. [+++]

REMPLIR v. tr. Voir : **emplir**.

REMUÉ, E DE GERMAIN, DE GERMINE loc. adj. Issu de germain (cousin, cousine). Syn. : **mette germain**, **rmettre germain**, **mué de germain**, **remette germain**.

RENARD n. m. **1.** Tige de fer reliant deux murs d'une construction pour les empêcher de s'écarter. **2.** Fig. Personne qui faisait ses Pâques en retard. [+++] Voir : **Pâques**. **3.** *Cheval à renard, viande à renard* : se dit d'un vieux cheval à abattre et dont la viande servira à nourrir les renards d'élevage des **renardières**. [+++] **4.** Fig. *Être un renard à la patte coupée* : être le plus rusé des rusés. **5.** Fig. *Plumer, pleumer son renard, plumer un renard* : vomir pour avoir trop bu, écorcher le renard. (O 25-117) Syn. : **caller l'orignal**, faire un **veau**, plumer son **veau**, **vêler**. **6.** *Tirer au renard* : tirer sur sa longe pour la casser et pour s'échapper,

441

en parlant d'un cheval. (O 34-91) Syn. : **haler au renard**.
7. Argot. Facture impayée. Ne lui fais pas crédit, il a des *renards* chez tous les commerçants. **8.** Voir : *queue-de-renard*.

RENARDIÈRE n. f. Établissement d'élevage du renard pour la fourrure.

RENARDOIS, E n. et adj. Gentilé. Habitant de Rivière-au-renard en Gaspésie, relatif à Rivière-au-renard.

RENCHAUSSAGE n. m. [#] Action de *renchausser*.

RENCHAUSSER v. tr. [#] **1.** Chausser, enchausser, rechausser les fondations d'une maison par différents apports afin de les protéger contre les grands froids de l'hiver. L'automne on *renchausse* avec de la paille, du bran de scie, de la terre, qu'on enlève le printemps; l'hiver, on *renchausse* avec de la neige. [+++] Syn. : **terrasser. 2.** Butter. *Renchausser* des pommes de terre. [+++] **3.** Côcher, couvrir la poule en parlant du coq. Syn. : **chausser**.

RENCHAUSSEUR n. m. [#] Machine aratoire servant à butter, buttoir.

RENCLOS n. m. [#] Terrain clôturé servant de pâturage, de pacage, enclos. Mettre les vaches dans le *renclos*. [++] Syn., voir : **clos**.

RENCONTRE n. f. **1.** Voie latérale de rencontre qui, dans les chemins d'hiver d'autrefois permettait à une voiture de croiser ou de doubler une autre voiture. [+++] Syn. : **croisée, jetée, range. 2.** Voie ferrée latérale qui permet à un train de croiser ou de doubler un autre train.

RENCONTRER v. tr. **1.** Croiser, doubler. En prenant ce raccourci, on ne *rencontre* presque jamais d'autos. **2.** *Rencontrer ses échéances* : payer ses échéances.

RENDEUX, EUSE adj. **1.** Fourni, grenu, abondant. L'avoine est *rendeuse* cette année. [+++] Syn. : **pousseux** (sens 2). **2.** Fertile. Cette terre est *rendeuse*. [+++] Syn., voir : **pousseux** (sens 1).

RENDU, E part. [#] Devenu. La fille du voisin est *rendue* maîtresse d'école.

RENDU QUE loc. conj. [#] Attendu que, étant donné que, pourvu que. *Rendu que* ta grand-mère garde les enfants, nous partirons en vacances.

RÈNE-BOTTE n. m. Voir : **ringbone**

RÈNECHE n. m. (angl. wrench) [Ø] Voir : **wrench**.

RÈNECHOU n. m. (angl. running shoe) [Ø] Voir : **running shoe**.

RENFERMER v. tr. Vx en fr. Jeter en prison, incarcérer, enfermer, interner. Syn. : **fourrer** dedans (sens 5), **sacrer** dedans (sens 5).

RENFERMI n. m. **1.** Parc dans l'étable ou l'écurie où on laisse un animal en liberté. (acad.) Syn. : **box-stall. 2.** Parc à l'extérieur, enclos pour veaux ou cochons. (acad.) Syn. : **box-stall**.

RENFONCER v. tr. [#] Enfoncer. Quand la terre est humide, on *renfonce* en marchant dessus; *renfoncer* une porte. [+++]

RENFORCIR v. tr. et intr. Vx en fr. Fortifier, donner plus de force physique, renforcer. La marche *renforcit* les jambes.

RENFORT n. m. Contrefort d'une chaussure.

RENFROIDIR, RENFRÉDIR v. intr. et pron. [#] Refroidir. Avec septembre, les nuits commencent à *renfroidir*, à se *renfroidir*.

RENGARD n. m. **1.** Séparation entre deux stalles dans une étable. Syn., voir : **entredeux**. **2.** Dans une porcherie, parc où les cochons sont en liberté.

RENICHER v. intr. Pleurnicher surtout en parlant des enfants. Syn., voir : **lyrer**.

RENIPPER v. tr. et pron. **1.** Vx en fr. Refaire sa garde-robe, s'acheter de nouveaux vêtements. Syn. : se **stocker**, se **toiletter**. **2.** Fig. Se meubler à neuf. **3.** Fig. Embellir. De la chaux et un peu d'ocre, ça *renippe* une grange.

RENOTAGE n. m. Rabâchage, redite, action de *renoter*.

RENOTER v. tr. et intr. Rebattre, rabâcher, répéter inutilement. Il vieillit : il *renote* toujours la même chose, il *renote* sans arrêt. [+++] Syn., voir : **rabâter**.

RENOTEUR, RENOTEUX, EUSE n. Rabâcheur, personne qui *renote*. [+++] Syn., voir : **rabâter**.

RENOUVEAU n. m. [#] **1.** Renouvellement de la lune. Demain, c'est le *renouveau* de la lune. **2.** Nouvelle lune. Le *renouveau* est favorable à certains travaux.

RENOUVELER v. intr. Vêler, en parlant d'une vache qui n'en est pas à son premier veau. [++] Syn. : **ramener**.

RENOUVELLAGE n. m. Le fait de *renouveller*, de vêler en parlant d'une vache qui n'en est pas à son premier veau.

RENOUVELLEMENT n. m. Renouveau de la lune, le premier quartier.

RENTIER n. m. *Rentier à la petite chaudière* : se dit de quelqu'un qui vit au-dessus de ses moyens.

RENTOURAGE n. m. [#] **1.** Clôture qui empêche les humains ou les bêtes de s'approcher trop près d'un puits, d'un précipice. **2.** Pan de grange en planches ou en madriers, revêtement. [+++]

RENTOURER v. tr. [#] **1.** Entourer d'une clôture, d'un garde-fou, un endroit dangereux. **2.** Voir : **lambrisser**.

RENTRAYER v. tr. Refaire. *Rentrayer* le pied d'un bas, des pieds de bas. (acad.) Syn. : **rapiéter, rempiéter**.

RENTRER v. tr. et intr. **1.** [#] Installer. *Rentrer* l'eau courante dans la maison de campagne. **2.** Fig. *Rentrer dans le corps* : supplanter, supprimer, faire la vie dure à. Le nouveau centre commercial *rentre dans le corps* des petits commerçants; déjà quelques-uns ont fermé leur porte.

RENVERSANT, E adj. Voir : **versant**.

RENVERSE n. f. (angl. reverse) [Ø] *En renverse* : en marche arrière. Pour pouvoir se garer convenablement, pour faire un créneau, il faut savoir se mettre *en renverse*.

RENVERSER v. tr. *Renverser un jugement* (angl. to reverse a judgment) [Ø] : casser un jugement.

RENVERSIS n. m. **1.** Arbre renversé par le vent et dont les racines sont à nu, chablis. [++] Syn. : **arrachis** (sens 1), **cul-levé**. **2.** Ensemble des arbres renversés par le vent à la suite du passage d'un cyclone, chablis. Quelle tristesse que cette érablière devenue un vrai *renversis*! [++] Syn. : **arrachis** (sens 2)

RENVOI D'EAU n. m. **1.** Jet d'eau ou dispositif permettant l'écoulement de l'eau, au bas d'une fenêtre, d'une porte ou encore à la jointure des planches verticales recouvrant un mur extérieur. (E 26116) **2.** Avant-toit dépassant largement la ligne de façade d'une construction, larmier. **3.** Égout, tuyau d'égout qui amène les eaux usées à un canal d'égout. [+++]

RENVOYER v. Vomir, rejeter, rendre. *Renvoyer* tout ce qu'on a absorbé. [+++] Syn., voir : **rejeter**.

RÉPARAGE n. m. Vx en fr. Réparation. Cette maison aurait besoin d'un gros *réparage*.

REPARER v. tr. et pron. **1.** [#] Éviter, détourner, parer. S'il n'avait pas *reparé* le coup de poing de son agresseur, il le recevait en pleine figure. **2.** En parlant du temps, remettre au beau, se remettre au beau. La dernière ondée a *reparé* le temps; déjà le temps se *repare*. [+++] Syn., voir : s'**abeaudir**.

REPAS-BÉNÉFICE n. m. Voir : **bénéfice**.

REPASSAGE n. m. Action de *repasser* des peaux, de les tanner, tannage. [+++]

REPASSER v. tr. Tanner. *Repasser* une peau de veau pour se faire des moufles, des *mitaines*. [+++] Syn. : **passer**.

REPASSEUR n. m. Celui qui faisait profession de passer les peaux, de les tanner; tanneur.

REPÊCHAGE n. m. Action de *repêcher*.

REPÊCHER v. tr. Pour les différents clubs de hockey majeur, choisir et engager un hockeyeur parmi les joueurs de hockey laissés pour compte dans une sorte de cagnotte et cela en se conformant à des règlements préétablis et très stricts.

REPENTIGNOIS, E n. et adj. Gentilé. Natif ou habitant de Repentigny, dans Lanaudière; de Repentigny.

REPEPPER v. tr. (angl. pep) [Ø] Redonner du *pep*, de l'enthousiasme, de l'élan à quelqu'un, *pepper* de nouveau. Son voyage en Floride l'a *repeppé*.

REPIMPER (SE) v. pron. Se parer, s'habiller mieux que d'habitude.

REPLACER v. tr. Reconnaître. Jean-Louis a été vingt ans absent : il m'a fallu quelques secondes pour le *replacer*.

RÉPOND part. [#] Est-ce qu'on vous a *répond*, avez-vous été *répond*, *répondu*? entend-on encore souvent dans les magasins. Que puis-je faire pour vous? Que désirez-vous?

REPORTEUX, EUSE adj. et n. Rapporteur.

REPOSADE n. f. Endroit où l'on s'arrêtait pour faire reposer les chevaux dans une montée.

REPOUSSE n. f.; **REPOUSSIS** n. m. [+++] **1.** Rejet qui pousse sur une souche. Syn. : **jeton**, **regis**, **repousson**, **retige**. **2.** Regain après la fauchaison. Syn., voir : **lien**.

REPOUSSON n. m. **1.** Au pl. Envies qui se détachent de la peau autour des ongles. Syn., voir : **envieux**. **2.** Rejet qui pousse sur une souche, nouvelle pousse. Syn., voir : **repousse**.

REPRENDRE (SE) v. pron. Prendre sa revanche dans les sports ou au jeu de cartes.

REPRISURE n. f. Reprise, raccommodage d'un tissu, d'un lainage. Ne pas aimer porter des chaussettes pleines de *reprisures*. [+++]

RÉQUIPER v. tr. Réparer, faire des réparations. *Réquiper* une maison pour la rendre plus confortable, plus attrayante.

RESCAPER v. tr. Fig. Guérir, retrouver la santé. En rendant visite à un ami qui a subi une grave opération, on dira volontiers : je pense qu'on va réussir à le *rescaper* celui-là.

RÉSERVE, RÉSERVE INDIENNE n. f. Territoire réservé aux plus anciens habitants du Canada, aux Amérindiens dans le but de les maintenir dans un état de dépendance et surtout de disposer de leurs terres. En 1977, il y avait 2 242 *réserves* au Canada.

RÉSIDENCE FUNÉRAIRE n. f. (angl. funeral home) [Ø] Voir : **funérarium**.

444

RÉSIGNER v. tr. (angl. to resing) [Ø] Résigner ses fonctions : démissionner, donner sa démission.

RÉSOLU, E adj. Gros et gras, bien bâti, fort en parlant d'un être humain. Syn. : bien **pris**.

RÉSOUS part. de *résoudre*. [#] Résolu. Il a *résous* ce problème.

RESPECT n. m. *Porter respect à* : vouvoyer. *Porter respect aux* adultes au lieu de les tutoyer. *Ne pas porter respect à* : tutoyer.

RESPIR n. m. Vx ou rég. en fr. Respiration, souffle, haleine. Arrêter quelques secondes pour reprendre son *respir*.

RESPONSABLE adj. (angl. responsible) [Ø] Sérieux, digne de confiance. Emploi pour un homme *responsable*.

RESSORER v. tr. intr., et pron. **1.** Sécher. Quand il vente, la terre *ressore* vite. **2.** Faire sécher. Étendre le linge dehors pour le *ressorer*. **3.** Fig. Se mettre au beau. Le temps *se ressore*. Syn., voir : s'**abeaudir**.

RESSORT n. m. Maléfice, sort. Autrefois on craignait les jeteux de *ressorts*, de sorts.

RESSOUDRE, RESSOURDRE v. intr. défectif [#] **1.** Sourdre, jaillir de terre en parlant de l'eau, d'une source. L'eau *ressourd* à deux pas d'ici. [+++] Syn. : **ressourcer**. **2.** Fig. Arriver à l'improviste, en parlant d'une personne. [+++] Syn. : **retontir** (sens 1). **3.** Rebondir. Lancer une balle avec force sur le ciment pour la faire *ressoudre*. [+++] Syn. : **retontir** (sens 2).

RESSOUDU, E part. de *ressoudre* [#] Voir : **ressous**.

RESSOURCE n. f. [#] Source. De l'eau de *ressource*. [+++] Syn. : **spring**.

RESSOURCER v. intr. Sourdre, jaillir de terre. Au pied de cette montagne, ça *ressource* partout. Syn. : **ressoudre**.

RESSOURCEUX, EUSE adj. [#] Plein de sources, sourcier. Terrain *ressourceux*. [+++] Syn. : **sourceux**.

RESSOUS part. de *ressoudre* **1.** Jailli de terre en parlant de l'eau, d'une source. Il a creusé un peu et l'eau a *ressous*. Syn. : **ressoudu**. **2.** Arrivé, survenu. Il a *ressous* avec sa femme et ses enfants une heure après nous. **3.** Rebondi. Cette nouvelle balle a *ressous* deux fois plus haut que la précédente.

RESSUAGE n. m. Buée. Ce matin il y avait du *ressuage* sur les carreaux des fenêtres.

RESSUER v. tr. et intr. Rare en fr. Suer en parlant des personnes, suer ou suinter en parlant des choses. Quand on travaille fort, *ressuer* est un signe de santé. Faire *ressuer* un malade. C'est mauvais signe quand les murs *ressuent*. [+++]

RESSUYER v. intr. Vx et rég. en fr. Se sécher en parlant d'une personne. Il faut prendre le temps de *ressuyer* quand on est en transpiration. [+++]

RESTANT n. m. **1.** Au pl. Vestiges de crème sur le lait écrémé. Syn., voir : **courant**. **2.** Au pl. Restes de la table. Donner les *restants* de table aux poules. [+++] Syn. : **rapaillages**. **3.** *C'est le restant, le restant des écus* : c'est le bouquet, c'est le comble. Gérard Laflaque a été nommé sénateur? *C'est le restant des écus*! [+++]

RESTÉ, E adj. Fatigué, épuisé, exténué, rendu au bout. Il a travaillé douze heures d'affilée, il est rentré *resté*. (O 22124) Syn. : **chagagnac**, au **coton**, **désâmé**, **éballé**, **échiné**, **effiellé**, **éralé**, **étarqué**, **magané**, **manqué**, **morfondu**, **poqué**, à **terre**.

445

RESTER v. tr., intr. et pron. **1.** Fatiguer, exténuer; se fatiguer, s'exténuer. Il a *resté* son cheval, se *rester* à courir. [+++] Syn., voir : **effieller**. **2.** Rég. en fr. Habiter, résider, demeurer. Il travaille à Montréal mais il *reste* à Laval. [+++] **3.** *Rester bête* : être décontenancé, interloqué. Il est *resté bête* en revoyant son ex-femme. **4.** *Rester sur la clôture* (angl. to sit on the fence) [Ø] : rester neutre, réserver son opinion.

RESTITUER v. tr. et intr. Vx et fam. en fr. Vomir. *Restituer* son repas, passer la nuit à *restituer*. [++] Syn., voir : **rejeter**.

RESUPER v. tr. [#] Quand un arbre est abattu, rogner la partie du tronc de cet arbre qui était sur la souche, le reciper.

RETAPER v. tr. *Se faire retaper* : faire un mauvais marché, se faire avoir. En échangeant son cheval, Jacques *s'est fait retaper*. [+++]

RETARDER v. intr. [#] Tarder. Le soleil ne *retardera* pas à paraître.

RETENIR v. intr. *Retenir de* : avoir les traits de, ressembler à quelqu'un physiquement ou moralement. Cet enfant *retient de* son père et non de sa mère.

RETENU n. m. [#] Au fém., chiffre qu'on réserve dans une addition pour l'ajouter dans la colonne suivante.

RETENUE n. f. Mémoire. Plus on vieillit, moins on a de *retenue*.

RETIENDRE v. tr. [#] Retenir. *Retiendre* est un verbe refait à partir des formes du présent de l'indicatif : je *retiens*, tu *retiens...*

RETIGE n. f. [#] Rejet qui pousse sur une souche, tige. (surt. O 22-124) Syn., voir : **repousse**.

RETIGER v. intr. **1.** Pousser, en parlant d'un rejet de souche. (surt. O 22-124) **2.** Taller, en parlant de l'avoine, de l'orge. Syn., voir : **tiger**.

RETIRANCE n. f. **1.** Demeure, logement, pied-à-terre. **2.** Retirance d'été : allonge au corps principal d'une maison, utilisée seulement l'été. Syn., voir : **cuisine d'été**.

RETIRÉ, E adj. Blême, pâle, amaigri, tiré. Avoir le visage *retiré*.

RETONTIR v. tr. et intr. **1.** Arriver, surgir à l'improviste. On ne serait pas surpris de le voir *retontir* au milieu de la nuit. [+++] Syn. : **ressoudre** (sens 2). **2.** Rebondir. Une balle de caoutchouc qui *retontit* bien. [+++] Syn. : **ressoudre** (sens 3). **3.** Retentir, se répercuter. À l'époque de la chasse, les coups de fusil *retontissent* jusqu'ici. [+++]

RETORDEUR n. m.; **RETORDEUSE** n. f. [#] Voir : **tordeur**.

RETRACER v. tr. (angl. to retrace) [Ø] Retrouver. Cet article, j'ai fini par le *retracer*; je vais te l'envoyer par télécopieur.

RÉTRÉCI n. m. **1.** Endroit où le lit d'un cours d'eau devient plus étroit et où le courant est plus rapide. (O 28100) Syn. : **ciré**, **étréci**, **étrette**. **2.** Action de rétrécir, pour un tricot. Faire un *rétréci* au bout des manches.

RETROUSSER v. tr. et pron. **1.** Fig. Dire son fait à quelqu'un, le remettre vertement à sa place, le moucher. Syn., voir : **boucher**. **2.** Fig. Se mettre au beau en parlant du temps. Ah! que j'aimerais donc que le temps *se retrousse*! Syn., voir : s'**abeaudir**.

RETS n. f. Vx ou litt. Filet de pêche. Une *poule d'eau* est restée prise dans la *rets*. Rets est m. en français actuel et ne s'emploie qu'au pluriel. Dérivé : **reyer**. Syn. : **net**.

RÊVAILLER v. intr. Rêvasser, s'abandonner à la rêverie.

REVANCHE n. f. R*evanche des berceaux* : le fait d'avoir des familles nombreuses. C'est la *revanche des berceaux* qui avait permis aux francophones canadiens de survivre.

REVANCHER (SE) v. pron. Vx ou littér. en fr. Prendre sa revanche, son avantage, rendre la pareille. Syn. : se **revanger**.

REVANGE, REVANGEANCE n. f. [#] Revanche. Prendre sa *revange*, sa *revangeance*.

REVANGER (SE) v. pron. [#] Prendre sa revanche, se *revancher*. Syn. : se **revancher**.

REVANNES, REVANNURES n. f. pl. [#] Criblures, vannures, grains de rebut qu'on donne aux volailles. (E 124, 125) Syn., voir : **agrains**.

REVAUCHER v. intr. Empiéter sur le mois suivant en parlant de la lune.

RÉVEILLE-MATIN n. m. Euphorbe hélioscopique dont le latex irrite la peau.

RÉVEILLON n. m. Repas pris tard dans la nuit lorsque la *veillée au corps* était la coutume. [+++]

REVENEZ-Y n. **1.** Retour en arrière, nouvelle décision. Autrefois, quand on se mariait c'était pour la vie, il n'y avait pas de *revenez-y*. **2.** En plaisantant, très bon plat, très bon vin. Cette tourtière a un petit goût de *revenez-y*.

REVIRANT n. m. Tournant, détour, courbe d'un chemin. Syn., voir : **dévirage**.

REVIRÉ, E, PROTESTANT, E n. Francophone catholique devenu protestant. Dans ce *rang* il y a plusieurs *revirés*. [+++] Syn. : **chiniquy**, **suisse** (sens 2).

REVIRÉE n. f. [#] En forêt, piste tracée autour d'une étendue d'arbres à abattre et qu'on utilisera pour le débusquage. Syn. : **dévire** (sens 2), **merry-go-round**, **round-turn**, **trail** (sens 3), **turn-over**, **virée** (sens 1).

447

REVIRER v. tr. et intr. Mar. **1.** Voir : **virer**. **2.** Fig. Faire une fausse couche. (O 27-116) Syn., voir : faire une **perte**. **3.** Fig. Avorter, en parlant surtout de la vache et de la jument. [+++] **4.** Fig. *Revirer son capot* : changer d'opinion, de parti politique, de religion, retourner sa veste. [+++] Syn., voir : **tourner son capot**. **5.** *En revirer une* : s'enivrer.

REVIRETTE n. f. **1.** Gueule-de-loup installée au sommet d'une cheminée pour en faciliter le tirage. Syn., voir : **dos-de-cheval**. **2.** Fausse-couche. Syn., voir : **perte**.

REVIRE-VENT n. m. Girouette placée sur les bâtiments de ferme pour indiquer la direction du vent. Syn., voir : **vire-vent**.

REVIRON n. m. Tournant, courbe, détour d'un chemin. Syn., voir : **dévirage**.

REVOLER v. tr. et intr. **1.** Projeter, lancer à distance, faire voler; rejaillir, gicler. L'explosion de la conduite de gaz a fait *revoler* les carreaux des maisons voisines; l'eau *revolait* de tous côtés. [+++] Syn. : **friser**. **2.** Fig. Dépenser sans compter. Quand il est en vacances et qu'il a pris un verre, il fait *revoler* son argent. [+++] Syn., voir : **flamber**.

REVOLI, REVOLIN n. m. Poussière d'eau salée sur la crête de vagues qui se brisent, embruns. [+++]

RÉVOLUTION TRANQUILLE n. f. Période d'une dizaine d'années qui a suivi la chute du *duplessisme* en 1960 et au cours de laquelle le Québec a connu des changements majeurs dans le domaine de l'éducation, de l'économie et des idées.

REVOYURE n. f. Pop. en fr. *À la revoyure!* : au revoir! [+++]

REVUE n. f. *À la revue!* : au revoir!

REYER v. tr. Barrer un cours d'eau au moyen d'un filet appelé *rets*. *Reyer* une rivière pour capturer du poisson.

RHINOCÉROS n. m. *Parti rhinocéros* : parti politique contestataire fondé en 1963 par l'écrivain humoriste Jacques Ferron et qui obtint 100 000 voix aux élections fédérales de 1984.

RHUBARBE DU DIABLE, RHUBARBE SAUVAGE n. f. Bardane, plante et capitules. Syn., voir : **grakia**.

RHUMATIME, RHUMATISSE n. m. [#] Rhumatisme.

RHUME n. m. *Rhume d'estomac* : angine.

RIAGE n. m. Trace des roues d'une voiture dans les chemins de terre. Syn., voir : **reile**

RIBÈCHE n. f. [#] Voir : **libèche**.

RIBONNER v. intr. Rivaliser, s'efforcer pour être le premier de sa classe, le premier à finir un travail. Syn. : **s'ambitionner**.

RIBOTE n. f. Baratte à beurre de forme conique dans laquelle le pilon est actionné à la main. (acad.)

RIBOTER v. tr. Battre la crème dans une *ribote* pour en faire du beurre. (acad.)

RIBOTOIR n. m. Pilon de l'ancienne *ribote* ou baratte conique, ribot. (acad.) Syn., voir : **baratteur**.

RICANAGE n. m. Ricanement, ricanerie. Pas de *ricanage!*

RICASSER v. intr. Rire de façon stupide, sans motif, pour des riens, ricaner.

RICHARD Voir : **labour Richard**.

RICHE adj. Voir : **gros-riche, grosse-riche.**

RICHELOIS, E n. et adj. Gentilé. Habitant de la vallée du Richelieu; du Richelieu.

RICHEMENT adv. Beaucoup, très. Être *richement* intelligent, *richement* pauvre, *richement* niais.

RICHEPEAUME, RICHEPOMME n. m. Plongeon du Nord. (acad.) Syn., voir : **huart**.

RICHETTE n. f. Potentille ansérine. Syn. : **argentine**.

RIDEAU n. m. Loc. fig. *Grimper, monter dans les rideaux, grimper aux, après les rideaux* : s'énerver, devenir fort agité, en parlant de quelqu'un.

RIDELLE n. f. Échelette avant ou arrière de la charrette à foin, de la fourragère. Syn., voir : **échelle**.

RIF n. m. (angl. reef) [Ø] Rocher à fleur d'eau, écueil, récif. [+] Syn., voir : **caye**.

RIFE, RIFLE n. m. Vx en fr. Sorte d'eczéma qui semble surtout une maladie d'enfants en bas âge.

RIGANE, RIGANEAU n. m. Petite rigole d'écoulement des eaux de surface. Syn., voir : **rigolet**.

RIGANIÈRE n. f. 1. Ligne médiane du périnée. Il a eu tellement chaud que l'eau lui coulait dans la *riganière*. 2. Ornière laissée sur le sol ou sur la neige. Syn., voir : **reile**.

RIGAUDIEN, ENNE n. et adj. Gentilé. Natif ou habitant de Rigaud, en Montérégie; de Rigaud.

RIGGING, RIGUINE n. f. (angl. rigging) [Ø] 1. Ensemble des instruments aratoires nécessaires à l'exploitation d'une ferme. [+++] Syn., voir : **roulant**. 2. Affaire, entreprise. Administrer une grosse *rigging*. [+++] 3. Fig. Personne usée, vieillie, malade. Comment peut-on vivre avec une *rigging* comme ça? [+++] Syn. : **séguine**.

RIGNE n. f. (angl. ring) [Ø] Voir : **ring**.

RIGNER v. tr. (angl. to ring) [Ø] Voir : **ringner**.

RIGOLET n. m. Petite rigole, petit fossé servant à évacuer l'eau de surface. [+++] Syn. : **riganeau**, **saignée**.

RIGOLEUSE n. f. Espèce de charrue pourvue de mancherons servant à rigoler (creuser ou entretenir les rigoles) et dont les deux ailes latérales nivellent obliquement les deux côtés de la rigole. Syn. : **diable à rigoles**, **pelleteux à rigoles**, **traîneau à rigoles**.

RIGOUÈCHE n. f. (amér.) **1.** Raie, variété de poisson plat. (acad.) **2.** Tube digestif. Se brûler la *rigouèche* en buvant trop chaud. **3.** Sexe féminin, vulve. Syn., voir : **noune**.

RIME n. f. *N'avoir ni rime ni bon sens* : n'avoir ni rime ni raison en parlant d'un projet farfelu.

RIMEUR, RUMEUR n. m. (angl. rim) [Ø] Rondelle amovible des cuisinières, des poêles à bois d'autrefois. (Estrie et E 9-132) Syn. : **rond**.

RIN DE PÊCHE n. m. Rivage couvert de cailloux, utilisé par les pêcheurs pour y faire sécher la morue et où ils remontaient leurs embarcations de pêche.

RIN DE VENT n. m. Rumb de vent.

RINCE, RINCÉE n. f. Vx en fr. Volée de coups, raclée. Attraper, recevoir ou donner une *rincée*, une *rince*. Syn., voir : **champoune**.

RINCE-BOUCHE n. m. Eau aromatisée pour rafraîchir la bouche ou mieux l'haleine. [+++]

RINCER v. **1.** Vx en fr. Donner une volée de coups, une raclée, une correction, une *rincée* à quelqu'un. [+++] **2.** *Se rincer le canadien, le dalot, le gau, le gorgoton, la luette* : boire à l'excès, s'enivrer, se rincer le gosier, la dalle. [+++] Syn., voir : se rincer la **dalle**.

RINCHE n. m. Voir : **ringe**.

RINCHER v. intr. Voir : **ringer**.

RING n. f. (angl. ring) [Ø] Boucle de fil de fer qu'on passe dans le groin d'un porc pour l'empêcher de fouir, anneau que l'on met au nez d'un bœuf, d'un taureau. Syn., voir : **anneau** (sens 1).

RINGBONE, RÈNE-BOTTE n. m. (angl. ringbone) [Ø] Tumeur au paturon du cheval, forme. [+++]

RINGE, RINCHE, REINCHE n. m. **1.** Le fait de ruminer, rumination. (E 30-100) **2.** *Perdre le ringe, le rinche* : cesser de ruminer et conséquemment perdre l'appétit. (E 30-100) Syn., voir : **ronge**.

RINGER, RINCHER v. tr. **1.** Mâcher de la gomme, une chique de tabac. (acad.) **2.** Ruminer. Les vaches *ringent* toute la nuit. (E 30-100) Syn., voir : **ronger**.

RINGNER, RIGNER v. tr. (angl. to ring) [Ø] **1.** Enlever un anneau d'écorce à un arbre qui sera abattu, afin d'y appliquer un acide qui en facilitera l'écorçage, anneler un arbre. **2.** Voir : **aléner** (sens 1).

RINGUETTE n. f. (angl. ring) [Ø] **1.** Sport d'équipe pour femmes ressemblant étrangement au hockey mais en moins rude, créé en 1963 et dont les joueuses, chaussées de patins à glace et munies de bâtons droits, essaient de pousser dans le but un anneau de caoutchouc appelé *ringuette*. **2.** Anneau de caoutchouc souple ayant 30 cm de diamètre sur 3 cm d'épaisseur utilisé par les joueuses de *ringuette*.

RIOCHER v. intr. Rire à demi, rire en dessous.

RIOTE, RIORTE n. f. Voir : **hariote**.

RIP ET DE RAP, DE GRIPPE ET DE GRAPPE loc. adv. De peine et de misère. Gagner sa vie *de rip et de rap*.

449

RIPE n. f. **1.** Rég. en fr. Copeau mince et étroit, planure, raboture. Partir un feu avec des *ripes*. **2.** *Balai de ripe* : balai d'éclisses minces et flexibles. **3.** Partir sur une ripe : commencer à nocer, à faire la noce.

RIPOUSSE n. f. **1.** Perche enlevante avec collet utilisée par les trappeurs et les chasseurs, piège à levier. Tendre une *ripousse* ou *à la ripousse*. (O 27-116) Syn., voir : **giboire**. **2.** Fig. Coup de vent. Il est arrivé une *ripousse*, une repousse de vent qui a défait les veillotes de foin et soulevé la poussière. (O 27-116) **3.** Fig. *En ripousse, à la ripousse* : à toute vitesse, rapidement. Je l'ai vu passer *en ripousse*. (O 27-116) Syn., voir : en **balle, brume**.

RIRE v. intr. **1.** *Entendre à rire* : bien prendre la plaisanterie, la raillerie. **2.** Loc. adv. *En pas pour rire* : beaucoup, très. À l'assemblée il y avait du monde *en pas pour rire*, être riche *en pas pour rire*. **3.** *Rire comme une cordée de bois qui déboule* : rire fort et mal, si mal qu'on attire l'attention.

RISÉE n. f. Mar. **1.** Vx en fr. Plaisanterie, raillerie. Entendre la *risée*. Pour signifier qu'on prend bien la plaisanterie on dira : si je ne vaux pas une *risée*, je ne vaux pas grand-chose. **2.** Allure rapide d'un cheval.

RIVER v. tr. Ébrécher, émousser accidentellement. *River* la lame de son canif.

RIZ SAUVAGE n. m. **1.** Zizanie aquatique appelée aussi *folle avoine*. **2.** Zizanie des marais appelée aussi *folle avoine*.

RMETTE-GERMAIN loc. adj. Issu de germain, remué de germain.

ROBE n. f. **1.** *Robe de buffalo* (angl. buffalo) [Ø] : peau de bison dont on se servait l'hiver, comme couverture de voyage. [+++] **2.** *Robe de peau de carriole, robe de poil, robe de voiture d'hiver* : toute couverture de fourrure dont on se servait l'hiver comme couverture de voyage. [+++] Syn. : **peau de fourrure**. **3.** *Prendre la robe* : entrer au grand séminaire ou au scolasticat pour devenir prêtre séculier ou régulier. Expression beaucoup moins fréquente depuis 1960.

ROBEUR n. m. (angl. rubber) [Ø] Voir : **rubber**.

ROBIN n. m. Vx en fr. Robinet. Ouvrir le *robin* pour remplir la bouilloire. Syn., voir : **champlure**.

ROBINE n. f. (angl. rubbing alcohol) **1.** Alcool frelaté ou dénaturé que boivent nos clochards ou *robineux*. [+++] **2.** *Être sur la robine* : boire à l'excès, être ivre.

ROBINER v. intr. (angl. rubbing alcohol) Consommer de la *robine*, vivre une vie de *robineux*, de clochard.

ROBINET n. Tout supplément de mesure pour les grains, les matières sèches. Syn. : **trait**.

ROBINETTE n. f. (angl. rubbing alcohol) Sobriquet donné à une femme qui aime boire de la *robine*, à une *robineuse*. Tiens, c'est *Robinette* qui passe!

ROBINEUX, EUSE n. (angl. rubbing alcohol) Personne qui s'adonne à la *robine*, clochard, ivrogne invétéré. [+++] Syn., voir : **bum**.

ROCHAILLE n. f. Gros gravier, pierres. Un terrain plein de *rochaille*.

ROCHE n. f. Caillou, pierre. Lancer des *roches* à la main ou au *tire-roche*, au lance-pierre. [++]

ROCHER v. tr. (angl. to rush) [Ø] Lancer. *Rocher* des cailloux, des pierres. Syn., voir : **garrocher**.

ROCHIÈRE n. f. Endroit où il y a des *roches*, des pierres, des cailloux en abondance.

ROCHU, E adj. Rocheux, pierreux, couvert de *roches*, de cailloux, de gravier. Une rivière à fond *rochu* est une rivière à truites. (surt. E 20-127)

ROCKEUR, EUSE n. (angl. rocker) [Ø] **1.** Individu de moins de trente ans, vêtu de cuir (blouson et pantalon collant), conducteur de grosses motos ou de voitures puissantes, quelque peu asocial et aimant les émotions fortes. **2.** Sommier pivotant du train avant du *bobsleigh*.

ROCKEFELLER n. m. Homme extrêmement riche, Crésus. Au Québec, les *Rockefeller* ne sont pas nombreux.

RÔDAILLER v. intr. Aller ici et là sans but déterminé.

RÔDEUX, EUSE adj. *Rôdeux de* : très. C'est une *rôdeuse de* belle femme; cette année, on a un *rôdeux de* bel été. [++]

ROFFE n. et adj. (angl. rough) [Ø] Voir : **rough**.

ROGER-BONTEMPS n. m. Vx en fr. Personne qui ne s'en fait pas, qui est calme, qui voit toujours le bon côté des choses. [+++]

ROGNE n. f. Canaille, vaurien, voyou. Méfie-toi de cet homme, c'est une *rogne*. [++] Syn., voir : **crapaud**.

ROGNON n. m. **1.** Vx ou rég. en fr. Rein de l'être humain. Avoir mal aux *rognons*. [+++] Syn. : **reinquier**. **2.** *Rognons de coq* : streptope rose. Les fruits des *rognons de coq* sont comestibles. **3.** *Rognons de castor* : castoréum utilisé comme remède. **4.** *Rognons huileux, rognons tondreux*. Voir : **tondreux**. **5.** *Tomber sur les rognons* : exaspérer, mettre hors de soi. Lui, je ne peux le sentir, il me *tombe sur les rognons*. [++]

ROGNURE n. f. Homme de petite taille. Louis, ce n'est pas un homme, c'est une *rognure*.

451

ROI-DE-MONTAGNE n. m. Oiseau. Gros-bec des pins.

ROI-DES-CHAMPS n. m. Séneçon faux-arnica.

ROIS (LES) n. pr. m. pl. La fête des Rois Mages le 6 janvier. Rimette : aux Rois, les jours allongent d'un pas d'oie.

ROJO n. m. Feuillard épais dont on recouvre l'étrave et la quille des bateaux de pêche pour les protéger contre les coups. (acad.)

RÔLIGNE n. f. (angl. rolling) [Ø] Cigarette roulée à la main. Quand on est chômeur, on fume des *rôlignes*. [++] Syn., voir : **rouleuse**.

ROLL n. m. (angl. roll) [Ø] Voir : **rollway**. [++]

ROLLON n. m. **1.** Morceau de bois rond d'une certaine longueur, rondin servant au pavage d'un chemin en terrain marécageux, d'où *chemin de rollons*. (acad.) Syn. : **corduroy** **2.** *Rollon de laine* : rouleau continu de laine fait avec les cardes. (acad.)

ROLLWAY, ROULOUÉ n. m. (angl. rollway) [Ø] Pile de billes de bois. Débusquer le bois qu'on vient d'abattre et le traîner jusqu'au *rollway*. [+++] Syn. : **roll**, **roule**.

ROMANCE n. f. Histoire invraisemblable, qui n'a ni queue ni tête. Ne pas aimer se faire raconter des *romances*.

ROMAN-SAVON n. m. (angl. soap opera) Émissions mélodramatiques commanditées par des fabricants de savon et qui passaient par tranche de 15 ou 30 minutes sur les ondes de la radio ou de la télévision. [+++]

ROMÉ n. m. (angl. rummy) [Ø] Variété de jeu de cartes très en vogue autrefois aux soirées paroissiales, rami.

ROMPIS n. m. **1.** Terre qui a été labourée pour la première fois. (acad.) **2.** Large banc de glace qui reste sur la grève à marée basse et qui se brise peu à peu. (acad.)

RONCHE n. m. Voir : **ronge**.

RONCHER v. intr. Voir : **ronger**.

ROND n. m. **1.** Tapis natté de forme circulaire. Syn. : **rosette**, **roulette**. **2.** Rondelle de poêle à bois d'autrefois. Réparer les *ronds* de poêle brisés en utilisant des crampillons rivés. [+++] Syn. : **rimeur**. **3.** Touffe d'arbres, étendue plus ou moins grande où poussent des arbres d'une même espèce. Un *rond* de pins. [+++] Syn., voir : **bouillée**. **4.** *Rond, rond à patiner* (angl. skating rink) [Ø] : patinoire à glace extérieure. Anglicisme presque disparu. **5.** *Rond de course* : hippodrome. Mot en perte de vitesse. **6.** *Rond-de-fesse* : rocher nu à fleur de terre, *nunatak*. (Lanaudière) Syn., voir : **cran**.

ROND, E adj. **1.** Fam. en fr. Ivre. Il a été *rond* pendant toute la noce. D'où *rond comme un œuf* et *avoir les pieds ronds* : être ivre. Syn., voir : **chaud**. **2.** Entier, non castré, en parlant d'un étalon ou d'un taureau. **3.** *Se coucher tout rond* : se coucher tout habillé. [+++] Syn. : **pompier**. **4.** *Geler tout rond* : avoir très froid, geler. Ne mets pas le nez dehors, on gèle *tout rond* à cause du nordet.

RONDE n. f. **1.** (Angl. run) [Ø]. Tournée du laitier, du boulanger, du facteur... Syn. : **run**. **2.** Volée de coups, raclée. Recevoir une de ces *rondes*! Syn., voir : **champoune**. **3.** Réprimande, semonce. Recevoir ou donner une *ronde*. Syn., voir : **call-down**. **4.** (Angl. round) [Ø]. Morceau de bœuf ou de porc dans la *ronde* : dans la noix, dans la gîte.

RONDELLE n. f. Au hockey, palet de caoutchouc dur, rond et plein (9 cm de diamètre et 2 cm d'épaisseur) que se disputent deux équipes. Syn. : **caoutchouc**, **disque**, **puck**.

RONDIR v. tr. Faire le tour en faisant un rond, un cercle. En embarcation, il faut *rondir* les *cayes*, les îles. (acad.)

RONDOUILLET, ETTE adj. **1.** Qui a de l'embonpoint, grassouillet, rondouillard. Un homme *rondouillet*. **2.** Fig. Important, élevé en parlant du prix d'un objet, d'un compte à payer. Le dernier compte de téléphone était *rondouillet*.

RONGE, RONCHE n. m. [#] *Perdre le ronge* ou *le ronche* : perdre l'appétit en parlant d'un ruminant. [++] Syn. : **rinche**, **ringe**, **ronche**.

RONGER, RONCHER v. intr. [#] **1.** Ruminer. Les vaches *rongent* toute la nuit. [++] Syn. : **rincher**, **ringer**, **roncher**. **2.** Fig. *Ronger des balustres* : exhiber une piété feinte et excessive. [+++]

RONGEUR, RONGEUX, EUSE n. **1.** Fig. *Rongeur de balustre* : bigot, tartuffe, personne qui feint la piété. [+++] Syn. : **mangeur de balustre**. **2.** *Rongeux de batte* : homosexuel. Syn., voir : **fifi**.

RONIGNES n. m. pl. (angl. running shoes) [Ø] Voir : **running shoes**.

RONNE n. f. (angl. round) [Ø] **1.** Autrefois, séjour dans les chantiers forestiers. Le vieux Léon, il a fait vingt-deux *ronnes* dans les chantiers du Saint-Maurice. [++] **2.** Tournée, circuit. La *ronne* du facteur, du laitier, d'un camion de livraison, d'un autobus scolaire. [+++] **3.** *Ronne du jour de l'An*. Voir : **tournée**.

RONNER v. tr. et intr. (angl. to round) [Ø] Voir : **runner**.

RONNEUR n. m. (angl. runner) [Ø] Voir : **runneur**.

ROOT BEER n. f. (angl. *root beer*) [Ø] Voir : **racinette**.

ROQUILLE n. f. Vx en fr. Contenant pour liquide équivalant à la moitié d'un *demiard*, soit 142 ml.

ROS n. m. Vx et tech. en fr. Peigne en bois de l'ancien métier à tisser.

ROSANAC n. m. (Gaspésie) Voir : **véloneige traditionnel**.

ROSARIÉ adj. *Chapelet rosarie* : chapelet auquel était attachées des indulgences spéciales.

ROSE n. f. Marque blanche sur le front de bêtes à cornes. Syn., voir : **cœur**.

ROSE NANANE, ROSE NÉNANE n. m. Rose bonbon, d'un rose vulgaire, bon marché. Un corsage *rose nanane*. [+++]

ROSÉE n. f. *À la rosée* : tôt le matin, avant que la rosée disparaisse. Partir pour le travail des champs *à la rosée*.

ROSETTE n. f. **1.** Marque blanche sur le front de bêtes à cornes. Syn., voir : **cœur**. **2.** Tapis natté de forme circulaire. Syn., voir : **rond** (n. m.), (sens 1). **3.** Tourbillon du vertex, mèche de cheveux rebelle. Syn. : **roupie**. **4.** Au pl. Branches de conifères que l'on mêle à de la terre dans la construction d'un barrage. Ce sont les *rosettes* qui assurent la solidité d'un barrage de terre.

ROSINE n. f. **1.** Pluie fine. Hier, on a eu de la *rosine* toute la journée. **2.** (Angl. rosin) [Ø] : résine des conifères. Syn., voir : **encens**.

ROSINER v. impers. ou tr. **1.** Tomber lentement, en parlant d'une pluie fine. Syn., voir : **mouillasser**. **2.** (Angl. rosin) [Ø] : résiner, enduire de résine.

ROSSIGNOL n. m. **1.** Bruant chanteur. [+++] **2.** *Rossignol des champs* : bruant vespéral. **3.** *Rossignol français* : bruant fauve. **4.** Argot. Pièce, morceau de bois qu'utilise un charpentier ou un menuisier pour cacher un défaut.

RÔTIE n. f. Vx et rég. en fr. Tranche de pain grillée que l'on mange surtout le matin au déjeuner. Acheter un grille-pain pour faire des *rôties*. [++] Syn. : **toast**.

ROUABLE adj. Carrossable, praticable en parlant d'un chemin. Syn., voir : **passable**.

ROUAN n. m. Trace, ornière laissée sur la terre ou sur la neige par une roue ou par le patin d'un traîneau.

ROUANNETTE n. f. Outil utilisé par les bûcherons dans les chantiers forestiers et servant à marquer les billes de bois destinées au flottage, petite rouanne.

ROUAPE n. m. [#] Rouable servant à tirer la cendre du poêle.

ROUARD n. m. Nom vulgaire du phoque.

ROUCHE n. f. Terme générique appliqué aux Cypéracées (carex, laiches). [+++]

ROUCHIÈRE n. f. Terrain bas où pousse de la *rouche*. Mot fréquent dans la toponymie du Québec.

ROUE n. f. **1.** Volant d'une automobile (angl. steering wheel) [Ø] Il ne faut jamais prendre la *roue* lorsqu'on a pris un coup. Anglicisme disparu. **2.** Amas de neige entassée par le vent, petit *banc de neige*, congère. Une *roue* de neige barre le chemin. (acad.) Syn., voir : **banc de neige**. **3.** *En roue* : arrondi, roué. Cheval qui a le cou *en roue*. [+++] **4.** *Roue à vent* : éolienne. Syn. : **moulin à vent**. **5.** *Roue d'erre* : volant servant à régulariser l'allure d'une machine. [+++] **6.** Argot. *Roue-de-calèche*. Voir : **biscuit matelot**. **7.** Argot. *Roue-de-char*. Voir : **biscuit matelot**. **8.** *Roue de fortune* : jeu de hasard, roulette. **9.** *Roue penchée, roue plate* : variété de trépigneuse constituée par une immense roue couchée et inclinée d'environ 24 *pieds* de diamètre, soit 7 m 31, sur laquelle montaient deux chevaux ou deux bœufs. Syn., voir : **horse-power**.

453

ROUELLE n. f. **1.** Petite roue. **2.** Avant-train de l'ancienne charrue supporté par deux *rouelles*. Charrue à *rouelles*.

ROUETTER v. intr. Fig. Faire ronron, ronronner en parlant d'un chat. Syn. : **filer**, **filer son rouet**.

ROUGE n. et adj. **1.** Membre ou partisan du Parti *libéral* (fédéral ou provincial). [+++] **2.** Relatif au Parti *libéral* (fédéral ou provincial). [+++] **3.** Essence à indice d'octane élevé, supercarburant, super, par opposition à *jaune*. Faire le plein à une station d'essence avec du *rouge* ou de la *rouge* (*gas* n. m. ou *gasoline* n. f.) [+++] **4.** *Grand rouge, petit rouge* : variétés de tabac à pipe cultivées au Québec. **5.** *Être dans le rouge, en rouge,* marcher dans le *rouge* : être à découvert (à la banque), fonctionner, produire à perte (en parlant d'un commerce, d'une fabrique). **6.** *Cheval rouge* : cheval bai, à robe baie.

ROUGEAUD, E adj. Fig. *Ne pas être rougeaud* : a) Être en mauvaise situation, dans une impasse en parlant d'un commerce, d'une affaire. b) Être pénible en parlant d'une personne. Ce n'est pas *rougeaud* de travailler à l'extérieur quand il pleut ou quand il neige.

ROUGE-GORGE n. m. Merle à poitrine rouge. [+++]

ROUGETS n. m. pl. Cornouiller du Canada (arbuste et fruits). (E 20-127) Syn., voir : **quatre-temps**.

ROUGH, ROFFE n. et adj. (angl. rough) [Ø] **1.** Individu brutal, tapageur. Ce gars-là, c'est un *rough*! [+++] **2.** Grossier, bourru. Un homme *rough*. [+++] **3.** Raboteux, pierreux, accidenté, impraticable en parlant d'un chemin. [+++] **4.** Pénible, difficile. Un travail *rough*. [+++] **5.** Non plané, non blanchi. Une planche *rough*, du bois *rough*. [+++]

ROUGH, ROUGHMENT adv. (angl. rough) [Ø] Rudement. Jouer *rough* ou *roughment* au hockey. [+++]

ROUILLE n. f. Fig. Rousseur. Tache de *rouille* sur la figure. [+++] Syn. : **basane**, **rousselure**.

ROUILLÉ, E adj. Fig. Qui a des taches de rousseur sur la peau. Avoir un visage *rouillé*. [+++] Syn. : **basané**, **œuf de dinde**, **pivelé**, **rousselé**.

ROUILLER v. intr. Fig. Se couvrir de taches de rousseur, de *rouille*. Les blonds commencent à *rouiller* dès qu'ils vont un peu au soleil. [+++] Syn. : **rousseler**.

ROUIN n. Traces laissées par les roues d'une voiture. Syn., voir : **reile**.

ROULANT n. m. **1.** Mode de vie, règle, pratique. Le *roulant* des jeunes n'est plus celui d'autrefois. (acad.) Syn. : **roule** (sens 2). **2.** Dans une exploitation agricole, l'ensemble des instruments aratoires. [+++] Syn. : **agrès** (sens 1), **gréement** (sens 3), **rigging** (sens 1).

ROULANT, E adj. **1.** Praticable, carrossable, en parlant d'un chemin. Syn., voir : **passable. 2.** *Voiture roulante* : voiture à roues par opposition à *voiture d'eau* et à *voiture traînante*. **3.** Voir : **chaise roulante**.

ROULATHÈQUE n. f. Piste intérieure pour le patinage à roulettes.

ROULE n. m. **1.** (Angl. rollway) [Ø]. Pile de billes de bois. Transporter des grumes jusqu'au *roule*. [++] Syn., voir : **rollway. 2.** Mode de vie, règle, pratique. Le *roule* des jeunes d'aujourd'hui ne ressemble pas à celui de leurs grands-parents. [+++] Syn. : **roulant** (sens 1).

ROULÉ, E adj. En parlant des céréales sur pied, abattues, écrasées par la pluie et le vent. L'avoine est *roulée*, elle est difficile à faucher.

ROULEAU n. m. **1.** Treuil d'un puits. Syn., voir : **dévidoir**. **2.** Essuie-mains formé d'une touaille sans fin suspendue à un rouleau, essuie-mains roulant. [+++] **3.** Mar. Amas de neige entassée par le vent, congère. Les *rouleaux* de neige ont arrêté la circulation. (acad.) Syn., voir : **banc de neige**. **4.** *Balai à rouleaux* : balai mécanique. [+++] Syn. : **balai à roulettes**.

ROULER v. tr. et intr. **1.** Moudre grossièrement. Donner de l'avoine roulée à un vieux cheval dont les dents sont usées. Syn. : **casser**, **écraser**. **2.** Fig. Mener grand train de vie. Celui-là, je me demande où il prend l'argent pour *rouler* comme un millionnaire.

ROULETTE n. f. **1.** Tapis natté de forme circulaire. Syn., voir : **rond** (sens 1). **2.** Disque tranchant remplaçant le coutre d'une charrue. [+++] **3.** *Balai à roulettes* : balai mécanique. Syn. : **balai à rouleaux**. **4.** *Baratte à roulettes* : baratte sur patins. (acad.) **5.** *Chaise à roulettes* : chaise berçante. (acad.) **6.** Voir : **porte à roulettes**. **7.** Voir : **herse à roulettes**.

ROULETTER v. tr. Herser avec la *herse à roulettes* c'est-à-dire avec une herse à disques. [+++] Syn., voir : **disquer**.

ROULEUR n. m. Homme qui en forêt met les billes de bois en *roules* ou piles, empileur.

ROULEUSE n. f. Argot. Cigarette roulée à la main, roulée. Fumer des *rouleuses*, acheter du tabac à *rouleuses*. [+++] Syn. : **boucane**, **homemade**, **make'em**, **poloque**, **roligne**, **apocheuse**, **taponneuse**, **zigoune**.

ROULIÈRE n. f. Ornière, trace laissée par le passage des roues sur la terre, ou par des patins de traîneau sur la neige. [+++] Syn., voir : **reile**.

ROULIF adj. m. *Bois roulif* : bois déformé par la maladie des arbres appelée roulure.

ROULI-ROULANT n. m. Planche à roulettes ou en anglais *skating board*. Syn. : **skating board**.

ROULI-ROULEUR n. m. Adepte du *rouli-roulant*.

ROULIS n. m. Mar. **1.** Amas de neige entassée par le vent, congère. Syn., voir : **banc de neige**. **2.** Traces laissées par les roues d'une voiture. Syn., voir : **reile**.

ROULOIR n. m.; **ROULOIRE** n. f. Arceau du siège à bascule, patin d'une *chaise berçante*. (acad.) Syn., voir : **berce**.

ROULOTTE n. f. Véhicule tractable aménagé pour servir de logement de camping, caravane.

ROULOUÉ n. m. Voir : **rollway**.

ROUND TURN n. m. (angl. round turn) [Ø] En forêt, piste tracée autour d'une étendue d'arbres à abattre et qui servira au débusquage. Syn., voir : **revirée**.

ROUPI n. m. Banc de sable (l'été), de *magonne* ou de *frâsil* (l'hiver) formé sur le plain à marée haute. (acad.)

ROUPIE n. f. **1.** Tourbillon du vertex, mèche de cheveux rebelle. Syn. : **rosette** (sens 3). **2.** Caroncule de certains oiseaux et aussi du dindon.

ROUSSELÉ, E adj. et n. Vx ou rég. en fr. Qui a des taches de rousseur sur la peau. Un visage *rousselé*. [+++] Syn., voir : **rouillé**.

ROUSSELER v. tr. et intr. Vx ou rég. en fr. Se couvrir de taches de rousseur. Tiens, tu commences à *rousseler* depuis que le soleil est revenu. Syn. : **rouiller**.

ROUSSELURE n. f. Tache de rousseur. Une figure couverte de *rousselures*. Syn., voir : **rouille**.

ROUTANT, E adj. Praticable, carrossable. Chemin *routant*. Syn., voir : **passable**.

ROUTE n. f. **1.** À la campagne, chemin public faisant communiquer deux *rangs*. La *route* de l'Église à Sainte-Foy fait communiquer le chemin Sainte-Foy et le chemin Saint-Louis. (E 37-81) Syn. : **montée**. **2.** *Route de barrière* : route à péage d'autrefois. Syn. : **chemin de barrière**. **3.** Voir : **pomme de route**.

ROUTINE n. f. (angl. routine) [Ø] *De routine* : journalier, courant en parlant du travail.

ROUVRIR v. tr. [#] Ouvrir, sans idée de répétition. *Rouvrir* un livre à la page dix. [+++]

ROUYNOIS, E n. et adj. Gentilé. Natif ou habitant de Rouyn, en Abitibi; de Rouyn.

ROWLOCK n. f. (angl. rowlock) [Ø] Tolet d'une embarcation.

RUBANDELLE À MOUCHES n. f. Papier tue-mouches spiralé qu'on accroche au plafond d'une pièce et auquel les mouches restent collées. Syn., voir : **collant à mouches**.

RUBBER, ROBEUR n. m. (angl. rubber) [Ø] **1.** Caoutchouc. Du *rubber* synthétique. Anglicisme presque disparu. **2.** Voir : **claque** (sens 1 et 2).

RUBBERTIRE n. m. (angl. rubber tire) [Ø] Appellation d'une voiture d'été chic à traction animale et dont les roues étaient ceinturées par un bourrelet de caoutchouc.

RUER DANS LE BACUL loc. fig. Regimber, protester vivement, ruer dans les brancards. (O 27-116) Syn. : ruer dans les **menoires**.

RUINE-BABINES n. m. **1.** Harmonica. [+++] Syn., voir : **musique à bouche**. **2.** Instrument de musique que l'on applique sur la bouche, fait de deux branches de fer et d'une languette de métal que l'on fait vibrer avec l'index, guimbarde. Syn. : **trompe** (sens 1).

RUINE-FER n. et adj. Voir : **brise-fer**.

RUMB-DE-VENT n. m. Coup de vent, saute de vent. Syn. : **rain-de-vent**.

RUMINER v. tr. Tracasser. Cette mauvaise nouvelle *rumine* ton père, il y pense sans arrêt.

RUMMY, ROMÉ n. m. (angl. rummy) [Ø] Variété de jeu de cartes très en vogue autrefois aux soirées paroissiales, rami.

RUN, RONNE n. f. (angl. run) [Ø] **1.** Tournée d'un laitier, d'un boulanger, d'un facteur. [++] **2.** Autrefois, séjour d'un bûcheron dans les chantiers forestiers. **3.** *Run du jour de l'An.* Voir : **tournée**.

RUNNER v. tr. et intr. (angl. to run) [Ø] **1.** Diriger, exploiter. À quatre-vingts ans, il *runne* encore son commerce. Syn. : **bosser**. **2.** Conduire un véhicule automobile. **3.** Conduire, diriger en parlant d'un enfant qui manifeste un talent de chef. Cet enfant-là, il aime *runner*! Syn., voir : **bosser**. **4.** Fonctionner. Un climatiseur, ça *runne* à l'électricité.

RUNNEUR, RONNEUR n. m. (angl. runner) [Ø] **1.** Patin d'un traîneau, plus particulièrement d'un *bobsleigh*. Syn. : **membre**, **paumelle**. **2.** Fig. *Partir rien que sur un runneur* : partir très rapidement Syn., voir : **pinouche**. **3.** Conducteur d'un véhicule automobile. Syn. : **chauffeur**. **4.** Bénévole qui, le jour d'une élection, transporte gratuitement des électeurs aux bureaux de votation, coursier.

RUNNEUR, RONNEUX, EUSE adj. et n. Personne qui dirige une équipe de travail. Cette femme dirige une équipe de vingt couturières, elle est *runneuse*, c'est une *runneuse*.

RUNNING, RÈNECHOU, RONIGNES n. m. (angl. running shoe) [Ø] Espadrilles, souliers de gymnastique, tennis. (O 29-101) Syn. : **shoe-claque**, **sneakeur**.

RUSH n. m. (angl. rush) [Ø] Ruée, affluence. Avant Noël, c'est le *rush* dans les centres commerciaux.

RUSHER, ROCHER v. intr. (angl. to rush) [Ø] Argot étudiant. Étudier très fort, avec acharnement. *Rusher* pendant la semaine des examens. Syn. : **chauffer**, **clencher**.

RUSSEAU n. m. [#] Ruisseau.

RUSSET n. f. Variété de pommes à couteau.

RYE n. m. Variété de whisky canadien à base de seigle. Acheter une bouteille de *rye*, acheter un *rye* (le mot flacon est sous-entendu).

457

S

SA, SON adj. poss. *Sa mère, son père* : maman, papa. Façon presque disparue de s'adresser à ses parents ou de parler d'eux. *Sa mère* a le rhume; *son père* est en parfaite santé.

SABOT n. m. **1.** Sorte de charrue rudimentaire formée d'une bille de bois affilée, munie de deux mancherons et servant à tirer des rangs pour y semer du maïs, des pommes de terre, des légumes. (acad.) **2.** Entrave qu'on attache au pied d'un cheval, abot.

SABOT-DE-LA-VIERGE n. m. (angl. Lady's slipper) [Ø] Sabot de Vénus. **1.** Cypripède acaule. [+++] **2.** Cypripède soulier. [+++]

SABOTER v. tr. Secouer, ballotter, cahoter. On se fait *saboter* sur un chemin raboteux.

SABOTEUX, SAGOTEUX, EUSE adj. Cahoteux, raboteux. Le printemps, les chemins sont souvent *saboteux, sagoteux* Syn, voir : **cahoteux**.

SABRE n. m. Lame de la faux à manche. [+]

SAC n. m. **1.** *Sac, sac à gosses :* bourse des testicules de l'homme et de certains animaux. Syn., voir : **sacoche**. **2.** *Sac à d'jos* n. m. Soutien-gorge. Syn., voir : **tétonnière**. **3.** *Sac à plomb* : macreuse et grèbe. **4.** *Sac à tabac* : blague à tabac du fumeur de pipe. Syn., voir : **bordine**.

SACACOUA, SACAKOUA n. m. (amér.) Bruit, tapage, vacarme, cris nombreux, variante de chasse-galerie. Syn., voir : **cabas**.

SACCACOMI, SAC-À-COMMIS, SAKAKOMI (amér.) Arctostaphyle raisin-d'ours dont le fruit est comestible et dont les feuilles peuvent servir de succédané au tabac. Mot présent dans la toponymie du Québec. (E 124, 125)

SACCAGE n. m. **1.** Bruit très fort, tapage. Il y a eu du *saccage* dans la chambre voisine de notre hôtel, ce qui nous a empêchés de dormir. Syn., voir : **cabas**. **2.** *Un saccage* : beaucoup, grande quantité. Il y a *un saccage* de pommes cette année. [+++]

SACOCHE n. f. [#] **1.** Sac à main. Marie s'est acheté une *sacoche* pour aller au bal de la Reine du carnaval. [+++] Syn.: **bourse**. **2.** Fig. Bourse des testicules de l'homme et des animaux. Syn.: **poche, sac**.

SACRAGE n. m. Le fait de proférer des jurons, des *sacres*.

SACRANT adv. **1.** Fâcheux, ennuyeux. C'est *sacrant* d'avoir eu cette pluie le jour même de notre départ. [+++] Syn., voir : **bougrant**. **2.** *Au plus sacrant* : au plus vite. Il veut retourner chez lui *au plus sacrant*. [+++] Syn., voir : **coupant**.

SACRE n. m. **1.** Jurement, juron. Les objets sacrés sont le réservoir des *sacres* québécois. Longtemps domaine réservé aux hommes, aujourd'hui les femmes occupent une bonne partie du terrain du *sacre*. Lâcher, plus de *sacres* que d'Ave Maria ou de Pater. [+++] **2.** *Être en sacre* : être en colère. [+++] Syn.: en **baptême, beau soda, christ, désespoir, diable, enfant de chienne, maudit, feriousse, fêtard, fiferlot, fusil, pistolet, régiboire, soda, sorcier, torrieux**.

SACRÉ adv. Très, beaucoup. Un *sacré* beau cheval, une *sacré* belle femme.

SACREMENT n. m. Fig. *Faire le sacrement* : faire son devoir conjugal. Expression en perte de vitesse, de plus en plus remplacée par « faire l'amour ».

SACREMENT, EN SACREMENT adv. Très. Un remède *sacrement* bon contre la grippe; c'est beau *en sacrement*!

SACRER v. tr. et pron. **1.** Vx et rég. en fr. Jurer, proférer des jurons, des *sacres*. [+++] **2.** Ficher, flanquer, balancer, se débarrasser de. *Sacrer* quelqu'un à la porte, *sacrer* un objet à la poubelle, *sacrer* une volée. [+++] Syn., voir : **chrisser**. **3.** *Sacrer le camp* : foutre le camp, décamper, partir. [+++] Syn., voir : **chrisser**. **4.** *Sacrer dehors* : mettre à la porte, expulser. [+++] Syn., voir : **chrisser dehors**. **5.** *Sacrer dedans* : mettre en prison, incarcérer. [+++] Syn., voir : **renfermer**. **6.** *Se sacrer de* : se moquer de quelqu'un ou de quelque chose. [+++]

SACREUR, SACREUX, EUSE n. et adj. Jureur, blasphémateur. Les bûcherons avaient la réputation d'être des *sacreurs*. La forme féminine *sacreure* est très récente. [+++]

SACRIFICE n. m. **1.** Juron. Exclamation pour marquer sa surprise, son étonnement. *Sacrifice* que ça sent mauvais !; ça sent mauvais *en sacrifice* : très. **2.** *Vendre à sacrifice* (angl. to sell at a sacrifice) [Ø] : vendre à profit minime ou sans profit, voire à perte.

SACRURE n. f. Blasphème ou *sacre*, l'un des trois péchés traditionnels des Québécois rimant avec *champlure* (intempérance) et *créature* (luxure). Mot apparu en 1960.

SAFETY n. m. (angl. safety razor) [Ø] Rasoir de sûreté à lame amovible. Le *safety*, qui a remplacé le rasoir droit cède de plus en plus de terrain devant le rasoir électrique. [++]

SAFRE adj. Vx en fr. Glouton, goulu, gourmand. Ces enfants-là sont *safres*, on croirait qu'ils n'ont pas mangé depuis une éternité. [+++] Syn.: **galafre, gouliafre, goulupiau.**

SAFREMENT adv. D'une manière *safre*, goulûment. Manger *safrement*. [+++]

SAFRETÉ n. f. Gourmandise, gloutonnerie. Cet enfant est d'une *safreté* inimaginable. [+++]

SAGAMITÉ n. f. (amér.) **1.** Bouillie amérindienne à base de farine de maïs à laquelle étaient ajoutés des morceaux de viande. (O 27-116) **2.** Bouillie plus ou moins épaisse faite à partir de gruau et qui se mange surtout au petit déjeuner le matin. (O 27-116) Syn., voir : **gruau**.

SAGAMO, SHAQUEMAU n. m. (amér.) Chef, chez les Amérindiens, capitaine, sachem, grand chef. Mot présent dans la toponymie du Québec.

SAGANÉE n. f. *Une saganée* : beaucoup, grande quantité. Du monde, à l'enterrement, il y en avait *une saganée*. Syn., voir : **tralée**.

SAGANT, E, SAGON, ONNE n. et adj. Malpropre en parlant de quelqu'un, déguenillé, sagouin. (acad.) Syn., voir : **souillon**.

SAGOTEUX, EUSE adj. Se dit d'un chemin raboteux qui imprime des secousses aux voitures. Syn., voir : **cahoteux**.

SAGOUILLER v. tr. et pron. Salir, se salir. *Sagouiller* ses chaussures.

SAGUENAYEN, ENNE, SAGUENÉEN, ENNE n. et adj. Gentilé. Natif ou habitant du Saguenay; du Saguenay.

SAGUINE 1 n. m. [#] Crayon rouge que l'on utilise dans les scieries. Acheter un *saguine*.

SAGUINE, SÉGUINE 2 n. f. **1.** Instrument usé, hors d'usage. Quand on veut scier une planche proprement, il ne faut pas utiliser une *séguine* comme ça! **2.** Fig. Personne usée, âgée, qui ne peut plus travailler. Syn.: **rigging** (sens 3).

SAIGNÉE n. f. **1.** Petite rigole servant à évacuer les flaques d'eau d'une route. Syn., voir : **rigolet**. **2.** L'hiver, dans le Saint-Laurent où il y a marée, endroit entre les glaces où peuvent passer les *traversiers*.

SAILLON, ONNE n. et adj. [#] Voir : **souillon**.

SAILOR n. m. (angl. sailor) [Ø] Canotier. Anglicisme presque disparu.

SAINTE-CATHERINE 1 n. f. Voiture de promenade très chic, très haute sur patins et qu'utilisaient les garçons pour aller voir leur *blonde*. (O 27-116) Syn.: **catherine**, **sleigh sainte-catherine**.

SAINTE-CATHERINE 2 n. f. Voir : **tire de la Sainte-Catherine**.

SAINT-ÉPAIS, AISSE n. Personne grossière, ignorante, peu intelligente. Il n'y a qu'un *saint-épais* pour traverser la rue quand le feu est rouge.

SAINTE-FLANELLE n. f. Voir : **Canadien** (équipe de hockey).

SAINT-ELME n. Voir : **feu de saint-Elme**.

SAINT-JEAN-BAPTISTARD, E n. et adj. Appellation péjorative de certains francophones du Canada aux idées dépassées et retardataires.

SAINT-JEAN-BAPTISTE n. pr. Patron des Canadiens-français, dont la fête est le 24 juin.

SAINT-JEAN-DE-DIEU ou **LONGUE-POINTE** n. **1.** Hôpital psychiatrique de la région de Montréal situé à Longue-Pointe, fondé en 1845 et devenu en 1976 l'hôpital Hippolyte-Lafontaine. **2.** *Un évadé de Saint-Jean-de-Dieu* ou *de Longue-Pointe* : un fou. Syn.: **Beauport**, **Saint-Michel-Archange**.

SAINT-JOSEPH n. m. **1.** Scie à bûches à cadre de bois et quelquefois à cadre tubulaire métallique. [++] Syn., voir : **sciotte**. **2.** Pétunia, plante ornementale à fleurs blanches, roses, etc. [+++]

460

SAINT-MICHEL n. m. Se dit de tout jeune conifère. Cette montagne bûchée il y a dix ans est maintenant couverte de *saint-michels*. [+++] Syn.: **michel**, petit **saint-michel**, **sapinage** (sens 2).

SAINT-MICHEL-ARCHANGE n. Voir : **Beauport**.

SAINT-PIERRE n. m. **1.** Alcool de contrebande ayant transité par les îles françaises Saint-Pierre-et-Miquelon. (surt. O 8-134) Syn.: **Miquelon**. **2.** Alcool de fabrication domestique. Syn., voir : **bagosse**.

SAISON n. f. **1.** *En saison* : en rut surtout en parlant d'une jument, souvent en parlant d'une vache et plus rarement en parlant d'une chienne, d'une brebis ou d'une truie. [+++] **2.** *De saison* : en parlant d'une peau d'animal à fourrures tué durant la saison de chasse, d'où une *peau de saison*.

SAKAKOMI n. m. (amér.) Voir : **saccacomi**.

SALADE n. f. [#] **1.** Laitue. Les maraîchers vendent plusieurs variétés de *salades* au marché. **2.** *Salade frisée* : laitue frisée; *salade Boston* : laitue Boston; *salade Iceberg* : laitue Iceberg.

SALANGE n. f. **1.** Cristaux de glace dans l'eau salée. (acad.) **2.** Sel marin qui se cristallise sur les vêtements des pêcheurs. (acad.) **3.** Écume de mer gelée rejetée sur le rivage. (acad.)

SALAUD, SALOPE adj. et n. **1.** Vx en fr. Malpropre en parlant d'une personne. Syn., voir : **souillon**. **2.** Mauvais, pluvieux, affreux en parlant du temps. Il vaut mieux ne pas rouler en auto par un temps aussi *salaud*. **3.** Malpropre, qui salit en parlant d'un travail. Vider un grenier, c'est un travail *salaud*.

SALE adj. Fig. *Avoir les yeux sales* : avoir le regard langoureux et invitant de quelqu'un qui a besoin d'amour. [++] Syn.: avoir les yeux à la **gadelle**.

SALEBARDE Nom de l'épuisette chez les pêcheurs de morue du golfe Saint-Laurent. (E 20-127) Syn., voir : **puise**.

SALEBARDER v. tr. Prendre le poisson en utilisant une épuisette appelée *salebarde* par les pêcheurs de morue. (E 20127)

SALER v. intr. Fig. Rendre difficile. Notre professeur a *salé* notre dernier examen.

SALEUX, EUSE n. et adj. Personne qui sale trop ses aliments.

SALIÈRE, SALEUSE n. f. Dans les villes où la neige est toujours au rendez-vous, saleur ou véhicule qui épand du sel pour faire fondre la neige et même la glace, épandeuse de sel. Il y a des *salières* imposantes pour les grandes artères et de petites *salières* pour les trottoirs.

SALIKUT n. m. (mot inuit) Outil constitué d'une lame de fer fixée à un manche de bois.

SALINE n. f. **1.** Abri rudimentaire où l'on entrepose le sel et où les pêcheurs salent le poisson. (E 8-135) **2.** Saumure. (E 27-116) **3.** Pierre à lécher destinée au bétail mais souvent utilisée par les braconniers pour attirer le *chevreuil* et l'*original*. Syn.: **brique de sel**.

SALIR (SE) v. pron. Fig. Se couvrir en parlant du ciel, s'ennuager. (surt. O 27-102) Syn., voir : **chagriner**.

SALLE n. f. **1.** Vx en fr. À la campagne surtout, vaste pièce de réception, généralement fermée et que l'on ouvrait dans les grandes occasions : Noël, le jour de l'An, noces, visite du curé, etc. [+++] **2.** *Salle à dîner* (angl. dining room) [#]

a) Salle à manger. Prendre un repas dans la *salle à dîner*. Anglicisme qui a la vie dure. [+++] b) Ameublement de salle à manger. S'acheter une *salle à dîner*. [+++] **3.** *Salle d'été* : allonge au corps principal d'une maison utilisée seulement l'été. Syn., voir : **cuisine d'été. 4.** Vx en fr. *Salle de montre* : salle d'exposition de marchandises pour attirer les clients. **5.** *Salle de repos* (angl. rest room) [Ø] Toilettes.

SALOIR n. m. Baril en bois dans lequel on conservait le lard salé à la campagne. [+++]

SALON n. m. **1.** *Salon double* : dans les quartiers populaires des villes où les maisons sont en rangées, longue pièce rectangulaire séparée par un semblant de séparation et éclairée d'un seul côté. Untel a transformé son *salon double* en épicerie. **2.** *Salon funéraire, salon mortuaire*. Voir : **funérarium. 3.** *Salon de la race* : l'assemblée nationale du Québec.

SALOPE n. f. et adj. Forme féminine de *salaud*. [+++]

SALOPERIE n. f. **1.** Grain de poussière, poussière de charbon, moucheron. Enlever une *saloperie* de l'œil en glissant une graine de lin sous la paupière. [+++] Syn., voir : **cochonnerie. 2.** Objet ou marchandise de mauvaise qualité, de peu de valeur. [+++] Syn., voir : **cull.**

SALSEPAREILLE, CHASSEPAREILLE n. f. Aralie à grappes, à tige nue, hispide. Plante très connue en médecine populaire.

SALUTAS! exclam. (prononcé : *salutasse*). Salutation lancée à la cantonade par quelqu'un qui aborde un groupe d'amis.

SALUTISTE n. Membre de l'*Armée du Salut* qui, dans les grandes villes, s'occupe des gens les plus démunis et leur fournit gîte et couvert.

SAMEDI n. m. *Faire le samedi* : faire le ménage du samedi, qui est un peu plus important que celui des autres jours de la semaine. [++]

SAMSON n. pr. m. *Ne pas être Samson* : être faible, sans force en parlant de quelqu'un qui relève d'une maladie, qui vient d'être opéré. [+++]

SANCTUAIRE n. m. (angl. sanctuary) Refuge d'oiseaux, d'animaux protégés, où la chasse est interdite.

SANG-DRAGON, SANG-DE-DRAGON n. m. Sanguinaire du Canada, plante très employée en médecine populaire. [+++]

SANGLE n. f. Sous-ventrière du harnais d'un cheval. [++]

SANGLE adj. Vx en fr. Pur. Boire son thé *sangle* c'est le boire sans sucre et sans lait. (acad.)

SANG-MÊLÉ n. m. Métis des provinces centrales du Canada. Syn.: **Bois-brûlé.**

SANGRIS n. m. Boisson chaude à base d'alcool, grog qu'on absorbe quand on est grippé ou quand on arrive du froid. Syn., voir : **ponce.**

SANS-ALLURE n. et adj. Personne dénuée de bon sens, demeurée, sans manières. [+++] Syn., voir : **épais.**

SANS-BON-SENS adv. Très, beaucoup. Être grand, fort, généreux sans-bon-sens.

SANS-DESSEIN n. et adj. Personne peu brillante, qui n'a pas inventé le bouton à quatre trous, qui est sans initiative. [+++] Syn., voir : **épais.**

SANS-GÉNIE n. et adj. Demeuré, simplet. C'est une calamité d'avoir un *sans-génie* dans une famille. [++] Syn., voir : **épais.**

462

SANS-PLOMB n. Essence sans plomb par opposition aux essences avec plomb. *Sans-plomb* est masculin si on sous-entend *gas* (angl. gas) [Ø] et féminin si l'on sous-entend *gasoline* (angl. gasoline) [Ø]ou essence.

SANTÉ n. f. Boisson à base d'alcool que l'on offre à des visiteurs, à des amis. Est-ce que je pourrais vous offrir une petite *santé?*

SANTÉ! Exclam. À votre santé!, bonne santé! Toast porté à la santé de quelqu'un.

SAOUEST n. m. (angl. southwester) [Ø] Suroît des pêcheurs, chapeau de pluie à larges bords.

SAPER v. intr. Faire du bruit avec la langue en mangeant ou en buvant. [++]

SAPIN n. m. **1.** *Gomme de sapin* : baume du Canada, produit odoriférant très connu en médecine populaire. **2.** *Sapin blanc, sapin rouge* : sapin baumier **3.** *Sapin traînard* : if du Canada. (acad.) Syn.: **buis**, **buis de sapin**. **4.** Fig. *Passer un sapin*. Rouler quelqu'un. [+++] Syn., voir : **passer un Québec**. **5.** Fig. *Faire sapin* : faire très, très froid. Aujourd'hui, *il fait sapin*, le thermomètre indique moins 35. (Allusion au froid qui pique, comme les aiguilles du sapin). (Lac-Saint-Jean).

SAPINAGE n. m. **1.** Branches de conifères. Aller couper du *sapinage* pour faire un lit de fortune lorsqu'on passe la nuit en forêt. [++] **2.** Au pl. Jeunes conifères. Il y a beaucoup de *sapinages* dans cette forêt. [+++] Syn., voir : **saint-michel**.

SAPINETTE n. f. (acad.) Voir : **bière d'épinette**.

SAPINIÈRE, PERDRIX DE SAPINIÈRE n. f. Tétras des savanes à chair foncée qui vit dans les conifères et dont la chair n'est pas comestible. [+++] Syn.: **perdrix** (sens 3).

463

SAPREMENT adv. Très, beaucoup, fort. C'est *saprement* froid, compliqué, étourdissant...

SAPRER v. tr. [#] Voir : **sacrer**.

SAQUÉE n. f. [#] Contenu d'un sac, sachée, sac. Une *saquée* de pommes de terre. (acad.)

SAQUET n. m. Dans les chemins d'hiver, inégalités qui impriment des secousses aux occupants des traîneaux qui se déplacent rapidement. Ce chemin est plein de *saquets*. (E 18-132) Syn.: **cahot**, **houppée**.

SARABANDE n. f. **1.** Volée de coups de bâtons, de *harts*, de *fouaillons*. Donner une *sarabande* à un chien. [+++] Syn., voir : **rince**. **2.** Fig. Réprimande, semonce. Recevoir une *sarabande*. Syn., voir : **call-down**.

SARABOTTE n. f. Nourriture de mauvaise qualité, mets préparé à partir de restes. (Beauce)

SARCLEUR n. m.; **SARCLEUSE** n. f. **1.** Machine aratoire, cultivateur. **2.** Buttoir employé dans les cultures maraîchères.

SARDINE n. f. **1.** *Poisson*. Nom vulgaire de la chatte, Clupea harengus. **2.** *Sardine canadienne* : nom sous lequel se vendent les jeunes harengs en conserve, la véritable sardine n'existant pas au Canada.

SARGAILLON, ONNE n. Enfant d'une dizaine d'années, souvent sale et turbulent. (acad.)

SARLINGUER v. tr. Voir : **sourlinguer**.

SAROÎT n. m. [#] Sud-ouest, vent venant du sud-ouest, suroît.

SARRASIN DE TARTARIE Renouée de Tartarie.

SAS n. m. Toile métallique. Une porte de *sas* empêche mouches et moustiques d'entrer. Syn., voir : **gril** à mouches.

SASKATCHEWANAIS, E n. et adj. Gentilé. Habitant de la Saskatchewan; de la Saskatchewan.

SASKATOON n. m. Amélanchier. Arbre fruitier qui produit des *saskatoons*, petites poires produite par l'amélanchier.

SASSER v. tr. *Sasser les cendres* : actionner par un mouvement de va-et-vient la grille du poêle à bois ou à charbon pour faire tomber les cendres.

SASSOIRE n. f. Autrefois, bâton servant à remuer le contenu des paillasses.

SASSURES n. f. pl. Cendres qui tombent lorsqu'on actionne la grille coulissante du poêle à bois ou à charbon.

SAUCE n. f. Fig. Courte visite que l'on fait à des amis. Syn.: **saucette**.

SAUCE BLANCHE n. f. Sauce à base de lait, de farine et de beurre, béchamel (n. f.) [+++]

SAUCEPAN, CHASSEPANNE, CHASSEPINTE, SASSE-PANNE (angl. saucepan) [Ø] **1.** Casserole de cuisine à manche ou à anse. Acheter une *saucepan* en inoxydable. [+++] **2.** La Grande Ourse (à cause de sa ressemblance avec la casserole à manche).

SAUCER v. tr., intr. et pron. **1.** Vx en fr. Tremper. Ici, il n'est pas poli de *saucer* son pain dans le café. **2.** Se baigner rapidement, faire trempette. [+++] **3.** Faire une courte visite, une visite éclair chez quelqu'un.

SAUCETTE n. f. **1.** Baignade rapide, trempette rapide. [+++] **2.** Fig. Visite rapide, visite éclair. Cette visite ne compte pas, ce n'est qu'une *saucette*! Syn.: **sauce**.

SAUCISSE D'HABITANT n. f. **1.** Saucisse de fabrication domestique. Voir : **habitant**. **2.** *Ne pas attacher son chien avec de la saucisse* : Être économe.

SAUCISSE EN COIFFE n. f. Voir : **coiffe**.

SAUDIT adv. Euphémisme du juron populaire *maudit*.

SAULE n. f. [#] Saule (mot masculin en français). Une *saule* blanche.

SAULOIS, E n. et adj. Gentilé. Natif ou habitant des Saules; des Saules. Les *Saulois* habitent Les Saules, près de Québec.

SAULT, SAUT n. m. Vx en fr. Chute d'eau, cascade. La graphie *sault* est ancienne et ne se retrouve que dans les toponymes. Mot très fréquent dans la toponymie du Québec.

SAUMONERIE, SAUMONIÈRE n. f. Établissement piscicole, où se font la production et l'élevage des saumons. (Charsalac)

SAUMONEUX, EUSE adj. Où abondent les saumons. Depuis que ce cours d'eau a été dépollué, il est redevenu *saumoneux*.

SAUMONIER, IÈRE n. Pêcheur sportif de saumons, à l'aide de mouches artificielles.

SAUT n. m. **1.** *Saut, saut de chaîne* (NOLF) : changement fréquent de chaîne de télévision, de canal en utilisant une télécommande. Syn., voir : **pitonnage**. **2.** Expr. fig. *Dormir par sauts et par buttes* : dormir par intermittence, irrégulièrement, par accès. **3.** Voir : **sault**.

SAUTÉ, E n. et adj. Argot. Détraqué, dérangé, dont le cerveau est troublé. Il faut être *sauté* pour foncer sur des grévistes avec un camion. Syn., voir : **écarté**.

464

SAUTE-BOUTONS n. m. Voir : **pitonnage**.

SAUTER v. tr. **1.** *Sauter des rapides* : descendre des rapides dans une embarcation à rames, en canot ou en bateau. **2.** *Sauter un fret, un train* : voyager comme voyageur clandestin en parlant des *robineux*. **3.** Fig. *Sauter la clôture* : devenir enceinte, en parlant d'une jeune fille. [++] Syn., voir : se faire **attraper**.

SAUTEREAU n. m. Vison. [+] Syn. : **foutreau**.

SAUTERELLE n. f. Criquet. Nos *sauterelles* sont des criquets et nos *criquets* sont des grillons.

SAUTEUX, EUSE adj. et n. **1.** Qui saute, animal (taureau ou vache) qui saute les clôtures pour aller dans un champ voisin. Il faut *enfarger*, entraver les *sauteux*. **2.** *Sauteux de rapides* : appellation de ceux qui descendent les rapides en embarcation à rames, en canot.

SAUT MORISSETTE n. m. (angl. somersault) [Ø] Culbute, cabriole que l'on fait pour épater les spectateurs.

SAUVAGE n. et adj. **1.** Au pl. Amérindiens qui, dans la vallée du Saint-Laurent, vivaient dans les forêts, d'où leur nom. Le mot *sauvage* s'emploie de moins en moins en parlant des autochtones. Syn., voir : **amérindien**. **2.** Nouveau-né. Notre voisine a eu un petit *sauvage*. **3.** Personnage qui, dans la tradition populaire, joue le rôle de la cigogne et apporte les bébés aux mamans. [+++] **4.** *Attendre les Sauvages* : attendre un bébé, être enceinte en parlant d'une femme mariée. [+++] Syn., voir : être en **famille**. **5.** *Les Sauvages sont passés* : il y a un nouveau-né chez Untel. [+++] **6.** *Croire aux Sauvages* : être naïf. [+++] **7.** *Ne plus croire aux Sauvages* : ne pas être naïf et crédule, savoir comment les enfants naissent. [+++] **8.** *S'asseoir en sauvage, à la sauvage* : s'asseoir à cul plat dans un canot. [+++] **9.** *Se mettre sauvage* : adopter les habitudes, le mode de vie des Amérindiens. **10.** *Marcher en sauvage* : marcher à la file indienne en mettant les pieds dans les pistes de celui qui précède. **11.** Vx en fr. *Partir en sauvage, comme un sauvage, s'en aller comme un sauvage* : partir sans saluer, sans dire au revoir. [+++] **12.** *Boire comme un sauvage* : boire comme un Polonais. **13.** *Aller parler à un sauvage* : aller faire ses besoins dans la nature. Syn. : **tas**. **14.** *Parler sauvage, parler le sauvage* : parler une langue amérindienne, une langue autochtone, indigène. **15.** Voir : **bottes sauvages**. **16.** Voir : **chat sauvage**. **17.** Voir : **concombre sauvage**. **18.** Voir : **été des Sauvages**. **19.** Voir : **gingembre sauvage**. **20.** Voir : **poire sauvage**. **21.** Voir : **souliers sauvages**. **22.** Voir : **traîne sauvage**. **23.** Voir : **viande sauvage**. **24.** Le mot *sauvage* est très fréquent dans la toponymie du Québec.

SAUVAGESSE n. f. Vx en fr. Femme amérindienne. [+++] Syn. : **squaw**, **taoueille**.

SAUVE-PANTALON n. m. Tapis de caoutchouc rainuré que l'on met dans les autos l'hiver et qui recueille la neige et l'eau évitant ainsi que cette eau salée n'abîme le bas des pantalons.

SAUVER v. tr. **1.** Recueillir. *Sauver* de l'eau de pluie. **2.** Économiser, épargner (angl. to save) [Ø]. *Sauver* cent dollars par mois en cessant de fumer, *sauver* du temps. [+++] **3.** Rattraper. *Sauver* une mayonnaise. [+++] **4.** Ramasser. *Sauver* des vêtements mis à la poubelle. **5.** Gagner. *Sauver* du temps.

SAUVETAGE n. m. *Escalier de sauvetage* : escalier de secours. Les *escaliers de sauvetage* sont obligatoires.

SAVANAIS, E n. et adj. Gentilé. Natif ou habitant de Saint-Luc (comté de Saint-Jean) en Montérégie; de Saint-Luc. Gentilé dérivé de *Savane*, ancien nom de cette localité.

SAVANE n. f. (amér.) Terrain bas, humide, marécageux. Mot très fréquent dans la toponymie du Québec. [+++] Syn.: **barbassière**, **barbotière**, **bourbassière**, **bourbière**, **gatte**, **grenouillère**, **mammequai**, **margouillère**, **margouillis**, **mocauque**, **mollasse**, **muskeg**, **swamp**.

SAVANEUX, EUSE adj. Bas, humide, marécageux en parlant d'un endroit, d'un terrain. [+++] Syn.: **fontif**, **swampeux**.

SAVATE n. f. Réglisse. (Rég. de Québec) Syn.: **tiriac**.

SAVATÉ, E part. et adj. Défraîchi, froissé, fripé. Change de robe, celle-ci est trop *savatée*.

SAVATER v. tr. Gâter, froisser, friper. Elle a *savaté* sa robe neuve. Syn.: **gavagner**.

SAVEUR n. f. Parfum naturel ou artificiel ajouté à certains aliments. Préférer les sorbets à *saveur* d'orange.

SAVINIER, SEVIGNÉ n. m. Genévrier horizontal. (acad.)

SAVON n. m. **1.** *Savon d'habitant, savon du pays* : savon de ménage, de fabrication domestique. [+++] Syn.: **savon du pays**. **2.** *Savon d'odeur* : savon de toilette parfumé, par opposition au savon courant utilisé pour le dégraissage et le lavage. **3.** *Savon de drâche* : savon fait à partir des restes de foie de morue après qu'on en a extrait l'huile. (acad.)

SAVONNAGE n. m. **1.** Action de frotter avec du savon au début du lavage. **2.** Fig. Passer ou se faire passer un *savonnage* : réprimander, se faire passer un savon.

SAVONNER v. tr. Fig. Réprimander vertement quelqu'un.

SAVONNETTE n. f. Blaireau pour la barbe. [+++] Syn.: **blairet**, **brosse**.

SAVONNIER n. m. **1.** Porte-savon souvent fixé au mur près d'un lavabo ou de la baignoire. (O 30-100) **2.** Petite boîte grillagée fixée au bout d'un manche, contenant un savon et qu'on agite dans l'eau bouillante de la bassine à vaisselle. (Lanaudière)

SAVONNURE n. f. Mousse de savon, eau très savonneuse. (acad. surtout) Syn.: **broue**.

SAVOYANE n. f. (amér.) Coptide du Groenland dont le rhizome est très employé en médecine populaire. [+++] Syn.: **goldenthread**, **herbe jaune**, **racine jaune**.

SAWDUST n. m. (angl. sawdust) [Ø] Sciure de bois, bran de scie. (Acadie, Estrie et Ontario) Syn., voir : **moulée de scie**.

SCAB n. (angl. scab) [Ø] Briseur(euse) de grève, jaune. Syn.: **rat**.

SCANTLING, SKINTLÈNE n. m. (angl. scantling) [Ø] Pièce de bois de construction d'épaisseur, de largeur et de longueur variables, solive. Syn., voir : **colombage**.

SCAPULAIRE n. m. **1.** *Manger son scapulaire* : mourir. Syn.: lever les **pattes**. **2.** *Sentir le scapulaire* : se dit d'une personne confite dans la bondieuserie ou de la maison habitée par une telle personne.

SCARF n. f. (angl. scarf) [Ø] Cache-nez. (O 30-100) Syn., voir : **crémone**.

SCARFER v. tr. (angl. to scarf) [Ø] Assembler deux pièces de bois, enter, marier.

SCHEME n. m. (angl. scheme) [Ø] Affaire montée, coup monté, machination, manigance. Anglicisme en perte de vitesse.

SCHOOL n. m. (angl. school) [Ø] Banc de poissons. Syn., voir : **ramée**.

SCIE n. f. **1.** *Scie à chaîne* (angl. chain saw) [Ø] : tronçonneuse portative actionnée par un moteur à essence et utilisée par les bûcherons depuis le début des années quarante. [+++] Syn.: **chain-saw, perdrix. 2.** *Scie à châsse* : scie à bûches manuelle à cadre métallique ou à cadre de bois. Syn., voir : **sciotte. 3.** *Scie à godin, scie à godet* : scie à bûches manuelle à cadre tubulaire métallique ou à cadre de bois. Syn., voir : **sciotte. 4.** Fig. *Scie de travers* : appellation ironique de la sage-femme. (acad.) Syn., voir : **matrone. 5.** *Scie ronde.* a) Scie circulaire qui tourne à grande vitesse. b) Fig. Appellation ironique de la sage-femme. (acad.) Syn., voir : **matrone**.

SCIER v. tr. Fig. Taquiner fortement un adulte, jamais un enfant. Luc a perdu ses élections, il s'est fait *scier* toute la soirée. Syn., voir : **attiner**.

SCIEUR DE BOIS n. m. Appellation péjorative donnée autrefois aux francophones d'ici, travailleurs souvent sans spécialité, hommes à tout faire. Syn.: **porteur d'eau**.

SCIOTTE n. Scie à bûches manuelle à cadre de bois ou à cadre tubulaire métallique. [+++] Syn.: **bucksaw, saint-joseph, scie à châsse, scie à godet, scie à godin**.

SCIOTTER v. tr. Scier du bois en utilisant un ou une *sciotte*. [+++]

SCIOTTEUR n. m. Scieur de bois qui utilise un ou une *sciotte*. La forme féminine n'existe pas encore! [+++]

SCORER v. tr. (angl. to score) [Ø] Compter, marquer un point. Notre équipe de hockey a réussi à *scorer* une fois.

SCOREUR, EUSE adj. et n. Dans les sports, joueur qui compte un point. Jean Béliveau a été un excellent *scoreur* au hockey.

SCOTCH TAPE, SCOTCH n. m. (angl. scotch tape) [Ø] Ruban adhésif transparent.

SCOW n. m. (angl. scow) [Ø] Bateau plat à faible tirant d'eau utilisé surtout sur les lacs et les rivières, bac.

SCRAP n. f. (angl. scrap) [Ø] **1.** Terme générique donné à tout ce qui est de mauvaise qualité. [+++] Syn., voir : **cull. 2.** Casse. Envoyer une auto à la *scrap*. [+++]

SCRAPER 1. v. tr. (angl. to scrap) [Ø] Bousiller, abîmer. *Scraper* son auto lors d'un accident. [+++]

SCRAPER 2. v. tr. (angl. to scrape) [Ø] Creuser, aplanir, égaliser, niveler, rendre uni en utilisant un *scrapeur*, un *scrépeur*.

SCRAPEUR, SCRÉPEUR n. m. (angl. scraper) [Ø] **1.** Ravale munie de mancherons, tirée par des chevaux et servant autrefois à creuser ou à aplanir un terrain, pelle à cheval. **2.** Petit grattoir manuel, outil servant à gratter, grattoir. **3.** Grattoir hippomobile qui autrefois servait à égaliser les chemins. Syn.: **gratte** (sens 1 et 2).

SCREEN, SCRIGNE n. m. (angl. screen) [Ø] **1.** Gaze, mousseline ou toile métallique que l'on fixe à un cadre de porte ou de fenêtre pour empêcher les mouches et les moustiques d'entrer, moustiquaire. Une porte de *screen*. [+++] Syn., voir : **gril à mouches. 2.** Pare-étincelles que l'on place devant un foyer pour empêcher les étincelles de s'échapper. **3.** Pare-étincelles de toile métallique dont on coiffe le sommet de certaines cheminées qui crachent des étincelles, surtout celles des scieries.

467

SCREENER v. tr. (angl. to screen) [Ø] Garnir de *screen*, de toile métallique une porte, une fenêtre, la tête d'une cheminée.

SCROTCH n. f. (angl. scrotch) [Ø] Traîneau rudimentaire servant au débusquage du bois en forêt. Syn., voir : **bob**.

SEAL n. m. (angl. seal) [Ø] Fourrure de phoque. Nos pêcheurs de la Côte-Nord du Saint-Laurent capturent des *loup-marins* ou phoques, mais leurs femmes portent des manteaux de *seal*. [+++] Syn.: **loup-marin**.

SEAM n. f. (angl. seam) [Ø] Fente plus ou moins profonde se produisant dans les troncs d'arbres ou dans la glace lors des grands froids. Syn., voir : **craque**.

SEAMÉ, E adj. (angl. seamed) [Ø] Fendillé, fendu sous l'action du froid, en parlant d'un arbre ou de la glace. Syn.: **craqué** (sens 1).

SEA-PIE, CIPAILLE, CIPARE, SIPAILLE, SIPARE, SIX-PÂTES n. (angl. sea-pie) [Ø] **1.** Pâté du pêcheur. À l'origine, il s'agit d'un pâté à base de poisson et de légumes enveloppés dans une pâte, précuit à l'étuvée et que le pêcheur côtier, qui partait très tôt le matin, emportait avec lui et n'avait qu'à faire réchauffer pour son repas du midi. [++] **2.** Aujourd'hui, pâté de bonnes dimensions composé de pommes de terre et souvent de plusieurs sortes de viandes, le tout recouvert et cuit à l'étuvée pendant de longues heures. Les *sipailles* du Lac-Saint-Jean sont renommées. Tourtière (Charsalac).

SÉBAGO n. f. Variété de pommes de terre.

SEC, SÈCHE adj. Tarie, qui ne donne plus de lait. Vache *sec* ou *sèche*.

SEC adv. Fig. *Faire sec* : en parlant d'un homme ou d'une femme, dire ou faire des sottises, être mal habillé. Syn.: faire **dur**.

SÉCHÉ, E adj. À sec, tari. Un puits *séché*. Syn.: **aneillère**, **asséché**, au **galet**, **manqué**.

SECONDE MAIN (DE) loc. adj. *Marchandise de seconde main* : usagée, défraîchie, démodée.

SECONDER v. tr. (angl. to second) [#] Appuyer. *Seconder* une proposition dans une assemblée.

SÉCHOIR, SÉCHOIRE n. Dans les régions où l'on cultive le tabac à pipe et à cigare, bâtisse spécialement aménagée pour y pendre des *lattées* de tabac pendant près de trois mois, jusqu'à l'*écotonage*.

SECOURS DIRECT n. m. **1.** Aide sociale instaurée pendant la crise financière (1929-1939) et destinée à venir en aide aux chômeurs, à une époque où l'assurance-chômage et l'assistance sociale n'existaient pas. **2.** *Être sur le secours direct* : recevoir une aide financière distribuée aux chômeurs et aux personnes nécessiteuses pendant la crise (1929-1939).

SECOUSSE, ESCOUSSE n. f. **1.** Espace de temps, quelque temps. Il t'a attendu une *secousse* ou une *escousse*, au moins une heure, et il est parti. [+++] **2.** Période. En hiver, on a des *secousses* de temps froid et ensoleillé et des *escousses* de temps doux. [+++] **3.** *Par secousse* ou *par escousse* : par intervalles. Du travail on n'en a pas continuellement, ça nous arrive par *escousse* ou *secousse*. [+++]

SECRET n. m. *Soigner, guérir en secret, du secret* : soigner, guérir sans remèdes, par des touchers, des formules ou des incantations. [++]

SÉCURITAIRE adj. [#] *Norme sécuritaire* : norme de sécurité.

SÉGUINE n. f. Voir : **saguine 2.**

SEIGNE n. m. *Seigle de mer* : Élyme des sables.

SEILLÉE n. f. **1.** Contenu d'un seau, seau. Une *seillée* d'eau, de lait (acad.) Syn.: **siautée. 2.** Charge de deux seaux transportés au joug. (acad.) Syn., voir : **jouquée.**

SEINE n. f. Filet à cheveux pour maintenir un chignon, une mise en plis, résille. Mot emprunté au vocabulaire de la pêche. (Lanaudière) Syn.: **net** (sens 2).

SEINER v. tr. et intr. Fig. Épier quelqu'un, se montrer indiscret, chercher à voir et à entendre sans se faire remarquer. [+++] Syn., voir : **écornifler.**

SEINEUX, EUSE n. et adj. Fig. Indiscret qui essaie de voir et d'entendre sans se faire remarquer. Il faut toujours se méfier des *seineux*. Syn., voir : **écornifleur.** [+++]

SEIZE n. m. Fusil de chasse de calibre 16. On utilise un *seize*.

SEL n. m. **1.** Fig. *Sel, gros sel* : forme que prend la neige près du sol sous l'effet combiné des rayons du soleil printanier et de la chaleur dégagée au niveau du sol. [+++] **2.** *Ne pas gagner son sel* : se dit d'un employé qui travaille peu ou mal et que l'employeur doit congédier. **3.** *Sel de médecine* : sel d'Epsom. **4.** Pauvre comme du sel : très pauvre.

SELF-SERVICE n. m. (angl. self service) [Ø] Fig. et vulg. Automasturbation. Syn., voir : **crosser.**

SEMAINE n. f. **1.** *Clous de la semaine* : à la campagne ensemble des clous ou des crochets réservés aux vêtements de semaine, aux vêtements de travail. **2.** *Sur semaine* : en semaine. Il y a moins de skieurs *sur semaine* qu'en *fin de semaine*. **3.** *Semaine longue*. Voir : **longue. 4.** *Fin de semaine* : week-end comprenant le samedi et le dimanche. Une longue *fin de semaine* comprendra un jour de plus au Québec, seuls nos snobs utilisent le mot *week-end*. [+++]

SEMELLE n. f. **1.** *En semelle de bas* : en chaussette. Passer la soirée en *semelle de bas*. **2.** Fig. *Semelle de botte* : viande coriace ou trop cuite. C'est honteux de servir de la *semelle de botte* dans un restaurant réputé. Syn.: **bœuf à spring.**

SEMENCES, SUMENCES n. f. pl. [#] Dial. en fr. Semailles. Les *semences* ne sont pas encore commencées. [+++]

SEMER v. tr. Fig. Distancer quelqu'un à la marche, à la course. [+++]

SEMEUSE n. f. [#] Autrefois, semoir manuel constitué d'un sac de toile ou d'une boîte allongée que le semeur suspendait à son cou et où il puisait à la main le grain à semer.

SEMI-DÉTACHÉE adj. et n. (angl. semi detached) [Ø] Jumelle, maison jumelle.

SÉMINAIRE n. m. *Petit séminaire* : pensionnat pour garçons où se dispensait le cours classique et qui était administré par des prêtres qui espéraient que leurs élèves passeraient ensuite au Grand séminaire pour devenir eux-mêmes prêtres. Ils n'hésitaient pas à défrayer les coûts de l'enseignement de jeunes défavorisés pour les inciter fortement à porter la soutane.

SENIOR 1. Louis Tremblay *senior* : père ou aîné. **2.** Fonctionnaire *senior* : supérieur. **3.** Commis *senior* : premier commis, commis principal.

469

SEN-SEN n. m. Pastille utilisée par les adultes qui avaient mauvaise haleine et par les jeunes garçons qui fumaient sans la permission de leurs parents. Marque déposée. [+++]

SENT-BON n. m. Voir : **bois sent-bon**.

SENTEUR, SENTEUX, EUSE n. et adj. **1.** Fig. Indiscret, curieux qui se glisse partout pour voir et entendre ce que font et ce que disent les gens. [+++] Syn., voir : **écornifleur, seineux**. **2.** Fig. *Senteux de pet, de vesse* : homosexuel. Syn., voir : **fifi**.

SENTIER DE RAMASSE n. m. Dans les érablières, chemin rudimentaire utilisé pour la cueillette de la sève d'érable. Syn.: **chemin d'érablière**.

SENTIR v. tr. et intr. **1.** Fig. Chercher à voir et à entendre ce qui se passe et ce qui se dit, épier. [+++] Syn., voir : **écornifler, seiner**. **2.** *Sentir le fond de tonne, la robine, la tonne* : empester l'alcool.

SÉPARATEUR n. m. (angl. separator) [Ø] Écrémeuse, machine servant à séparer la matière grasse du lait pour obtenir la crème. (O 47, 48, Estrie, acad.) Syn.: **centrifuge**.

SÉPARATION n. f. **1.** Cloison entre deux stalles dans l'écurie. Syn., voir : **entredeux** (sens 2). **2.** Raie des cheveux. Ta *séparation* n'est pas droite, elle zigzague. Syn.: **séparure**.

SÉPARATISME n. m. Doctrine politique voulant que le Québec se sépare du reste du Canada; née pendant la Crise (1929-1939), elle sembla disparaître, mais refit surface avec vigueur au début des années soixante.

SÉPARATISTE n. et adj. Partisan du *séparatisme*, relatif au *séparatisme*.

SÉPARURE n. f. Raie des cheveux. La *séparure* de ses cheveux zigzague. Syn.: **séparation**.

SEPTANTE adj. Vx et dialectal en fr. Soixante-dix. (acad.) Employé couramment en Belgique et en Suisse.

SEPT-ÎLIEN, ENNE n. et adj. Gentilé. Habitant de Sept-Îles, sur la Côte-Nord; de Sept-Îles.

SEPT PÉCHÉS CAPITAUX Voir : **laid**.

SÉRAPHIN n. et adj. **1.** Avare, harpagon. Il est plus *séraphin* que *Séraphin* (nom de l'avare dans le roman de Claude-Henri Grignon, *Un homme et son péché*). [+++] Syn., voir : **avaricieux**. **2.** Crêpe de farine de sarrasin. Manger des *séraphins*. Syn., voir : **galette**.

SERAPHINO n. Surnom donné aux Québécois francophones par les Mexicains, allusion évidente à leur pingrerie lorsqu'il s'agit de donner quelques pesos comme pourboire. Nous nous déconfessionnalisons : nous étions des *tabarnacos*, nous devenons des *seraphinos*. Syn., voir : **avaricieux**.

SEREIN n. m. Litt. ou rég. en fr. Fraîcheur, rosée qui tombe avec le soir après une belle journée. Il y a le *serein* du soir mais aussi quelquefois le *serein* du matin. [+++]

SÉRIEUX, EUSE adj. (angl. serious) [Ø] Grave en parlant d'un accident, d'une blessure, d'une maladie.

SERIN n. m.; **SERINETTE** n. f. **1.** Chardonneret des pins. Syn.: **sirène**. **2.** *Serin du pays* : paruline à gorge orangée. **3.** *Serin sauvage* : paruline jaune. [+++] **4.** Fig. et péjor. Homosexuel jeunet. Aller dans les chantiers forestiers avec son *serin*. Syn., voir : **fifi**.

SERPE n. f. Faux à broussailles dont la lame courte et robuste est montée à un manche également solide.

SERPÉ n. m. Partie de forêt où les pousses ont été coupées à la serpe.

470

SERPENT n. m. Personne très rusée en affaires.

SERPER v. tr. Faucher les broussailles avec une *serpe*, débroussailler à la *serpe*. Syn., voir : **effardocher**.

SERRE n. f. **1.** *Mettre les serres* : castrer un étalon ou un taureau au moyen de serres. Syn., voir : **affranchir**. **2.** Fig. *Mettre les serres à un coureur de jupons* (toujours employé au conditionnel). Pour le calmer celui-là il faudrait lui *mettre des serres*.

SERRÉ, E part. adj. **1.** À court d'argent, gêné au point de vue financier. Jules peut bien être *serré*, il dépense trop. **2.** *Avoir le grain serré, le grain fin* : être embarrassé, intimidé, être dans ses petits souliers. [+++]

SERRE-COUILLES n. m. Pantalon moulant, jeans moulants porté par les adolescents.

SERRÉE n. f. Quantité de foin en vrac engrangée en une journée. (Charsalac)

SERRE-LA-PIASTRE, SERRE-PIASTRE, SERRE-LA-POIGNE, SERRE-POIGNE n. Avare, mesquin. C'est un vieux *serre-la-piastre*. [+++] C'est un *serre-la-poigne*. (O 36-86) Syn., voir : **avaricieux**.

SERRE-MOTTE n. m. Pantalon moulant porté par les jeunes filles.

SERRER v. tr. **1.** Rég. en fr. Ranger. *Serrer* les vêtements d'hiver quand le printemps arrive. [+++] **2.** Fig. *Serrer la poigne* : dépenser avec parcimonie.

SERTISSEUSE n. f. Appareil servant à fermer, sertir les boîtes de conserve, sertisseur.

SERVANTE n. f. Vx et rég. en fr. Femme employée à temps complet comme domestique, par opposition à *femme de ménage*.

SERVIABLE adj. Utilisable, en état de servir en parlant d'une chose d'un outil. Ne jette pas cette hache, elle est encore *serviable*.

SERVICE n. m. **1.** *Service civil* (angl. civil service) [Ø] : fonction publique. **2.** *De service.* a) Serviable, prêt à rendre service, en parlant d'une personne. b) Utile, utilisable, en parlant d'une chose. Une hache qui ne coupe pas n'est pas *de service*.

SERVIETTE n. f. **1.** *Serviette à vaisselle* : torchon, torchon à vaisselle (servant à essuyer la vaisselle). Syn.: **essuie-mains**. **2.** Fig. *Lancer la serviette* (angl. to throw in the towel) [Ø] : renoncer à quelque chose, jeter la serviette, baisser les bras, jeter l'éponge. Cette compagnie ferme deux magasins mais cela ne veut pas dire qu'elle *lance la serviette* puisqu'elle en ouvre de nouveaux ailleurs.

SERVIR v. tr. Faire *servir* une vache, une jument, une truie en rut : les conduire à l'étalon, au taureau, au verrat. Syn.: **mener**.

SET n. m. (angl. set) [#] **1.** Danse, figure de quadrille. Danser le dernier *set* de la soirée. [+++] **2.** *Set américain* : quadrille américain, par opposition au *set canadien*. [+++] **3.** *Set canadien* : quadrille particulier au Canada par opposition au *set américain*. [+++] **4.** *Set carré* (angl. square dance) [Ø] : danse traditionnelle où les figures à danser sont annoncées par un meneur de danse appelé *calleur*. [+++] **5.** *Set à dîner* (angl. dinner set) [Ø] a) Mobilier de salle à manger, salle à manger. [+++] b) Service à déjeuner. **6.** *Set à l'eau* : voir : **set de toilette**. **7.** *Set de chambre*. a) Voir : **set de toilette**. b) Mobilier de chambre à coucher, chambre

à coucher. [+++] **8.** *Set de salon* : mobilier de salon. [+++]
9. *Set de table* : service de table. [+++] **10.** *Set de toilette* :
ensemble comprenant cuvette, pot à eau et porte-savon
qu'on plaçait autrefois sur la table de toilette. [+++] Syn.:
set à l'eau, set de chambre (sens 7a). **11.** *Set de vaisselle* :
service de vaisselle. [+++]. L'anglicisme *set* perd de plus en
plus de terrain.

SETTLER v. tr. (angl. to settle) [Ø] **1.** Faire le réglage,
l'ajustage d'une machine, d'une montre. [+++] **2.** Régler
un compte, payer ses dettes.

SEU adj. [#] *Tout seu* : tout seuls. Les enfants étaient *tout
seu* quand le feu s'est déclaré.

SEUILLET, SEUILLON n. m. Seuil de la porte d'une
maison. (acad.) Syn.: **soleil**.

SEUL, E adj. *Tout seul comme un clou* : fin seul. Sa femme
décédée, ses enfants partis, maintenant il est *tout seul comme
un clou*.

SEULEMENT adv. *Seulement que* [#] : seulement. Avoir
seulement que dix dollars en poche.

SÈVE, EAU DE SÈVE n. f. Sève d'érable de fin de
printemps un peu jaunâtre, très sucrée et qui sert à la
fabrication du *sucre de sève*. [+++]

SÉVIGNÉ, SAVINIER n. m. Genévrier horizontal. (acad.)
Syn., voir : **genève**.

SEWER, SOUR n. m. (angl. sewer) [Ø] Égout, tuyau
d'égout. Le *sour* a été bouché par des racines.

SHACK n. m. (angl. shack) [Ø] Masure, cabane, bicoque,
maison sans aucun confort. [+++] Syn., voir : **giole**.

SHEBANG, CHIBAGNE n. f. (angl. shebang) [Ø]
1. Bande de gens, maisonnée. La police a amené toute la
shebang au poste. **2.** Attirail, équipement. Il vient nous aider
à déménager avec toute sa *chibagne*. Syn.: **gréement**.

SHED n. f. (angl. shed) [Ø] **1.** *Shed à bois, à voitures* :
bâtiment adossé à une grange et servant de hangar, de
remise. [+++] Syn., voir : **appent**. **2.** *Shed à fumier* : à la ferme,
abri à fumier construit sur une fosse à purin. [+++]

SHEER, CHIRE n. f. (angl. sheer) [Ø] Faux pas, chute,
embardée. Faire ou prendre une *sheer* sur la glace vive.
[+++] Syn., voir : **fouille**.

SHEERER, CHIRER v. intr. (angl. to sheer) [Ø] Glisser,
déraper, faire une embardée. La chaussée était glacée, sa
voiture a *sheeré*. [+++] Syn., voir : **barauder**.

SHEEROUETTE n. f. (angl. sheer) [Ø] Pirouette.
Télescopage des mots *sheer* et *pirouette*. [++]

SHELLAC n. m. (angl. shellac) [Ø] Laque. Recouvrir un
meuble de *shellac*. [++]

SHELLACQUER v. tr. (angl. to shellac) [Ø] Recouvrir de
laque, laquer.

SHIFT, CHIFFE, CHIFFRE n. m. (angl. shift) [Ø] Équipe,
quart, poste. Pour hâter les travaux, il y a trois *shifts* de
travailleurs. [+++] Anglicisme qui a la vie dure

SHOE-CLAQUE n. m. (angl. shoe) [Ø] Mot hybride.
Espadrilles, souliers de gymnastique, tennis. (E 34-91) Syn.,
voir : **running-shoes**.

SHOO, CHOU interj. et n. m. (angl. shoo) [Ø] Cri de
réprobation poussé dans une assemblée, huée. La voix de
l'orateur a été couverte par les *shoos* de l'assemblée. [+++]

SHOOT n. f. (angl. shoot) [Ø] Au hockey, tir, lancer de la
rondelle.

SHOOTER v. tr. et intr. (angl. to shoot) [Ø] Au hockey, faire un lancer, un tir de la *rondelle*, lancer la rondelle.

SHOP n. f. (angl. shop) [Ø] **1.** Épicerie-boucherie. Aller à la *shop*. **2.** Faire sa shop : acheter de la viande chez le boucher. (Lanaudière)

SHORT CUT, CHARCOTTE n. (angl. short cut) [Ø] Raccourci, sentier de portage. Il y a encore des *charcottes* à Sillery qui permettent de passer du haut de la falaise au Chemin du Foulon.

SHOT n. f. (angl. shot) [Ø] **1.** Fig. Mot d'esprit, bonne blague. Lucien était en forme hier, une *shot* n'attendait pas l'autre. **2.** Verre d'alcool. Avant de reprendre son travail, il a pris deux bonnes *shots*. **3.** *Tirer une shot, tirer sa shot* : faire l'amour en parlant d'un homme. Syn., voir : **peau** (sens 5). **4.** Une grande quantité, beaucoup. Des beignes, on en a mangé une *shot*. De la neige, on en a pelleté une *shot*.

SHOW-BOY n. m. (angl. choreboy) [Ø] Voir : **choreboy**.

SHYLOCK n. m. (angl. Shylock) [Ø] Dans les milieux de la pègre, usurier qui prête à des taux exorbitants.

SI adv. **1.** Aussi. Toi *si* tu partiras avec nous. Syn., voir : **itou**. **2.** *Si moins* : tellement moins. Monsieur X est devenu *si moins* riche qu'il a été obligé de commencer à travailler. (acad.)

SIAU n. m. **1.** Dial. en fr. Seau le plus souvent en bois mais aussi en papier mâché, en fer-blanc, en tôle ou en grès. [+++] **2.** *Mettre au siau* : en parlant d'un veau, le sevrer et le faire boire au *siau*, au seau. [++] Syn., voir : **détrier**.

SIAUTÉE n. f. Contenu d'un seau, seau. Une siautée d'eau, de lait. Syn.: **seillée**.

SIBINE n. f. Femme âgée qui a mauvais caractère..

SIDEBOARD n. m. (angl. sideboard) [Ø] Autrefois, buffet, dressoir, vaisselier plutôt massif. Mot en perte de vitesse. [++]

SIDE-JAM n. f. (angl. side-jam) [Ø] Voir : **jam**.

SIDELINE n. f. (angl. sideline) [Ø] Travail, occupation, petit emploi qui permet d'arrondir les fins de mois.

SIÉGER v. intr. Être sur le siège des toilettes. Arrête donc de *siéger*, tu n'es pas seul ici, ça fait une heure que j'attends! Syn.: **trôner**.

SI FAIT! adv. exclam. Vx en fr. Oui, mais oui! — *Si fait!* (acad.)

SIFFLE n. m. [#] Sifflement, coup de sifflet. Un coup de *siffle* et son chien revient.

SIFFLET n. m. Voir : **couper le sifflet** (à quelqu'un).

SIFFLEUX, SIFFLEUR n. m. **1.** Marmotte du Canada dont les petits portent le nom de *sifflotins*. [+++] Syn.: **bonhomme-cavèche**, **bonhomme-couèche**. **2.** Bruant à gorge blanche. Syn., voir : **frédéric**. **3.** Canard de mer ou canard plongeur. **4.** Fig. Dans les chantiers forestiers, ouvrier chargé de l'entretien des chemins d'hiver et dont l'une des fonctions était de sabler les descentes; l'ouvrier devait, allusion à la marmotte ou *siffleux*, creuser des trous dans les sablières pour se procurer du sable. Syn., voir : **chickadee**. **5.** Voir : **bacagnole**.

SIFFLOTIN n. m. Petit du *siffleux*, c'est-à-dire de la marmotte. La femelle donne naissance à quatre ou cinq *sifflotins* par année.

473

SIGNAL n. m. Petit instrument formé de deux planchettes réunies par une charnière et dont les maîtres et les maîtresses d'école se servaient pour donner un signal (debout! assis! silence! à genoux! etc.), claquette. [+++]

SIGNAUX, SINAUX n. m. pl. Aurore boréale. La nuit on voit des *signaux* dans le ciel. (O 37-85) Syn., voir : **marionnettes**.

SIGNE n. m. (angl. sink) [Ø] Voir : **sink**.

SIGON n. m. Fig. Injure. Recevoir un paquet de *sigons*.

SIGONNER v. tr. Voir : **cigonner**.

SIGOUINE n. f. Poisson de la Côte-Nord, de la famille des Pholidés, dont on connaît deux variétés : la *sigouine rubannée* et la *sigouine de roche* (aussi appelée anguille de roche) et dont l'arête dorsale blesse la main nue du pêcheur imprudent, comme le ferait une scie-égoïne.

SIKONI n. m. (amér. ou inuit) Petits objets en fourrure fabriqués par les autochtones de l'embouchure du Mackenzie et vendus aux touristes.

SIKSER v. tr. Exciter un chien contre quelqu'un ou contre un autre chien. Syn., voir : **choukser**.

SIKSIK n. m. (mot inuit) Petit écureuil de terre.

SILER v. tr. et intr. **1.** Respirer difficilement, en sifflant. Dormir en *silant*. [+++] **2.** Faire entendre un son aigu. Le vent a *silé* toute la nuit. [+++] **3.** Gémir. Le chien a *silé* toute la journée. [+++] **4.** Exciter un chien contre quelqu'un ou contre un autre chien. Syn., voir : **choukser**. **5.** Tinter. Les oreilles me *silent* depuis hier. [+++]

SILL n. f. (angl. sill) [Ø] Pièce de bois posée sur des fondations et sur laquelle repose une maison, une grange. Syn.: **gril**.

SILLON n. m. Rang de légumes, plus spécialement de pommes de terre.

SILON n. m. Organe rotatif de la batteuse à grain muni de dents, tambour, tambour balleur.

SILOUNE n. f. Blague à tabac du fumeur de pipe. Syn., voir : **bordine**.

SILVIFRANC, CHE n. et adj. Gentilé. Natif ou habitant des Bois-Francs; des Bois-Francs.

S'IL VOUS PLAÎT loc. superlative *En s'il vous plaît* : très, beaucoup. Il faisait chaud *en s'il vous plaît* dans cette pièce.

SIMAGRÉE n. f. Grimaces, gestes exagérés.

SIMONAQUE juron et superlatif *En simonaque* : très, beaucoup. Du whisky en esprit, c'est fort *en simonaque*.

SIMPLE n. m. Charge transportée par une voiture d'été ou d'hiver tirée par un seul cheval. Il ne reste qu'un *simple* de foin à rentrer.

SIMPLE adj. **1.** S'applique à toute voiture d'été ou d'hiver, à toute machine aratoire à laquelle on attelle un seul cheval par opposition à *double*, voiture ou machine aratoire à laquelle on attelle deux chevaux. Un traîneau *simple*, une charrue *simple*. [+++] **2.** Atteler, être *simple, en simple* : utiliser un seul cheval pour faire un travail. [+++] **3.** Fig. *Faire simple* : avoir l'air imbécile, niais. Ah! ce qu'elle peut *faire simple* celle-là! **4.** *Chemin simple* : chemin d'hiver pour traîneaux tirés par un cheval unique qui marche entre les deux traces des traîneaux.

SINAUX n. m. pl. Voir : **signaux**.

SINCE n. f. Serpillière, torchon de grosse toile servant à laver les sols, les planchers. (acad.)

SINER v. tr. Signer. Nos grands-parents ne savaient pas *siner* leur nom.

SINGE n. m. **1.** *Singe de course* : adolescent qui se moque en imitant l'allure, la façon de parler, les gestes, les tics de quelqu'un. Celui-là, il est moqueur, un vrai *singe de course*! **2.** *Être bandé comme un singe* : être en érection.

SINGLET n. m. (angl. singlet) [Ø] Variété de débardeur unisexe, porté par les adeptes du jogging et dont le haut n'est pas en tricot.

SINK, SIGNE n. m. (angl. sink) [Ø] **1.** Évier de la cuisine ou meuble-évier prolongé par un comptoir fermé avec tablettes de rangement. Anglicisme en perte de vitesse. [++] Syn.: **lavier, lévier. 2.** Lavabo de la salle de bain.

SIPAILLE, SIPARE n. m. (angl. sea-pie) [Ø] Voir : **sea-pie**.

SIPHON n. m. Débouchoir à ventouse utilisé pour déboucher les éviers, les toilettes.

SIPHONITE n. f. Besoin irrésistible de certains automobilistes indélicats qui semble les pousser à faire le plein de leur réservoir en siphonnant ici et là.

SIQUER v. tr. Exciter un chien contre quelqu'un ou contre un autre chien. Syn., voir : **choukser**.

SIR n. m. (angl. Sir) [Ø] Titre honorifique décerné par les souverains d'Angleterre à certains de leurs sujets méritants.

SIREAU BLANC n. m. [#] Sureau blanc servant à faire des fuseaux de navette pour le métier à tisser.

SIRÈNE n. f. Chardonneret des pins. (Sud du Saint-Laurent, de Québec à Montréal) Syn.: **serin**.

SIRER v. tr. Conférer à quelqu'un le titre honorifique de *Sir*. Les francophones emploient ce verbe avec un sourire entendu et cela depuis belle lurette.

SIROP n. m. **1.** *Sirop d'érable, sirop du pays* : sirop provenant de la transformation de la sève de l'érable à sucre par évaporation. [+++] **2.** *Gros sirop* : sirop d'érable en cours de fabrication et dont la concentration est très avancée. **3.** *Petit sirop* : sirop d'érable en cours de fabrication et dont la concentration est peu avancée. Syn., voir : **réduit. 4.** *Sirop d'habitant* : sirop d'érable. **5.** *Sirop de poteau* : sirop d'érable de mauvaise qualité ou succédané de sirop d'érable. [+++] **6.** *Sirop de sève* : sirop d'érable de fin de printemps de qualité médiocre et de conservation quasi impossible. [++] **7.** *Sirop de Barbade, sirop de mélasse, sirop de tonne, sirop des pauvres, sirop noir* : autant d'appellations de la mélasse. Syn.: **barbade, Black Strap. 8.** *Sirop de blé d'Inde, sirop doré* : sirop de maïs. [+++] **9.** *Sirop blanc* [#] : sureau blanc.

SIROTER v. intr. Pleurnicher. Un enfant qui *sirote* toute une nuit, ce n'est pas normal. [++] Syn., voir : **lyrer**.

SIROTEUX, EUSE adj. et n. Pleurnicheur, surtout en parlant d'un enfant. Syn., voir : **lyreux**.

SIROTIER n. m. Contenant à sirop d'érable dans lequel on coule le sirop. La graphie *siroptier* est à éviter. (E 36-86)

SIROUÈNE n. f. [#] Ciroène, emplâtre souvent à base de moutarde que l'on applique sur l'estomac pour guérir d'un rhume.

SISIQUOI n. m. (amér.) Voir : **chichicois**.

SIX n. m. Mèche de cheveux tournée en croc, accroche-cœur. [+++]

SIX-PÂTES n. m. (angl. sea-pie) [Ø] Voir : **sea-pie**.

475

SKATING BOARD n. f. (angl. skating board) [Ø] Planche à roulettes. Syn.: **rouli-roulant**.

SKI n. m. **1.** *Skis à roulettes* : skis montés sur roulettes et qu'utilisent les skieurs de fond sur l'asphalte en plein été pour se maintenir en forme. **2.** *Ski-bob* n. m. (angl. bob) [Ø] Voir : **véloneige moderne**. **3.** *Ski-bottines.* a) Jeu dangereux pratiqué l'hiver par de jeunes citadins d'une dizaine d'années et consistant à s'accrocher au pare-chocs arrière des autobus et à se laisser glisser sur ses chaussures, entre les arrêts. b) Jeune citadin qui pratique le jeu dangereux du *ski-bottines*.

SKIBUS n. m. Autobus qui fait le ramassage des skieurs pour les conduire aux pentes de ski et les ramener chez eux.

SKID n. m. (angl. skid) [Ø] **1.** Longeron servant à paver un chemin en terrain marécageux ou que l'on place sous une pile de billes de bois pour la tenir soulevée de terre. Voici deux *skids* pour la nouvelle pile de billes. [+++] Syn.: **rance** (sens 2). **2.** Fig. *Être sur le skid, partir pour le skid* : boire sans arrêt. Syn., voir : **brosser**.

SKIDDAGE n. m. Action de *skidder*, de débusquer des billes de bois en forêt, débusquage. Syn., voir : **halage**.

SKIDDER v. tr. (angl. to skid) [Ø] Traîner les billes de bois de l'endroit où on les a coupées jusqu'à celui où on les empile, débusquer. [+++] Syn., voir : **haler**.

SKIDDEUR, SKIDDEUX n. m. (angl. skidder) [Ø] Ouvrier qui travaille au débusquage des billes de bois.

SKIDDEUSE n. f. (angl. skidder) [Ø] Débusqueuse mécanique utilisée en forêt. Syn.: **bombardier**, **garette**, **guedoune**, **muskeg**.

SKIDOO n. m. **1.** Motoneige. S'acheter un *skidoo*. Marque déposée. Syn.: **motoneige**. **2.** *Habit de skidoo* : combinaison très chaude que revêtent les *motoneigistes*.

SKIDWAY n. m. (angl. skidway) [Ø] Pile de billes de bois sur le bord d'une route. Traîner les grumes jusqu'au *skidway*. Syn., voir : **rollway**.

SKINCLÈNE n. m. (angl. scantling) [Ø] Voir : **scantling**.

SKIPPER v. intr. (angl. to skip) [Ø] Déserter, quitter le pensionnat pour retourner chez ses parents. Autrefois, dans les pensionnats de garçons, tous les ans, il y avait des pensionnaires qui *skippaient*.

SKIPPEUX n. m. (angl. skipper) [Ø] Pensionnaire des maisons d'éducation d'autrefois qui désertait pour retourner chez ses parents. Syn.: **jumpeux**.

SKI-TANDEM n. m. Variété de skis plus longs que les skis ordinaires et sur lesquels peuvent monter deux skieurs de fond à condition de coordonner leurs mouvements.

SKI-TOW n. m. (angl. ski-tow) [Ø] Monte-pentes rudimentaires des centres de ski, *tire-fesses*. Anglicisme en perte de vitesse.

SLAB n. f. (angl. slab) [Ø] Première et dernière planche sciée dans une bille de bois et dont une face conserve son écorce, dosse. [++] Voir : **croûte** (sens 1).

SLACK, SLAQUE adj. et n. (angl. slack) [Ø] **1.** Qui a du jeu, du mou. Un écrou qui a du *slack* doit être serré. Raidir un câble qui a trop de *slack*. [+++] Syn.: **loose**. **2.** *Avoir le ventre slack, le corps slack* : avoir la diarrhée. Syn., voir : **cliche**.

SLACKER, SLAQUER v. tr. (angl. to slack) [Ø] **1.** Donner du mou à un câble, desserrer l'écrou d'un boulon. [+++]

476

Syn.: **déslacker**. **2.** Fig. Mettre à pied. Quand les affaires vont au ralenti, on *slacke* des ouvriers. [+++] **3.** Faire cesser la constipation. Du soufre et de la mélasse, ça *slaque*, ça *slaque le corps*.

SLAILLE n. f. (angl. slide et sly) [Ø] **1.** Voir : **slide**. **2.** Voir : **sly**.

SLAILLER v. (angl. to slide) [Ø] Voir : **slider**.

SLEIGH n. (angl. sleigh) [Ø] **1.** Solide traîneau à patins hauts et ajourés servant au transport de provisions. Ce mot était en très forte concurrence avec *traîne, traîneau, suisse* et s'employait dans les mêmes syntagmes. [+++] **2.** Traîneau à débusquer les billes de bois, formé de deux patins réunis par un sommier. Syn., voir : **bob**. **3.** Traîneau-jouet pour les enfants. **4.** *Sleigh à barreaux*. Voir : **traîneau à bâtons**. **5.** *Sleigh à bâtons*. Voir : **traîneau à bâtons**. **6.** *Sleigh à patins, sleigh de promenade, sleigh de culler, sleigh haute, sleigh fine* : voitures de promenade légères sur patins hauts et ajourés. **7.** *Sleigh d'habitant* : traîneau à patins ajourés utilisé par les *habitants* ou cultivateurs. **8.** *Sleigh de cabane* : traîneau d'érablière pour le transport de la sève de l'érable. Syn.: **sleigh de sucrerie**, **sleigh de tournée**, **sloop**, **stoneboat**, **suisse**, **traîne**. **9.** *Sleigh de portage*. Voir : **bacagnole**. **10.** *Sleigh-mocassin* (angl. mocassin-sleigh) [Ø] : variété de *bobsleigh* dont les lisses sont plus étroites que les patins. **11.** *Sleigh sainte-catherine*. Voir : **sainte-catherine**.

SLETTE n. f. [#] **1.** Sellette de harnais supportant la dossière qui soutient les brancards. [+++] Syn.: **souffrance**. **2.** *En slette* : ensellé en parlant du dos arqué d'un cheval et même d'une personne. (Écrire *en sleigh* dénote une ignorance profonde.)

477

SLIDE, SLAILLE n. f. (angl. slide) [Ø] **1.** Voir : **véloneige traditionnel**. **2.** Voiture à quatre roues pour le transport des marchandises. **3.** Voiture à quatre roues, le plus souvent à un seul siège fixé sur des planches minces et flexibles posées directement sur les essieux. (E 25-115) Syn., voir : **barouche**.

SLIDER, SLAILLER v. intr. (angl. to slide) [Ø] Aller d'un côté et de l'autre en parlant d'un traîneau qui glisse tantôt à droite, tantôt à gauche dans les pentes des chemins de neige. Syn., voir : **barauder**.

SLING n. f. (angl. sling) [Ø] Ceinture qui remplace les bretelles et retient le pantalon. Mot en perte de vitesse.

SLIP n. m. Combinaison-jupon, sous-vêtement féminin.

SLOOP n. f. (angl. sloop) [Ø] Traîneau servant au débusquage du bois en forêt. [++] Syn., voir : **bob**.

SLOPE n. f. (angl. slope) [Ø] Remblai de terre de chaque côté d'un fossé. Syn., voir : **levée**.

SLOUNE n. f. Chaussure de plage constituée d'une semelle de caoutchouc ou de plastique maintenue en place par un cordon de même matière passant entre le gros orteil et l'orteil voisin. Syn.: **babouche**, **gougoune**, **pichou**.

SLUICE, SLOUCE n. f. (angl. sluice) [Ø] Dalle légèrement en pente, pourvue d'un courant d'eau et servant à transporter des billes de bois au-dessus d'une route ou d'une vallée, le long d'un rapide, à côté d'une chute ou d'un barrage. [++] Syn.: **dalle humide**, **glissoire**.

SLUICER, SLOUCER v. tr. (angl. to sluice) [Ø] Faire descendre les billes de bois dans une *sluice*, dans une dalle humide ou dans le pertuis d'un barrage.

SLUSH, SLOCHE, SLUDGE n. f. (angl. slush, sludge) [Ø] Neige détrempée, souvent mêlée de sable et de sel qui recouvre les trottoirs et les chaussées. [++] Syn.: **bouette**, **magonne**, **névasse**.

SLY, SLAILLE n. f. (angl. sly) [Ø] *Sur la sly* : en contrebande, au noir. Vendre ou acheter de l'alcool *sur la sly*, travailler *sur la sly*. [++]

SMALL n. m. Marque de fabrique d'*évaporateur* (voir ce mot).

SMART, SMATTE adj. (angl. smart) [Ø] **1.** En parlant de quelqu'un, gentil, affable, distingué. [+++] **2.** En bonne santé, encore alerte. Malgré ses quatre-vingts ans, il est encore *smart*. [++]

SMOCK n. m. (angl. smock) [Ø] Blouse de ménagère, d'artiste, de laboratoire. (O 36-86) Syn.: **couvre-tout**.

SMOKE n. f. (angl. smoke) [Ø] Bille de jeu en verre fumé, utilisée par les enfants.

SMOKED MEAT n. m. (angl. smoked meat) [Ø] Bœuf fumé mariné. Un sandwich au *smoked meat*. [+++]

SNACK n. m. (angl. snack) [Ø] Repas de famille où se retrouvaient grands-parents, parents, enfants, voire arrière-petits-enfants. La période comprise entre Noël et le Mercredi des cendres était la période des *snacks*. Anglicisme en perte de vitesse. [+++] Syn.: **fricot**.

SNAKEROOT, SNICROUTE n. f. (angl. snakeroot) [Ø] **1.** Dentaire à deux feuilles dont les rhizomes sont comestibles. Syn.: **carcajou** (sens 2). **2.** Gingembre sauvage souvent appelé asaret du Canada, très connu en médecine populaire.

SNAP n. m. et f. (angl. snap) [Ø] **1.** Mousqueton de harnais pour chevaux. [+++] Syn.: **boucle** (sens 1). **2.** Variété de savon en pâte utilisé pour enlever le cambouis, la gomme, etc. Marque de fabrique. Se laver les mains avec du *snap*.

SNEAKER, SNIKER v. intr. (angl. sneaker) [Ø] Chercher à voir et à entendre ce qui se passe et ce qui se dit, épier. [++] Syn., voir : **écornifler**.

SNEAKEUR, SNIKE n. m. (angl. sneaker) [Ø] Espadrilles, souliers de gymnastique, tennis. (O 38-84, Estrie, Gaspésie et Maritimes) Syn., voir : **running shoes**.

SNEAKEUX, SNIKEUX, EUSE adj. et n. (angl. sneaker) [Ø] Indiscret qui se glisse partout pour voir ce que font et entendre ce que disent les gens. [++] Syn., voir : **écornifleur**.

SNETTE n. f. Vulg. *En snette* : en rut, surtout en parlant des vaches, des chattes et des chiennes.

SNOB n. m. (angl. snub) [Ø] Voir : **snub**.

SNOGO n. m. Variété de chasse-neige ancien muni d'une soufflerie et qui est l'ancêtre de la *souffleuse* à neige actuelle.

SNOREAU n. m. et adj. **1.** Bougre, espiègle, en parlant des petits garçons. Mon petit *snoreau* que je ne te revoie pas ici! **2.** *Vieux snoreau* : homme âgé aux prises avec le démon du midi.

SNOWBIRD n. m. (angl. snowbird) [Ø] Appellation des canadiens qui vont passer l'hiver en Floride, loin du froid et de la neige.

SNOWMOBILE, SNOW n. m. (angl. snowmobile) [Ø] **1.** Voir : **autoneige**. **2.** Au pl. Raquettes à neige de forme allongée imitant la piste d'une loutre. Ce sont des raquettes de dépannage utilisées surtout par les *motoneigistes* en panne.

SNOWPLOW, SNOW n. m. (angl. snowplow) [Ø] Chasse-neige. J'ai pu rentrer chez moi sans problème, je suivais le *snow*. [+++] Syn.: **charrue à neige**.

SNUB, SNOB n. m. (angl. snub) [Ø] Dans les chantiers forestiers, câble d'ancrage qui retient une charge en descente. Syn., voir : **chèvre**.

SNUBBEUR n. m. (angl. snubber) [Ø] Ouvrier forestier qui, à l'aide d'un câble d'ancrage, retient une charge dans une descente abrupte.

SNUFF n. m. (angl. snuff) [Ø] Tabac à priser en poudre.

SNUFFER v. tr. (angl. to snuff) [Ø] Aspirer, humer du tabac en poudre par le nez.

SNUFFEUR, EUSE n. (angl. snuffer) [Ø] Personne qui aspire du tabac en poudre par le nez.

SOC, SOQUE n. m. Échinée de porc. Faire cuire un rôti de *soc*.

SOCIAL, E adj. *Buveur social* (angl. social drinker) [Ø] : buveur mondain qui ne boit qu'en société, à l'occasion de la rencontre d'amis.

SOCIÉTÉ DE LA COURONNE n. f. (angl. Crown Corporation) [Ø] Société d'État établie par lettres patentes. La *Société des alcools* et *Hydro-Québec* sont deux *sociétés de la Couronne*.

SODA n. m. **1.** *Soda à pâte* (angl. baking soda) [Ø] : bicarbonate de soude utilisé en pâtisserie et contre les maux d'estomac. **2.** *Soda à l'épinette, soda épinette* : variété de boisson gazeuse, aromatisée à l'*épinette noire* ou épicéa (NOLF). **3.** *Soda au gingembre* : boisson gazeuse à base de gingembre (NOLF). **4.** *Soda mousse* : boisson gazeuse à base de soda (NOLF). **5.** *En soda, en beau soda* : a) En colère. Être *en beau soda* d'avoir raté son avion. Syn., voir : en **sacre**. b) Beaucoup, très. Faire froid *en soda*.

SODAQ Sigle. *So*ciété *d*e l'*a*rbre du *Q*uébec.

SŒUR n. pr. f. Voir : **genou de Sœur**.

SŒURETTE n. f. Nom que portent les cousines germaines issues de deux frères mariés à deux sœurs ou d'un frère et d'une sœur mariés à la sœur et au frère. *Sœurette* a comme pendant masculin *frérot*.

SOIE n. f. **1.** Soies de porc fixées au bout d'un fil de ligneul enduit de brai et tenant lieu d'aiguille. Les cordonniers d'autrefois avaient des provisions de *soies*. **2.** Au pl. Maladie : touffe de soies poussant à l'intérieur de la gorge du cochon. **3.** Fig. En parlant d'une personne : douce, gentille, aimable, plaisante, facile à vivre. Ah! cette femme, une *soie*! [++]

SOIF n. f. *Faire soif* : faire une chaleur écrasante, étouffante. Il *fait soif* aujourd'hui.

SOIGNER v. tr. et intr. **1.** Servir la batteuse, engrener. Il faut être très prudent quand on *soigne* une batteuse. (acad.) Syn., voir : **entonner**. **2.** Garder les enfants en bas âge. Autrefois, quand on allait à la grand-messe, c'est un adulte qui restait à la maison pour *soigner* les enfants. (surt. acad.)

SOIGNEUR, SOIGNEUX n. m. **1.** Médecin vétérinaire, vétérinaire. Syn.: **maréchal**. **2.** Charlatan, guérisseur. **3.** Homme qui sert la batteuse, engreneur. (Estrie et O 38-84) Syn., voir : **entonneur**. **4.** Lors des battages, homme qui s'occupe du grain qui sort de la batteuse, qu'on appelle aussi *soigneur de minots*. (acad.)

SOIGNEUSE n. f. Sage-femme. Syn., voir : **matrone**.

SOINCE n. f. Raclée, volée de coups, correction. Recevoir une *soince* qui ne s'oublie pas! Syn., voir : **champoune**.

SOINCER v. tr. Donner une raclée, une volée de coups à quelqu'un, réprimander. [++] Syn., voir : **agoner**.

SOIR n. m. **1.** *Bons soirs* : dans les fréquentations d'autrefois, les mardi, jeudi, samedi et dimanche soirs par opposition aux *soirs des jaloux* (lundi, mercredi et vendredi). **2.** *Soir des jaloux* : dans les fréquentations d'autrefois, les lundi, mercredi et vendredi soirs par opposition aux *bons soirs* (mardi, jeudi, samedi et dimanche). **3.** *Soir des tours* : la veille du jour des Morts où les jeunes se permettent de jouer les tours les plus invraisemblables. Syn.: **soirée des tours**.

SOIRÉE n. f. **1.** *Soirée canadienne* : soirée télédiffusée du Bon Vieux Temps organisée à la campagne et où, au son du violon, se succèdent danses et chansons sous les regards satisfaits du maire et l'œil humide du curé. [+++] **2.** *Soirée des tours*. Voir : **soir des tours**. **3.** *Soirée-bénéfice*. Voir : **bénéfice**.

SOLAGE n. m. Fondations d'une maison, en maçonnerie, en béton, plus rarement en bois, quelquefois en terre sèche. [+++] Syn.: **maçonne**, **wall**.

SOLE n. f. Poisson. Terme générique dont les équivalents spécifiques sont les suivants : **1.** Limande à queue jaune (Limanda ferruginea) (NOLF). **2.** Plie canadienne (Hyppoglossoides platessoides) (NOLF). **3.** Plie grise (Glyptocephalus cynoglossus) (NOLF). **4.** Plie rouge (Pseudopleuronectes americanus) (NOLF).

SOLEIL n. m. **1.** *Au soleil couché* : après le coucher du soleil. **2.** Seuil de la porte d'une maison. Syn.: **seuillet**, **seuillon**. **3.** Tournesol. **4.** *Faire soleil* : faire du soleil.

SOLEILLER (SE) v. pron. *Se soleiller, se faire soleiller* : prendre le soleil, se faire chauffer au soleil. (acad.)

SOLIDE adv. [#] Solidement. Clouer une planche *solide*.

SOLIDE adj. Bijou en or *solide*, en argent *solide* : en or massif, en argent massif.

SOLIDER, SOLIDIFIER v. tr. [#] Consolider, rendre plus solide. Mettre des étais supplémentaires pour *solider* ou *solidifier* la charpente d'une grange.

SOLUTIONNAIRE n. m. Livre du maître, corrigé d'un cahier d'exercices.

SOMBRIR v. impers. [#] S'assombrir, en parlant du jour. Il a commencé à *sombrir* vers cinq heures.

SOME adj. (angl. some) [Ø] Mot à valeur superlative et toujours employé dans une phrase exclamative. *Some* travailleur! : tout un travailleur! *Some* auto! : toute une auto! Anglicisme en perte de vitesse.

SOMME n. m. Vx ou litt. en fr. Sommeil, action de dormir. Faire un *somme* à mi-journée.

SOMMES n. f. pl. Au pl. Employé à tort pour *montant* d'argent. Les *sommes* employées pour le budget de l'éducation.

SOMMIER n. m. Traverse reliant les patins des traîneaux, des *bob-sleighs*, des *suisses*. [+++]

SON DE SCIE n. m. Sciure de bois, bran de scie. (acad.) Syn., voir : **moulée de scie**.

SONGEARD, E adj. Pensif, songeur. Il est bien *songeard* depuis la mort de sa femme.

SONNER v. intr. **1.** Jouer. Apprendre à *sonner* du violon. (acad.) **2.** Voir : sonner les *cloches*.

SONNETTE n. f. pl. Grelots, clochettes qu'on attachait au brancard d'une voiture d'hiver.

SOPHIE n. f. Variété d'orge créée au début des années quatre-vingt et bien adaptée au climat d'ici.

SOQUE n. m. Voir : **soc**.

SORCIER n. m. **1.** Le diable. Syn., voir : **jacabon**. **2.** Enfant turbulent, espiègle, petit diable. Ah! mon *petit sorcier*, qu'est-ce que tu as encore fait? [+++] Syn., voir : **insécrable**. **3.** *En sorcier* : en colère, irrité. Il était *en sorcier* contre son fils qui avait pris son auto sans sa permission. [+++] **4.** *En sorcier* : très beaucoup. Avec ce vent, c'est froid *en sorcier*. [+++]

SORCIÈRE n. f. **1.** Tourbillon de vent de peu de durée qui, selon les saisons, soulève poussière, foin, neige. Les *sorcières* ont défait plusieurs veillotes de foin. [+++] Syn.: **tourniquet** (sens 4). **2.** Voir : **banc-de-sorcière**.

SORÉ n. m. Voir : **surrey**.

SOROÎT n. et adj. Sud-ouest, vent du sud-ouest, suroît. [++]

SORTANT, E n. et adj. Élève qui termine ou a terminé un programme d'études, mot destiné à remplacer *finissant* (NOLF).

SORTEUR, SORTEUX, EUSE n. et adj. Rare en fr. Qui sort souvent, qui aime sortir. Nos voisins sont *sorteux* : ils sont très rarement chez eux. [+++] Syn.: **trotteur** (sens 1).

SORTIR v. **1.** *Sortir après neuf heures*. Loc. verb.: en parlant d'une jeune fille, être facile, avoir déjà connu l'amour. Ne crains rien avec elle, elle est déjà *sortie après neuf heures*. Syn., voir : **Champ de Mars**. **2.** *Sortir du bois* : se tirer d'affaire, d'embarras, employé surtout négativement. Il *n'est pas sorti du bois*.

SOTTILLE n. f. Sabot, ergot. Les *sottilles* d'une vache en parlant de ses ergots, les *sottilles* d'un cheval en parlant de ses sabots. (acad.)

SOU n. m. **1.** [#] Appellation encore fréquente du *cent* ou centième partie du dollar. Le prix de ceci? Vingt *sous*. Syn., voir : **cenne**. **2.** Voir : **trente-sous**.

SOUAMPE n. f. (angl. swamp) [Ø] Voir : **swamp**.

SOUAMPEUX, EUSE adj. (angl. swamp) [Ø] Voir : **swampeux**.

SOUBASSEMENT n. m. Sous-sol d'un édifice public. Beaucoup d'églises ont un *soubassement* aménagé, ce qui permettait de célébrer en même temps deux messes, l'une dans la nef, l'autre dans le *soubassement*. Il y a eu un *bingo* dans le *soubassement* de l'église.

SOUCHON n. m. Rare en fr. Petite souche. [+++]

SOUCI n. m.; **SOUCILLE** n. f. Taie d'oreiller de lit. Changer souvent les *soucis* ou les *soucilles* d'oreiller. (acad.) Syn.: **tête d'oreiller**.

SOUCI n. m.; **SOUCISSE** n. f. Sourcil. Il s'est brûlé les *soucis* ou les *soucisses* en allumant sa pipe avec un briquet à gaz.

SOUCOUPE n. f. **1.** Vulg. Bout de l'organe de l'étalon. (O 27-116) et Charsalac) Syn., voir : **assiette**. **2.** *Soucoupe volante* : jouet en aluminium en forme de grande soucoupe sur lequel les enfants dévalent les pentes enneigées en glissant. [+++]

SOUE n. f. **1.** Vx et rég. en fr. Porcherie. On construit maintenant les *soues* à une certaine distance des habitations. [+++] Syn., voir : **engrais**. **2.** Fig. *Soue, soue à cochons*, *soue des cochons* : maison sale, malpropre. [+++]

SOUELLE adj. Voir : **swell**.

SOUFFÈRE v. tr. [#] Souffrir. Tu vas *souffère* le martyr si tu vas là. Faisez-le *souffère*! est un cri pour exciter un lutteur à rudoyer son adversaire.

SOUFFLE n. m. Maladie du cheval caractérisée par l'essoufflement, pousse. [+++]

SOUFFLER v. tr. [#] **1.** Gonfler. Avant de partir en voyage, il faut *souffler* ses pneus sans oublier le pneu de rechange. [+++] **2.** Mar. *Souffler un plancher* : poser des tringles, du *bardeau à cointer* sur un plancher pour y superposer un nouveau plancher parfaitement horizontal.

SOUFFLEUR n. m.; **SOUFFLEUSE** n. f. **1.** Chasse-neige muni d'un dispositif hélicoïdal qui projette la neige à distance. [+++] **2.** Partie de la batteuse qui projette la paille à une certaine distance. Syn.: **blower**.

SOUFFLEUX, EUSE n. Cheval qui a le *souffle* c'est-à-dire le pousse.

SOUFFRANCE n. f. Argot. Sellette du harnais de cheval. Syn.: **slette**.

SOUFFRANT, E adj. Douleureux. Une écharde sous un ongle, c'est *souffrant*.

SOUHAIT n. m. [#] Sort, maléfice. Jeter, donner un *souhait*, à quelqu'un qu'on n'aime pas.

SOUHAITER v. tr. [#] *Souhaiter un sort, un mal* : jeter un sort, à quelqu'un qu'on n'aime pas.

SOUIGNER v. tr. (angl. to swing) [Ø] Voir : **swingner**.

SOUILLE n. f. Porcherie de petite dimension. (acad.) Syn., voir : **engrais**.

SOUILLON, ONNE adj. et n. Vx en fr. Malpropre en parlant des personnes mais surtout en parlant des femmes. [+++] Syn.: **aguinché**, **catau** (sens 1), **cendrillon**, **chienne** (sens 10), **sagant**, **sagon**, **saillon**, **salaud**, **torchon**.

SOUINCE n. f. Voir : **soince**.

SOUINCER v. tr. Voir : **soincer**.

SOUKSER v. tr. Exciter un chien contre quelqu'un ou contre un autre chien. Syn., voir : **chouler**.

SOÛL, E adj. **1.** Vx en fr. Qui a mangé et bu à satiété, en parlant d'un cheval ou d'une bête à cornes. On ne fait pas travailler un cheval de trait quand il est *soûl*, on le laisse *dessoûler*. [+++] **2.** *Soûl comme la botte, soûl comme un pape, soûl comme un sauvage* : ivre. Syn, voir : **plein**.

SOÛLADE n. f. Soûlerie, beuverie. À la campagne, les enterrements sont souvent l'occasion d'une *soûlade*, mais les *enterrements de vie de garçon* sont toujours l'occasion d'une *soûlade* mémorable.

SOÛLAUD, E adj. et n. Ivrogne, soûlard. Syn.: **soûlon**.

SOULER v. tr. Exciter un chien contre quelqu'un ou contre un autre chien. Syn., voir : **choukser**.

SOÛLER v. tr. et pron. Manger et boire plus que nécessaire en parlant d'un animal surtout d'un cheval ou d'une vache. Syn.: **ouiller** (sens 2).

SOULEUR n. f. Vx et litt. en fr. *Avoir souleur* : avoir peur, appréhender une mauvaise nouvelle. [+++]

SOULEUREUX, EUSE adj. Peureux, craintif, en parlant d'une personne, d'un animal, surtout du cheval. (Charsalac)

SOULIER n. m. **1.** *Souliers de bœuf, de bœu* : chaussures sans semelle que les *habitants* se fabriquaient avec du cuir de bœuf, à la façon amérindienne. [+++] Syn.: **marche-donc**,

souliers mous, **souliers sauvages**. **2.** *Souliers français* : souliers avec semelle, fabriqués par les cordonniers ou les fabricants de chaussures, par opposition aux *souliers de bœuf* que l'on fabriquait chez soi. **3.** *Souliers sauvages.* [++] Syn., voir : **souliers de bœuf**. **4.** *Souliers mous* : mocassins. [+++]

SOÛLON, ONNE n. et adj. Ivrogne, soûlard. [+++] Syn.: **soûlaud**.

SOUPANE, SOUPONE n. f. (amér.) Bouillie plus ou moins épaisse de gruau et qui se mange surtout le matin au déjeuner, porridge. Autrefois, la *soupane* était quotidienne dans les pensionnats. (O 25-117) Syn., voir : **gruau**.

SOUPE n. f. *Soupe de jardin, soupe verte* : soupe faite à partir de légumes frais. (acad.).

SOUPER n. m. Vx et rég. en fr. Repas du soir, dîner. [+++]

SOUPER v. intr. Vx et rég. en fr. Prendre le repas du soir. Puisque vous êtes seul, venez *souper* avec nous demain soir. [+++]

SOUPIÈRE n. f. Casserole dans laquelle on fait cuire la soupe. En français la *soupière* que l'on place au milieu de la table est le récipient qui contient la soupe que l'on sert au repas. [+++]

SOUPLE adj. Humide. Le temps est *souple* ce matin, il y a une grosse rosée.

SOUQUE À LA CORDE n. f. Jeu où deux équipes tirent un câble chacune de son côté de façon à entraîner l'autre pour sortir vainqueur.

SOUQUER v. tr. Exciter un chien contre quelqu'un ou contre un autre chien. [+++] Syn., voir : **choukser**.

SOUR prép. [#] Sous. Le chien se cache *sour* la galerie. [++]

SOUR n. m. (angl. sewer) [Ø] Voir : **sewer**.

SOURANNÉ, E adj. *Truie sourannée.* **1.** Truie qui n'a pas eu de petits mais qui aurait dû en avoir. (E 30-99) **2.** Truie d'élevage qui a plus d'un an. (E 30-99)

SOURANNER v. tr. *Souranner une truie* : la garder en vue de l'élevage. (E 30-99)

SOURCEUX, EUSE adj. Où il y a beaucoup de sources. Les terrains bas sont habituellement *sourceux*. [+++] Syn.: **ressourceux**, **sourcier**.

SOURCIER, ÈRE adj. Où il y a beaucoup de sources. Un terrain *sourcier*, une région *sourcière*. Syn.: **sourceux**.

SOURD, E adj. *Sourd de gueule* : se dit de quelqu'un qui, lorsqu'il parle, n'entend pas ce qu'on dit près de lui.

SOURDINE n. f. *À la sourdine, en sourdine* : en traître. Ce braconnier s'est fait prendre *à la sourdine*.

SOURGE adj. **1.** Meuble, qui se laboure et se herse facilement. De la terre *sourge*. (acad.) **2.** Bien levé et dont la mie est légère. Du pain *sourge*. (acad.)

SOURICIÈRE n. f. Fig. Braguette d'un pantalon d'homme qui garde la *souris* prisonnière. [+++] Syn., voir : **pagette**.

SOURILLER v. tr. Entourer de ficelle le bout d'un cordage pour empêcher que les torons se défassent.

SOURIS n. f. **1.** Vulg. Organe génital, verge, pénis. [+++] Syn., voir : **pine** (sens 5). **2.** Fig. Coin de bois que l'on glisse sous une porte pour qu'elle reste ouverte ou entrebâillée.

SOURIS-CHAUDE, SOURIS VOLANTE n. f. [#] Chauve-souris. [+++]

SOURLINGUER, SARLINGUER, SEURLINGUER v. tr. Battre, corriger un enfant, un animal en utilisant un fouet. Syn., voir : **ramoner**.

SOUS-CONTRAT n. m. (angl. subcontract) [Ø] Sous-traitance.

SOUS-CONTRACTEUR n. m. (angl. subcontractor) [Ø] Sous-traitant.

SOUS-GARDE-FEU n. Subalterne du *garde-feu*, du garde forestier.

SOUS-MINISTRE n. (angl. deputy minister) [Ø] Ministre adjoint, secrétaire général de tel ou tel ministère.

SOUS-VESTE n. f. Gilet de complet. Syn.: **veste**.

SOUS-VERRE n. m. Dessous de verre servant à protéger la table sur laquelle on dépose un verre. Syn.: **hostie**.

SOUS-VOYER n. m. Cantonnier. (acad.)

SOUTANE n. f. Élève des anciens *collèges classiques* ou des *petits séminaires* qui en terminant ses études secondaires optait pour l'état ecclésiastique. Cette année-là, sur quarante *finissants* à Nicolet, il y a eu trente *soutanes*.

SOUTENANT, E adj. Nourrissant, qui calme l'appétit. Quand on travaille fort, il faut prendre de la nourriture *soutenante*.

SOUVENANCE n. f. Vx en fr. Mémoire, souvenir. Avoir *souvenance* de tel fait.

SOUVENTES FOIS loc. adv. Vx et rég. en fr. Souvent, maintes fois, maintes et maintes fois. Mon père m'a dit cela *souventes fois*. (E 124, 125)

SOUVIENDRE (SE) v. pron. [#] Se souvenir. Il n'arrive plus à se *souviendre* de son âge. [++]

SPAGATE, SPAGUETTE n. m. Spaghetti. Manger un bon *spagate* en fin de soirée.

SPAN n. m. (angl. span) [Ø] Paire de chevaux attelés côte à côte. Quel beau *span* de chevaux! (O 27-117) Syn.: **attelage double**, **double**, **team**.

SPANER v. tr. (angl. to span) [Ø] **1.** Atteler ensemble, côte à côte. *Spaner* deux chevaux de même poids et de même force. (O 27-117) **2.** Fig. *Être bien spané* : par antiphrase, être mal marié. Syn., voir : **attelé**.

SPARAGE n. m. (angl. to spar) [Ø] Gestes, parades, sauts. Faire toutes sortes de *sparages* en racontant des histoires. [+++] Syn., voir : **gibar** (sens 2).

SPARE, SPÈRE n. m. (angl. spare) [Ø] **1.** Pneu de rechange, rechange. Faire gonfler son *spare* avant de partir en voyage. **2.** *De spare* : de rechange, de surplus, disponible. Avoir toujours des ampoules électriques *de spare*. Syn.: de **relais**.

SPARE RIBS n. m. pl. (angl. spare ribs) [Ø] Côtes levées, côtes plates (de porc).

SPEAK WHITE! (angl.) Parlez donc anglais. Gentillesse adressée à des francophones par certains de leurs compatriotes anglophones.

SPÉCIAL, E adj. (angl. special) [Ø] **1.** *Assemblée spéciale* : assemblée extraordinaire **2.** *Prix spécial* : prix réduit **3.** *Livraison spéciale* : livraison par express.

SPÉCIAL, AUX n. m. **1.** *Spécial du jour* dans un restaurant : plat au menu du jour. **2.** Au pl. Solde, rabais, occasion. Les grands magasins ont souvent des *spéciaux*, histoire d'attirer la clientèle.

SPEED n. m. (angl. speed) [Ø] Variété de drogue sous forme de comprimés, de pilules.

SPEEDER v. intr. (angl. to speed) [Ø] Lutter de vitesse au travail ou à la course, conduire un véhicule automobile à toute vitesse. Anglicisme en perte de vitesse. Syn., voir : **courser**.

SPEEDEUR n. m. (angl. speeder) [Ø] Autrefois, voiture d'hiver de promenade, légère et à deux places. (entre 40-82 et 27-116) Syn.: **cutteur**.

SPÈRE n. m. (angl. spare) [Ø] Voir : **spare**.

SPIKE n. m. (angl. spike) [Ø] Tire-fond servant à fixer les rails aux traverses en bois d'un chemin de fer. Syn.: **carvelle**.

SPITTOON n. m. (angl. spittoon) [Ø] Crachoir. À la belle époque, le *spittoon* se rencontrait partout dans les endroits publics, dans les cuisines et trônait même dans les salons bourgeois. [++]

SPLAKE n. f. Voir : **moulac**.

SPLIT-LEVEL n. m. (angl. split-level) [Ø] Maison à demi-niveaux.

SPOKE-SHAVE n. f. (angl. spokeshave) [Ø] Vastringue, outil de menuisier ressemblant à une plane. [+++]

SPOR n. m. (angl. horsepower) [Ø] Voir : **horsepower**.

SPORT n. et adj. (angl. sport) [Ø] **1.** Chic, bien mis, élégant. Ma fille, ne t'en laisse pas imposer par les *sports* de la ville. **2.** Pêcheur sportif de langue anglaise qui allait pêcher le saumon dans les rivières *clubées* de la Côte-Nord et de la Gaspésie. Anglicisme en perte de vitesse.

SPOTTEUR n. m. (angl. spotter) [Ø] Agent de police en moto. Mot en perte de vitesse.

SPREE n. f. (angl. spree) [Ø] Soûlerie, noce, beuverie. Partir ou être sur une *spree*. Anglicisme en perte de vitesse.

SPRING n. m. (angl. spring) [Ø] **1.** Ressort. Anglicisme en perte de vitesse. **2.** Sommier élastique. Anglicisme disparu. **3.** Source, eau qui sort de terre. Anglicisme en perte de vitesse. Syn.: **ressource**. **4.** Fig. *Bœuf à spring* : viande de bœuf très dure, très coriace. [++]

SPRUCE BEER n. f. (angl. spruce beer) [Ø] Voir : **soda à l'épinette**.

485

SPUD n. m. (angl. spud) [Ø] Outil de bûcheron fait d'une lame incurvée fixée au bout d'un manche et servant à écorcer.

S.Q. n. f. Sigle. La *S*ûreté du *Q*uébec.

SQUALL, SQUARE n. m. (angl. squall) [Ø] Coup de vent accompagné de pluie, de grêle ou de neige, bourrasque, rafale. (E 22-124)

SQUATTER v. tr. (angl. to squat) [Ø] Occuper un terrain, une maison, s'y installer sans les acheter ou les louer.

SQUATTEUR, EUSE n. (angl. squatter) [Ø] **1.** Personne qui, sans titre de propriété, s'installe quelque part sur un terrain. **2.** Personne qui s'installe dans un logement inoccupé.

SQUAW n. f. (amér.) Femme amérindienne. Syn., voir : **sauvagesse**.

SQUID n. m. (angl. squid) [Ø] Encornet; encornet nordique. Les pêcheurs de morue utilisent souvent le *squid* pour appâter leurs *crocs*. (E 18-132)

SQUINTLÈNE n. m. Voir : **scantling**.

STAGE n. m. (angl. stage) [Ø] Traîneau muni d'une boîte fermée et chauffée servant autrefois à se déplacer l'hiver par des froids sibériens.

STALLER v. intr. et tr. (angl. to stall) [Ø] Caler, arrêter, rester en panne. Par le froid qu'il fait, ton auto risque de *staller*.

STAND, STAND À LAIT n. f. (angl. stand) [Ø] **1.** Plate-forme pour bidons à lait ou à crème installée autrefois au bord de la route, à hauteur du plateau du véhicule de ramassage. [++] Syn., voir : **escabeau. 2.** *Stand de journaux* : kiosque de journaux. **3.** *Stand de taxis* : poste de taxis.

STATION n. f. (angl. station) **1.** Gare de chemin de fer. Dans plusieurs de nos villages et de nos petites villes, la rue qui conduit à la gare s'appelle encore rue de la *station*. **2.** *Station de police* : poste de police, poste. Les voleurs ont commis leur méfait à deux pas de la *station de police*. **3.** *Station de feu* (angl. fire station) [Ø] : poste de pompiers. Anglicisme qui semble disparu.

STATION WAGON n. (angl. station wagon) [Ø] Auto familiale, familiale. Louer un *station wagon* pour ses vacances.

STEADY adj. et n. (angl. steady) [Ø] **1.** Régulier. Avoir un emploi, un ami *steady*. [+++] **2.** Ami sérieux. Je vois Paul de temps en temps, mais mon *steady* c'est Pierre, dira une jeune fille.

STEADY adv. (angl. steady) [Ø] Régulièrement. Travailler *steady* en période de crise économique, c'est une chance.

STEAK n. m. (angl. steak) [Ø] **1.** Tranche de viande, le plus souvent de bœuf, bifteck. [+++] **2.** Fig. Magot, pécule. Léo a travaillé cinq ans à La Grande : il a ramassé tout un *steak*! [++] Syn., voir : **motton. 3.** Fig. *S'asseoir sur son steak* : ne pas faire fructifier son argent, le garder en liquide. [++] **4.** Fig. Postérieur, derrière. Passer la journée assis sur son *steak*. [++]

STEAM, STIME n. f. (angl. steam) [Ø] Vapeur qui entre dans la maison l'hiver lorsqu'on ouvre la porte ou qui s'échappe de l'eau en ébullition. [++] Syn., voir : **boucane** (sens 5)

STEP-INS n. f. pl. (angl. step-ins) [Ø] Culotte de femme. Syn.: **bobette** (sens 2)

STEPPER v. intr. (angl. to step) [Ø] Danser, giguer, sautiller, sauter en dansant.

STEPPETTE n. f. (angl. step) [Ø] Danse, pas de danse qu'on effectue seul. Tout le groupe s'est tu pour le voir faire ses *steppettes*.

STERLET n. m. Voir : **esterlet.**

STEW n. m. (angl. stew) [Ø] Ragoût, matelotte.

STOCK n. m. (angl. stock) [Ø] Troupeau. Untel, il a un *stock* de cinquante vaches laitières. (O 27-116)

STOCK CAR n. m. (angl. stock car) [Ø] Automobile standard dont le moteur a été modifié pour les compétitions sportives. Les compétitions de *stock cars* attirent de nombreux spectateurs.

STOCQUER (SE) v. tr. et pron. Voir : **stoquer.**

STONE adj. (angl. stone) [Ø] Drogué. Dans le temps du Carnaval, plusieurs jeunes deviennent *stones* et se réveillent le lendemain matin au poste de police. Syn., voir : **gelé.**

STONEBOAT n. m. (angl. stoneboat) [Ø] **1.** Traîneau à pierres sans lisses qui glisse sur le sol et dont on se sert aussi pour transporter une charrue, une herse, une sarcleuse. (surt. O 30-100) Syn., voir : **traîne à roches.** **2.** Traîneau d'érablière pour le transport de la sève d'érable. Syn., voir : **sleigh de cabane.**

STOOK n. m. (angl. stook) [Ø] **1.** Botte de céréales. (Estrie, Beauce, sud de la Gaspésie et Maritimes) Syn., voir : **botteau. 2.** Moyette formée de quatre à six bottes de céréales. Syn., voir : **quinteau.**

486

STOOKER v. tr. (angl. to stook) [Ø] Faire des *stooks*, des moyettes, des *quinteaux* de quatre à six gerbes ou *stooks*. Syn.: **cabaner**.

STOPCOCK n. m. (angl. stopcock) [Ø] Robinet d'arrêt, valve. Anglicisme disparu.

STOQUER v. tr. et pron. **1.** (Angl. to stock) [Ø]. Acheter ou mettre ses plus beaux vêtements, refaire sa garde-robe. Il s'est *stoqué* pour le mariage de sa fille. [+++] Syn., voir : **renipper**. **2.** (Angl. to stuck) [Ø]. Rester pris dans la boue, dans la neige en parlant d'un véhicule d'été ou d'hiver, hippomobile ou automobile. [+++] Syn., voir : **embourber**.

STORE n. m. (angl. store) [Ø] **1.** Local où l'on range le bois à brûler. **2.** Autrefois à la campagne, épicerie de dépannage où les hommes se réunissaient souvent le soir pour bavarder ou jouer aux cartes. Mot presque disparu.

STRAIGHT, STRÉTE adj. et n. (angl. straight) [Ø] **1.** Conformiste, conforme aux habitudes, traditionaliste. Pour les homosexuels, les hétérosexuels sont des gens *strétes*. **2.** Sévère, rigoriste. Les prêtres d'autrefois étaient beaucoup plus *straights* que ceux d'aujourd'hui. **3.** Rangé, en parlant des jeunes garçons ou des jeunes filles. Les étudiants et étudiantes d'aujourd'hui seraient plus *straights* que ceux de la génération précédente.

STRAP n. f. (angl. strap) [Ø] **1.** Partie femelle de la charnière à gond, penture. **2.** Courroie de transmission. [+++] **3.** Sangle du harnais de cheval. [+++] **4.** Instrument de correction des enfants d'autrefois. Donner, recevoir la *strap* à l'école. **5.** Voir : **strop**.

STRAPER v. tr. (angl. to strap) [Ø] Renforcer de bandes métalliques ou de courroies. *Straper* une malle, un gros colis.

487

STRICTEMENT adv. (angl. striatly) Absolument. Des œufs, des légumes strictement frais.

STROLL n. f. (angl. stroll) [Ø] Femme de vie légère, prostituée. Syn., voir : **guedoune**.

STROP n. f. (angl. strop) [Ø] **1.** Cuir à rasoir que l'on trouvait dans toutes les demeures, lorsque le rasoir droit était roi. Syn.: **doucine**. **2.** Instrument de correction des enfants utilisé parfois à la maison ou à l'école, en l'occurrence le cuir à rasoir. Recevoir la *strop*. [+++]

STUCCO n. m. (Mot italien entré dans le vocabulaire de la construction avec les maçons immigrés). Stuc.

STUD n. m. (angl. stud) [Ø] **1.** Étalon. (O 27-116) et acad.) **2.** Bouton de manchettes, de faux col d'autrefois. [++] **3.** Pièce de bois de charpente de dimension variable. Syn.: **colombage**.

STUDDING n. m. (angl. studding) [Ø] Pièce de bois de charpente de dimension variable. Syn.: **colombage**.

STUDIO n. m. (angl. studio couch) [Ø] Divan-lit, surtout en milieu urbain. Mot en perte de vitesse.

STUFF n. m. (angl. stuff) [Ø] Tissu, étoffe. Recouvrir un divan avec un *stuff* de qualité. [+++] Syn.: **matériel**.

SU n. m. Sud. D'où venez-vous, Monsieur? Je viens du *su*.

SU, CHU prép. [#] **1.** a) Chez. J'habite *su* ou *chu* mon frère. b) Sur. Passe-moi le marteau qui est *su* la table! **2.** Forme verbale. Je suis. *Chu*-t-en dernière année à l'université et un professeur m'a dit que je ne sais pas encore conjuguer le verbe être. [+++]

SUBLE, SUBLEMENT n. m. Sifflement. As-tu entendu un *suble*? (acad.)

SUBLER v. tr. Siffler en utilisant un *sublet*. *Subler* l'air d'une complainte. (acad.)

SUBLET n. m. Sifflet. Se faire un *sublet* avec une branche de saule. (acad.)

SUCCOTASH n. m. (amér.) Mélange de haricots et de grains de maïs bouillis.

SUBPOENA n. m. (angl. subpoena) [Ø] Assignation (en cour civile), citation (en cour d'assises). Recevoir un *subpoena* pour comparaître en justice.

SUCE n. f. **1.** Tétine de biberon de nourrisson. [+++] **2.** *Suce d'amusette* : tétine que l'on donne à un bébé pour l'occuper et l'empêcher de pleurer. Cette tétine est entourée d'une rondelle qui empêche l'enfant de l'avaler. Syn.: **popoune** (sens 3). **3.** Argot. Accélérateur d'un véhicule automobile. Il a fait l'aller-retour le pied sur la *suce*, la *suce* au plancher. [+++] Syn.: **gas**

SUCE-LA-CENNE n. m. Avare, près de ses sous, pingre, harpagon. Syn., voir : **avaricieux**.

SUCET, SUISSET n. m. Tige de maïs dégarnie de ses épis. Botteler les *sucets* de maïs pour les donner en nourriture aux vaches. (O 34-91) Syn.: **coton** (sens 4).

SUCETTE n. f. Légère ecchymose qu'on fait sur la peau en la suçant fortement, suçon. [+++]

SUCEUR CUIVRÉ, DORÉ n. m. Poisson de la famille des Castostomides, qu'on rencontre au Québec et dont les frayères se trouvent dans la rivière Richelieu.

SUCEUR, SUCEUX, EUSE adj. et n. **1.** Fig. Se dit d'une automobile qui consomme beaucoup d'essence. Les voitures américaines antérieures à 1980 se revendaient très mal : elles étaient trop *suceuses*. **2.** Sobriquet donné aux Frères enseignants d'autrefois. Syn., voir : **corbeau**. **3.** *Suceux de cul* : homosexuel. Syn., voir : **fifi**. **4.** Nom vulgaire des cyprins utilisés comme appât. Voir : **blanchaille**.

SUÇON n. m. Vx et fr. Bonbon fixé au bout d'un bâtonnet, sucette. [+++]

SUCRAGE n. m. [#] Bonbons, friandises, sucreries. Cet enfant adore le *sucrage* ou les *sucrages*.

SUCRE n. m. **1.** *Sucre à la crème* : variété de bonbon mou fabriqué avec du sirop, du sucre ou de la cassonade et de la crème. [+++] **2.** *Sucre brun* : cassonade. [++] **3.** *Sucre d'érable, sucre d'habitant* : sucre fabriqué à partir de la sève sucrée de l'érable. Syn.: **sucre du pays**. **4.** *Sucre de sève* : sucre d'érable de fin de printemps, fait à partir du *sirop de sève*, de qualité médiocre et de conservation quasi impossible. [++] Syn.: **sucre mou**. **5.** *Sucre du pays, sucre de pays* : sucre d'érable. [+++] Syn.: **sucre d'habitant**. **6.** *Sucre mou*. [+++] Voir : **sucre de sève**. **7.** *Aller aux sucres* : aller à la *cabane* à sucre de l'érablière pour s'amuser. [+++] **8.** *Faire les sucres* : travailler à l'exploitation de l'érablière. [+++] **9.** *Partie de sucres* : partie de plaisir qui se tient à l'érablière le printemps et où l'on déguste *tire* et *sucre* d'érable. [+++] **10.** Voir : **bordée des sucres**. **11.** Voir : **neige de sucre**. **12.** Voir : **tempête des sucres**.

SUCRERIE n. f. **1.** Peuplement d'érables exploité pour la fabrication des produits de l'érable : *sirop, tire, sucre*. Exploiter une *sucrerie* de trois mille érables. Autrefois, on conservait les produits de l'érable surtout sous forme de sucre, d'où l'appellation *sucrerie*. [+++] Syn.: **érablière**. **2.** Bâtiment construit dans une *érablière* et où l'on fabrique les produits de l'érable : *sirop, tire, sucre*. Syn.: **cabane** à sucre (sens 1).

SUCRES n. m. pl. Voir : **sucre** (sens 7, 8, 9, 10, 12).

SUCRÈTE n. f. Raisin d'ours. Arctostaphylos Uva-ursi. (acad.)

SUCRIER n. m. Exploitant d'une *érablière* ou *sucrerie*. [+++]

SUE-CHRÉTIEN n. m. Travail exténuant, très fatigant. Abattre de gros arbres à la hache, c'est un *sue-chrétien*. Syn., voir : **tuasse**.

SUERIE n. f. *Prendre une suerie* : transpirer beaucoup.

SUET, SUETTE n. m. Sud-est, vent du sud-est.

SUETTE n. f. **1.** Transpiration, suée. Syn.: **suerie**. **2.** Coussin que l'on mettait sous la sellette ou le collier d'un cheval pour absorber sa sueur.

SUEUX, EUSE adj. et n. Qui sue, qui transpire beaucoup en parlant des êtres humains ou des animaux. Jacob, c'est un *sueux* des pieds.

SUI p. passé [#] Suivi, participe passé du verbe suivre. L'agent de police a *sui* le voleur, pendant une heure avant de le rattraper.

SUIR v. tr. [#] Suivre. Impossible de le *suir*, il marche trop vite.

SUISSE n. m. **1.** a) Traîneau léger à deux patins ferrés construit à la cheville de bois, ayant trois ou quatre *sommiers* supportant une plate-forme amovible et destinée à recevoir une boîte sans fond de façon à transporter de la marchandise (sacs de farine, d'avoine, etc.) en semaine et, en mettant jusqu'à trois ou quatre planches servant de sièges sans dossier, constituait la voiture idéale des familles nombreuses pour aller à la messe ou aux repas de famille. (O 27-116) b) Solide traîneau à deux patins ferrés, construit à la cheville de bois, ayant deux ou trois sommiers solides et servant à transporter des pierres, du gravier, du bois de corde ou du bois en longueur. (O 27-116) c) *Suisse plat* : traîneau dont les patins sont larges et le plus souvent non ferrés. d) Traîneau d'érablière ou à fumier : dernière utilisation des modèles précédents. (O 27-116) Syn., voir : **bacagnole** (sens 2), **sleigh de cabane**. e) Traîneau-jouet pour enfants construit à la cheville de bois exactement comme les deux modèles qui précèdent. (O 27-116) **2.** Uniforme (de collégien ou de petit séminariste) à passepoil blanc avant 1950; appellation donnée à ceux qui portaient cet uniforme à passepoil blanc. **3.** Tamias rayé. Avoir les *joues comme un suisse* : avoir de grosses joues comme le *suisse* qui transporte à son nid les noix dont il se nourrira en hiver. [+++] **4.** Francophone canadien non catholique, protestant de langue française. [++] Syn., voir : **chiniquy**.

SUISSET n. m. Voir : **sucet**.

SUIT, SUIT D'HIVER, SUIT DE NEIGE n. (angl. snowsuit) [Ø] Ensemble d'hiver pour jeunes enfants, esquimau. [++] Syn., voir : **habit de** neige (sens 2).

SUITCASE n. m. (angl. suitcase) [Ø] Valise, mallette.

SUITE n. f. Vx en fr. Placenta expulsé par la vache après le vêlage, arrière-faix. (surt. O 25-117) Syn.: **délivre**, **mères**, **toie**.

SUIVANT, E n. Garçon ou fille d'honneur escortant les nouveaux mariés.

SUIVEUX, EUSE adj. et n. Personne incapable de prendre une décision, de s'affirmer surtout en politique. [++]

SUMER v. tr. [#] Semer.

SUMENCES n. f. pl. [#] Voir : **semences**.

SUNDAE n. m. (angl. sundae) [Ø] **1.** Glace servie avec une garniture spéciale (noix, sirop, caramel, chocolat, fruits, etc.) souvent surmontée d'une cerise; glace garnie, coupe glacée. [+++] **2.** Voir : **cerise sur le sundae**.

SUPER n. f. Billet de loterie de la Super-Loto.

SUPERBOWL n. m. (angl. Superbowl) Fête à l'occasion de l'événement sportif américain qu'est le match final de la ligue nationale de football.

SUPPORT n. m. Cintre. Un vêtement qu'on ne met pas sur un *support* se déforme et se chiffonne.

SUPPORTER v. tr. (angl. to support) Appuyer un candidat.

SUPPOSÉ, E p. passé *Être supposé* : être censé. Ce menuisier *est supposé* bien travailler et être honnête. [+++]

SUPPOSITION n. f. Fam. en fr. *Supposition que, une supposition que* : dans le cas où, en admettant que, à supposer que.

SUR prép. (angl. on) [Ø] **1.** En. Faire du ski *sur* semaine, téléphoner seulement *sur* semaine; horaire des messes *sur* semaine. [#] **2.** Être *sur* un comité (angl. to be on a committee) [Ø] : être membre de, faire partie de, être d'un comité. [#]

SURANNÉ, E adj. Voir : **souranné**.

SURENCHÉRER v. intr. [#] Surenchérir, exagérer.

SURET, ETTE adj. Rég. en fr. Qui a un goût légèrement sur, acidulé, aigrelet. Un jus de pommes *suret*, des pommes *surettes*. [++]

SURETTE n. f. **1.** Rumex petite-oseille. (O 37-85) Syn., voir : **oseille**. **2.** Oxalide dressée. Syn.: **pain d'oiseaux**. **3.** Bonbon acidulé. Aimer sucer des *surettes*.

SURF, SURF DES NEIGES n. m. (angl. surf) [Ø] Sport d'hiver qui consiste à descendre des pentes de ski alpin sur une *planche à neige*.

SURFER v. intr. Pratiquer le *surf des neiges*.

SURFEUR, EUSE n. (angl. surfer) [Ø] Skieur qui pratique le *surf des neiges*.

SURJET n. m. Ourlet bien particulier que connaissent les couturières.

SURLIGNER v. tr. Souligner une phrase en utilisant un *surligneur*.

SURLIGNEUR n. m. Crayon de feutre à encre de couleur contrastante et fluorescente servant à souligner les passages importants d'un texte afin de pouvoir les repérer plus rapidement par la suite.

SURPLUS n. m. Terrain en dehors des limites normales d'une terre, qu'un cultivateur achète pour agrandir son exploitation agricole. Syn.: **lot de surplus**.

SURPRISE n. f. *Prendre par surprise* (angl. to take by surprise) [Ø] : prendre, surprendre quelqu'un à l'improviste.

SURREY n. m. (angl. surrey) Autrefois, voiture hippomobile à quatre roues et à deux sièges pour le transport des personnes. (entre 28-101 et 7-141)

SURTEMPS n. m. (angl. overtime) [Ø] **1.** Temps de travail en sus, temps supplémentaire. La semaine dernière Paul a fait cinq heures de *surtemps*. **2.** Dans les sports, prolongation d'une partie, d'un match.

SURTOUT n. m. Vx en fr. Habit, habit de cérémonie; redingote.

SURTOUT QUE loc. conj. D'autant plus que, d'autant moins que. Décider de prendre la route *surtout que* la chaussée n'est pas glacée.

SURVENANT, E n. Rég. en fr. Personne inconnue qui arrive à l'improviste et dont on ignore la provenance.

SUSPECT, E adj. et n. (angl. suspect) [Ø] Susceptible, soupçonneux, méfiant. C'est un gentil garçon mais il est *suspect,* c'est un *suspect.*

SUVALIK n. m. (mot inuit) Mets constitué d'airelles, d'œufs, de truite et d'huile de loupmarin.

SUZANNE n. f. (angl. lazy Suzan) [Ø] Armoire de cuisine tournante occupant une encoignure et dont l'accès est rendu facile du fait que les plateaux circulaires tournent. Se faire installer une *suzanne.*

SVP Sigle. Société pour *v*aincre la *p*ollution.

SWAMP, SOUAMPE n. f. (angl. swamp) [Ø] Terrain bas et humide, marécage, fondrière. [+++] Syn., voir : **savane**.

SWAMPAGE n. m. (angl. to swamp) [Ø] Action de *swamper,* de débusquer des billes de bois. Syn., voir : **halage**.

SWAMPER v. tr. (angl. to swamp) [Ø] **1.** Traîner les billes de bois depuis l'endroit où on les a coupées jusqu'à celui où on les empile, débusquer. (O 28-101) Syn., voir : **haler**. **2.** Faire du défrichement pour le tracé d'un chemin en forêt.

SWAMPEUR n. m. (angl. swamper) [Ø] **1.** Ouvrier forestier chargé de traîner les billes de bois depuis l'endroit où on les a coupées jusqu'à celui où on les empile. (O 28-101) **2.** Layeur ou celui qui déboise le tracé des futurs chemins forestiers. Syn.: **claireur**, **coupeur** de chemin (sens 2).

491

SWAMPEUX, EUSE adj. (angl. swampy) [Ø] Bas, humide, en parlant d'un terrain. [+++] Syn., voir : **savaneux**.

SWEATER n. m. (angl. sweater) [Ø] Chandail de laine, lainage. Anglicisme en perte de vitesse.

SWEEP n. f. (angl. sweep) [Ø] **1.** Bois de flottage échoué. Quand l'eau baisse, on remet la *sweep* à l'eau. (surt. sur rive nord du Saint-Laurent, Ontario compris) Syn.: **glane**. **2.** *Faire la sweep* : ramasser le bois de flottage échoué et le remettre à l'eau. [+] Syn.: faire la **glane** (sens 2).

SWELL adj. (angl. swell) [Ø] Chic, élégant, bien mis. Tu es *swell* aujourd'hui, vas-tu à un mariage? Anglicisme en perte de vitesse.

SWINGNER, SOUIGNER v. tr. et intr. (angl. to swing) [Ø] S'amuser, danser, faire tourner. [+++]

SWITCH n. f. (angl. switch) [Ø] Interrupteur permettant d'interrompre ou de rétablir le courant électrique. Anglicisme en perte de vitesse.

SWIVEL n. (angl. swivel) [Ø] **1.** Émerillon empêchant une chaîne de se tortiller, touret. Syn., voir : **tourniquet**. **2.** Palonnier de débusquage muni d'un *swivel* ou émerillon.

SYLLABUS n. m. (angl. syllabus) [Ø] Plan de cours. Ce plan comprend : contenu, objectifs, méthodologie, bibliographie, évaluation, etc.

SYMPATHIES n. f. pl. (angl. sympathy) [Ø] Condoléances. À l'occasion de la mort de quelqu'un qu'on connaît, il est d'usage d'offrir ses *sympathies* aux proches. Adresser ses condoléances.

SYMPOSIUM n. m. (angl. symposium) [Ø] Congrès limité à un nombre restreint de personnes et traitant un sujet particulier, colloque.

SYNDIC n. m. **1.** Quand, dans une municipalité, une minorité professe une religion différente de celle de la majorité et se déclare dissidente, elle élit ses représentants qui s'appellent *Syndics d'écoles.* **2.** Quand une église est incendiée, les marguilliers élus continuent à s'occuper des affaires courantes de la fabrique mais les francs-tenanciers élisent alors des *Syndics* mandatés pour faire exécuter les travaux de construction de la nouvelle église.

T

T ou **T DE SAINTE-THÉRÈSE** Constellation dont la disposition des étoiles rappelle un T majuscule.

T' pron. pers. Tu (devant un verbe commençant par une voyelle et devant certains verbes commençant par une consonne). *T'*as rien à faire ici, *t'*étudies trop. *T'*sais, *t'*soupes avec nous!

TABAC n. m. **1.** *Tabac canadien, tabac du pays* : tabac à pipe traditionnellement cultivé au Québec, par opposition au *tabac jaune* ou tabac à cigarettes qu'on a commencé à cultiver ici vers 1930. [+++] **2.** *Tabac de curé* : mélange de tabac à pipe et de tabac à cigarettes dont raffolaient les ecclésiastiques en général, les curés en particulier. [++] **3.** *Tabac du diable.* a) Symplocarpe fétide. Syn. : **chou puant**. b) Vératre vert. Syn : **hellébore**. c) Molène vulgaire. d) Bardane, plante et capitule. Syn., voir : **grakia**. **4.** *Tabac à cigare* : tabac cultivé au Québec et servant à la fabrication des cigares. Le *parfum d'Italie* est un *tabac à cigare* cultivé dans Lanaudière. **5.** *Tabac du pays.* Voir : **tabac canadien**. **6.** *Tabac jaune* : tabac blanc cultivé au Québec depuis la fin des années 20, tabac à cigarettes. **7.** Fig. *Connaître le tabac.* a) Être rusé, fin renard en parlant d'un homme ou d'une femme d'affaires. [+++] b) En parlant d'une jeune fille ou d'un jeune garçon, connaître l'amour. [+++] Syn., voir : **Champ de Mars**.

TABACONISTE n. m. (angl. tabacconist) [Ø] Marchand de tabac et d'articles de fumeurs. Anglicisme en voie de disparition en faveur du mot *tabagiste*. Syn., voir : **tabagiste**.

TABAGANE, TOBOGANE, TOBOGGAN n. f. (amér.) **1.** Traîneau étroit et long (40 cm sur 2 m) sans patins, fait de planches recourbées à l'avant et qui glisse facilement sur la neige. Aujourd'hui, on l'utilise surtout pour glisser sur les pentes recouvertes de neige. [++] Syn. : **traîne sauvage**. **2.** Voir : **véloneige traditionnel**. **3.** Modèle réduit de la *tabagane* pour adultes, jouet d'enfant. [++] **4.** Fig. Jeu pratiqué par la loutre qui, en été, glisse sur une déclivité glaiseuse menant à un cours d'eau ou à un lac et l'hiver sur une pente glacée ou enneigée menant à une nappe d'eau libre.

TABAGIE n. f. Établissement où l'on vend surtout du tabac, des articles de fumeurs mais aussi des journaux et des revues. En 1970, l'annuaire de téléphone de Québec contenait l'adresse de 117 *tabagies*. (NOLF) [+++]

TABAGISTE n. Personne qui exploite une *tabagie*. Syn. : **marchand de tabac**, **tabaconiste**.

TABARNACO n. Surnom donné aux Québécois francophones par les Mexicains, surnom dans lequel on reconnaît le juron bien québécois *tabernacle* prononcé *tabarnac*! Voir : **séraphino**.

TABLATURE n. f. Littér. en fr. Difficulté, peine, souci. Le divorce de Margot a donné beaucoup de *tablature* à ses parents.

TABLE n. f. **1.** *Table à lait, table à bidons, table de la beurrerie* : autrefois, à la campagne, plateforme pour bidons à lait et un peu plus tard pour bidons à crème, installée au bord de la route, à hauteur de plateau du véhicule de ramassage. Syn., voir : **escabeau**. **2.** Table à cartes (angl. card table) [Ø]. Table de jeu. **3.** Autrefois, toile roulante horizontale de la moissonneuse-lieuse. Syn., voir : **nappe**. **4.** Fig. *Passer en dessous de la table* : rater un repas. **5.** *Table tournante* (angl. turntable) [Ø] : plateau d'un tourne-disque. **6.** Table-extension : table extensible, table à rallonges.

TABLETTAGE n. m. Action de *tabletter*, résultat de cette opération.

TABLETTE n. f. **1.** Fig. Salarié, fonctionnaire qui a été victime du *tablettage*. Syn. : **tabletté**. **2.** Fig. *Mettre sur une tablette, sur la tablette, sur les tablettes*. Voir : **tabletter** (sens 1 et 2). **3.** Allège. La *tablette* d'une fenêtre. [+++] Syn. : **neiche**. **4.** Bloc-notes. S'acheter une *tablette* pour faire une enquête, un sondage. **5.** Comprimé (angl. tablet) [Ø]. Prendre une *tablette* avant chaque repas.

TABLETTÉ, E n. Fig. Employé victime du *tablettage*, mis à l'écart. Syn. : **tablette** (sens 1).

TABLETTER v. tr. **1.** Empêcher un employé, un fonctionnaire d'exercer ses fonctions surtout pour des motifs d'ordre politique, en l'affectant à des tâches d'importance moindre ou en ne lui donnant rien à faire et cela sans le priver de son traitement et des avantages liés à son statut. **2.** Mettre un document, un rapport d'enquête de côté parce qu'on ne veut pas l'utiliser ou le rendre public. D'où mettre sur la *tablette*, sur une *tablette*. Syn., voir : mettre sur la **glace**.

TABLIER n. m. **1.** Autrefois, toile roulante horizontale de la moissonneuse-lieuse. Syn., voir : **nappe**. **2.** Tablier de prévention qu'on met au bélier pour l'empêcher de saillir les brebis.

TABOURET n. m. Capselle bourse-à-pasteur.

TACAMAHAC n. m. (amér.) Variété de peuplier.

TACHE n. et adj. Fig. *Tache, tache de graisse, tache d'huile* : importun, ennuyeux. Syn. : **achalant**, **chien de poche**, **collant**, **colleux**, **gale**, **mouche à merde**, **pot-de-colle**, **teigne**.

TACHÉ, E adj. Tacheté. Une vache *tachée*. [++] Syn., voir : **caille**.

TACK n. f. (angl. tack) [Ø] Petit clou, broquette, semence, punaise.

494

TADOUSSACIEN, ENNE n. et adj. Gentilé. Natif ou habitant de Tadoussac, à l'embouchure du Saguenay; de Tadoussac.

TAG, TAILLE n. f. (angl. tag) [Ø] 1 Jeu du chat. Jouer à la *tag*. Ce jeu comporte plusieurs variantes : a) *tag malade* (garder la main sur l'endroit touché); b) *tag baissée* (s'accroupir pour être intouchable); c) *tag gelée* (s'immobiliser pour devenir intouchable); d) *tag barrée* (un troisième joueur passe entre le poursuivant et le poursuivi, devenant ainsi le poursuivi). [+++] Syn. : **ours. 2.** Étiquette indiquant la nature, le prix d'un objet en vente dans un magasin.

TAG-DAY n. m. (angl. tag day) [Ø] Papillon, macaron que l'on vend dans les endroits publics au profit de certaines bonnes œuvres.

TAIE n. f. Pellicule sur la cornée de l'œil qui rend la vision floue. Remède populaire : souffler du sucre en poudre sur la *taie*.

TAILLANT n. m. **1.** Rare et tech. en fr. Tranchant. Le *taillant* d'une hache, d'un rasoir. **2.** *Hache à deux taillants* : hache à deux tranchants, bipenne. Syn. : **hache américaine**.

TAILLE n. f. **1.** Tranche de pain, de viande ou de fromage. (acad.) **2.** Vx en fr. Corsage d'une robe. **3.** Voir : **tag** (jeu du chat). **4.** Voir : **tie** (traverse de voie ferrée). **5.** Voir : **tie** (à égalité)

TAILLEUR n. m. Voir : **tire** (pneu).

TAISER (SE) v. pron. Se taire. Quand vas-tu te *taiser*?, Toi, *taise-toi*! (acad.)

TAKTUK n. m. (mot inuit) Le *takluk* est un brouillard plus redoutable que la *poudrerie*.

TAKU n. m. (mot inuit) Partie arrière d'un traîneau à chiens sur laquelle monte le conducteur du traîneau.

TALBOT n. m. Entrave constituée d'une pièce de bois suspendue au cou d'un animal : bête à cornes, mouton, veau, chien. (acad.) Syn. : **carcan**.

TALBOTER v. tr. Entraver un animal de ferme en utilisant un *talbot*. (acad.) Syn. : **encarcaner**.

TALBOTIEN, ENNE adj. Propre à Antonio *Talbot*, politicien unioniste de la fin de l'ère de Duplessis. Cet adjectif n'a rien de commun avec le mot *talbot* qui signifie entrave.

TALENTUEUX, EUSE adj. Qui a du talent. Cet enfant est *talentueux*, il faut le maintenir aux études.

TALLE n. f. **1.** Concentration de plantes de la même espèce dans la nature. Une *talle* d'ormes, de *bleuets*, de fraisiers. [+++] Syn., voir : **bouillée. 2.** Fig. Ce qui appartient à quelqu'un ou ce que quelqu'un croit être sien. « Sors de ma *talle*! » dira un amoureux à quelqu'un qui tourne autour de sa bien-aimée.

TALLER v. intr. Pousser en *talles* en parlant surtout des céréales.

TALON n. m. *Il a mis ses talons hauts* : remarque faite à la cantonade à l'endroit de quelqu'un qui porte un pantalon trop court. Syn., voir : la **marée** est haute (sens 2).

TALONNETTE n. f. Chausse-pied servant à faciliter l'entrée du pied dans la chaussure. Syn., voir : **cuiller à chaussures**.

TALONNIÈRE n. f. **1.** Partie d'un bas, d'une chaussette qui enveloppe le talon. **2.** Chausse-pied servant à faciliter

l'entrée du pied dans la chaussure. (E 123,122) Syn., voir :
cuiller à chaussures.

TAMARAC, TAMARACK, TAMARAQUE n. m. (amér.)
Mélèze laricin, seul de nos conifères à perdre ses feuilles à
l'automne. Mot fréquent dans la toponymie du Québec.
Syn., voir : **épinette rouge**.

TAMARIN n. m. Bonbon fait à partir de mélasse ou de
sirop d'érable. (acad.) Voir : **tire** (sens 6).

TAMANOÈS n. m. (amér.) Divinité amérindienne.

TAMBANE n. f. **1.** Eau sucrée dans laquelle on trempait
son pain pendant le carême. (Charsalac) **2.** Tranche de
pain rôtie trempée dans de l'eau sucrée renforcée de *brandy*
que l'on donnait aux nouvelles accouchées. (Charsalac)

TAMBOUR n. m. Petite construction en bois, souvent
démontable, placée à l'extérieur de la porte d'entrée d'une
maison et servant à protéger contre le vent, le froid, la
neige. [+++] Syn. : **abat-vent**.

TAMPONNE, TAMPOUNE n. f. Femme grosse, corpulente, forte en chair et souvent malpropre. (Beauce) Syn.,
voir : **toutoune**.

TANDIS QUE loc. conj. Vx en fr. Pendant que, aussi
longtemps que. *Tandis que* vous vivrez vous resterez avec
nous.

TANGON n. m. **1.** Bouée signalant l'endroit où les
pêcheurs en eau salée ont mouillé leurs filets. **2.** *Les
Tangons* : partie d'une zone côtière dont la profondeur est
de sept ou huit brasses et où les pêcheurs de morue vont
tendre leurs filets à harengs, le hareng servant de *bouette*
pour la morue.

TANK, TINQUE n. f. (angl. tank) [Ø] **1.** Tout réservoir
en métal. *Tank* à eau chaude, à essence, à mazout.
Anglicisme en perte de vitesse. [++] **2.** Autrefois, véhicule
transportant un réservoir d'eau servant à arroser certains
chemins forestiers pour qu'ils deviennent glacés.

TANKER, TINQUER v. tr. et intr. (angl. to tank) [Ø]
1. Arroser les chemins forestiers l'hiver à l'aide d'une
arroseuse appelée *tank* afin de les glacer. **2.** Faire le plein
d'essence du réservoir d'une auto. Anglicisme en perte
de vitesse. **3.** Fig. Boire d'une façon exagérée en parlant
d'un ivrogne. Syn., voir : **brosser**.

TANKEUX, TINKEUX, EUSE n. (angl. tanker) [Ø]
1. Ouvrier chargé de glacer les chemins forestiers en les
arrosant. **2.** Fig. Individu qui boit d'une façon exagérée,
ivrogne. Syn., voir : **brosseux**.

TANNANT, E adj. et n. **1.** Espiègle, remuant, surtout en
parlant des enfants. [+++] **2.** Fatigant, fastidieux,
monotone, en parlant d'un travail. [+++] **3.** *Tannant de* :
très (superlatif). Un *tannant de* beau bébé, une *tannante
de* peur, un *tannant de* bon capitaine. [+++]

TANNASSERIE, TANNERIE n. f. Chose ennuyeuse,
inconvénient. C'est une *tanasserie* d'allumer le poêle à bois.
Quelle *tannerie* que d'habiter si près d'un aéroport!

TANNE n. f. *À la tanne* : sans répit, sans relâche. Je lui ai
dit *à la tanne* de ne pas fréquenter ces genslà!

TANNÉ, E adj. Fatigué, accablé, lassé, en avoir assez. Être
tanné de ne rien faire, d'attendre, de travailler, de chercher
du travail. [+++]

TANSY n. m. (angl. tansy) [Ø] Tanaisie, plante très
employée en médecine populaire.

TANT QU'À loc. prép. [Ø] Quant à. **Tant qu'**à venir nous voir, restez à souper avec nous.

TANTE n. f. *Aller voir ma tante* : aller faire ses besoins. Syn., voir : faire son **tas**.

TANTÔT n. m. *Un autre tantôt* : une autre fois, un autre moment. Je te montrerai cette lettre *un autre tantôt*.

TANTÔT adv. **1.** Vx en fr. Bientôt, dans un temps prochain. Je suis occupé, je lui téléphonerai *tantôt*. [+++] Syn. : **betôt** (sens 1). **2.** Vx en fr. Peu de temps auparavant dans une même journée. Untel, mais il était ici *tantôt*. [+++] Syn. : **betôt** (sens 2).

TANTOUNE, TANTOUSE n. f. Péjor. Homosexuel. Syn., voir : **fifi** (sens 2).

TAON n. m. (Mot qui se prononce comme *paon* ou *faon*, et non comme *ton*, *tonton*) **1.** *Taon à cheval* : taon qui s'attaque surtout aux chevaux. [+++] **2.** Fig. Sobriquet donné à un jeune garçon dont le comportement agace, énerve. Dis donc, le *taon*, tu ne pourrais pas nous laisser seuls quelques minutes?

TAOUEILLE, TAWEYE n. f. (amér.) C'est la *taoueille* qui allait voler les petits enfants qui ne voulaient pas s'endormir. (acad.) Syn., voir : **sauvagesse**.

TAOUIN n. m. Homme sans allure, sans éducation. D'où sort-il ce *taouin*-là?

TAOUINSER v. tr. *Se faire taouinser* : se faire taper dessus, recevoir des coups.

TAPANER v. trans. Mettre un comble à une charge de billots.

TAPE, TÉPE n. m. (angl. tape) [Ø] **1.** Ruban à mesurer. [+++] Syn. : **galon**. **2.** Ruban gommé. [+++]

TAPÉ, E p. adj. Damé. De la neige *tapée*.

TAPÉ, E n. Personne qui prête de l'argent et qui sait qu'elle ne sera pas remboursée.

TAPE-BRAQUETTE n. m. Habit de cérémonie, habit. Syn., voir : **arrache-broquette**.

TAPE-CUL n. m. **1.** Oiseau. Maubèche branle-queue. Syn. : **lève-cul** (sens 1) **2.** Autrefois, voiture à deux roues, sans suspension et servant au transport des personnes. **3.** Voir : **véloneige traditionnel**. (Lanaudière)

TAPÉE n. f. Fam. en fr. *Une tapée* : beaucoup, un grand nombre, une grande quantité. Il y avait *une tapée* de jeunes à cette noce; la semaine dernière. On a pris une *tapée* de morues. Syn., voir : **tralée**.

TAPE-MOUCHES n. m. Petite raquette de caoutchouc ou de plastique pour tuer les mouches, tapette à mouches. Syn. : **tue-mouches**.

TAPER v. tr. **1.** Damer. *Taper* la neige sur les pentes de ski. [+++] **2.** *Taper des yeux* : cligner des yeux. (O 27-116) **3.** Vulg. Posséder sexuellement. Syn., voir : **peau** (sens 5). **4.** (Angl. to tap) [Ø]. Brancher à une table d'écoute, surveiller. *Taper* une ligne téléphonique. **5.** (Angl. to tap) [Ø]. Mettre en perce une barrique de vin, une tonne de mélasse ou de vinaigre.

TAPETTAGE n. m. Chose futile, sans importance. En avoir assez des *tapettages* de Sœurs.

TAPETTE n. f. Sorte de taloche ou planche carrée munie d'une poignée dont se servent les couturières pour écraser les coutures des vêtements qu'elles viennent de confectionner.

497

TAPETTE adj. et n. Niais, imbécile, non dégourdi, timide. [+++] Syn., voir : **épais**.

TAPEUSE n. f. Machine vibrante servant à tasser la terre ou le sable d'une tranchée que l'on referme. [++]

TAPINÉ, E adj. **1.** Tacheté. Une vache *tapinée*. (acad.). Syn., voir : **caille**. **2.** Dont la peau est marquée de petites taches, tavelée. Une figure *tapinée*. (acad.)

TAPIS n. m. **1.** *Tapis crocheté* : tapis fait au crochet sur un canevas tendu sur un cadre. [+++] **2.** *Tapis de cheval* : couverture servant à couvrir les chevaux attelés par temps froid l'hiver ou à les protéger contre la pluie. (entre 36-85 et 27-116) Syn. : **couverte**. **3.** *Tapis de table* : à la campagne, toile cirée dont on recouvre la table de cuisine et qui tient lieu de nappe en semaine. [+++] **4.** *Tapis tressé* : tapis de forme ronde ou ovale fait d'une longue tresse obtenue à partir de quatre bandes de vieux tissus. (O 37-85) **5.** *Tapis de Turquie, turquie* : tapis manufacturé et qui, dans l'entre-deux guerre, a détrôné petit à petit la *catalogne*. [+++] **6.** *Tapis volant, tapis glissant* : morceau de plastique sur lequel les enfants s'assoient pour dévaler les pentes couvertes de neige. [+++]

TAPISSAGE n. m. Pose de papier peint, de *tapisserie* sur un mur.

TAPISSERIE n. f. [#] Papier peint.

TAPISSEUR n. m. Ouvrier qui pose de la tapisserie de papier peint, qui tapisse de papiers peints.

TAPOCHER v. tr. et pron. **1.** Talocher, frapper, battre. Il ne faut pas *tapocher* les enfants. Syn., voir : **ramoner**. **2.** Fig. Avoir une prise de bec, une engueulade avec quelqu'un. Les deux candidats se sont *tapochés*. (Lanaudière)

TAPOCHEUSE n. f. Argot. Cigarette roulée à la main, une roulée. Syn., voir : **rouleuse**.

TAPON n. m. **1.** Vx en fr. Boule, paquet. Un *tapon* de laine cardée mais non filée, un *tapon* de paille. [+++] **2.** Grumeau dans une sauce. [++] Syn., voir : **motton**. **3.** Au pl. Gros flocons de neige qui tombent par temps doux. Le printemps, la neige tombe souvent en *tapons*. Syn., voir : **peau-de-lièvre**. **4.** Atteloire pénétrant dans les trous du brancard. Atteler un cheval au *tapon* et non aux traits. (acad.) Syn., voir : **feton**. **5.** Quignon, gros morceau de pain. Syn., voir : **chignon de pain**. **6.** Amas, amoncellement de glaces sur les cours d'eau lors de la débâcle et qui peuvent former un embâcle. Syn., voir : **digue** (sens 3). **7.** Embâcle de bois flotté sur un cours d'eau. Syn., voir : **digue** (sens 2). **8.** Grosse femme d'un embonpoint hors du commun. Syn., voir : **toutoune**. **9.** Au pl. *Tapons noirs* : nuages noirs qui annoncent la pluie et l'orage. [++] Syn. : **cul-noir, mouton noir**.

TAPONNAGE n. m. Action de *taponner* (sens 1 à 6).

TAPONNER v. tr. et intr. **1.** Manipuler, toucher. Les marchands de fruits et légumes n'aiment pas que les clients *taponnent* les fruits ou les légumes. [+++] **2.** Mettre en tapon, friper. *Taponner* une robe, un voile. **3.** Mettre un comble à une charge de billes de bois. (Mauricie) **4.** Fig. Être un peu trop entreprenant, palper, peloter. Méfie-toi de ce garçon, il aime ça *taponner* les jeunes filles. [+++] Syn. : **poignasser, poigner, tasser**. **5.** Fig. Perdre son temps. À force de *taponner*, il finira son travail en retard. Syn., voir : **bretter**. **6.** Fig. Hésiter à prendre une décision, rester indécis. Syn., voir : **berlander**.

TAPONNETTE n. f. Ironiquement, causeuse installée dans le salon et où les futurs mariés apprenaient à se connaître, à se toucher. Dérivé de **taponner** (sens 4).

TAPONNEUSE n. f. Argot. Cigarette roulée à la main, une roulée. Ne fumer que des *taponneuses*. Syn., voir : **rouleuse**.

TAPONNEUX, EUSE adj. et n. **1.** Qui touche, qui manipule les fruits et légumes avant d'acheter. **2.** Entreprenant en parlant d'un garçon qui aime *taponner*, peloter sa compagne. Syn., voir : **poignasseux**. **3.** Qui perd son temps, qui est lent. Syn., voir : **bretteux**. **4.** Indécis, lent à prendre une décision, hésitant. Syn., voir : **berlandeux**.

TAPOUNE n. f. Femme remarquablement grosse, d'un embonpoint hors du commun. Syn, voir : **toutoune**.

TAPPÉE n. f. Abondance, grande quantité. Il est tombé une *tapée* de neige au cours de la nuit.

TAQUET n. m. **1.** Tourniquet fait d'une pièce de bois ou de métal mobile autour d'un clou ou d'une vis et servant à maintenir fermé une porte, une fenêtre. **2.** Fig. Petit garçon d'une dizaine d'années. Hé! les *taquets*, éloignez-vous un peu, c'est dangereux ici! Syn. : **flo**.

TAQUINEUX, EUSE adj. et n. Taquin, qui aime taquiner. [+++] Syn., voir : **attineux**.

TARAUD n. m. **1.** Écrou. Visser un *taraud* au bout d'un boulon. [++] Syn., voir : **écro**. **2.** Fig. *Manquer un taraud* : être timbré, avoir le cerveau dérangé. Il lui *manque un taraud* à celuilà! [++] Syn., voir : **écarté**.

TARAUDER v. tr. Visser, serrer un *taraud*, c'est-à-dire un écrou. *Tarauder* l'écrou d'un boulon, à l'aide d'une clé à molette.

TARIÈRE n. m. **1.** Tarière (n. f. en fr.) **2.** *Tarière à gouge* : tarière dont la partie creusante a la forme d'une gouge.

TARLA n. m. Balourd, pas intelligent. Voir : **épais**.

TARLAISE n. f. Forme féminine de *tarla*.

TARLUTTE, TOURLOUTE n. f. [#] Faux ou poisson de plomb armé d'hameçons dont on se sert pour pêcher la morue ou pour capturer l'encornet, turlutte. Syn., voir : **jiggeur**.

TARTE n. f. **1.** *Tarte à la ferlouche* : tarte à la mélasse. Voir : **ferlouche**. **2.** *Tarte à la pichoune* : tarte à la mélasse. Voir : **pichoune**. **3.** *Tarte à la plorine, à la praline* : tarte dont la garniture est faite de sirop d'érable, de raisins secs et de farine. **4.** *Tarte carreautée* : tarte dont le contenu est décoré de rubans de pâte croisés. [+++] **5.** *Tarte double* : tarte à deux abaisses par opposition à la *tarte simple* à une seule abaisse. **6.** *Tarte simple* : tarte à une seule abaisse, par opposition à la *tarte double* à deux abaisses. [+++]

TARTEAU n. m. [#] Voir : **torteau**.

TARTINE n. f. Petite tarte, tartelette. [++]

TARVIA n. m. (angl. tarvia) [Ø] Mélange de goudron et de gravier servant au recouvrement des routes, bitume. Marque de fabrique.

TAS n. m. **1.** Femme d'un embonpoint remarquable. Tiens le maire arrive avec son *tas*. Syn., voir : **toutoune**. **2.** *Faire son tas* : faire ses besoins (dans la nature, comme il se doit). Syn. : aller faire une **job**, aller parler à un **sauvage**, aller voir mon **oncle**, aller voir ma **tante**.

TASSE n. f. **1.** *Tasse à l'eau*. Voir : **grande tasse à eau**. **2.** *Passer la tasse* : à l'église, faire la quête en utilisant une assiette appelée *tasse*. (E 28-100) Syn., voir : **assiette** (sens 3). **3.** *Prendre une tasse* : prendre un coup, trinquer.

TASSÉE n. f. Contenu d'une tasse, tasse. Une *tassée* d'eau, de lait, etc.

TASSER v. tr. **1.** *Tasser* : bousculer. *Tasser* quelqu'un, un joueur de hockey. **2.** Peloter. Profiter d'une coupure de courant pour *tasser* une jeune fille. **3.** Syn., voir : taponner (sens 4).

TASSERIE n. f. Rég. en fr. Partie de la grange où l'on tassait le foin en vrac ou les gerbes de céréales. [++] Syn. : **carré** (sens 1), **quartelle**.

TATA adj. Voir : **tatais**.

TATA n. m. *Faire tata, faire un ou des tatas* : saluer avec la main, en parlant aux enfants. Ta maman s'en va, *fais-lui tata, fais-lui des tatas!* Syn. : **envoyer la main**.

TATAIS, TATA, TÉTAIS adj. et n. Niais, nigaud, crétin, imbécile. As-tu vu le grand *tatais* qui traverse la rue? Syn., voir : **épais**.

TATAOUINAGE n. m. Action d'hésiter, de *tataouiner*. Syn., voir : **berlandage**.

TATAOUINER v. intr. Discuter sans arrêt au lieu de prendre une décision, tourner autour du pot, hésiter. Syn., voir : **berlander**.

TATAOUINEUX, EUSE adj. et n. Personne qui a l'habitude de *tataouiner*, d'hésiter. [++] Syn., voir : **berlandeux**.

TÂTE-MINETTE n. Personne très méticuleuse, tatillonne.

TÂTEUX, EUSE, TÂTON, ONNE adj. et n. Lambin, tâtonneur, musard. Il est *tâteux* ou *tâton*, c'est inimaginable ! Syn. : **amusard**.

TÂTONNEUX, EUSE n. et adj. Rare en fr. Lambin, hésitant, tâtonneur. [++]

TAULE n. f. Argot. Argent. Il n'achètera jamais une maison, il n'a pas une *taule*.

TAURAILLE n. f. **1.** Jeune bête à cornes, mâle ou femelle. [+++] **2.** Au pl. Bouvillons et génisses que l'on fait pacager ensemble, souvent loin des bâtiments de ferme et jamais avec les vaches laitières. [+++]

TAURE n. f. Rég. en fr. Génisse d'un à deux ans. [+++]

TAUREAU n. m. **1.** Nom donné par les navigateurs à un courant très fort qui passe au milieu du chenal du Saint-Laurent, de Québec à Tadoussac. Syn. : **chariot**. **2.** *Taureau* ou *toro* : viande de bison séchée, légèrement fumée, mise en poudre et qui, mêlée à de la graisse constituait la base de la nourriture des *voyageurs* aux XVIIe et XVIIIe siècles. Syn. : **pemmican** (sens 1). **3.** Argot des *draveurs* d'autrefois. Radeau ancré sur lequel était fixé un cabestan (treuil à arbre vertical) à manivelle, mû par trois ou quatre hommes et servant à déplacer une estacade entourant des billes de bois afin de les approcher de la décharge du lac où le courant les transportera à la scierie ou à la papeterie. **4.** *Fort comme un taureau* : en parlant d'un homme, fort comme un Turc, comme un bœuf. **5.** *En taureau* : très, beaucoup. Il est fort *en taureau* et il mange *en taureau*.

TAVELLE n. f. Vx en fr. Ruban décoratif, passementerie étroite. [++]

TAVERNE n. f. Établissement réservé aux hommes et où ne se consommait que de la bière. Depuis le 23 novembre 1988, toutes les *tavernes* du Québec accueillent une clientèle féminine.

TAWEYE n. f. (amér.) Voir : **taoueille**.

TAXE n. f. **1.** *Taxe de bienvenue* : appellation ironique du droit de mutation que toutes les villes et municipalités du Québec peuvent maintenant percevoir. **2.** *Taxe d'affaires* (angl. business tax) [Ø] : taxe professionnelle.

TAXEUX, EUSE adj. et n. Gouvernements ou municipalités qui imposent de nouvelles taxes. Tous les gouvernements se font traiter de *taxeux*.

T-BAR n. m. (angl. T-bar) [Ø] Remonte-pente élémentaire, tire-fesses dont se contentaient les skieurs d'autrefois.

TÇA pron. [#] De ça. Donne-moi cent grammes de *tça*.

TCHUM n. Voir : **chum**.

TEAM n. (angl. team) [Ø] **1.** Attelage de deux chevaux attelés ensemble, côte à côte. Notre voisin, il a le meilleur *team* des environs. [++] Syn., voir : **span**. **2.** Voiture d'hiver hippomobile formée de deux trains articulés et servant surtout au transport lourd (bois, grumes, marchandises). (Charsalac) Syn., voir : **bobsleigh**.

TEAMER v. tr. (angl. to team) [Ø] **1.** Atteler ensemble deux chevaux côte à côte. [++] Syn. : **spaner**. **2.** Fig. *Être mal teamé* : être mal marié en parlant de l'un des deux conjoints dans un couple mal assorti. Syn., voir : mal **attelé**.

TÉBERT n. m. Atteloire pénétrant dans les trous du brancard d'une voiture à cheval, tombereau, charrette. Syn., voir : **feton**.

TEIGNE n. f. **1.** Bardane, plante et capitules. Syn., voir : **grakia**. **2.** Carex noir. **3.** Chiendent. **4.** Fig. Se dit d'une personne insupportable, qui s'accroche à vous. Syn., voir : **tache**.

TEINDRE v. tr. L'imparfait de l'indicatif et le participe passé du verbe teindre sont je teignais et teint, jamais je *teindais* et *teindu*.

501

TÉLÉGRAPHE n. m. Argot. Autrefois, substitution de personne pour voter lors des élections. Untel a été élu député grâce aux *télégraphes*.

TÉLÉPHONE n. m. Appel téléphonique, appel, coup de fil. Excusez-le, il a deux *téléphones* à faire.

TÉLÉROMAN n. m. Feuilleton télévisé qui, avec l'avènement de la télévision, a pris la relève du *radioroman*.

TÉLÉTHON n. m. (angl. telethon) [Ø] Émission de télévision pouvant durer plusieurs heures consécutives, avec participation gratuite de vedettes du monde du spectacle et ayant pour objet de recueillir des fonds dans un but spécifique, comme par exemple la lutte contre le cancer, la paralysie cérébrale, etc.

TÉLÉVISION n. f. [#] Poste récepteur de télévision, téléviseur. Acheter une *télévision* couleur.

TÉLÉXER v. tr. Expédier par télécopieur, par *fax*, télécopier. Syn. : **faxer**.

TEMPÉRANCE n. f. **1.** *Société de tempérance* : société fondée par Chiniquy à Beauport en 1840 sur le modèle de sociétés semblables qui existaient aux États-Unis depuis une dizaine d'années et dont les membres s'engageaient solennellement et publiquement à ne boire ni alcool, ni vin, ni bière. Les membres obtenaient une carte de tempérance, une médaille et une *Croix de tempérance*. **2.** *Croix de tempérance* : croix noire accrochée au mur de la cuisine (quelquefois du salon) là où le maître de la maison avait promis publiquement de ne pas boire de boisson alcoolique et avait adhéré à la *Société de tempérance*. **3.** *Bière* *de tempérance* : boisson non alcoolisée ressemblant par la couleur et le goût à la bière alcoolisée et que pouvaient boire les adeptes de la *Société de tempérance* regroupant les abstèmes, bière non alcoolisée.

TEMPÉRATURE n. f. [#] (angl. temperature) [Ø] Temps. Pendant notre voyage, nous avons eu une très belle *température* : un froid sec mais du soleil!

TEMPÊTE n. f. **1.** *Tempête des corneilles.* Voir : **bordée des corneilles. 2.** *Tempête des greniers.* Voir : **bordée des sucres. 3.** *Tempête des Irlandais.* Voir : **Irlandais. 4.** *Tempête des jours gras.* Voir : **bordée des jours gras. 5.** *Tempête des oiseaux, des oiseaux de neige, des oiseaux blancs.* Voir : **bordée des oiseaux. 6.** *Tempête des sucres.* Voir : **bordée des sucres.**

TEMPÊTEUX, EUSE adj. [#] Où les tempêtes sont fréquentes, tempétueux. Un endroit tempêteux, un mois *tempêteux.*

TEMPIÉ n. m. Templet, tempe qu'on utilise dans le métier à tisser et dans la confection de la *ceinture fléchée.*

TEMPS n. m. **1.** [#] Le ciel, le firmament. Ce soir, le *temps* est étoilé. **2.** *À plein temps* : beaucoup, sans arrêt. Hier il a neigé ou plu *à plein temps.* **3.** Voir : **vieux comme le temps. 4.** *Dans l'ancien temps, dans le temps* : jadis, autrefois. *Dans l'ancien temps,* tous les travaux à la ferme se faisaient avec des chevaux. [+++] **5.** *Avoir le temps dans sa poche* : ne pas être pressé, avoir tout son temps. **6.** *Temps de cul* : mauvais temps. Ça fait une semaine qu'on a un *temps de cul.*

TEMPS-PERDU n. m. Terrain inculte ou qui produit si peu que c'est perdre son temps, c'est du *temps-perdu* de le cultiver. Il faut quand même clôturer le *temps-perdu.* (Beauce)

502

TENDRE v. tr. et intr. **1.** Étendre. *Tendre* des perches sur un trou pour pouvoir passer. **2.** *Tendre* des pièges, des rets; *tendre* aux lièvres, au hareng.

TENIR v. tr. Fig. *Tenir quelqu'un par la ganse* : avoir quelqu'un à sa merci. [+++]

TENNISSER v. intr. Jouer au tennis.

TENON n. m. Atteloire pénétrant dans les trous du brancard. Atteler un cheval aux *tenons* et non aux traits. Syn., voir : **feton.**

TENTAGE n. m. Le fait de dresser une tente en forêt, action de *tenter.*

TENTE n. f. Rare en fr. Action de tendre un filet de pêche ou d'installer une perche enlevante avec collet pour capturer des lièvres ou des chevreuils.

TENTER v. intr. et pron. Dresser sa tente (langue des campeurs, chasseurs, arpenteurs, géologues, etc.); s'abriter sous une tente. *Tenter* près d'un cours d'eau. *Se tenter* avant la nuit. Syn. : **cabaner, wigwamer.**

TEN-TEST n. m. Panneau de construction souple et fibreux. Marque de commerce. Syn. : **donnacona.**

TENTURE n. f. **1.** Bordigue ou enceinte en clayonnages installée là où se fait sentir la marée et qui sert à capturer le poisson. Installer une *tenture* à saumons, à anguilles. Syn., voir : **bourne. 2.** Espace où l'on a le droit d'installer une *tenture,* une bordigue. Louer sa *tenture* à un ami. Syn. : **pêche.**

TÉPE n. m. (angl. tape) [Ø] Ruban gommé. Les palettes des bâtons de hockey sont entourées de *tépe.*

TÉPER v. tr. (angl. to tape) [Ø] Utiliser du ruban gommé pour prévenir une fêlure ou pour isoler des fils électriques.

TÉPI, TIPI n. m. (amér.) Tente amérindienne de forme conique, en peau ou en écorce, dans l'Ouest du Canada.

TÉRIR, TIRIR v. intr. [#] Tarir. Autrefois, on faisait *térir* ou *tirir* les vaches en novembre.

TERME n. m. **1.** *Parler en termes, dans les termes* : parler en employant des termes précis, mais avec affectation. [+++] Syn. : parler à la **grandeur**, parler en **cérémonie**. **2.** *Termes à queue* : ironiquement, grands mots employés pour épater, pour jeter de la poudre aux yeux à l'entourage. **3.** *Terme d'office, terme* (angl. term of office) [Ø] : mandat, durée du mandat d'un député, d'un maire, etc. Il a démissionné au début de son *terme d'office*, au début de son *terme*.

TERRASSE DUFFERIN n. pr. f. Magnifique promenade du Vieux-Québec surplombant le Saint-Laurent et qui est depuis longtemps un lieu de rencontre privilégié pour les êtres esseulés.

TERRASSER v. tr. *Terrasser une maison* : chausser, rechausser les fondations d'une maison par différents apports afin de les protéger contre les grands froids de l'hiver. L'automne on *terrasse* avec de la terre, du bran de scie, de la paille; l'hiver, on *terrasse* avec de la neige. (acad.)

TERRAZZO n. m. Ciment additionné de pierres dures ou de marbre concassés puis poli à la ponceuse, granito. Les allées de notre église sont en *terrazzo*. Technique de construction introduite par les immigrants italiens. Le *terrazzo* était déjà connu et utilisé avant la Crise de 1929. [+++]

503

TERRE n. f. **1.** *Terre faite* : terre labourable par opposition à celle qui est restée boisée. Untel a acheté une terre de 150 *arpents* dont 110 de *terre faite*. [+++] **2.** *Terre neuve* : terre nouvellement défrichée. [+++] **3.** *Faire de la terre* : défricher, essoucher, essarter en vue de la mise en culture. [+++] **4.** *Terre patentée* (angl. patented land) [Ø]. Terre pour laquelle le cultivateur possède les titres de propriété, par opposition à *terre de la Couronne*. **5.** *Terre à bois* : boisé qu'on ne défriche pas et que l'on exploite commercialement. [+++] **6.** *Boire sa terre* : en parlant d'un cultivateur, en arriver, à force de boire à être obligé de vendre sa terre. [+++] **7.** *Terre de la Couronne* (angl. Crown land) [Ø] : terre domaniale, terre du domaine public, appartenant à l'État, au Québec. **8.** Voir : **pauvre comme la terre. 9.** Voir : **vieux comme la terre. 10.** *À terre.* a) Fig. Épuisé, fatigué. Tous les soirs, Jean-Paul rentre de son travail fatigué, *à terre*. [+++] Syn., voir : **resté.** b) Fig. Bas. Avoir le moral *à terre*. [+++] c) Fig. À plat. La batterie de la voiture était *à terre*, il a fallu la recharger. [+++] d) Fig. Découragé. Il est *à terre* depuis qu'il est veuf, il n'a plus de moral. [+++] **11.** *Ne pas revoir la terre* : en hiver, en parlant d'un malade dont les jours sont comptés, on dit qu'il *ne reverra pas la terre*. Syn., voir : **décompter.**

TERRIBLE adv. [#] Beaucoup, très. Le soleil levant, c'est beau *terrible*. C'est une *terrible* belle journée. Syn. : **terriblement.**

TERRIBLEMENT adv. Très, beaucoup. Il fait *terriblement* beau, terriblement froid. Un homme *terriblement* fort. Syn. : **terrible.**

TERRIEN n. m. Homme qui travaille sur la grave, sur le *plain* par opposition aux pêcheurs qui travaillent sur l'eau.

TERRINÉE n. f. Rare en fr. Contenu d'une terrine, terrine. Une *terrinée* de lait, de pois, de fraises, d'avoine. Nos terrines étaient surtout faites de fer-blanc et non de terre cuite. [+++]

TERRIR v. tr. et intr. **1.** Vx en fr. Accoster, aborder, prendre terre. En 1967, année de l'Exposition universelle à Montréal, la frégate le Colbert *a terri* à Québec avec le Président Charles de Gaulle à bord. **2.** Échouer. Pendant la dernière tempête, l'encornet a *terri* sur le *plain*. (acad.)

TERROI, TERROIR n. m. Terreau. Acheter un camion de *terroi* pour faire un jardin.

TERTIAIRE n. Membre du tiers-ordre, tertiaire.

TET n. m. **1.** Toit. Le *tet* de la grange coule, il est à refaire. (acad.) **2.** *Tet à brebis* : bergerie. (acad.) Syn. : **loge à moutons**. **3.** *Tet à cochons, tet à gorets* : porcherie. (acad.) Syn., voir : **engrais**. **4.** *Tet à poules* : poulailler. (acad.)

TÉTAGE n. m. Action de *téter* (sens 1, 2, 3 et 4)).

TÉTAIS adj. et n. Voir : **tatais**.

TÊTE n. f. **1.** *Tête à fromage, tête en fromage, tête fromagée* : fromage de tête. (O 25-117) **2.** *Tête à Papineau*. Voir : **Papineau**. **3.** *Tête carrée* : sobriquet donné aux anglophones du Canada par leurs compatriotes francophones. Syn. : **bike, bloke, crawfish, tête de mop**. **4.** *Tête d'oreiller*. [#] a) Oreiller de lit. [++] [#] b) Taie d'oreiller de lit. [+++] [#] Syn. : **souci**. **5.** *Tête de chas* : plaque de fer perforée de plusieurs trous et fixée verticalement au bout de l'age de la charrue pour permettre de régler la profondeur du labour. **6.** *Tête-de-chat*. a) Grand-duc de Virginie. Syn., voir : **chat-huant**. b) Variété d'assemblage de charpente ou de menuiserie. Syn. : **gueule-de-loup**. **7.** *Tête d'une cheminée* : souche d'une cheminée qui dépasse le toit. **8.** *Tête-de-cheval*. Nom vulgaire du phoque. **9.** *Tête-de-coq* : gueule-de-loup installée au sommet d'une cheminée pour en faciliter le tirage. Syn., voir : **dos-de-cheval**. **10.** *Tête-de-femme* : dans les baissières, butte de terre qui se forme par la décomposition de touffes de rouche et sur laquelle continuent de pousser de nouvelles herbes. (O 25-117) Syn. : **tête-de-loup**. **11.** *Tête-de-loup*. Voir : **tête-de-femme**. **12.** *Tête-de-mop* : sobriquet que les francophones du Canada donnent à leurs compatriotes anglophones. Syn., voir : **tête carrée**. **13.** Fam. en fr. *Tête de pioche* : individu têtu, entêté. [+++] Syn. : **bocorne** (sens 2). **14.** *Tête-de-violon* (angl. fiddlehead) [Ø] : jeune pousse de fougère que l'on apprête en salade et qui devrait s'appeler *crosse de violon* (OLF). **15.** Fig. *Avoir du front tout le tour de la tête* : être très effronté. **16.** *Tête-de-boule* n. m. Voir : **Attikamek**. **17.** *Tête en fromage* : fromage de tête. [+++] **18.** Fig. *Tête enflée* : personne remplie d'elle-même, de suffisance. **19.** *À pleine tête* : à tue-tête. Pourquoi parles-tu *à pleine tête?*, je ne suis pas sourd! **20.** *Tête* : côté face d'une pièce de monnaie, face. **21.** *Tête ou bitch* : pile ou face. Jouer à *tête ou bitch*.

TÉTER v. tr. et intr. **1.** Fig. Quêter, quémander, demander. *Téter* une cigarette, un verre de bière, un *pouce* ou transport gratuit. [+++] Syn. : **bummer** (sens 1). **2.** Fig. Agir, travailler avec une extrême lenteur. [+++] Syn., voir : **bretter**. **3.** Fig. Hésiter, ne pas arriver à se décider. [+++] Syn., voir : **berlander**. **4.** Fig. En parlant d'une personne adulte, boire un verre de boisson alcoolique avec une lenteur désespérante. *Téter* un même verre de bière pendant toute une soirée.

504

TÉTEUX n. m. **1.** Rég. en fr. Jeune veau qui tète encore sa mère. **2.** Argot. Embarcation rudimentaire à fond plat ou simple radeau servant à la *drave*. Syn., voir : **pine de drave**. **3.** Goujon, Leucosomus corporalis, utilisé comme appât par les pêcheurs. Syn., voir : **blanchaille**.

TÉTEUX, EUSE adj. et n. **1.** Niais, nigaud, demeuré. [+++] Syn., voir : **épais** (sens 1). **2.** Hésitant, lent, lambin. Regarde ce *téteux* au volant : le feu est vert et il ne démarre pas! [+++] Syn., voir : **berlandeux**.

TÉTINE n. f. Trayon de la vache. (acad.)

TÉTON, ONNE adj. et n. **1.** Insignifiant, sans intérêt, en parlant d'un film, d'une pièce de théâtre. Ce film-là, c'est *téton*, cette femme-là, elle est *tétonne*! (Mot de la famille de *tatais, tétais*). **2.** Niais, nigaud, crétin, imbécile. Quel *téton* que ce garçon! Syn., voir : **épais**.

TÉTONNIÈRE n. f. **1.** Fig. et vulg. Poitrine féminine plantureuse. [++] Syn., voir : **magasin**. **2.** Vx en fr. Soutien-gorge. Porter une tétonnière. [++] Syn. : **brassière, sac-à-djos**.

TETTE n. **1.** Vulg. Sein, mamelle de la femme. Syn., voir : **quenoche** (sens 1). **2.** Mamelle de la truie.

TÉTU n. m. Mésange à tête noire, ainsi surnommée d'après son chant. Syn., voir : **qui-es-tu**.

TÊTUSE adj. [#] Têtue. Une personne *têtuse*, une jument *têtuse*.

TEURDRE v. tr. [#] Tordre. D'où je *teurs*, tu *teurs*, *etc*, au lieu de je tords, tu tords, etc.

TEURS, E part. adj. [#] Tordu. J'ai *teurs* mon linge. La branche est *teurse*.

505

THÉ n. m. **1.** *Thé des bois, thé cadien, thé sauvage, petit thé, petit thé des bois* : gaulthérie couchée. Syn. : **pomme de terre** (sens 2a). **2.** *Thé du Canada* : spirée tomenteuse. **3.** *Thé du labrador, thé velouté* : cotylédon du Groenland. **4.** *Thé décrescendo* : réception faite au profit d'une association artistique, philanthropique ou charitable et qui procède comme suit : une dame invite quelques amies à prendre le thé; chacune doit donner un certain montant d'argent; ensuite, chacune des invitées doit à son tour donner un thé avec le même nombre de personnes et la même contribution. Ces thés forment une chaîne.

THÉÂTRE n. m. Cinéma. *Aller au théâtre* : c'était il n'y a pas longtemps aller au cinéma, les films étant projetés dans le théâtre de l'époque. Mot en perte de vitesse.

THÉBORD n. m. (angl. tea board) [Ø] Plateau utilisé pour servir le thé. Anglicisme presque disparu. Syn. : **cabaret**.

THÉPOT n. m. (angl. teapot) [Ø] Théière. Anglicisme remontant au tout début du Régime anglais et en voie de disparition. (E 26115) Syn. : **thétière**.

THÉTIÈRE n. f. Théière. Syn. : **thépot**.

TI 1. Particule interrogative très fréquente en français populaire. Ton père est-*ti* là? Ta sœur vient-*ti* avec nous? Ce *ti* mal prononcé devient *tu*, ce qui a comme résultat des stupidités comme : ta sœur est-*tu* là?, c'est-*tu* vrai? Syn. : **tu**. **2.** Voir : **tit**.

TIAUDE, QUIAUDE n. f. Autrefois, plat de pêcheur à base de morue, de lard salé, de pommes de terre et de farine grillée. Syn., voir : **binegingo**.

TIBISE n. f. Garniture de tarte à base de mélasse, de farine et de raisins secs. Syn., voir : **ferlouche**.

TICKET n. m. (angl. ticket) [Ø] **1.** Contravention, infraction que les lois punissent d'une amende; cette amende elle-même. Recevoir un *ticket* pour avoir brûlé un feu de circulation, un feu rouge. Anglicisme en perte de vitesse. [+++] **2.** Billet de chemin de fer. Anglicisme en perte de vitesse. **3.** Étiquette de bagages.

TICKETTEUX, EUSE n. (dérivé de *ticket*) Dans les villes où il y a des parcomètres, personne chargée de distribuer des *tickets*, des contraventions aux automobilistes en infraction.

TIC-TAC n. m. Fig. *N'avoir que le tic-tac et l'erre d'aller, ne pas avoir le tic-tac bien haut* : être à bout de force, être très faible en parlant d'une personne très malade.

TIE, TAILLE adj. (angl. tie) [Ø] Dans les sports. Égal, de force égale, avec un nombre égal de points, ex aequo, à égalité. Les deux équipes sont *tie* : cinq points chacune. Anglicisme presque disparu. [++] Dérivé : **détailler**.

TIE, TAILLE n. f. (angl. tie) [Ø] Traverse de bois et aujourd'hui de béton armé sur laquelle sont fixés les rails d'une voie ferrée. [+++] Syn. : **dormant**.

TIENDRE, QUINDRE v. tr. **[#]** Tenir. Pourrais-tu *tiendre* ceci? [+++]

TIGER v. intr. Taller en parlant de l'avoine, du blé; pousser des tiges. Syn. : **djesser**, **retiger** (sens 2).

TIGNASSER v. tr. Chatouiller. *Tignasse-*lui donc les dessous de pieds ou de bras!

TIGUEDI, TIGUIDI n. m. (angl. chickadee) [Ø] Voir : **chickadee** (sens 2).

TIGUIDOU adv. Voir : **diguidou**.

TI-JOS-CONNAISSANT n. m. Voir : **Jos-Connaissant**.

TIKOUAPÉ n. m. (amér.) L'homme ou caribou.

TILLE n. f. **1.** Variété d'herminette à tranchant très incurvé et servant essentiellement à creuser des auges. (O 22-124) Syn., voir : **hermiette**. **2.** Lamelle de bois, surtout du frêne servant à faire des balais.

TILLER v. tr. et pron. **1.** Creuser une bille de bois pour faire une auge en utilisant une *tille* ou, quelquefois, une herminette. (O 22-124) Syn. : **herminetter**. **2.** Se fendre en lamelles, en éclisses. Le frêne *se tille* bien mais pas l'orme.

TIME 1. n. m. (angl. time) [Ø] Plaisir. Nous avons eu un de ces *time* ensemble!

TIME 2. n. m. (angl. team) [Ø] Voir : **team**.

TIMER v. tr. (angl. to team) [Ø] Voir : **teamer**.

TIMON n. m. Brancard, limon de la charrette à foin, du tombereau, tiré par un seul cheval. [+++]

TINETTE n. f. **1.** Contenant en bois ou en grès avec couvercle, destiné à conserver le beurre en motte, non moulé. [+++] **2.** Fig. *Ne pas prendre goût de tinette* : ne pas traîner en longueur, se faire rapidement, en parlant d'un travail. [+++]

TINQUE n. f. (angl. tank) [Ø] Voir : **tank**.

TINQUER v. tr. (angl. to tank) [Ø] Voir : **tanker**.

TINTON n. m. **1.** Marteau installé sous une cloche d'église et qui va frapper le rebord intérieur de cette cloche quand on tinte. **2.** Tintement d'une cloche d'église sonnant l'angélus, le glas ou le début d'une messe. **2.** Tintouin, inquiétude, souci, ennui. Leur dernier garçon leur donne beaucoup de *tinton*.

TIOUNE, TOUNE n. f. (angl. tune) [Ø] Voir : **tune**.

TIP n. m. (angl. tip) [Ø] Pourboire. Une partie considérable des revenus que touchent les serveurs de restaurant vient des *tips*. Anglicisme en perte de vitesse.

TIPER v. intr. (angl. to tip) [Ø] Donner un pourboire. N'oublie pas de bien *tiper* la serveuse! Anglicisme en perte de vitesse.

TIPEUR, TIPEUX, EUSE n. et adj. (angl. to tip) [Ø] Qui donne facilement un bon *tip*, un bon pourboire. Untel n'est pas *tipeux*, l'argent lui colle aux doigts. Les *Séraphinos* ne sont pas *tipeux*. Anglicisme en perte de vitesse.

TIPI n. m. Voir : **tépi**.

TIRAGE n. m. **1.** Action de *tirer* les vaches, de traire les vaches, manuellement. **2.** Fig. *Tirage de pipe* : taquinerie, action de *tirer la pipe* à quelqu'un.

TIRAILLAGE n. m. Action de *tirailler*, de *se tirailler*.

TIRAILLE n. f. [#] Nerfs, tendons dans la viande de boucherie, tirants. Ceci ce n'est pas de la viande, c'est de la *tiraille*! (Charsalac) Syn. : **tirasse**, **tirelaiche**, **tirelibèche**.

TIRAILLER v. tr. et pron. **1.** Rudoyer un cheval en tirant mal à propos sur le mors tantôt à droite, tantôt à gauche, arcanser. Syn., voir : **cisailler**. **2.** Se colleter, surtout en parlant de jeunes garçons. Arrêtez donc de vous *tirailler* tous les deux! [+++]

TIRANT n. m. **1.** Trait court reliant la cheville d'attelage au collier, mancelle. (entre 36-86 et 25-117) Syn., voir : **couplet**. **2.** Au pl. Petits nuages allongés apparaissant surtout au coucher du soleil et qui annoncent du vent. [++] **3.** Au pl. Aurore boréale. Syn., voir : **marionnettes**.

TIRANT, E adj. **1.** Difficile, dur à tirer, en parlant d'un véhicule chargé. Un tombereau de cailloux, c'est *tirant*. [+++] **2.** Malaisé en parlant d'un chemin d'été ou d'hiver. Quand il fait très froid l'hiver, la neige est rude et les chemins sont *tirants*. [+++]

TIRASSE n. f. [#] Nerfs, tendons dans la viande de boucherie, tirants. Syn., voir : **tiraille**.

TIRE n. f. **1.** Trait court reliant la cheville d'attelage au collier, mancelle. Syn., voir : **couplet**. **2.** En forêt, longue pile de bois près d'un chemin. **3.** Tirage en parlant d'une cheminée. (O 8-134) Syn. : **hale**. **4.** Fig. *Avoir la tire longue* : être lent à se mettre au travail, travailler lentement. Quand on se couche aux petites heures, on *a la tire longue* le matin. **5.** *Tire au poignet* : jeu du bras de fer. [+++] Voir : **tirer au poignet**. **6.** Substance sucrée ayant la consistance d'un miel très épais et provenant de l'ébullition soit de la mélasse, soit du sirop d'érable. D'où *tire à la mélasse* ou *tire Sainte-Catherine* préparée à l'occasion du 25 novembre; d'où également *tire d'érable* faite dans les *cabanes à sucre* le printemps à partir du sirop d'érable. [+++] Syn. : **ramequin**, **tamarin**. **7.** *Fête à la tire, partie de tire* : partie de plaisir qui se tient à l'érablière le printemps et où l'on déguste *tire* et *sucre d'érable*. [+++] Syn. : partie de **cabane** (sens 1).

TIRE, TAILLEUR n. m. (angl. tire) [Ø] Pneu. S'acheter quatre *tires* d'hiver. Anglicisme à peu près disparu.

TIRE-BOTTES n. m. [#] Arrache-bottes servant à enlever les bottes. Le *tire-bottes* sert, en français, à enfiler les bottes.

TIRE-BABICHE, TIRE-LA-BABICHE, TIREUR DE BABICHE n. m. Autrefois, cordonnier que l'on rencontrait dans tous les villages avant la guerre de 1939-1945.

TIRELAICHE, TIRELIBÈCHE n. f. Nerfs, tendons dans la viande de boucherie. Syn., voir : **tiraille**.

507

TIRELICHE n. f. Crêpe faite avec de la farine de sarrasin. (Beauce) Syn., voir : **galette de sarrasin**.

TIRE-PET n. m. Trou d'aération pratiqué dans une fenêtre et que peut fermer une planchette coulissante ou pivotante. Syn., voir : **éventilateur**.

TIRE-POIS n. m. (angl. pea-shooter) [Ø] Tube creux avec lequel les enfants s'amusent à lancer des pois ou autres projectiles par la force du souffle, sarbacane.

TIRER v. tr. et pron. **1.** Dial. en fr. Traire une vache manuellement. Autrefois tous les enfants d'une même famille, filles ou garçons, apprenaient tôt à *tirer* les vaches. [+++] Syn. : **trayer**. **2.** [#] Lancer. *Tirer* des boules de neige sur les passants. [++] Syn., voir : **garrocher** (sens 1). **3.** [#] Se précipiter, se lancer, se jeter. Il s'est *tiré* sur son adversaire et a tenté de l'étouffer. [++] Syn., voir : se **darder**. **4.** *Tirer au poignet* : jouer au bras-de-fer, jeu de force, appelé ici *tire au poignet*, où les deux adversaires assis face à face, mains empoignées et coudes appuyés sur une table, essaient de renverser le bras de l'adversaire. [+++] **5.** *Tirer une chaise, se tirer une chaise* : approcher une chaise pour s'asseoir. [+++] **6.** *Tirer un puits, une veine d'eau* : en parlant du sourcier, repérer une source à l'aide d'un pendule ou d'une branche de coudrier. [+++] **7.** Fig. *Tirer la pipe à quelqu'un* : le taquiner. Syn., voir : **attiner**. **8.** Loc. verbale. *Tirer la babiche* : exercer le métier de cordonnier, d'où un *tire-la-babiche*. **9.** [#] *Tirer quelqu'un aux cartes* : tirer les cartes à quelqu'un. [+++] **10.** Fig. *Se tirer en l'air* : faire des écarts de conduire, s'amuser bruyamment, dépenser sans compter à l'occasion d'un événement heureux. [+++] **11.** Argot de la drogue. *Tirer une ligne* : faire une ligne droite avec de la drogue en poudre pour mieux *sniffer* cette drogue.

TIRE-ROCHE n. m. [#] Jouet de jeunes garçons, lance-pierre. [++]

TIRETTE n. f. **1.** Trou pratiqué dans un mur ou dans une porte de garage par où passe le tuyau d'échappement d'un moteur à essence dont on essaie de faire le réglage. **2.** Tiroir de commode. (acad.) **3.** Trait court reliant la cheville d'attelage au collier, mancelle. (Charsalac) Syn., voir : **couplet. 4.** *Tirette à mouches* : papier tue-mouches spiralé enduit de colle. Syn., voir : **collant à mouches. 5.** Cordon servant à fermer une blague à tabac de fabrication artisanale. **6.** Sternum de poule ou de poulet que deux personnes s'amusent à tirer chacune de son côté pour savoir laquelle enterrera l'autre.

TIREUR, TIREUX, EUSE n. m. **1.** Dial. en fr. *Tireur de vache* : trayeur qui trait manuellement une vache. [+++] **2.** *Tireur de fontaine, tireur de puits* : sourcier qui découvre les sources à l'aide d'un pendule ou d'une baguette de coudrier. [+++] **3.** *Tireur de babiche* : cordonnier. Syn. : **tire-babiche**.

TIREUSE n. f. Trayeuse mécanique. (acad.)

TIRE-VESSE n. m. Trou d'aération pratiqué dans une fenêtre et que peut fermer une planchette coulissante ou pivotante. Syn., voir : **éventilateur**.

TIRE-VIEUX n. m. Dans les hôpitaux, surtout en physiothérapie, appareil qu'utilise un patient alité pour s'asseoir sans aide.

TIRIAC n. f. Réglisse. (acad.) Syn. : **savate**.

TIRIGANIAK n. m. (mot inuit) Le renard blanc.

TIROIR À CENDRE n. m. Boîte à cendre placée sous le feu du poêle à bois ou à charbon, cendrier. Syn., voir : **cendrière**.

TIT, TITE adj. Abréviation très fréquente de petit, petite. Un beau *tit* garçon, une belle *tite* fille.

TIT-BUS n. *Tit-Bus est arrivé* : avoir ses règles, être menstruée. (acad.) Syn., voir : avoir ses **lunes**.

TITER v. intr. Avoir des petits, en parlant des animaux domestiques. Chatte qui est à la veille de *titer*.

TITI n. **1.** *En titi* : beaucoup, très. Il fait froid *en titi*. **2.** *Être en titi* : être en colère. Il était *en titi* de voir partir son amie.

TOAST n. f. (angl. toast) [Ø] **1.** Tranche de pain grillée que l'on mange surtout le matin au petit déjeuner. Mot en perte de vitesse. [++] Syn. : **rôtie. 2.** *Toast à la mélasse* : tranche de pain enrobée de mélasse et rôtie dans la poêle. **3.** *Toast dorée* : tranche de pain trempée dans un mélange d'œufs et de lait battus et sucrés puis rôtie dans la poêle à feu vif. Syn., voir : **pain doré**.

TOASTEUR, TOASTIER n. m. (angl. toaster) [Ø] Grille-pain électrique, grille-pain. Anglicisme en perte de vitesse. [++] Syn. : **tossier** (sens 2).

TOBOGGAN, TOBOGANE n. m. Voir : **tabagane**.

TOCSON, ONNE n. et adj. **1.** Bœuf ou vache dont les cornes n'ont pas poussé. Une vache *tocsonne*, ou *tocson*. (O 27-116) Syn. : **bocorne, bouscaud. 2.** Fig. Personne butée, entêtée, têtue, insubordonnée. [++] Syn. : **tête de pioche**.

TOFFABLE adj. (angl. tough) [Ø] Supportable, endurable. Travailler à l'extérieur par moins quarante, ce n'est pas *toffable*. [+++]

TOFFE adj. et n. (angl. tough) [Ø] **1.** Difficile à faire, en parlant d'un travail. [+++] **2.** Brutal ou grossier, en parlant d'un homme surtout. [+++] **3.** Houleuse, grosse en parlant de la mer. [+++] **4.** Difficile à supporter, en parlant d'un malheur. [+++] **5.** Corsée, grivoise, en parlant d'une histoire. [+++]

TOFFER v. tr. et intr. (angl. to tough) [Ø] Endurer, supporter une épreuve, résister, tenir bon, ne pas lâcher. [+++]

TOFFEUR, EUSE adj. et n. (angl. to tough) [Ø] Personne capable de *toffer*, de supporter une épreuve, de résister à la fatigue, de tenir bon. [+++]

TOGNE n. f. (angl. tongue) [Ø] Voir : **tongue**.

TOIE n. f. Placenta d'une vache, d'une jument, d'une femelle qui met bas. (acad.) Syn., voir : **suite**.

TOILE n. f. **1.** Fig. *Faire la toile, de la toile, sa toile* : perdre connaissance, avoir une syncope. [+++] Syn, voir : **faillette. 2.** *Toile d'habitant, toile de pays, toile du pays* : toile de fabrication artisanale tissée à la maison. **3.** Fig. *Toile d'araignée*. Avoir des *toiles d'araignée* dans la gorge est le prétexte que l'on donne pour prendre une bonne rasade le lendemain matin d'une soirée de libations.

TOILETTE n. f. **1.** Autrefois, carré de tissu brodé, empesé, attaché aux poteaux de la tête du lit et destiné à cacher les oreillers. Syn. : **hypocrite, menteuse, trompeuse. 2.** Papier de toilette (angl. toilet paper) [Ø] : papier hygiénique. **3.** Lieux d'aisance, les toilettes. On va aux toilettes et non *à la toilette*.

TOILETTER (SE) v. pron. **1.** Vx en fr. Faire sa toilette, se laver, se peigner, éventuellement se raser, avant de s'habiller. [+++] Syn. : s'**épivarder**, se **trimer**. **2.** Se mettre sur son trente et un, bien s'habiller. [+++] Syn. : se **checker**. **3.** S'acheter des habits neufs, renouveler sa garde-robe. [+++] Syn., voir : se **renipper** (sens 1).

TOISAGE n. m. Action de *toiser*, de mesurer en *toises* la surface d'un toit à couvrir.

TOISE n. f. **1.** Vx en fr. Mesure de longueur valant six *pieds* soit 1,949 m. **2.** Mesure de surface de cent *pieds* carrés quand il s'agit d'un toit, soit 9,29 m^2. Les couvreurs du Québec utilisent toujours la *toise*. [+++] **3.** Mesure de volume encore utilisée surtout pour mesurer les lattes et les étais de mines et valant 6 x 6 x 6 pieds soit 216 pieds cubes. **4.** Peau qui sépare les narines d'un bouvillon et que l'on perce pour l'anneler.

TOISÉ n. m. Vx en fr. Étude des mesures de longueur, de surface, de contenu. On a enseigné le *toisé* à l'école primaire jusqu'à la fin des années 1950.

TOISER v. tr. Vx en fr. Mesurer en *toises* la surface d'un toit à couvrir. [+++]

TOISEUR n. m. Mesureur de bois dans les exploitations forestières et dans les scieries.

TOKEN n. f. (angl. token) [Ø] **1.** Jeton. Autrefois on achetait des *tokens* pour utiliser les *traversiers*, les *routes de barrières*, les ponts à péage. **2.** Argent en général. Ne pas avoir un *token* : ne pas avoir un sou. [++] Syn., voir : **cenne**.

TÔLE n. f. **1.** Moule à pain. [++] Syn. : **boîte**, **casserole**, **lèchefrite**. **2.** Fig. *Avoir, recevoir une tôle* : avoir un pépin, un ennui, recevoir une tuile. **3.** *Ne pas avoir une tôle* : ne pas avoir un sou. [+++] Syn., voir : **cenne**. **4.** *Tôle à cendre* : boîte à cendre placée sous le feu du poêle à bois, cendrier. Syn., voir : **cendrière**.

TÔLÉ, E adj. Fig. *Être tôlé* : être riche.

TÔLER v. tr. Garnir de tôle. *Tôler* une auge en bois, le toit d'un hangar.

TOLLIBI n. m. (amér.) Variété de poisson.

TOMAHAWK n. m. (amér.) **1.** Hache de guerre rudimentaire constituée d'une pierre taillée fixée par des lanières de peau au bout d'un bâton et qu'utilisaient les Amérindiens, casse-tête. Mot fréquent dans la toponymie du Québec. **2.** Petite hache, hachette. [++]

TOMATE n. f. **1.** Argot. Dollar canadien. Prêter dix *tomates* à un ami. [+++] Syn., voir : **douille**. **2.** Argot. Tête, caboche. Sortir la *tomate* à l'air quand il fait moins trente n'est pas conseillé. Syn., voir : **caboche**.

TOMBAGE n. m. *Tombage d'eau* : le fait d'uriner, de *tomber de l'eau*.

TOMBE n. f. **1.** [#] Cercueil. Le tilleul est utilisé pour la fabrication des *tombes*. [+++] Syn. : **coffre**. **2.** Dans les pièges à ours, lourde pièce de bois maintenue soulevée par un petit poteau auquel est accroché un appât; quand l'animal saisit cet appât, la pièce de bois lui tombe dessus et lui casse les reins.

TOMBER v. tr. et intr. **1.** Fig. *Tomber dans l'œil de quelqu'un* : plaire, taper dans l'œil. Dès que Mireille a vu Paul, il lui est *tombé dans l'œil*. [+++] **2.** *Tomber de l'eau* : uriner. Excusez-moi, je vais aller *tomber de l'eau*. (Charsalac) Syn., voir : **lâcher de l'eau**. **3.** *Tomber des clous* : pleuvoir beaucoup.

Depuis hier, *il tombe des clous.* [+++] **4.** *Tomber en amour* (angl. to fall in love) [Ø] : devenir amoureux. Elle est *tombée en amour* la première fois qu'elle l'a vu. [+++] **5.** Mar. *Tomber en bottes, tomber en douelles.* a) Se défaire en parlant d'un tonneau dont les douves ou *douelles* se défont sous l'effet de la sécheresse. Syn., voir : s'**ébarouir**. b) Fig. Perdre connaissance, s'évanouir. Syn., voir : avoir une **faillette**. **6.** *Tomber en pierre.* Voir : **tonnerre qui tombe en pierre**. **7.** *Tomber d'un mal, dans les mals* : avoir une crise d'épilepsie en parlant des personnes et d'un seul animal, le chat.

TOMBEREAU n. m. Voiture d'hiver servant au transport du fumier et de la neige, à boîte basculante et à deux patins qui ont remplacé les deux roues. Syn. : **banneau** (sens 2).

TOMBEREAUTÉE n. f.; **TOMBERÉE** n. f.; **TOMBERON-NÉE** n. f. Le contenu, la charge d'un tombereau. Une *tomberée* de patates.

TOMBLEUR n. m. (angl. tumbler) Voir : **tumbleur**.

TONDRE n. m. [#] Vx en fr. Tondre (n. f.), c'est-à-dire bois décomposé par l'action des champignons, très inflammable quand très sec, amadou. Les trappeurs et les chasseurs utilisent encore aujourd'hui de la *tondre* pour faire du feu. [++] Syn. : **punk**.

TONDREUX, EUSE adj. Pourri, vermoulu, devenu de la tondre. Du bois *tondreux*. [++]

TONDREUX n. m. Rognon de castor de texture spongieuse et à forte odeur de musc, utilisé par les trappeurs pour attirer certains animaux à fourrure et que l'on conservait dans du whisky blanc. Syn. : **drogue**, **huileux**, **rognon huileux**, **rognon tondreux**.

TONDRIÈRE n. f. Endroit où l'on trouve de la *tondre* en abondance.

TONGUE, TOGNE n. f. (angl. tongue) [Ø] Timon d'une voiture hippomobile. (O 27-116) Syn. : **aiguille**, **aiguillon**, **pole**, **proue**.

TONNE n. f. **1.** Fig. *Sentir la tonne, sentir le fond de tonne* : empester l'alcool. Le lendemain d'une cuite, on *sent la tonne*. **2.** Fig. Femme grosse, corpulente, forte en chair. Se dit aussi mais plus rarement d'un homme. Syn., voir : **toutoune** (sens 1).

TONNERRE n. m. **1.** Vx ou litt. en fr. Foudre. Le *tonnerre* est tombé sur cet arbre. **2.** *Tonnerre qui tombe en pierre* : foudre qui frappe sans mettre le feu mais en brisant tout.

TONSURE n. f. Toison. Cette année, les moutons ont des *tonsures* épaisses.

TONTURE n. f. Mar. Courbure d'un canot, des patins d'un traîneau, ou des deux prolonges du brancard entre lesquelles est attelé un cheval.

TOP n. m. (angl. top) [Ø] **1.** Tête d'un arbre. [+[Syn. : **faît**. **2.** Autrefois, capote de boghei. Rabattre le *top* d'un boghei quand la pluie avait cessé. [+++] **3.** Toit d'une auto, des anciens bogheis. Anglicisme en perte de vitesse. **4.** Mégot. Mettre les *tops* de cigarettes dans un cendrier. [++]

TOPATTE n. m. (angl. towpath) Voir : **towpath**.

TOPER v. tr. et intr. (angl. to top) [Ø] **1.** Couper, courtauder. *Toper* la queue d'un cheval. **2.** Étêter, écimer, couper la tête d'un arbre. [+] **3.** Fig. Fumer cigarette après cigarette. [+++]

TOPEUR, TOPEUX, EUSE n. (angl. toper) [Ø] Fig. Se dit de quelqu'un qui fume cigarette après cigarette. [+++]

511

TOPINAMBOUR n. m. Hélianthe tubéreux.

TOPINE n. f. Verrue qui pousse sur certains légumes (carottes, navets, etc.). (acad.)

TOPLESS n. f. (angl. topless) [Ø] Voir : **gogo-girl**.

TOQUANT, E adj. Se dit de tout aliment, surtout sucré qui procure vite la satiété. La *tire* d'érable, c'est *toquant*. Syn : **ouillant**.

TOQUE n. f. **1.** Morceau de *tire* d'érable que l'on déguste le printemps dans l'érablière. **2.** Bardane, plante et capitules. (E 34-91) Syn., voir : **grakia**. **3.** Chignon formé de longues tresses de cheveux ramenées en boule et maintenu en place par de longues épingles à cheveux. [++] **4.** Jeune pousse de framboisier.

TOQUÉ, E adj. et nom. Obstiné, entêté, qui ne change pas d'idée facilement. [+++]

TOQUER v. tr., intr., et pron. **1.** Dial. en fr. Heurter, frapper, casser. Le bélier l'a *toqué* dans le derrière; les deux béliers *se sont toqués* pendant une heure. (O 27-116) **2.** En parlant d'un cheval, tirer par saccades. [+++] **3.** Dial. en fr. Frapper. On vient de *toquer* à la porte, va donc ouvrir! [+++] **4.** Repaître, rassasier. La *tire* d'érable, ça *toque* vite, ça procure vite la satiété. Syn. : **ouiller. 5.** S'obstiner. Quand Pierre *se toque* sur une idée, impossible de le faire changer d'idée. **6.** Battre, palpiter. Quand il a vu les blessés, le cœur lui *toquait*.

TOQUEUX, EUSE n. et adj. Cheval qui tire par saccades risquant alors de briser le harnais.

TORCHE n. f. **1.** Fig. Femme grosse, d'un embonpoint excessif, et souvent d'une propreté douteuse. [++] Syn., voir : **toutoune** (sens 1). **2.** Terme de mépris : *Grosse torche!*

TORCHER v. tr. Vx et pop. en fr. Nettoyer, frotter, essuyer, rendre propre. *Torcher* un plancher, une casserole.

TORCHON n. m. **1.** Serpillière servant à laver les planchers. [+++] Syn. : **gognon, guegnon à place, linge à plancher, torchon à plancher. 2.** Au pl. Gros flocons de neige qui tombent par temps doux. C'est le printemps surtout que la neige tombe en *torchons*. (O 25-117) Syn., voir : **peaux de lièvre. 3.** Crêpe de farine cuite sur la plaque du poêle.

TORCHON, ONNE adj. et n. Vx en fr. Malpropre, mal habillé, en parlant d'une personne. Syn., voir : **souillon**.

TORDAGE n. m. Fig. *Tordage de bras* : action de *tordre le bras* à quelqu'un, d'insister fortement pour obtenir son appui, son consentement.

TORD-BABINE, TORD-GUEULE [++] n. m. Tord-nez pour maîtriser un cheval rétif lors du ferrage. Syn., voir : **mouchettes**.

TORDEUR, TORDEUSE n. Autrefois, essoreuse manuelle ou électrique à rouleaux. [+++] Syn. : **retordeur, retordeuse**.

TORD-LA-MÈCHE n. m. et adj. Avare, harpagon. Syn., voir : **avaricieux**.

TORDRE v. tr. Fig. *Tordre le bras* à quelqu'un : faire pression, insister fortement auprès de quelqu'un pour obtenir son adhésion, son consentement.

TORONTOIS, E adj. et n. Gentilé. De Toronto ; habitant de Toronto. Les *Torontois* sont fiers de leur ville. La presse *torontoise* est importante.

TORQUETTE n. f. **1.** Vx en fr. Feuilles de tabac à fumer ou à chiquer tressées, pliées puis pressées pour être le moins encombrantes possible. [+++] Syn. : **tortillon**. **2.** *Torquette de tire* : tire d'érable enroulée au bout d'un bâton et que l'on déguste lors des *parties de cabane*.

TORRIEU! interj. Juron. Exclamation marquant la surprise, l'admiration. *Torrieu!* je ne savais pas que la guerre était finie! *Torrieu!* elle est belle cette *créature*.

TORRIEUX, EUSE adj. (Variante de l'ancien juron *corps Dieu!* du Moyen Âge) **1.** Superlatif. Une *torrieuse* de belle femme : une très belle femme. **2.** *En torrieux* : a) Beaucoup, très. Il fait froid *en torrieux.* b) *Être en torrieux* : être en colère. Syn., voir en **sacre**

TORTASSERIE n. f. Pâtisserie. Faire de la *tortasserie* pour les fêtes. (acad.) Syn., voir : **galettage**.

TORTEAU, TOURTEAU, TARTEAU n. m. **1.** Brioche, pâtisserie, petit gâteau rond *blanc* (non sucré) ou *doux* (sucré). (acad.) **2.** Crêpe de farine de sarrasin. Syn., voir : **galette**.

TORTILLON n. m. Feuilles de tabac à fumer ou à chiquer tressées, pliées et pressées pour être le moins encombrantes possible. Syn. : **torquette** (sens 1).

TORTUE n. f. Autrefois, robuste poêle à bois ayant la forme d'un tonneau et ne servant qu'au chauffage.

TORTUSE adj. f. [#] Tordue, arquée, croche. Avoir une jambe *tortuse*. [#]

TOSSIER n. m. (angl. toast) [Ø] **1.** Grille que l'on posait sur la cuisinière et sur laquelle on faisait griller le pain, avant l'arrivée du grille-pain électrique. **2.** Grille-pain électrique. Syn. : **toasteur**.

513

TOTER v. tr. (angl. to tote) [Ø] Porter des fardeaux sur son dos, surtout en forêt. [+] Syn. : **portager**.

TOTEUR n. m. (angl. toter) [Ø] Portageur qui, en forêt, transporte des fardeaux sur son dos. [+]

TOTE-ROAD n. m. (angl. tote road) [Ø] Voir : **portage** (sens 1 et 2).

TOU adv. Voir : **itou**.

TOUAGE n. m. Mar. Remorquage d'un véhicule automobile en infraction ou accidenté. (Rég. de Montréal)

TOUBI n. m. (acad.) Éclisse ou *clisse* de frêne servant à faire des paniers, à garnir le fond d'un siège ou qu'on attache au bout d'un manche pour faire un balai. Syn. : **clisse**.

TOUCHANT prép. Vx ou litt. en fr. Au sujet de, concernant. J'aimerais avoir ton opinion *touchant* le changement de programme.

TOUCHE n. f. **1.** Fam. en fr. Bouffée qu'un fumeur tire à chaque aspiration. [+++] **2.** *Tirer une touche, prendre une touche* : fumer, fumer un peu, fumer une pipée. Ça fait du bien de *tirer une touche* après un bon repas. [+++] **3.** *Sur une touche* : complètement. Le premier ministre va se faire battre *sur une touche* à la prochaine élection.

TOUCHERON n. m. Toucheur, celui qui conduisait les bœufs attelés. (acad.)

TOUÉ Contraction de *tous les*, la consonne l devenant intervocalique tombe. Saluer *toué* z enfants, ramasser *toué* z outils.

TOUÉE n. f. Mar. **1.** Fig. *Avoir de la touée* : être au-dessus de ses affaires, avoir du temps devant soi, avoir plusieurs cordes à son arc. (Lanaudière) **2.** *Prendre de la touée* : prendre de l'avance.

TOUELLE n. f. [#] Voir : **douelle**.

TOUER v. tr. Mar. Remorquer un véhicule automobile en infraction ou accidenté. (Rég. de Montréal)

TOUFFÉE n. f. Touffe d'arbres de la même espèce. Il y a une *touffée* de sapins à l'autre bout de l'érablière. Syn., voir : **bouillée**.

TOUFFUSE adj. f. [#] Touffue. Une forêt *touffuse*.

TOUGH, TOFFE adj. et n. (angl. tough) [Ø] **1.** Difficile à faire, en parlant d'un travail. [+++] **2.** Brutal ou grossier, en parlant d'un homme surtout. [+++] **3.** Houleuse, en parlant de la mer. **4.** Difficile à supporter, en parlant d'un malheur. **5.** Résistant à la fatigue, à la douleur. Un homme *tough*.

TOUGHFER, TOFFER v. tr. et intr. (angl. to tough) [Ø] Endurer, supporter une épreuve, résister, tenir bon, ne pas lâcher. [+++]

TOUGHFEUR, TOFFEUX, EUSE adj. et n. (angl. tough) [Ø] Personne capable de *toughfer*. [+++]

TOUISSE n. f. Voir : **twist**.

TOUJOURS adv. Au moins. Tu es tombé et tu saignes, tu ne t'es pas fait trop mal, *toujours*.

TOUJOURS BIEN QUE loc. prép. [#] Toujours est-il que, en tout cas. Formule employée, amenée à la suite dans un récit.

TOULADI, TOURADI n. m. (amér.) Omble gris, poisson particulier à l'Amérique du Nord. Mot fréquent dans la toponymie du Québec. [++] Syn. : **truite de lac**, **truite grise**.

TOUNDRIQUE adj. *Terrain toundrique* : terrain de la zone arctique où ne poussent que mousses, lichens et bruyères, toundra.

514

TOUNE, TIOUNE, QUIOUNE n. f. (angl. tune) [Ø] **1.** Air de musique. Jouer une *toune* au piano. [+++] **2.** Chanson. Chante donc une petite *toune* à ta marraine! [+++] Syn. : **turlute**. **3.** Cuite. Partir sur une *toune*. [++]

TOUNE, GROSSE TOUNE n. f. Variante de *tonne* au sens de femme grosse, forte en chair, bien enveloppée, d'un embonpoint remarquable. [+++] Syn., voir : **toutoune** (sens 1).

TOUPIE n. f. Femme désagréable, hargneuse. Espèce de vieille *toupie*!

TOUPINE n. f. Femme grosse, corpulente, bien en chair, bien enveloppée. [++] Syn., voir : **toutoune** (sens 1).

TOUR n. m. **1.** Fût de la raquette à neige. Syn., voir : **monture**. **2.** *Avoir le tour* : avoir la manière, la dextérité. Cette serrure est difficile à ouvrir, il faut *avoir le tour*. [+++] **3.** Visite. Venez faire un *tour*, ne comptez pas les *tours*, on aime toujours ça vous voir! [+++] **4.** Fam. en fr. *Tour de reins* : douleur aiguë que l'on ressent dans la région lombaire souvent suite à un mouvement brusque, lumbago. [+++] Syn. : **détour de reins**. **5.** *Tour du chapeau* (angl. hat trick) [Ø] : au hockey, exploit d'un joueur qui réussit à marquer trois buts au cours d'un même match. [++] **6.** *Tour d'ongle* : panaris au pourtour d'un ongle. [++] Syn. : **tournure**.

TOURAGE n. m. Fût de la raquette à neige. Syn., voir : **monture**.

TOURBE n. f. (angl. turf) [Ø] Gazon en plaques provenant d'une *gazonnière* et dont on fait les pelouses. Pour avoir une pelouse rapidement, on préfère couvrir un terrain de *tourbe* plutôt que de semer de la graine de gazon. Dérivés : **détourbeuse**, **tourber**.

TOURBER v. tr. (angl. to turf) [Ø] Couvrir de gazon en plaques, de *tourbe*, gazonner.

TOUREUR, TOUREUX, EUSE adj. et n. Qui aime jouer des tours, espiègle. Le petit Léon il est *toureux* comme son grand-père que j'ai bien connu. Syn., voir : **ratoureur** (sens 1 et sens 2).

TOURILLON n. m. Treuil d'un puits permettant de puiser de l'eau sans effort. Syn., voir : **dévidoir**.

TOURLOURE, TOURLOUTE, TURELURE n. f. Train-train habituel, routine habituelle. Quoi de neuf ici? — Toujours la même *tourloure*, la même *tourloute*, la même *turelure*!

TOURLOUTE n. f. **1.** Faux ou poisson de plomb armé d'hameçons dont on se sert pour pêcher la morue ou pour capturer l'encornet, turlutte. [#] Syn., voir : **jiggeur**. **2.** Train-train habituel, routine habituelle. Ici rien de nouveau, c'est toujours la même *tourloute*. Syn. : **tourloure**.

TOURMALINE n. f. Bonnet de laine ayant la forme d'un grand béret et porté par les écolières seulement, encore dans les années trente. [++]

TOURNAILLER v. intr. Errer, aller d'un côté et de l'autre.

TOURNAILLEUR n. m. Treuil d'un puits permettant de puiser de l'eau sans effort. Syn., voir : **dévidoir**.

TOURNE-AVISSE n. m. [#] Tourne-vis.

TOURNEBROCHE n. m. Bielle de la faucheuse à foin qui communique le mouvement à la faux. (entre 46-83 et 8-133) Syn. : **archette**, **pitman**.

515

TOURNÉE n. f. **1.** *Faire la tournée* : passer d'un érable à un autre pour recueillir la sève sucrée. (O 22-124) Syn. : **courir les érables**, faire la **ramasse**. **2.** *Tournée du jour de l'An* : coutume consistant pour les jeunes garçons célibataires à aller offrir, en petits groupes, leurs vœux du Nouvel An, surtout là où il y a des jeunes filles, occasion rêvée de les embrasser et de se voir offrir un verre par le maître de la maison. [+++] Syn. : **run**. **3.** Collecte, quête que l'on fait surtout à la campagne pour venir en aide aux nécessiteux ou à quelqu'un dont la maison ou la grange a brûlé.

TOURNER v. tr. et intr. **1.** Castrer un taureau ou un cheval à l'aide de *bois* ou de serres. [++] Syn., voir : **affranchir**. **2.** Fig. *Tourner capot* : changer d'allégeance politique, tourner casaque, retourner sa veste, changer de religion. [++] Syn. : **revirer son capot**, **virer capot**. **3.** Fig. Devenir fou. C'est après ce terrible accident qu'il *a tourné*. Syn., voir : **chavirer**.

TOURNETTE n. f. **1.** Vx en fr. Dévidoir à axe horizontal servant à mettre la laine en écheveau. [++] Syn. : **travouil**. **2.** Barrière montée sur des gonds.

TOURNEUX n. m. **1.** Homme qui fait la *tournée* des érables pour recueillir la sève sucrée de chaque érable. (O 22-124) Syn. : **coureux d'érables**. **2.** Jeune célibataire qui fait la *tournée du jour de l'An*.

TOURNIQUET n. m. **1.** Girouette placée sur les bâtiments de ferme. Syn., voir : **vire-vent**. **2.** Tord-nez pour maîtriser un cheval lors du ferrage. Syn., voir : **mouchettes**. **3.** Fig. Dans un cours d'eau, remous occasionné par une grosse pierre faisant obstacle au courant. [+] Syn. : **aile-de-charrue**. **4.** Tourbillon de vent de peu de durée qui, selon les saisons soulève poussière, foin ou neige. [+] Syn. : **sorcière. 5.** Émérillon empêchant une chaîne de se tortiller, touret. Syn. : **swivel**, **vireau**, **verrou**, **virole**.

TOURNURE n. f. Variété de panaris qui se développe autour d'un ongle, tourniole. Les pêcheurs de métier ont souvent des *tournures*. Syn. : **tour d'ongle**.

TOURTE n. f. Nom populaire de la tourterelle triste.

TOURTEAU n. m. Voir : **torteau**.

TOURTIÈRE n. f. **1.** Tarte à la viande couverte d'une abaisse, tourte à la viande. [+++] **2.** Gros pâté fait de différentes viandes (gibier, porc, bœuf, poulet) et de pommes de terre, couvert d'une ou de deux abaisses; appelé «*tourtière du Lac-Saint-Jean*» dans les restaurants de la ville de Québec. (Charsalac)

TOURYGAN n. m. (amér.) Espèce de petit tambour fait d'une peau de chevreuil montée sur un barillet défoncé. [+++]

TOUSER v. tr. **1.** Tondre des moutons. **2.** Plumer une poule, un coq.

TOUS-LES-JOURS (EN...) En habit de semaine, en habit de travail. Refuser d'aller faire des courses *en tous-les-jours*.

TOUT, TOUTE adj. ind. *À la toute fin de, au tout début* : vraiment à la fin, au début. [+++]

TOUT SUITE adv. [#] Tout de suite. Oui, j'arrive *tout suite*!

TOUTOUNE n. f. **1.** Femme grosse, corpulente, forte en chair, dondon. Regarde la *toutoune* là-bas, ça déborde de partout. [+++] Syn. : **bacquais**, **marloune**, **pitoune**, **plug**, **poutine**, **tampoune**, **tonne**, **torche**, **toune**, **toupine**. **2.** Terme affectif qu'emploient les adultes en s'adressant à une petite fille ou en parlant d'elle. Viens voir ta tante ma petite *toutoune*, ma belle *toutoune*. [+++] Syn. : **bisoune**, **chouette**, **garce**, **gorlèze**, **gouine**.

516

TOWNSHIP n. m. (angl. township) [Ø] Division territoriale établie sur les terres de la Couronne après 1763 et ayant environ cent *milles* carrés, soit 25 888 ha. Aujourd'hui nous parlons de *canton*. Anglicisme disparu. Syn. : **canton**.

TOWPATH, TOPATTE n. m. (angl. towpath) [Ø] Sentier d'approvisionnement en forêt, sentier de portage. [+] Syn., voir : **portage**.

TPS n. f. Sigle. *T*axe sur les *p*roduits et *s*ervices, équivalant à la TVA européenne. Cette taxe fédérale existe depuis le 1er janvier 1991.

TRACAS n. m. **1.** Au pl. Menues besognes. Passer la journée à faire des *tracas*. **2.** Variété de beignets. [+] Syn., voir : **beigne**.

TRACASSER v. intr. Faire de menues besognes; perdre son temps, musarder. Avec ce mauvais temps, on a passé la journée à *tracasser*. (O 37-85) Syn., voir : **bretter**.

TRACEL n. m. (angl. trestle) [Ø] Voir : **trestle**.

TRACK n. f. (angl. track) [Ø] **1.** Voie ferrée. Il est dangereux de marcher sur la *track*. [+++] **2.** Rail de voie ferrée. Quand il fait très froid les *tracks* raccourcissent. [+++] **3.** Trace laissée par les patins d'un traîneau sur la neige ou par les roues sur la terre. Syn., voir : **reile. 4.** Fig. : *Être en dehors, à côté de la track* : être en dehors du sujet. Syn. : **coche**, être à côté de la **patate** (sens 4), être dans les **patates** (sens 4).

TRAHIR (SE) v. pron. Voir : **traillir**.

TRAIL n. f. (angl. trail) [Ø] **1.** Sentier piétonnier en forêt, piste. [++] **2.** Chemin permanent mais rudimentaire en forêt ou dans l'érablière. **3.** En forêt, piste temporaire tracée autour d'une étendue d'arbres à abattre et qu'on utilisera pour le débusquage. Syn., voir : **revirée**.

TRAILEUR n. m. (angl. trailer) [Ø] Remorque qu'on attache derrière un véhicule automobile.

TRAILLIR, TRAHIR (SE) v. pron. Luxer, déplacer, déboîter. Il s'est *trailli* une cheville en tombant sur de la glace vive. Syn. : **tressaillir**.

TRAIN n. m. **1.** Ménage, travaux domestiques. Tous les jours les femmes font le *train* de la maison appelé aussi *petit train*. **2.** Soins donnés aux animaux à l'étable ou à l'écurie (traite, nourriture, nettoyage, etc.). Faire le *train* deux fois par jour. [+++] Syn. : **ménage**. **3.** Vx en fr. Bruit, tapage, tumulte. Faire du *train* au point d'empêcher les voisins de dormir. [+++] Syn., voir : **cabas**. **4.** Fig. *Manquer le train.* a) Rester célibataire, sur le carreau, en parlant d'une femme ou d'un homme. Syn., voir : manquer la **marée** (sens 3). b) Rater une affaire, une bonne occasion. Après coup, on dira : *le train est passé, on a manqué le train*.

TRAÎNANT, E p. adj. **1.** Se dit de quelqu'un qui ne semble pas se remettre d'une grave maladie, qui ne reprend pas le dessus. Notre voisin est toujours *traînant*. **2.** Voir : **voiture traînante**.

TRAÎNASSERIE n. f. Objets à la traîne.

TRAÎNE n. f. **1.** Voiture hippomobile d'hiver à patins bas et servant au transport des personnes, un peu plus chic que le *berlot*, mais moins chic que la *carriole*. (Lanaudière) **2.** Traîneau à patins bas pour le transport du bois, des marchandises. **3.** Traîneau d'érablière pour le transport de la sève d'érable. Syn. : **sleigh de cabane**. **4.** Traîneau-jouet pour les enfants, modèle réduit de la **traîne** (sens 1). **5.** *Traîne à barreaux, traîne à bâtons.* Voir : **traîneau à bâtons**. **6.** *Traîne à roches* : traîneau à pierres. (Entre 91 et 141 au sud du Saint-Laurent) Syn. : **stoneboat, traîne plate**. **7.** *Traîne plate* : traîneau à pierres qui peut aussi servir au transport de certaines machines aratoires sur la ferme. (O 22-124) Syn., voir : **traîne à roches**. **8.** *Traîne sauvage* : traîneau étroit et long (40 cm sur 200) sans patins, fait de planches recourbées à l'avant et qui glisse facilement sur la neige. Aujourd'hui, on l'utilise surtout pour glisser sur les pentes recouvertes de neige. (surt. O 22-124) Syn. : **tabagane** (sens 1).

TRAÎNEAU n. m. **1.** Cep de la charrue. **2.** Traîneau-jouet pour les enfants. [+++] **3.** *Traîneau à barreaux, traîneau à bâtons, traîneau bâtonné* : traîneau à patins bas dont on se servait pour transporter le bois de chauffage, retenu de chaque côté par des bâtons que des *ambines* empêchaient de s'écarter. Syn. : **traîne à bâtons, traîneau à barreaux, sleigh à bâtons, sleigh à barreaux**. **4.** *Traîneau de portage.* Voir : **bacagnole** (sens 1). **5.** *Traîneau renclos, traîneau rentouré* : traîneau rudimentaire avec caisse et servant au transport des provisions ou des personnes. (Beauce) Syn : **berlot**. **6.** Fig. *Descendre en traîneau* : se dit d'un camion ou d'une auto dont les pneus ne mordent pas sur la neige ou sur la glace et qui descendent les côtes en glissant dangereusement, comme un traîneau, à droite et à gauche, en slalom. [++]

517

TRAÎNÉE n. f. **1.** Trace laissée sur la neige par la loutre ou le vison. **2.** Charge d'une *traîne* (sens 2*)*. Faire deux *traînées* pour transporter toutes les provisions.

TRAÎNER v. tr. Fig. *Se traîner les pieds* : être lent à agir, à légiférer, à se décider. Face à la pollution des cours d'eau par les égouts, le gouvernement *s'est traîné les pieds* pendant bien des années. [+++]

TRAÎNERIE n. f. **1.** Objet laissé à la traîne. Habituer les enfants à ramasser leurs *traîneries* avant de se mettre au lit ou de partir pour l'école. **2.** *Pas une traînerie* : rapidement, sur-le-champ. Les livres, on va les ranger, ça ne sera *pas une traînerie*

TRAÎNEUR, TRAÎNEUX, EUSE n. et adj. Vx en fr. Personne négligente, qui laisse tout à l'abandon, qui ne range pas, qui laisse tout traîner, traînard.

TRAÎNEUSE n. f. Femme de mauvaise vie, traînée. Syn., voir : **guedoune** (sens 1).

TRAÎNEUX À RIGOLES n. m. Voir : **rigoleuse**.

TRAIT n. m. Tout supplément de mesure pour les grains, les matières sèches pour faire bonne mesure. [++] Syn. : **robinet**.

TRAIT-CARRÉ, TRÉCARRÉ [#] n. m. **1.** Équerre en bois dont les côtés sont très longs et qu'on utilise lorsqu'on fait les assises d'une construction. **2.** Ligne qui marque l'extrémité d'une terre. Mot fréquent dans la toponymie du Québec. [++] Syn. : **cordon, fronteau. 3.** Partie d'une terre éloignée de la maison, près du *trait-carré.* **4.** Tranchée où l'on assoit les fondations d'une construction.

TRAITE n. f. (angl. treat) [Ø] **1.** Tournée de boisson alcoolisée. Quand grand-père nous recevait, il n'était pas avare de ses *traites.* **2.** *Payer la traite.* a) Offrir une consommation, un verre à quelqu'un, payer une tournée. b) Fig. Éclabousser. Quand il pleut, certains automobilistes *paient la traite* aux piétons, aux joggeurs. **3.** *Se payer la traite* : se faire plaisir. Jacques a réussi à ne pas fumer pendant un mois, il s'est *payé la traite* en allant prendre un repas dans un grand restaurant.

TRAITER v. tr. et pron. (angl. to treat) [Ø] **1.** Servir à boire une boisson alcoolique; se servir à boire. **2.** Fig. *Se faire traiter* : se faire éclabousser. Quand on fait du jogging dans les rues à la fonte des neiges, on risque de *se fait traiter.*

TRAÎTRE adj. **1.** Brutal, rude en parlant de quelqu'un, toujours d'un homme. **2.** *Pas traître* : pas bon, bien ordinaire, de qualité médiocre. Un whisky, un tabac à pipe, un madrier, un employé pas *traîtres.* [++] Syn., voir : **chatteux** (sens 2).

TRALÉE, TRÂLE, TROLÉE n. f. Bande, groupe, grand nombre, ribambelle. Il y avait une *tralée* de monde à l'assemblée. Une *tralée* d'enfants. [+++] Syn. : **battée, bourrée, chipotée, diablée, gigondée, grouée, potée, politaine, pourginée, ramée, saganée, tapée, trale, vacarme.**

TRAMP, TRIMPE n. et adj. (angl. tramp) [Ø] Chemineau, vaurien, propre à rien. Il est devenu *tramp* depuis qu'il habite la ville. Fréquenter des *tramps.* [++] Syn. : **gaboteur, piochon, ratatouille.**

TRAMPER, TRIMPER v. intr. (angl. to tramp) [Ø] Mener une vie de chemineau, de vaurien, de *tramp.*

TRAMPEUR n. m. (angl. tramper) [Ø] Voir : **horsepower**.

TRANCHE n. f. **1.** *Tranche à fer* : Ciseau à fer, ciseau à froid. **2.** Binette servant à désherber. (acad.) Syn. : **gratte** (sens 3). **3.** *Tranche à glace* : scie passe-partout utilisée par ceux qui l'hiver sciaient des blocs de glace à entreposer dans les glacières où s'approvisionnaient les marchands de glace antérieurement à l'arrivée des réfrigérateurs. **4.** *Tranche à foin* : longue lame tranchante, arquée et dentelée, servant à couper le foin d'une *tasserie* pour y pratiquer une tranchée devant servir de passage. (O 25-117) Voir : **coupe-foin**. **5.** *Tranche à pain* : grand couteau à pain, légèrement denté. **6.** *Tranche à tabac* : tranchet, couperet à manche attaché à une planchette et dont on se sert pour hacher du tabac à pipe. Syn. : **hacheur**, **hacheux**. **7.** *Tranche dorée*. Voir : **pain doré**.

TRANCHER v. tr. **1.** Vx en fr. Couper, séparer à l'aide d'un instrument tranchant. *Trancher* du pain. **2.** Enlever la tête et l'épine dorsale de la morue à saler ou à faire sécher. (E 7-141)

TRANCHEUR n. m. Homme dont le travail consiste à *trancher* la morue.

TRANSCANADIEN, ENNE adj. et n. Qui traverse le Canada d'un océan à l'autre. La route *transcanadienne* s'appelle communément la *transcanadienne* et a été construite après la Deuxième Guerre mondiale.

TRANSFERT n. m. (angl. transfer) [Ø] **1.** Billet de correspondance surtout dans le transport urbain, correspondance. **2.** Endroit où l'on change d'autobus, de ligne de métro.

519

TRANSFORMEUR n. m. (angl. transformer) [Ø] Transformateur. Le *transformeur* va être changé suite à l'orage avec éclairs que nous avons eu.

TRANSISTORITE n. f. Maladie contagieuse des étudiants d'aujourd'hui qui ne peuvent se déplacer à pied, en autobus et même au volant de leur voiture sans se brancher sur leur transistor.

TRANSMISSION n. f. (angl. transmission) [Ø] Boîte de vitesse d'un véhicule automobile. Anglicisme qui a la vie dure.

TRANSPIGOUSSE n. f. Lampe à l'huile rudimentaire utilisée dans les chantiers forestiers et que l'on fichait à un poteau.

TRANSPORT n. m. Litt. en fr. *Modérer ses transports* : se calmer, ne pas s'énerver.

TRANSQUÉBÉCOISE n. f. Autoroute qui traverse le Québec habité, du sud au nord, en passant par Trois-Rivières.

TRANSVIDER v. tr. Rég. en fr. Faire passer d'un contenant à un autre contenant, transvaser. *Transvider* de l'eau, de la farine.

TRAPPAGE n. m.; **TRAPPE** n. f. Action de *trapper*. Novembre et décembre sont les deux meilleurs mois pour le *trappage*, pour la *trappe*; faire du *trappage*, de la *trappe*; aller, monter au *trappage*, à la *trappe*. [+++]

TRAPPE n. f. **1.** Piège à prendre les oiseaux. **2.** *Nasse à anguilles*. Syn., voir : **bourne**. **3.** *Trappe à homards* : casier à homards. (acad.) Syn., voir : **attrape (à homards)**. **4.** *Trappe à mouches* : boîte-piège pour capturer les mouches. Syn., voir : **attrape** (sens 3). **5.** Argot en fr. Bouche. *Se faire aller* *la trappe, se fermer la trappe* : parler beaucoup, se taire. Syn., voir : **grelot** (sens 5).

TRAPPER v. tr. et intr. Exercer le métier de trappeur, c'est-à-dire de chasseur d'animaux à fourrures. Ce vieux trappeur *trappait* déjà le castor au début du siècle. [+++]

TRAPPISTINE n. m. Chocolat fabriqué par les religieuses trappistines installées à Saint-Romuald au sud de Québec. Acheter du *trappistine* pour sa fiancée.

TRAQUE n. f. (angl. track) [Ø] Voir : **track**.

TRASSE n. f. Morceau de bois de poêle de 12 à 15 *pouces* de longueur. (acad.)

TRAVAIL n. m. **1.** Brancard d'une voiture d'été ou d'hiver, formé de deux prolonges entre lesquelles est attelé un cheval. (O 27-116) Syn. : **menoires**. **2.** *Travail croche* : brancard décentrable d'une voiture d'hiver. (O 27-116) Syn. : **menoires croches**. **3.** Sorte de travois ou brancard fait de deux fortes prolonges souvent ferrées, recourbées et réunies par une traverse ou sommier qui porte le pied de la grume à débusquer. Syn., voir : **bacagnole** (sens 1).

TRAVAILLABLE adj. Impossible de faire un travail, de travailler. Quand il fait moins quarante, ce n'est pas *travaillable* à l'extérieur.

TRAVAILLANT n. m. Travailleur, ouvrier. L'heure des *travaillants* est l'heure de pointe de la circulation qui coïncide avec les sorties des usines et des bureaux. [+++]

TRAVAILLANT, E adj. Qui a du cœur à l'ouvrage, qui aime travailler. Il réussira à se trouver un bon emploi car il est très *travaillant*. [+++]

TRAVAILLER v. intr. **1.** En milieu rural surtout, faire un travail manuel. On répétait souvent aux garçons : faites-vous instruire, comme ça vous ne *travaillerez* pas! **2.** Avoir un emploi rémunéré à l'extérieur de chez soi, en parlant des femmes mariées. Madame Chose ne peut pas *travailler*, elle élève ses cinq enfants qui ont entre 3 et 11 ans. **3.** Chauffer, en parlant du foin encore humide qu'on engrangeait en vrac dans les tasseries pour nourrir les vaches et les chevaux pendant l'hiver.

TRAVÉE n. f. Surface étroite et longue sur laquelle on exécute un travail. Goudronner une couverture de bardeaux par *travée*.

TRAVERS n. m. **1.** Petite bille de bois qui supporte le *boulin* inférieur d'une clôture. Syn., voir : **billochet**. **2.** Clôture établie sur la largeur d'une terre. [+++]

TRAVERSE n. f. **1.** Endroit où accoste un bateau passeur, un *traversier*. Se rendre à la *traverse* (à Québec) pour aller à Lévis. **2.** Ferry-boat, bac, *traversier*. Rater la *traverse* de quelques secondes. Syn. : **traversier**. **3.** Chemin balisé tracé sur la glace qui recouvre un cours d'eau ou un lac. Passer par la *traverse* raccourcit le trajet. **4.** *Traverse de chemin de fer, traverse à niveau* (angl. railway crossing) [Ø] : passage à niveau. Comme nos *traverses de chemin de fer* sont encore nombreuses, les accidents y sont fréquents. **5.** Vx ou litt. en fr. Difficulté, obstacle, contrariété. Il a eu toutes les *traverses* imaginables mais il a toujours gardé le moral. **6.** Chemin secondaire reliant deux villages.

TRAVERSIER n. m. **1.** Bac, ferry-boat, bâtiment qui assure la traversée des véhicules et des personnes d'une rive à l'autre d'un lac, d'un cours d'eau. (NOLF) Syn. : **traverse** (sens 3). **2.** [#] Traversin de lit.

520

TRAVOIS n. m. Traîneau rudimentaire, originaire des Prairies, consistant en une espèce de brancard fait de deux prolonges sur lesquelles est fixée une plate-forme et qui peut être tiré par un homme, un chien ou un cheval. Le *travois* fut très utilisé dans les chantiers forestiers du Québec. Syn., voir : **bacagnole** (sens 1).

TRAVOUIL n. m. Vx en fr. Dévidoir à axe horizontal servant à mettre la laine en écheveau. (acad.) Syn. : **tournette**.

TRAVOUILLER v. tr. Enrouler la laine sur un cadre ou dévidoir appelé *travouil*. *Travouiller* de la laine. (acad.)

TRAWL n. f. (angl. trawl) [Ø] Chalut constitué d'un filet en forme d'entonnoir halé par un bateau.

TRAWLER v. tr. (angl. to trawl) [Ø] Faire le pêche à la *trawl*, au chalut; chaluter.

TRAYER v. tr. [#] Traire. C'est l'heure de *trayer* les vaches. [+] Syn. : **tirer**.

TRÉCARRÉ n. m. Voir : **trait-carré**.

TRED, TRÉDEUR n m. (angl. tread, treader) [Ø] Trépigneuse constituée d'un pavé incliné et roulant actionné par des bœufs ou des chevaux pour actionner une batteuse. (Gaspésie) Syn., voir : **horse power**.

TRÈFLE n. m. **1.** *Trèfle alsique* : variété de trèfle à fleurs violettes utilisé comme fourrage, trèfle hybride. **2.** *Trèfle blanc* : trèfle rampant. **3.** *Trèfle d'odeur* : mélilot blanc. **4.** *Trèfle jaune* : trèfle agraire. **5.** *Trèfle rouge* : trèfle des prés. **6.** Fig. *Être dans le trèfle* : être follement amoureux. **7.** Fig. *Avoir mangé du trèfle* : être enceinte depuis assez longtemps pour que cela se voit au premier coup d'œil. Syn., voir : être en **famille**.

TREMBLANT n. m. Voir : **blanc-mange**.

TREMBLE n. m. Nom courant du peuplier faux-tremble. [+++]

TREMBLETTE n. f. Tremblement dû au froid mais surtout à la vieillesse, tremblote. [+++] Syn. : **branlette**.

TREMBLIÈRE n. f. Peuplement de *trembles*, c'est-à-dire de peupliers faux-trembles, peupleraie. [+++]

TRÈME n. f. [#] **1.** Trame ou bobine du métier à tisser. **2.** Court tuyau en bois qui dirige la sève sucrée de l'érable dans la *chaudière* accrochée au *chalumeau*.

TREMPE adj. [#] Trempé, humide, en parlant des vêtements, du sol, en sueur en parlant des humains ou des animaux. Faire sécher des vêtements *trempes*. On ne peut pas herser de la terre *trempe*. [+++]

TREMPER v. intr. Donner plus d'entrure à la charrue en labourant; c'est le contraire de *détremper*.

TREMPE-SUCRE n. m. Cuiller en bois servant à mouler le sucre d'érable. (Beauce) Syn., voir : **trempoir**.

TREMPETTE n. f. **1.** Tranche de pain trempé dans du lait, de la crème ou encore trempé dans du *réduit*. [+++] Syn. : **trempine, miton. 2.** Sève d'érable en ébullition, proche de l'état de sirop. [+++] Syn. : **trempine. 3.** *Faire trempette, faire une trempette, faire des trempettes* : à la *cabane à sucre*, tremper son pain dans le *réduit* en ébullition. [+++] **4.** *À la trempette* : très mouillé. Après l'orage, ses vêtements étaient *à la trempette*. [+++]

TREMPEUR, TREMPEUX n. m. Cuiller en bois servant à mouler le sucre d'érable. Voir : **trempoir**.

TREMPINE n. f. Voir : **trempette** (sens 1 et 2).

521

TREMPOIR n. m. Cuiller en bois servant à mouler le sucre d'érable. (Beauce) Syn. : **trempeur**, **trempeux**, **trempe-sucre**.

TRÉMUE n. f. [#] Trémie.

TRENTE-SIX n. m. inv. Vx en fr. *Se mettre sur son trente-six* : mettre ses plus beaux habits, se mettre sur son trente et un. [+++] Syn. : **quarante** (sens 1).

TRENTE-SIX-MÉTIERS n. m. inv. Ouvrier qui fait toutes sortes de travaux, qui est homme à tout faire, sans spécialité. On dira alors : *trente-six métiers, trente-six misères* pour souligner l'inconvénient de ne pas avoir un métier. Être *habitant* c'est être *trente-six métiers*. Syn. : **fourreux-de-chien**.

TRENTE-SOUS n. m. inv. **1.** Appellation populaire de plus en plus rare de la pièce de monnaie de vingt-cinq cents. Quatre *trente-sous* faisaient un dollar. **2.** Fig. *Ne pas valoir trente-sous* : être faible, manquer de force. Un citadin comme bûcheron, ça ne vaut pas *trente-sous*. Syn., voir : **chique**.

TRÉPIED n. m. Appui sur lequel le forgeron pose le sabot du cheval pour le ferrer. Syn., voir : **pied-de-fer**.

TRESSAILLIR (SE) v. pron. Démettre, déplacer (un pied, etc.), léser (un muscle, un tendon). Se *tressaillir* une cheville. Syn. : **traillir**.

TRESSE n. f. **1.** *Tresse* de bananes : régime de bananes. [++] **2.** Tresse d'oignons : chapelet d'oignons. [+++]

TRESTLE, TRACEL n. m. (angl. trestle) [#] **1.** Viaduc servant au passage d'une voie ferrée, d'une route. Le 12 janvier 1924, Alexis le Trotteur a été happé par une locomotive sur le *tracel* de la Grande Décharge, à Alma. **2.** Viaduc temporaire constitué d'échafaudages en bois servant à supporter une dalle mouillée dans laquelle passent des billes de bois au-dessus d'une vallée, d'un cours d'eau, d'une route. **3.** Passerelle pour piétons au-dessus d'une rue, d'un boulevard.

TRIBERT n. m. Fourche à trois fourchons, éventuellement à quatre fourchons. (acad.)

TRIBORD n. m. Fig. *Voir les étoiles de tribord à bâbord* : se dit d'une couverture de grange très percée.

TRIC n. m. (angl. trick) [Ø] Astuce, ruse, tour, truc. Ceux qui font de la magie ont toutes sortes de *trics*.

TRICHER v. tr. **1.** *Tricher la couronne.* a) Fig. Faire quelque chose qui est défendu, qu'on ne doit pas faire. Un malade à qui l'alcool est défendu, ne doit pas *tricher la couronne*. b) Fig. Tromper sa femme. Syn. : **tricher sa vieille**. **2.** *Tricher sa vieille* : tromper sa femme. Syn. : **tricher la couronne**.

TRICOLER v. intr. Tituber, marcher en zigzaguant, chanceler pour avoir trop bu. [+++] Syn. : **chambranler.**

TRICOLI n. m. Maladie du cheval due à l'intoxication par la prêle des champs. Syn. : **chambranle**.

TRICOLORE n. m. Voir : **Canadien** (club de hockey).

TRICOTAGE n. m. [#] Tricot. Nos mères prenaient leur *tricotage* chaque fois qu'elles avaient une minute de libre. [+++] Syn. : **brochure**.

TRICOTER v. tr. Voir : **connaître quelqu'un comme si on l'avait tricoté**.

TRICTRAC n. m. Voir : **criccrac**.

TRICYCLE n. m. Véhicule automobile tout terrain, monté par une seule personne et dont les trois roues très basses sont munies de pneus très larges. L'automne, certains trappeurs font la tournée de leurs pièges en *tricycle*. Syn. : **trimoto**.

TRIER v. tr. Cueillir, ramasser. Aller *trier* des fraises de champs, des fruits en général. (Lanaudière et Charsalac) Syn. : **casser** (sens 4).

TRIFLUVIANA n. m. pl. Documents relatifs à la région de Trois-Rivières, en Mauricie.

TRIFLUVIEN, ENNE n. et adj. Gentilé. Natif ou habitant de Trois-Rivières, en Mauricie; de Trois-Rivières.

TRIGAUD, E adj. et n. Vx et rég. en fr. Personne qui manque de franchise, personne rouée, taquin.

TRIGAUDER v. tr. **1.** User de détours, ne pas agir franchement. **2.** Inquiéter. Ça me *trigaude* que l'on n'ait pas encore téléphoné.

TRIGAUDERIE n. f. Intrigue, duplicité.

TRIGAUDEUX, EUSE adj. **1.** Rusé, finaud en affaires en parlant d'un homme d'affaires. Syn., voir : **ratoureur** (sens 1). **2.** Taquin.

TRIMER v. tr. et pron. (angl. to trim) [Ø] **1.** Tondre, tailler, couper, arranger. *Trimer* les crins de la queue d'un cheval, se faire *trimer* les cheveux, *trimer* une haie. **2.** Castrer un animal. *Trimer* un goret, un poulain. [++] Syn., voir : **affranchir**. **3.** Faire sa toilette. Syn., voir : se **toiletter** (sens 1). **4.** Se préparer. Commence à *te trimer*, tu es déjà en retard. Syn., voir : **gréer** (sens 2).

TRIMOTO n. m. Voir : **tricycle**.

TRIMPE n. m. (angl. tramp) [Ø] Voir : **tramp**.

TRIMPER v. intr. (angl. to tramp) [Ø] Voir : **tramper**.

TRIOMPHE n. m. À l'occasion d'une victoire électorale, démonstration tapageuse au cours de laquelle on brûle en effigie le candidat défait. [+++]

523

TRIOMPHER v. intr. Célébrer, fêter bruyamment une victoire électorale. *Triompher* jusqu'au matin. [+++]

TRION n. m. [#] Trayon du pis de la vache.

TRIPANT, E, TRIPATIF, VE adj. (angl. to trip) [Ø] Amusant, drôle, en parlant d'une personne, d'un film, d'une pièce de théâtre. Syn. : **buzant**, **crampant**, **mourant**.

TRIPE n. f. **1.** Chambre à air d'un pneu. Tout conducteur d'auto devait savoir réparer une *tripe*. (O 25-117) **2.** Fig. *Avoir une tripe de vide* : être affamé.

TRIPE-DE-ROCHE n. f. Polypode de Virginie, plante comestible très connue des chasseurs et des trappeurs et aussi en médecine populaire. [+++] Syn. : **mousse-de-roche**.

TRIPÉE n. f. Entrailles d'un animal de boucherie. [++]

TRIPER v. intr. (angl. to trip) [Ø] **1.** Absorber des substances hallucinogènes (L.S.D., hasch, etc.). **2.** Devenir exalté.

TRIPLEX n. m. Habitation comportant trois logements avec entrées distinctes. (ROLF)

TRIPOTER v. tr. Patiner, peloter une femme. [+++]

TRIPOTEUX adj. et n. Patineur, peloteur de femmes. [+++] Syn., voir : **poignasseux**.

TRISTE adj. *Triste comme un Vendredi Saint* : très triste (en parlant d'un endroit ou d'une personne).

TRITRI, TETRI, CRICRI n. m. Tyran tritri, moucherolle de la Caroline. Appellation d'après son cri.

TRIYON n. m. [#] Trayon. Une vache a quatre *triyons*. [++]

TROGNON n. m. **1.** *Être gelé jusqu'au trognon* : avoir très froid, être frigorifié. **2.** *Endoctriner quelqu'un jusqu'au trognon* : endoctrines au point de tuer l'esprit critique. Certaines nouvelles religions ont réussi à endoctriner leurs adeptes *jusqu'au trognon*.

TROIS-CHEMINS n. m. Fourche de chemins.

TROLÉE n. f. Voir : **tralée**.

TROLL n. f. (angl. troll) [Ø] Cuiller. Pêcher à la *troll* : pêcher à la cuiller.

TROLLER v. tr. (angl. to troll) [Ø] **1.** Pêcher à la cuiller. **2.** Fig. Draguer les femmes, racoler.

TROMPE n. f. **1.** Instrument de musique rudimentaire, guimbarde. (acad. et O 40-84) Syn. : **ruine-babines** (sens 2). **2.** [#] Erreur, méprise, bévue. Faire une *trompe* dans ses calculs. [++]

TROMPER v. intr. Jouer de la *trompe,* de la guimbarde. (acad.)

TROMPEUR, EUSE n. Personne qui joue de la *trompe,* de la guimbarde. (acad.)

TROMPEUSE n. f. Carré de tissu brodé, empesé, attaché aux poteaux de la tête du lit et destiné à cacher les oreillers. Syn. : **hypocrite**, **menteuse**, **toilette**.

TRÔNE n. m. Fig. Siège des toilettes. Ah! cet enfant-là passerait des heures sur le *trône*!

TRÔNER v. intr. Fig. Être sur le siège des toilettes. Arrête donc de *trôner*, il y en a qui attendent! Syn. : **siéger**.

TROSSE n. f. Bille de bois de chauffage d'environ 30 cm de longueur. Cet arbre donnera plusieurs dizaines de *trosses*. (acad.)

TROSTER v. tr. (angl. to trust) [Ø] Voir : **truster**.

TROTTE n. m. [#] Trot. Revenir chez soi au *trotte* d'un cheval.

TROTTE n. f. *Être sur la trotte* : voyager, passer sa vie sur les routes, être toujours en mouvement. Paul n'est jamais chez lui, il est toujours *sur la trotte*.

TROTTER v. intr. et pron. Aller se promener, sortir, ne pas être chez soi. Au lieu de faire son travail, notre voisin *se trotte* sans arrêt; il *trotte* du matin au soir.

TROTTEUR, TROTTEUX, EUSE adj. et n. **1.** Qui sort souvent, qui aime sortir, *trotter*. Syn. : **sorteur**. **2.** Fig. Personne de mœurs légères, coureur ou coureuse.

TROTTEUSE n. f. Appareil roulant pour soutenir les enfants qui apprennent à marcher, trotteur. Syn. : **marchette**, **marcheuse**.

TROTTOIR n. m. Grillé aux pommes, pâtisserie propre à la Normandie et qui est apparue au Québec vers 1990.

TROU n. m. **1.** *Trou à bois.* Syn., voir : **caveau**. **2.** Fig. *Être dans le trou* : être en faillite, en déficit. Il peut bien *être dans le trou*, ses dépenses sont trop élevées. **3.** Endroit, restaurant, bar très mal famés. **4.** Argot des prisons. Cachot. **5.** *Trou chaud, trou d'air, trou d'araignée* : sur un cours d'eau ou sur un lac, endroit où la glace prend à peine ou ne prend pas du tout. Un cheval sent toujours un *trou chaud* et l'évite. Un *trou chaud* d'où partent des fissures simulant des pattes d'araignée est un *trou d'araignée*. [++] Syn. : **dégelé**, **dégelis**. **6.** *Trou d'une jument*. Voir : **noir comme dans le trou d'une jument**. **7.** Fig. Village, petite ville loin de tout, endroit perdu. On devient dépressif si l'on habite un tel *trou*. **8.** Fig. *Prendre son trou* : se faire remettre à sa place. **9.** *Un trou, une cheville* : ne rien laisser passer, ne perdre aucune occasion de river son clou à quelqu'un qu'on ne saurait blairer.

TROUBLE n. m. (angl. trouble) [Ø] **1.** Chicane mésentente. Moi, je n'ai jamais eu de *trouble* avec mes voisins.

524

2. Peine. Prendre le *trouble* d'aller visiter un ami malade. **3.** *Se donner du trouble* : se donner du mal, tout faire pour bien recevoir ses amis, pour bien faire un travail. [++] **4.** *En trouble* : en dérangement, en panne (en parlant d'un ascenseur, d'un moteur, etc.). [++]

TROUBLER v. intr. Perdre la raison. À quelques jours d'intervalle, elle a perdu son mari et son fils; quelques semaines plus tard, elle *troublait* et on dut la faire soigner dans un hôpital psychiatrique. [+++] Syn. : **chavirer**, **tourner**.

TROU DE CUL n. m. **1.** Anus. Arrête donc de te gratter le *trou de cul*, as-tu des vers? **2.** Terme d'injure. Personne incapable, incompétente, trou du cul. Ce médecin-là, c'est un *trou de cul*! [+++] **3.** Vulg. *Avoir le trou de cul joyeux* : faire des vents indiscrets et nauséabonds, péter. **4.** *Trou du bedeau* : fosse dans un cimetière. Ne pas attendre d'être dans le *trou du bedeau* pour voyager, pour profiter de la vie.

TROU-DE-SŒUR n. m. Pâtisserie appelée pet-de-nonne. Syn., voir : **nombril-de-sœur**.

TROUFIGNON, TROUFION, TROUPIGNON n. m. **1.** Morceau délicat qu'est le croupion d'une volaille. (O 27-116) Syn. : **bouchée des dames**, **croupignon**, **huilier**, **morceau des dames**. **2.** Coccyx. Avoir mal au *troufignon* suite à une chute. (O 28-101)

TROUSSE, VIEILLE TROUSSE n. f. Femme déplaisante, vieille taupe. [++]

TROUSSEAU, TROUSSEAU DE BÉBÉ n. m. [#] Layette. Préparer de longue main le *trousseau* de son premier enfant.

525

TROUSSE-MÊLEUX, EUSE n. et adj. Gâte-sauce, importun, personne qui se mêle de ce qui ne la regarde pas.

TRUCK n. m. (angl. truck) [Ø] **1.** Voiture de ferme hippomobile à quatre roues, chariot, fourragère. Un *truck* à foin. (Beauce et Gaspésie) Syn., voir : **quatre-roues** (sens 1). **2.** Camion automobile, camion. Mot en perte de vitesse. **3.** Voir : **chariot de la fourche mécanique**.

TRUCKAGE n. m. (angl. truckage) [Ø] Action de transporter en utilisant un *truck* ou camion, camionnage. Mot en perte de vitesse.

TRUCKÉE n. f. (angl. truck) [Ø] Charge d'un *truck* ou camion. Acheter une *truckée* de terre noire. Mot en perte de vitesse.

TRUDEAU n. pr. *Se faire passer un Trudeau* : se faire jouer un sale tour. Allusion au rapatriement de la constitution du Canada sans l'accord du Québec. Syn., voir : se faire passer un **Québec**. Ce nom propre a beaucoup provigné surtout en 1971 et 1972. À preuves : **trudeauburger**, **trudeaucrate**, **trudeaumanien**, **trudeauniste**, **trudeauphile**, **trudeauphilie**.

TRUIE n. f. **1.** Jeu de garçons qui se joue avec des bâtons d'environ 1 m 30 de longueur et une boule de bois appelée *truie*. Un joueur désigné par le sort essaie d'amener la *truie* vers un trou central entouré d'une couronne de trous occupés par les autres joueurs. Ceux-ci essaient d'empêcher la *truie* d'aller cochonner au centre. Un trou abandonné peut être occupé par un autre joueur. La *truie* arrivant au trou du centre, tous les joueurs doivent changer de trou au cri de «elle cochonne». Celui qui n'a pas réussi à occuper un trou devra s'occuper de la *truie*. (O 27-116)

2. Argot. Poêle rudimentaire formé d'un bidon d'acier horizontal monté sur quatre pieds et utilisé surtout dans les chantiers forestiers. [+++] Syn. : **baratte**, **chienne**, **gaillard**. **3.** Argot. Grande scie passe-partout sans dents dégorgeantes. Syn. : **godendart**. **4.** *Truie sourannée* : truie qui n'a pas eu de petits mais qui aurait dû en avoir. **5.** Fig. et vulg. *Truie en rut* : femme qui semble avoir un besoin irrésistible et continu de faire l'amour. En parlant d'un homme on dit : **étalon**, **mâle**. **6.** Fig. Femme d'une malpropreté à faire lever le cœur.

TRUITE n. f. **1.** *Truite blanche, truite d'eau salée, truite de mer, truite de ruisseau, truite mouchetée, truite rouge, truite saumonée* : noms vulgaires de l'omble de fontaine, la véritable truite n'existant pas ici. Mot très fréquent dans la toponymie du Québec. **2.** *Truite à gueule de brochet* : nom vulgaire du brochet d'Amérique. **3.** *Truite grise, truite de lac* : noms vulgaires du *touladi* ou omble gris.

TRUMEAU n. m. Petite armoire encastrée dans un mur entre deux fenêtres.

TRUST n. m. (angl. trust) [Ø] Société de fiducie ou société anonyme. Avant la création d'Hydro-Québec on a beaucoup dénoncé les *trusts* de l'électricité.

TRUSTABLE adj. (angl. trustable) [Ø] Fiable, en qui on peut avoir confiance.

TRUSTARD n. m. Individus possédant beaucoup d'actions dans les *trusts*.

TRUSTER, TROSTER v. tr. (angl. to trust) [Ø] Avoir confiance en quelqu'un. Celui-là, je ne le *trusterais* pas! [+++]

T'SÉ (Deuxième personne du singulier du présent de l'indicatif du verbe savoir) [#] Façon ridicule d'écrire au son tu sais ou t'sais.

TSSA n. f. (amér.) Cache de nourriture, viande ou poisson.

TU Particule interrogative [#] Prononciation populaire, vulgaire et regrettable du *ti* particule interrogative du langage populaire, propagée par certaines pièces de théâtre *quétaines*. Ta mère est-*tu* là? C'est *tu* vrai? Tes amis viennent-*tu*? Ça se peut-*tu*?

TUASSE n. f. Travail, métier très fatigant, éreintant, dangereux pour les travailleurs. Faire sauter un embâcle à la dynamite, c'était de la vraie *tuasse*. Syn. : **pinière**, **tue-chrétien**, **tue-monde**.

TUB n. f. (angl. tub) [Ø] Contenant en bois mais le plus souvent en métal et à usages multiples. Syn. : **baille**.

TUE-CHIEN n. m. Morelle noire.

TUE-MONDE n. m. Syn. : **tuasse**.

TUE-MOUCHES n. m. Petite raquette de caoutchouc ou de plastique pour tuer les mouches, *tapettes à mouches*. Voir : **tape-mouches**.

TUER v. tr. [#] **1.** Éteindre. *Tuer* le feu, la lampe, la lumière. [+++] Syn. : **crever**. **2.** *Tuer la vieille année* : coutume voulant que la veille du nouvel an les jeunes gens armés de bâtons frappaient les murs comme pour assommer l'année finissante.

TUFEUX adj. *Terrain tufeux* : contenant du tuf, où il y a du tuf.

TUILE n. f. (angl. tile) [#] **1.** Tuyau de grès de forme carrée ou ronde placé à l'intérieur d'une cheminée. **2.** Tuyau de grès servant au drainage des terres. **3.** Carreau de terre cuite, de linoléum ou de vinyle servant au recouvrement des sols, des murs d'une salle de bain et que pose le carreleur. En français, les tuiles sont de terre cuite, servent à couvrir un toit et sont posées par un couvreur. [+++]

TUKTUK n. m. (mot inuit) Appellation du caribou.

TUMBLEUR, TOMBLEUR n. m. (angl. tumbler) [Ø] Verre à boire épais et résistant, parfois muni d'une anse. Anglicisme presque disparu. [+]

TUPEK n. m. (mot inuit) Tente inuite estivale recouverte de peaux de caribou ou de phoque.

TUQUE n. f. **1.** Montagne au sommet arrondi. Mot fréquent dans la toponymie du Québec. **2.** Bonnet de laine, autrefois de feutre, en forme de cône et surmonté d'un pompon ou d'un gland que l'on porte l'hiver à l'extérieur. [+++] **3.** Bonnet de fourrure. *Tuque* de vison, de mouton. [+] Syn., voir : **casque de poil** (sens 2). **4.** Bonnet de nuit le plus souvent en laine. [+] **5.** Filtre de tissu de forme conique utilisé pour filtrer le sirop d'érable. Se servir d'une *tuque* de feutre pour couler le sirop. [++] **6.** Chape de métal recouvrant la fusée d'un essieu de bois. [++] **7.** Friandise en forme de cône et souvent recouverte de chocolat. [+++] **8.** Huppe de certains oiseaux. **9.** Argot. Préservatif masculin, condom. Hé les jeunes, n'oubliez pas vos *tuques* si vous ne voulez pas attraper le sida! Syn. : **capuche**. **10.** *Si tu as froid aux pieds, mets ta tuque.* Adage illustrant cette vérité que l'hiver, la tête est une grande source de déperdition de la chaleur. **11.** Fig. *Accrocher sa tuque.* a) Cesser une activité, quelle qu'elle soit. [++] Syn. : accrocher ses **patins**. b) Mourir. Ah! ça fait déjà un an que le vieux Mastaï *a accroché sa tuque*! Syn., voir : **défuntiser**.

527

TUQUER v. tr. et pron. **1.** Mettre un bonnet de laine, une *tuque* sur sa tête, sur la tête d'un enfant. **2.** Argot. Utiliser un condom. Hé les jeunes n'oubliez pas de vous *tuquer*, si vous ne voulez pas attraper le sida!

TUQUON n. m. Petite **tuque ou bonnet de laine** qui se porte l'hiver. (entre 45-79 et 30-100)

TURBOT, TURBOT DU GROENLAND n. m. Flétan du Groenland.

TURLUTE, TURELURE n. f. Chanson ou air que l'on fredonne souvent, rengaine, ritournelle. Syn. : **toune**.

TURLUTER v. tr. et intr. **1.** Gazouiller, piailler. Les merles *turlutent* tôt le matin. Syn., voir : **piaquer**. **2.** Chantonner, fredonner l'air d'une chanson.

TURN-OVER n. m. (angl. turn-over) [Ø] En forêt, piste tracée autour d'une étendue d'arbres à abattre et qu'on utilisera pour le débusquage. Syn., voir : **revirée**.

TURN-UP n. m. (angl. turn-up) [Ø] Revers de pantalon. La mode du *turn-up* revient.

TURQUIE n. m. Voir : **tapis de Turquie**.

TUXEDO, TUXÉDO (angl. tuxedo) [Ø] Smoking dont le veston a des revers de soie.

TUYAU n. m. **1.** *Tuyau d'assurance* : tuyau d'évacuation de la fumée répondant à certaines normes de qualité et de sécurité exigées par les compagnies d'assurance. **2.** *Tuyau des cochons* : à la campagne chez les cultivateurs, gros tuyau qui part de la cuisine et débouche dans la cave où un grand seau reçoit les déchets de cuisine destinés à nourrir les cochons. **3.** a) Fam. en fr. *Tuyau-de-poêle, tuyau* : haut-de-forme. Dans les grandes occasions les hommes portaient le *tuyau-de-poêle*. b) Fig. Pantalon non pressé.

TVQ n. f. Sigle. *T*axe de *v*ente du *Q*uébec.

TWIST n. f. (angl. twist) [Ø] Tour, façon. Cette institutrice a la *twist* avec les enfants.

TWISTEUR n. m. (angl. twister) [Ø] Serre-nez pour maîtriser un cheval indocile lors du ferrage. (Estrie, O 54, Abitibi, Témiscamingue, Ontario, Acadie) Syn., voir : **mouchettes**.

TWIT adj. et n. (angl. twit) [Ø] Argot. Stupide, imbécile, demeuré. Syn., voir : **épais**.

TWITCHER v. tr. (angl. to twicht) [Ø] Traîner les billes de bois depuis l'endroit où on les a coupées jusqu'à celui où on les empile, débusquer. (E 124, 125) Syn., voir : **haler**.

UCC n. pr. f. Sigle. *U*nion *c*atholique des *c*ultivateurs fondée en 1924 et devenue l'*UPA* en 1972. Voir : **UPA**

ULTRA VIRES loc. lat. En parlant d'une loi, relever d'une juridiction supérieure.

ULO, ULU n. m. (mot inuit) Couteau dont se servent les Inuits pour dépecer les phoques.

UMIAK, OUMIAK n. m. (mot inuit) Grande embarcation faite de peaux de phoque ou de caribou. Mot connu des francophones de l'Ouest.

UN n. f. Sigle. *U*nion *n*ationale Voir : **Union nationale**.

UNI, E adj. D'un caractère simple surtout en parlant d'une femme. Cette personne n'est pas gênante, elle est bien *unie*.

UNIFAMILIALE n. et adj. Maison particulière où habite une seule famille. Préférer une maison *unifamiliale* à un appartement.

UNIFOLIÉ n. m. **1.** Drapeau du Canada sur lequel apparaît une seule feuille d'érable et devenu officiel seulement en 1965 en remplacement de l'*Union Jack*. **2.** Joueur faisant partie d'une équipe sportive canadienne dans les compétitions internationales. Les *Unifoliés* ont vaincu les Russes en finale lors du dernier match de hockey.

UNION n. f. **1.** *Union nationale* : parti politique du Québec, né de la fusion du *Parti conservateur* et de l'*Action libérale nationale* en 1936, qui dirigea le Québec pendant près de vingt ans et dont la mort de Maurice Duplessis (1959) marqua le commencement de la fin. **2.** *Union Jack* : drapeau britannique utilisé comme drapeau du Canada jusqu'en 1965, année où il fut remplacé par l'*Unifolié*.

UNIONISTE n. et adj. Membre ou partisan du parti de l'*Union nationale*. Relatif au parti de l'*Union nationale*. Les *unionistes* n'ont fait élire aucun député lors des dernières élections.

UNIQUISTE, UQUISTE n. et adj. Membre ou partisan du parti politique *Unité Québec* qui a pris la succession de l'*Union nationale* en 1971 mais pour une période de temps très courte.

UPA Sigle. *U*nion des *p*roducteurs *a*gricoles (du Québec). À l'ère de la déconfessionalisation du Québec, les cultivateurs ont suivi, abandonnant l'*U*nion *c*atholique des *c*ultivateurs, (l'*U.C.C.*) fondée en 1924, pour l'*UPA* en 1972.

URLON, URLO n. m. Jeune garçon dans la quinzaine. Les salles de danse ne sont pas la place des *urlons*, des *urlos*. (Gaspésie)

USAGÉ, E adj. D'occasion. Acheter une auto *usagée*. Syn. : de **seconde main**.

USÉ, E part. adj. (angl. used) [Ø] Être *bien* ou *mal usé* par son employeur : bien traité ou maltraité. (acad.)

USE-CULOTTE n. f. Glissoire glacée que les jeunes descendent sur leur fond de culotte l'hiver.

USE-POUCE n. m. Briquet à mollette. Syn., voir : **feuseu**.

USSA n. m. Mar. Endroit le plus bas d'un bateau de pêche d'autrefois où se ramassait l'eau qu'il fallait écoper ou pomper, ossec, osset. Vider l'*ussa*; le mousse de l'*ussa*.

USSE n. Sourcil. Il s'est brûlé les *usses* en allumant son cigare. (acad.)

USURE n. f. *Être d'usure* : user beaucoup ses vêtements, ses chaussures, surtout en parlant des enfants. Syn., voir : **usurier**.

USURIER, ÈRE adj. et n. Qui use beaucoup ses vêtements, ses chaussures. Un enfant *usurier*. (surt. O 27-117) Syn. : **brise-fer**, être d'**usure**.

VACANCE n. f. (angl. vacancy) [#] Temps de repos coïncidant souvent avec les vacances scolaires, vacances. Prendre la moitié de sa *vacance* en hiver pour faire du ski et l'autre moitié en été pour se faire bronzer.

VACARME n. m. *Un vacarme* : beaucoup de personnes, grande quantité, grand nombre de personnes. Il y avait *un vacarme* de monde à cette assemblée. Syn., voir : **tralée**.

VACHE n. f. **1.** Vx et pop. en fr. Paresseux. Être trop *vache* pour travailler. (surt. O 27-117) Syn. : **chienne** (sens 1), **cordon** du cœur, **côtes** sur le long, **hère**, **valteux**, **valtreux**. **2.** *Vache à thé* : vache qui donne très peu de lait, tout juste ce qu'il faut pour une tasse de thé! **3.** *Vache-orignal, vache* : orignal femelle, élan du Canada femelle. Syn. : **mère-orignal**. **4.** Pinces à grumes accrochées au centre d'une volée et servant au débusquage à bras d'hommes des billes de bois, là où on ne pouvait utiliser les chevaux. Syn., voir : **chienne** (sens 9). **5.** Sports. Au base-ball, joueur de champ, le champ d'une équipe de base-ball. **6.** *Vache marine* : morse des eaux très froides, animal mammifère amphibie appelé aussi *vache de mer* et dont les derniers survivants ont été signalés dans le golfe Saint-Laurent au début du XXe siècle. Ce mot figure dans la toponymie du Québec. (acad.) Syn. : **bête à grandes dents**. **7.** Fig. *Vache de grève* : baigneuse qui passe des heures en maillot, étendue sur le sable. **8.** *Le diable est aux vaches* : il y a de la bisbille, de la mésentente, de la chicane dans une famille, dans un parti politique, etc. **9.** *Vache de curé* : vache très grasse que les curés du XIXe siècle nourrissaient grâce à la dîme des paroissiens payée en nature : foin et grains. **10.** *Betterave à vache* : betterave fourragère. **11.** *Vache enragée* : viande coriace. Autrefois, dans les chantiers forestiers, on mangeait souvent de la *vache enragée*. Syn. : **semelle de bottes**.

VACHE adj. Vx et pop. en fr. Personne paresseuse. Être trop *vache* pour travailler.

VACHER v. intr. Paresser, flâner. S'il a raté son année c'est qu'il a *vaché* pendant les deux semestres. [+++] Syn. : **chienner** (sens 2).

VACHERIE n. f. Vx et rég. en fr. Étable moderne de très grande dimension pour des troupeaux de centaines de vaches.

VADROUILLE n. f. Mar. **1.** Rég. en fr. Balai à franges servant à dépoussiérer les parquets. Passer la *vadrouille* dans les chambres, sous les lits. [+++] Syn. : **mop**. **2.** Balai à franges longues servant à laver les parquets. [+++] Syn. : **guipon**, **mop**.

VAGUE DE NEIGE n. f. Mar. Dans les champs, amas de neige déposée par le vent et qui ressemble à des vagues qui se seraient figées. Syn., voir : **banc de neige**.

VAILLANT, E adj. et n. **1.** Qui a du cœur à l'ouvrage, laborieux, qui aime travailler. [+++] **2.** Alerte, bien portant. Le grand-père est encore *vaillant*. Syn. : **smart**.

VAILLOCHE n. f. Voir : **veilloche**.

VAISSEAU n. m. Vx en fr. Récipient de terre ou de fer-blanc utilisé pour les liquides et les solides. Vache qui donne deux *vaisseaux* de lait. Cueillir un *vaisseau* de fraises. [+++]

VALDRAGUE n. f. Mar. *À la valdrague* : à l'abandon, en désordre. Dans cette maison-là, tout est *à la valdrague*. (acad.) Syn. : **bout-ci**, **bout-là**.

VALENTIN n. m. Carte postale souvent amusante et anonyme que les garçons ou les jeunes filles s'envoient par la poste le 14 février, jour de la Saint-Valentin. Cette coutume remonte ici au milieu du XIXe siècle. [+++]

VALEUR n. f. *Être de valeur* : par antiphrase, être dommage. *C'est de valeur* que Jacques n'ait pas pu assister au mariage de sa sœur. [+++]

VALEUREUX, EUSE adj. Vigoureux, bien portant, en santé.

VALIDEUSE n. f. Machine servant à rendre valides certains billets de loterie.

VALISE n. f. **1.** [#] Malle. La valise est un bagage à main, la malle ne l'est pas. **2.** [#] *Valise à dessus rond, à dos rond, ronde* : malle à couvercle bombé. **3.** [#] Coffre d'une automobile. **4.** Fig. Personne crédule, qui gobe tout. Quelqu'un à qui on raconte des choses invraisemblables dira : «Je ne suis pas une *valise*», ajoutant parfois, «*je n'ai pas de poignée dans le dos*.» Syn. : **paillasse** (sens 1). **5.** Organe de la femme, vulve. Syn., voir : **noune**. **6.** Voir : **petite valise**.

VALLONNEUX, EUSE adj. Vallonné, accidenté, plein de vallons, de collines. Un terrain *vallonneux*. [+++] Syn., voir : **côteux**.

VALOIR v. tr. Posséder, avoir. Cet homme est très riche, il doit *valoir* une dizaine de millions de dollars.

VALTER, VALETER, VALTRER v. intr. Vagabonder, courir les chemins, ne rien faire. (Beauce)

VALTEUX, VALETEUX, VALTREUX, EUSE adj. et n. Propre à rien, paresseux, vaurien, poltron. (Beauce) Syn., voir : **vache** (sens 1).

VAN, VANNE n. f. (angl. van) **1.** Camion-remorque. La circulation des *vannes* est sévèrement contrôlée en période de dégel. [++] **2.** Autrefois magasin, dans les chantiers forestiers.

VANCOUVÈROIS, E adj. et n. Gentilé. Habitant ou natif de la ville de Vancouver en Colombie canadienne.

VANDALISER v. tr. Détériorer, saccager, abîmer par malveillance ou comme acte gratuit. Des jeunes garçons d'une quinzaine d'années ont *vandalisé* deux demeures d'un quartier chic de Québec après s'y être introduits par effraction.

VANITÉ n. f. (angl. vanity) [#] Meuble de salle de bain avec lavabo encastré sous lequel se trouve un espace de rangement fermé.

VANNEAU n. m. Pluvier, échassier à ventre noir.

VANNEUR, EUSE n. Voir : **vannoir**.

VANNOIR n. m. Ancêtre du tarare constitué d'une espèce de grand panier muni de deux anses, dans lequel on mettait le grain à vanner et qu'un homme secouait là où passait un bon courant d'air, van. Syn. : **crible**, **vanneur**, **vanneuse**.

VANTEUR, EUSE n. et adj. Vantard, personne qui a l'habitude de se vanter. [+++] Syn. : **péteux**.

VARDETTE n. f. Voir : **verdet**, **verdette**.

VARDIGO n. m. Voir : **vertigo**.

VARGER v. tr. et intr. Voir : **verger**.

VARGEUX, EUSE adj. Voir : **vergeux**.

VARLOPURE n. f. Au pl. Rubans de bois détachés par la varlope ou le rabot. On se sert souvent de *varlopures* pour allumer les poêles à bois.

VARNOCHES n. f. pl. Voir : **vernoches**.

VARNOUCHER, VARNOUSSER v. intr. Musarder, faire de menus travaux, perdre son temps, tuer le temps. Syn., voir : **bretter**.

533

VARVEAU, VERVEAU n. m. **1.** Vesce jargeau qui pousse dans les champs de foin. [+++] Syn. : **lentine**. **2.** [#] Verveux de pêcheur. (O 25-117)

VASE n. f. **1.** Vx en fr. Boue, terre détrempée qui se trouve dans les chemins, dans les rues après les pluies. Mot fréquent dans la toponymie du Québec (surt. E 25-117) Syn., voir : **pigras**. **2.** Voir : **garde-vase**.

VASEUX, EUSE adj. **1.** Rare en fr. Qui contient de la vase en parlant d'un lac ou d'un cours d'eau. **2.** Vx en fr. Boueux. Chemin, terrain *vaseux*. Adjectif fréquent dans la toponymie du Québec. (surt. E 25-117). Syn., voir : **pigrasseux**.

VASIÈRE n. f. Rég. en fr. Trou, endroit où il y a de la vase.

VASIGOT n. m. Voir : **vésigot**.

VA-VITE n. m. Diarrhée. Avoir le *va-vite* parce qu'on a mangé des pommes vertes. [+++] Syn., voir : **cliche**.

VEAU n. m. **1.** Petit de l'*orignal*, du *chevreuil* et du phoque. [+++] **2.** Fig. *Plumer son veau* : vomir pour avoir trop bu, écorcher le renard. (E 27-117) Syn., voir : plumer son **renard**. **3.** Fig. *Ramasser son veau* : nettoyer ce qu'on a vomi. **4.** Fig. *Faire un veau* : a) Échouer dans une tentative quelconque. b) Faire une fausse note en chantant. Syn., voir : **vêler** (sens 3). c) Rater un sillon en labourant. (Charsalac) Syn. : **vêler** (sens 4). d) Vomir parce qu'on a trop bu. Syn., voir : plumer son **renard**. **5.** Fig. *Pleurer son veau* : pleurer sa défaite électorale. **6.** Fig. *Être comme une queue de veau* : être très occupé, très affairé, ne pas tenir en place. [+++] Syn. : **vertigo** (sens 2). **7.** *Mois des veaux* : avril. Il n'y a pas si longtemps avril était le mois où la plupart des vaches mettaient bas. Dire à un adolescent : tu es né dans le *mois des veaux*! était une taquinerie, voire une insulte.

8. Dicton. *On aime toujours son veau; on lèche toujours son veau* : on est toujours content de ce qu'on a fait. **9.** Argot des chantiers forestiers. Bûcheron, draveur ou engagé qui est nouveau. **10.** Voir : **queue de veau**.

VÉGÉTINE n. f. Remède populaire dans lequel entrent plusieurs sortes d'herbes et qui redonne l'appétit.

VEILLÉE n. f. **1.** À la campagne, soirée dansante où l'on dansait au son de l'accordéon ou du violon. Avant 1950, beaucoup de curés défendaient de faire des *veillées* sous peine de péché mortel. **2.** *Veillée au corps* : veillée funéraire au cours de laquelle les parents et amis priaient pour le disparu et offraient leurs condoléances aux proches. Voir : **corps** (aller prier ...).

VEILLEUX, EUSE adj. et n. m. **1.** Qui aime se coucher tard. Lui, il est *veilleux* mais sa femme n'est pas *veilleuse*, elle se couche à l'heure des poules. **2.** Personne qui va passer la soirée chez un ami. **3.** Personne qui assiste à une *veillée*, à une soirée dansante.

VEILLOCHE, VAILLOCHE n. f. Tas de foin fait manuellement et qui était prêt à être chargé dans la fourragère, veillote. [+++]

VEINE D'EAU n. f. Source. C'est le sourcier avec sa baguette de coudrier qui a découvert cette *veine d'eau*. Syn. : **ressource**, **spring**.

VÊLER v. intr. **1.** Fig. Vomir pour avoir trop bu. (surt. Charsalac) Syn., voir : **renard** (sens 5). **2.** Fig. Abandonner, laisser un travail en plan. Il a *vêlé* alors que le travail était presque fini. **3.** Fig. Détonner, faire un couac en chantant. Le maire *a vêlé* en chantant le *Minuit chrétien*. Syn. : **fausser**, faire un **veau** (sens 4).

VÉLIGLACE n. f. Planche à voile spécialement conçue pour aller sur la glace. Voir : **planche à glace**.

VÉLILUGE n. f. Planche à voile spécialement conçue pour aller sur la neige. (Mot formé sur le modèle de véliplanchiste, amateur de la planche à voile). Syn. : **planche à neige**.

VELIMEUX, EUSE adj. et n. **1.** Rusé en affaires en parlant d'un adulte. Syn., voir : **ratoureur** (sens 1). **2.** Espiègle, joueur de tours en parlant d'un enfant. Syn., voir : **ratoureur** (sens 2). **3.** [#] Se dit de tout animal dangereux ou qu'on croit dangereux : reptiles, taureaux, chevaux, chiens, rongeurs, insectes. [+++] **4.** *En velimeux* : très, beaucoup. Il est fort *en velimeux*. **5.** *Être en velimeux* : être en colère.

VÉLONEIGE n. m. **1.** *Véloneige traditionnel* : jouet fait d'un seul patin (douve de tonneau ou ski) équipé en son centre d'un court poteau surmonté d'une planchette servant de siège au descendeur de côtes enneigées. Syn. : **bob**, **branle-cul**, **cacaouette**, **caouette**, **cogne-cul**, **douellon**, **giguelle**, **jumpeur**, **picaouac**, **pirouette**, **ras-cul**, **rosanac**, **slide**, **tabagane**, **tapecul**, **vire-vole**. **2.** *Véloneige moderne* : sorte de vélo fait d'un cadre portant à l'avant sur un ski commandé par un guidon et à l'arrière sur un ski fixe. Syn. : **ski-bob**, **véloski**.

VÉLOSKI n. m. Voir : **véloneige moderne**.

VELOURS n. m. Fig. *Faire un velours, un petit velours* : faire plaisir, donner du plaisir. Recevoir une carte à son anniversaire, ça *fait un petit velours*. [+++]

VELVEETA n. m. Variété de fromage à tartiner. Nom commercial.

VENDEUR, EUSE n. (angl. dealer) [Ø] *Bon vendeur* : qui se vend bien. Cette voiture japonaise, c'est un *bon vendeur* ou une *bonne vendeuse*, best-seller en parlant d'un livre.

VENDU, E n. et adj. Voir : **vire-capot**.

VENEER n. m. (angl. veneer) [Ø] Contre-plaqué, panneau de contre-plaqué. Anglicisme en perte de vitesse.

VENETTE n. f. Vx ou rég. en fr. Peur, frousse. Quand la terre a tremblé, les gens ont eu la *venette* de leur vie.

VENIR v. intr. [#] Devenir. En séchant, ça *vient* rouge.

VÉNITIENNES n. f. pl. Stores vénitiens à lamelles orientables horizontalement ou verticalement.

VENT n. m. **1.** Vx en fr. Souffle, haleine, respiration. Prendre son *vent*. **2.** *Prendre vent* : reprendre son vent, reprendre son souffle, sa respiration. **3.** *Vent à écorner les bœufs* : vent très fort. Toute la nuit il a fait un vent à *écorner les bœufs*. **4.** *Vent à dépanacher les orignaux* : vent extrêmement fort.

VENTE n. f. **1.** Soldes, rabais (angl. sale) [Ø] Certains jours de l'année, les magasins font des *ventes*, certains articles étant soldés avec des rabais pouvant atteindre 50 p. 100. Syn. : **aubaine**. **2.** *Vente de garage* (angl. garage sale) [Ø] vente de débarras : mini marché aux puces qu'un particulier tient dans son garage lorsqu'il veut se défaire de certains objets, meubles, etc. **3.** *Vente d'eau, vente de feu, vente de fumée* (angl. sale) [Ø] : liquidation à rabais de marchandises endommagées par l'eau, la fumée à la suite d'un incendie.

535

VENTER v. intr. **1.** Littér. en fr. Faire du vent. [+++] **2.** *Venter à écorner les bœufs* : faire un vent très fort. [+++]

VENTEUX, EUSE adj. Rare en fr. Où il y a plus de vent qu'ailleurs, éventé, venté. La haute-ville de Québec est *venteuse*, le mois d'avril a été *venteux*. [+++]

VENTILATEUR n. m. Trou d'aération pratiqué dans une fenêtre et que peut fermer une planchette coulissante ou pivotante. Syn., voir : **éventilateur**.

VENTRE n. m. **1.** *Avoir le ventre collé aux reins* : se dit d'une personne maigre, d'apparence rachitique, souffreteuse. **2.** Loc. adv. *Ventre à terre* : vite, rapidement. Travailler *ventre à terre*. [++] Syn. : à l'**épouvante**. **3.** *Ventre-de-bière* : bedaine, bedon de ceux qui boivent beaucoup de bière. Syn., voir : **paillasse** (sens 1).

VENTRE-BLEU n. m. Blason populaire. Habitant du Saguenay–Lac-Saint-Jean. Syn. : **bleuet**.

VENTRE-DE-BŒUF, VENTRE-DE-VACHE n. m. Autrefois surtout, fondrière dans les routes lors du dégel de la terre à la fin du printemps. (O 22-124) Syn. : **molinette, moulinet, panse-de-bœuf, panse-de-vache**.

VENTRÈCHE n. f. Ventre d'un poisson ou d'un animal de boucherie. (E 18-132)

VER n. m. Fig. *Ver à choux* : enfant agité, remuant. Syn., voir : **vertigo** (sens 2).

VERBALISÉ p. adj. **1.** *Chemin verbalisé* : à la campagne, chemin public dont l'entretien est à la charge d'une municipalité ou de l'état. Il fut un temps où chaque cultivateur devait entretenir le chemin qui traversait sa terre sur la largeur; à cette époque, les chemins n'étaient pas *verbalisés*. **2.** *Fossé verbalisé* : fossé important dans lequel se déversent des fossés secondaires et dont l'entretien, prévu par le code municipal, doit être assuré par les cultivateurs dont les eaux se déversent dans ce fossé.

VERBALISER v. tr. Assujettir à un règlement municipal un cours d'eau, un chemin.

VERCHÈRES n. f. Embarcation à rames et à fond plat fabriquée à Verchères près de Montréal et utilisée par les pêcheurs et les chasseurs. [+++]

VERDAUD, E adj. [#] Verdâtre. L'avoine est trop *verdaude* pour qu'on la coupe. [+++]

VERDÉE n. f. Correction. Recevoir ou donner une *verdée*. Il serait malvenu de donner une *verdée* aux écoliers d'aujourd'hui.

VERDET n. m.; **VERDETTE** n. f. Lanière de cuir ou hart dont on se servait pour corriger les enfants à l'école ou à la maison. [+++] Syn. : **strop**.

VÉREUX, EUSE adj. et n. **1.** Habile, adroit, rusé en affaires, un brin malhonnête, en parlant d'un adulte. Syn., voir : **crapaud** (sens 1). **2.** Espiègle, intelligent, joueur de tours en parlant d'un enfant. Syn., voir : **crapaud** (sens 2). **3.** *En véreux* : en colère. **4.** *En véreux* : très, beaucoup. Être riche *en véreux*.

VERGE n. f. **1.** Appellation usuelle de la yard anglaise, mesure de longueur valant trois *pieds* anglais ou 914 cm, introduite ici dès le début du Régime anglais pour remplacer officiellement l'*aune*. «Ordonnons que l'on fera usage en cette ville de Montréal, de la *Verge d'Angleterre*, conformément à un étalon qui sera déposé chez le Major de la Place, auquel étalon tous les négociants et marchands seront obligés de faire étalonner leur *verge...*» (Ordonnance de Gage, 3 août 1762). [+++] **2.** Dé à coudre sans fond, doigtier. [+++]

VERGER, VARGER v. tr. et intr. **1.** Frapper durement un animal avec un bâton, un fouet. **2.** Frapper des rochers en parlant de la mer en furie. La mer *verge* aujourd'hui! Syn., voir : **fesser**.

VERGETTE n. f. Gros fil de fer, presque rigide, pour les clôtures.

VERGEUX, VARGEUX, EUSE adj. [+++] **1.** Actif, laborieux. Un garçon jeune mais *vergeux*. **2.** Fig. *Pas vergeux, pas vargeux* : pas extraordinaire, pas fameux. La récolte de foin *n'a pas été vergeuse*. Syn., voir : **chatteux** (sens 2).

VERGLACER v. intr. Rare en fr. En parlant de la pluie, faire du verglas, se transformer en verglas en touchant le sol. [+++]

VERGNE, VARGNE, VERNE, VARNE n. f. Rég. en fr. Aune rugueuse qui fournit une teinture jaune et qui peut être utilisé comme *hart* pour attacher. (acad.) Syn. : **aunage**.

VÉRINE n. f. Tabac à pipe de mauvaise qualité parce que ce tabac n'est pas arrivé à sa maturité. Syn. : **chenolle**, **gordoune**, **papois**, **vérole**.

VERIOU adj. Voir : **lait veriou**.

VERMINE n. f. [#] Rats, souris. La *vermine* est dans le hangar à grains. [+++]

VERNAILLER, VERNASSER v. intr. Faire de menus travaux, musarder, perdre son temps. *Vernailler* autour de la maison. (O 36-86) Syn., voir : **bretter**.

VERNAILLEUR, EUSE n. Personne qui fait l'action de *vernailler*. (O 36-86)

VERNASSER v. intr. Voir : **vernailler**.

VERNE, VARNE n. f. Voir : **vergne**.

VERNOCHES n. f. pl. Peuplement de *vernes*, de *vergnes*, d'aunes rugueux. (acad.) Syn., voir : **aunage** (sens 3).

VERNOUSSAGE n. m. Action de *vernousser*.

VERNOUSSER, VERNOUCHER v. intr. Faire de menus travaux, musarder, perdre son temps. Passer une partie de la journée à *vernousser*. (E 36-86) Syn., voir : **bretter**.

VERNOUSSEUX, VERNOUCHEUX, EUSE n. et adj. Personne qui *vernousse*, qui *vernouche*, qui fait de menus travaux pour tuer le temps. Syn., voir : **bretteux**.

VÉROLE n. f. Tabac à pipe très fort ou de mauvaise qualité. Syn., voir : **vérine**.

VERRAT n. m. **1.** Fig. Fripouille, fripon. Méfie-toi de cet homme, c'est un *verrat*. **2.** *En verrat* : très, beaucoup. Être intelligent *en verrat*. **3.** *En verrat, en beau verrat* : de mauvaise humeur, en colère. Le père était *en verrat* quand il a appris que son fils courtisait cette fille.

VERRE À PATTE n. m. Vx en fr. Verre à pied. [+++]

VERROU n. m. Émerillon empêchant une chaîne de se tortiller, touret. Syn., voir : **tourniquet**.

VERRUE n. f. Excroissance ligneuse qui se développe sur certains arbres, loupe. Syn., voir : **nouasse**.

VERRURE n. f. [#] Verrue. Avoir des *verrures* aux mains.

VERSANT n. m. **1.** Pente dans les chemins d'hiver d'autrefois. **2.** Versoir, oreille de la charrue qui retourne le labour.

VERSANT, RENVERSANT, E adj. **1.** Qui chavire facilement, chavirant. Le canot d'écorce est plus *versant* ou *renversant* que la *verchères*. **2.** Où l'on verse facilement, en parlant des chemins d'hiver d'autrefois. Pour rendre les chemins moins *versants*, il fallait les égaliser avec un grattoir. **3.** En parlant des voitures d'hiver surtout, qui se renversent facilement. La *sainte-catherine*, sur patins très hauts, était plus *versante* que le *berlot*, sur patins très bas.

537

VERT n. (angl. green) [Ø] **1.** Argot des étudiants. Nouvel étudiant, bleu, nouveau. Bienvenue aux *verts*! Syn. : **naveau**. **2.** Un peu niais, crédule, inexpérimenté.

VERTIGO, VARDIGO n. et adj. **1.** Maladie de la vache caractérisée par le dessèchement de la queue. On guérit du *vertigo* en perforant la queue pour y introduire du sel et du poivre. [+++] **2.** Fig. Enfant très agité, qui ne peut rester en place. Syn. : **batte-feu** (sens 3), **fortillon, fourré-partout, froufrou, grouillant, grouilleux, queue de veau** (sens 6), **ver à choux**, en **vie**.

VERTU, VARTU n. f. Force, puissance d'une plante, d'un remède. Ce plant de tabac n'a pas beaucoup de *vertu*, il va sans doute dépérir puis sécher.

VERVEAU, VARVEAU n. m. [#] Verveux, c'est-à-dire filet de pêche en forme d'entonnoir, monté sur des cercles et fermé au fond. (O 25-117)

VÉSIGOT, VASIGOT, VISIGOT n. m. Épuisette utilisée pour sortir de l'eau un poisson ferré ou les poissons prisonniers dans les *pêches*. (Charlevoix) Syn., voir : **puise**.

VESSE n. f. **1.** Vx en fr. Vent intestinal silencieux mais nauséabond. [+++] Syn., voir : **fiouse**. **2.** Fig. *Vesse de loup* : a) Petite pomme de terre cuite au four en robe de chambre. b) Champignon séché ayant la forme d'une petite boule et qui dégage de la poussière brune lorsqu'on l'écrase. [++]

3. *Blême comme une vesse de carême* se dit à la blague d'une personne très pâle, très blême. [+++]

VESSER v. intr. Vx en fr. Lâcher une *vesse*, un vent intestinal silencieux mais nauséabond. Syn., voir : **fiouser**.

VESSIE n. f. **1.** Voir : **bouffie** (sens 4). **2.** Voir : **bordine**.

VESSILLE n. f. Voir : **bordine**.

VESTE, PETITE VESTE n. f. [#] Gilet d'un complet qui se porte sous le veston. [+++] Syn. : **sous-veste**.

VÊTEMENT DE BASE n. m. (angl. foundation garment) [Ø] *Sous-vêtement féminin* : linge de corps, dessous, lingerie. Anglicisme en perte de vitesse.

VEUF n. m. Fig. *Veuf à l'herbe* : homme que sa femme a quitté.

VEUGLAGE, VEUGLÉ n. m. Vaigrage d'une embarcation.

VEUGLE adj. Veule, légère, en parlant de la terre. La terre *veugle* est excellente pour la culture de la pomme de terre.

VEUGLER v. tr. Vaigrer une embarcation, en revêtant de planches de bordage le côté intérieur de ses membrures.

VEUX-TU? EN VEUX-TU, EN VLÀ! Expres. adv. signifiant beaucoup. Des bénévoles prêts à vendre l'effigie du Bonhomme Carnaval, il y en a *en veux-tu, en vlà!*

VEUVE n. et adj. m. [#] Veuf. Jacques est *veuve* depuis presque deux ans, c'est un *veuve*.

VEUVE EN VIE n. f. Avant la reconnaissance légale du divorce, femme qui ne vivait plus avec son mari. Une *veuve en vie* ne pouvait pas se remarier.

VÈZE n. f. Cornemuse. Jouer de la vèze. (acad.)

VÉZONNER v. intr. Jouer de la *vèze*, de la cornemuse. (acad.)

VHR n. m. Sigle. *V*éhicule *h*ors *r*outes. Véhicule automobile ne pouvant circuler que sur des terrains privés : **moto-neiges**, **minibikes**, **motocross**, **seadoos**.

VI (part. passé du verbe vivre) [#] Vécu. Son père a *vi* jusqu'à cent ans. [++]

VIANDE n. f. **1.** Chair vive. S'enfoncer une épine dans la *viande*, ça fait un mal de chien. [+++] **2.** *Avoir mal à la viande* : sentir des douleurs dans les muscles. [++] **3.** *Viande de bois, viande des bois, viande sauvage* : gibier, viande de gibier, venaison. Se nourrir de *viande de bois*. [+++] **4.** Fig. Excellente personne. Je connais bien la femme de Jean-Paul, c'est de la *bonne viande!* Syn. : **butin** (sens 9). **5.** Fig. *Viande fraîche* : femme jeune, jeune fille. Syn. : **poulette**.

VIANDÉ, E, VIANDEUX, EUSE, VIANDU, E adj. **1.** Fort en viande en parlant d'un animal de boucherie. Un braconnier qui tue deux orignaux dira «l'orignal est très *viandu*» pour faire croire qu'il n'en n'a tué qu'un. **2.** Corpulent, bien en chair en parlant d'une personne. Une femme *viandeuse*, un homme *viandu*. Syn., voir : **chairant**.

VICTOR n. m. Piège à ressort utilisé par les trappeurs. Marque de fabrique.

VIDANGES, DÉVIDANGES n. f. pl. [#] Ordures ménagères. Dans notre ville, on ramasse les *vidanges* deux fois par semaine. [+++]

VIDANGEUR n. m. [#] Boueux, éboueur qui ramasse les ordures ménagères. La forme féminine n'existe pas encore.

VIDANT, E adj. et n. Contenant rigide ou de tissu pouvant être réutilisé. Une poche (sac) *vidante*, un quart (tonneau) *vidant*.

VIDER v. tr. *Vider de l'eau* : verser de l'eau dans l'évier.

VIE n. f. *En vie* : agité, remuant, qui ne peut rester en place, surtout en parlant d'un enfant. Syn., voir : **vertigo** (sens 2)

VIEIL adj. m. Vieux, ancien. Le *vieil* cimetière, un *vieil* prêtre. (acad.)

VIEILLE n. f. **1.** La dame de pique au jeu de cartes. [+++] **2.** *Ma vieille* : appellation affective pour ma femme.

VIEILLEZIR, VIESIR v. intr. Vieillir. (acad.)

VIEILLIR v. intr. Grandir, en parlant des enfants. Ma nièce (qui n'a que 10 ans) a vieilli depuis l'été dernier.

VIEILLURE n. f. Ironiquement, la vieillesse. Oui, c'est beau la *vieillure*! (En Normandie on dit *vieuture*).

VIELLE n. f. *Mettre un violon en vielle* : accorder un violon en mi, la, ré, la ou lieu de l'accorder en mi, la, ré, sol. (Gaspésie).

VIEUX adj. et n. **1.** Vieux comme : *le chemin, le chemin du roi, Hérode, le temps, la terre, l'an quarante* : très vieux. **2.** *Mon vieux* : appellation affective pour mon mari. **3.** *Plus vieux* : aîné d'une famille. Mon *plus vieux* a déjà dix ans!

VIEUX-GAGNÉ, GAGNÉ n. m. Économies, épargnes. En période de chômage, beaucoup de familles doivent vivre sur leur *vieux-gagné*. [+++]

VIEUX-GARÇON n. m. **1.** Zinnia, plante ornementale. [+++] **2.** Fig. Épi de maïs sans grains.

VIEUX JOURS n. m. pl. Vieillesse. Ramasser de l'argent pour ses *vieux jours.*

VIEUX-PAYS n. m. pl. L'Europe, les pays de l'Europe occidentale, la France en particulier. Tout nord-américain rêve d'un voyage dans les *Vieux-pays*. [+++] Syn. : **bord**

VIGNEAU n. m. Rég. en fr. Table à claire-voie sur laquelle on fait sécher la morue au grand air, au vent et au soleil. (E 7-141)

VIGNETTE, VINETTE n. f. **1.** Rumex petite-oseille. (acad.) Syn., voir : **oseille**. **2.** Oseille cultivée. (acad.)

VILAIN adj. Fam. en fr. *Faire vilain* : faire mauvais temps. Hier il a *fait vilain* toute la journée. Syn. : faire **méchant**.

VILAINE n. f. *Faire la vilaine* : ne pas devenir enceinte rapidement, en parlant d'une jeune mariée. Syn., voir : être encore à l'**ancre** (sens 2).

VILLAGE n. m. Voir : **biscuit Village**.

VILLE n. f. **1.** *Ville fermée* : ville créée par une compagnie forestière ou minière pour y loger ses cadres et ses employés, qui n'avait ni conseil municipal, ni maire élus démocratiquement. Clarke City sur la Côte-Nord et Témiscaming (comté de Témiscamingue) furent longtemps des *villes fermées*. **2.** *Ville sèche* : ville où il n'y avait aucun débit d'alcool. **3.** Voir : **arriver en ville**.

VIN n. m. *Vin canadien, vin d'habitant, vin de maison* : «vins» domestiques fabriqués à partir de bleuets, de cassis, de cerises, de *gadelles*, de *patates*, de pissenlit, de blé, de rhubarbe, de riz etc., mais jamais à partir de bon raisin. [+++]

VINAIGRIER n. m. Sumac vinaigrier qui pousse le long des clôtures et des fossés.

VINETTE n. f. Voir : **vignette**.

VINGT-DEUX n. m. inv. Fusil de chasse de calibre 22.

VINGT-SIX-ONCES n. m. Bouteille d'alcool de vingt-six *onces* soit 75 centilitres (mot masculin parce que *flacon* est sous-entendu).

539

VIOLON n. m. **1.** Mélèze laricin, seul de nos conifères à perdre ses feuilles à l'automne. (acad.) Syn., voir : **épinette rouge**. **2.** Fig. *Ne pas danser plus vite que le violon* : savoir prendre son temps, respecter l'ordre dans lequel on doit faire les choses.

VIRAGE n. m. **1.** [#] Tournant d'une route. Syn., voir : **dévirage**. **2.** Fig. *Virage de capot* : action de *virer son capot*, de changer d'avis, d'allégeance politique, voire de religion.

VIRAILLER v. intr. et pron. **1.** Tourner de ci de là, tourner en rond. *Virailler* pendant une heure avant de trouver la rue qu'on cherche. [+++] **2.** Se rouler dans son lit. *Se virailler* longtemps avant de s'endormir. [+++] Syn. : se **voitrer**.

VIRAILLEUX, EUSE adj. et n. Qui tourne de ci, de là, qui tourne en rond, qui perd son temps.

VIRANT n. m. Tournant, virage, courbe d'une route. [+] Syn., voir : **dévirage**.

VIRÉ p. adj. Voir : **frais virés**.

VIRE-AU-VENT n. m. Girouette placée sur les bâtiments de ferme. Syn., voir : **vire-vent**.

VIRE-CAPOT n. m. Personne qui change d'avis, d'allégeance politique ou de religion. Syn. : **lavette**, **mitaine** (sens 4), **vendu**.

VIRE-CHIEN n. m. Argot. Autrefois, suisse chargé de maintenir l'ordre dans les églises pendant les offices religieux. (Beauce) Syn. : **garde-chien**.

VIRE-CUL n. m. Têtard qui deviendra grenouille. (acad.) Syn., voir : **queue-de-poêlon**.

VIRÉE n. f. **1.** En forêt, piste tracée autour d'une étendue d'arbres à abattre et qu'on utilisera pour le débusquage. [+++] Syn., voir : **revirée**. **2.** Tournant d'une route. [+++] Syn., voir : **dévirage**.

VIRE-LE-VENT n. m. Girouette placée sur les bâtiments de ferme. Syn., voir : **vire-vent**.

VIRÉO n. m. Oiseau insectivore propre à l'Amérique du Nord et dont certaines espèces, comme le *viréo* à tête bleue et le *viréo* de Philadelphie, se retrouvent au Québec.

VIRER, REVIRER v. tr. et intr. **1.** Fig. *Virer capot, virer son capot, reviver son capot, changer son capot* : changer d'allégeance politique, changer de religion, changer d'avis, retourner sa veste.. [+++] Syn., voir : **tourner capot**. **2.** Fig. Faire une fausse couche. [#] **3.** Fig. *Virer, virer à l'envers* : avorter, surtout en parlant d'une vache. [+++] **4.** Fig. *Virer à l'envers* : perturber, affecter profondément. La mort de leur fils les *a virés à l'envers*. [+++] **5.** *Virer au beau* : s'améliorer, devenir beau, tourner au beau, en parlant du temps. Syn., voir : s'**abeaudir**. **6.** *Virer en basse-messe* : finir, tourner en queue de poisson, ou se marier. **7.** *Virer fou* : devenir fou.

VIREVAU n. m. Mar. **1.** Cabestan utilisé à la ferme pour soulever l'animal de boucherie qu'on vient d'abattre et le suspendre la tête en bas. (entre 36-86 et 27-117) **2.** Treuil d'un puits. Syn., voir : **dévidoir**. **3.** Émerillon empêchant une chaîne de se tortiller, touret. Le *virevau* d'une chaîne à vache. Syn., voir : **tourniquet**. **4.** Variété de queue-de-rat utilisée pour agrandir un trou percé dans le métal.

VIRE-VENT n. m. Girouette placée sur les bâtiments de ferme. [+++] Syn. : **dévire**, **revire-vent**, **tourniquet**, **vire-au-vent**, **vire-le-vent**, **virole**, **virouette**.

540

VIRE-VOLE n. f. **1.** Pièce de bois mobile autour d'un pivot vertical, placé sur l'essieu du train avant d'un chariot de ferme (fourragère) ou sur le sommier avant d'un *bobsleigh*. **2.** Voir : *véloneige traditionnel*. (Lanaudière)

VIRGINIE n. m. Variété de tabac à cigarettes cultivée au Québec. Cultiver du *Virginie*.

VIRGINITÉ Fraîcheur, en parlant de viande de poisson. Se délecter en mangeant un foie de morue qui a gardé sa *virginité*.

VIROLE n. f. **1.** Girouette placée sur les bâtiments de ferme. Syn., voir : **vire-vent**. **2.** Émerillon empêchant une chaîne de se tortiller, touret. [+++] Syn., voir : **tourniquet**. **3.** Gueule-de-loup formée d'un tuyau coudé monté sur un pivot au sommet d'une cheminée pour en faciliter le tirage. Syn., voir : **dos-de-cheval**.

VIRONNER v. tr. Tourner en rond quand on est égaré en forêt. (acad.)

VIROUETTE n. f. Girouette placée sur les bâtiments de ferme. (Télescopage des mots virer et girouette) Syn., voir : **vire-vent**.

VISAGE n. m. *Visage à deux faces* : personne qui dit oui et non, hypocrite.

VISIGOT n. m. Voir : **vésigot**.

VISITE n. f. **1.** *Grande visite.* a) Visiteur important (curé, maire, député). [+++] b) Ami, parent qu'on n'a pas vu depuis longtemps. [+++] **2.** *Avoir sa visite* : avoir ses règles. Syn., voir : avoir ses **lunes**.

VISONNIÈRE n. f. Établissement d'élevage du vison pour la fourrure. [++]

541

VISOU n. m. *Avoir du visou* : avoir l'œil juste, de l'adresse au tir, viser juste. Un bon chasseur doit *avoir du visou*.

VIT n. m. Fig. Chez les pêcheurs en eau salée, aiguillot servant de pivot au gouvernail de leur barque. Le *grand vit* est fixé au bas de l'étrave et tourné vers le haut, tandis que le *petit vit*, fixé au haut du gouvernail, est tourné vers le bas.

VITE adj. **1.** Vx en fr. Expéditif en parlant d'une personne, rapide en parlant d'un animal, plus spécialement d'un cheval de course, ou encore de l'eau d'un cours d'eau. **2.** Fig. *Être vite sur ses patins* : être expéditif, ne pas être hésitant. Syn. : Ne pas avoir les deux pieds dans la même **bottine**.

VITEMENT adv. Rapidement, vite. Quand Paul a vu l'accident, *vitement* il est allé chercher le médecin.

VITESSE n. f. Fig. *Chercher ses vitesses* : être hésitant, ne pas savoir quoi faire.

VITRE n. f. *Œil de vitre* : œil artificiel, œil de verre.

VIVE-LA-JOIE n. Vx en fr. Personne gaie, qui aime chanter, danser, prendre un verre, boute-en-train.

VIVOCHER v. intr. Vivre petitement, de peine et de misère, vivoter.

VIVOIR n. m. Salle de séjour, salon. (Le mot *vivoir* mis de l'avant par l'abbé Étienne Blanchard en 1912 pour contrer living-room ne fait que vivoter.)

VIVRE v. intr. Fig. *Ne pas vivre* : être dans une inquiétude extrême. Souvent, les mères de famille mais aussi les pères *ne vivent pas*, aussi longtemps que les enfants n'ont pas réintégré le bercail.

VLONT forme verbale [#] *Les vlont* : les voilà! ils arrivent!

VOILE n. m. **1.** Pellicule de sirop apparaissant dans le trou de la *palette* qu'on utilise lorsqu'on surveille la cuisson du sirop d'érable. **2.** Mar. Fig. *Avoir plus de voile que de gouvernail.* Avoir beaucoup d'idées mais peu de jugement. [+++]

VOILER v. intr. Gauchir, se tordre, se courber, se déjeter en parlant d'une pièce de bois.

VOILIER n. m. [#] Volée. L'automne, des *voiliers* d'oiseaux se dirigent vers le sud. Syn., voir : **mariage d'oiseaux**.

VOIR v. intr. **1.** Euphémisme pour avoir ses règles. Une mère de famille amènera sa fille chez le médecin pour lui dire que cette dernière n'a pas *vu* depuis trois mois. Syn., voir : avoir ses **lunes**. **2.** Fig. *Ne pas voir clair longtemps* : être vite dépensé. Leur cinquante mille dollars d'héritage, il ne verra pas clair longtemps! Tu peux me croire! **3.** Vx en fr. *Voir à* : s'occuper de. Pendant notre absence c'est Paul qui *verra* au chauffage cet hiver. **4.** *Aller voir les filles* : courtiser des jeunes filles.

VOITRER, OUÊTRER (SE) v. pron. Se rouler sur son lit, faire la sieste. (acad.) Syn. : **virailler** (sens 2).

VOITURE n. f. **1.** *Voiture à lait* : voiture de laitier. [+++] Syn. : **cabane du laitier**. **2.** *Voiture à pain* : voiture de boulanger. [+++] Syn. : **cabane du boulanger**. **3.** *Voiture d'eau* : générique désignant toutes sortes d'embarcations, par opposition à *voiture roulante* et à *voiture traînante*. (E 20-127) **4.** *Voiture croche* : par opposition à *voiture droite*, voiture d'hiver, à un cheval et à brancard décentrable, ce qui permet au cheval de marcher dans l'une des ornières des voitures. **5.** *Voiture droite* : voiture d'hiver à un cheval et à brancard non décentrable ou non décentré, par opposition à la *voiture croche*, ce qui fait que le cheval marche entre les deux ornières laissées par les patins. **6.** *Voiture double* : voiture à deux chevaux par opposition à la *voiture simple*. **7.** *Voiture fine, voiture de garçon* : voiture légère, élégante que les garçons utilisaient pour aller voir leur bien-aimée, leur *blonde*. **8.** *Voiture fantôme*. Voir : **fantôme**. **9.** *Voiture roulante* : voiture à roues par opposition à *voiture d'eau* et à *voiture traînante*. **10.** *Voiture simple* : voiture à un cheval par opposition à la *voiture double*. **11.** *Voiture traînante* : voiture d'hiver, à patins, par opposition à *voiture roulante* et à *voiture d'eau*. **12.** Fig. *Avoir la petite voiture* : avoir la diarrhée. Syn., voir : **cliche**.

VOITURIER n. m. [#] Carrossier, charron qui fabriquait les voitures à chevaux d'été ou d'hiver alors qu'en français, le *voiturier* transporte des marchandises.

VOLANT, E adj. Voir : **étoile volante**.

VOLET n. m. Section d'une herse traînée. Syn. : **panneau** (sens 1).

VOLEUSE n. f. *Voleuse de vocation* : dans la bouche des prêtres, jeunes filles qui, pendant les vacances d'été, fréquentaient les étudiants des cours classiques de l'époque et détournaient de la prêtrise certains jeunes collégiens ou séminaristes.

VOLIER n. m. **1.** Rare ou litt. en fr. Volée d'oiseaux. L'automne, des *voliers* d'oiseaux descendent vers le sud. Syn., voir : **mariage d'oiseaux**. **2.** Fig. Banc de poissons. Il y a un *volier* de truites à la *décharge* de ce lac. Syn., voir : **ramée**.

VOTE n. m. **1.** *Vote ouvert* : vote où l'électeur (ou le votant) disait publiquement à qui il donnait sa préférence (de 1792 à 1875) et qui fut remplacé par le vote secret. **2.** *Prendre le vote* (angl. to take the vote) [Ø] : dans une assemblée, passer au vote, procéder au scrutin.

VOTEUR, EUSE n. Rare en fr. Électeur, votant. À la dernière élection, à peine la moitié des *voteurs* se sont présentés aux urnes.

VOÛTE n. f. (angl. vault) [Ø] Chambre forte, salle des coffres. Chaque succursale bancaire a une *voûte*.

VOÛTER v. intr. [#] Se voûter en parlant des personnes. Certaines personnes commencent à *voûter* à quarante ans. [+++]

VOYAGE n. m. **1.** Charge d'un véhicule hippomobile ou automobile. Acheter un *voyage* de terre noire pour son jardin. [+++] **2.** Fig. *Avoir son voyage.* a) En avoir assez, en avoir ras le bol. Ça fait six mois qu'il est cloué au lit, il *a son voyage*! [+++] Syn. : En avoir plein le *casque* ou plein son *casque* (sens 6). b) Expression marquant la surprise, l'étonnement. Paul se marie? j'*ai mon voyage* ! **3.** Fig. *Voyage de foin* : se dit de cheveux ébouriffés.

VOYAGEAGE, VOYAGEMENT n. m. Allées et venues. Habiter en banlieue, ça fait beaucoup de *voyageage*, de *voyagement* surtout quand les enfants vont au *cégep* et à l'université.

VOYAGER v. intr. **1.** Se déplacer, parcourir une certaine distance pour aller à son travail. *Voyager* soir et matin pour aller travailler. **2.** Fig. Avoir la diarrhée. Passer une partie de la nuit à *voyager*.

VOYAGERIE n. f. Magasin où l'on peut acheter tout ce dont on a besoin pour partir en voyage : valises, sacs...

VOYAGEUR n. m. **1.** Autrefois, homme au caractère aventureux, découvreur et explorateur qui a parcouru en canot ou à pied l'Amérique du Nord, qui a fait la traite avec les Amérindiens et qui était d'une débrouillardise et d'une audace inimaginables, tels Cavelier de La Salle, La Vérendrye, etc. **2.** Aujourd'hui, travailleur forestier. Syn. : **gars de bois**, **gars des bois**, **gars de chantier**, **homme de bois**, **homme de chantier**, **lumberjack**. **3.** Passager d'un avion ou d'un paquebot. Au féminin : voyageuse.

VTS n. m. Sigle. *V*éhicule *t*oute *s*aison. Véhicule automobile tout terrain dont les roues sont remplacées par des chenilles, ce qui en fait une *motoneige*.

VTT n. m. Sigle. *V*éhicule *t*out *t*errain. Véhicule automobile tout terrain monté par une seule personne et dont les roues larges et basses permettent de circuler partout en forêt. En France un VTT, c'est un *v*élo *t*out *t*errain. Syn. : **quatre-roues**.

VUE n. f. [#] **1.** Film. Il y a une belle *vue* ce soir à la télévision. [+++] **2.** *Vue parlante* : film dans lequel on entend parler les acteurs par opposition aux films muets d'autrefois. **3.** *Aller aux vues, aux petites vues* : aller au cinéma. Expression en perte de vitesse. Syn. : aller au **théâtre**. **4.** *Gars des vues* : cinéaste de science fiction qui grâce à des trucs de métier réussit à rendre vraisemblable ce qui ne l'est pas. On dit alors : ça, c'est arrangé avec le *gars des vues*! [+++] **5.** *Machine à vues* : projecteur, appareil qui projette sur un écran les images d'un film. [+++]

WABANO n. m. (amér.) **1.** Jongleur dans certaines tribus amérindiennes dont celle des *Têtes-de-boule*. **2.** Tente rudimentaire pour laquelle on utilise deux arbres auxquels on fixe une traverse qui sera le sommet de la tente. **3.** Toute réunion bruyante. Mot fréquent dans la toponymie du Québec.

WAGON, OUAGUINE n. f. (angl. wagon) [Ø] **1.** Ancienne voiture hippomobile à quatre roues servant au transport des personnes ou des marchandises. Syn. : **quatre-roues** (sens 1), **truck** (sens 1). **2.** Voiture de ferme à quatre roues, chariot, fourragère. Une *ouaguine* à foin. [++] Syn. : **panier**, **quatre-roues** (sens 1), **truck** (sens 1). **3.** Voiture-jouet à quatre roues pour enfants. Syn. : **express** (sens 2), **quatre-roues** (sens 3). **4.** *Wagon-sleigh*. Voir : **bobsleigh**.

WALKMAN n. m. (angl. Walkman) [Ø] Voir : **baladeur**.

WALL n. m. (angl. wall) [Ø] **1.** Fondation (d'une maison). Maison qui repose sur un *wall* de pierres. Syn. : **solage**. **2.** *Wall de roches* : clôture faite de pierres entassées dont on a débarrassé un champ cultivé ou à cultiver. Syn., voir : **clôture de pierres**.

WALLABEE n. f. (angl. Wallabee) [Ø] Soulier pour homme à semelle de crêpe, à empeigne style mocassin et à deux œillets. Marque de fabrique.

WALL-PLATE, PLATE n. f. (angl. wall-plate) [Ø] *Terme de charpenterie.* Sablière. La *wall-plate* sert d'appui aux chevrons. (acad. et Gaspésie)

WALTHAM n. f. Montre de poche pour hommes. Marque de fabrique.

WAMPUM, WAMPOUM, OUAPON n. m. (amér.) Coquillage provenant de la côte de l'Atlantique et utilisé comme monnaie dans les échanges entre Blancs et Amérindiens aux XVIIe et XVIIIe siècles, le coquillage bleu valant un sou et le blanc deux sous.

WANANISH n. m. (amér.) Voir : **ouananiche**.

WAPAHOU n. m. (amér.) Hibou blanc des provinces de l'Ouest.

WAPITI, OUAPITI n. m. (amér.) Cerf du Canada dont le territoire allait de l'Atlantique au Pacifique. Le *wapiti* a été en voie de disparition. Ce sont les parcs gouvernementaux qui l'ont sauvé. Mot présent dans la toponymie du Québec.

WASHEUR n. m. (angl. washer) [Ø] Rondelle de fer ou de caoutchouc qui se place sous l'écrou que l'on visse au boulon. [+++] Joint.

WASP n. m. (angl. wasp.) [Ø] Sigle. *W*hite *a*nglo *s*axon *p*rotestant. Terme péjoratif servant à désigner la bourgeoisie anglaise et protestante de Montréal.

WATAP, OUATAP n. (amér.) **1.** Racine *d'épinette blanche* ou épicéa glauque servant à coudre l'écorce de bouleau des canots. **2.** Fig. *N'avoir plus que le watap et l'erre d'aller* : être très maigre, très faible.

WATCHER v. tr., intr. et réfl. (angl. to watch) [Ø] Surveiller, épier, guetter, garder à vue, être sur ses gardes. [+++]

WATCH-FAIRE n. (angl. to watch) [Ø] Contremaître d'une équipe de travail. Lui, il ne travaille pas : c'est notre *watch-faire*. Syn. : **boss**.

WATCH OUT! inter. (angl. watch out) [Ø] Attention! Danger! Prenez garde!

WATOSSÉ n. m. (amér.) Voir : **atosset**.

WAWARON n. m. Voir : **ouaouaron**.

WEALTHY n. f. Variété de pommes à couteau. Voir : *pommes à couteau*.

WENDIGO, WINDIGO n. pr. m. (amér.) **1.** Géant fabuleux et anthropophage, esprit très puissant chez les *Algonquins*. **2.** Fig. *Partir à la wendigo* : partir très loin, dans la forêt, aux chantiers forestiers. Mot très fréquent dans la toponymie du Québec.

545

WESCOTT n. m. (angl. Wescott) [Ø] Clef à molette. Marque de fabrique.

WESTMOUNTAIS, E n. et adj. Gentilé. Natif ou habitant de Westmount, près de Montréal; de Westmount.

WET DREAM n. m. (angl. wet dream) [Ø] Éjaculation nocturne et involontaire. Dans les pensionnats de garçons, expression employée autrefois par les curés.

WHEY n. f. (angl. whey) [Ø] Petit lait. (O 40-83 et nord de l'Ontario)

WHIP n. m. (angl. whip) [Ø] Député chargé de maintenir le moral et la discipline des députés de son parti.

WHIPPET n. m. Variété de biscuits au chocolat et à la guimauve fabriqués par la biscuiterie Viau à Montréal. Marque déposée.

WHISKY BLANC n. m. Voir : **blanc**.

WHISKY-JACK n. m. (amér.) Geai du Canada (en montagnais, mangeur de gras).

WHITE TRASH n. Sobriquet méprisant et injurieux que certains anglophones du Canada appliquent à leurs compatriotes francophones, d'après l'appellation des Blancs pauvres des États du sud des États-Unis. Syn., voir : **Cannuck**.

WIGWAM n. m. (amér.) **1.** Tente transportable des Amérindiens non sédentarisés et vivant en forêt. **2.** *Passer du wigwam au bungalow* : se sédentariser, devenir sédentaire, en parlant des Amérindiens. Le mot *wigwam* est présent dans la toponymie du Québec.

WIGWAMER v. intr. et pron. Monter une tente. *Wigwamer* sur les bords d'un lac, près d'un ruisseau. Syn., voir : **tenter**.

WINCH n. m. (angl. winch) [Ø] Treuil (d'un puits). Syn., voir : **dévidoir**.

WINDIGO n. pr. m. (amér.) Voir : **Wendigo**.

WINDSHIELD n. m. (angl. windshield) [Ø] Pare-brise d'un véhicule automobile. Mot en perte de vitesse.

WINNIPÉGOIS, E adj. et n. Gentilé. Natif ou habitant de Winnipeg; de Winnipeg au Manitoba.

WIRE, OUÈRE n. m. (angl. wire) [Ø] **1.** Fil de fer. **2.** Câble d'acier.

WITOUCHE n. f. (amér.) Voir : *ouitouche*.

WOLF-RIVER n. f. Variété de pommes à couteau. Voir : **pomme à couteau**.

WOP n. m. Sigle. *Working on pavement.* Italien habitant Montréal. Cette appellation remonte à l'époque où la Montreal Tramways qui engageait beaucoup de journaliers avait des listes d'attente dont l'une était coiffée du titre *working on pavement* et dont les noms qui y figuraient étaient en majorité italiens.

WOTOSSÉ n. m. (amér.) Voir : **atosset**.

WOWARON n. m. (amér.) Voir : **ouaouaron**.

WRENCH, RÈNECHE n. m. (angl. wrench) [Ø] **1.** Clef anglaise dont l'une des deux mâchoires est mobile. [+++] **2.** *Wrench à tuyau, wrench à tube, wrench à pipe* : clef de plombier, clef à crémaillère. [+++]

X n. m. *Trois x, dans les trois x* : de première qualité, excellent en parlant d'un restaurant, d'un film, d'une pièce de théâtre, etc. Syn. : **étoile** (sens 2).

Y n. m. Fourche de chemins (d'après la forme de la majuscule).

Y pron. pers. Pop. en fr. Lui. J'y ai dit de s'habiller plus chaudement.

YALE n. m. Verrou de sûreté. Marque de fabrique.

YARD n. f. (angl. yard) [Ø] **1.** Pile de billes de bois près d'une route. Transporter les grumes jusqu'à la *yard*. **2.** Billes de bois à flotter entassées sur les berges d'un cours d'eau ou sur un lac l'hiver en attendant le dégel.

YARDER v. tr. (angl. yard) [Ø] Traîner les billes de bois depuis l'endroit où on les a coupées jusqu'à la *yard* où on les empile. Syn., voir : **haler**.

YEAST, ISSE, LISSE n. f. (angl. yeast) [Ø] Levain. Quand la *lisse* n'est pas bonne, le pain ne lève pas. Anglicisme en perte de vitesse. [+++] Syn., voir : **lève-vite**.

YEUX n. m. pl. **1.** *Yeux-croches, zyeux-croches* (n. m. ou f.) : loucheur, sobriquet donné fréquemment à quelqu'un qui louche. *Yeux-croches* ne rate jamais une soirée de danse. Syn., voir : **coq-l'œil**. **2.** *Yeux à la gadelle* : Voir : **gadelle** (sens 2).

YOFORTIERITE n. f. Nom d'un minéral découvert au mont Saint-Hilaire.

YOKE n. m. (angl. yoke) [Ø] Empiècement. Un tablier avec *yoke*.

YOUKE n. Appellation donnée à des étrangers, citadins le plus souvent, établis dans la région de l'Estrie et qui essaient de vivre près de la nature, au grand air, loin de la pollution des grandes villes.

YOUKEUR n. m. (angl. euchre) [Ø] Voir : **euchre**.

YOUPPELAIL! Exclamation marquant la surprise.

YUKONAIS, E n. et adj. Gentilé. Habitant du Yukon; du Yukon.

YUPPY n. m. (angl. yuppy) Jeune cadre compétent et à revenus élevés que se disputent l'industrie et le commerce.

YVETTE n. f. Terme péjoratif servant à désigner les femmes qui ne travaillent pas à l'extérieur mais qui continuent le rôle traditionnel des bonnes ménagères à la maison; nom tiré des manuels scolaires. Ce mot fut mis en orbite lors de la campagne référendaire en 1980. Syn. : **Louise**.

Z

ZAC n. Sigle. Zone d'aménagement contrôlé et de conservation des ressources fauniques.

ZAD n. f. Sigle. Zone d'aménagement différé.

ZAPPAGE n. m. (angl. to zap) [Ø] Voir : **pitonnage** (sens 3).

ZAPPER v. intr. (angl. to zap) [Ø] Voir : **pitonner** (sens 3).

ZAPPEUR, ZAPPEUX, EUSE n. (angl. zapper) [Ø] Voir : **pitonneur**, **pitonneux**.

ZARZAIS n. Benêt, niais. Ce *zarzais*-là ne trouvera jamais à se marier. Syn., voir : **épais**.

ZEC n. f. Sigle. Zone d'exploitation contrôlée, c'est-à-dire territoire établi par l'État, en vue de contrôler le niveau d'exploitation des ressources fauniques, et dont la gestion peut être déléguée à un organisme privé.

ZIGAILLER, ZIGONNER v. tr. **1.** Rudoyer un cheval en tirant mal à propos tantôt la rêne droite, tantôt la rêne gauche, arcanser. Syn., voir : **cisailler**. **2.** Couper, scier maladroitement avec le plus souvent un mauvais outil.

ZIGNER v. intr. **1.** Perdre son temps, travailler sans résultat apparent. Syn., voir : **bretter**. **2.** Jouer mal du violon.

ZIGNEUX, EUSE n. et adj. **1.** Lambin, lent. **2.** Mauvais joueur de violon, bien en-dessous du violoneux.

ZIGONNAGE, ZIGOUNAGE n. m. Action de *zigonner*, de *zigouner*.

ZIGONNER, ZIGOUNER v. tr. et intr. **1.** Rudoyer un cheval en tirant mal à propos tantôt la rêne droite, tantôt la rêne gauche. Syn., voir : **cisailler**. **2.** Perdre son temps, faire de menus travaux, musarder. Syn., voir : **bretter**. **3.** En parlant d'un animal, surtout un chien, se masturber après tout ce qu'il rencontre (coussin, jambes des humains, etc.).

ZIGONNEUX, EUSE adj. et n. **1.** Personne qui perd son temps, qui s'occupe de menus travaux, qui musarde. Syn., voir : **bretteux**. **2.** Animal qui zigonne.

ZIGOUNE n. f. Argot. Cigarette roulée à la main. Passe-moi donc une *zigoune*. [+++] Syn., voir : **rouleuse**.

ZIGOUNER v. intr. Voir : **zigonner**.

ZINC BARBELÉ n. m. Fil de fer barbelé, barbelé. (acad.)

ZIP n. f. Sigle. Zone d'intervention prioritaire. Mot utilisé par les agents de la dépollution, qu'il s'agisse de terrains, de lacs ou de cours d'eau. Les ports sont des *zips*.

ZIP, ZIPPEUR n. m. (angl. zipper) [Ø] Fermeture à glissière, fermeture éclair. Marque déposée. Syn. : **fermoir**.

ZIPPER v. tr. (angl. to zip) Fermer une fermeture éclair, un *zip*.

ZIRABLE adj. Répugnant qui inspire du dégoût. Un homme *zirable*, un spectacle *zirable*. (acad.)

ZIRE n. f. Répugnance, dégoût. Cela lui fait *zire*. Avoir *zire* de quelque chose. (acad.)

ZONAGE n. m. Action de *zoner*. La loi sur le *zonage* agricole du Québec a été votée en 1978.

ZONER v. tr. Décider par une loi qu'une région, qu'une partie de territoire sera zone agricole, industrielle ou domiciliaire. Le Québec a décidé de *zoner* son territoire et a voté la Loi sur la protection du territoire agricole en 1978.

ZOUNE n. Sobriquet qui s'applique à un homme ou à une femme. Tit *Zoune*, La *Zoune*.

ZYEUX-CROCHES n. Sobriquet donné fréquemment à quelqu'un qui louche, à un loucheur.

549

COMPOSÉ EN NEW BASKERVILLE CORPS 8
ET AVANT-GARDE CORPS 10
SELON UNE MAQUETTE RÉALISÉE PAR GILLES HERMAN
CE QUATRIÈME TIRAGE A ÉTÉ ACHEVÉ D'IMPRIMER
EN OCTOBRE 2008
SUR LES PRESSES DE MARQUIS IMPRIMEUR
À CAP-SAINT-IGNACE, QUÉBEC
POUR LE COMPTE DE DENIS VAUGEOIS
ÉDITEUR À L'ENSEIGNE DU SEPTENTRION